L'ŒUVRE
DE DIEU
LA PART
DU DIABLE

Du même auteur

AUX MÊMES ÉDITIONS

Le Monde selon Garp
roman, 1980
collection « Points Roman », 1981

L'Hôtel New Hampshire
roman, 1982
collection « Points Roman », 1983

Un mariage poids moyen
roman, 1984
collection « Points Roman », 1985

JOHN IRVING

L'ŒUVRE
DE DIEU
LA PART
DU DIABLE

roman

TRADUIT DE L'AMÉRICAIN PAR
FRANÇOISE ET GUY CASARIL

ÉDITIONS DU SEUIL
27, rue Jacob, Paris VIᵉ

Titre original : *The Cider House Rules*.
ISBN original : 0-688-03036-X.
William Morrow and Company, Inc. (New York)
© 1985, Garp Enterprises Ltd.

ISBN 2-02-009224-7.

à David Calicchio

La convention n'est pas la morale. La religiosité n'est pas la foi. Attaquer les premières n'est pas assaillir les secondes.

Charlotte Brontë, 1847

A toutes fins pratiques, l'avortement peut être défini comme l'interruption de la gestation avant la viabilité de l'enfant.

Dr H. J. Boldt, 1906

1

L'enfant qui se sentait chez lui
à Saint Cloud's

A l'infirmerie de l'orphelinat de Saint Cloud's, dans l'État du Maine — section Garçons —, deux infirmières étaient chargées de donner des noms aux nouveau-nés et de vérifier que leur petit pénis cicatrisait bien après la circoncision de rigueur. A l'époque (192...), tous les garçons mis au monde à Saint Cloud's étaient circoncis, parce que, au cours de la Première Guerre mondiale, le médecin de l'orphelinat avait rencontré certaines difficultés en traitant des soldats qui ne l'étaient pas. Ce docteur, qui remplissait également les fonctions de directeur de la section Garçons, n'était nullement religieux ; pour lui, la circoncision n'était pas un rite mais un acte strictement médical, exécuté pour raison d'hygiène. Il se nommait Wilbur Larch, ce qui, abstraction faite de l'odeur d'éther qui l'escortait en tout temps, rappelait à l'une des deux infirmières le bois dur et durable du conifère qui porte en anglais le même nom, *larch* : le mélèze. Elle détestait en revanche le prénom ridicule de Wilbur, et l'association stupide d'un mot comme Wilbur à quelque chose d'aussi majestueux qu'un arbre ne laissait pas de l'offenser.

L'autre infirmière se croyait amoureuse du Dr Larch, et quand c'était à son tour de choisir un nom, elle nommait fréquemment le bébé John Larch, John Wilbur (son propre père se nommait John), ou Wilbur Walsh (Walsh étant le nom de jeune fille de sa mère). Quel que fût son amour pour le Dr Larch, elle ne pouvait concevoir Larch autrement que comme un nom de famille et lorsqu'elle pensait à lui, ce n'était pas du tout un arbre qu'elle pouvait se représenter. Elle adorait le nom de Wilbur, assez neutre pour servir de prénom ou de nom de famille — et quand elle se fatiguait de John, ou que sa collègue lui reprochait de l'utiliser trop souvent, elle parvenait rarement à proposer quelque chose de plus original que Robert Larch ou Jack Wilbur (elle semblait ignorer que Jack est souvent pris comme diminutif de John)...

11

S'il avait reçu son nom de cette infirmière terne et abêtie par l'amour, il aurait sans doute été un de ces Larch ou de ces Wilbur ; avec pour prénom John, Jack ou Robert — pour rendre les choses plus ternes encore. Mais c'était au tour de l'autre infirmière, et il s'appela Homer Wells.

Le père de l'autre infirmière creusait des puits (*wells* en anglais), un métier dur, éprouvant, honnête et précis — et elle jugeait son père doté de ces qualités, ce qui prêtait au mot *wells* une certaine aura de profondeur et un côté « près de la terre ». Quant à Homer, c'était le nom qu'avait porté l'un des chats dans sa famille.

Cette autre infirmière — Nurse Angela pour presque tout le monde — donnait rarement le même nom deux fois, alors que la pauvre Nurse Edna avait eu parmi « ses » bébés trois John Wilbur Junior et deux John Larch III. Nurse Angela connaissait un nombre inépuisable de noms communs solides et sérieux, qu'elle utilisait efficacement comme noms de famille — Maple (Érable), Fields (Champs), Stone (Pierre), Hill (Colline), Knot (Nœud), Day (Jour), Waters (Eaux), pour citer quelques exemples — et une liste à peine moins impressionnante de prénoms empruntés à l'histoire d'une famille comptant de nombreux chiens et chats défunts mais chéris (Felix, Fuzzy, Smoky, Sam, Snowy, Joe, Curly, Ed et le reste).

Bien entendu, pour la plupart des orphelins ces noms n'étaient que temporaires. La section Garçons parvenait plus facilement que la section Filles à placer ses orphelins dans des foyers au cours de leurs premières semaines, bien trop tôt pour qu'ils puissent connaître le nom choisi par leur brave infirmière ; la plupart ne se souviendraient même pas de Nurse Angela ou de Nurse Edna, les premières femmes au monde qui leur aient fait des câlins. Selon les principes stricts du Dr Larch, les familles adoptives des orphelins *ne devaient pas* connaître les noms dispensés par les infirmières avec tant de zèle. A Saint Cloud's, on estimait qu'en quittant l'orphelinat l'enfant devait vivre les émotions d'un nouveau départ — mais (surtout pour les garçons difficiles à placer, qui restaient à Saint Cloud's plus longtemps) Nurse Angela, Nurse Edna et même le Dr Larch avaient du mal à croire que leurs John Wilbur et leurs John Larch (leurs Felix Hill, Curly Maple, Joe Knot et Smoky Waters) ne possédaient pas leurs « noms d'infirmière » pour toujours.

Si Homer Wells conserva son nom, c'est qu'il revint à Saint Cloud's si souvent, après tant d'échecs dans des familles adoptives, que l'orphelinat fut contraint de tenir compte de ses intentions : il voulait faire de Saint Cloud's son foyer. Personne n'accepta facilement la chose, mais Nurse Angela et Nurse Edna — puis finalement le Dr Wilbur Larch — furent contraintes d'admettre qu'Homer Wells se sentait *chez lui* à Saint Cloud's. On cessa d'offrir à l'adoption cet enfant obstiné.

Nurse Angela, amoureuse des chats et des orphelins, fit observer un jour qu'Homer Wells devait adorer le nom qu'elle lui avait donné puisqu'il s'acharnait à ce point à ne pas le perdre.

Saint Cloud's (Maine) — l'agglomération — avait été un campement de bûcherons pendant la majeure partie du dix-neuvième siècle. Le campement et, peu à peu, la bourgade s'installèrent dans la vallée de la rivière, où le sol plat permettait de construire plus facilement les routes et de transporter sans trop de peine le matériel lourd. Le premier bâtiment fut une scierie. Les premiers habitants, des Canadiens français — trappeurs, bûcherons, scieurs de long ; puis vinrent les rouliers et les mariniers de la rivière, ensuite les prostituées, les vagabonds et les vauriens. Pour finir, on construisit une église. Le premier campement de bûcherons avait été baptisé tout simplement Clouds, *Nuages* — parce que, dans le creux de la vallée, les nuages avaient du mal à se dissiper. La brume s'attardait au-dessus du torrent furieux jusqu'au milieu de la matinée et les rapides, qui rugissaient sur cinq kilomètres en amont du site du premier campement, produisaient de l'embrun en tout temps. Quand les premiers coupeurs de bois se mirent à l'œuvre dans la vallée, seuls les taons noirs et les moustiques s'opposèrent à leur viol de la forêt ; ces insectes infernaux préféraient le couvert presque constant des nuages stagnant dans les vallées de l'intérieur, à l'air pur des montagnes ou à la lumière vive des côtes ensoleillées du Maine.

Le Dr Wilbur Larch — qui n'était pas seulement le médecin de l'orphelinat et le directeur de la section Garçons (il avait également fondé l'établissement) — rédigeait, sur sa propre initiative, l'histoire de la ville. Selon lui, le campement de bûcherons portant le nom de Clouds était devenu Saint Clouds uniquement en raison de « l'instinct fervent des catholiques isolés dans les bois à mettre un saint devant n'importe quoi — comme pour conférer aux choses une grâce qu'elles n'auraient jamais pu acquérir de façon naturelle ». Le campement de bûcherons demeura donc Saint Clouds pendant presque un demi-siècle, puis l'on inséra l'apostrophe — sans doute un quidam ignorant l'origine du campement. Mais à l'époque où Saint Clouds devint Saint

Cloud's, c'était plutôt un bourg de scieries qu'un camp de débardage. La forêt n'existait plus à des lieues à la ronde ; plus de troncs encombrant la rivière, et à la place du campement de fortune plein de boiteux et d'estropiés (pour être tombés des arbres ou s'être fait tomber des arbres dessus) s'élevaient de hautes piles bien alignées de planches fraîchement sciées en train de sécher sous un soleil diffus. Partout régnait une sciure collante, parfois si fine qu'on ne pouvait la voir, bien qu'elle fût sans cesse présente dans les éternuements et les râles de gorge de Saint Cloud's, la cité aux nez irrités à perpétuité et aux poumons toujours pris. Les blessés de la ville arboraient à présent des points de suture et non plus des bleus et os brisés ; ils portaient les balafres (et trouvaient moyen de faire parade des morceaux qui leur manquaient) que leur décernaient les nombreuses scies de l'entreprise. La plainte suraiguë de ces lames était aussi constante à Saint Cloud's que le brouillard, les vapeurs et l'humidité qui ensevelissent l'intérieur du Maine dans le froid mordant de ses longs hivers pluvieux et enneigés, puis dans la chaleur fétide et suffocante de ses étés bruineux, bénis à l'occasion par de violents orages.

Il n'y avait jamais de printemps dans cette partie du Maine, sauf pendant les semaines de mars et d'avril, qui se distinguaient par la boue du dégel. Le matériel lourd de débardage se trouvait aussitôt immobilisé ; toute activité cessait en ville. Les routes impraticables condamnaient chacun à rester chez soi — au printemps la rivière était si haute, et filait à une telle vitesse, que personne ne se risquait à la descendre en bateau. A Saint Cloud's, printemps voulait dire : problèmes. C'était la saison des suicides. C'était au printemps que l'on plantait — et en abondance — la graine d'orphelinat.

Et l'automne ? Dans son journal — son journal fourre-tout, son rapport quotidien sur les affaires de l'orphelinat — le Dr Wilbur Larch a écrit sur l'automne. Toutes les notes du Dr Larch commencent par : « Ici à Saint Cloud's... » — sauf celles qui commencent par : « Dans d'autres parties du monde... » Sur l'automne, le Dr Larch a écrit : « Dans d'autres parties du monde, l'automne sert à la récolte ; on cueille les fruits après les travaux du printemps et de l'été. Ces fruits pourvoient au long assoupissement et à la saison sans croissance que l'on appelle hiver. Mais ici à Saint Cloud's, l'automne ne dure que cinq minutes. »

Quel genre de climat peut-on espérer pour un orphelinat ? Peut-on imaginer un temps de *vacances* ? Un orphelinat peut-il s'épanouir dans une ville *sans péché* ?

Dans son journal, le Dr Larch se montrait remarquablement

économe de papier. Il notait tout d'une petite écriture serrée, des deux côtés de chaque feuille, couverte de haut en bas. Le Dr Larch n'était pas homme à laisser des marges. « Ici à Saint Cloud's, a-t-il écrit, devinez qui est l'ennemi des forêts du Maine, le père indigne des bébés non désirés, la raison pour laquelle la rivière est étouffée par le bois mort, et les terres de la vallée dénudées, incultes, érodées par les inondations... Devinez *qui* est l'insatiable destructeur (d'abord du bûcheron aux mains poisseuses et aux doigts en bouillie ; puis du scieur de long, esclave de la scierie, aux mains sèches et crevassées, avec certains doigts seulement pour mémoire), et devinez *pourquoi* ce glouton ne se contente pas de bois de chauffage ou de construction... Devinez *qui*. »

Pour le Dr Larch, l'ennemi était le papier — plus précisément la Ramses Paper Company. Il y avait assez d'arbres pour le bois de construction, estimait le Dr Larch, mais il n'y en aurait jamais assez pour tout le papier dont la Ramses Paper Company semblait avoir envie ou besoin — surtout si personne ne plantait d'autres arbres. Quand la vallée entourant Saint Cloud's fut dénudée et que la repousse (conifères arbustifs et bois blancs nés du hasard et laissés à l'abandon) se répandit partout comme l'herbe folle des marais, quand il n'y eut plus de grumes à envoyer de Three Mile Falls, en amont de Saint Cloud's — parce qu'il n'y avait plus d'arbres —, la Ramses Paper Company fit entrer le Maine dans le vingtième siècle en fermant la scierie et l'entreprise de débardage des bords de la rivière pour les transférer plus loin, en aval.

Et que resta-t-il sur les lieux ? Le mauvais temps, la sciure, les berges écorchées et meurtries de la rivière (à l'endroit où les énormes convois de troncs, qui se bloquaient, avaient creusé à vif une nouvelle berge) et les bâtiments eux-mêmes : la scierie avec ses fenêtres brisées sans volets ; l'hôtel de passe avec son dancing au rez-de-chaussée et sa salle de loto donnant sur le torrent ; les rares maisons particulières, du genre cabane de rondins — et l'église catholique (à cause des Canadiens français), qui semblait trop propre et inutilisée pour appartenir à Saint Cloud's, où elle n'avait jamais eu la moitié du succès des putes, du dancing, ou même du loto. (Dans son journal, le Dr Larch a écrit : « Dans d'autres parties du monde, on joue au tennis ou au poker, mais ici, à Saint Cloud's, on joue au loto. »)

Et les gens qui restaient ? Personne de la Ramses Paper Company, bien entendu, mais il restait des gens : les plus vieilles et les moins jolies des prostituées, ainsi que leurs enfants. Aucun des officiants dédaignés de l'église catholique de Saint Cloud's ne demeura sur

15

place ; il y avait davantage d'âmes à sauver en suivant la Ramses Paper Company vers l'aval.

Dans sa *Brève Histoire de Saint Cloud's*, le Dr Larch a fourni la preuve qu'au moins une de ces prostituées savait lire et écrire. Sur la dernière barge qui partit en aval pour suivre la Ramses Paper Company vers une nouvelle civilisation, une prostituée relativement lettrée envoya une missive adressée : À TOUT FONCTIONNAIRE DE L'ÉTAT DU MAINE CHARGÉ DU SORT DES ORPHELINS !

Dieu sait comment, cette lettre parvint à quelqu'un. Passant de main en main (« parce qu'elle provoquait la curiosité, a écrit le Dr Larch, autant qu'en raison de son degré d'urgence »), l'épître aboutit à la Commission de la santé de l'État. Au plus jeune membre de cette commission — « un jeune chien frais émoulu de la Faculté » (définition du Dr Larch par lui-même) — on montra la lettre de la prostituée comme une sorte d'appât. Le reste de la commission prenait le jeune Larch pour « l'unique démocrate et libéral de l'assemblée, d'une naïveté sans espoir ». La lettre disait : « Y FAU-DRAIT BIEN UN FOUTU DOCTEUR, UNE FOUTUE ÉCOLE ET MÊME UN FOUTU FLIC ET UN FOUTU AVOCAT À SAINT CLOUD'S, QUI A ÉTÉ DÉSERTÉ PAR SES FOUTUS MECS (TOUS DES PAS GRAND-CHOSE) ET LAISSÉ À DES FEMMES SANS DÉFENSE ET À DES ORPHELINS ! »

Le président de la Commission de la santé de l'État était un médecin à la retraite qui pensait qu'en dehors de lui-même le président Teddy Roosevelt était le seul homme au monde à ne pas être né d'une banane.

— Jetez donc un coup d'œil dans ce mic-mac, Larch, dit le président, ne se doutant guère que de cette invitation allait bientôt naître un établissement financé par l'État — pour des orphelins ! —, un établissement qui obtiendrait un jour des subsides fédéraux (au moins partiellement) et même la forme plus vague et moins fiable de soutien qu'offre « la bienfaisance privée ».

Quoi qu'il en fût, en 190..., alors que le vingtième siècle — si jeune et plein de promesses — s'épanouissait (même au cœur du Maine), le Dr Larch entreprit la tâche de redresser les torts existant à Saint Cloud's. C'était une œuvre à sa mesure. Pendant près de vingt ans, il ne quitterait Saint Cloud's qu'une seule fois — pour la Première Guerre mondiale, où l'on peut douter qu'il fût plus nécessaire que dans le Maine. Imagine-t-on, pour défaire ce que la Ramses Paper Company avait fait, meilleur candidat qu'un homme portant le nom d'un des grands conifères du monde ? Dans son journal — qui en était à ses balbutiements — le Dr Larch écrivit : « Ici à Saint Cloud's, il est grand temps que quelque chose soit fait pour le *bien* de quelqu'un. Peut-il exister, pour une tentative d'amélioration — pour le perfectionnement de soi *et* le bien de tous —, un meilleur endroit que des lieux où le mal a si manifestement fleuri, sinon totalement triomphé ? »

En 192..., quand Homer Wells naquit, eut son petit pénis cisaillé et reçut son nom, Nurse Edna (qui était amoureuse) et Nurse Angela (qui ne l'était pas) avaient en commun un petit nom tendre pour le fondateur, médecin, historiographe, héros militaire (il était même décoré) et directeur de la section Garçons de Saint Cloud's.

« *Saint* Larch », l'appelaient-elles — et pourquoi pas ?

Quand Wilbur Larch accorda à Homer Wells la permission de rester à Saint Cloud's aussi longtemps que l'enfant se sentirait chez lui à l'orphelinat, le docteur ne faisait qu'exercer son autorité — considérable et méritée. Oui, sur la question de qui était chez lui à Saint Cloud's, le Dr Larch faisait autorité. Saint Larch avait trouvé — au vingtième siècle — l'endroit où il pourrait, comme il disait, « se rendre utile ». Et ce fut précisément l'instruction qu'il donna à Homer Wells lorsqu'il accepta, d'un air sévère, le besoin de rester à Saint Cloud's que ressentait l'enfant.

— Eh bien, dans ce cas, Homer, lui dit Saint Larch, j'espère bien que tu sauras te rendre utile.

Homer Wells n'existait qu'en se rendant utile. Son besoin de se rendre utile semble même antérieur aux instructions du Dr Larch. Ses premiers parents adoptifs l'avaient ramené à Saint Cloud's, pensant qu'il avait quelque chose de détraqué : il ne pleurait jamais. Ils se plaignaient de se réveiller dans le silence même qui les avait poussés à adopter un enfant. Ils se réveillaient affolés que le bébé ne les ait pas réveillés ; ils se précipitaient dans la chambre d'enfant, s'attendant à le trouver mort, or Homer Wells était là en train de se mordre (sans dents) la lèvre, ou peut-être de faire la grimace, mais sans protester de n'être ni nourri, ni changé. Les parents adoptifs d'Homer le soupçonnaient d'être réveillé et de souffrir en silence depuis des heures. Ils ne trouvaient pas cela normal.

Le Dr Larch leur expliqua que les nouveau-nés de Saint Cloud's avaient l'habitude de rester couchés dans leur lit sans personne alentour. Nurse Angela et Nurse Edna, si tendrement dévouées qu'elles fussent, ne pouvaient pas se précipiter vers chaque bébé à la seconde où il lui prenait l'envie de pleurer. Crier n'était guère utile à Saint Cloud's. (Au fond de son cœur le Dr Larch savait cependant que la capacité d'Homer à retenir ses larmes était exceptionnelle, même pour un orphelin.)

L'expérience avait appris au docteur que des parents adoptifs capables de se dégoûter aussi facilement d'un bébé ne font pas les meilleurs parents d'orphelin. Les premiers parents adoptifs d'Homer avaient si vite supposé qu'on leur avait donné un détraqué — un retardé, une nouille, un cerveau fêlé — que le Dr Larch ne prit même pas la peine de discuter. Mais Homer était un bébé en bonne santé, destiné à parcourir gaillardement le long chemin de la vie.

La deuxième famille adoptive réagit différemment à l'absence de son d'Homer — la placidité avec laquelle il restait couché, lèvre supérieure crispée et mâchoires serrées (comme pour mordre la balle de fusil). La deuxième famille adoptive battit l'enfant avec une telle constance qu'elle parvint à tirer de lui certains bruits « normaux » de bébé. Homer fut donc sauvé par ses pleurs.

S'il s'était montré acharné dans sa résistance aux larmes, dès qu'il vit que les pleurs, les cris et les gémissements comblaient les désirs de sa famille adoptive, il voulut se rendre utile et offrit, de tout son cœur, les hurlements les plus vigoureux qu'il put exécuter. Étant donné l'heureuse nature d'Homer, le Dr Larch n'apprit pas sans surprise que le nouveau bébé de Saint Cloud's troublait la paix de Three Mile Falls, le petit village voisin. Petit, par bonheur, car les cris d'Homer devinrent le centre des commérages de l'endroit pendant plusieurs semaines ; et voisin, Dieu merci, parce que la rumeur parvint à Saint Cloud's, et donc à Nurse Angela et à Nurse Edna, détentrices exclusives du marché des ragots dans tous ces villages nés de la rivière, des bois et du papier. Quand les deux infirmières entendirent raconter que leur Homer Wells maintenait Three Mile Falls sans sommeil jusqu'aux petites heures de la nuit, puis réveillait le village avant le jour, leur bonne mémoire ne leur fit pas défaut ; elles se rendirent sur-le-champ auprès de Saint Larch.

— Ce n'est pas mon Homer ! s'écria Nurse Angela.

— Il n'a pas un naturel criard, Wilbur, lança Nurse Edna — saisissant au vol toute occasion de prononcer ce nom si cher à son cœur : Wilbur. (Ce qui mit Nurse Angela en rogne, comme toujours quand Nurse Edna succombait à son désir d'appeler le Dr Larch *Wilbur* en sa présence.)

— *Docteur* Larch, reprit Nurse Angela, avec une politesse formelle volontairement excessive, si Homer Wells réveille Three Mile Falls au

18

milieu de la nuit, c'est parce que cette famille à qui vous l'avez confié brûle cet enfant avec des cigarettes.

Cette famille n'était pas comme ça. Il s'agissait d'un des fantasmes favoris de Nurse Angela, qui détestait le tabac ; la seule vue d'une cigarette piquée dans la bouche de quelqu'un lui rappelait un Indien francophone venu voir son père au sujet d'un puits à creuser, et qui avait écrasé son mégot sur la tête d'un des chats de la fillette ! Il lui avait brûlé le museau ; le chat, une femelle affranchie particulièrement câline, avait sauté en l'air pour retomber sur les genoux de l'Indien. Cette chatte se nommait Bandit — elle avait le visage masqué classique d'un raton laveur. Nurse Angela s'était abstenue de donner à l'un ou l'autre des orphelins le nom de Bandit : elle prenait Bandit pour un nom de fille.

Mais ces gens de Three Mile Falls n'étaient pas des sadiques d'une espèce bien connue. L'homme, entre deux âges, vivait avec sa femme plus jeune et ses enfants d'un premier mariage, déjà adultes ; la jeune épouse désirait un enfant à elle mais ne parvenait pas à l'avoir Chacun dans la famille trouvait « pas mal » que la jeune femme ait son enfant. Ce que personne ne signala, c'est que l'un des enfants adultes du précédent mariage avait eu un enfant naturel et ne s'en était pas très bien occupé. Le nouveau-né avait pleuré à n'en plus finir. Tout le monde s'était plaint du bébé qui braillait jour et nuit, puis un beau matin la fille avait simplement pris son enfant, et la porte — en laissant pour tout message :

J'EN AI MARRE DE VOUS ENTENDRE VOUS PLAINDRE DE MON GOSSE QUI PLEURE. SI JE PARS VOUS NE REGRETTEREZ NI MOI, NI SES CRIS.

Mais les cris leur manquèrent — tout le monde regretta ce merveilleux bébé braillard et la chère fille un peu bébête qui l'avait emporté.

— Ça ne serait pas mal d'avoir encore un bébé qui pleure dans la maison, fit observer un membre de la famille.

Et ils allèrent se procurer un bébé à Saint Cloud's.

Ce n'était vraiment pas la famille qu'il fallait à un bébé non braillard. Le silence d'Homer les déçut à tel point qu'ils le prirent pour une sorte d'affront. Ce fut à qui, parmi eux, pourrait lui faire pousser son premier cri. Après le premier cri, le jeu évolua : à qui pourrait le faire pleurer le plus fort, puis le plus longtemps.

Au départ, ils le firent pleurer en ne lui donnant pas à manger, mais ils obtinrent les cris les plus violents en le faisant souffrir ; en règle générale ils le pinçaient ou le frappaient, mais il existe des preuves manifestes que le bébé fut également mordu. Ils parvinrent aux pleurs

19

les plus longs en lui faisant peur ; ils découvrirent vite que le meilleur moyen d'effrayer un bébé est de le surprendre. Pour que les cris d'Homer Wells deviennent une légende à Three Mile Falls, il fallut que ces gens soient très experts dans l'art d'obtenir d'un bébé les pleurs les plus violents et les plus longs. Car, à Three Mile Falls, il était difficile d'entendre quoi que ce fût — sans parler de la difficulté d'établir une quelconque légende dans un trou pareil.

Les chutes elles-mêmes produisaient un rugissement continu si assourdissant que Three Mile Falls était une ville parfaite pour commettre un meurtre ; personne ne pouvait y entendre un coup de fusil ou un hurlement. Si vous assassiniez quelqu'un à Three Mile Falls, et que vous jetiez le cadavre dans la rivière à la hauteur des chutes, il était impossible d'arrêter le cadavre (ou même de le ralentir, sans parler du problème pour le repérer) avant qu'il ait descendu les cinq kilomètres de rapides jusqu'à Saint Cloud's. Il était donc d'autant plus remarquable que le village entier eût entendu le genre de cris que poussait Homer Wells.

Il fallut presque une année des attentions de Nurse Angela et de Nurse Edna pour que l'enfant cesse de se réveiller en hurlant, ou de pousser un gémissement chaque fois que quelqu'un traversait son champ de vision, chaque fois qu'il entendait un bruit humain — une chaise traînée sur le parquet ou même un grincement de lit, la fermeture d'une fenêtre, l'ouverture d'une porte. La moindre image et le moindre son associés à un être humain susceptible de se diriger dans sa direction provoquaient un cri perçant, suffocant, et de tels sanglots affolés que tout visiteur de la section Garçons prenait aussitôt l'orphelinat pour un palais des tortures de conte de fées, une prison où les enfants étaient molestés et violentés au-delà de toute imagination.

— Homer, Homer, disait le Dr Larch d'une voix apaisante — tandis que l'enfant, le visage en feu, écarlate, remplissait ses poumons —, Homer, tu vas nous faire soumettre à une enquête pour meurtre ! Tu vas provoquer la fermeture de notre établissement.

La pauvre Nurse Edna et la pauvre Nurse Angela furent sans doute marquées de façon plus indélébile par la famille adoptive de Three Mile Falls qu'Homer Wells lui-même ; et le bon Saint Larch, le grand Saint Larch ne se remit jamais tout à fait de l'incident. Il avait rencontré cette famille, il avait interrogé chacun de ses membres — or il s'était affreusement mépris à leur sujet ; et il les avait tous revus le jour où il s'était rendu à Three Mile Falls pour ramener Homer Wells à Saint Cloud's.

Jamais le Dr Larch n'oublierait la frayeur qui se peignit sur les traits

20

de tous quand il traversa la maison à grands pas pour prendre Homer dans ses bras. La peur sur leurs visages le hanterait pour toujours — symbole de ce qu'il ne parviendrait jamais à élucider : la grande ambiguïté des sentiments des adultes à l'égard des enfants. D'un côté le corps humain, si manifestement conçu pour désirer des enfants — de l'autre l'esprit humain, tellement obscur et confus sur cette question. Parfois l'esprit ne désirait pas d'enfant, mais parfois il se montrait si pervers qu'il poussait d'autres êtres à en avoir, tout en sachant qu'ils ne les désiraient pas ! Dans l'intérêt de qui s'exerçaient ces pressions ? se demandait le Dr Larch. Dans l'intérêt de qui certains esprits tenaient-ils absolument à ce que des enfants — y compris ceux qui n'étaient désirés par personne — fussent mis au monde dans les cris et les larmes ?

Et quand d'autres esprits croyaient désirer des enfants mais ne pouvaient pas (ou ne voulaient pas) prendre soin d'eux ensuite ?... A quoi donc songeaient ces esprits ! Quand l'esprit du Dr Larch s'égarait sur ce sujet, il revoyait toujours la frayeur sur les visages de cette famille de Three Mile Falls, et il entendait toujours le hurlement légendaire d'Homer Wells. La terreur de cette famille était fixée à jamais dans la vision de Saint Larch ; personne, croyait-il, après avoir vu une telle frayeur, ne pourrait pousser une femme à avoir un bébé qu'elle ne désirait pas. « PERSONNE, écrivit le Dr Larch dans son journal, pas même un individu de la Ramses Paper Company ! »

Il suffisait d'avoir un grain de bon sens pour éviter de prendre parti contre l'avortement en présence du Dr Larch — sinon vous subissiez jusque dans le moindre détail le récit des six semaines passées par Homer Wells dans la famille de Three Mile Falls. C'était la seule manière dont Larch évoquait le problème (qui, pour lui, n'était pas ouvert au débat). Il était accoucheur, mais quand on le lui demandait — et si cela ne présentait pas de risque pour la mère — il était également avorteur.

A l'âge de quatre ans, Homer cessa d'avoir ses cauchemars — ceux qui réveillaient d'un coup tous les habitants de Saint Cloud's, les rêves qui avaient poussé le veilleur de nuit à donner son congé (« Mon cœur, déclara-t-il, ne supportera pas une nuit de plus sous le même toit que cet enfant »), des rêves si solidement ancrés dans le souvenir du Dr Wilbur Larch qu'il entendit pleurer des bébés dans son sommeil pendant des années ; il se retournait sous les couvertures en disant : « Homer, Homer, tout va bien maintenant, Homer. »

A Saint Cloud's, bien entendu, des bébés pleuraient toujours dans

21

le sommeil de tout le monde, mais aucun ne s'éveillait en criant à la manière d'Homer Wells.

— Seigneur, c'est comme si on le *poignardait!* s'écriait Nurse Edna.

— Comme si on le brûlait avec une cigarette, répliquait Nurse Angela.

Mais seul Wilbur Larch savait à quoi correspondait ce réveil d'Homer Wells qui, par sa violence même, réveillait chacun. « C'est comme si on le circoncisait, écrivit le Dr Larch dans son journal. Comme si quelqu'un cisaillait son petit pénis — et ne cessait de cisailler, cisailler, cisailler. »

La troisième famille adoptive qui échoua avec Homer Wells possédait des qualités si rares, si exceptionnelles, qu'il serait vain de juger la race humaine selon son exemple. C'était la bonté même. C'était la perfection — sinon le Dr Larch ne l'aurait pas laissée emmener Homer. Après la famille de Three Mile Falls, il redoublait de prudence.

Le Pr Draper et son épouse de près de quarante ans habitaient à Waterville, dans le Maine. Certes Waterville n'était pas une capitale de l'esprit en 193..., quand Homer Wells y arriva ; mais, comparée à Saint Cloud's ou à Three Mile Falls, elle pouvait passer pour une communauté de géants sur le plan moral et social. C'était une ville de l'intérieur, d'un niveau considérablement plus élevé — il y avait des montagnes non loin, et, depuis ces montagnes, on jouissait d'authentiques panoramas ; la vie en montagne (comme la vie près de l'océan, en grande plaine ou en campagne cultivée) offre aux habitants le luxe d'un paysage. Vivre à un endroit où l'on peut de temps en temps voir loin confère à l'âme une certaine perspective, plus vaste et donc salutaire — en tout cas le Pr Draper le croyait ; c'était un éducateur-né.

— Les vallées non cultivées, déclamait-il volontiers, que j'associe à des forêts trop basses et trop denses pour offrir une vue, ont tendance à contracter les qualités inspiratrices de la nature humaine et à renforcer les instincts bas et mesquins.

— Tu vois, Homer, disait alors Mme Draper. Le professeur est un éducateur-né. Il faut que tu prennes ses paroles avec un grain de sel.

Pour tout le monde, elle était Mom. Personne (y compris ses enfants adultes et ses petits-enfants) n'appelait son mari autrement que Professeur. Même le Dr Larch ne connaissait pas son prénom. Son ton était toujours pontifiant, parfois même sanctifiant, mais il avait des habitudes régulières et un tempérament égal ; il se montrait même facétieux.

22

— Les souliers mouillés, dit-il un jour à Homer, sont un fait de la vie du Maine. Une donnée de l'existence. Ta méthode, Homer, qui consiste à mettre tes souliers mouillés sur l'appui d'une fenêtre, où ils ont une chance de sécher grâce à l'apparition timide, et d'ailleurs rare, du soleil du Maine, est admirable pour son positivisme, pour son optimisme résolu. Néanmoins, enchaînait le professeur, je préconiserais quant à moi une autre méthode pour souliers mouillés — méthode, ajouterais-je, indépendante des circonstances atmosphériques — qui met en œuvre une source de chaleur plus fiable dans le Maine : à savoir, la chaudière. Et si tu considères que les jours où les souliers se mouillent sont, en règle générale, les jours où nous ne voyons pas le soleil, tu reconnaîtras que la méthode chaufferie possède certains avantages.

— Avec un grain de sel, Homer, lançait Mme Draper à l'enfant.

Même le professeur l'appelait Mom ; même Mom appelait son époux Professeur.

Si Homer Wells trouva la conversation du professeur très riche en maximes essentielles, il ne s'en plaignit pas. Les étudiants du Pr Draper à l'université et ses collègues à la section Histoire le tenaient pour un raseur sentencieux — et avaient tendance à décamper sur son passage comme des lapins fuyant le chien un peu bête mais qui garde la truffe rivée à la piste ; seulement ils ne pouvaient pas influencer l'opinion d'Homer sur la première « image du père » qui, dans sa vie, fût entrée en concurrence avec le Dr Larch.

A son arrivée à Waterville, Homer reçut aussitôt une forme d'attention qu'il n'avait jamais connue. Nurse Angela et Nurse Edna pourvoyaient à l'essentiel ; et le Dr Larch, son bienfaiteur affectueux, demeurait austère et distrait. Mais Mme Draper, Mère entre toutes les mères, l'enveloppa de sa tendresse. Elle était debout avant son réveil ; les galettes qu'elle préparait pendant le petit déjeuner étaient encore miraculeusement chaudes dans sa gamelle à midi. Maman Draper accompagnait Homer à l'école — ils partaient à pied, à travers champs, dédaignant la route ; elle disait : « C'est mon petit tour de santé. »

L'après-midi, le Pr Draper allait chercher Homer dans la cour de l'école — la fin de la classe semblait coïncider, comme par magie, avec le dernier cours du professeur à l'université — et ils battaient la semelle ensemble jusqu'à la maison. L'hiver, qui vient tôt à Waterville, leurs semelles étaient littéralement battues, car le professeur plaçait la maîtrise de la marche à raquettes dans la neige sur le même plan que l'acquisition de la lecture et de l'écriture.

23

— Utiliser le corps, Homer, c'est utiliser l'esprit, disait le professeur.

On comprend sans peine pourquoi le professeur avait fait une vive impression sur Wilbur Larch. Il représentait une image saisissante de l'utilitarisme.

A vrai dire, cette routine, ce train-train, l'extrême prévisibilité des journées plaisaient beaucoup à Homer. Un orphelin est davantage enfant que les autres enfants par son goût des choses qui surviennent chaque jour à heure fixe. De tout ce qui promet de durer, de demeurer, l'orphelin se montre avide.

Le Dr Larch organisait la division Garçons en simulant le plus grand nombre d'événements de la vie quotidienne qu'il est possible de réaliser dans un orphelinat. Les repas étaient ponctuellement servis au même moment chaque jour. Le Dr Larch faisait la lecture à haute voix le soir à la même heure, pendant la même longueur de temps, au risque d'abandonner les héros au milieu d'un chapitre, en pleine aventure, avec les enfants qui criaient :

— Encore, encore ! Lisez-nous seulement ce qui va se passer *après* !

Mais Saint Larch répondait :

— Demain, même heure, même endroit.

Il y avait des murmures déçus, mais Larch savait qu'il avait lancé une promesse ; qu'il avait établi une routine. « Ici à Saint Cloud's, a-t-il écrit dans son journal, la sécurité se mesure au nombre de promesses tenues. Chaque enfant comprend une promesse — à condition qu'elle soit tenue — et attend avec joie la promesse suivante. Chez les orphelins, la sécurité se construit avec lenteur mais régularité. »

Lenteur mais régularité, telle était donc la vie que menait Homer Wells chez les Draper à Waterville. Chaque activité était une leçon ; chaque recoin de la vieille maison confortable contenait quelque chose à apprendre — quelque chose sur lequel Homer pourrait s'appuyer ensuite.

— Voici Rufus. Il est très vieux, lui dit le professeur quand il présenta Homer au chien. Voici le tapis de Rufus, c'est son royaume. Quand Rufus dort sur son royaume, ne le réveille pas, sauf si tu es prêt à te faire donner un coup de dent.

Sur quoi le professeur secouait l'antique canin, qui s'éveillait en lançant un coup de dent dans le vide — puis semblait intrigué par l'air qu'il avait mordu : était-ce le souvenir d'une morsure dans l'un des enfants Draper, déjà adultes, mariés et eux-mêmes en puissance d'enfants ?

Homer fit leur connaissance à Thanksgiving Day. Cette fête chez les

24

Draper constituait une expérience de vie familiale à faire pâlir toutes les autres familles. Mom se surpassait dans son rôle de maman. Le professeur avait un cours tout prêt sur tous les sujets concevables : les qualités de la viande blanche et celles de la viande rouge ; les élections précédentes ; la manipulation correcte des couverts à salade ; la supériorité du roman du dix-neuvième siècle (sans parler de la supériorité d'autres aspects de ce siècle remarquable) ; la consistance adéquate de la sauce aux airelles ; la signification du « repentir » ; la salubrité de l'exercice (avec notamment une comparaison entre fendre du bois et patiner sur glace) ; le mal inhérent à toutes les formes de sieste... A chaque opinion laborieusement exprimée par le professeur, ses enfants adultes (deux femmes mariées et un homme marié) répondaient par un mélange équilibré de :

— Exactement !
— N'en est-il pas toujours ainsi ?
— Comme toujours, vous avez raison, professeur !

Et ces réponses de robots étaient ponctuées avec une précision parfaite par les « Grain de sel, grain de sel » de Mom, répétés à plaisir.

Homer Wells écouta ces litanies perpétuelles tel un voyageur d'un autre monde essayant de déchiffrer le tam-tam d'une étrange tribu. Il avait du mal à suivre. La constance apparente de chacun semblait accablante. Beaucoup plus tard il comprendrait ce qui l'avait gêné : la bonne conscience implicite (et explicite), satisfaite de soi et toujours prête à s'en féliciter ; ou bien l'ardeur avec laquelle ces gens réduisaient fastidieusement la vie à sa plus simple expression.

Quoi qu'il en soit, cela cessa de lui plaire ; n'était-ce pas un obstacle sur la voie qu'il cherchait, le chemin qui le mènerait à lui-même — qui il était, qui il devrait être ? Il se rappela plusieurs Thanksgiving Days à Saint Cloud's. La fête n'était pas aussi joyeuse qu'à Waterville, dans la famille Draper, mais elle semblait infiniment plus réelle. Il s'y sentait toujours utile. Il y avait toujours des nouveau-nés incapables de téter tout seuls. Une tempête de neige couperait probablement l'électricité, et Homer était responsable des bougies et des lampes à pétrole. Il aidait aussi le personnel de cuisine à desservir, il assistait Nurse Angela et Nurse Edna quand elles consolaient les braillards, et il servait de messager au Dr Larch : responsabilité la plus prisée dans la section Garçons. Avant ses dix ans, et longtemps avant d'en recevoir l'instruction explicite du Dr Larch, Homer se rendait utile à Saint Cloud's.

En quoi la fête de Thanksgiving chez les Draper formait-elle un contraste si vif avec le même événement à Saint Cloud's ? Comme cuisinière, Mom était sans rivale, ce n'était donc pas la nourriture — qui souffrait à Saint Cloud's d'une grisaille évidente et apparemment incurable. Était-ce la façon de dire les grâces ? A Saint Cloud's les grâces ressemblaient plutôt à un instrument contondant — le Dr Larch n'étant pas religieux.

— Soyons reconnaissants, commençait-il, puis il s'arrêtait comme s'il se demandait vraiment : *De quoi ?* Soyons reconnaissants pour la gentillesse que nous avons reçue, disait Larch avec un regard circonspect vers les enfants non désirés et abandonnés réunis autour de lui. Soyons reconnaissants d'avoir Nurse Angela et Nurse Edna, ajoutait-il avec plus d'assurance dans la voix. Soyons reconnaissants d'avoir des options, d'avoir des secondes chances, ajouta-t-il une fois, en regardant Homer Wells.

L'action de grâces — lors de Thanksgiving Day à Saint Cloud's — demeurait voilée par une certaine dose de hasard, de circonspection bien compréhensible, et par une réserve typique du caractère de Larch.

Les grâces chez les Draper, exubérantes et étranges, semblaient liées en quelque manière à la définition par le professeur de la notion de « repentir ». Le Pr Draper assurait que le début du repentir véritable consistait à s'accepter soi-même comme vil. En guise de grâces, le professeur s'exclamait :

— Répétez après moi : je suis vil, je me déteste mais je suis reconnaissant de la présence de chaque membre de ma famille !

Et tous de répéter — même Homer, même Mom (qui pour une fois se retenait de recommander son grain de sel).

L'orphelinat était un endroit sans passion, mais sa manière d'offrir son peu de reconnaissance était franche, sincère... Or une certaine contradiction dans la famille Draper s'imposa pour la première fois à Homer justement le jour de Thanksgiving. A l'inverse de Saint Cloud's, la vie à Waterville paraissait belle — par exemple les bébés étaient désirés. Dans ce cas, d'où venait donc le repentir ? Était-ce d'un péché lié au sentiment d'avoir de la chance ? Et si Larch (comme l'avait appris Homer) portait le nom d'un arbre, Dieu (dont Homer avait entendu beaucoup parler à Waterville) semblait porter le nom d'un objet encore plus dur ; peut-être le nom d'une montagne, ou de la glace. Si Dieu, à Waterville, semblait austérité pure, le Thanksgiving des Draper n'en fut pas moins — à la surprise d'Homer — une occasion de bamboche.

Le professeur, selon les termes de Mom, était « pompette ». Ce qui signifiait (déduisit Homer) qu'il avait consommé davantage que sa ration normale, quotidienne, d'alcool — ration qui, toujours selon les termes de Mom, le rendait simplement « bien aise ». Homer, choqué, constata que les deux filles mariées et le fils marié se comportaient comme s'ils étaient « pompettes » eux aussi. Et puisque Thanksgiving était une soirée spéciale et qu'Homer avait le droit de se coucher plus tard — en même temps que tous les petits-enfants —, il observa de ses yeux l'événement quotidien qu'il avait jusque-là seulement entendu, au moment où il s'endormait : la chute sourde, puis le glissement et les pas traînants, accompagnés de la voix étouffée de la raison, à savoir celle du professeur, qui protestait en bredouillant contre Mom qui l'aidait à monter au premier, puis, avec une force étonnante, le soulevait et le déposait sur le lit.

— La valeur de l'exercice ! cria le fils adulte et marié, avant de basculer de la chaise de repos verte et de s'effondrer sur le tapis — à côté de Rufus — comme s'il venait d'être empoisonné.

— Tel père, tel fils ! lança l'une des filles mariées.

L'autre fille mariée, remarqua Homer, n'avait rien à dire. Elle dormait paisiblement dans le fauteuil à bascule ; sa main entière — jusqu'au milieu de la troisième phalange — plongeait dans son verre presque plein, en équilibre précaire sur ses genoux.

Les petits enfants sans surveillance violaient les millions de décrets du règlement de la maison. Les sermons passionnés du professeur sur les diverses formes de déchaînement étaient apparemment ignorés le jour de Thanksgiving.

Homer Wells, moins de dix ans, se glissa sans bruit jusqu'à son lit. Il forçait souvent la venue du sommeil en invoquant un souvenir de Saint Cloud's particulièrement triste. Il reconstituait dans sa mémoire le moment où il avait vu les mères quitter l'infirmerie de l'orphelinat, visible depuis la section Filles et accolée à la section Garçons — les deux bâtiments étaient reliés par un long hangar, ancienne remise pour les lames de rechange de la scie à ruban. C'était le matin tôt, mais il faisait encore noir dehors, et, sans les lanternes du fourgon à chevaux, jamais Homer n'aurait pu voir qu'il neigeait. Il dormait mal et s'éveillait souvent à l'arrivée du fourgon, qui venait de la gare et conduisait à Saint Cloud's le personnel de cuisine et d'entretien, ainsi que la première équipe de l'infirmerie. Le fourgon était simplement un wagon de chemin de fer à l'abandon. Posé sur des patins en hiver, il devenait traîneau, que des chevaux tiraient. Quand il n'y avait pas assez de neige sur le chemin de terre, les patins arrachaient des étincelles aux pierres de la chaussée et faisaient un grincement

27

affreux. (On n'aimait pas remettre les roues à la place des patins avant que l'hiver soit bien fini.) Une lumière blanche, pareille à un flambeau, grésillait à côté du cocher emmitouflé dans ses grosses couvertures sur le siège improvisé du véhicule ; des lumières plus douces clignotaient à l'intérieur du wagon.

Ce matin-là, remarqua Homer, plusieurs femmes attendaient dans la neige que le fourgon les ramène. Homer Wells ne reconnut pas ces femmes, qui s'agitèrent, impatientes, tout le temps que le personnel de Saint Cloud's mit à descendre. Il semblait exister une certaine tension entre les deux groupes — les femmes qui attendaient de monter paraissaient timides, voire honteuses ; les hommes et les femmes qui venaient travailler avaient l'air, par comparaison, arrogants, voire supérieurs, et un membre de ce groupe (c'était une femme) lança une remarque brusque à l'une des femmes en attente. Homer ne put entendre la remarque, mais les femmes impatientes s'écartèrent vivement du véhicule, comme poussées par une rafale de vent d'hiver. Les femmes qui montèrent dans le wagon ne regardèrent pas en arrière ; elles ne se regardaient même pas entre elles. Elles ne se parlaient même pas. Et le cocher, qu'Homer jugeait gentil, avec une parole aimable pour presque tout le monde et par tous les temps, ne leur adressa pas un mot. Le fourgon fit simplement demi-tour et glissa sur la neige jusqu'à la gare. Par les portières éclairées, Homer Wells put voir que plusieurs femmes à l'intérieur enfouissaient leur visage entre leurs mains ou bien se tenaient raides, pétrifiées, comme certaines personnes suivant un enterrement — qui s'imposent une attitude d'indifférence totale de peur de s'effondrer complètement.

C'était la première fois qu'il observait des mères ayant mis au monde leur bébé non désiré à Saint Cloud's avec l'intention de l'y laisser ; et cette fois-là, il ne les vit même pas de façon distincte. Le fait qu'il les ait remarquées d'abord quand elles prenaient congé et non à leur arrivée, le ventre énorme avant la délivrance de leurs problèmes, fut indiscutablement plus significatif. Surtout, Homer s'aperçut qu'à leur départ elles n'avaient pas l'air délivrées de tous leurs problèmes. Personne ne lui avait paru aussi malheureux que ces femmes ; il se dit que ce n'était pas par hasard qu'elles repartaient dans le noir.

Quand il tenta de forcer le sommeil, le soir de Thanksgiving Day chez les Draper à Waterville, Homer Wells revit les mères qui s'en allaient dans la neige, mais il vit aussi davantage qu'il n'avait réellement eu sous les yeux. Les soirs où il ne pouvait pas s'endormir, Homer partait avec les femmes dans la diligence jusqu'à la gare, montait dans le train avec elles, rentrait chez elles en même temps qu'elles ; il repérait sa mère et il la suivait. Il avait du mal à voir à quoi elle ressemblait et où elle vivait, d'où elle venait, si elle y était revenue — et plus de mal encore à se représenter qui était son père et si sa mère retournait auprès de lui. Comme la plupart des orphelins, Homer Wells se figurait souvent qu'il rencontrait ses parents défaillants, mais que ceux-ci ne le reconnaissaient jamais. Enfant, il était gêné qu'on le surprenne en train de regarder fixement des adultes, parfois d'un air affectueux, parfois avec une hostilité instinctive qu'il n'aurait pas reconnue sur son propre visage.

— Ça suffit, Homer, lui disait le Dr Larch dans ces moments-là. Veux-tu cesser tout de suite ?

Adulte, Homer Wells se laissait encore surprendre à fixer des yeux les gens.

Mais le soir de Thanksgiving à Waterville, il regarda avec une telle intensité la vie de ses *vrais* parents qu'il faillit les retrouver avant de s'endormir, épuisé. Puis l'un des petits-enfants, un garçon plus âgé, le réveilla en sursaut ; Homer avait oublié qu'il devait partager son lit avec lui parce que la maison était pleine.

— Pousse-toi, lança le gosse.

Homer se poussa.

« Et laisse ton zizi dans ton pyjama, ajouta-t-il à l'adresse d'Homer, qui n'avait aucune intention de l'en sortir. La *bougrerie*, tu connais ? demanda-t-il ensuite.

— Non, répondit Homer.

— Si, tu connais, Tête-de-nœud, répliqua le gamin. Vous faites tous ça à Saint Cloud's, c'est connu. Vous vous embougrez entre vous. Tout le temps. Je te le dis : essaie de me mettre, et tu repartiras là-bas sans ton zizi, dit le gosse. Je te le couperai et je le donnerai à manger au chien.

— Tu veux dire à Rufus ? demanda Homer Wells.

— Tout juste, Tête-de-nœud, répondit l'autre. Répète donc : Embougrer, connais pas.

— Je connais pas, dit Homer.

— Et t'as envie que je te montre, pas vrai ?

— Je ne crois pas.

— Si, t'en as envie, Tête-de-nœud, dit le gamin — puis il tenta d'embougrer Homer Wells.

Jamais Homer n'avait vu, ou entendu dire, qu'un enfant ait subi ce genre de violence à Saint Cloud's. Et bien que le garçon plus âgé eût appris son style de bougrerie dans une école privée — excellente d'ailleurs —, il n'était guère préparé au genre de hurlements que la

29

famille de Three Mile Falls avait enseignés à Homer. Homer jugea le moment de crier très fort bien choisi — pour échapper à la bougrerie — et ses cris éveillèrent sur-le-champ l'unique adulte de la maison Draper simplement endormi (et non ivre mort). C'est-à-dire Mom. Ils réveillèrent aussi tous les petits-enfants, presque tous plus jeunes qu'Homer ; et comme aucun n'avait l'expérience de ses capacités en matière de hurlements, les cris de l'orphelin suscitèrent parmi eux une terreur sans nom — et réveillèrent même Rufus, qui lança son coup de dents dans le vide.

— Que se passe-t-il, au nom du ciel ? demanda Mom à la porte de la chambre d'Homer.

— Il a essayé de m'embougrer, alors je l'ai corrigé, répondit l'élève de l'école privée.

Homer, qui s'efforçait de contenir ses hurlements légendaires — pour les faire retourner dans le domaine de l'histoire — ne savait pas encore qu'on croit les petits-enfants davantage que les orphelins.

« Ici à Saint Cloud's, a écrit le Dr Larch, il est accablant et cruel d'accorder de nombreuses pensées aux ancêtres. Dans d'autres parties du monde, je regrette de le dire, les ancêtres d'un orphelin ne sont jamais au-dessus de tout soupçon. »

Mom frappa Homer aussi fort qu'un membre de la famille déchue de Three Mile Falls l'eût jamais frappé. Puis elle le bannit dans la chaufferie pour le restant de la nuit ; il y faisait en tout cas chaud et sec, et il y avait un lit pliant, utilisé l'été pour les sorties en plein air.

Il s'y trouvait aussi une quantité de souliers mouillés — dont une paire appartenant à Homer. Certaines chaussettes avaient l'air presque sèches et lui allaient bien. Enfin, l'assortiment de tenues de neige trempées et de robustes vêtements de marche offrait à l'enfant un choix suffisant. Il enfila des vêtements d'extérieur, chauds et presque secs pour la plupart. Il savait que Mom et le professeur se faisaient une trop haute idée de la Famille pour le renvoyer à Saint Cloud's sur une simple histoire de bougrerie ; s'il avait envie de retourner là-bas, et c'était le cas, il fallait qu'il parte de son propre chef.

D'ailleurs Mom avait offert à Homer un avant-goût de la façon dont sa prétendue bougrerie serait soignée et sans aucun doute guérie. Elle l'avait fait agenouiller devant le lit pliant, dans la chaufferie.

— Répète après moi, lui avait-elle dit, reprenant aussitôt l'étrange version des grâces, chère au professeur : « Je suis vil et je me déteste. »

Homer répéta après elle — tout en sachant que chaque mot était inexact. Il ne s'était jamais beaucoup aimé. Il se sentait encore en chemin, à la recherche de son identité, de son *utilité,* mais il savait que ce chemin repassait par Saint Cloud's.

Quand Mom l'embrassa en lui souhaitant bonne nuit, elle lui dit .

« Et maintenant, Homer, ne te préoccupe pas de ce que le professeur aura à dire sur tout ceci. Quoi qu'il raconte, prends-le simplement avec un grain de sel.

Homer Wells n'attendit pas jusqu'au lendemain la leçon du professeur sur la bougrerie. Il partit ; même la neige ne l'arrêta pas. A Waterville en 193..., il n'était pas surprenant de voir autant de neige sur le sol le jour de Thanksgiving, en début d'hiver ; et le Pr Draper lui avait enseigné avec beaucoup d'application les mérites et les méthodes de la marche avec raquettes.

Homer, bon marcheur, trouva assez facilement le chemin de la ville, puis la grand-route. Il faisait jour quand le premier camion s'arrêta ; un camion de grumes. C'était parfait pour le lieu où il désirait se rendre.

— Je suis de Saint Cloud's, dit-il au chauffeur. Je me suis perdu.

En 193..., aucun débardeur n'ignorait où se trouvait Saint Cloud's ; l'homme au volant du camion savait en tout cas que c'était dans la direction opposée.

— Tu ne vas pas dans la bonne direction, petit, fit-il observer à l'enfant. Fais demi-tour et prends un camion qui roule en sens inverse. Es-tu vraiment *de* Saint Cloud's ? ajouta-t-il.

Comme la plupart des gens, il supposait que les orphelins s'enfuient toujours *de* — et non *vers* — leur orphelinat.

— Saint Cloud's, c'est chez moi, répondit Homer Wells.

Et le chauffeur lui dit au revoir de la main.

De l'avis du Dr Larch, ce chauffeur de camion — assez insensible pour laisser un enfant cheminer tout seul dans la neige — ne devait être qu'un employé de la Ramses Paper Company.

Le chauffeur suivant conduisait également un camion de grumes. Il roulait à vide ; il retournait vers la forêt charger d'autres troncs et Saint Cloud's se trouvait plus ou moins sur son chemin.

— Es-tu orphelin ? demanda-t-il à Homer quand l'enfant lui dit qu'il allait à Saint Cloud's.

— Non, répondit Homer. C'est seulement chez moi — pour l'instant.

En 193..., il fallait longtemps pour aller en voiture où que ce fût dans le Maine, surtout avec de la neige sur les routes. Il commençait à faire sombre lorsque Homer Wells parvint enfin chez lui. La lumière

31

avait le même caractère qu'au petit jour, à l'heure où il avait vu les mères abandonner leurs nouveau-nés. Il s'arrêta un instant à l'entrée de l'infirmerie pour regarder la neige tomber, puis reprit sa marche. Il s'arrêta à l'entrée de la section Garçons, mais retourna sur ses pas et choisit la porte de l'infirmerie, parce que la lumière y semblait meilleure.

Il réfléchissait encore à ce qu'il dirait exactement au Dr Larch quand le fourgon de la gare — le traîneau sinistre — s'arrêta devant l'infirmerie pour déposer une voyageuse solitaire. Elle était tellement enceinte qu'au début le cocher parut craindre qu'elle ne dérape et tombe ; puis il sembla comprendre pourquoi la femme était venue là et dut juger immoral d'aider, lui un cocher, une femme de ce genre à traverser quelques mètres de neige. Il repartit. Elle se dirigea à pas prudents vers l'entrée et vers Homer Wells. Homer sonna à la porte à la place de la femme, visiblement indécise. L'enfant se dit qu'elle voulait sans doute prendre le temps de réfléchir, elle aussi, à ce qu'elle dirait au Dr Larch.

En les voyant ainsi, tout le monde les aurait pris pour une mère et son fils. Le même genre d'intimité les liait : dans les regards qu'ils échangeaient, dans leur complicité manifeste — ils savaient précisément ce que l'autre allait faire. Homer redoutait ce que le Dr Larch lui dirait, mais se rendait compte que la femme était encore plus inquiète — elle ne connaissait pas le Dr Larch et n'avait aucune idée précise de ce qu'était Saint Cloud's en réalité.

D'autres lumières s'allumèrent à l'intérieur, et Homer reconnut la silhouette céleste de Nurse Angela se dirigeant vers la porte. Pour quelque raison obscure, il tendit le bras et prit la femme enceinte par la main. Peut-être était-ce la larme glacée sur le visage fatigué, que la lumière nouvelle lui avait révélé, mais il avait sans doute envie d'une main pour se soutenir lui-même. Il resta calme quand Nurse Angela lança un regard incrédule vers la nuit enneigée, tout en se débattant avec la porte gelée. A la femme enceinte et à son enfant non désiré, Homer dit :

— Ne vous en faites pas ! Tout le monde est gentil ici.

Il sentit la femme enceinte lui serrer la main si fort que cela lui fit mal. Le mot « Mère ! » se forma étrangement sur ses lèvres quand Nurse Angela finit par ouvrir la porte et le prit dans ses bras.

— Oh, *oh !* s'écria-t-elle. Oh, *Homer* — mon Homer, *notre* Homer ! Je savais bien que tu reviendrais !

Et comme la main de la femme enceinte tenait encore fermement celle d'Homer — ni l'un ni l'autre ne se sentait capable de lâcher —,

Nurse Angela se tourna pour inclure la femme dans son étreinte. L'infirmière comprit que cette malheureuse n'était en fait qu'un orphelin de plus, qui se sentait chez elle (comme Homer Wells) là où elle se trouvait.

Il raconta au Dr Larch qu'il s'était senti inutile à Waterville. A cause des déclarations des Draper, quand ils avaient prévenu Larch par téléphone de sa fuite, Homer dut également s'expliquer sur la bougrerie — ensuite Saint Larch révéla tout sur la bougrerie à Homer. L'ivrognerie du professeur surprit le Dr Larch (en général il savait détecter ces choses) et les prières le laissèrent pantois. La note du docteur aux Draper fut d'une concision que le langage du professeur permettait rarement :

« Repentez-vous », disait la note. Larch aurait pu s'en tenir là, mais il ne put résister au plaisir d'ajouter : « Vous êtes vils. Vous devriez vous faire horreur. »

Wilbur Larch savait qu'une quatrième famille adoptive pour Homer ne serait pas facile à trouver. Il chercha pendant trois années, et à ce moment-là Homer avait déjà douze ans — presque treize. Larch connaissait parfaitement les risques : il faudrait beaucoup de temps pour qu'Homer se sente aussi bien ailleurs qu'à Saint Cloud's.

« Ici à Saint Cloud's, écrivit Larch dans son journal, nous n'avons qu'un seul problème. Le fait qu'il y aura toujours des orphelins n'appartient pas à la catégorie des problèmes : il n'y a aucune solution à trouver — on déploie tous ses efforts dans les circonstances, on s'occupe d'eux. Le fait que notre budget sera toujours insuffisant n'est pas non plus notre problème, car il n'y a pas davantage de solution — un orphelinat fonctionne avec des bouts de ficelle ; par définition c'est ce qui doit se passer. Et le fait que toute femme tombant enceinte n'a pas forcément envie de son bébé ne constitue pas un problème non plus ; peut-être pouvons-nous tourner nos regards vers une ère plus éclairée où les femmes auront le droit d'avorter de leurs enfants non désirés — mais certaines seront toujours sans éducation, perturbées, effrayées. Même en des temps éclairés, des bébés non désirés parviendront à terme.

« Et il y aura toujours des bébés très désirés à un moment donné, devenus orphelins — par accident, à la suite d'actes de violence volontaires ou non, qui ne constituent pas des problèmes non plus. Ici à Saint Cloud's, nous perdrions notre énergie (limitée) et notre imagination (aussi limitée) en considérant comme des problèmes des *réalités* sordides de la vie. Ici à Saint Cloud's, nous n'avons qu'un seul problème. Il se nomme Homer Wells. Nous avons très bien réussi avec Homer Wells. Nous sommes parvenus à faire de l'orphelinat son foyer, et c'est cela le problème. Si l'on essaie de donner à une institution de l'État, ou de n'importe quel gouvernement, l'équivalent de l'amour que l'on est censé investir dans une famille — et si cette institution est un orphelinat et que l'on réussisse à lui donner de l'amour —, on créera un monstre : un orphelinat qui n'est pas un simple arrêt sur le chemin d'une vie meilleure, mais le début et la fin de la ligne, la seule gare qu'acceptera l'orphelin.

« Rien n'excuse la cruauté, mais — dans un orphelinat — peut-être sommes-nous obligés d'exclure l'amour ; si l'on ne réussit pas à exclure l'amour d'un orphelinat, on créera un orphelinat qu'aucun orphelin ne quittera de bon cœur. On créera un Homer Wells — un orphelin vrai, parce que son seul foyer sera toujours Saint Cloud's. Que Dieu (ou tout autre) me pardonne. J'ai fait un orphelin ; il s'appelle Homer Wells et il appartiendra à Saint-Cloud's à jamais. »

A douze ans, Homer avait fait le tour du décor. Il connaissait tout sur les poêles, les caisses à bois, les placards à fusibles, les armoires à linge, la buanderie, la cuisine, les recoins où dormaient les chats. Quand le courrier arrivait, il savait qui en avait, le nom de chacun, et quel employé travaillait à quelle heure. Il savait où les mères allaient se faire raser à leur arrivée, combien de temps elles restaient, quand — et avec l'assistance de qui — elles repartaient. Il connaissait les cloches ; en fait, il les faisait sonner. Il connaissait les instituteurs, il était capable, à une distance de plus de deux cents mètres, de reconnaître leur démarche quand ils remontaient de la gare. On le connaissait même à la section Filles, bien que les très rares fillettes d'un âge supérieur au sien lui fissent peur et qu'il passât là-bas le moins de temps possible — et seulement sur l'ordre du Dr Larch, pour apporter des messages ou des médicaments. La directrice de la section Filles n'était pas médecin, et, quand il y avait des malades, elles se rendaient à l'infirmerie du Dr Larch, ou bien celui-ci allait les ausculter. La directrice de la section Filles était une Irlandaise de Boston ayant travaillé un certain temps au Foyer pour jeunes vagabonds de Nouvelle-Angleterre. Elle s'appelait Mme Grogan — mais elle ne fit jamais allusion à un M. Grogan, et personne, à sa vue, ne pouvait imaginer un homme dans sa vie. Peut-être préférait-elle le son de « Madame » à celui de « Mademoiselle ». Au Foyer pour jeunes vagabonds de Nouvelle-Angleterre, elle appartenait à une œuvre appelée « les Petites Servantes de Dieu », ce qui avait fait hésiter Larch. Mais Mme Grogan n'avait nullement tenté de recruter des membres pour cette société à Saint Cloud's. Peut-être avait-elle trop à faire — outre ses devoirs de directrice de la section Filles, elle organisait le peu d'instruction dispensé aux orphelins.

Si un orphelin restait à Saint Cloud's au-delà de la maternelle, il n'avait aucun établissement où aller — et l'unique école primaire se trouvait à Three Mile Falls ; ce n'était qu'une gare plus loin sur la ligne de Saint Cloud's, mais en 193... les trains avaient souvent du retard, et le mécanicien du jeudi avait la réputation bien établie d'oublier l'arrêt de Saint Cloud's. (A la vue d'un si grand nombre de bâtiments abandonnés il devait croire à une ville fantôme, ou peut-être désapprouvait-il les femmes qui descendaient du train à cet arrêt...)

La majorité des élèves de l'unique classe de Three Mile Falls se jugeaient supérieurs aux quelques orphelins présents à l'occasion ; ce sentiment régnait surtout parmi les élèves issus de familles qui les négligeaient, les battaient ou faisaient les deux. Et donc les années d'école primaire constituèrent pour Homer Wells des expériences de combat davantage que d'éducation. Il manqua trois jeudis sur quatre pendant des années et au moins un autre jour par semaine à cause d'un retard du train ; l'hiver, il manquait un jour par semaine de plus parce qu'il était malade. Et quand il y avait trop de neige, les trains ne marchaient pas.

En ces années-là, les trois instituteurs subissaient les mêmes avatars liés au service ferroviaire, car ils venaient à Saint Cloud's de Three Mile Falls. La femme qui enseignait les maths était comptable dans une usine textile — « comptable dans la vie réelle », déclarait Nurse Edna. Elle refusait toute relation avec l'algèbre ou la géométrie, et préférait nettement l'addition et la soustraction à la multiplication et à la division. (Homer Wells parviendrait à l'âge adulte sans apprendre la table de multiplication — et sans que le Dr Larch s'en aperçoive.)

Une autre femme, veuve d'un plombier aisé, enseignait la grammaire et l'orthographe. Sa méthode était à la fois rigoureuse et désordonnée. Elle distribuait de longues suites de mots sans majuscules, mal orthographiés et sans signes de ponctuation et elle demandait que ces séquences soient transformées en phrases dignes de ce nom, méticuleusement ponctuées, avec une orthographe correcte. Ensuite, elle corrigeait les corrections ; le document final — elle utilisait un système d'encres de couleurs différentes — ressemblait à un traité maintes fois révisé entre deux pays belligérants à demi illettrés. Et Homer Wells trouvait toujours le texte très étrange, même après la correction finale. Rien d'étonnant : la femme puisait abondamment dans un recueil d'hymnes familial, et Homer Wells n'avait jamais vu une église ni entendu une hymne (à moins de compter pour tels les cantiques de Noël ou les chansons de Mme Grogan, et la veuve du plombier n'était pas assez naïve pour utiliser des cantiques de Noël). Le déchiffrage des passages que la veuve du plombier concoctait donnait souvent des cauchemars au gamin.

> Gé hun courron jeu tela don
> O sihelle naissepa tumla randrat...

Ou bien celui-ci :

> Plus pré deux toit mon die...

Et ainsi des autres.

Le troisième instituteur, maître d'école à la retraite originaire de Camden, était un vieil homme malheureux qui vivait dans la famille de sa fille parce qu'il ne pouvait plus s'occuper de lui-même. Il enseignait l'histoire mais n'avait pas de livres. Il expliquait le monde de mémoire, et prétendait que les dates n'avaient aucune importance. Il était capable de lancer une diatribe contre la Mésopotamie pendant une bonne demi-heure, mais s'il s'arrêtait pour reprendre son souffle, ou pour avaler une gorgée d'eau, il se retrouvait à Rome, ou bien à Troie ; il récitait sans s'interrompre de longs passages de Thucydide, mais il lui suffisait d'avaler sa salive pour se transporter à l'île d'Elbe, avec Napoléon.

— Je crois, fit observer un jour Nurse Edna au Dr Larch, qu'il parvient à transmettre aux enfants une certaine perspective de l'histoire.

Nurse Angela leva les yeux au ciel.

— Chaque fois que j'essaie de l'écouter, dit-elle, je pense à cent bonnes raisons de faire la guerre.

Elle voulait dire, crut comprendre Homer Wells, que personne ne devrait vivre si longtemps.

On imagine sans peine pourquoi Homer préférait les corvées à l'éducation.

La corvée préférée d'Homer consistait à choisir pour le Dr Larch la lecture de la soirée. Il devait sélectionner un passage que le Dr Larch mettrait exactement vingt minutes à lire ; c'était difficile, parce que si Homer lisait à haute voix, il était plus lent que le Dr Larch ; mais s'il lisait simplement pour lui-même, il allait plus vite que le Dr Larch à haute voix. A raison de vingt minutes par soirée, il fallait plusieurs mois au Dr Larch pour lire *les Grandes Espérances,* et plus d'une année pour lire *David Copperfield.* A la fin de ce roman, Saint Larch annonçait à Homer qu'il recommencerait au début des *Grandes Espérances.* Homer excepté, les orphelins qui avaient déjà entendu *les Grandes Espérances* étaient tous partis.

De toute manière presque aucun d'eux ne comprenait *les Grandes Espérances* ni *David Copperfield.* Ils étaient trop jeunes pour saisir le langage de Dickens, sinon pour assimiler le langage usuel de Saint Cloud's. Pour le Dr Larch, seule comptait l'idée d'une lecture à haute voix — c'était un soporifique efficace pour les enfants qui ne comprenaient pas ce qu'ils écoutaient, et, pour les rares qui comprenaient les mots et suivaient l'histoire, la lecture du soir offrait un moyen de s'évader de Saint Cloud's en rêve, par l'imagination.

Dickens était l'auteur favori du Dr Larch ; et ce n'était évidemment pas par hasard que *les Grandes Espérances* et *David Copperfield* mettaient en scène des orphelins. (« Que voulez-vous donc lire d'autre à un orphelin ? » demanda le Dr Larch dans son journal.)

Ainsi donc Homer Wells eut une vision très précise du gibet dans les marais — « avec des chaînes pendantes qui avaient autrefois enchaîné un pirate » — et les portraits, dans son imagination, de l'orphelin Pip, du condamné Magwitch, de la belle Estella et de la redoutable Miss Havisham lui fournirent des détails plus nets quand, tombant de sommeil, il suivait les mères fantômes qui quittaient Saint Cloud's à la faveur des ténèbres, montaient dans le fourgon à chevaux (plus tard, l'autocar remplaça le fourgon) ; c'est ainsi qu'Homer prit conscience du passage du temps, du progrès. Et peu après que l'autocar eut remplacé le fourgon, tout service de transport public fut interrompu à Saint Cloud's et les mères arrivèrent à pied — Homer acquit ainsi une vision encore plus lumineuse de la notion de progrès.

Les mères qu'il voyait dans son sommeil ne changeaient jamais. Mais les hommes qui ne s'étaient pas donné la peine de les accompagner à Saint Cloud's — où étaient-ils ? Homer aimait la scène des *Grandes Espérances* où Pip commence juste à sortir et dit : « Les brumes s'étaient toutes solennellement levées... et le monde s'étalait devant moi. » Un enfant de Saint Cloud's en savait long sur les « brumes » — elles ensevelissaient la rivière, la ville, l'orphelinat lui-même ; elles descendaient en aval de Three Mile Falls ; elles cachaient les parents des orphelins. Oui, c'étaient les nuages de Saint Cloud's qui permettaient aux parents de filer sans être vus.

— Homer, disait le Dr Larch, tu iras voir l'océan un jour. Tu n'es encore allé qu'à la montagne ; elle n'est pas, il s'en faut, aussi spectaculaire que la mer. Il y a du brouillard sur la côte — parfois pire que le brouillard d'ici — mais quand le brouillard se lève, Homer... Ah ! disait Saint Larch, c'est quelque chose à voir.

Mais Homer Wells l'avait déjà vu, en imagination — « les brumes... toutes solennellement levées ». Il sourit au Dr Larch et s'excusa ; c'était l'heure de sonner une cloche. Et il sonnait justement une cloche quand sa quatrième famille adoptive arriva à Saint Cloud's pour l'emmener. Le Dr Larch l'avait très bien préparé ; Homer la reconnut sans mal.

Il s'agissait, dans notre langage actuel, de sportifs ; dans le Maine en 193..., quand Homer Wells avait douze ans, le couple qui désirait l'adopter passait pour fanatique de toutes les activités de plein air : c'était un couple bon pour le kayak sur torrent, le voilier sur océan, l'ascension en montagne, la plongée en eau profonde et le camping dans le désert. Un couple bon pour les cent soixante kilomètres à pied (à la cadence d'une marche forcée). Des athlètes — mais pas pour les sports organisés ; ce n'était pas un couple de sport-chochotte.

Le jour de leur arrivée à Saint Cloud's, Homer Wells sonna quatorze fois la cloche de dix heures. Ils l'avaient pétrifié par leur allure robuste, par leur musculature, par leur démarche chaloupée, par le chapeau safari de monsieur, par la machette à ouvrir la jungle dans son long étui (avec perles indiennes) fixé à la ceinture de madame. L'un et l'autre portaient des bottes qui semblaient moulées sur leurs pieds. Leur véhicule était un ancêtre, réalisé par eux-mêmes, de ce que l'on appellerait des années plus tard un camping-car ; il semblait équipé pour capturer et emprisonner un rhinocéros. Homer pressentit qu'on lui ferait chasser des ours, combattre des alligators — bref qu'il vivrait sur le pays. Nurse Edna l'arrêta au moment où il allait sonner une quinzième heure.

Wilbur Larch avait pris des précautions. Il ne craignait certes rien pour l'esprit d'Homer. Un garçon qui a lu tout seul *les Grandes Espérances* et *David Copperfield*, chacun deux fois — et en a entendu la lecture à haute voix également deux fois —, est davantage préparé, sur le plan mental, que la plupart des enfants. Mais le Dr Larch sentait que le développement physique et athlétique du garçon présentait des lacunes. Les sports semblaient frivoles à Larch, comparés à l'acquisition d'aptitudes plus nécessaires, plus fondamentales. Larch savait que le programme de sports de Saint Cloud's — des parties de football dans le réfectoire par mauvais temps — était insuffisant. Par beau temps, les sections Garçons et Filles jouaient au chat perché, ou donnaient des coups de pied dans une boîte de conserve, et parfois

Nurse Edna ou Nurse Angela organisait une parodie de *softball*. La balle se composait de plusieurs chaussettes entourées de sparadrap ; elle rebondissait mal. Larch n'avait aucun préjugé contre la vie en plein air ; mais il n'y entendait absolument rien. Il se disait que gaspiller un peu d'énergie (pour Larch ce ne pouvait être que du gaspillage) ferait du bien à Homer — peut-être même ces activités physiques développeraient-elles la gaieté de l'enfant.

Le nom du couple fut une source de gaieté pour Nurse Edna et Nurse Angela. Ils s'appelaient Winkle (Bigorneau) — lui, Grant, et elle, Billy. Ils étaient membres de la très peu nombreuse classe fortunée du Maine. Leur « affaire », comme ils l'appelaient non sans ridicule, ne gagnait pas un sou, mais ils n'avaient pas besoin de gagner un sou ; ils étaient nés riches. Leur entreprise superflue consistait à emmener des gens dans des lieux désertiques pour leur donner la sensation d'être perdus ; ils en emmenaient aussi sur de frêles radeaux ou dans des canoës au milieu de grands rapides, pour leur donner la sensation qu'ils allaient être broyés à mort avant de se noyer. Les Winkle avaient une « affaire » à fabriquer des sensations pour personnes dénuées de toute sensation au point que seule une aventure violente (mais simulée) pouvait provoquer en eux une quelconque réaction. L' « affaire » des Winkle n'avait produit aucun effet sur le Dr Larch ; il les considérait simplement comme de riches excentriques qui sacrifiaient à leur bon plaisir mais éprouvaient le besoin de qualifier leur occupation autrement que par « jeu ». Un trait cependant lui avait fait une forte impression : leur bonheur ; car les Winkle étaient heureux jusqu'au délire. Parmi les adultes — et parmi les orphelins — Wilbur Larch avait observé que le bonheur délirant était rare.

« Dans d'autres parties du monde, a écrit le Dr Larch, le bonheur délirant est considéré comme un état d'esprit. Ici à Saint Cloud's, nous estimons que le bonheur délirant n'est possible que pour les gens totalement dénués d'esprit. Je l'appellerai plutôt : état de l'âme, cette sensation des plus rares. » Larch se montrait souvent facétieux quand il discutait de l'âme. Il aimait taquiner Nurse Edna et Nurse Angela dans la salle d'opération, où ce sujet de l'âme prenait les chères infirmières au dépourvu.

Un jour, devant un corps ouvert sur la table, Larch, en un geste dramatique, tendit le doigt vers une masse lisse, marron, au-dessous de la cage thoracique et au-dessus des viscères du ventre ; on eût dit une miche de pain de trois livres, ou une grosse limace avec deux gros lobes.

— Regardez ! chuchota Larch. Vous la verrez rarement, mais nous l'avons surprise en plein sommeil. Regardez vite avant qu'elle bouge !

Les infirmières se penchèrent, les yeux ronds.

« L'âme, murmura Larch avec révérence.

En réalité, c'était la plus grosse glande du corps, dotée de pouvoirs attribués également à l'âme — par exemple, elle pouvait régénérer ses propres cellules endommagées. C'était le *foie*, dont Larch pensait davantage de bien que de l'âme.

Mais que le bonheur délirant des Winkle fût un état de l'esprit ou de l'âme, Wilbur Larch souhaitait qu'un peu de ce bonheur déteigne sur Homer Wells. Les Winkle avaient toujours désiré un enfant — « pour partager le monde de la nature avec nous, disaient-ils, et pour rendre un enfant heureux, bien sûr ». En les regardant, Larch conçut une idée précise de la raison pour laquelle ils n'avaient pas réussi à se reproduire. Par manque de concentration essentielle, pensa-t-il ; et il subodora que les Winkle ne cessaient jamais de bouger le laps de temps nécessaire pour s'accoupler. Peut-être, se dit-il en regardant Billy Winkle, n'est-elle pas vraiment une femme.

Grant avait un plan. Essayant de discerner les traits flous de l'homme, quelque part entre sa barbe blonde et ses cheveux encore plus blonds, le Dr Larch remarqua qu'il semblait sans visage. Sa tête était couverte de boucles qui cachaient complètement un front bas. Les joues, ou ce que Larch en pouvait voir, formaient des bourrelets derrière lesquels se dissimulaient les yeux. Le reste n'était que barbe — un buisson blond que Billy Winkle ne pouvait (imagina Larch) franchir sans sa machette. Le plan de Grant consistait à emprunter Homer pour un petit tour dans le domaine des élans. Les Winkle projetaient une excursion, canoë et portage, dans le nord de la State Forest, dont le principal attrait est de permettre l'observation des élans. Par la même occasion — attrait secondaire — Homer Wells ferait connaissance avec un cours d'eau bouillonnant.

Saint Larch pensa qu'un voyage de ce genre, entre les mains calleuses des Winkle, ne serait pas dangereux pour Homer. Mais Homer aimerait-il rester avec ces gens, être définitivement adopté par eux ? Larch ne craignait guère que la folie des Winkle ennuie l'enfant, et elle ne l'aurait pas ennuyé. Quel garçon s'affligerait de l'aventure perpétuelle ? En fait, Wilbur Larch redoutait que les Winkle épuisent Homer jusqu'aux larmes, sinon jusqu'à la mort. Une excursion de camping dans la State Forest — des rapides ici et là, un élan ou deux — donnerait sans doute à l'enfant un aperçu de l'avenir et lui permettrait de décider s'il pourrait supporter Grant et Billy à perpétuité.

— Et si tu t'amuses bien dans les bois, lança Grant Winkle à Homer d'un ton joyeux, nous t'emmènerons sur l'océan !

Pour chevaucher des baleines, imagina Homer. Ils vont chatouiller les requins, pensa le Dr Larch.

Mais il avait envie qu'Homer fasse l'essai, et Homer accepta de bon cœur — il aurait essayé n'importe quoi pour Saint Larch.

— Rien de dangereux, recommanda Larch aux Winkle d'un ton sévère.

— Oh non, signons-nous ! s'écria Billy.

Grant se signa lui aussi.

Le Dr Larch savait qu'une seule route traverse la partie nord de la State Forest. Elle avait été construite par la Ramses Paper Company et restait sa propriété. La compagnie n'avait pas le droit de couper les arbres de la forêt domaniale, mais pouvait la traverser avec son matériel pour aller couper des arbres lui appartenant. En fait, le Dr Larch ne s'inquiétait que d'une chose : la proximité où se trouverait Homer d'un lieu où opérait la Ramses Paper Company.

Homer s'étonna du peu de place qu'il y avait dans la cabine du véhicule-safari des Winkle. Il transportait un matériel impressionnant : le canoë, la tente, les accessoires de pêche, la batterie de cuisine, les fusils. Mais il ne restait presque rien pour le conducteur et les passagers. Dans la cabine, Homer s'assit sur les genoux de Billy — un siège vaste mais curieusement inconfortable car elle avait les cuisses dures. Une seule fois auparavant, pendant la course à trois pattes de la fête annuelle de Saint Cloud's, Homer avait senti le contact de cuisses de femme.

Une fois par an, les sections Garçons et Filles amusaient la ville avec cette course. C'était un moyen de collecter des fonds pour l'orphelinat, et donc tout le monde s'y soumettait. Les deux années précédentes, Homer avait gagné la course — mais uniquement parce que sa partenaire, la plus âgée des orphelines de la section Filles, était assez forte pour le soulever et le porter dans ses bras jusqu'à la ligne d'arrivée. Le principe était le suivant : un garçon attachait sa jambe gauche à la jambe droite d'une fille d'âge comparable, et ils couraient à cloche-pied jusqu'à la ligne d'arrivée, chacun sur sa jambe libre, en traînant la misérable « troisième patte » entre eux. La grande de la section Filles n'avait pas eu besoin de traîner Homer — elle avait triché, elle l'avait porté. Mais l'année précédente elle était tombée à l'arrivée, et Homer s'était retrouvé sur ses genoux. Par erreur, en essayant de descendre de ses genoux, il avait posé la main sur la

41

poitrine de la fille, et elle lui avait pincé très fort ce que l'élève de l'école privée, à Waterville, avait appelé son zizi.

Elle s'appelait Melony — ce qui était, comme plusieurs noms d'orphelines de Saint Cloud's, une erreur typographique. Elle aurait dû porter officiellement le nom de Melody — mais la secrétaire de la section Filles tapait très mal. Sa faute de frappe fut en fait une erreur bénie, car rien n'était mélodieux dans la fillette. Elle devait avoir seize ans (personne ne connaissait son âge exact) et la plénitude de sa poitrine comme les rondeurs de ses hanches évoquaient plutôt les melons...

Au cours du long trajet vers le nord, Homer eut peur que Billy Winkle lui pince son zizi, elle aussi. Il regarda disparaître les maisons et les animaux domestiques ; les autres voitures et camions s'espacèrent puis disparurent. Bientôt ce ne fut plus qu'une route à une seule voie — très souvent, elle suivait le cours d'eau impétueux. Devant eux, pendant des heures (lui sembla-t-il) s'élevait une montagne couronnée de neige bien qu'on fût en juillet. Cette montagne portait un nom indien.

— C'est là que nous allons, Homer ! dit Grant Winkle à l'enfant. Juste au-dessous de toute cette neige, il y a un lac.

— Les élans sont fous de ce lac, expliqua Billy à Homer, et tu seras fou de ce lac toi aussi.

Homer n'en douta pas. C'était une aventure. Le Dr Larch lui avait précisé qu'il ne serait pas obligé de rester avec eux.

Les Winkle s'arrêtèrent avant la tombée de la nuit. Entre la route et le torrent, ils plantèrent une tente de trois pièces. Ils allumèrent un réchaud de cuisine dans l'une des pièces et Billy fit cent « abdominaux » dans une autre pièce (Homer lui tenait les pieds), pendant que Grant attrapait une truite. La soirée était très fraîche et il n'y avait pas d'insectes, ils laissèrent brûler les lampes longtemps après le crépuscule, avec les rabats de la tente soulevés. Grant et Billy racontèrent des récits d'aventure. (Dans son journal, le Dr Larch écrirait plus tard : « Qu'auraient-ils pu raconter d'autre ? »)

Grant parla de l'avocat sexagénaire qui les avait engagés pour qu'ils lui montrent une ourse en train de mettre bas. Billy exhiba à Homer ses cicatrices d'ours. Puis ce fut le tour de l'homme qui avait demandé aux Winkle de le lâcher en pleine mer, à la dérive sur une petite barque — avec un seul aviron. L'homme s'intéressait à la sensation de survie. Il avait envie de voir s'il serait capable de trouver son chemin jusqu'à terre, mais il désirait que les Winkle l'observent et se portent à son secours en cas de gros ennuis. Le cheveu, c'était de ne pas faire sentir à l'homme qu'il était surveillé. La nuit — quand l'idiot s'endormait et se laissait dériver vers le large —, les Winkle, avec mille précautions, le remorquaient vers la côte. Mais le matin venu — et même, une fois, en vue de la terre — le bonhomme trouvait toujours le moyen de se perdre de nouveau. Ils durent enfin voler à son secours quand ils le surprirent en train de boire de l'eau de mer ; il s'était montré si décevant ! Il leur avait donné plusieurs chèques sans provision avant de payer le salaire de l'aventure.

« Le salaire de l'aventure... » L'expression était de Billy.

Homer estima que ses parents adoptifs en puissance risquaient de se sentir gênés s'il leur racontait des histoires sur la vie à Saint Cloud's — ou pis, sur Thanksgiving Day à Waterville. Il se croyait obligé de contribuer en quelque manière à l'esprit feu de camp de cette aventure en cours, mais les seules bonnes histoires qu'il connaissait étaient *les Grandes Espérances* et *David Copperfield*. Le Dr Larch lui avait permis d'emporter l'exemplaire des *Grandes Espérances* — le roman qu'Homer préférait. Il demanda aux Winkle s'il pouvait leur lire un peu de son histoire favorite. Bien sûr, répondirent-ils, ils adoreraient ; jamais, à leur souvenance, on ne leur avait fait la lecture. Homer se sentit un peu nerveux ; il avait souvent lu *les Grandes Espérances* mais jamais à haute voix devant un auditoire.

Il fut cependant merveilleux ! Il réussit même à imiter ce qu'il croyait être l'accent de Joe Gargery, et, quand il arriva au passage ou M. Wopsle crie « Non ! avec la faible malveillance d'un homme fatigué », Homer sentit qu'il avait trouvé le ton juste pour le roman entier — il eut également l'impression d'avoir découvert son premier talent. Malheureusement, quel que fût le talent d'Homer, la lecture endormit très vite les Winkle. Il continua de lire seul jusqu'à la fin du chapitre VII. Peut-être n'est-ce pas à cause de ma lecture, se dit-il ; peut-être cela vient-il d'eux-mêmes — tous ces abdominaux de Billy, toute cette pêche à la truite de Grant, toute cette âpreté sauvage des grands horizons.

Homer essaya d'envelopper confortablement les Winkle dans leur sac de couchage — un énorme sac à deux places. Il éteignit les lampes. Il entra dans sa chambre de la vaste tente et se glissa dans son propre sac. Il s'allongea la tête près du rabat ouvert ; il pouvait voir les étoiles ; il pouvait entendre l'eau bouillonnante non loin. Cela ne lui rappela pas Three Miles Falls, car ce torrent était trop différent de la rivière. Il était aussi rapide, mais il courait dans une gorge profonde et étroite — d'une propreté étincelante avec des rochers ronds et des bassins brillants (où Grant avait pris la truite). Imaginer d'autres aventures avec les Winkle n'était pas désagréable, mais Homer avait plus de mal à imaginer un élan. De quelle taille, au juste, serait un élan ? Plus grand que les Winkle ?

Homer n'éprouvait ni méfiance, ni peur, à l'égard des Winkle. Il ressentait juste une vague appréhension — ils n'étaient pas dangereux mais appartenaient à une espèce un peu différente. Il s'endormit en confondant les Winkle, dans son esprit d'enfant, avec les élans. Au matin, il s'éveilla au bruit de ce qu'il prit pour des élans, mais il découvrit vite qu'il s'agissait des Winkle dans la pièce voisine. Ils semblaient saluer le matin avec ardeur. Bien qu'Homer n'eût jamais entendu des êtres humains faire l'amour, ni des élans copuler, il comprit que les Winkle étaient en train de s'accoupler. Si le Dr Larch avait été présent, il aurait sans doute tiré de nouvelles conclusions sur l'incapacité des Winkle à se reproduire. Il aurait conclu que l'athlétisme violent de leur copulation détruisait purement et simplement, ou effrayait à mort, tout ovule et tout spermatozoïde disponibles.

Poliment, Homer fit semblant de dormir. Bientôt, les Winkle le réveillèrent gaiement. Comme de gros chiens, ils se précipitèrent dans sa chambre à quatre pattes et tirèrent sur son sac de couchage à coups de dents. Ils allaient se baigner, lui dirent-ils. Ils étaient si grands ! Homer s'étonna de l'abondance de leur chair active. Il se demanda aussi comment ils allaient nager dans le torrent furieux sans être projetés contre les rochers et emportés. Homer ne savait pas nager — même en eau calme.

Mais les Winkle étaient des vétérans rompus aux tours de force de la vie en plein air, et ils possédaient un équipement astucieux. Ils lancèrent une corde en travers des rapides ; c'était, dirent-ils à Homer, une ligne de survie. La corde était pourvue d'un hérisson de pointes, un peu comme un râteau, que Grant Winkle coinça impeccablement entre les rochers de la rive opposée du torrent en furie ; il fixa ensuite une deuxième corde, puis une troisième, à sa ligne de survie. Ces dernières étaient complexes, avec des cosses de métal, des crochets et des courroies de sécurité réglables que les Winkle firent passer autour de leur taille et fixèrent solidement. A l'aide de ce véritable équipement d'aventure, les Winkle purent sauter, à demi suspendus, au plus fort des rapides — où ils furent ballottés (en tous sens mais sur place) comme des jouets de baignoire, tout en restant en sécurité, attachés l'un à l'autre et à la ligne dite de survie. Homer s'amusa bien à les regarder. Parfois, l'eau semblait les avaler complètement — des nappes bouillonnantes les engloutissaient et les happaient vers le fond. Mais ils émergeaient au bout de quelques secondes, ils rebondissaient, ils semblaient marcher au milieu des tourbillons d'écume. Ils jouaient au milieu du courant ainsi que des loutres blondes géantes. Homer, presque entièrement convaincu de leur maîtrise des éléments — au moins de l'eau —, fut même sur le point de leur demander de le laisser essayer ce jeu de douche dans les rapides, mais il s'aperçut qu'ils n'auraient pas pu l'entendre. Il avait beau crier — et même hurler —, le *vroum* de l'eau tumultueuse, autour des Winkle, noyait tous ses appels.

Il s'était donc résigné à rester assis sur la berge et à regarder jouer ses parents adoptifs, quand le sol se mit à trembler sous lui. Il le comprit davantage au souvenir de certaines histoires mal racontées dans des livres pour enfants mal écrits que pour avoir vraiment senti un mouvement du sol lui-même ; dans ces livres d'enfants, quand quelque chose de terrible est sur le point de se produire, le sol se met *toujours* à trembler. Il hésita presque à le croire mais le sol tremblait, il ne pouvait s'y méprendre ; un martèlement sourd atteignit ses oreilles.

Homer observa les Winkle avec plus d'attention, persuadé qu'ils étaient entièrement maîtres de la situation. Les Winkle continuaient de jouer dans les rapides ; ils n'entendaient rien, ils ne sentaient pas le sol trembler parce qu'ils n'étaient pas sur le sol.

Oh, mon Dieu, un *élan* arrive ! pensa Homer Wells. Il se leva. Il vit ses pieds sauter — tout seuls — sur le sol tremblant. C'est un *troupeau* d'élans ! pensa-t-il. Et il entendit, par-dessus le martèlement, des bruits plus aigus : des claquements secs, certains plus inquiétants que des coups de pistolet. Il regarda les Winkle et constata qu'ils avaient entendu eux aussi ces bruits violents. Et ils savaient très bien ce qui allait arriver — quoi que ce fût ; toute leur attitude avait changé — ils ne batifolaient plus. Ils semblaient lutter, et sur leurs visages (qui disparaissaient maintenant dans l'écume blanche bondissante) l'expression était tout à la fois informée et effrayée. Dès qu'ils eurent une seconde pour regarder (entre deux plongeons dans les rapides), ils regardèrent vers l'amont.

Homer aussi — à temps pour voir le convoi de grumes quand il arriva à vingt-cinq mètres. Les arbres le long des berges se brisaient ici et là d'un coup sec, comme une branchette sur le genou — sous l'impact d'une grume égarée, de la longueur d'un poteau télégraphique mais plus grosse, qui jaillissait soudain de l'eau, heurtait un rocher, tournoyait à six ou sept mètres dans les airs puis nivelait tout un coin de forêt à l'endroit où elle s'écrasait avant de rebondir. La masse des grumes, toutes de la longueur d'un poteau télégraphique, descendait le courant à vive allure, précédée par un mur d'eau. Cette eau ne ressemblait pas aux flots clairs du torrent, elle était boueuse, pleine de bouts d'écorce, troublée par de grosses mottes de terre arrachées à la berge. La Ramses Paper Company déclara qu'il s'agissait d'un modeste convoi de bois ; il n'y avait pas plus de quatre cents ou peut-être sept cents grumes descendant ce jour-là vers l'aval.

Homer Wells courait encore quand il atteignit la route, où il se sentit en sécurité. Il se retourna juste à temps pour voir passer la marée des grumes. Une des cordes de la tente était fixée à la ligne de survie des Winkle et la tente entière, avec tout son contenu (y compris l'exemplaire des *Grandes Espérances* d'Homer), fut balayée vers l'aval par le flot rugissant et la charge des troncs. La Ramses Paper Company ne recueillerait les corps de Billy et de Grant que trois jours plus tard — à près de sept kilomètres de leur camp.

Homer Wells demeura assez calme. Il regarda en amont, attendant autre chose ; l'amont était clairement la direction d'où viendrait la suite, s'il y en avait une. Au bout d'un moment, il se détendit ; il examina le véhicule-safari des Winkle, qui semblait nu sans la tente et la batterie de cuisine. Il trouva des accessoires de pêche, mais n'osa pas pêcher ; cela l'aurait obligé à se rapprocher trop du torrent. Il trouva des fusils, mais n'avait aucune idée de leur mode d'emploi (il se sentit cependant rassuré par leur présence). Il choisit le plus gros, celui qui avait l'air le plus dangereux — un fusil de chasse de calibre douze à canons jumelés — et l'emporta.

Au milieu de l'après-midi, il commença à avoir très faim. Avant la tombée du jour, il entendit un camion de grumes se rapprocher ; au bruit d'effort de la boîte de vitesses, il comprit que le camion était chargé. Autre coup de chance (du même ordre que son ignorance de la natation qui l'avait empêché de participer aux ébats sportifs des Winkle), le camion allait dans le même sens qu'Homer.

— Saint Cloud's, dit-il au chauffeur abasourdi, sur qui le fusil de chasse fit son effet.

C'était un camion de la Ramses Paper Company, et le Dr Larch fut évidemment furieux quand il le vit s'arrêter à l'entrée de l'infirmerie.

— A moins que ce ne soit un cas d'urgence extrême, dit-il à Nurse Edna plus éprise de lui que jamais, je ne ferai pas un seul point de suture sur un homme de cette Compagnie !

Larch fut vraiment déçu de voir Homer Wells, et alarmé par le fusil. Homer avait sur son visage l'expression éperdue que Larch avait pu observer sur de nombreuses patientes quand elles sortaient de l'envoûtement de l'éther.

46

« Homer, tu n'as pas donné aux Winkle une chance digne de ce nom, dit le Dr Larch gravement.

Puis Homer expliqua pourquoi il était revenu si tôt.

« Tu veux dire que les Winkle ont *disparu* ? demanda le Dr Larch.

— Balayés, répondit Homer Wells. *Vroum !*

Ce fut alors que Wilbur Larch cessa de chercher un foyer à Homer Wells. Ce fut alors que le Dr Larch déclara qu'Homer pourrait rester à Saint Cloud's aussi longtemps qu'il s'y sentirait chez lui. Ce fut alors que Saint Larch dit :

— Dans ce cas, Homer, j'espère bien que tu sauras te rendre utile.

Pour Homer Wells, ce fut facile. *Se rendre utile...* Pourquoi naissait un orphelin sinon dans ce but ?

2

L'œuvre de Dieu

Enfant du Maine, Wilbur Larch était né à Portland en 186... — fils d'une femme triste et digne appartenant au personnel de cuisine et de maison d'un nommé Neal Dow, maire de Portland et père, dit-on, de la loi du Maine qui a imposé la prohibition dans cet État. Neal Dow se présenta d'ailleurs une fois aux élections présidentielles, désigné par le parti de la prohibition, mais obtint à peine dix mille voix — preuve que l'électeur moyen était plus sage que la mère de Wilbur Larch : elle vouait un culte à son employeur et se considérait davantage comme sa collaboratrice dans sa campagne pour la tempérance que comme sa domestique (ce qu'elle était en fait).

Détail intéressant, le père de Wilbur Larch était un ivrogne, exploit remarquable à Portland au temps du maire Dow. Il était permis d'exposer dans les vitrines de la bière — ale écossaise et bière amère, que le père de Wilbur Larch consommait copieusement ; il fallait, prétendait-il, boire ces petites bières à seaux pour faire monter la vapeur. Aux yeux du jeune Wilbur, son père ne paraissait jamais ivre — jamais il ne titubait, ne tombait ni ne perdait conscience, jamais il ne criait ou ne bafouillait. Il semblait plutôt un perpétuel ahuri, que des révélations fréquentes et soudaines arrêtent au milieu d'un geste, ou en pleine phrase, comme s'il lui venait soudain à l'esprit (ou lui échappait) une chose qui l'avait préoccupé pendant des jours.

Il hochait souvent la tête, et toute sa vie il répandit le faux renseignement suivant : le *Great Eastern* [1] *, paquebot de dix-neuf mille tonnes construit à Portland, était destiné à traverser l'Atlantique Nord entre l'Europe et le Maine. Le père de Wilbur Larch pensait que les deux meilleurs appontements de Portland Harbor avaient été construits spécifiquement pour le *Great Eastern*, que le nouvel hôtel géant de Portland avait été construit spécifiquement pour loger les

* Les notes de l'auteur figurent en fin de volume.

48

passagers du *Great Eastern*, et qu'une personne malintentionnée ou au moins corrompue, ou simplement stupide, empêchait obstinément le *Great Eastern* de retourner à son port de baptême, dans le Maine.

Le père de Wilbur Larch avait travaillé comme tourneur à la construction du *Great Eastern* : peut-être les plaintes de sa machine-outil et les vapeurs constantes nées de toute la bière qu'il absorbait l'avaient-elles abusé. Le *Great Eastern* n'avait pas été construit pour les traversées au départ et à destination de Portland ; à l'origine, il était destiné à la ligne d'Australie, mais les nombreux délais qui retardèrent sa mise à flot acculèrent ses propriétaires à la faillite, et le bâtiment fut racheté pour la ligne de l'Atlantique Nord, à laquelle il s'avéra inadapté. En fait, ce fut un échec.

Ainsi donc le père de Wilbur Larch conservait un souvenir ému de ses journées de tourneur et nourrissait un dégoût considérable pour le mouvement en faveur de la tempérance, prôné par sa femme et l'employeur de celle-ci, le maire Neal Dow en personne. De l'avis du père de Wilbur Larch, le *Great Eastern* ne retournait pas à Portland à cause de la prohibition — cette plaie qui l'avait condamné à une fréquentation bilieuse de la petite bière. Comme Wilbur n'avait connu son père que sur le tard, après le départ du *Great Eastern*, à l'époque où il était porteur à la gare de Portland du Grand Trunk Railway, il ne pouvait qu'imaginer pourquoi travailler sur un tour à bois avait constitué le point culminant de la vie du brave homme.

Dans son enfance, Wilbur Larch n'avait jamais songé que les doigts manquants de son père étaient le résultat d'un excès de petite bière pendant qu'il faisait marcher le tour — « Des accidents, c'est tout », disait le père —, ni que le zèle de sa mère en faveur de la tempérance pouvait être le résultat de la déchéance d'un tourneur sur bois au rang de porteur de bagages. Bien entendu, comprit Wilbur plus tard, ses parents étaient des domestiques ; leur amertume poussa Wilbur à devenir ce que ses professeurs appelaient un bourreau de travail.

Bien qu'il grandît dans la demeure du maire, Wilbur Larch utilisait toujours l'entrée des cuisines et prenait ses repas avec la domesticité du grand prohibitionniste ; son père les ingérait sous forme liquide, sur les quais. Wilbur Larch fut un bon élève parce qu'il préférait la compagnie des livres aux propos sur la tempérance de sa mère avec les servantes du maire Dow.

Il fréquenta le Bowdoin College puis l'école de médecine de Harvard — où une fascination pour les bactéries faillit le détourner de la pratique médicale et le transformer en animal de laboratoire, sinon en bactériologue. Il avait un don pour ce domaine, lui dit son professeur, et il aimait l'atmosphère nette et propre du labo ; en outre, il éprouvait un brûlant désir de tout apprendre sur les bactéries. En effet, pendant presque une année d'école de médecine, le jeune Wilbur avait été l'hôte d'une bactérie, cause de tant de gêne et de souffrance que la curiosité scientifique n'aurait su à elle seule expliquer son désir de découvrir un moyen de l'expulser. Il avait une gonorrhée : présent (indirect) de son père. Le brave homme, dans ses vapeurs de bière, était si fier de son Wilbur qu'il ne voulut pas l'envoyer à l'école de médecine, en 188..., sans lui faire un cadeau. Il offrit au jeune homme une putain de Portland : il organisa pour son fils une nuit de prétendu plaisir dans l'une des guinguettes des quais — invitation que le jeune homme n'osa pas refuser en dépit de sa gêne. La nostalgie égoïste de son père lui permettait si peu de gestes à l'égard de son fils ! Et la vertu amère de sa mère était aussi égoïste à sa manière... Le jeune Wilbur fut donc touché que son père ait songé à lui offrir quelque chose.

Dans la guinguette — planches séchées par le sel et humidité marine collant aux rideaux et au couvre-lit — la prostituée rappela à Wilbur l'une des plus jolies domestiques qui travaillait avec sa mère ; il ferma les yeux et tenta d'imaginer qu'il se lançait dans un roman d'amour interdit, dans une chambre de bonne de la demeure du maire. Quand il ouvrit les yeux, à la lueur de la bougie, il aperçut les vergetures sur l'abdomen de la putain ; il ignorait alors qu'il s'agissait de vergetures. La putain semblait ne pas se soucier que Wilbur les remarque ; lorsqu'ils s'endormirent, Wilbur, la tête posée sur l'estomac de la femme, se demanda vaguement si les rides de cette peau n'allaient pas se décalquer sur son visage — et le marquer. Une odeur forte, désagréable le réveilla, et il s'éloigna de la femme sans la déranger. Sur une chaise de la chambre, celle où la putain avait posé ses vêtements, quelqu'un fumait un cigare — Wilbur vit le bout du cigare briller d'une lueur plus vive à chaque aspiration. Il supposa qu'un homme — le client suivant — attendait poliment son tour, mais quand il demanda s'il y avait une autre bougie (il lui fallait retrouver ses vêtements), la voix d'une jeune fille lui répondit.

— Tu aurais pu m'avoir pour moins cher, dit-elle simplement.

Il ne pouvait pas distinguer ses traits mais — comme il n'y avait pas d'autre bougie — elle éclaira son chemin jusqu'à ses vêtements en tirant gaillardement sur son cigare, ce qui projetait un halo rouge et un nuage de fumée. Il la remercia de son aide et partit.

Le matin suivant, dans le train de Boston, il rencontra de nouveau — fort gêné — la prostituée de la veille. A la lumière du jour, c'était une femme bavarde qui portait un carton à chapeaux avec l'autorité d'une habituée des magasins de luxe ; il se sentit obligé de lui céder sa place assise dans le train bondé. Une jeune fille voyageait avec la pute — « Ma fille », dit-elle en la montrant du doigt. « Ma fille » rappela à Wilbur qu'ils avaient déjà fait connaissance, en soufflant dans sa figure une bouffée de son cigare d'une puanteur surprenante. Elle était un peu plus jeune que Wilbur.

La prostituée s'appelait Mme Eames — « Ça rime avec crème ! » avait dit le père de Wilbur à son fils. Mme Eames expliqua au jeune étudiant qu'elle était veuve et menait à Boston une vie respectable, mais que, pour pouvoir se permettre cette existence, elle était obligée de se vendre dans des villes lointaines. Elle supplia le jeune homme de lui laisser sauver les apparences et conserver une réputation intacte — à Boston. Wilbur non seulement lui assura que sa réputation était en sécurité avec lui, mais lui versa de sa poche, sur-le-champ et sans qu'on lui ait rien demandé, une somme supérieure à celle que son père avait déboursée la veille. Il apprit le montant du premier versement plus tard — quand son père lui raconta que Mme Eames était une citoyenne respectable de *Portland* contrainte de vendre ses charmes de temps en temps à *Boston*, pour pouvoir maintenir les apparences et sa réputation à Portland. Par égards pour le père de Wilbur, elle lui avait fait la grâce exceptionnelle — « Passe pour cette fois ! » — de s'abaisser dans sa propre ville.

Le père de Wilbur ignorait que Mme Eames avait une fille qui — de son propre aveu — coûtait moins cher que sa mère et ne prétendait nullement sauver les apparences, que ce fût à Boston ou à Portland. La fille, morose, ne parla pas pendant le trajet jusqu'à la gare du Nord de Boston ; son haleine au cigare et son regard méprisant parlaient pour elle. Wilbur n'avoua jamais à son père qu'il existait une certaine contradiction au sujet de la ville dans laquelle Mme Eames avait une bonne réputation, et il ne lui avoua jamais non plus qu'il avait attrapé la chaude-pisse de Mme Eames, qui ignorait peut-être la présence de la bactérie.

A l'école de médecine, Wilbur apprit que la gonorrhée peut vivre dans les trompes de Fallope des femmes pendant des années. Seule l'apparition d'un abcès au pubis indique à la femme qu'elle transporte la maladie. La symptomatologie — les pertes et le reste — peut passer inaperçue pendant longtemps. Mais la chose ne passa pas inaperçue pour Wilbur Larch ; l'infection bactérienne, en cette époque antépénicillinienne, continua de vivre pendant des mois dans le jeune Wilbur et, avant de s'éteindre, suscita en lui un intérêt passionné pour la

51

bactériologie. L'expérience lui laissa un urètre meurtri et une prostate durcie. Elle le laissa également avec une passion pour l'éther — à cause des sommeils à l'éther qu'il s'administrait de temps à autre pour soulager la brûlure qu'il ressentait, aussi bien lorsqu'il urinait que quand il rêvait. Cette rencontre singulière et douloureuse avec le plaisir sexuel — associée au souvenir qu'il gardait du mariage sans amour de ses parents — convainquit le docteur en herbe qu'une vie d'abstinence sexuelle serait à tous égards préférable, tant d'un point de vue médical que philosophique.

En 188..., l'année où Wilbur Larch devint docteur en médecine, Neal Dow mourut. De chagrin, la mère de Wilbur Larch suivit de peu dans la tombe son héros de la tempérance. Quelques jours plus tard, le père de Wilbur vendit aux enchères tout le contenu de leur logement de domestiques dans la demeure de l'ancien maire et prit le Grand Trunk Railway pour une ville moins fanatique de tempérance que Portland : Montréal, où il poussa son foie au-delà de ses limites. Son corps fut rapatrié à Portland par le même Grand Trunk Railway qui avait emporté l'ancien tourneur. Wilbur Larch l'attendait à la gare ; il joua le rôle du porteur pour les restes de son père. Ayant vu pendant sa première année d'internat plus d'un cirrhotique presque réduit à l'état de cadavre, le jeune Dr Larch savait exactement comment devait se trouver son père vers la fin. La cirrhose transforme le foie en une masse de plaies et de bosses, la peau prend un reflet bilieux de jaunisse, les selles deviennent plus claires, l'urine plus sombre, le sang cesse de se coaguler. Le Dr Larch aurait juré que son père n'avait même pas remarqué l'impuissance sexuelle qui accompagne la maladie.

Comme il eût été émouvant de conclure que le jeune Larch décida de devenir obstétricien parce que la perte de ses parents lui inspirait le désir de mettre des enfants au monde ! Mais le chemin qui conduisit Larch à l'obstétrique fut en réalité pavé de bactéries. L'expérimentateur en bactériologie de l'école de médecine de Harvard, un certain Dr Harold Ernst [2], a laissé un souvenir plus durable dans un autre domaine : ce fut le premier lanceur de base-ball universitaire à donner de l'effet à ses balles ; ce fut aussi le premier joueur de base-ball universitaire qui devint bactériologue. Dans le laboratoire, le matin de bonne heure, avant que le Dr Ernst — l'ancien lanceur de balles à effet — arrive pour mettre en place ses expériences, le jeune Wilbur Larch était tout seul. Mais il ne se sentait pas seul du tout en présence d'un si grand nombre de bactéries en train de se multiplier dans les petits tubes à essai, en présence surtout des bactéries qui campaient dans son urètre et sa prostate.

Il trayait une goutte de pus de son pénis sur une lamelle ordinaire. Grossis plus de mille fois, les bandits qu'il repérait chaque matin sous le microscope paraissaient encore plus minuscules que de banales fourmis rouges.

Des années plus tard, Larch écrirait que les gonocoques avaient un air voûté comme des visiteurs trop grands dans un igloo. (« Ils se penchent, écrivit-il, comme s'ils étaient de tailles différentes et s'inclinaient l'un devant l'autre. »)

Le jeune Larch observait son pus jusqu'à ce que le Dr Ernst arrive et salue gaiement ses petites expériences vivantes disséminées dans le laboratoire (comme s'il s'agissait de ses anciens camarades de l'équipe de base-ball).

— Sincèrement, Larch, lui dit un matin le bactériologue célèbre, à la façon dont vous regardez dans ce microscope, on croirait que vous préparez la revanche !

Mais ce n'était pas le rictus de la vengeance que le Dr Ernst avait reconnu sur les traits de Wilbur Larch : simplement la tension du moment où Larch émergeait des brumes de l'éther[3]. Le jeune étudiant en médecine avait découvert que la vapeur légère, savoureuse, tuait sa douleur efficacement et sans risque. Pendant cette période de lutte contre les gonocoques danseurs, Larch acquit des connaissances remarquables en matière d'éther. Quand les bactéries sauvages perdirent leur ardeur, Larch était devenu éthéromane. Il avait adopté la méthode de la goutte. D'une main, il tenait un cône au-dessus de sa bouche et de son nez (il fabriquait ce cône lui-même en enroulant plusieurs couches de gaze autour d'un cône de bristol) ; de l'autre main, il humectait le cône. Il se servait d'une cartouche d'éther de cent millilitres, qu'il perçait avec une épingle de sûreté ; les gouttes qui glissaient du coude de l'épingle avaient juste la grosseur qu'il fallait et tombaient juste à la cadence désirable.

Il administrait l'éther à ses malades de la même manière, sauf que pour lui il diminuait beaucoup la dose ; dès que la main tenant la cartouche d'éther cessait d'être bien ferme, il posait la cartouche ; quand la main tenant le cône de gaze sur sa bouche et son nez tombait sur son flanc, le cône glissait de son visage — il ne pouvait rester en place tout seul. Larch n'éprouvait nullement l'impression de panique

que connaît souvent un malade anesthésié à l'éther — jamais il n'allait jusqu'au moment où l'on n'a plus assez d'air pour respirer. Il lâchait toujours le masque avant d'atteindre ce stade.

Quand le jeune Dr Larch quittait la Maternité de Boston (quartier Sud) pour accoucher des mères dans les quartiers pauvres de la ville, il avait dans sa tête une case réservée à la paix de l'éther. Il emportait chaque fois la cartouche d'éther et le cône de gaze, mais n'avait pas toujours le temps d'anesthésier la patiente. Le travail de la femme était souvent trop avancé pour que l'éther la soulage. Bien entendu, il l'utilisait quand il avait le temps ; jamais il ne partagerait l'opinion de ses collègues plus âgés, pour qui l'éther constituait une déviation par rapport à la nature : les enfants devaient venir au monde dans la souffrance.

Larch mit au monde son premier enfant dans une famille litua-nienne qui vivait au dernier étage, dans un appartement sans eau chaude — les rues à l'entour étaient jonchées de fruits écrasés, de légumes déchiquetés et de crottin de cheval. Il n'y avait pas de glace à poser sur l'abdomen, à la hauteur de l'utérus, en cas d'hémorragie postnatale. Un pot d'eau bouillait déjà sur le fourneau, mais Larch aurait aimé stériliser l'appartement entier. Il envoya le mari chercher de la glace. Il mesura le bassin de la femme. Il localisa le fœtus. Il écouta battre son cœur tout en regardant un chat jouer avec une souris morte sur le sol de la cuisine.

Une future grand-mère était présente ; elle parlait lituanien à la femme en travail. Au Dr Larch, elle parla un étrange langage par gestes qui le persuada que ladite future grand-mère était faible d'esprit. Elle lui signifia qu'un gros nævus sur son visage était pour elle une source soit de plaisir hystérique, soit de douleur hystérique — Larch fut incapable de trancher ; peut-être voulait-elle simplement qu'il enlève le nævus, soit avant, soit après avoir mis le bébé au monde. Elle trouva plusieurs moyens d'exhiber la grosseur — une fois en tenant une cuillère à café dessous, comme si elle allait tomber ; une fois en la recouvrant d'une tasse puis en la révélant brusquement, comme s'il s'agissait d'une surprise ou d'un tour de passe-passe. Mais l'ardeur avec laquelle elle exhibait chaque fois le nævus suggéra plutôt que la vieille avait simplement oublié qu'elle le lui avait déjà montré.

Quand le mari revint avec la glace, il marcha sur le chat, qui exprima sa désapprobation sur un ton qui fit croire à Wilbur Larch que l'enfant était déjà né. Larch fut ravi de ne pas avoir à utiliser le forceps ; l'accouchement s'avéra rapide, sans risque et très bruyant, à la suite de quoi le mari refusa de laver le bébé. La grand-mère se proposa, mais Larch craignit que la conjonction de son excitation et de sa faiblesse d'esprit ne provoque un accident. Précisant (de son mieux, sans le bénéfice de la langue lituanienne) qu'il fallait laver l'enfant à l'eau tiède et au savon — mais non l'ébouillanter dans le pot sur le fourneau, ni le tenir la tête en bas sous le robinet d'eau froide —, Larch accorda toute son attention au délivre, qui refusa de se laisser extraire. A la façon dont la patiente saignait, Larch comprit qu'il aurait bientôt une hémorragie grave sur les bras[4].

Il supplia le mari de lui briser un peu de glace — le bonhomme, très costaud, avait acheté un pain entier et emprunté au marchand de grosses tenailles pour le manipuler. Il était campé à l'entrée de la cuisine avec les tenailles sur l'épaule, l'air menaçant. Le pain de glace aurait pu refroidir les utérus de plusieurs patientes en sang ; l'appliquer d'un seul bloc, à une seule patiente, aurait écrasé l'utérus, sinon la patiente elle-même. A ce moment, le bébé ensavonné glissa des mains de la grand-mère et tomba au milieu de la vaisselle qui trempait dans l'eau froide de l'évier — juste à l'instant où le mari marcha de nouveau sur le chat.

Profitant de la situation, dès qu'il vit la grand-mère et le père distraits, Larch saisit le haut de l'utérus de sa patiente, à travers la paroi abdominale, et serra très fort. La femme hurla et lui prit les mains ; la grand-mère, abandonnant l'enfant parmi les assiettes sales, agrippa Larch par la taille et le mordit entre les omoplates. Le mari récupéra l'enfant dans l'évier d'une main, mais brandit de l'autre les tenailles au-dessus de la tête de Larch. Sur quoi Wilbur Larch — coup de chance — sentit le placenta se détacher. Lorsque, très calme, il montra du doigt ce qu'il venait d'extraire, la grand-mère et le mari parurent plus émerveillés par la chose que par l'enfant. Après avoir lavé le bébé lui-même et donné à la mère un peu d'ergot de seigle, il prit congé en s'inclinant, sans un mot. En sortant, il fut surpris d'entendre du chambard presque à l'instant où il referma la porte : la grand-mère, la patiente glacée, le mari — tous en lituanien — et le bébé qui ajoutait sa voix de bon cœur à sa première querelle de famille. Comme si l'accouchement, et la présence même du Dr Larch, n'avaient été qu'un bref entracte dans une vie de tumulte inintelligible.

Larch navigua à l'estime dans l'escalier sombre et trébucha jusqu'à l'air libre ; il marcha sur une tête de laitue en putréfaction qui céda sous son pied avec la mollesse déconcertante d'un crâne de nouveau-né. Cette fois il ne confondit pas le miaulement affreux du chat avec des cris d'enfant. Il leva les yeux juste à temps pour voir l'objet voler par la fenêtre de l'appartement du Lituanien. Juste à temps pour pouvoir l'esquiver. On avait visiblement lancé l'objet sur lui, et Larch se demanda quelle offense particulière, peut-être lituanienne, il avait bien pu faire à ces pauvres gens. Il fut choqué de voir que l'objet lancé par la fenêtre — et maintenant sans vie sur le sol à ses pieds — était le chat. Mais il ne fut pas choqué *outre mesure;* pendant une seconde fugitive, il avait craint que ce ne fût l'enfant. Son professeur d'obstétrique à Harvard lui avait enseigné que « l'élasticité du nouveau-né » était « une merveille », mais Larch savait que le chat possède également une élasticité considérable, et il remarqua que l'animal n'avait pas survécu à sa chute.

« Ici à Saint Cloud's, écrirait le Dr Larch, je suis constamment reconnaissant au quartier Sud de Boston. » Il voulait dire qu'il devait beaucoup aux enfants de ce quartier, et au sentiment qu'ils lui inspiraient : à savoir que leur entrée dans le monde était peut-être la phase la plus sûre de leur voyage. Larch accordait également beaucoup de prix à la leçon péremptoire que lui avaient rappelée les prostituées du quartier Sud. Elles lui avaient remis en mémoire le cadeau douloureux de Mme Eames. Il ne pouvait pas voir les prostituées sans imaginer leurs bactéries grouillant sous le microscope. Et il ne pouvait pas imaginer ces bactéries sans éprouver le besoin de la chaleur entêtante de l'éther — juste une reniflette ; juste une dose légère (et une légère pause). Il ne buvait pas, le Dr Larch, ni n'avait de goût pour le tabac. Mais de temps à autre, il offrait à son courage fléchissant une escapade à l'éther[5].

Un soir où Wilbur somnolait à la Maternité de Boston (quartier Sud), un des docteurs lui signala qu'une urgence arrivait et que c'était son tour. Bien qu'elle eût perdu beaucoup de poids et son allure juvénile depuis leur précédente rencontre, Larch reconnut sans peine Mme Eames. Elle avait si peur, et ses douleurs étaient si intenses, qu'elle avait du mal à reprendre haleine, et encore plus de difficulté à dire son nom à l'infirmière de la réception.

— Ça rime avec crème, dit le Dr Larch pour aider.

Si Mme Eames le reconnut sur-le-champ, elle n'en laissa rien paraître. Elle était froide au toucher, son pouls battait très vite et son abdomen semblait aussi dur et blanc que les phalanges d'un poing crispé. Larch ne décela aucun signe de travail, et n'entendit pas le moindre battement de cœur du fœtus — qu'il ne pouvait s'empêcher d'imaginer ressemblant trait pour trait à la fille taciturne de la patiente. Quel âge devait-elle avoir à présent ? se demanda-t-il. Toujours à peu près le même âge que lui — ce fut tout ce dont il eut le temps de se souvenir avant de préciser son diagnostic de Mme Eames : hémorragie interne de l'abdomen. Il opéra dès que le responsable du service put réunir les donneurs de sang nécessaires à la transfusion.

« Madame Eames ? lui demanda-t-il doucement, ne sachant encore si elle l'avait reconnu.

— Comment va votre père, Wilbur ? lui lança-t-elle juste avant qu'il l'opère.

L'abdomen était plein de sang. Larch l'épongea, à la recherche de la source, et découvrit que l'hémorragie provenait d'un accroc de quinze centimètres à l'arrière de l'utérus. Larch exécuta une césarienne[6] et délivra un enfant mort-né — dont le visage pincé, méprisant, lui rappela inévitablement la fille au cigare. Il se demanda pourquoi Mme Eames était venue seule à la Maternité.

Jusqu'à ce stade de l'opération, le jeune Larch s'était senti maître de la situation. Malgré ses souvenirs de la femme ouverte devant lui — et le souvenir de sa maladie contaminatrice dont il venait à peine de se débarrasser —, il avait eu le sentiment de s'occuper d'une urgence relativement facile à régler. Mais quand il essaya de recoudre l'utérus de Mme Eames, ses points traversèrent simplement le tissu, qui avait, remarqua-t-il, la consistance d'un fromage mou — essayez donc de faire des points de suture dans un munster ! Il n'avait donc pas le choix : il fallait qu'il enlève l'utérus. Après toutes les transfusions, Larch s'étonna de trouver Mme Eames en assez bonne condition.

Dans la matinée, il sollicita l'opinion d'un chirurgien chevronné. A la Maternité de Boston, il était normal qu'un obstétricien ait une formation de chirurgien — Larch lui-même avait fait son internat de chirurgien à l'Hôpital général du Massachusetts —, et le chirurgien chevronné partagea l'étonnement du jeune Larch quant à la consistance friable de l'utérus de Mme Eames. Même l'accroc constituait une énigme. Il n'existait aucune cicatrice de césarienne antérieure qui aurait cédé ; le placenta ne pouvait pas avoir affaibli la paroi de l'utérus, parce que le délivre se trouvait du côté de l'utérus opposé à la déchirure. Il n'y avait aucune tumeur.

Pendant quarante-huit heures, Mme Eames se porta très bien. Elle consola le jeune Wilbur de la mort de ses parents. « Je n'ai jamais connu votre mère, bien sûr », avoua-t-elle. De nouveau, elle se soucia que Wilbur veille à sa réputation, et Wilbur lui assura qu'il y veillerait.

(Et il y avait veillé — en omettant d'exprimer au chirurgien réputé ses craintes que l'état de Mme Eames ne fût en quelque manière le résultat de la gonorrhée.) Il se demanda un instant quel conte Mme Eames utilisait en ce moment pour sa réputation : si elle prétendait mener une vie honnête à Portland ou à Boston, ou si elle faisait appel à une troisième ville et donc à une troisième vie imaginaire.

Le troisième jour après l'ablation de son étrange utérus, Mme Eames s'emplit de nouveau de sang, et Wilbur Larch rouvrit la plaie ; cette fois il avait très peur de ce qu'il trouverait. Au début, il fut soulagé : il y avait beaucoup moins de sang dans l'abdomen que la fois précédente. Mais quand il voulut éponger ce sang, il perfora l'intestin, qu'il avait à peine touché, et, lorsqu'il souleva le morceau endommagé pour fermer le trou, ses doigts traversèrent l'intestin aussi facilement que de la gélatine. Si tous les organes de Mme Eames étaient constitués de cette gelée fragile, se dit Larch, elle ne vivrait plus très longtemps.

Elle vécut encore trois jours. La nuit où elle mourut, Larch eut un cauchemar — son pénis lui glissait des mains ; il essayait de le recoudre à sa place, mais il continuait de se désintégrer ; puis ses doigts s'effritèrent de la même manière. Quelle aventure pour un chirurgien ! se dit-il. Les doigts ont pour eux plus de valeur que les pénis. Quelle aventure pour Wilbur Larch !

Cela contribua à renforcer la conviction de Larch concernant l'abstinence sexuelle. Le mal qui avait détruit Mme Eames allait s'emparer de lui, se dit-il, mais l'autopsie, réalisée par un pathologue distingué, parut aberrante.

— Scorbut, déclara le pathologue.

Bravo pour la pathologie, pensa Wilbur Larch. Le scorbut, vraiment !

— Mme Eames était une prostituée, fit-il observer respectueusement au pathologue. Pas un marin.

Mais le pathologue était sûr de son fait. Cela n'avait rien à voir avec la gonorrhée, rien à voir avec la grossesse. Mme Eames était morte du fléau des marins ; elle n'avait pas la moindre trace de vitamine C, et, déclara le pathologue, « la dégradation de ses tissus conjonctifs et la tendance au saignement étaient tout à fait caractéristiques ». Le scorbut[7].

Sans doute une énigme, mais une énigme nullement vénérienne, et le Dr Larch, convaincu, passa une bonne nuit de sommeil avant que la fille de Mme Eames vînt le voir.

— Ce n'est pas mon tour…, lança-t-il encore endormi au collègue qui le réveillait.

— Elle dit que tu es son médecin, expliqua le collègue.

Il ne reconnut pas la fille de Mme Eames, qui coûtait jadis moins que sa mère — à présent elle aurait fait payer davantage que Mme Eames ne pourrait jamais obtenir. Dans le train, elle paraissait un peu plus jeune que Wilbur, maintenant elle semblait beaucoup plus âgée. Son air buté d'adolescente rétive avait mûri en un style arrogant et caustique. Son maquillage, ses bijoux et son parfum s'étalaient sans mesure ; sa robe faisait souillon. Ses cheveux — une seule tresse fournie avec une plume de mouette plantée au milieu — étaient tirés en arrière avec une telle violence que les veines de ses tempes saillaient et que les muscles de son cou se tendaient — comme si un amant violent l'avait jetée sur le dos et maintenue ainsi par sa grosse couette brune.

Elle salua Wilbur Larch en lui tendant méchamment une bouteille de liquide brunâtre — dont l'odeur âcre s'échappait par un bouchon de liège qui fuyait. L'étiquette de la bouteille, tachée, était illisible.

— C'est ce qui l'a rétamée, dit la fille d'une voix de gorge. J'en prends plus. Y a d'autres moyens.

— Vous êtes mademoiselle Eames ? demanda Wilbur Larch, en cherchant sa mémorable haleine au cigare.

— Je vous ai dit qu'il y a d'autres moyens ! lança Mlle Eames. Je ne suis pas aussi avancée qu'elle. Je ne suis pas *éveillée*.

Wilbur Larch renifla la bouteille dans sa main. Il savait ce que signifiait « éveillée ». Quand un fœtus est éveillé, cela veut dire que la mère l'a senti bouger, et donc qu'elle est parvenue à la moitié environ de sa gestation, en général au quatrième ou au cinquième mois ; pour certains praticiens férus de religion, quand un fœtus est éveillé cela signifie qu'il a une âme. Wilbur Larch ne croyait pas que quiconque eût une âme. Mais jusqu'au milieu du dix-neuvième siècle, l'attitude de la jurisprudence en matière d'avortement était simple et (pour Wilbur Larch) rationnelle : avant l' « éveil » — avant le premier mouvement du fœtus senti par la mère — l'avortement était légal. Plus important (pour le médecin qu'était Wilbur Larch), procéder à un avortement avant l'éveil ne présentait pas de danger pour la mère. Après le troisième mois, que le fœtus fût éveillé ou non, Wilbur Larch savait qu'il s'accrochait à l'utérus avec une force beaucoup plus difficile à vaincre.

Par exemple, le liquide de la bouteille que tenait Wilbur Larch n'avait pas eu assez de force pour vaincre la prise du fœtus de

Mme Eames — bien qu'apparemment il eût exercé une force suffisante pour tuer le fœtus et réduire l'intérieur de la mère en bouillie.

« Faut que ce soit du poison pur, lança la fille rebelle de Mme Eames à Wilbur Larch, qui versa un peu de son cher éther sur l'étiquette tachée de la bouteille, et la nettoya suffisamment pour lire :

SOLUTION LUNAIRE FRANÇAISE

Restaure la régularité mensuelle des femmes !

Arrête la suppression !

(Suppression, le jeune Larch ne l'ignorait pas, était un euphémisme pour grossesse.)

Attention : Dangereux pour les femmes mariées !

Provoque presque sans exception des fausses couches !

concluait l'étiquette ; ce qui, bien entendu, était justement la raison pour laquelle Mme Eames en avait avalé des quantités.

Larch avait étudié l'abus des abortifs à l'école de médecine. Certains — comme l'ergot de seigle qu'utilisait Larch pour faire contracter l'utérus après l'accouchement, ou comme l'extrait pituitaire — agissaient directement sur l'utérus. D'autres ravageaient les intestins — c'étaient de simples purgatifs violents. Deux des cadavres sur lesquels Larch avait travaillé à l'école de médecine avaient été victimes d'un abortif de fortune assez commun à l'époque : l'essence de térébenthine. Les femmes qui ne voulaient pas d'enfants dans les années 1880 et 1890 se tuaient également à la strychnine et à l'huile de rue. La Solution lunaire française que Mme Eames avait essayée était de l'huile de tanaisie ; elle en avait pris pendant si longtemps et en telles quantités que ses intestins avaient perdu leur capacité à absorber la vitamine C. Elle s'était changée en munster. Elle était morte de scorbut, comme l'avait constaté le pathologue sans se tromper.

Mme Eames aurait pu choisir plusieurs autres moyens d'avorter[8]. On racontait qu'un avorteur relativement notoire du quartier Sud était également le maquereau le plus en vogue de l'endroit. Comme il demandait presque cinq cents dollars par avortement, somme que très peu de femmes pauvres pouvaient payer, elles devenaient ses putes pour se libérer de leur dette. On appelait ses pénates — et celles d'autres sires du même acabit — « derrière Harrison », expression délibérément vague mais non dénuée de signification. L'une des annexes de la Maternité de Boston (quartier Sud) se trouvait rue Harrison, et « derrière Harrison » dans le langage de la rue impliquait, non sans fondement, quelque chose de peu officiel — pour ne pas dire illégal.

Avorter « derrière Harrison » n'avait aucun sens, comme Mme Eames avait sans doute une bonne raison de le savoir. Sa fille connaissait également les méthodes de l'endroit, ce qui l'incita à donner à Wilbur Larch une chance de faire le travail — tout en se donnant à elle-même une chance d'avoir du travail bien fait.

« J'ai dit : je ne suis pas éveillée, répéta la fille de Mme Eames au jeune Larch. Et avec moi, pas de complications. Je sortirai d'ici au bout de deux minutes.

C'était au quartier Sud, après minuit. Le fonctionnaire de permanence dormait ; l'infirmière-chef, une anesthésiste, dormait elle aussi ; et l'interne qui avait réveillé Larch était allé se coucher.

La dilatation du col de l'utérus, à n'importe quel stade de la grossesse, provoque en général des contractions utérines, qui expulsent le contenu de l'utérus. Larch savait aussi que toute irritation de l'utérus aurait en général l'effet désiré : contraction, expulsion. Le jeune Wilbur Larch fixa la fille de Mme Eames ; il avait les jambes paralysées. Peut-être était-il encore debout, la main sur le dossier du siège de Mme Eames, dans le train cahotant de Portland, encore inconscient de sa chaude-pisse.

— Vous voulez un avortement, dit Wilbur Larch à mi-voix.

C'était la première fois qu'il prononçait le mot.

La fille de Mme Eames ôta la plume de mouette de sa couette et enfonça le bout pointu dans la poitrine de Larch.

— Chie ou sors du pot, dit-elle.

Ce fut avec les mots « chie » et « pot » que l'odeur âcre du cigare atteignit le jeune docteur.

Wilbur Larch pouvait entendre dormir l'infirmière anesthésiste — elle avait les sinus bloqués. Pour un avortement, il aurait besoin de moins d'éther que pour un accouchement ; à peine un peu plus qu'il n'en prenait normalement lui-même. Était-il nécessaire de raser la patiente ? Par principe, on rasait les patientes avant l'accouchement, et Larch aurait préféré une patiente rasée pour un avortement, mais pour gagner du temps, il pouvait s'en passer ; en revanche il ne se passerait pas d'éther. Il enduirait de mercurothiolate rouge la région vaginale [9]. S'il avait eu la même enfance que la fille de Mme Eames, il n'aurait pas désiré, lui non plus, mettre un enfant au monde. Il utiliserait le jeu de dilatateurs à pointes de Douglass — des pointes arrondies, au nez camus, qui avaient l'avantage d'une introduction facile dans l'utérus et éliminaient le risque de pincer le tissu quand on les retirait. Une fois le col dilaté à la taille désirée, il pensait qu'il n'aurait pas besoin d'utiliser le forceps — sauf si la fille de Mme Eames était à la fin de son troisième mois ou dans son quatrième, et seulement pour enlever le placenta et les plus gros *morceaux*. Un manuel de l'école de médecine avait, par euphémisme, utilisé cette expression pour désigner les produits de la conception : il les séparerait de la paroi de l'utérus en grattant avec une curette — peut-être avec deux curettes de taille différente, la petite pour aller dans les coins.

Mais il était trop jeune, Wilbur Larch, il hésitait... Il songea au temps qu'il devrait accorder à la fille de Mme Eames pour qu'elle sorte de l'éther, et à ce qu'il dirait à ses collègues, ou à l'infirmière si elle se réveillait — ou même au responsable de permanence s'il s'avérait nécessaire de garder la jeune femme jusqu'au matin (en cas de saignement excessif, par exemple). La douleur soudaine dans sa poitrine le surprit ; la fille rebelle de Mme Eames le piquait de nouveau avec sa plume de mouette.

« Je suis pas éveillée ! Je suis pas *éveillée,* je vous dis ! lui cria la fille Eames en piquant comme une forcenée jusqu'à ce que la plume se plie dans sa main.

Elle la laissa plantée dans la chemise de Larch. Quand elle se détourna de lui, sa lourde natte effleura le visage de l'interne — odeur de cheveux, mais lourde de tabac. Après son départ, Larch retira la plume de mouette de sa poitrine et remarqua que l'huile de tanaisie — la Solution lunaire française — avait goutté sur ses mains. L'odeur n'était pas désagréable, mais elle étouffait momentanément l'odeur que Larch aimait, l'odeur à laquelle il était habitué — elle étouffait l'éther ; cela mit fin à sa paix de l'esprit.

« Derrière Harrison », on n'utilisait pas l'éther. On ne se préoccupait guère de la douleur. Contre la douleur, « derrière Harrison », on utilisait la musique. Un ensemble appelé « le Chœur allemand » entonnait des *Lieder* dans la pièce donnant sur la rue. Les choristes chantaient avec passion. Peut-être la fille de Mme Eames avait-elle apprécié la musique, mais elle n'y fit aucune allusion lorsqu'on la ramena au quartier Sud une semaine plus tard. Personne ne sut comme elle arriva ; on l'avait jetée, semblait-il, contre la porte. Et on l'avait apparemment battue, sur le visage et sur le cou, peut-être pour n'avoir pas payé les honoraires habituels d'un avortement. Elle avait une très forte fièvre — son visage tuméfié était brûlant et sec au toucher comme du pain sortant du four. A cause de la fièvre et de la dureté de l'abdomen, rigide comme du verre, l'employé de service et l'infirmière de nuit songèrent à une péritonite. Ils ne réveillèrent Wilbur que pour une seule raison : la fille de Mme Eames avait un bout de papier épinglé sur l'épaule de sa robe :

DOCTEUR LARCH —
CHIE OU SORS
DU POT !

Epinglée sur l'autre épaule — comme une épaulette mal assortie qui tirait la robe de travers — se trouvait une culotte de dame. La seule culotte de la jeune femme : on s'aperçut qu'elle n'en avait pas sur elle. L'objet semblait avoir été épinglé là à la hâte, pour éviter de le perdre. Wilbur Larch n'eut pas besoin d'examiner la fille de Mme Eames longuement pour découvrir que la tentative d'avortement avait échoué. Un fœtus sans battements de cœur était emprisonné dans l'utérus, qui avait subi une contraction brutale et se trouvait en état de spasme. L'hémorragie et l'infection pouvaient provenir de la méthode utilisée : on en pratiquait plusieurs, « derrière Harrison », mais elles se valaient toutes.

Il y avait l'école du curetage à l'eau, qui proposait l'utilisation d'une sonde intra-utérine et d'une seringue, mais ni le tube ni l'eau n'étaient stérilisés — et la seringue servait à plus d'un autre usage. Il y avait un système de succion primitif, simplement une coupelle étanche dont on pouvait aspirer tout l'air avec une pompe à pied ; l'engin avait le pouvoir d'avorter, mais aussi celui d'aspirer le sang à travers les pores de la peau. Il pouvait faire beaucoup de dégâts sur un tissu mou. Ensuite — comme le proclamait une petite plaque sur la porte, « derrière Harrison » : NOUS TRAITONS LA SUPPRESSION MENSTRUELLE À L'ÉLECTRICITÉ ! — il y avait la batterie galvanique McIntosh. On branchait à la batterie de longs fils pourvus de contacteurs intravaginaux et intra-utérins, montés sur poignées isolantes garnies de caoutchouc pour que l'avorteur ne sente pas la décharge dans ses mains.

Quand la fille de Mme Eames mourut — avant que le Dr Larch ne

63

puisse l'opérer et sans échanger un mot de plus avec lui (en dehors du « Chie ou sors du pot ! » épinglé à son épaule) —, elle avait une température de presque 42°. L'employé de service se sentit obligé de demander à Larch s'il connaissait cette femme. La note sur l'épaule faisait supposer sans nul doute un message intime.

— Elle était furieuse contre moi parce que j'avais refusé de l'avorter, répliqua Wilbur Larch.

— Encore heureux pour vous ! dit l'homme.

Mais Wilbur Larch ne vit pas en quoi c'était heureux pour quiconque. Il s'était produit une inflammation générale des membranes et des viscères de la cavité abdominale, l'utérus avait été perforé deux fois, et le fœtus, qui était mort, confirmait la déclaration de la fille de Mme Eames : il n'était pas parvenu au stade de l'éveil.

Le matin venu, le Dr Larch se rendit « derrière Harrison ». Il fallait qu'il voie de ses yeux comment se passaient les choses ; il voulait savoir où allaient les femmes quand les médecins les mettaient à la porte. Il avait encore dans son esprit la dernière bouffée d'haleine au cigare de la fille de Mme Eames contre son visage, lorsqu'il s'était penché vers elle juste avant sa mort — ce qui lui avait inévitablement rappelé la nuit où les bouffées de cigare de l'adolescente l'avaient aidé à retrouver ses vêtements. Si l'orgueil est un péché, se dit le Dr Larch, le plus grand péché est l'orgueil moral. Il avait couché avec la mère et s'était rhabillé à la lueur du cigare de la fille. Il pouvait sans désagrément s'abstenir de rapports sexuels pendant le restant de sa vie, mais pouvait-il condamner une autre personne parce qu'elle faisait l'amour ?

Le Chœur allemand le foudroya à la porte ornée de la plaque promettant le retour de la menstruation à l'électricité. Il y avait un piano, sec et désaccordé — ni hautbois, ni cor anglais, ni mezzo-soprano —, mais Larch eut l'impression que la musique ressemblait aux *Kindertotenlieder* de Mahler. Des années plus tard, lorsqu'il entendit pour la première fois le bruit propre à dissimuler tout cri des rapides de Three Mile Falls, il se souvint des cantiques à perdre haleine de l'avorteuse de « derrière Harrison ». Il martela la porte — il aurait pu hurler — mais personne ne l'entendit. Il ouvrit, il entra, mais nul ne se soucia de sa présence ; le Chœur allemand continua de s'égosiller. Le seul instrument était le piano ; il n'y avait pas assez de chaises, même pour les femmes, et les pupitres à musique étaient

rares ; les hommes se serraient en deux groupes, loin des femmes ;
il n'y avait pas assez de partitions pour tous. Le chef de chœur se
tenait à côté du piano. Maigre, chauve et sans chemise, il portait
cependant un faux col blanc sale (peut-être pour recueillir la sueur)
et gardait les yeux mi-clos (on l'eût dit en prière) tandis que ses
bras battaient sauvagement l'air — comme si celui-ci, plein de fumée
de cigare et de l'odeur pisseuse de bière à la pression bon marché,
était difficile à brasser. Le chœur suivait les bras forcenés de
l'homme.

Un Dieu pointilleux ou critique, songea Wilbur Larch, nous tuerait
sur le coup. Il contourna le piano et franchit la seule porte ouverte. Il
pénétra dans une pièce absolument vide — pas un meuble, pas une
fenêtre. Seulement une porte fermée. Larch l'ouvrit et se trouva dans
ce qui était de toute évidence la salle d'attente. Il y avait même des
journaux, des fleurs fraîches et une fenêtre ouverte ; quatre personnes
étaient assises, deux par deux. Aucune ne lisait les journaux, ne
sentait les fleurs, ni ne regardait par la fenêtre. Chacune avait les yeux
baissés, et les laissa ainsi à l'entrée de Wilbur Larch. Sur un bureau,
un bloc de papier et une petite caisse métallique ; et, derrière, un
homme bien éveillé qui mangeait dans un bol quelque chose qui
ressemblait à des flageolets. L'homme avait l'air jeune, robuste et
indifférent ; il portait des bleus de travail et un tricot de corps sans
manches ; autour de son cou, comme un sifflet de professeur de
gymnastique, pendait une clé — manifestement celle de la caisse. Il
était aussi chauve que le chef de la chorale ; Larch se dit qu'il devait se
raser la tête.

Sans regarder Wilbur Larch, l'homme — peut-être un membre de la
chorale qui sautait un ou deux morceaux — lança :

— Eh ! Vous ne devez pas entrer ici. Faites venir la femme toute
seule ou avec une amie.

Wilbur Larch entendit chanter, dans la pièce de devant, quelque
chose sur la « chère mère » de quelqu'un — n'était-ce pas le sens de
Mütterlein ?

— Je suis médecin, répondit le Dr Larch.

L'homme à la caisse continua de manger mais leva les yeux vers
Larch. Les chanteurs reprirent leur souffle et, dans la demi-seconde
de silence, Larch entendit la cuillère rapide et habile de l'homme
gratter contre le bol — et, venu d'une autre pièce, le bruit d'une
personne en train de vomir, suivi aussitôt par le flac des vomissures
dans une cuvette de métal. Une des femmes de la salle d'attente se mit
à pleurer mais, avant que Larch puisse déterminer laquelle, les

chanteurs avaient repris leur souffle et s'égosillaient de plus belle. Quelque chose au sujet du sang du Christ, crut comprendre Larch.

— Qu'est-ce que vous voulez ? demanda l'homme à Larch.

— Je suis médecin, je veux voir le médecin.

— Pas de médecin ici, répondit l'homme. A part vous.

— Alors je veux donner un conseil. Un conseil médical. Un conseil médical gratuit.

L'homme étudia le visage de Larch ; comme s'il pensait y trouver une réponse à la proposition de Larch.

— Vous n'êtes pas le premier arrivé, dit l'homme au bout d'un instant. Attendez votre tour.

Cela parut satisfaire les deux hommes pour l'instant et Larch chercha un siège — il prit la chaise qui se trouvait précisément entre les deux groupes de femmes déjà dans la pièce. Il était trop choqué par tout ce qu'il venait de voir pour s'étonner encore quand il reconnut l'un des deux groupes : la Lituanienne qu'il avait accouchée (son premier accouchement) était assise, taciturne, avec sa mère au nævus sur la joue. Elles ne levèrent pas les yeux vers lui ; Larch leur sourit et inclina la tête. La femme était très grosse — trop avancée pour un avortement facile, même dans des conditions de sécurité optimales. Larch se rendit compte, pris de panique, qu'il ne pourrait jamais le lui faire comprendre ; elle ne parlait que le lituanien. Elle l'associerait seulement à la délivrance de bébés vivants ! En outre, il ne savait rien de ce qu'il était advenu de son premier bébé — rien de ce qu'avait été sa vie avec ce bébé, ou de ce qu'était sa vie à présent. Il se mit à taper du pied nerveusement et regarda les deux autres femmes — également mère et fille, de toute évidence, mais toutes deux plus jeunes que les Lituaniennes ; on n'aurait su dire laquelle était enceinte. Cet avortement, en tout cas, paraissait plus facile à pratiquer. La fille semblait trop jeune pour être enceinte, mais si elle ne l'était pas, se demanda Larch, pourquoi la mère l'avait-elle fait venir ici ? Avait-elle besoin de compagnie à ce point, ou voulait-elle lui donner une leçon ? Attention — voici ce qui pourrait t'arriver ! Dans la pièce de devant, les chanteurs s'excitaient de plus en plus à propos de l'amour de Dieu et de quelque chose qui ressemblait au « destin aveugle » — *verblendenen Geschicke*.

Wilbur Larch regarda fixement la porte fermée derrière laquelle il avait entendu, sans aucun doute possible, des vomissements. Une abeille, erreur démente de sa part, entra en bourdonnant par la fenêtre et crut que les fleurs étaient artificielles ; elle repartit d'un trait. Quand Larch se retourna vers les Lituaniennes, il constata que la grand-mère l'avait reconnu — et elle avait découvert un nouveau moyen d'exhiber son nævus, aux poils plus longs et plus nombreux. (Il avait d'ailleurs changé de couleur.) En pinçant de ses doigts chaque côté du nævus, la grand-mère enflammait la peau tout autour et la boule semblait jaillir de son visage — comme un furoncle mûr, sur le point d'éclater. La femme enceinte ne parut pas remarquer la démonstration dénuée de grâce de sa mère et, quand elle regarda Larch, elle ne sembla pas le reconnaître ; pour Larch, il n'y avait que du lituanien écrit sur son visage. Son mari a peut-être jeté le bébé par la fenêtre, se dit-il, ce qui l'a rendue folle. Pendant un instant, Larch crut que la chorale était lituanienne elle aussi, mais il reconnut quelque chose sur un conflit entre *Gott und Schicksal* — nettement allemand, nettement Dieu et le Destin.

Le cri qui perça la porte fermée domina sans peine les voix proclamant que Dieu avait gagné. La jeune fille sauta de sa chaise, se rassit, serra ses bras autour de son corps et cria ; elle blottit son visage sur les genoux de sa mère pour étouffer ses sanglots. Larch comprit que c'était elle qui avait pleuré auparavant. Il comprit aussi que ce devait être elle qui attendait un avortement — non sa mère. Elle n'avait pas, semblait-il, plus de dix ou douze ans.

— Excusez-moi, dit Larch à la mère. Je suis médecin.

Il se sentait comme un acteur plein de talent en puissance mais à qui l'on n'a confié qu'une seule réplique stupide — il n'avait rien d'autre à dire : « Je suis médecin. » Mais ensuite ?

— Alors vous êtes médecin, dit la mère, non sans amertume — mais Larch fut ravi d'entendre qu'elle ne parlait pas lituanien. Vous pouvez aider ? lui demanda-t-elle.

— Elle en est à quel mois ?

— Peut-être au troisième, répondit la mère, soupçonneuse. Mais je les ai déjà payés, ici.

— Quel âge a-t-elle ? demanda Larch.

La fille le regarda depuis les genoux de sa mère ; une petite mèche de ses cheveux blonds sales était collée à sa bouche.

— J'ai quatorze ans, lança-t-elle, sur la défensive.

— Elle *aura* quatorze ans l'an prochain, répondit la mère.

Larch se leva et se tourna vers l'homme à la clé de la caisse :

— Remboursez-les. Je vais aider la fille.

— Je croyais que vous étiez venu pour des conseils, dit l'homme.

— Pour les donner.

— Pourquoi ne pas en recevoir un ou deux pendant que vous y

êtes? demanda l'homme. Quand on paie, il y a un dépôt. Le dépôt n'est pas remboursable.

— De combien est le dépôt? demanda Larch.

L'homme haussa les épaules; il se mit à tambouriner du bout des doigts sur la caisse.

— Peut-être la moitié, dit-il.

« *Eure ganze Macht!* » chanta le chœur. « Votre puissance entière », traduisit Wilbur Larch. De nombreux étudiants en médecine étaient bons en allemand.

Quand la porte du mal s'ouvrit, un vieux couple, comme des grands-parents déconcertés, jeta des regards inquisiteurs dans la salle d'attente — il y avait de la confusion et de la curiosité sur leurs visages qui, comme les visages de nombreux vieux couples, avaient fini par se ressembler. Ils étaient petits et voûtés; derrière eux, sur un lit de toile — aussi immobile qu'un tableau —, une femme était allongée sous un drap, les yeux ouverts mais dans le vide. La cuvette des vomissures se trouvait sur une serviette par terre, à portée de sa main.

« Il dit qu'il est médecin, lança l'homme à la caisse sans regarder le vieux couple. Il dit qu'il est venu vous donner des conseils médicaux gratuits. Il voudrait que je rembourse ces dames. Il prétend qu'il s'occupera lui-même de la jeune personne.

A la façon dont la vieille dame aux cheveux blancs devint une présence — ou plutôt une *force* — sur le seuil entre la salle d'attente et la salle d'opération, Larch comprit que c'était elle le patron; le vieux monsieur aux cheveux blancs ne semblait que son assistant.

La vieille dame aux cheveux blancs aurait paru à sa place dans une cuisine coquette, en train de préparer des gâteaux et d'inviter les enfants du quartier à aller et venir chez elle comme chez eux.

— Docteur Larch, dit le Dr Larch en s'inclinant un peu trop cérémonieusement.

— Oh oui, le docteur Larch, répondit la vieille dame d'un ton neutre. Venu pour quoi? Chier ou sortir du pot?

Dans le quartier de « derrière Harrison », l'avorteuse était connue sous le nom de Mme Père Noël. Elle n'était pas l'auteur original de cette remarque — ni du message. La fille de Mme Eames l'avait écrit elle-même avant d'aller voir Mme Père Noël; elle connaissait assez bien les dangers de « derrière Harrison » pour savoir qu'elle ne serait peut-être plus à même d'écrire quoi que ce fût quand Mme Père Noël en aurait terminé avec elle.

Larch était mal préparé pour affronter Mme Père Noël — plus précisément, l'attitude de la vieille dame. Il avait imaginé que, dans toute rencontre avec une avorteuse, il aurait, lui le Dr Larch, facilement le dessus. Il essaya cependant. Il avança dans la salle d'opération et prit quelque chose à la main, juste pour faire preuve de son autorité. Ce qu'il prit était la coupelle de succion, pourvue d'un petit tuyau qui la reliait à la pompe à pied. La coupelle se colla à la paume de sa main et il n'eut aucun mal à imaginer à quoi d'autre elle pouvait se coller. A sa surprise, dès qu'il eut la coupelle fixée à sa paume, Mme Père Noël se mit à appuyer sur la pompe à pied. Quand il sentit le sang monter dans ses pores, il arracha la coupelle avant que l'objet ne provoque une lésion plus grave qu'un hématome au creux de sa main.

« Alors ? demanda Mme Père Noël, agressive. Quels sont vos conseils, docteur ?

Comme pour répondre, la patiente sous le drap tira Larch vers elle ; elle avait le front baigné de sueur.

— Vous ne savez pas ce que vous faites, dit le Dr Larch à Mme Père Noël.

— Au moins, je fais quelque chose, répondit la vieille dame avec un calme hostile. Si vous savez comment le faire, pourquoi ne le faites-vous pas ? demanda-t-elle. Et au moins, pourquoi ne me l'enseignez-vous pas ?

La femme sous le drap avait l'air étourdie, mais elle essayait de se reprendre. Elle s'assit sur le lit et tenta de s'examiner ; elle découvrit que, sous le drap, elle portait encore sa robe. Cette constatation parut la soulager.

— Je vous en prie, écoutez-moi, lui dit le Dr Larch. Si vous avez de la fièvre — si vous avez un saignement abondant —, vous devez vous rendre à l'hôpital. N'attendez pas.

— Je croyais que les conseils étaient pour moi ? dit Mme Père Noël. Où sont *mes* conseils ?

Larch essaya de faire comme si elle n'existait pas. Il retourna dans la salle d'attente et ordonna de partir à la mère de la jeune adolescente, mais la femme s'inquiétait de l'argent.

« Remboursez-les ! dit Mme Père Noël à l'homme de la caisse.

— Elles n'ont pas droit au dépôt, répéta l'homme.

— Remboursez-leur également le dépôt ! lança la vieille dame furieuse.

Elle entra dans la salle d'attente pour surveiller la transaction, effectuée de mauvaise grâce. Elle posa la main sur le bras du Dr Larch.

« Demandez-lui qui est le père, murmura-t-elle.

— Cela ne me regarde pas, dit Larch.

— Vous avez raison, concéda la vieille dame. Jusque-là vous avez raison. Mais demandez-le-lui quand même — c'est une histoire intéressante.

Larch voulut faire la sourde oreille ; Mme Père Noël saisit en même temps la mère et la fille. Elle parla à la mère.

« Apprenez-lui donc qui est le père.

La fille se mit à renifler et à geindre ; Mme Père Noël fit celle qui n'entend pas ; elle ne regarda que la mère.

« Dites-le-lui, répéta-t-elle.

— Mon mari, murmura la femme — puis elle ajouta, comme si ce n'était pas assez clair : Son père.

— Son père est le père, expliqua Mme Père Noël au Dr Larch. Pigé ?

— Oui, je crois, merci, répondit le Dr Larch.

Il dut passer le bras autour de la fillette de treize ans, qui chancelait ; elle avait les yeux fermés.

— A peu près un tiers des jeunes qui viennent ici sont dans la même situation, lança Mme Père Noël au Dr Larch méchamment.

Elle le traitait comme si c'était *lui*, le père.

« A peu près un tiers l'ont eu de leur père ou de leur frère. Viol, reprit-elle. Inceste. Vous comprenez ?

— Oui, merci, répondit Larch en entraînant la fillette — et en tirant la mère par la manche de son manteau pour qu'elle suive.

— Chie ou sors du pot ! cria Mme Père Noël à leurs dos.

— Bande de docteurs crève-la-faim ! brailla l'homme à la caisse. Ils se prennent pour qui ?

Le chœur chantait. Larch crut les entendre dire « *von keinen Sturm erschrecket* » — « effrayé par nulle tempête ».

Dans la salle vide qui séparait les chants des avortements, Larch et la mère avec sa fille se heurtèrent à la femme qui se trouvait sous le drap. Elle était encore étourdie, les yeux en feu, et la sueur collait sa robe à son dos.

— N'oubliez pas, je vous prie ! lui dit Larch. Si vous avez de la fièvre, un saignement abondant...

Puis il vit la culotte de la femme épinglée à l'épaule de sa robe. Cette épaulette-souvenir était donc le signe distinctif de « derrière Harrison », une sorte de décoration pour bravoure. De toute évidence, la femme ne savait pas où était sa culotte. Larch imagina le quartier Sud généreusement parsemé de ces femmes chancelantes, à la culotte épinglée sur l'épaule, qui les marquait de façon aussi indélébile

70

que le A brodé sur la poitrine dans la Nouvelle-Angleterre puritaine de jadis.

« Attendez ! cria Larch — et il saisit la culotte.

La femme n'avait pas envie d'attendre ; comme elle se libérait de la main du docteur, l'épingle s'ouvrit et lui piqua les doigts. Quand elle fut partie, il glissa la culotte dans la poche de son veston.

Il fit traverser à la mère et à la fille la pièce encore vibrante de chants, mais le chœur faisait une pause bière. Le chef d'orchestre, maigre et chauve, venait juste de tremper les lèvres dans sa chope écumante quand il aperçut le Dr Larch qui partait avec les femmes ; une plaque de mousse blafarde brillait au bout de son nez. Le chef d'orchestre leva sa chope vers le Dr Larch, à sa santé.

— Louez le Seigneur ! cria-t-il. Continuez de sauver ces pauvres âmes, toubib !

« *Danke schön !* » lança le chœur en guise de répons. Bien entendu, il était impossible qu'ils eussent chanté les *Kindertotenlieder* de Mahler, mais c'étaient ces chants que Wilbur Larch avait entendus.

« Dans d'autres parties du monde, écrivit le Dr Wilbur Larch à son arrivée à Saint Cloud's, la capacité d'agir sans réfléchir — mais d'agir néanmoins correctement — est essentiel. Peut-être y aura-t-il davantage de temps pour réfléchir, ici à Saint Cloud's. »

A Boston, voulait-il dire, il était un héros ; et il n'aurait pas continué longtemps — en tant que héros. Il conduisit la jeune fille et sa mère à la Maternité (quartier Sud) et ordonna à l'employé de service d'inscrire ce qui suit :

« C'est une fillette de treize ans. Son pubis ne fait même pas neuf centimètres. Deux accouchements antérieurs, difficiles, ont lacéré les parties molles et l'ont laissée avec une masse de tissus cicatrisés sans souplesse. Il s'agit de sa troisième grossesse à la suite d'un inceste — d'un viol. Si on laisse l'enfant venir à terme, il ne pourra être accouché que par césarienne, ce qui — étant donné l'état de santé délicat de l'enfant (ce n'est qu'un enfant), sans parler des implications psychologiques — serait dangereux [10]. J'ai donc décidé de pratiquer un avortement. »

— Vous avez décidé ? demanda l'employé de service.

— Tout juste, dit Wilbur Larch — et à l'infirmière-anesthésiste il lança : Nous allons le faire immédiatement.

L'avortement ne prit que vingt minutes ; la délicatesse de Larch avec l'éther faisait l'envie de ses collègues. Il se servit du jeu de dilatateurs à pointes de Douglass ; aucune partie molle lacérée. C'était une première, non une troisième grossesse, et, bien que la fillette fût petite, son pubis mesurait sans doute plus de neuf centimètres de diamètre. Ces détails fictifs, que Wilbur Larch avait mentionnés à l'employé, avaient pour but de rendre le rapport de ce dernier plus convaincant. Personne, à la Maternité de Boston, ne mit jamais en question la décision de Larch de pratiquer cet avortement — personne n'y fit jamais allusion, mais le Dr Larch s'aperçut vite que rien n'était plus comme avant.

Il remarqua qu'à son entrée dans une pièce les conversations s'arrêtaient. Il remarqua qu'on le tenait à distance ; on ne le fuyait pas précisément, mais on ne l'invitait jamais. Il dînait seul dans un restaurant allemand du quartier ; il mangeait des jarrets de porc et de la choucroute, et un soir il but une bière. Cela lui rappela son père. Ce fut la première et la dernière bière de Wilbur Larch.

A cette époque de sa vie, Wilbur Larch semblait destiné à ce que ses premières expériences fussent aussi les dernières ; une seule expérience sexuelle, une seule bière, un seul avortement. Il avait eu cependant plus d'une expérience avec l'éther, et les nouvelles se répandaient vite dans le quartier Sud — notamment celle qu'il existait une alternative à Mme Père Noël et aux méthodes pratiquées « derrière Harrison ». On entra en contact avec lui pour la première fois un jour où il prenait un jus d'orange frais, debout devant l'éventaire d'une marchande de quatre-saisons ; une femme grande et maigre portant un sac à provisions et un panier à linge se matérialisa à ses côtés.

— Je ne suis pas éveillée, murmura la femme à Wilbur Larch. Combien ça coûte ? Je ne suis pas éveillée, je le jure.

Après celle-ci, elles le harcelèrent partout. A la Maternité, il disait toujours au collègue qui le réveillait :

— Ce n'est pas mon tour...

Et la réponse était toujours la même :

— Elle dit que vous êtes son médecin traitant.

Enfant du Maine, Wilbur Larch avait l'habitude de dévisager fixement les gens et de croiser leur regard ; à présent, il baissait les yeux, ou les détournait, comme une personne de la grande ville ; il obligeait les regards des autres à chercher le sien. Au même courrier que son catalogue d'instruments chirurgicaux de Fred Halsam & Co., il reçut un exemplaire d'*Une femme médecin aux femmes des États-Unis*, de Mme W. H. Maxwell[11]. Jusqu'à la fin de 187.

Mme Maxwell avait dirigé une clinique pour femmes à New York. « L'auteur n'a pas ouvert sa clinique simplement pour les femmes en couches, écrivait-elle. Elle croit qu'étant donné le manque de charité de la société en général à l'égard de l'erreur humaine il est bon que les malheureuses aient un refuge où fuir ; dans son ombre protectrice, elles auront l'occasion de réfléchir sans être dérangées, et, cachant à jamais leur malheur du moment, elles pourront se donner le courage d'être plus sages à l'avenir. L'âme du vrai médecin ne saurait être trop vaste et trop complaisante. »

Bien entendu, Wilbur Larch savait qu'à la Maternité (quartier Sud) les preuves du manque de charité à l'égard de l'erreur humaine étaient impitoyablement nombreuses, et qu'il était devenu, pour les victimes de cette erreur, le refuge où fuir.

Mais ce fut lui qui prit la fuite. Il rentra chez lui dans le Maine. Il posa auprès de la Commission de la santé de l'État sa candidature pour un poste où ses compétences en matière d'obstétrique le rendraient utile. Pendant qu'on lui cherchait une place dans une communauté en développement, comme son diplôme de Harvard faisait bon effet, on le nomma membre de la commission. Et Wilbur Larch attendit sa nouvelle affectation dans sa vieille ville natale de Portland, havre sûr — non loin de la maison de l'ancien maire où il avait passé la moitié de sa vie, et près de la guinguette imbibée de sel où il avait reçu de Mme Eames son unique dose de vie.

Il se demanda s'il ne regretterait pas le quartier Sud : la chiromancienne qui lui avait garanti une longue vie et beaucoup d'enfants (« Trop pour qu'on puisse les compter ! ») — ce que Larch avait interprété comme une confirmation : en devenant obstétricien, il avait fait le bon choix ; la diseuse de bonne aventure qui avait raconté au jeune Larch qu'il ne suivrait jamais les traces de son père, ce qui était parfait pour Wilbur Larch, car il n'entendait rien aux tours à bois, n'aimait pas boire et pouvait jurer que jamais son foie ne l'entraînerait dans sa tombe ; et l'herboriste chinois qui avait assuré à Larch qu'il pourrait guérir sa chaude-pisse en appliquant sur son pénis des feuilles vertes écrasées et de la moisissure de pain. Le charlatan avait presque raison. La chlorophylle des plantes détruirait les bactéries qui contribuaient à la gangrène, mais ne tuerait pas les couples de danseurs dans les cellules du pus, les gonocoques vivaces ; mais la pénicilline, extraite de certaines moisissures de pain, le ferait. Bien des années plus tard, Larch rêverait que si seulement le Dr Harold Ernst, bactériologue et lanceur à effet de l'école de médecine de Harvard, et l'herboriste chinois du quartier Sud avaient rapproché leurs cerveaux... ah, quelle maladie du monde n'auraient-ils pas guérie ?

« Ils n'auraient pas guéri le monde des orphelins », écrivit le Dr Larch en s'éveillant de ce rêve.

Les orphelins du quartier Sud : Wilbur Larch s'en souvenait depuis son passage dans les diverses branches de la Maternité de Boston. En 189..., moins de la moitié des mères étaient mariées. Dans la charte de l'institution, il était écrit qu'aucune patiente ne serait admise « si elle n'était pas mariée ou veuve de fraîche date et connue pour ses bonnes mœurs ». Les groupes de citoyens bénévoles qui avaient versé à l'origine des milliers de dollars pour établir une maternité à l'intention des pauvres y tenaient absolument ; mais, à vrai dire, presque tout le monde était admis. Combien y avait-il de femmes se prétendant veuves ou mariées à des marins en mer — partis avec le *Great Eastern ?* — imaginait Larch volontiers.

A Portland, se demanda-t-il, pourquoi n'y avait-il aucun orphelin, aucun enfant, aucune femme dans le besoin ? Wilbur Larch ne se sentait pas très utile dans la ville propre et nette de Portland ; ironie du sort, au moment même où il attendait son affectation en un lieu où l'on aurait besoin de ses services, la lettre d'une prostituée — au sujet de femmes et d'orphelins abandonnés — faisait son bonhomme de chemin jusqu'à lui, depuis Saint Cloud's.

Mais avant l'arrivée de la lettre, Wilbur Larch reçut une autre invitation. Le plaisir de sa compagnie fut requis par une certaine Mme Channing-Peabody, des Channing-Peabody de Boston, qui passaient chaque été dans leur propriété du bord de mer, juste à l'est de Portland. L'invitation laissait entendre que le jeune Larch regrettait peut-être la société de Boston à laquelle il s'était sans doute habitué, et prendrait plaisir à une partie de tennis ou de croquet, ou même à faire un peu de voile, avant un dîner avec les Channing-Peabody et leurs amis. Larch ne s'était nullement habitué à la société de Boston. Il associa les Channing-Peabody à Cambridge ou à Beacon Hill — les quartiers chics où il n'était jamais invité — et, tout en sachant que Channing et Peabody étaient séparément des noms de vieilles familles bostoniennes, l'étange accouplement des deux ne lui disait rien de particulier. Étant donné le peu que Wilbur Larch savait sur cette couche de la société, les Channing et les Peabody pouvaient très bien donner une soirée ensemble et avoir accolé leurs noms pour simplifier les invitations.

Quant à faire de la voile, jamais Wilbur Larch n'était allé sur l'eau — ou dans l'eau. Enfant du Maine, il s'était bien gardé d'apprendre à nager dans cette eau-là ; l'eau du Maine, estimait Wilbur Larch, était pour les estivants et les homards. Pour ce qui était du tennis ou du croquet, il ne possédait pas la tenue de rigueur. D'après une aquarelle représentant d'étranges jeux sur gazon, il avait imaginé un jour que frapper de toutes ses forces une boule de bois avec un maillet de bois serait intéressant, mais il aurait aimé avoir le temps de pratiquer cet art seul et à l'abri des regards. Il regretta la dépense que représentait le chauffeur, indispensable pour se rendre à la maison d'été des Channing-Peabody, et il se sentit vraiment mal habillé pour la saison — son seul costume était sombre et lourd et il ne l'avait pas porté depuis le jour de sa visite « derrière Harrison ». Lorsqu'il souleva le gros heurtoir de cuivre de la demeure des Channing-Peabody (préférant se présenter dans les règles au lieu de s'avancer au milieu des gens en blanc, qui jouaient à divers sports sur les pelouses), il eut l'impression que le complet non seulement était trop chaud mais avait besoin d'un coup de fer, et il découvrit dans la poche du veston la culotte de la femme qui avait avorté « derrière Harrison ». Wilbur Larch tenait cette culotte à la main, et la regardait — en se rappelant son rôle d'épaulette prestigieuse et sa magnificence désinvolte sur l'épaule de la femme —, quand Mme Channing-Peabody ouvrit la porte pour le recevoir.

Il n'aurait pas pu remettre la culotte dans sa poche intérieure assez vite, il la fourra donc dans une autre poche, comme s'il s'agissait d'un mouchoir avec lequel il venait de se moucher. A la façon dont Mme Channing-Peabody détourna brusquement les yeux de l'objet, Larch comprit qu'elle en avait reconnu la nature : une culotte de femme, ni plus ni moins.

— Docteur Larch ? dit Mme Channing-Peabody d'une voix réservée, comme si la culotte lui avait fourni un indice sur l'identité de Larch.

Je ferais mieux de partir tout de suite, pensa Wilbur Larch, mais il répondit :

— Oui, docteur Larch — et il s'inclina devant la femme — un vrai dragon au visage tanné, surmonté d'un casque de cheveux gris argent, aussi pointu et menaçant qu'une balle de fusil.

— Il faut que vous fassiez la connaissance de ma fille, dit la femme. Et du reste d'entre nous ! ajouta-t-elle avec un rire éclatant qui glaça la sueur dans le dos de Wilbur Larch.

Le reste d'entre eux semblait s'appeler Channing, Peabody ou Channing-Peabody, et certains avaient des prénoms qui ressemblaient à des noms de famille. Il y avait un Cabot, un Chadwick, un Loring et une Émeraude (avec les yeux marron les plus ternes du monde), mais la fille dont Mme Channing-Peabody tenait à ce que le Dr Larch fasse la connaissance était la plus ordinaire, la plus jeune et la moins pétillante de toute la bande. Elle s'appelait Missy.

— Missy ? répéta Wilbur Larch.

La jeune fille hocha la tête et haussa les épaules.

On les plaça côte à côte à table — une longue table. En face d'eux, et environ de leur âge, se trouvait un des jeunes messieurs en costume de tennis, soit le Chadwick, soit le Cabot. Il avait l'air de mauvaise humeur : ou bien il venait de se quereller avec Mlle Channing-Peabody, ou bien il aurait préféré dîner à côté d'elle. A moins qu'il ne fût simplement son frère et désirât se trouver le plus loin d'elle possible, se dit Wilbur Larch.

La jeune fille n'avait pas l'air très bien. Dans une famille bronzée, elle faisait pâle ; elle picorait dans son assiette. C'était l'un de ces dîners où l'arrivée de chaque plat provoque un changement complet de couverts, et dès que la conversation tombait, s'interrompait, ou simplement baissait d'un ton, le bruit de la porcelaine et de l'argenterie devenait plus présent et la tension montait autour de la table. Une tension provoquée non par un sujet de conversation, mais par l'absence de tout sujet de conversation.

Le chirurgien à la retraite, plutôt sénile, assis de l'autre côté de Wilbur — soit un Channing, soit un Peabody —, parut déçu d'apprendre que Larch était obstétricien. Le vieux raseur tint cependant à connaître la méthode préférée du Dr Larch pour faire passer le placenta dans la zone génitale inférieure. Wilbur Larch essaya, à mi-voix, de décrire l'expulsion du placenta au Dr Peabody, ou Channing, quel que fût son nom, mais le bonhomme était dur d'oreille et insista pour que le jeune Larch hausse le ton ! Leur conversation, la seule autour de la table au cours du dîner, évolua donc vers les plaies du périnée — y compris la méthode qui consiste à retenir la tête du bébé pour éviter la déchirure du périnée — et l'incision médio-latérale de rigueur pour l'exécution d'une épisiotomie quand la déchirure du périnée semble imminente.

Wilbur Larch s'aperçut que la peau de Missy Channing-Peabody, à côté de lui, changeait de couleur. Elle passa du lait à la moutarde, puis au vert « prairie de printemps » et revint presque au lait au moment où elle s'évanouit. Sa peau était très fraîche et moite, et, quand Wilbur Larch l'examina, il s'aperçut que ses yeux étaient presque complètement révulsés. Sa mère et le jeune homme de mauvaise humeur en costume de tennis, le Cabot ou le Chadwick, l'emmenèrent en un tournemain de la table.

— Elle a besoin d'air, annonça Mme Channing-Peabody — mais dans le Maine, ce n'est pas l'air qui manque.

Wilbur Larch savait déjà ce dont Missy avait besoin. Elle avait besoin d'un avortement. Tout le confirmait : la colère visible du jeune Chadwick ou Cabot, le bavardage sénile du vieux chirurgien s'informant des procédés obstétriques « modernes », l'absence d'autre conversation et le bruit des couteaux et des fourchettes contre les assiettes. C'était pour cela qu'on l'avait invité. Missy Channing-Peabody, souffrant de malaises matinaux, avait besoin d'un avortement. Les riches ne pouvaient pas s'en passer eux non plus. Et même les riches, qui, de l'avis de Wilbur, étaient les derniers à apprendre les choses, *même les riches* connaissaient l'existence du Dr Larch. Il eut envie de partir, mais sa destinée le retint. Parfois, quand nous portons une étiquette, quand nous sommes marqués, notre marque devient notre vocation ; Wilbur Larch se sentit appelé. La lettre de la prostituée de Saint Cloud's était sur le point de le joindre et il irait là-bas, mais auparavant il se sentait appelé à agir — dans cette maison.

Il se leva de table. On envoya les hommes dans un salon spécial, pour les cigares. Les femmes s'étaient rassemblées autour du bébé de quelqu'un — une nourrice ou une gouvernante (une domestique, pensa Wilbur Larch) avait apporté un bébé dans la salle à manger et les femmes jetaient un coup d'œil. Wilbur Larch jeta un coup d'œil lui aussi. Les femmes lui firent place. Le bébé avait l'air rose et joyeux, âgé d'environ trois mois, mais le Dr Larch remarqua une trace de forceps sur la joue : une entaille nette, qui laisserait une cicatrice. Je peux faire du meilleur travail que ça, se dit-il.

— N'est-ce pas un bébé adorable, docteur Larch ? lui demanda une des femmes.

— Dommage qu'il ait cette marque de forceps, répondit Larch — ce qui cloua le bec à tout le monde.

Mme Channing-Peabody l'entraîna dans le vestibule, et Larch se laissa conduire dans la chambre préparée à son intention. En chemin, le dragon annonça :

— Nous avons ce petit problème.

— A quel mois en est-elle ? demanda-t-il à Mme Channing-Peabody. Est-elle *éveillée* ?

Éveillée ou pas, Missy Channing-Peabody avait été préparée. La famille avait transformé un petit salon de lecture en salle d'opération. Il y avait des tableaux anciens représentant des hommes en uniforme, et des livres (depuis longtemps dédaignés) debout au garde-à-vous. A l'entrée de la pièce austère se trouvait une table robuste revêtue

77

comme il se devait d'une alaise de caoutchouc et d'un drap de coton. Missy elle-même était allongée dans la position d'examen correcte. Elle était déjà rasée, déjà enduite de solution au bichlorure. Quelqu'un avait potassé la question ; peut-être avait-on cuisiné le chirurgien sénile de la famille pour les détails. Le Dr Larch vit l'alcool à 90°, le savon vert, la brosse à ongles (dont il se servit aussitôt). Il y avait un jeu de six dilatateurs métalliques et un jeu de trois curettes dans un coffret recouvert de cuir et garni de satin. Il y avait du chloroforme et un inhalateur à chloroforme, et à cause de cette unique erreur — parce qu'ils ignoraient la préférence de Wilbur Larch pour l'éther — il faillit même leur pardonner.

Ce que Wilbur Larch ne pouvait pas pardonner en revanche, c'était le mépris évident qu'ils éprouvaient pour lui. Une vieille femme s'avança, peut-être une fidèle servante de la maison, qui avait servi de sage-femme à d'innombrables petits Channing-Peabody, peut-être même à Missy. La vieille tourna vers Larch un visage tendu et un regard vif, comme si elle s'attendait à des félicitations de sa part — auquel cas elle aurait feint de ne rien entendre — pour la netteté avec laquelle elle avait préparé la patiente. Mme Channing-Peabody elle-même semblait incapable de le toucher ; elle offrit cependant de lui tenir sa veste, qu'il lui laissa prendre avant de lui demander de sortir.

« Envoyez ce jeune homme, lui dit Larch. Il devrait être ici, je pense.

Il songeait au jeune homme particulièrement hostile, en tenue de tennis, que ce fût le frère outragé, l'amant coupable ou les deux. Ces gens ont besoin de moi mais me détestent, pensait Larch en se nettoyant les ongles. Tout en trempant ses bras dans le bain d'alcool, il se demanda combien de docteurs les Channing-Peabody devaient connaître (il devait y en avoir une quantité dans la famille !), mais jamais ils n'auraient demandé à un des « leurs » de les aider pour ce « petit problème ». Ils étaient trop purs pour ça.

— Vous voulez que je vous aide ? demanda le jeune homme rétif à Larch.

— Pas exactement, répondit Larch. Ne touchez à rien et restez à ma gauche. Regardez par-dessus mon épaule, et surtout ne manquez rien.

L'air méprisant — la fierté de caste — avait déserté depuis longtemps le visage du jeune Chadwick (ou Cabot) quand Wilbur Larch passa à la curette ; à la première apparition des produits de la conception, la bouche du jeune homme s'ouvrit — son air tranchant et sûr de lui n'était plus reconnaissable sur un seul de ses traits, qui semblaient plus doux et avaient pris la couleur de sa tenue de tennis.

« J'ai fait l'observation suivante, concernant la paroi de l'utérus, dit le Dr Larch au jeune homme réduit à l'état de fantôme. C'est une bonne paroi, dure et musclée, et quand on la gratte pour la nettoyer elle répond par un bruit de papier de verre. C'est ce qui vous indique que vous avez tout sorti — tous les produits de la conception. Écoutez donc ce bruit de papier de verre. »

Il gratta un peu plus.

« Vous l'entendez ? demanda-t-il.

— Non, chuchota le jeune homme.

— Ma foi, peut-être s'agit-il davantage d'une sensation de papier de verre, mais pour moi c'est un bruit. De *papier de verre,* répéta-t-il tandis que le jeune Cabot, ou Chadwick, tentait de contenir ses vomissures dans ses mains en berceau.

« Prenez sa température toutes les heures, dit Larch à la servante rigide qui tenait les serviettes stériles. Si le saignement est abondant, si elle a de la fièvre, il faudra m'appeler. Et traitez-la comme une princesse, ajouta Wilbur Larch à la vieille femme et au jeune homme vidé, au teint de cendre. Personne n'a le droit de lui faire honte. »

Il serait parti en grand seigneur après avoir vérifié, sous les paupières, le regard chloroformé de Missy, s'il n'avait pas senti, en enfilant son veston, la bosse d'une enveloppe dans la poche intérieure. Il ne compta pas l'argent mais vit qu'il y avait plusieurs centaines de dollars. C'était de nouveau la demeure du maire, le traitement de l'aile des domestiques ; cela signifiait que les Channing-Peabody ne l'inviteraient plus au tennis, au croquet ni à la voile.

Il tendit aussitôt une cinquantaine de dollars à la vieille femme qui avait passé les organes de Missy à la solution de bichlorure et l'avait couverte d'une serviette hygiénique stérile. Il donna une vingtaine de dollars au jeune joueur de tennis qui avait ouvert la porte du patio pour respirer un peu d'air du jardin. Larch se disposa à partir. En enfonçant les mains dans ses poches, il retrouva la culotte et, sous l'impulsion du moment, il saisit le forceps à placenta et emporta l'instrument. Il sortit à la recherche du vieux chirurgien, mais il n'y avait que des domestiques dans la salle à manger — encore en train de desservir. Il donna à chacun vingt ou trente dollars.

Il trouva le médecin sénile endormi dans un fauteuil de lecture, dans la pièce voisine. Il ouvrit le forceps, y coinça la culotte de « derrière Harrison » puis fixa tout l'attirail au revers du veston du vieux ronfleur.

Il s'orienta vers les cuisines, où plusieurs domestiques s'affairaient ; il y abandonna environ deux cents dollars.

Il sortit sur les pelouses et donna le reste de l'argent, encore deux cents dollars, à un jardinier à genoux dans un parterre de fleurs près de la porte d'entrée. Il aurait aimé rendre l'enveloppe vide à Mme Channing-Peabody, mais la grande dame se cachait de lui. Il essaya de plier l'enveloppe et de la coincer sur la grande porte, sous le gros heurtoir de cuivre ; mais l'enveloppe ne cessait de s'envoler dans le vent. Alors il se mit en colère, la roula en boule et la lança dans un parterre soigneusement entretenu de gazon vert, qui servait de rond-point à l'allée principale. Deux joueurs de croquet, sur une pelouse lointaine, interrompirent leur jeu et regardèrent d'abord l'enveloppe froissée, puis le ciel bleu de l'été, comme s'ils s'attendaient à voir soudain la foudre — à tout le moins — frapper Larch et le tuer sur place.

Pendant le trajet de retour à Portland, Wilbur Larch médita sur l'histoire de la médecine du siècle précédent — quand l'avortement était légal, quand on enseignait normalement aux étudiants en médecine bien des pratiques plus complexes qu'un simple avortement : par exemple la décapitation intra-utérine, la pulvérisation fœtale (ceci à la place de la césarienne, plus dangereuse). Il grommela ces mots dans sa barbe : décapitation intra-utérine, pulvérisation fœtale. A son arrivée à Portland, il avait fait le tour de la question. Il était obstétricien ; il délivrait des enfants dans le monde. Ses confrères appelaient cela l' « œuvre de Dieu ». Et il était avorteur ; il déli-vrait aussi des mères. Ses confrères appelaient cela l' « œuvre du Diable », mais pour Wilbur Larch *tout* était l'œuvre de Dieu. Comme Mme Maxwell l'avait fait observer : « L'âme du vrai médecin ne saurait être trop vaste et trop complaisante. »

Plus tard, quand il aurait l'occasion de douter de lui-même, il se forcerait à se rappeler : il avait couché avec la mère et s'était rhabillé à la lueur du cigare de la fille. Il pouvait sans peine s'abstenir de rapports sexuels pendant le reste de sa vie, mais comment pourrait-il condamner une autre personne parce qu'elle faisait l'amour ? Il se souviendrait aussi de ce qu'il n'avait pas fait à la fille de Mme Eames, et des conséquences de son refus.

Il délivrerait des enfants. Il délivrerait aussi des mères.

A Portland, une lettre de Saint Cloud's l'attendait. Quand la Commission de la santé de l'État du Maine envoya le jeune docteur à Saint Cloud's, ses membres ne pouvaient pas savoir quels sentiments éprouvait Wilbur Larch pour les orphelins — ni qu'il était prêt à quitter Portland, ce havre sûr depuis lequel le *Great Eastern* avait pris le large sans intention de retour. Et ils ne sauraient jamais que, au cours de la première semaine passée par Wilbur Larch à Saint Cloud's, il fonderait un orphelinat (parce que c'était nécessaire), délivrerait trois bébés (un désiré, deux inévitables, dont un orphelin en puissance) et pratiquerait un avortement (son troisième). Il faudrait à Larch plusieurs années pour éduquer la population en matière de contrôle des naissances — la proportion resterait la même pendant un certain temps : un avortement pour trois naissances. Avec les années, elle deviendrait un pour quatre, puis un pour cinq.

Pendant la Première Guerre mondiale, quand Wilbur Larch partit en France, le médecin qui le remplaça à l'orphelinat refusa de pratiquer l'avortement ; le taux des naissances grimpa en flèche, le nombre d'orphelins doubla, mais le médecin de remplacement déclara à Nurse Edna et à Nurse Angela qu'il était sur cette terre pour faire l'œuvre de Dieu, non celle du Diable. Cette distinction douteuse s'avérerait utile plus tard à Nurse Angela et à Nurse Edna, ainsi qu'au Dr Larch, qui écrivit de France à ses bonnes infirmières qu'il avait vu vraiment l'œuvre du Diable : le Diable travaillait avec des éclats d'obus et de grenades, avec la mitraille et les petits bouts d'uniformes sales que les projectiles entraînaient dans les blessures. L'œuvre du Diable était l'infection bacillaire par les gaz, ce fléau de la Première Guerre mondiale — Wilbur Larch n'oublierait jamais la façon dont la peau se fendillait au toucher.

« Dites-lui, écrivit Larch à Nurse Angela et à Nurse Edna, dites à cet imbécile (il pensait à son remplaçant) que l'œuvre de l'orphelinat est tout entière l'œuvre de Dieu — tout ce que vous faites, vous le faites pour les orphelins, vous les délivrez, eux ! »

Et à la fin de la guerre, quand Wilbur Larch rentra dans ses foyers à Saint Cloud's, Nurse Edna et Nurse Angela savaient donc très bien comment qualifier l'œuvre de Saint Cloud's — elles disaient œuvre de Dieu *et* œuvre du Diable seulement pour préciser, entre elles, de quelle opération il s'agissait au juste. Wilbur Larch adopta lui aussi ce langage — pour son efficacité —, mais les deux infirmières étaient entièrement d'accord avec Larch, ce qu'elles faisaient demeurait dans tous les cas l'œuvre de Dieu.

Ce fut seulement en 193... qu'ils connurent leur premier problème. Il s'appelait Homer Wells. Il sortit dans le monde et revint à Saint Cloud's un si grand nombre de fois qu'il fut nécessaire de lui donner du travail ; quand un garçon entre dans l'adolescence, il doit se rendre utile. Mais comprendrait-il ? se demandèrent les infirmières et le

Dr Larch. Homer avait vu les mères venir et repartir, il les avait vues abandonner leurs bébés, mais combien de temps passerait encore avant qu'il ne se mette à compter les têtes — et à comprendre qu'il y avait davantage de mères venues et reparties que d'enfants abandonnés ? Combien de temps avant qu'il n'observe que toutes les femmes venant à Saint Cloud's n'étaient pas visiblement enceintes — et que certaines ne passaient même pas une nuit entière ? Fallait-il le lui expliquer ? se demandèrent les infirmières et le Dr Larch.

— Wilbur, dit Nurse Edna, tandis que Nurse Angela levait les yeux au ciel, ce garçon connaît l'endroit comme sa poche — il s'en rendra compte lui-même.

— Il grandit à chaque minute, dit Nurse Angela. Il découvre une chose par jour.

Jamais ils ne laissaient les femmes qui se remettaient d'un avortement dans la même salle que les jeunes mères en train de recouvrer leurs forces pour abandonner leur nouveau-né ; même un enfant pouvait s'en rendre compte. Et Homer Wells était souvent chargé de vider les corbeilles à papier et les poubelles — toutes, même celles de la salle d'opération, les bacs étanches que l'on emmenait directement à l'incinérateur.

— Et s'il regarde dans une poubelle, Wilbur ? demanda Nurse Edna au Dr Larch.

— S'il est en âge de regarder, il est en âge d'apprendre, répondit Saint Larch.

Peut-être voulait-il dire : il est en âge de reconnaître ce qu'il y a à voir. Que ce fût après l'œuvre de Dieu ou après l'œuvre du Diable, le contenu de la poubelle était en grande partie identique. Dans la plupart des cas : sang et mucosités, coton hydrophile et gaze, placenta et poils pubiens. Les deux infirmières avaient assuré au Dr Larch que raser une patiente pour un avortement ne servait à rien mais Larch se montra pointilleux ; et si tout était l'œuvre de Dieu, pensait-il, que tout ait l'air pareil ! Les poubelles qu'Homer Wells transportait à l'incinérateur contenaient l'histoire de Saint Cloud's : bouts coupés de fils de suture, en soie et en catgut, matières fécales et eau mousseuse des lavements, plus ce que Nurse Edna et Nurse Angela craignaient qu'Homer Wells ne voie — les « produits de la conception », selon l'expression consacrée, un fœtus humain ou une partie reconnaissable dudit.

Et ce fut ainsi qu'Homer Wells (à treize ans, signe de malchance) découvrit que l'on délivrait à Saint Cloud's les éveillés et les non-éveillés. Un jour, en revenant de l'incinérateur, il vit un fœtus sur le sol : il était tombé de la poubelle qu'il transportait, mais lorsqu'il le vit, il le supposa tombé du ciel. Il se pencha au-dessus de la chose puis chercha des yeux le nid duquel il devait être tombé — seulement il n'y avait pas d'arbres. Homer Wells savait que les oiseaux ne pondent pas leurs œufs en vol — et qu'aucun œuf ne peut perdre sa coquille pendant sa chute.

Alors il imagina qu'un animal quelconque avait fait une fausse couche — dans un orphelinat, près de l'infirmerie, on entend souvent l'expression —, mais quel animal ? Le fœtus pesait moins de cinq cents grammes, mesurait peut-être vingt centimètres, et l'ombre sur la tête translucide était la première phase de poils, non de plumes ; on devinait des sourcils sur son visage tassé ; il avait aussi des cils. Et cela ? N'étaient-ce pas des *mamelons,* ces petits points rose pâle qui sortaient d'une poitrine de la taille d'un gros pouce ? Et ces écailles au bout des doigts et des orteils — n'étaient-ce pas des *ongles ?* Prenant la chose tout entière dans une seule main, Homer partit en courant — chercher le Dr Larch. Celui-ci se trouvait dans le bureau de Nurse Angela devant la machine à écrire ; il écrivait une lettre au Foyer pour jeunes vagabonds de Nouvelle-Angleterre.

— J'ai trouvé quelque chose, dit Homer Wells.

Il souleva la main. Larch lui prit le fœtus et le posa sur une feuille propre de papier-machine blanc, sur le bureau de Nurse Angela. L'embryon devait avoir trois mois — quatre au plus. Pas tout à fait éveillé mais presque.

« Qu'est-ce que c'est ? demanda Homer Wells.

— L'œuvre de Dieu, répondit Wilbur Larch, ce saint de Saint Cloud's, parce qu'il comprit à cet instant que telle était *aussi* l'œuvre de Dieu : éduquer Homer Wells, tout lui dire, s'assurer qu'il apprendrait à distinguer le bien du mal.

Sacré travail, l'œuvre de Dieu ! Mais si l'on était assez présomptueux pour l'entreprendre, il fallait l'exécuter à la perfection.

3

Princes du Maine,
rois de Nouvelle-Angleterre

« Ici à Saint Cloud's, écrivit le Dr Larch, nous traitons les orphelins comme s'ils venaient de familles royales. »

Dans la section Garçons ce sentiment s'exprimait dans la bénédiction du soir — la bénédiction qu'il criait dans le noir au-dessus des lits alignés. La bénédiction du Dr Larch suivait la lecture du coucher qui — après l'accident malheureux des Winkle — devint la responsabilité d'Homer Wells. Le Dr Larch désirait donner à Homer davantage de confiance en lui. Quand Homer raconta au docteur qu'il avait beaucoup aimé faire la lecture aux Winkle dans leur tente-safari — et qu'il croyait avoir très bien lu, sauf que les Winkle s'étaient endormis —, Larch décida qu'il fallait encourager le talent de l'enfant.

En 193..., presque aussitôt après avoir vu son premier fœtus, Homer Wells commença à lire *David Copperfield* à la section Garçons, à raison de vingt minutes par séance, ni plus ni moins ; il crut qu'il mettrait plus longtemps à le lire que Dickens n'en avait mis à l'écrire. Au début il bredouilla — et les très rares garçons d'à peu près son âge (aucun n'était plus âgé) le houspillèrent — mais il fit des progrès. Chaque soir il murmurait pour lui-même le tout début du livre, qui lui faisait l'effet d'une litanie — parfois, cela l'aida même à s'endormir paisiblement.

> *Deviendrai-je le héros de ma propre vie,*
> *ou bien ce rôle sera-t-il tenu par un autre ?*
> *— ces pages doivent le montrer.*

« Deviendrai-je le héros de ma propre vie ? » chuchotait Homer à lui-même. Il se rappelait ses yeux et son nez secs dans la chaufferie des Draper, à Waterville ; il se rappelait l'écume de l'eau qui avait balayé les Winkle ; il se rappelait l'embryon froid et humide, pelotonné sur

84

lui-même, mort, dans sa main. (Cette chose qu'il avait tenue dans sa main n'avait pu être un héros.)

Et après le « couvre-feu », après que Nurse Edna ou Nurse Angela avait demandé si quelqu'un voulait encore un verre d'eau, ou faire un dernier petit tour au pot — alors que les points de lumière des lampes tout juste éteintes clignaient encore dans le noir, et que l'esprit de chaque orphelin s'endormait, rêvait ou bien s'attardait dans le sillage des aventures de David Copperfield —, le Dr Larch ouvrait la porte du couloir, aux tuyaux apparents et aux couleurs d'hôpital.

— Bonne nuit ! lançait-il. Bonne nuit, princes du Maine, rois de Nouvelle-Angleterre ! (Cette chose qu'Homer avait tenue dans sa main n'était pas un prince — et n'avait pas vécu pour être un roi.)

Ensuite, bang ! la porte se refermait, et les orphelins se retrouvaient seuls dans une obscurité différente. L'image de royauté qu'ils avaient conjurée, quelle qu'elle fût, leur restait. Quels princes et quels rois pouvaient-ils avoir vus ? De quels avenirs leur était-il possible de rêver ? Quelles royales familles adoptives les accueilleraient dans leur sommeil ? Quelles princesses les aimeraient ? Quelles reines épouse-raient-ils ? Et quand échapperaient-ils à l'obscurité où ils étaient abandonnés après que Larch eut refermé la porte, après que se fut éloigné le crissement des chaussures de Nurse Edna et de Nurse Angela ? (La chose qu'il avait tenue dans sa main n'aurait pu entendre le crissement des souliers — elle avait des oreilles minuscules et toutes ridées !)

Pour Homer Wells, il n'en allait pas ainsi. Il ne s'imaginait pas en train de quitter Saint Cloud's. Les princes du Maine que voyait Homer, les rois de Nouvelle-Angleterre qu'il imaginait régnaient à la cour de Saint Cloud's, ne voyageaient nulle part ; ils n'allaient pas à la mer ; ils n'avaient jamais vu l'océan. Mais de toute manière, même pour Homer Wells, la bénédiction du Dr Larch était exaltante, chargée d'espoir. Ces princes du Maine, ces rois de Nouvelle-Angleterre, ces orphelins de Saint Cloud's — en dépit de tout — demeuraient cependant les héros de leur propre vie. Et cela, Homer pouvait le voir dans le noir ; c'était le don que le Dr Larch, comme un père, leur faisait.

Il était possible, même à Saint Cloud's, de se conduire princière-ment, et même royalement. Tel semblait être le sens des paroles de Larch.

Homer Wells rêvait qu'il était prince. Il levait les yeux vers *son* roi : il observait le moindre geste de Saint Larch. C'était le froid étonnant de la chose qu'Homer ne parvenait pas à oublier.

— Parce qu'il était mort, pas vrai ? demanda-t-il au Dr Larch. C'est pour ça qu'il était froid, pas vrai ?

— Oui. En un sens, Homer, il n'a jamais été vivant.

— Jamais vivant, répéta Homer Wells.

— Parfois, dit le Dr Larch, une femme ne peut pas se résoudre à interrompre une grossesse, elle a l'impression que le bébé est déjà un bébé — à partir du premier grain minuscule — et elle se sent obligée de l'avoir — bien qu'elle n'ait pas envie de lui ni ne puisse s'en occuper —, alors elle s'adresse à nous et elle a son bébé ici. Elle le laisse ici, à nos soins. Elle nous charge de lui trouver un foyer.

— Elle fait un orphelin, dit Homer Wells. Quelqu'un est obligé de l'adopter.

— Généralement, quelqu'un l'adopte.

— Généralement, dit Homer Wells. Peut-être.

— Avec le temps, répondit le Dr Larch.

— Et parfois, reprit Homer Wells, la femme ne va pas jusqu'au bout, pas vrai ? Elle ne garde pas le bébé.

— Parfois, la femme sait très tôt dans sa grossesse que cet enfant n'est pas désiré.

— Un orphelin dès le départ, dit Homer Wells.

— Si tu veux.

— Alors elle le tue, dit Homer Wells.

— Si tu veux, dit Wilbur Larch. Tu pourrais dire aussi qu'elle l'arrête avant qu'il ne devienne un enfant — elle l'arrête, c'est tout. Pendant les trois ou quatre premiers mois, le fœtus — ou l'embryon (je ne dis pas « l'enfant ») — n'a pas réellement une vie bien à lui. Il vit sur la mère. Il ne s'est pas développé.

— Il s'est développé seulement un peu, dit Homer Wells.

— Il n'a pas bougé indépendamment de la mère.

— Il n'a pas un vrai nez, remarqua Homer Wells, se rappelant ce détail.

Sur la chose qu'il avait tenue dans sa main, ni les narines ni le nez lui-même n'avaient pris leur forme normale, vers le bas ; les narines étaient orientées vers l'avant du visage, comme celles d'un cochon.

— Parfois, dit le Dr Larch, quand une femme est très courageuse et sait que personne ne prendra soin de ce bébé si elle l'a, lorsqu'elle n'a pas envie de mettre un enfant dans le monde puis d'essayer de lui trouver un foyer, elle s'adresse à moi, et j'arrête.

— Dites-moi encore, comment cela s'appelle, *arrêter ?* demanda Homer Wells.

— Un avortement.

— Ah oui, dit Homer Wells. Un avortement.

— Ce que tu tenais dans ta main, Homer, était un fœtus avorté, expliqua le Dr Larch. Un embryon, d'environ trois à quatre mois.

— Un fœtus avorté, un embryon d'environ trois à quatre mois, dit Homer Wells qui avait l'agaçante habitude de répéter les fins de phrases d'un ton très sérieux, comme s'il se proposait de les lire à haute voix à la place de *David Copperfield*.

— Et c'est la raison pour laquelle, continua le Dr Larch patiemment, certaines femmes qui viennent ici n'ont pas *l'air* enceintes. L'embryon, le fœtus... Il n'y en a pas assez pour qu'on le remarque.

— Mais toutes sont bien enceintes, dit Homer Wells. Toutes les femmes qui viennent ici — ou bien elles vont avoir un orphelin, ou bien elles vont l'arrêter, pas vrai ?

— C'est exact, répondit le Dr Larch. Je ne suis que médecin. Je les aide à avoir ce qu'elles veulent. Un orphelin ou un avortement.

— Un orphelin ou un avortement, dit Homer Wells.

Nurse Edna taquina le Dr Larch à propos d'Homer Wells.

— Vous avez une nouvelle ombre, Wilbur, lui dit-elle.

— *Docteur* Larch, lança Nurse Angela, vous avez engendré un écho. Un perroquet s'accroche à vos basques.

« Dieu (ou quiconque) me pardonne, écrivit le Dr Larch. J'ai créé un disciple, j'ai un disciple de treize ans. »

Quand Homer Wells eut quinze ans, sa lecture de *David Copperfield* avait un tel succès que plusieurs fillettes parmi les plus âgées de la section Filles demandèrent au Dr Larch de convaincre Homer de leur faire également la lecture.

— Seulement aux grandes ? dit Homer au Dr Larch.

— Certainement pas, répondit-il. Tu feras la lecture à toutes.

— A la section Filles ?

— Mais... oui. Ce ne serait pas pratique de faire venir toutes les filles à la section Garçons.

— D'accord, dit Homer Wells. Mais est-ce que je lirai d'abord aux filles ou d'abord aux garçons ?

— Aux filles, répondit Larch. Les filles se couchent plus tôt que les garçons.

— Ah bon ?

— En tout cas ici.

— Et est-ce que je leur lirai le même passage ? demanda Homer.

A l'époque, il en était à son quatrième voyage à travers *David Copperfield*, le troisième à haute voix — précisément au chapitre XVI, « Je suis un nouvel enfant à plus d'un sens. »

Mais le Dr Larch décida que des orphelines devaient écouter une histoire d'orpheline — pour la même raison que les orphelins devaient écouter des histoires d'orphelins — et il chargea donc Homer de lire *Jane Eyre* à la section Filles.

Homer remarqua immédiatement que les filles étaient plus attentives que les garçons, et cela le frappa ; dans l'ensemble, elles constituaient un meilleur public — mis à part les gloussements à son arrivée et à son départ. Qu'elles fussent un meilleur public surprit Homer, car il trouva *Jane Eyre* moins intéressant, et de loin, que *David Copperfield ;* il estimait que Charlotte Brontë n'était pas, il s'en fallait, un aussi bon écrivain que Charles Dickens. Comparée au jeune David, estimait Homer, cette petite Jane n'était qu'une pleurnicharde, une chialeuse, mais les gamines de la section Filles en réclamaient toujours davantage — juste une scène de plus — quand, chaque soir, Homer s'arrêtait, prenait ses jambes à son cou, sortait du bâtiment, plongeait dans la nuit et gagnait à bout de souffle la section Garçons et Dickens.

La nuit, entre la section Garçons et la section Filles, avait souvent une odeur de sciure ; seule la nuit conservait intact le souvenir de Saint Cloud's à ses origines, et répandait dans son obscurité mystérieuse les arômes des anciennes scieries et même l'odeur fétide des cigares des scieurs.

— La nuit sent parfois comme le bois et les cigares, raconta Homer Wells au Dr Larch, qui avait des souvenirs de cigare très personnels.

Le docteur frissonna.

La section Filles, de l'avis d'Homer, avait une odeur différente de la section Garçons, même si elle était dotée des mêmes canalisations apparentes, des mêmes couleurs d'hôpital, de la même discipline de dortoir. D'un côté, l'odeur était plus douce ; de l'autre elle était plus écœurante — Homer avait du mal à déterminer s'il la préférait.

Au coucher, les garçons et les filles étaient habillés de la même manière — en sous-vêtements — et quand Homer arrivait chez les filles, celles-ci étaient déjà au lit, les jambes couvertes, certaines assises, les autres allongées. Les très rares qui avaient des seins formés s'asseyaient en général avec les bras croisés devant leur poitrine pour dissimuler son développement. Toutes sauf une, la plus grande, la plus âgée ; elle était même plus grande et plus âgée qu'Homer Wells. C'était celle qui avait porté Homer jusqu'à la ligne d'arrivée le jour d'une course à trois pattes restée dans toutes les mémoires — celle qui se nommait Melony, à la place de Melody ; celle dont Homer avait touché les seins sans le faire exprès ; celle qui lui avait pincé le zizi.

Pour la lecture, Melony s'asseyait à l'indienne — au-dessus de ses couvertures, dans sa culotte pas tout à fait assez grande pour elle, mains sur les hanches, les coudes pointés en dehors comme des ailes, sa poitrine de taille considérable projetée en avant ; un bout de son gros ventre nu était visible. Chaque soir, Mme Grogan, la directrice de la section Filles, disait :

— Ne vas-tu pas attraper froid en dehors de tes couvertures, Melony ?

— Non ! répondait Melony — et Mme Grogan poussait un soupir, presque un grognement. (On l'avait surnommée Mme Grognant.)

Son autorité reposait sur sa capacité de faire croire aux filles qu'elles lui faisaient de la peine en agissant mal à l'égard d'elles-mêmes ou des autres.

— Oh, je souffre de voir une chose pareille, leur disait-elle quand elles se battaient, se tiraient les cheveux, s'enfonçaient les doigts dans les yeux ou se mordaient la figure. Je souffre vraiment.

Sa méthode était efficace avec les filles qui l'aimaient bien. Pas avec Melony. Mme Grogan aimait particulièrement Melony, mais elle sentait qu'elle n'avait pas réussi à se faire aimer d'elle.

« Oh, je souffre, Melony, de te voir prendre froid — en dehors de tes couvertures —, disait Mme Grogan. Et tu n'es qu'à moitié habillée. Je souffre vraiment.

Mais Melony gardait le silence, sans quitter Homer Wells du regard. Elle était plus grande que Mme Grogan, trop grande pour la section Filles. Trop grande pour être adoptée. Elle est même trop grande pour être une fille, pensait Homer Wells. Plus grande que Nurse Edna, plus grande que Nurse Angela — presque aussi grande que le Dr Larch —, elle était également grosse, mais sa graisse avait l'air solide. Bien que n'ayant pas participé à la course à trois pattes depuis plusieurs années, Homer Wells savait aussi que Melony était forte. Homer avait décidé de ne plus participer à la course tant qu'on lui donnerait Melony pour partenaire — et il n'en serait pas autrement tant qu'il demeurerait l'aîné des garçons et elle l'aînée des filles.

Quand il lisait *Jane Eyre* à haute voix, Homer devait éviter de regarder Melony ; un seul regard lui aurait remis en mémoire sa jambe liée à celle de la fillette. Il sentait que Melony lui en voulait de son refus de participer à la compétition annuelle. En outre, il avait peur qu'elle devine à quel point la grosseur de Melony lui *plaisait* — pour un orphelin, être gras à ce point semblait une telle chance !

Les passages les plus doux de *Jane Eyre* (trop sucrés pour Homer Wells) arrachaient des larmes aux yeux des filles, et des soupirs plaintifs et bruyants à Mme Grogan ; mais ces mêmes passages tendres arrachaient à Melony des halètements torturés — comme si la douceur provoquait en elle une colère difficile à contenir.

— *L'après-midi s'écoula dans la paix et l'harmonie,* lisait Homer Wells. (En entendant Melony siffler comme un serpent aux mots « paix » et « harmonie », il prit son courage à deux mains.) *Et dans la soirée, Bessie me raconta plusieurs de ses histoires les plus enchanteresses et chanta ses plus douces mélodies,* continua Homer, ravi qu'il ne lui reste plus qu'une seule phrase pour en finir. (Il vit la vaste poitrine de Melony se soulever.) *Même pour moi* (la babillarde petite Jane Eyre), *la vie avait ses rayons de soleil.*

— Rayons de soleil ! cria Melony avec une violence incrédule. Qu'elle vienne ici ! Qu'elle me montre, à moi, des rayons de soleil !

— Oh, comme je souffre, Melony — de t'entendre dire ça, geignit Mme Grogan.

— *Soleil ?* lança Melony dans un hurlement.

Les plus jeunes fillettes se glissèrent entièrement sous leurs couvertures ; certaines se mirent à pleurer.

— La peine que cela me fait, je ne sais pas si je pourrai la supporter, Melony, insista Mme Grogan.

Homer Wells s'éclipsa. C'était de toute façon la fin du chapitre. Il devait se rendre à la section Garçons. Cette fois, aux gloussements qui escortaient son départ se mêlèrent des sanglots et l'ironie amère de Melony.

— *Rayon de soleil !* cria-t-elle dans le dos d'Homer.

— Cela nous fait souffrir tous, insista Mme Grogan d'un ton plus ferme.

Dehors, la nuit parut à Homer Wells pleine de senteurs nouvelles. A l'odeur de sciure et de cigares éteints ne se mêlait-il pas une bouffée du parfum âcre montant de l'ancien hôtel des prostituées ? Et un peu de la sueur de la salle de loto ? Du torrent lui-même émanait une odeur.

A la section Garçons, on l'attendait. Plusieurs petits dormaient déjà. Les autres avaient les yeux ouverts — et la bouche béante, semblait-il, comme des oisillons ; Homer avait l'impression de passer de nid en nid, sa voix nourrissait les petits qui piaillaient pour en avoir davantage. La lecture, comme la nourriture, les rendait somnolents, mais réveillait au contraire Homer. Il restait souvent les yeux grands ouverts après la bénédiction vespérale, tandis que l'*ince* des « princes », l'*oi* des « rois » résonnaient encore dans la salle noire. Parfois il regrettait de ne pas dormir avec les nouveau-nés ; leurs réveils et leurs larmes incessants étaient plus berceurs.

Les orphelins « grands » avaient des habitudes irritantes. Un des John Wilbur de Nurse Edna dormait sur une alaise de caoutchouc ; Homer restait éveillé, attendant le moment où il l'entendrait mouiller son lit. Certaines nuits, Homer réveillait l'enfant, le conduisait aux toilettes, braquait son petit zizi dans la bonne direction et murmurait :

— Pipi, John Wilbur. Pipi tout de suite. Pipi ici.

Le gosse, qui dormait debout, se retenait, attendant l'alaise accueillante, le creux familier et la flaque tiède dans le lit.

Certaines nuits, quand il se sentait irritable, Homer Wells s'approchait simplement du chevet de John Wilbur et murmurait son ordre à l'oreille du gamin :

« Pisse ! »

Avec des résultats presque instantanés.

Plus dérangeant était le petit Fuzzy Stone, enfant maladif, de ceux à qui Nurse Angela avait donné un nom. Fuzzy toussait, d'une toux sèche et pénible, constante. Il avait les yeux humides et rouges. Il dormait sous une tente humidifiée ; une roue à eau alimentée sur batterie et un ventilateur pour répartir la vapeur tournaient toute la nuit. La poitrine de Fuzzy Stone faisait un bruit de petit moteur qui a des ratés ; les draps frais et humides dans lesquels il était enfermé vibraient toute la nuit comme l'alvéole à demi transparent d'un poumon géant. La roue à aubes, le ventilateur, les halètements dramatiques de Fuzzy Stone se confondaient dans l'esprit d'Homer. Si l'un des trois s'était arrêté, Homer n'aurait pas su quels autres continuaient de fonctionner.

Le Dr Larch expliqua à Homer qu'il croyait Fuzzy Stone allergique à la poussière ; que l'enfant fût né et dormît dans une ancienne scierie n'était sans doute pas l'idéal. Un enfant atteint de bronchite chronique n'est pas non plus facilement adoptable. Qui veut emmener chez lui une toux ?

Quand Homer Wells en avait assez de la toux de Fuzzy Stone, quand il ne pouvait plus supporter les divers moteurs qui s'efforçaient de maintenir Fuzzy en vie — les poumons, la roue à eau et le ventilateur —, il allait se réfugier sans bruit dans la salle des nouveaunés. Nurse Angela ou Nurse Edna s'y trouvait en permanence, généralement éveillée et en train de s'occuper d'un des bébés. Parfois quand les nouveau-nés étaient calmes, même l'infirmière de service dormait, et Homer Wells passait devant tout le monde sur la pointe des pieds.

Une nuit, il vit une des mères debout dans la salle des nouveau-nés. Elle ne semblait pas chercher son enfant en particulier, elle était simplement debout dans sa chemise de nuit d'hôpital au milieu de la salle des nouveau-nés, les yeux clos, en train d'absorber par ses autres sens les odeurs et les sons de la pièce. Homer eut peur que la femme ne réveille Nurse Angela qui somnolait sur le lit de service. Nurse Angela aurait été furieuse contre elle. Lentement, comme il aurait fait pour une somnambule (imagina-t-il), il ramena la femme dans la salle des mères.

Les mères étaient souvent éveillées quand il passait la tête pour jeter un coup d'œil. Parfois il allait chercher un verre d'eau pour l'une d'elles.

Les femmes qui venaient à Saint Cloud's pour les avortements y restaient rarement la nuit. Il leur fallait moins de temps pour se remettre qu'après un accouchement, et le Dr Larch découvrit qu'elles se sentaient plus à l'aise si elles arrivaient le matin, juste avant le jour, et repartaient en début de soirée, juste après la tombée de la nuit. Pendant la journée, les cris des bébés étaient moins envahissants, parce que le bruit des orphelins plus âgés et les conversations entre les mères et les infirmières brouillaient tous les bruits. Les cris des nouveau-nés, avait observé le Dr Larch, bouleversaient les femmes qui se faisaient avorter. Or la nuit — en dehors du pipi de John Wilbur et de la toux de Fuzzy Stone — seuls les bébés éveillés et les chouettes faisaient du bruit à Saint Cloud's.

C'était une observation assez simple à faire : les cris et le babillage des nouveau-nés ne réconfortaient nullement les femmes qui se faisaient avorter. On ne saurait prévoir l'heure exacte d'un accouchement, mais Larch essayait de fixer les avortements en tout début de matinée, ce qui donnait aux femmes la journée entière pour se remettre et leur permettait de repartir dans la soirée. Certaines femmes venaient de loin — dans ces cas-là, Larch recommandait qu'elles arrivent à Saint Cloud's la veille de leur avortement ; le soir, il leur donnait un calmant pour les aider à dormir ; et elles avaient la journée entière du lendemain pour récupérer leurs forces.

Si l'une de ces femmes passait la nuit à Saint Cloud's, ce n'était jamais dans la même salle que les femmes sur le point d'accoucher ou juste délivrées. Homer Wells — dans son périple d'insomniaque — constata que, dans leur sommeil, l'expression de ces visiteuses d'une nuit n'était ni plus ni moins troublée que celle des femmes qui allaient avoir (ou venaient d'avoir) un bébé. Homer Wells essayait souvent d'imaginer sa propre mère parmi les visages des endormies et des éveillées. Où espérait-elle retourner, après les douleurs du travail ? Ou bien n'y avait-il aucun endroit où elle désirât aller ? Et, pendant qu'elle gisait là, à quoi pensait son père ? — savait-il seulement qu'il était père ? Savait-elle seulement qui c'était ?...

Voici ce que les femmes lui demandaient :

— Tu fais ton apprentissage de docteur ?
— Tu seras docteur quand tu seras grand ?
— Es-tu l'un des orphelins ?
— Quel âge as-tu ? Personne ne t'a encore adopté ?
— Quelqu'un t'a renvoyé ?
— Tu te plais ici ?

Et il répondait :

— Je deviendrai peut-être docteur.

« Le Dr Larch est un bon professeur.

« Oui, un des orphelins.

« Presque seize ans. J'ai essayé de me faire adopter, mais ce n'était pas pour moi.

« J'avais envie de revenir.

« Bien sûr, je me plais ici !

Une des femmes — sur le point d'accoucher, avec un ventre énorme sous le drap tendu — lui demanda :

— Tu veux me dire que si quelqu'un voulait t'adopter, tu n'irais pas ?

— Je n'irais pas, dit Homer Wells. D'accord.

— Tu ne l'envisagerais même pas ? insista la femme.

Homer avait beaucoup de mal à ne pas détourner les yeux — elle semblait vraiment prête à exploser.

— Eh bien, je crois que j'y réfléchirais, répondit Homer Wells. Mais je déciderais probablement de rester, tant que je peux aider ici — vous comprenez, me rendre utile.

La femme enceinte se mit à pleurer.

— Te rendre utile, dit-elle, comme si, en écoutant Homer Wells, elle avait appris à répéter les fins de phrase.

Elle baissa le drap et remonta sa chemise d'hôpital ; Nurse Edna l'avait déjà rasée. Elle posa les mains sur son gros ventre.

« Regarde ça, dit-elle à mi-voix. Tu veux te rendre utile ?

— D'accord, dit Homer Wells, qui retint son souffle.

— Personne, sauf moi, n'a jamais posé la main sur ma peau pour sentir ce bébé. Personne n'a eu envie de poser son oreille contre mon ventre pour l'écouter, dit la femme. On ne devrait pas avoir de bébé s'il n'y a personne qui a envie de le sentir donner des coups de pied ou de l'écouter bouger.

— Je ne sais pas, dit Homer Wells.

— Tu n'as pas envie de le toucher, ou de poser l'oreille contre lui ? lui demanda la femme.

— D'accord, dit Homer Wells en mettant la main sur le ventre brûlant et dur de la femme.

— Pose aussi ton oreille contre, lui conseilla-t-elle.

— D'accord, répondit Homer.

Il plaça très légèrement l'oreille sur le ventre de la femme mais elle lui appuya très fort le visage contre elle ; elle était comme un tambour — sans cesse des plan et des rataplan —, elle était un moteur chaud — contact coupé, mais qui cognait encore sous l'effet de sa propre chaleur. Si Homer avait déjà vu l'océan, il aurait reconnu qu'elle était comme la marée, le ressac — elle montait, descendait, s'avançait, reculait.

— Nul ne devrait avoir de bébé s'il n'y a personne qui a envie de dormir avec sa tête ici, murmura la femme, en flattant de la main l'endroit où elle tenait d'une poigne ferme le visage d'Homer.

Exactement *où ?* se demanda Homer, parce qu'il n'y avait aucun endroit confortable où poser la tête, aucun endroit entre ses seins et son ventre qui ne fût convexe. Ses seins, au moins, paraissaient confortables, mais il savait que ce n'était pas là qu'elle désirait sa tête. Il avait du mal à croire, étant donné tout le vacarme et la trépidation à l'intérieur de la femme, qu'elle avait seulement un bébé. Homer Wells se dit qu'elle allait donner naissance à toute une tribu.

« Tu veux te rendre utile ? lui demanda la femme, qui s'était mise à pleurer doucement.

— Oui. Me rendre utile.

— Dors ici, lui dit la femme.

Il fit semblant de dormir, le visage contre la bosse bruyante, où elle le maintenait plaqué. Il sut qu'elle perdait les eaux avant même qu'elle s'en aperçoive — elle s'était endormie tellement profondément. Il alla chercher Nurse Edna sans réveiller la femme, qui accoucha avant l'aurore d'une petite fille de sept livres. Comme ni Nurse Edna ni Nurse Angela n'étaient chargées de donner des noms aux orphelines, quelqu'un d'autre lui donna un nom un peu plus tard — soit Mme Grogan, qui préférait les noms irlandais, soit, si Mme Grogan avait provisoirement épuisé sa réserve, la secrétaire qui tapait mal, responsable de « Melony » à la place de « Melody » ; elle aimait elle aussi donner des noms aux filles.

Homer Wells ne repéra jamais la fillette, mais il ne cessa de la rechercher, comme si sa veillée nocturne avec le visage sur le ventre trépidant de la mère lui avait donné les sens nécessaires pour reconnaître l'enfant.

Jamais il ne la reconnaîtrait, bien entendu. Il n'avait pour indice qu'un bruit fluide, et la façon dont elle avait bougé sous son oreille, dans le noir. Mais il ne cessa pas de la chercher ; il se mit à observer les enfants de la section Filles, espérant peut-être de sa part à elle un geste qui la trahirait.

Un jour il avoua même son petit jeu à Melony, mais celle-ci, typiquement, le tourna en dérision.

— Qu'est-ce que tu crois que va faire cette gosse pour que tu saches qui elle est ? demanda Melony. Tu crois qu'elle va roter, qu'elle va péter — ou te fiche un coup de pied dans l'oreille ?

Mais Homer Wells savait qu'il jouait seul, avec lui-même ; les orphelins pratiquent souvent des jeux intérieurs, c'est connu. Par exemple, un des jeux les plus anciens pratiqués par les orphelins consiste à imaginer que leurs parents désirent les reprendre — que leurs parents les recherchent. Mais Homer avait passé une soirée avec la mère du bébé mystère ; il avait tout appris sur le père du bébé mystère — son manque d'intérêt, en l'occurrence. Homer savait que les parents du bébé mystère ne le recherchaient pas ; c'était peut-être pour cela qu'il avait décidé de le rechercher, lui. Si cette fillette grandissait, et si elle jouait à ce vieux jeu des orphelins, ne vaudrait-il pas mieux qu'il y ait au moins quelqu'un à sa recherche — même si ce n'était qu'un autre orphelin ?

Le Dr Larch tenta de parler à Homer de la colère de Melony.

— La colère est une drôle de chose, commença-t-il, convaincu que c'est une chose pas drôle.

— Oui, c'est vrai, le passage sur les « rayons de soleil »... D'accord, c'est bébête, dit Homer. Une de ces phrases... On tique un peu à la lecture, mais c'est exactement ce que Jane dirait, exactement son personnage, alors on n'y peut rien, n'est-ce pas ? demanda Homer. Mais Melony a réagi avec une telle violence !

Le Dr Larch n'ignorait pas que Melony était une des rares orphelines encore à Saint Cloud's qui ne fût pas née à l'orphelinat. On bandonnée à l'entrée de l'infirmerie un matin de bonne heure, de quatre ou cinq ans ; elle était déjà si grande et forte qu'on u du mal à préciser son âge. Elle n'avait pas parlé avant huit ou neuf ans. Au début, Larch l'avait crue retardée, mais ce n'était pas le problème.

— Melony a toujours été en colère, essaya d'expliquer le Dr Larch. Nous ne connaissons rien de ses origines, ni de ses premières années, et elle ne connaît peut-être pas elle-même toutes les sources de sa colère.

Larch hésita — devait-il raconter à Homer Wells que Melony avait été adoptée et renvoyée un plus grand nombre de fois que lui-même ?

« Melony a eu plusieurs expériences malheureuses dans des foyers adoptifs, reprit-il prudemment. Si tu as l'occasion de lui poser des questions sur ses expériences — et si elle a envie d'en parler —, cela offrira peut-être un exutoire souhaitable à certains aspects de sa colère.

— Lui poser des questions sur ses expériences ? répondit Homer Wells en secouant la tête. Je ne sais pas... Je n'ai même pas essayé de lui parler, jamais...

Le Dr Larch regrettait déjà sa suggestion. Peut-être Melony se rappellerait-elle sa première famille adoptive et parlerait-elle de ces gens à Homer ; ils l'avaient renvoyée parce qu'elle avait mordu (disaient-ils) le chien de la maison au cours d'une altercation à propos d'une balle. A elle seule, cette bagarre n'aurait pas suffi à les excéder ; ils prétendaient que Melony mordait sans cesse le chien. Pendant des semaines après l'incident, elle s'était glissée sans bruit derrière l'animal pour lui faire peur alors qu'il mangeait ou qu'il dormait. La famille accusait Melony de rendre ce chien fou.

Melony s'était enfuie de la deuxième et de la troisième famille en alléguant que les hommes de ces familles, des pères ou des frères, avaient témoigné à son égard d'un intérêt sexuel. La quatrième famille prétendit que Melony avait témoigné d'un intérêt sexuel à l'égard d'une des fillettes, plus jeune qu'elle. Dans le cas de la famille numéro cinq, le mari et la femme se séparèrent par la suite à cause des relations de Melony avec le mari — la femme prétendit que son mari avait séduit Melony, le mari prétendit que Melony l'avait séduit. (Il employa le mot « agressé ».) Melony ne se montra guère ambiguë en la matière. « Personne ne me séduit ! » déclara-t-elle fièrement à Mme Grogan. Famille numéro six : le mari était mort d'une crise cardiaque peu après l'arrivée de Melony, et la femme avait renvoyé l'adolescente à Saint Cloud's parce qu'elle ne se sentait pas de force à élever Melony toute seule. (Unique remarque de Melony à Mme Grogan : « Et comment, qu'elle n'était pas de force ! »)

Tout ceci, le Dr Larch imagina soudain Homer en train de l'entendre de la bouche de Melony ; la vision le troubla. Il regrettait un peu d'avoir fait d'Homer Wells son apprenti — un préposé au fonctionnement cahotant de Saint Cloud's —, mais en même temps il ne pouvait s'empêcher de sonder l'enfant, à la recherche de certaines vérités plus rudes.

Nurse Angela, bien entendu, qualifiait Homer Wells d' « angélique » — c'était dans son caractère, et dans le caractère de Nurse Edna, d'évoquer la « perfection » de l'enfant et son « innocence » ; mais le Dr Larch s'inquiétait : Homer entrait en contact avec les femmes blessées qui faisaient appel aux services de Saint Cloud's — les mères sur le départ. Et il devait rechercher à travers ces personnages et leurs récits une certaine définition de sa propre mère. Quant aux femmes accablées qui venaient de se faire racler à nu et s'en allaient en ne laissant personne (seulement les produits de la conception) — quel effet faisaient-elles sur le gamin ?

Homer Wells avait un visage bon, ouvert ; pas du tout le genre de visage qui permet de dissimuler — chaque sentiment et chaque pensée y étaient visibles, exactement comme la surface d'un lac reflète tous les temps. C'était un plaisir de lui serrer la main et il avait des yeux à qui l'on pouvait se confesser ; le Dr Larch s'inquiétait de détails particuliers de certaines vies, auxquels Homer serait exposé — il ne pensait pas seulement au côté sordide mais aux justifications abondantes qu'il entendrait.

Et maintenant, Melony, le poids lourd incontesté de la section Filles, avait troublé le garçon avec sa colère — et le Dr Larch soupçonna que c'était seulement la partie émergée de l'iceberg de son pouvoir ; le potentiel de Melony pour éduquer Homer Wells lui parut aussitôt à la fois redoutable et démesuré.

Melony commença de contribuer à l'éducation d'Homer le lendemain soir, au moment de la lecture à la section Filles. Homer était arrivé en avance (espérant partir plus tôt) mais il trouva le dortoir des filles en plein émoi. La plupart des fillettes étaient hors de leurs lits — certaines poussèrent des cris en le voyant ; elles avaient les jambes nues. Homer, gêné, resta debout sous l'ampoule de la salle, et chercha des yeux, sans succès, Mme Grogan qui se montrait toujours gentille avec lui — les deux mains crispées sur son exemplaire de *Jane Eyre* comme si les filles, prises de folie, se proposaient de le lui arracher.

Il remarqua pourtant que Melony se trouvait déjà dans sa position habituelle, et dans le plus succinct des appareils, comme il fallait s'y attendre. Il croisa son regard qui était perçant mais sans opinion affichée ; ensuite il baissa les yeux, ou les détourna, ou regarda ses mains qui tenaient *Jane Eyre*.

— Eh, toi ! entendit-il Melony lui lancer — et les autres filles firent le silence. Eh, toi ! répéta Melony.

Quand Homer leva les yeux vers elle, elle était à genoux sur son lit et projetait vers lui le plus gros cul nu qu'il ait jamais vu. Une ombre violette (peut-être un bleu) tachait l'une des cuisses musclées de Melony ; entre les joues gonflées, élastiques de ses fesses intimidantes, un unique œil noir fixait Homer Wells.

« Eh, *Rayon de soleil*, dit Melony à Homer, qui prit la couleur du soleil au lever ou au coucher. Eh, Rayon de soleil, roucoula Melony d'une voix sucrée.

Elle venait de donner à l'orphelin Homer Wells le nom qu'elle lui avait choisi : « Rayon-de-soleil ».

Quand Homer raconta au Dr Larch ce que Melony lui avait infligé, celui-ci se demanda s'il avait eu raison de laisser le jeune garçon faire la lecture à la section Filles. Mais décharger Homer de cette tâche constituerait, pensa Larch, une sorte de punition ; Homer risquait d'éprouver un sentiment d'échec. Le travail dans un orphelinat est une succession de décisions ; quand Wilbur Larch se sentait indécis, au sujet d'Homer Wells, il savait qu'il éprouvait les sentiments naturels d'un père. La pensée qu'il s'était permis de devenir père et de souffrir d'indécision paternelle le déprimait à tel point qu'il recherchait aussitôt la paix salutaire de l'éther — auquel il recourait de plus en plus.

Il n'y avait pas de rideaux à Saint Cloud's. La pharmacie de l'infirmerie était une pièce d'angle ; elle avait une fenêtre au midi et une fenêtre au levant, et c'était cette dernière, de l'avis de Nurse Edna, qui faisait du Dr Larch un lève-tôt. Le lit d'hôpital, métallique, étroit et blanc, n'avait jamais l'air de servir ; le Dr Larch était toujours le dernier couché et le premier levé — ce qui confirmait le bruit qu'il ne dormait jamais. S'il dormait, on estimait en général qu'il le faisait dans la pharmacie. Il écrivait son journal la nuit, sur la machine à écrire du bureau de Nurse Angela. Les infirmières avaient oublié depuis longtemps pourquoi l'on appelait cette pièce le bureau de Nurse Angela ; c'était le seul bureau existant à Saint Cloud's, et le

Dr Larch l'avait utilisé de tout temps pour écrire son journal. Comme la pharmacie était l'endroit où il dormait, le Dr Larch se sentait peut-être obligé de dire que le bureau appartenait à quelqu'un d'autre.

La pharmacie avait deux portes (dont l'une conduisait à des toilettes et à une douche), ce qui dans une pièce aussi exiguë créait un problème d'ameublement. Avec une fenêtre au sud et une autre à l'est, plus une porte au nord et une autre à l'ouest, il ne restait aucun mur contre lequel appuyer quoi que ce fût ; le lit de fer passait juste sous la fenêtre est. Les armoires des médicaments, fermées et cadenassées, formaient avec leurs fragiles portes de verre un labyrinthe malcommode autour du comptoir de la pharmacie, au milieu de la pièce ; il semblait normal, pour une pharmacie, que les médicaments, les flacons d'éther et le matériel de chirurgie occupassent l'endroit le plus central, mais Larch avait d'autres raisons pour disposer la pièce de cette manière. Le labyrinthe d'armoires en plein centre ne permettait pas seulement d'accéder aux portes du couloir et de la salle de bains ; il dissimulait entièrement le lit depuis la porte du couloir, qui, comme toutes les portes de l'orphelinat, n'avait pas de serrure.

La pharmacie encombrée offrait au Dr Larch une certaine intimité pour ses ébats à l'éther. Comme il aimait dans sa main le poids de l'ampoule de cent vingt-cinq millilitres ! L'éther est affaire d'expérience et de technique. Imbiber un tampon d'éther monte au nez mais donne une impression de légèreté, bien que l'éther soit deux fois plus lourd que l'air ; provoquer une anesthésie à l'éther — soumettre un malade à la panique de cette odeur suffocante — est une tout autre histoire. Avec ses patientes les plus délicates, Larch faisait souvent précéder l'administration d'éther de cinq ou six gouttes d'essence de fleur d'oranger. Pour lui-même, il n'avait besoin d'aucune préparation aromatique, d'aucun parfum pour déguiser l'odeur. Il était toujours conscient du choc que peut provoquer l'éther, lorsqu'il posait le flacon sur le sol à côté du lit ; il n'était pas toujours conscient au moment où ses doigts lâchaient le masque ; le cône — par la force des expirations de Larch — tombait alors de son visage. En général, il demeurait conscient de la main molle qui avait lâché le cône ; curieusement, cette main était la première partie de son corps qui se réveillait et, souvent, elle cherchait à tâtons le masque disparu. D'habitude il pouvait entendre les voix à l'extérieur de la pharmacie — si on l'appelait. Il était certain d'avoir toujours le temps de se reprendre.

— Docteur Larch ? lançait Nurse Angela ou Nurse Edna ou Homer Wells — et Larch n'avait besoin de rien d'autre pour rentrer de son voyage éthéré.

— Ici ! répondait Larch. Je me repose.

Après tout, c'était la pharmacie ; les pharmacies des médecins n'ont-elles pas toujours une odeur d'éther ? Et pour un homme qui travaillait si dur et dormait si peu (dormait-il seulement ?), n'était-il pas naturel qu'il fît un petit somme à l'occasion ?

Ce fut Melony qui fit comprendre à Homer Wells que le Dr Larch avait certaines habitudes inhabituelles et des pouvoirs singuliers.

— Écoute, Rayon-de-Soleil, dit-elle à Homer, comment se fait-il que ton cher docteur ne regarde pas les femmes ? Il ne les regarde pas — crois-moi. Il ne me regarde même pas, moi ; et tous les mâles, partout, à tout moment, me regardent — les hommes et les gamins me regardent. Même toi, Rayon-de-soleil. Tu me regardes.

Mais Homer Wells détourna les yeux.

« Et quelle est l'odeur qui l'accompagne partout ? demanda Melony.

— L'éther, répondit Homer. Il est médecin. Il sent l'éther.

— Tu trouves ça normal ? lui demanda Melony.

— Normal, dit Homer Wells.

— Comme un valet de laiterie ? demanda Melony d'un air matois. Il *doit* sentir le lait et la bouse de vache, d'accord ?

— D'accord, répondit Homer Wells sur ses gardes.

— Pas d'accord, Rayon-de-soleil, dit Melony. Ton cher docteur sent comme s'il avait de l'éther en lui — comme s'il avait de l'éther à la place du sang.

Homer ne répondit pas. Le haut de sa tête brune arrivait à l'épaule de Melony. Ils étaient en train de se promener sur la berge dénudée de ses arbres et usée par l'érosion, dans la partie de Saint Cloud's où les bâtiments abandonnés étaient restés abandonnés ; la rivière, à cet endroit, n'avait pas miné seulement ses berges mais les parties basses de ces bâtiments qui, dans plusieurs cas, n'avaient pas de fondations convenables ni même de caves — certains avaient été construits sur des pilotis, visibles et en train de pourrir dans l'eau qui les rongeait, au bord du torrent.

Le bâtiment préféré d'Homer et de Melony possédait une véranda, qui n'avait pas été conçue pour surplomber le torrent mais qui le surplombait à présent. A travers les planches brisées du parquet de cette véranda, Homer et Melony pouvaient voir couler l'eau, couleur d'ecchymose.

Le bâtiment avait servi de dortoir pour les hommes rudes qui travaillaient autrefois dans les scieries et sur les chantiers de débardage de Saint Cloud's ; il n'avait pas assez de style pour les patrons ou même les contremaîtres — les cadres de la Ramses Paper Company louaient des chambres à l'hôtel des putes. C'était un dortoir pour les scieurs, les bûcherons, les débardeurs — les hommes qui démêlaient les amas de grumes bloquant le torrent, ceux qui dirigeaient les trains de troncs vers l'aval, ceux qui halaient les troncs à terre et les coupaient à longueur ; les hommes qui faisaient marcher les scieries.

En général, Homer et Melony restaient en dehors du bâtiment, sous la véranda. A l'intérieur, il n'y avait qu'une vaste cuisine vide et nombre d'alvéoles-couchettes sordides, dont les matelas éventrés étaient infestés de souris. A cause du chemin de fer, des clochards étaient venus et repartis, non sans marquer leur territoire à la manière des chiens, en pissant tout le tour, ce qui isolait les matelas les moins envahis de souris. Malgré l'absence de vitres et la neige qui emplissait les pièces à moitié chaque hiver, l'odeur d'urine persistait dans tout le bâtiment.

Un jour où le faible soleil printanier avait incité un serpent noir, encore engourdi de froid, à venir se chauffer sur le parquet de la véranda, Melony dit à Homer Wells :

— Regarde bien, Rayon-de-soleil.

Avec une vivacité surprenante pour une fille aussi grosse, elle saisit le serpent somnolent derrière la tête. C'était une couleuvre de presque un mètre de long, et elle se glissa le long du bras de Melony, mais Melony la tenait de la bonne manière, en serrant juste derrière la tête, sans l'étouffer. Quand elle l'eut prise, elle parut ne plus faire attention à elle ; elle observa le ciel comme à l'affût d'un signe, et continua de parler à Homer Wells.

« Ton cher docteur, Rayon-de-soleil..., dit-elle. Il en sait plus long sur toi que toi-même. Et plus sur moi que je n'en sais... Peut-être.

Homer ne réagit pas. Il avait peur de Melony, surtout maintenant qu'elle avait un serpent. Il se disait : elle pourrait se saisir de moi aussi vite. Elle pourrait me faire quelque chose avec le serpent.

« Ne penses-tu jamais à ta mère ? demanda Melony sans cesser de fouiller le ciel du regard. N'as-tu jamais envie de savoir qui elle était, pourquoi elle ne t'a pas gardé, qui était ton père — tu sais, ce genre de choses ?

— D'accord, répondit Homer Wells, qui ne quittait pas des yeux le serpent.

Il s'enroula autour du bras de Melony ; puis il se déroula et pendit comme une corde ; ensuite il grossit et s'amincit, de lui-même. Il essaya d'explorer le tour des grosses hanches de Melony mais, s'y sentant plus en sécurité, il s'installa autour de sa taille généreuse — il pouvait tout juste y parvenir.

— On m'a dit qu'on m'avait abandonnée à la porte, dit Melony. Peut-être, et peut-être pas.

— Je suis né ici, répondit Homer Wells.

— C'est ce qu'on t'a dit.

— Nurse Angela m'a donné mon nom, avança Homer en guise de preuve.

— Nurse Angela ou Nurse Edna t'aurait donné ton nom même si on t'avait abandonné, répliqua Melony.

Elle observait toujours le ciel, indifférente au serpent. Elle est plus grande que moi, elle est plus âgée que moi, elle sait plus de choses que moi, se disait Homer Wells. Et elle a un serpent, se rappela-t-il — il laissa passer la dernière remarque de Melony sans répondre.

« Rayon-de-soleil, dit Melony d'un air absent. Réfléchis un peu : si tu es né ici, à Saint Cloud's, il y a forcément des traces. Ton cher docteur sait qui est ta mère. Il a forcément noté son nom dans le dossier. Tu es inscrit noir sur blanc quelque part. C'est une loi.

— Une loi, dit Homer Wells d'un ton neutre.

— Une loi qui oblige à enregistrer ta naissance, poursuivit Melony. Par écrit — un document, un dossier. Tu fais partie de l'histoire, Rayon-de-soleil.

— De l'histoire, dit Homer Wells.

Il vit le Dr Larch assis devant la machine à écrire dans le bureau de Nurse Angela ; s'il y avait des dossiers, c'était là qu'ils seraient.

— Si tu veux savoir qui est ta mère, reprit Melony, il te suffit d'aller voir. De consulter simplement ton dossier. Et, du même coup, tu pourrais regarder le mien. Pour un garçon qui lit bien, comme toi, Rayon-de-soleil, il ne faudra qu'un instant. Et le moindre mot fera une lecture plus intéressante que *Jane Eyre*. Mon dossier, à lui seul, est plus intéressant que ça, je parie. Et qui sait ce qu'il y a dans le tien ?

Homer se laissa distraire du serpent. Il regarda, par un trou de plancher de la véranda, des détritus qui passaient ; le torrent entraînait une branche brisée, peut-être, ou une botte d'homme — peut-être une jambe d'homme. Lorsqu'il entendit un son sifflant, comme un coup de fouet, il regretta d'avoir quitté le serpent des yeux ; il baissa la tête ; Melony se concentrait encore sur le ciel. Elle faisait tourner le serpent en moulinets au-dessus de sa tête, mais réservait toute son attention au ciel — non pas à un signe d'en haut susceptible d'apparaître, mais à un faucon roux. Il planait au-dessus du torrent, en traçant la spirale, paresseuse en apparence, des faucons en chasse. Melony lâcha le serpent, qui s'envola au-dessus de l'eau ; le faucon le suivit ; avant même que le serpent touche l'eau et se mette à nager vers la berge pour sauver sa peau, le faucon se mit en piqué. Le serpent ne lutta pas contre le courant mais l'utilisa, en essayant de trouver l'angle qui le ramènerait en lieu sûr, sous la berge érodée, ou dans le fourré de fougères.

« Regarde bien, Rayon-de-soleil, dit Melony.

A plus de dix mètres de la rive, le faucon s'empara du serpent qui nageait et l'emporta vers le ciel, tandis qu'il se tortillait et se débattait.

« Je veux te montrer autre chose, dit Melony en détournant son attention du ciel, maintenant que l'issue était claire.

— D'accord, dit Homer Wells, tout yeux, tout oreilles.

Au début, le poids et le mouvement du serpent parurent faire de l'ascension du faucon une lutte, mais plus l'oiseau s'élevait, plus il volait facilement — comme si en hauteur l'air avait des propriétés différentes de l'air d'en bas, où le serpent avait vécu heureux.

— Rayon-de-soleil ! lança Melony, impatiente.

Elle l'entraîna dans le vieux bâtiment, puis dans l'un des réduits les plus sombres du premier étage. La pièce avait la même odeur que si quelqu'un s'y trouvait — peut-être une personne vivante — mais il faisait trop sombre pour voir les matelas envahis par les souris (ou un cadavre). Melony ouvrit de force un contrevent déglingué accroché à un gond, puis s'agenouilla sur un matelas contre un mur que le volet ouvert avait éclairé. Une vieille photo était fixée au mur avec une punaise, à la hauteur de ce qui avait été autrefois la tête du lit de quelqu'un ; la punaise s'était rouillée et avait saigné, en une traînée rousse, sur les tons sépia de la photographie.

Homer avait déjà regardé d'autres photographies, dans d'autres pièces, mais il n'avait pas vu celle-ci. Celles dont il se souvenait étaient des photos de bébés, et des photos de mères et de pères, supposait-il — le genre de photos de famille qui intéresse toujours les orphelins.

« Viens voir ça, Rayon-de-soleil, dit Melony.

Elle essaya d'arracher la punaise avec son ongle, mais la punaise était plantée là depuis des années. Homer s'agenouilla à côté de Melony sur le matelas en putréfaction. Il lui fallut un certain temps pour saisir le contenu de la photographie ; peut-être était-il distrait par sa conscience d'être physiquement plus près de Melony que jamais depuis leur dernière course à trois pattes.

Quand Homer eut compris le sens de la photographie (en tout cas ce qu'elle représentait, sinon sa raison d'exister), il eut du mal à continuer de la regarder, surtout avec Melony si près de lui. D'un autre côté, il se dit qu'elle l'accuserait de lâcheté s'il détournait les yeux ; la photographie reflétait les habiles révisions de la réalité composées dans de nombreux studios de photographe au début du siècle ; l'image était encadrée de faux nuages, formant comme un brouillard funèbre ou vénérable ; les personnages représentés semblaient accomplir leur acte curieux dans un Paradis ou un Enfer qui ne manquait pas de style.

Homer Wells devina qu'il s'agissait de l'Enfer. Les participants du cliché étaient une jeune femme aux longues jambes et un poney aux pattes courtes. La femme, nue, était étendue, longues jambes écartées, sur un tapis — un tapis de Perse ou d'Orient (Homer Wells ne connaissait pas la différence) au dessin extrêmement confus — et le poney la chevauchait tête-bêche. Il avait la tête penchée, comme pour boire ou pour brouter, juste au-dessus de la vaste toison pubienne de la femme ; l'expression du poney semblait étrange : il avait vaguement conscience de l'appareil photographique, ou bien il avait honte, peut-être était-il simplement stupide. Le pénis du poney semblait plus long et plus gros que le bras d'Homer Wells, mais la jeune femme à l'allure athlétique s'était tordu le cou et avait assez de force dans les bras et les mains pour faire ployer le pénis en question jusqu'à sa bouche. Elle avait les joues gonflées comme si elle avait retenu trop longtemps son souffle ; les yeux lui sortaient de la tête ; mais son expression restait ambiguë — il était impossible de dire si elle allait éclater de rire ou bien si le pénis du poney était en train de l'étouffer à mort. Quant au poney, son visage hirsute n'exprimait qu'indifférence feinte — la pose placide d'une dignité animale un peu forcée.

« Il a de la chance, le poney, hein, Rayon-de-soleil ? lui demanda Melony.

Mais Homer Wells sentit passer dans ses membres un frisson qui coïncida exactement avec sa vision soudaine du photographe, sinistre manipulateur de la femme, du poney et des nuages du Paradis ou de la fumée de l'Enfer — en tout cas, les brumes de nulle part sur cette terre, imagina Homer. Et il vit, en un instant aussi bref qu'un tremblement, le génie de la chambre noire qui avait créé ce spectacle. Mais il eut aussitôt après une vision qui dura plus longtemps : celle de l'homme qui avait dormi sur ce matelas, où il était maintenant à genoux avec Melony, en train de rendre un culte au trésor de cet homme. C'était l'image avec laquelle un bûcheron avait choisi de se réveiller ; le portrait de poney et de femme se substituait en quelque manière à la famille de l'homme. Ce fut ce qui causa à Homer la douleur la plus vive : imaginer l'homme fatigué dans le dortoir de

Saint Cloud's, attiré vers cette femme et ce poney parce qu'il ne connaissait pas d'image plus proche de son cœur — pas de photos de bébé, ni de mère, de père, de femme, de maîtresse, de frère, d'ami.

Mais malgré la douleur que cela lui causait, Homer Wells fut incapable de détacher les yeux de la photographie. Avec une délicatesse féminine surprenante, Melony tirait encore sur la punaise rouillée — en veillant à ne jamais dissimuler l'image à Homer.

« Si je peux décrocher ce maudit truc du mur, dit-elle, je te le donne.

— Je n'en veux pas, répondit Homer — mais il n'en était pas certain.

— Bien sûr que si, dit Melony. Il n'y a rien pour moi, là-dedans. Je ne m'intéresse pas aux poneys.

Elle finit par arracher la punaise du mur, et remarqua qu'elle s'était brisé un ongle et déchiré l'épiderme ; une goutte de son sang tachait à présent la photo — elle sécha très vite et prit la couleur de la rouille qui descendait sur la crinière du poney puis sur la cuisse de la femme. Melony enfonça le doigt à l'ongle brisé dans sa bouche et tendit la photographie à Homer Wells.

Melony laissa son doigt tirer un peu sur sa lèvre inférieure et l'appuya contre ses dents d'en bas.

« Tu piges bien, Rayon-de-soleil, pas vrai ? demanda-t-elle à Homer Wells. Tu vois ce que la femme est en train de faire au poney, hein ?

— D'accord, dit Homer Wells.

— Ça ne te plairait pas que je te fasse ce qu'elle est en train de faire au poney ? lui demanda Melony.

Elle enfonça son doigt à fond dans sa bouche puis referma les lèvres autour, par-dessus la deuxième phalange ; dans cette position, elle attendit qu'il réponde, mais Homer Wells laissa passer la question. Alors Melony ôta son doigt mouillé de sa bouche, puis en posa le bout sur les lèvres muettes d'Homer. Il ne bougea pas ; il savait que s'il regardait le doigt de Melony il se mettrait à loucher.

« Si tu as envie que je te fasse ça, Rayon-de-soleil, dit Melony, il te suffit de me trouver mon dossier, de me donner mes papiers.

Elle appuya le doigt un peu trop fort contre les lèvres d'Homer.

« Bien entendu, quand tu regarderas mon dossier, tu pourras aussi regarder le tien — si ça t'intéresse, ajouta Melony.

Elle enleva son doigt.

« Donne-moi ton doigt, Rayon-de-soleil, dit-elle.

Mais Homer Wells, qui tenait la photographie à deux mains, décida de ne pas répondre à sa requête.

« Allons, roucoula Melony, je ne te ferai pas mal.

Il lui donna la main gauche, pour garder la photo dans la main droite ; en fait, il lui tendit son poing fermé, si bien qu'elle dut lui ouvrir la main avant de pouvoir glisser l'index gauche dans sa bouche.

« Regarde la photo, Rayon-de-soleil, lui dit-elle.

Il lui obéit. Elle frotta le doigt d'Homer contre ses dents, tout en réussissant à dire :

« Donne-moi le dossier et tu sais ce que tu auras en échange. Garde la photo et penses-y.

Homer pensa en fait que l'angoisse de regarder la photographie avec le doigt dans la bouche de Melony, à genoux près d'elle sur le matelas servant de demeure à d'innombrables souris, serait éternelle. Mais il se produisit un tel fracas inopiné sur le toit du bâtiment — la chute d'un corps, suivie d'un bruit plus léger (comme si le corps avait rebondi) — que Melony lui mordit le doigt très fort avant qu'il ne puisse, instinctivement, le retirer de sa bouche. Toujours à genoux, ils tombèrent dans les bras l'un de l'autre, s'étreignirent et retinrent leur souffle. Homer Wells sentit son cœur battre très fort contre les seins de Melony.

« Qu'est-ce que c'est, bon sang ? demanda-t-elle.

Homer Wells laissa passer la question. Il imaginait justement le fantôme du bûcheron dont il tenait la photographie à la main, le corps réel d'un ouvrier de la scierie atterrissant sur le toit, un homme portant une scie à refendre rouillée dans chaque main, un homme dont les oreilles n'entendraient, pour l'éternité, que la plainte de ces lames de métal dans le bois. Pendant ce fracas d'un poids mort sur le toit du bâtiment abandonné, Homer lui-même entendit le ricanement grinçant de ces scies du passé — mais quel était le bruit aigu, presque humain qu'il entendit chanter au-dessus de la plainte ? Le bruit de pleurs, imagina Homer : les vagissements fragiles des bébés sur la colline, les premiers orphelins de Saint Cloud's.

Sa joue brûlante sentit battre le pouls dans la gorge de Melony. Des pas très légers, délicats, semblèrent marcher sur le toit — comme si le corps du fantôme, après sa chute, redevenait esprit.

« Mon Dieu ! dit Melony en repoussant Homer Wells loin d'elle avec une telle violence qu'il tomba contre le mur.

Le bruit d'Homer fit galoper l'esprit sur le toit qui émit un cri perçant, de deux syllabes — le sifflement facile à reconnaître du faucon roux.

— Kie-yer ! dit le faucon.

Apparemment Melony ne reconnut pas le cri du faucon, car elle se mit à hurler, mais Homer comprit aussitôt ce qui se trouvait sur le toit ; il descendit les escaliers quatre à quatre et traversa la véranda jusqu'au garde-fou brisé. Il arriva juste à temps pour voir le faucon reprendre son envol ; cette fois, le serpent semblait plus facile à enlever — il pendait, vertical, aussi droit qu'un fil à plomb. Impossible de savoir si le faucon avait lâché le serpent involontairement ou exprès — conscient que c'était un moyen sûr, quoique peu professionnel, de le tuer. Peu importait : la longue chute jusqu'au toit avait nettement achevé le reptile, et son poids mort était plus facile à emporter qu'au moment où il se tordait, encore en vie, dans les serres du faucon et fouettait à coups répétés la poitrine de l'oiseau. Homer remarqua que le serpent était un peu plus long et pas tout à fait aussi gros que le pénis du poney.

Melony, à bout de souffle, arriva sous la véranda à côté d'Homer. Quand le faucon fut hors de vue, elle lui renouvela sa promesse.

— Garde la photo et penses-y ! répéta-t-elle.

Non qu'Homer Wells eût besoin d'un ordre pour « y penser ». Il avait plus d'un sujet de réflexion.

« L'adolescence, écrivit Wilbur Larch. N'est-ce pas la première fois dans la vie où nous découvrons que nous avons quelque chose de terrible à cacher à ceux qui nous aiment ? »

Pour la première fois de sa vie, Homer Wells dissimula quelque chose au Dr Larch — à Nurse Angela et à Nurse Edna. Et en même temps que la photographie du poney au pénis dans la bouche de la femme, Homer Wells cacha aussi ses premiers doutes au sujet de Saint Larch. En même temps que la photographie, il dissimula sa première concupiscence — non seulement pour la femme qui s'étouffait sur le surprenant instrument du poney, mais aussi pour la promesse inspirée que Melony lui avait faite. Cachées avec la photographie (sous son matelas de lit d'hôpital, épinglée contre les ressorts) se trouvaient également les angoisses d'Homer au sujet de ce qu'il risquait de découvrir dans les fameux « dossiers » — le prétendu « enregistrement » de sa naissance à Saint Cloud's. L'histoire de sa mère était donc cachée avec cette photographie, vers laquelle Homer s'aperçut qu'il était de plus en plus attiré.

Il la sortait de sous le matelas et la regardait trois ou quatre fois par jour ; et la nuit quand il ne pouvait pas dormir, il la regardait à la lumière d'une bougie — lumière somnolente sous laquelle les yeux de la femme semblaient moins exorbités, lumière clignotante dans laquelle Homer imaginait qu'il pouvait voir les joues de la femme bouger vraiment. Le mouvement de la lumière de la bougie semblait agiter la crinière du poney. Une nuit, pendant qu'il regardait l'image, il entendit John Wilbur mouiller son lit. Plus souvent, Homer regardait le cliché avec pour accompagnement les halètements dramatiques de Fuzzy Stone — la cacophonie des poumons, de la roue à aubes et du ventilateur semblait s'harmoniser au numéro femme-poney qu'Homer se remémorait avec une telle perfection.

Quelque chose changea dans l'insomnie d'Homer ; le Dr Larch décela la différence, ou bien ce fut la conscience de sa propre fourberie qui ouvrit les yeux d'Homer sur les observations du Dr Larch à son sujet. Quand Homer Wells s'avançait sur la pointe des pieds jusqu'au bureau de Nurse Angela, tard dans la nuit, il avait l'impression que le Dr Larch était toujours à la machine à écrire — et que celui-ci remarquait toujours les précautions qu'il prenait pour longer le couloir.

— Puis-je faire quelque chose pour toi, Homer ? demandait le Dr Larch.

— Je ne peux pas dormir, c'est tout, répondait l'adolescent.

— Alors, rien de neuf ? demandait le Dr Larch.

Est-ce que le bonhomme écrivait toute la nuit ? La journée, le bureau de Nurse Angela était occupé — il n'y avait pas d'autre pièce disponible pour les entretiens avec les malades et les coups de téléphone. Et elle était pleine de papiers du Dr Larch — sa correspondance avec d'autres orphelinats, avec des agences d'adoption, avec de futurs parents adoptifs ; son journal remarquable (quoique par moments facétieux), confessions fourre-tout qu'il avait intitulées : *Une brève histoire de Saint Cloud's*. L'histoire n'était plus brève, et elle s'allongeait tous les jours — chaque note commençant fidèlement par « Ici à Saint Cloud's... » ou « Dans d'autres parties du monde... »

Les papiers du Dr Larch comprenaient également des histoires détaillées de familles — mais uniquement des familles qui adoptaient des orphelins. Contrairement à la conviction de Melony, aucun dossier n'existait sur les mères et les pères réels des enfants. L'histoire d'un orphelin commençait par sa date de naissance — son sexe, sa taille (en centimètres), son poids (en kilos), son nom attribué par l'infirmière (si c'était un garçon) ou par Mme Grogan ou la secrétaire de la section Filles (si c'était une fille). Rien d'autre, si ce n'est la liste des maladies et des vaccinations. Les familles adoptives des orphelins faisaient l'objet d'un dossier beaucoup plus épais — le Dr Larch tenait à en savoir le plus possible sur ces familles.

« Ici à Saint Cloud's, a-t-il écrit, j'essaie de considérer, chaque fois que je fais ou défais une règle, que ma première priorité est l'avenir d'un orphelin. Par exemple, c'est pour son avenir que je détruis tout document sur l'identité de sa mère naturelle. Les malheureuses qui accouchent ici ont pris une décision très difficile ; elles ne doivent pas, plus tard dans la vie, être contraintes à revenir sur cette décision. Et dans presque chaque cas, il est bon d'épargner aux orphelins toute recherche ultérieure de leurs parents biologiques ; oui, dans la plupart des cas, il vaut certainement mieux épargner aux orphelins la découverte de leurs vrais parents.

« Je pense à eux, toujours à eux — seulement aux orphelins ! Bien entendu, un jour, ils auront envie de savoir ; à tout le moins ils seront curieux. Mais est-ce que se complaire dans le passé a jamais aidé qui que ce soit ? A quoi bon, pour un orphelin, se tourner vers le passé ? Les orphelins, surtout les orphelins, doivent se tourner vers leur avenir.

« Et à quoi bon, pour un orphelin, voir son parent biologique, beaucoup plus tard, regretter sa décision d'accoucher ici ? S'il existait des dossiers, les vrais parents auraient toujours la possibilité de retrouver la trace de leurs enfants. Réunir des orphelins à leurs origines biologiques n'est pas du tout mon affaire ! C'est l'affaire des raconteurs d'histoires. Mon affaire à moi, ce sont les orphelins. »

Ce fut ce passage de sa *Brève Histoire de Saint Cloud's* que Wilbur Larch montra à Homer Wells, quand il surprit Homer dans le bureau de Nurse Angela en train de fouiller dans ses papiers.

— Je cherchais quelque chose que je ne pouvais pas trouver, balbutia Homer Wells au Dr Larch.

— Je sais ce que tu cherchais, Homer, lui répondit Larch, et c'est introuvable.

C'est ce qu'expliqua le petit mot qu'Homer remit à Melony quand il alla à la section Filles pour lire *Jane Eyre*. Chaque soir la même mimique sans paroles se répétait : Melony mettait son doigt dans sa bouche — elle semblait l'enfoncer presque au fond de sa gorge en roulant des yeux pour singer la femme au poney — et Homer Wells secouait simplement la tête pour indiquer qu'il n'avait pas trouvé ce qu'il cherchait. Le petit mot qui disait « Introuvable » provoqua un regard soupçonneux sur les traits toujours en mouvement de Melony.

« Homer, avait dit le Dr Larch, je ne me souviens pas de ta mère. Je

109

ne me souviens même pas de *toi* à ta naissance ; tu n'es devenu toi que plus tard.

— Je croyais qu'il y avait une loi, répondit Homer.

Il songeait à la loi de Melony — une loi sur les dossiers, sur l'histoire écrite — mais Wilbur Larch était à Saint Cloud's le seul historien et la seule loi, une loi d'orphelinat : la vie d'un orphelin commençait quand Wilbur Larch se souvenait de lui ; et si un orphelin était adopté avant de se fixer dans le souvenir (ce que l'on espérait), sa vie commençait avec qui l'avait adopté. Telle était la loi de Larch. Après tout, il avait pris la responsabilité de suivre la loi non écrite concernant le moment où un fœtus était éveillé ou non ; les règles selon lesquelles il décidait de délivrer un bébé, ou bien une mère, étaient également ses propres règles.

— Je pense beaucoup à toi, Homer, dit le Dr Larch à l'enfant. Je pense à toi de plus en plus, mais je ne perds pas mon temps — ni le tien — à penser à qui tu étais avant que je te connaisse.

Larch montra à Homer une lettre qu'il était en train d'écrire — elle se trouvait encore dans la machine. Elle était adressée à une personne du Foyer pour jeunes vagabonds de la Nouvelle-Angleterre [12], orphelinat encore plus ancien que Saint Cloud's.

La lettre était amicale et familière ; le correspondant de Larch semblait un collègue de longue date sinon un vieil ami. Il y avait également, dans le ton de Larch, l'étincelle d'un débat fréquent — comme si Larch avait souvent utilisé ce correspondant en guise d'adversaire philosophique.

« Les raisons pour lesquelles les orphelins doivent être adoptés avant l'adolescence ? C'est qu'ils ont besoin d'être aimés et d'avoir quelqu'un à aimer, avant de s'embarquer dans cette phase nécessaire de l'adolescence, à savoir : le besoin de tromper, soutenait Larch dans sa lettre. L'adolescent découvre que le mensonge est presque aussi séduisant que le sexe et beaucoup plus facile à pratiquer. Il peut être particulièrement difficile de tromper ceux que l'on aime — les gens qui vous aiment sont moins susceptibles que les autres de reconnaître que vous les avez trompés. Mais si vous n'aimez personne et avez l'impression que personne ne vous aime, il n'existe personne ayant le pouvoir de vous piquer au vif en vous faisant remarquer que vous mentez. Si un orphelin n'est pas adopté lorsqu'il atteint cette période alarmante de l'adolescence, il risque de continuer de tromper — lui-même et les autres — toute sa vie.

« Pendant une période affreuse de sa vie, l'adolescent se dupe lui-même ; il croit qu'il peut duper le monde entier. Il se croit invulnérable. Un adolescent qui est encore orphelin pendant cette phase est en danger de ne jamais devenir adulte. »

Bien entendu, le Dr Larch savait que ce n'était pas le cas d'Homer Wells ; il était vraiment aimé — par Nurse Angela et Nurse Edna, et par le Dr Larch, en dépit de lui-même — et Homer savait non seulement qu'il était aimé mais aussi, sans doute, qu'il aimait ces êtres. Sa phase de tromperie serait sans doute très brève, Dieu merci.

Melony constituait en revanche l'exemple parfait de l'orphelin adolescent décrit par Larch dans sa lettre au Foyer pour jeunes vagabonds de la Nouvelle-Angleterre. Cela sauta aux yeux d'Homer Wells, qui avait demandé à Melony — avant de lui signifier que son histoire était « introuvable » — pour quelle raison elle voulait retrouver sa mère.

— Pour la tuer, avait répondu Melony sans hésiter. Peut-être que je l'empoisonnerai, mais si elle n'est pas aussi grande que moi, si je suis beaucoup plus forte qu'elle, ce qui est probable, j'aimerais bien l'étrangler.

— L'étrangler, répéta Homer Wells malgré lui.

— Pourquoi ? lui demanda Melony. Qu'est-ce que tu ferais, toi, si tu retrouvais ta mère ?

— Je ne sais pas, répondit-il. Je lui poserais des questions, peut-être.

— Lui poser des questions ! lança Melony.

Homer n'avait pas entendu un tel mépris dans la voix de Melony depuis sa réaction aux « rayons de soleil » de Jane Eyre.

Homer savait que son petit mot — « Introuvable » — ne satisferait jamais Melony, bien qu'il eût jugé le Dr Larch, comme de coutume, tout à fait convaincant. D'autre part, Homer dissimulait encore quelque chose ; il trompait encore un peu le Dr Larch — et lui-même. La photographie de la femme avec le poney se trouvait encore entre le matelas et le sommier de son lit ; elle était devenue presque molle à force d'être manipulée. Franchement, Homer était plein de regret. Il savait qu'il ne pourrait jamais donner à Melony le dossier de son passé, et que, sans ce dossier, lui serait refusée l'expérience singulière du poney.

— Qu'est-ce qu'il veut dire, hein ? cria Melony à Homer. (Ils étaient sous la véranda branlante du bâtiment où la femme et le poney avaient passé tant d'années.) *Introuvable !* Ce qu'il veut dire, c'est qu'il joue au bon Dieu — il te donne ton passé, ou te l'enlève ! Si ce n'est pas jouer au bon Dieu, qu'est-ce que c'est ?

Homer Wells ne broncha pas. Il savait que le Dr Larch jouait au bon Dieu de plus d'une autre manière ; et Homer estimait d'ailleurs, tout bien pesé, que le Dr Larch jouait très bien au bon Dieu.

« Ici à Saint Cloud's, a écrit le Dr Larch, on m'a donné le choix entre jouer au bon Dieu ou bien abandonner à peu près tout au hasard. J'ai constaté que, la plupart du temps, à peu près tout est abandonné au hasard ; les hommes qui croient au bien et au mal, et qui estiment que le bien devrait triompher, feraient bien d'épier les moments où l'on peut jouer au bon Dieu — il faut les saisir au vol. Ils ne seront pas nombreux.

« Ici à Saint Cloud's, il y a peut-être davantage de moments à saisir au vol que dans le reste du monde, mais c'est seulement parce que tout ce qui vient par ici a déjà été abandonné au hasard. »

« Que le diable l'emporte ! hurla Melony.

Mais le torrent criait très fort lui aussi, le bâtiment vide avait entendu bien pis à son heure de gloire, et Homer Wells laissa également passer cette remarque sans ouvrir la bouche.

« Dommage pour toi, Rayon-de-soleil ! jappa Melony. Pas vrai ? insista-t-elle.

Il garda ses distances.

« Ouais ! hurla-t-elle — et les bois du Maine, de l'autre côté du torrent, ne relancèrent qu'un bref écho du « ais ».

Elle leva sa lourde jambe et fit disparaître dans la rivière, d'un seul coup de pied, toute une longueur de la balustrade de la véranda.

« Alors c'est *ça !* cria Melony — mais la forêt était trop dense pour pouvoir renvoyer même un écho tronqué du « ça ! ».

Les bois du Maine, comme Homer Wells, laissèrent la remarque de Melony sans réponse.

« Mon Dieu ! cria Melony — mais la forêt ne répéta rien.

Le vieux bâtiment émit un craquement — peut-être un soupir. Saccager ce bâtiment semblait difficile ; le temps et d'autres vandales l'avaient déjà fait ; Melony chercha d'autres parties à détruire. Homer la suivit à distance respectueuse.

« Rayon-de-soleil…, dit Melony.

Elle trouva un petit bout de vitre qui n'avait pas été brisé et elle le brisa.

« Rayon-de-soleil, nous n'avons *personne*. Si tu me réponds que nous nous avons mutuellement, je te tue.

Homer n'avait nullement songé à faire cette suggestion, ni d'ailleurs une autre ; il garda le silence.

« Si tu me dis que nous avons ton cher Dr Larch, ou tout cet endroit, lança-t-elle — en tapant du pied pour briser une lame du parquet, puis en essayant de l'arracher en tirant à deux mains —, si tu me dis ça, je te torture avant de te tuer.

— D'accord, répondit Homer Wells.

Brandissant la lame de parquet à deux mains, Melony attaqua la rampe de l'escalier principal ; la rampe elle-même vola facilement en éclats, mais le poteau qui fixait la rampe entière au vestibule du rez-de-chaussée resta debout. Melony lâcha la planche et saisit le poteau à bras-le-corps.

— Le diable t'emporte ! cria-t-elle — au Dr Larch, à sa mère, à Saint Cloud's, au reste du monde.

Elle mit le poteau au tapis ; il restait fixé à un chevron de soutien, sous le parquet, mais Melony, prenant un bout de rampe pour massue, frappa jusqu'à ce que le poteau cède. Elle essaya de le soulever et, n'y parvenant pas, se tourna vers Homer Wells.

« Tu ne vois donc pas que j'ai besoin d'aide ? lança-t-elle.

Ensemble, ils soulevèrent le poteau ; ils en firent un bélier pour abattre le mur de la cuisine.

« Pourquoi n'es-tu pas en colère ? demanda Melony à Homer. Qu'est-ce qui ne tourne pas rond chez toi ? Tu ne pourras jamais trouver qui t'a fait ça et tu t'en fous ?

— Je ne sais pas, répondit Homer Wells.

Ensemble, ils poussèrent le bélier contre ce qui semblait être une poutre de bonne taille ; peut-être soutient-elle l'étage, se dit Homer Wells. Ils frappèrent la poutre trois fois, rebondissant dans trois directions différentes ; au quatrième coup, la poutre se brisa. Dans le bâtiment au-dessus d'eux, quelque chose parut bouger. Melony lâcha son morceau de poteau et saisit à deux bras la poutre qui pendait ; elle essaya de partir en courant avec la poutre et, dans son élan, elle franchit le seuil et sortit sous la véranda. Un des châlits du premier tomba dans la cuisine ; au même instant, le toit de la véranda s'effondra en partie, et ce qu'il restait de la balustrade fut projeté dans le torrent. Toute cette destruction parut faire de l'effet même à Melony ; elle prit Homer Wells par la main et, presque tendrement, l'entraîna à l'étage — plus de la moitié de l'étage tenait encore debout, notamment le logement où le poney et la femme avaient jadis offert la paix de l'esprit à un bûcheron de Saint Cloud's.

— Aide-moi, dit doucement Melony à Homer Wells.

Ils allèrent à la fenêtre et parvinrent ensemble à détacher le volet de l'unique gond qui le retenait ; ils le regardèrent tomber tout droit à travers le toit du porche et traverser encore plus facilement le plancher, avant de s'écraser dans le torrent.

« Impeccable, hein ? demanda Melony d'une voix sourde.

Elle s'assit sur le matelas où ils étaient agenouillés quand le serpent était tombé sur le toit.

« Aide-moi, répéta Melony.

Elle fit signe à Homer de s'asseoir à côté.

« Aide-moi, sinon je vais m'enfuir, dit-elle. Aide-moi, sinon je vais tuer quelqu'un. (Dans sa bouche, ces notions semblaient presque parallèles sinon identiques.)

Homer comprit que, dans le cas de Melony, il aurait beaucoup de mal à « se rendre utile », mais il essaya cependant.

— Ne tue personne, dit-il. Ne t'enfuis pas.

— Pourquoi rester ? lança-t-elle. Toi, tu ne resteras pas — je ne veux pas dire que tu t'enfuiras, mais quelqu'un t'adoptera.

— Non, personne, répondit Homer. D'ailleurs, je ne partirai pas.

— Tu partiras, dit Melony.

— Non, dit Homer. Je t'en prie, ne t'enfuis pas — je t'en prie, ne tue personne.

— Si je reste, tu resteras — c'est ça que tu veux dire ? lui lança Melony.

Est-ce ce que je veux dire ? se demanda Homer Wells. Mais Melony, comme toujours, ne lui laissa pas le temps de réfléchir.

« Promets-moi de rester aussi longtemps que je resterai, Rayon-de-soleil, dit-elle.

Elle se rapprocha de lui ; elle lui prit la main, ouvrit ses doigts et enfonça l'index d'Homer dans sa bouche.

« Il avait de la chance, le poney, murmura Melony — mais Homer Wells n'était pas certain que le poney ait eu vraiment de la chance.

Le vieux bâtiment poussa un grognement. Melony fit aller et venir l'index d'Homer dans sa bouche.

« Promets-moi de rester aussi longtemps que je resterai, Rayon-de-soleil, dit-elle.

— D'accord, répondit Homer Wells.

Elle le mordit.

« Je *promets,* dit-il.

Une autre partie de l'étage tomba dans la cuisine ; les poutres tordues qui soutenaient encore les restes du toit de la véranda poussèrent un cri de compassion.

Est-ce ce qui le déconcentra quand Melony, enfin, trouva son petit pénis et le mit dans sa bouche ? Il n'avait pas peur que le vieux bâtiment s'effondre et les tue tous les deux ; cette crainte aurait été raisonnable. Il ne pensait pas non plus à l'histoire du matelas sur lequel ils étaient allongés ; c'était une histoire violente — même selon les normes de Melony. Il ne pensait pas non plus à sa propre histoire perdue et il ne se demandait pas si se trouver avec Melony était — ou n'était pas — trahir le Dr Larch. Le bruit, en partie, déconcentra Homer : le bruit que faisait Melony avec sa bouche — et son souffle —, plus le bruit de sa propre haleine. Le tumulte de toute cette passion lui rappela le petit Fuzzy Stone et l'énergie des mécanismes qui s'agitaient pour maintenir l'enfant en vie. Tout cet effort respiratoire effectué pour le compte de Fuzzy semblait souligner la fragilité de sa vie.

Homer ne devint qu'un peu plus gros dans la bouche de Melony ; dès qu'il redevint plus petit, Melony redoubla d'efforts. Ce qui déconcentrait le plus Homer, c'était la photographie elle-même, qu'il voyait très clairement. Il pouvait même voir le rectangle sans poussière, sur le mur, à l'endroit où la photographie se trouvait. Si, au début, la photographie l'avait poussé à imaginer cet acte avec Melony, à présent elle bloquait sa capacité de l'accomplir. Si, au début, la femme de la photographie l'avait incité à penser à Melony, mainte-nant la femme, et d'ailleurs Melony, lui semblaient simplement abusées. L'insensibilité bestiale du poney demeurait la même : la passivité déplacée de la bête idiote. Homer se sentit devenir plus minuscule qu'il ne l'avait jamais été.

Melony, humiliée, le repoussa :

— Va-t'en au diable ! lui cria-t-elle. Qu'est-ce que tu as qui ne tourne pas rond ? Et ne me dis pas que c'est de ma faute, hein ?

— D'accord, dit Homer. Pas de ta faute.

— Et comment ! cria Melony — mais ses lèvres semblaient doulou-reuses, voire blessées, et Homer vit des larmes dans la colère de son regard.

D'une secousse, elle tira le matelas ; puis le plia en deux et le lança par la fenêtre. Le matelas tomba sur le toit et resta bloqué au milieu du trou percé par le volet. Cela parut mettre Melony en fureur — le fait que le matelas ne fût pas tombé sans bavures dans le torrent. Elle se mit à démolir la couchette à côté de la sienne, sans cesser de hurler. Homer Wells battit en retraite, comme il l'avait fait lorsqu'elle s'était mise en fureur à propos des « rayons de soleil ». Il se faufila dans l'escalier branlant ; quand il passa sous la véranda, celle-ci, dans un craquement sinistre, pencha brusquement dans la direction du torrent, et pendant un instant Homer perdit l'équilibre. Il entendit atterrir sur le toit, au-dessus de lui, ce qu'il prit pour plusieurs lits de fer ou un pan de mur ; il prit la fuite à l'air libre. Melony avait dû le voir par la fenêtre de l'étage.

« Tu m'as promis, Rayon-de-soleil ! lui cria-t-elle. Tu m'as promis de ne pas m'abandonner ! Tant que je reste, tu restes !

— Je te le promets ! lui cria-t-il.

Mais il se détourna aussitôt et partit le long de la berge du torrent, vers l'aval, vers les bâtiments occupés de Saint Cloud's et l'orphelinat sur la colline dominant la rivière.

Il était encore sur la berge, tout près de l'eau, quand Melony parvint à détacher la part de véranda surplombant le torrent (le toit de la véranda partit avec) ; Homer s'arrêta pour regarder flotter dans le courant ce qui semblait être la moitié du bâtiment, et il imagina que Melony — si on lui en laissait le temps — pourrait débarrasser le paysage de la ville entière. Mais il ne resta pas pour assister à la suite de ses efforts destructeurs. Il se dirigea tout droit vers son lit, dans le dortoir de la section Garçons. Il souleva son matelas ; il avait l'intention de jeter la photographie, mais elle avait disparu.

— Ce n'est pas moi, dit Fuzzy Stone.

Bien qu'il fût midi, Fuzzy était encore dans le dortoir, emprisonné sous sa tente humidifiée. Cela signifiait, Homer le savait, que Fuzzy avait une sorte de rechute. La nuit, la tente était la demeure de Fuzzy, mais quand Fuzzy y passait la journée, on appelait la tente son « traitement ». Il devait également subir tout le temps ce que le Dr Larch appelait des « examens », et chaque jour il lui fallait une piqûre — tout le monde le savait. Homer, debout près de l'engin qui cliquetait, respirait et haletait, demanda à Fuzzy Stone où se trouvait la photographie. Homer apprit que John Wilbur avait tellement mouillé son lit que Nurse Angela lui avait ordonné de se coucher sur le lit d'Homer pendant qu'elle remplaçait le matelas souillé. John Wilbur avait trouvé la photo ; il l'avait montrée à Fuzzy et à quelques autres garçons qui se trouvaient là — dont Wilbur Walsh et Snowy Meadows ; c'était Snowy qui avait dégobillé.

— Et que s'est-il passé ? demanda Homer à Fuzzy, qui était déjà hors d'haleine.

Fuzzy avait neuf ans ; après Homer Wells c'était l'orphelin le plus âgé de la section Garçons. Fuzzy répondit que Nurse Angela était revenue avec un matelas propre pour John Wilbur et qu'elle avait vu la photographie ; naturellement, elle l'avait confisquée. Et naturellement, John Wilbur lui avait avoué où il l'avait trouvée. A présent, Homer en était certain, Nurse Edna devait l'avoir vue, ainsi que le Dr Larch. L'idée d'aller chercher John Wilbur et de lui casser la figure traversa l'esprit d'Homer, mais le gamin était trop petit — il ne ferait que pisser dans sa culotte ; et il y aurait une nouvelle preuve contre Homer.

— Mais qu'est-ce que *c'était* ? haleta Fuzzy Stone dans l'oreille d'Homer.

— Je croyais que tu l'avais vue.

— Je l'ai vue, mais qu'est-ce que c'était ? répéta Fuzzy.

Il avait l'air vraiment effrayé.

Snowy Meadows avait cru que la femme mangeait les intestins du poney, expliqua Fuzzy ; Wilbur Walsh avait pris la fuite. John Wilbur avait sans doute pissé un peu plus, pensa Homer Wells.

« Qu'est-ce qu'ils faisaient ? supplia Fuzzy Stone. La femme, dit-il, haletant, comment pouvait-elle ? Comment pouvait-elle respirer ? demanda-t-il à bout de souffle.

Ses poumons sifflaient drôlement quand Homer le quitta. A la lumière du jour, Fuzzy semblait presque transparent — si on l'avait tenu devant une source de lumière assez puissante, on aurait pu voir à travers lui, voir tous ses frêles organes s'efforcer de le sauver.

Le Dr Larch n'était pas dans le bureau de Nurse Angela, où Homer espérait le trouver. Homer se félicita de l'absence des deux infirmières, il se serait senti particulièrement honteux en face d'elles. Il vit, à l'entrée de l'infirmerie, Nurse Angela qui parlait à l'homme chargé d'enlever les ordures impossibles à brûler. Le sujet de leur conversation était le vieux matelas de John Wilbur. Homer se dirigea vers la pharmacie pour voir si le Dr Larch ne s'y trouvait pas.

Wilbur Larch avait eu une dure journée ; il était allongé sur son lit d'hôpital, dans la pharmacie, avec un cône de gaze davantage saturé d'éther que de coutume. Le vandalisme perpétré sur le « dortoir des scieurs » avait moins bouleversé le Dr Larch qu'il n'avait dérangé certains citoyens de la ville, témoins des dégâts causés par Homer et Melony — surtout par Melony, le Dr Larch en était convaincu. A quoi servent des bâtiments abandonnés ? se demandait le Dr Larch — sinon à ce que des gosses les saccagent un peu ? La moitié du bâtiment était partie au fil de l'eau, semblait-il, mais le rapport devait exagérer.

Il inspira et songea à ce qui l'avait vraiment bouleversé : cette photographie. Cette femme avec le poney.

Le fait qu'Homer Wells possédât la photo ne troublait nullement le docteur ; les adolescents s'intéressent à ce genre de chose. Larch savait qu'Homer ne l'aurait jamais montrée aux plus jeunes garçons. Mais si Homer avait conservé ce cliché, cela signifiait, pour Wilbur Larch, qu'il était temps de confier au jeune homme des responsabilités plus sérieuses, plus adultes. Il était temps d'accélérer sa formation.

Et la photographie elle-même, pour Larch, n'était pas troublante. Après tout, il avait travaillé dans le quartier Sud de Boston. Ce genre de clichés traînait partout ; à l'époque où Wilbur Larch était interne à la Maternité de Boston, ils coûtaient dix *cents*.

Ce qui troublait Larch, c'était la femme de la photographie ; il avait reconnu sans peine la brave fille de Mme Eames. Il avait déjà vu ses joues gonflées — amatrice de cigare de longue date, elle avait l'habitude de mettre des choses horribles dans sa bouche. Et quand on l'avait jetée à la porte de Wilbur Larch avec une péritonite aiguë, résultat des innombrables blessures qu'elle avait subies « derrière Harrison », elle avait également les yeux exorbités. En regardant cette photo, Larch se rappela la vie que cette femme aurait dû avoir ; il se souvint aussi qu'il aurait pu soulager le fardeau de son existence — juste un peu — en procédant à un avortement. La photographie rappela à Larch une vie qu'il aurait pu sauver — ne serait-ce que momentanément. La malheureuse fille de Mme Eames aurait dû être sa première patiente avortée.

Wilbur Larch regarda le cliché et se demanda si la fille de Mme Eames avait reçu, pour poser avec le poney, suffisamment d'argent pour payer l'avortement « derrière Harrison ». Probablement pas, conclut-il — ce n'était même pas une très bonne photographie. La personne qui avait réglé la pose des participants n'avait même pas mis en valeur l'étonnante chevelure noire de la jeune femme ; elle aurait pu l'étaler sur son épaule, la placer près de sa poitrine, où les cheveux bruns auraient accentué la blancheur de la peau. Elle aurait pu la laisser tomber en arrière, ce qui, au moins, aurait souligné l'épaisseur et la longueur inhabituelle de la natte. Manifestement, personne n'avait songé aux cheveux. La natte se trouvait sur le côté du visage de la fille de Mme Eames, lovée dans une ombre projetée par l'une des grosses pattes courtes et poilues du poney. Sur la photo, la natte était perdue ; il fallait connaître la fille de Mme Eames pour savoir ce qu'était le volume sombre sur le côté du visage tendu de la femme.

— Je regrette, dit Larch en inspirant.

La fille de Mme Eames ne répondit pas, et il répéta donc : « Je regrette. » Il expira. Il crut entendre quelqu'un l'appeler.

— Docteur Larch !

118

— Ça rime avec crème, murmura Wilbur Larch.

Il respira le plus profondément qu'il put. Sa main perdit contact avec le cône, qui roula de son visage, puis sous le lit.

— Docteur Larch ? répéta Homer Wells.

L'odeur d'éther dans la pharmacie parut anormalement forte à l'adolescent, qui traversa le labyrinthe d'armoires à médicaments pour voir si le Dr Larch n'était pas sur son lit.

— Chie ou sors du pot ! entendit-il, de la bouche du Dr Larch. (Inspiration, expiration.) Je regrette, dit le Dr Larch en voyant Homer à côté de son lit.

Il s'assit trop vite ; sa tête tournait encore ; la pièce entière semblait nager.

« Je regrette, répéta-t-il.

— Tout va bien, répondit Homer Wells. Désolé de vous avoir réveillé.

— Ça rime avec crème, dit Wilbur Larch.

— Je vous demande pardon ! murmura Homer Wells.

Dans la pharmacie fermée, une boule antimites envoyait ses messages vaporeux de toutes parts.

— Assieds-toi, Homer, dit le Dr Larch, qui s'aperçut qu'Homer était déjà assis à côté de lui sur le lit.

Larch aurait aimé avoir la tête plus claire ; il savait que ce serait une confrontation importante pour l'enfant. Homer s'attendait à être réprimandé, et en termes sans équivoque, mais Larch craignait justement de ne pas être au mieux de sa forme pour parler sans ambiguïté.

« Du vandalisme ! lança Larch. De la pornographie !

Voilà un début, se dit-il, mais le garçon assis à côté de lui attendit patiemment. Larch avala une gorgée de ce qu'il espérait être de l'air plus pur ; le parfum de l'éther demeurait encore lourdement présent dans la pharmacie ; l'espace à proximité immédiate était alternativement nébuleux et pétillant de petites étoiles.

« Le vandalisme est une chose, Homer, dit Larch. Et la pornographie, une tout autre chose.

— D'accord, dit Homer Wells (prenant de l'âge, apprenant du nouveau chaque jour).

— Plus près du cœur de nos relations, Homer, se trouve le fait que tu m'as trompé. D'accord ?

— D'accord, dit Homer.

— Bien.

Les étoiles étincelaient avec une telle intensité sur le plafond de la pharmacie que, pendant un instant, le Dr Larch eut l'impression que leur dialogue se déroulait sous le firmament, en pleine nuit. Il pencha la tête en arrière, pour échapper aux vapeurs, mais perdit l'équilibre et tomba à la renverse sur le lit.

— Vous allez bien ? lui demanda Homer.

— Bien ! lança Larch avec bonne humeur.

Puis il éclata de rire.

C'était la première fois qu'Homer Wells entendait rire le Dr Larch.

« Écoute Homer, commença Larch, mais il se mit à glousser. Si tu es en âge de vandaliser des bâtiments entiers et de te masturber devant des photos de femmes en train de tailler des pipes à des poneys, tu es en âge de devenir mon assistant !

Larch trouva son raisonnement si drôle qu'il se plia en deux sur le lit. Homer trouva, lui aussi, la chose drôlement exprimée, et esquissa un sourire.

« Tu ne comprends pas, n'est-ce pas ? demanda Larch, toujours gloussant. Tu ne comprends pas ce que je veux dire.

Il se coucha sur le dos et agita les pieds en l'air tandis que le firmament étoilé gravitait au-dessus d'eux.

« Je vais t'enseigner la chirurgie ! cria Larch à Homer — ce qui les plongea tous les deux dans des larmes d'hilarité. La procédure de l'obstétricien, Homer, dit Larch.

Homer, à son tour, tomba sur le lit.

« L'œuvre de Dieu et celle du Diable, Homer ! dit Larch en hululant. Tout le cirque ! cria-t-il.

Homer riait si fort qu'il se mit à tousser. Il vit, non sans surprise, Larch — tel un magicien — sortir de nulle part la photo de la femme et du poney pour la lui mettre sous le nez.

« Si tu es en âge de contempler ça, dit Larch, tu es en âge d'avoir un travail d'adulte !

Cela désopila Larch à tel point qu'il dut tendre la photographie à Homer Wells — sinon, il l'aurait laissée tomber.

« Écoute, Homer, dit Larch. Tu vas terminer la faculté de médecine avant de commencer le lycée !

C'était particulièrement drôle pour Homer, mais le Dr Larch devint soudain sérieux. Il arracha le cliché des mains du jeune homme.

« Regarde ceci, ordonna-t-il.

Ils s'assirent sur le bord du lit et Larch tint la photo sans trembler sur son genou.

« Je vais te montrer ce que tu ne sais pas. Regarde ça ! dit-il, l'ongle sur la natte, dissimulée dans l'ombre de la patte du poney. Qu'est-ce que c'est ? demanda-t-il à Homer Wells. Les jeunes, vous croyez tout savoir ! lança Larch, menaçant.

Homer perçut un nouveau ton de voix ; il étudia avec attention cette partie de la photographie, qu'il n'avait jamais regardée avant — une tache sur le tapis, peut-être, ou bien une flaque de sang coulant de l'oreille de la femme ?

« Eh bien ? demanda Larch. Ce n'est pas dans *David Copperfield.* Ce n'est pas non plus dans *Jane Eyre* — ce que tu as besoin de savoir, ajouta-t-il d'un ton presque méchant.

Le tour médical pris par la conversation convainquit Homer Wells qu'il s'agissait d'une tache de sang sur la photographie — et que seul un médecin pouvait la reconnaître de façon si positive.

— Du sang, dit Homer. La femme saignait.

Larch courut avec la photo jusqu'à la lampe du comptoir de la pharmacie.

— Du sang ? dit Larch. Du sang !

Il examina le cliché.

« Ce n'est pas du sang, idiot ! C'est une natte de cheveux !

Il montra de nouveau la photo à Homer ; ce serait la dernière fois que le jeune homme la verrait, quoique le Dr Larch la regarderait souvent. Il l'agraferait à une page de sa *Brève Histoire de Saint Cloud's ;* il ne la garda pas par intérêt pornographique mais parce qu'elle lui rappelait une femme qu'il avait abusée deux fois. Il avait couché avec sa mère devant elle, et il ne lui avait pas rendu un service qu'elle était parfaitement en droit de lui réclamer. Il n'avait pas été un bon docteur pour elle et il voulait se le rappeler. Contraint qu'il était de se souvenir d'elle avec un pénis de poney dans la bouche, ses propres erreurs ne lui apparaissaient que plus exemplaires ; et il tenait à ce qu'il en fût ainsi.

C'était un homme dur — également pour lui-même.

Il prit à l'égard d'Homer Wells une attitude plus dure que ne le laissaient supposer ses promesses à l'enfant, lancées dans l'hilarité : l'apprentissage des « œuvres » (comme disait Larch) ne fut pas si drôle. La chirurgie, les procédures d'obstétrique — même une naissance normale, même les classiques *D and C* [13] — exigeaient une formation préparatoire considérable.

« Tu crois que c'est dur de regarder une femme avec un pénis de poney dans la bouche, Homer ? lui demanda Larch le lendemain — il n'était pas sous l'influence de l'éther. Tu vas voir des choses plus difficiles à comprendre que ça. Tiens, dit-il en tendant à Homer un exemplaire patiné de l'*Anatomie de Gray*, regarde donc ça. Regarde-

121

le trois ou quatre fois par jour, et toutes les nuits. Oublie les pénis de poney et étudie ceci.

« Ici à Saint Cloud's, écrivit le Dr Wilbur Larch, mon *Anatomie de Gray* m'a peu servi ; mais en France, pendant la Grande Guerre, je l'ai utilisée chaque jour. Là-bas, c'était ma seule carte routière [14]. »

Larch donna aussi à Homer son manuel personnel d'obstétrique, ainsi que ses notes de la faculté de médecine et de ses années d'internat ; il commença par les cours de chimie et les textes classiques. Il débarrassa un coin de la pharmacie pour procéder à quelques expériences faciles en bactériologie, malgré les affres de douleur sans équivoque que lui causa la vue des tubes de Petri ; Larch n'aimait pas le monde qui se révèle au microscope. Il n'aimait pas non plus Melony — plus précisément, il n'aimait pas l'emprise apparente qu'elle exerçait sur Homer Wells. Larch supposait qu'ils avaient couché ensemble ; il supposait que Melony avait initié Homer, ce qui était exact, et qu'elle le forçait maintenant à continuer, ce qui n'était pas le cas. Plus tard, ils coucheraient effectivement ensemble, encore que par simple routine, et l'emprise de Melony sur Homer, imaginée par Larch, était compensée par l'emprise d'Homer sur Melony (la promesse qu'il lui avait faite : que Larch ne pouvait pas voir). Il considérait Melony comme sous la responsabilité de Mme Grogan, et il ne se doutait pas que sa responsabilité à l'égard d'Homer Wells voilait peut-être ses autres responsabilités.

Il envoya Homer au bord du torrent, attraper une grenouille ; puis il la lui fit disséquer, bien que tout ce qui se trouvait dans la grenouille ne fût pas dûment expliqué dans l'*Anatomie de Gray*. C'était la première fois qu'Homer se rendait près du torrent depuis qu'il avait fui Melony en train de détruire le « dortoir des scieurs ». La moitié du bâtiment avait réellement disparu, et cela lui fit beaucoup d'effet.

La première naissance à laquelle il assista lui fit également beaucoup d'effet — non point à cause des compétences spéciales qu'elle semblait requérir du Dr Larch, ni des techniques précises et efficaces appliquées par Nurse Angela et Nurse Edna. Ce qui fit de l'effet sur Homer fut l'évolution remarquable du processus *avant* l'intervention du Dr Larch : presque tout ce qui advenait à la femme et à son enfant était, fondamentalement, une évolution naturelle — le rythme même du travail (on aurait pu régler une montre sur ce rythme), la puissance des muscles de la femme en train de pousser, la volonté pressante de naître que possédait l'enfant. La chose la moins naturelle de tout l'événement, pour Homer Wells, était l'hostilité du milieu que découvrait l'enfant dès qu'il faisait travailler ses poumons

— le monde nouveau lui semblait manifestement inclément quoique non dépourvu d'intérêt. (Son premier choix, s'il avait eu le choix, aurait sans doute été de rester où il se trouvait.) Réaction normale, aurait sans doute observé Melony, si elle avait été présente. Quel que fût le plaisir éprouvé par Homer quand il faisait l'amour avec Melony une chose le troublait : cet acte était plus arbitraire que la naissance.

Quand Homer allait lire *Jane Eyre* dans la section Filles, Melony lui paraissait déprimée, mais ni vaincue ni même résignée ; quelque chose en elle s'était vidé, quelque chose dans son regard s'était usé. Elle s'était trompée, après tout, sur l'existence de son passé entre les mains du Dr Larch — et se tromper sur des choses importantes est épuisant. Elle s'était sentie également humiliée — d'abord par l'incroyable dégonflage du pénis du petit Homer Wells, et ensuite par la rapidité avec laquelle Homer semblait tenir pour acquis des rapports sexuels avec elle. Et, se disait Homer, elle devait être fatiguée *physiquement* — après tout, elle avait anéanti à elle seule un morceau de belle taille de l'histoire humaine de Saint Cloud's. Elle avait poussé la moitié d'un bâtiment dans les flots du temps. Elle avait bien le droit d'avoir l'air vannée, se disait Homer Wells.

Quelque chose dans la façon dont il lisait *Jane Eyre* avait également changé, et cela le frappa — comme si ce roman, ou n'importe quelle histoire, prenait une nouvelle forme du fait de ses récentes expériences vécues : une femme avec un pénis de poney dans la bouche, son premier échec sexuel, ses premiers rapports sexuels de routine, l'*Anatomie de Gray* et un accouchement. Il lisait en appréciant mieux l'angoisse de Jane, qui lui avait paru jusque-là assommante. Jane avait le droit d'être angoissée, pensait-il.

Un hasard malheureux — après que Melony et lui eurent fait le tour des choses ensemble — le fit tomber sur le passage, au milieu du chapitre X, où Jane imagine qu'elle quitte son orphelinat : elle prend conscience que le monde réel est « vaste » et que sa propre existence « ne lui suffit pas ». Homer constata-t-il (ou imagina-t-il seulement) une attention plus déférente, dans la section Filles, quand il lut ce passage ? — Melony, surtout, semblait accrochée à chaque phrase comme si elle l'entendait pour la première fois... Puis il arriva à ces mots :

Je me lassai de la routine de huit ans en une seule après-midi.

Quand il les lut, sa bouche devint toute sèche ; il lui fallut avaler sa salive, ce qui donna à la phrase plus d'importance qu'il ne le désirait Lorsqu'il voulut reprendre, Melony le coupa.

— Comment ? Relis ça, Rayon-de-soleil

— *Je me lassai de la routine de huit ans en une seule après-midi*, lut Homer Wells à haute voix.

— Je sais vraiment ce qu'elle ressent ! dit Melony amèrement, mais sans élever la voix.

— Je souffre de t'entendre dire une chose pareille, Melony, gémit Mme Grogan.

— Je sais vraiment ce qu'elle ressent ! répéta Melony. Et toi aussi, Rayon-de-soleil ! ajouta-t-elle. La petite Jane devrait essayer quinze, seize ou dix-sept ans, claironna Melony. Elle devrait essayer, pour voir si elle ne se « lasserait » pas de cette routine-là !

— Tu ne feras du mal qu'à toi-même, ma chérie, si tu continues comme ça, dit Mme Grogan.

Et de fait, cela semblait vrai : Melony pleurait. C'était une grande fille, trop grande pour poser sa tête sur les genoux de Mme Grogan et se laisser caresser les cheveux — mais elle continua de pleurer, sans bruit. Mme Grogan ne se souvenait plus de la dernière fois qu'elle avait tenu la tête de Melony sur ses genoux. Homer comprit le regard de Mme Grogan : elle l'invitait à partir. Ce n'était pas la fin du chapitre, même pas la fin de la scène, ou d'un paragraphe. Il y avait encore beaucoup à lire ; la phrase suivante commençait par :

Je désirais la liberté...

Mais continuer aurait été cruel. Jane Eyre avait déjà prouvé ce qu'elle désirait prouver. Homer et Melony avaient déjà eu plusieurs de ces après-midi — de ces jours qui vous lassent de votre vie entière !

Cette nuit-là, l'air entre la section Filles et la section Garçons parut sans odeur et vide d'histoire. Il faisait simplement noir dehors.

A son arrivée à la section Garçons, Nurse Angela lui apprit que John Wilbur était parti — *adopté !*

— Une gentille famille, raconta Nurse Angela à Homer, d'un ton joyeux. Le père faisait pipi au lit autrefois. Ils se montreront très compréhensifs.

Selon la coutume établie par le Dr Larch, quand un orphelin était adopté, la bénédiction usuelle des garçons dans le noir était légèrement modifiée. Avant de s'adresser à eux avec leurs titres de « princes du Maine » et « rois de Nouvelle-Angleterre », il faisait une annonce curieusement solennelle.

— Réjouissons-nous pour John Wilbur, lança Wilbur Larch ce soir-là. Il a trouvé une famille. Bonne nuit, John, dit-il.

Et les enfants murmurèrent après lui :

— Bonne nuit, John !

— Bonne nuit, John Wilbur.

Puis le Dr Larch marqua un temps, respectueusement, avant de prononcer l'habituel :

— Bonne nuit, princes du Maine, rois de Nouvelle-Angleterre !

Avant de s'endormir, Homer Wells regarda le peu d'*Anatomie de Gray* que la lumière de la bougie lui permettait. Il ne manquait pas que le pipi de John Wilbur ; quelque chose d'autre avait disparu. Homer mit un certain temps à définir ce qu'il manquait ; ce fut le silence qui le lui apprit enfin. Fuzzy Stone et son matériel bruyant étaient partis à l'infirmerie. Apparemment, l'appareil à respirer — et Fuzzy — exigeait un contrôle plus précis, et le Dr Larch avait déménagé l'ensemble dans la chambre privée voisine du cabinet de consultation, où Nurse Edna ou Nurse Angela pourrait mieux surveiller l'enfant.

Homer Wells ne saurait vraiment à quoi ressemblait Fuzzy Stone qu'après avoir acquis une certaine expérience en matière d'avortement (dilatation et curetage) : Fuzzy avait l'air d'un embryon — il ressemblait à un fœtus ambulant et parlant. On pouvait presque voir à travers sa peau et il avait une forme légèrement incurvée, caractéristique ; c'était ce qui le faisait paraître si vulnérable. Il n'avait pas l'air déjà en vie mais encore à un stade de développement qui aurait dû normalement se produire à l'abri de l'utérus. Le Dr Larch expliqua à Homer que Fuzzy était né prématurément — que les poumons de Fuzzy ne s'étaient jamais développés comme il fallait. Homer se ferait une idée exacte de ce que cela signifiait uniquement après avoir examiné les rares parties reconnaissables, la première fois qu'il assisterait à la procédure classique de l'extraction des produits de la conception.

— Est-ce que tu écoutes, Homer ? demanda Wilbur Larch quand l'opération fut terminée.

— Oui, répondit-il.

— Je ne prétends pas que c'est bien, tu comprends ? Je dis que c'est à elle de choisir — c'est un choix de femme. Elle a le droit d'avoir le choix, tu comprends ? demanda Larch.

— D'accord, dit Homer Wells.

Comme il ne pouvait pas dormir, il pensa à Fuzzy Stone. Quand il descendit dans la chambre privée, à côté du cabinet de consultation, il ne put entendre l'appareil à respirer. Il se figea, à l'écoute ; il avait toujours pu repérer Fuzzy à son bruit — poumons, roue à eau et ventilateur — mais le silence qu'Homer Wells écoutait maintenant faisait un bruit plus stupéfiant pour lui que le choc du serpent sur le toit, quand il avait le doigt dans la bouche de Melony.

125

Pauvre Melony, se dit-il. Elle écoutait maintenant *Jane Eyre* comme si on lui racontait sa propre histoire, et chaque fois qu'elle s'adressait à Homer Wells, c'était pour lui rappeler sa promesse. (« Tu ne t'en iras pas d'ici avant moi, n'oublie pas. Tu l'as promis. »)

« Où est-il ? demanda Homer au Dr Larch. Où est Fuzzy ?

Le Dr Larch était à la machine à écrire, dans le bureau de Nurse Angela, où il restait, très tard, presque chaque soir.

— Je réfléchissais justement à une manière de te l'apprendre, répondit Larch.

— Vous m'avez dit que j'étais votre apprenti, d'accord ? lui demanda Homer. Si c'est le cas, je dois savoir. Si vous me donnez des leçons, vous ne pouvez rien laisser de côté. D'accord ?

— C'est d'accord, Homer, convint Larch.

Comme cet enfant avait changé ! Comment marque-t-on le passage du temps dans un orphelinat ? Pourquoi Larch n'avait-il pas remarqué qu'Homer Wells avait besoin de se raser ? Pourquoi Larch ne lui avait-il pas appris à le faire ? Je suis responsable de tout — si j'accepte d'être responsable de quoi que ce soit, se rappela Larch.

« Les poumons de Fuzzy n'étaient pas assez forts, Homer, dit le Dr Larch. Ils ne se sont jamais développés comme il fallait. Il était prédisposé à toutes les infections respiratoires que j'ai jamais vues.

Homer Wells ne répondit pas. Il regrettait que Fuzzy ait vu la photographie. Homer devenait adulte ; il commençait à se sentir responsable des choses. Cette photographie avait bouleversé Fuzzy Stone ; Homer (ni d'ailleurs le Dr Larch) ne pouvait rien faire pour les poumons de Fuzzy, mais la photographie n'était pas nécessaire.

— Qu'allez-vous dire aux petits ? demanda Homer au Dr Larch.

Wilbur Larch regarda Homer ; Dieu, qu'il aima ce qu'il vit ! Dans sa fierté de père, il eut du mal à parler. Son affection pour Homer Wells l'avait pour ainsi dire éthérisé.

— Que crois-tu que je devrais leur dire, Homer ? demanda le Dr Larch.

Ce fut la première décision d'Homer en tant qu'adulte. Il y réfléchit longuement. En 193..., il avait presque seize ans. Il commençait à apprendre comment on devient médecin, en un temps où la plupart des garçons de son âge apprenaient à conduire une voiture. Homer n'avait pas encore appris à conduire ; Wilbur Larch n'avait *jamais* appris à conduire.

— Je crois, dit Homer Wells, que vous devriez dire aux petits la

126

même chose que d'habitude. Vous devriez leur dire que Fuzzy a été adopté.

Wilbur Larch regarda Homer dans les yeux. Dans sa *Brève Histoire de Saint Cloud's,* il devait écrire : « Comme la paternité m'offense ! Les sentiments qu'elle vous donne : ils détruisent complètement votre objectivité, ils déchirent votre sens de la justice. J'ai peur que par ma faute Homer Wells n'ait pas eu d'enfance — je crains qu'il n'ait jamais été enfant ! Mais de nombreux orphelins trouvent plus facile de se passer d'enfance que de s'apitoyer sur leur sort d'enfants orphelins. Si j'ai aidé Homer Wells à sauter son enfance, l'ai-je aidé à sauter une mauvaise chose ? Maudite soit la confusion des sentiments de père ! Aimer quelqu'un comme un parent peut produire un nuage qui vous dissimule la voie droite à suivre. » Quand il écrivit cette phrase, Wilbur Larch vit le nuage créé dans le laboratoire du photographe, le nuage qui encadrait de ses fausses brumes le cliché de la fille de Mme Eames avec le poney ; il se lança dans un paragraphe sur les « nuages ». (Le temps affreux dans le Maine à l'intérieur des terres ; « les nuages [*clouds*] de Saint Cloud's », et ainsi du reste.)

Quand Homer Wells suggéra au Dr Larch de dire aux petits que Fuzzy Stone avait été adopté, Larch comprit aussitôt qu'Homer avait raison ; il n'y avait aucun nuage autour de cette décision. Le lendemain soir, Larch suivit le conseil de son jeune apprenti. Peut-être parce qu'il mentait, il oublia le rituel coutumier. Au lieu de commencer par l'annonce concernant Fuzzy Stone, il prononça la bénédiction habituelle ; et il fit tout de travers.

— Bonne nuit, princes du Maine, rois de Nouvelle-Angleterre ! leur lança le Dr Larch dans le noir.

Puis il se rappela ce qu'il était censé dire.

« Oh ! s'écria-t-il tout fort, d'un ton surpris qui fit bondir de frayeur dans son lit l'un des petits.

— Qu'est-ce qui ne va pas ? s'écria Snowy Meadows, qui était encore en train de vomir. (Il ne rendait pas seulement quand on lui mettait sous les yeux l'image d'une femme avec, dans la bouche, ce qu'il avait pris pour les intestins d'un poney !)

— Rien, rien ! lança le Dr Larch d'un ton joyeux.

Mais le dortoir entier était chargé d'angoisse.

Dans cette atmosphère électrique, Larch tenta de dire les mots habituels au sujet d'une chose inhabituelle.

« Réjouissons-nous pour Fuzzy Stone, dit le Dr Larch.

Homer comprit le sens de l'expression « on aurait entendu une mouche voler ».

« Fuzzy Stone a trouvé une famille, reprit le Dr Larch. Bonne nuit, Fuzzy.

— Bonne nuit, Fuzzy ! dit Homer Wells avec autorité.

Et plusieurs petites voix le suivirent.

— Bonne nuit, Fuzzy !

— Bonne nuit, Fuzzy Stone !

Homer Wells comprit également pourquoi l'on dit qu'un silence peut être assourdissant. Après le départ du Dr Larch, ce fut le petit Snowy Meadows qui parla en premier.

— Homer ? dit Snowy.

— Ici, répondit Homer Wells dans le noir.

— Comment quelqu'un a-t-il pu adopter Fuzzy Stone, Homer ? demanda Snowy Meadows.

— Qui a pu le faire ? dit le petit Wilbur Walsh.

— Des gens avec une meilleure machine, répondit Homer Wells. Des gens qui avaient une meilleure machine à respirer que celle fabriquée pour Fuzzy par le Dr Larch. Une famille qui sait tout sur les machines à respirer. C'est même le métier de la famille, ajouta-t-il. Les machines à respirer.

— Quel veinard, ce Fuzzy ! dit une voix émerveillée.

Homer comprit qu'il les avait convaincus quand Snowy Meadows dit à son tour :

— Bonne nuit, Fuzzy.

Homer Wells, moins de seize ans — apprenti chirurgien et insomniaque chevronné —, descendit vers le torrent qui avait emporté un si grand nombre de fragments de l'histoire de Saint Cloud's. Le vacarme de l'eau réconforta Homer, davantage en tout cas que le silence du dortoir ce soir-là. Il s'approcha de la berge à l'endroit où se trouvait la véranda de la maison des scieurs, à l'endroit où il avait vu le faucon plonger du ciel plus vite que le serpent ne pouvait nager vers la rive — et le serpent était très rapide.

Si Wilbur Larch avait vu Homer à ce moment-là, il se serait inquiété, car l'enfant disait adieu à son enfance — trop tôt. Mais le Dr Larch avait l'éther pour l'aider à dormir, et Homer Wells ne possédait aucun remède à son insomnie.

— Bonne nuit, Fuzzy, lança Homer par-dessus le torrent.

Les bois du Maine, typiquement, laissèrent passer sans répondre mais Homer tenait à être entendu.

« Bonne nuit, Fuzzy ! cria-t-il de toutes ses forces.

Puis plus fort encore :

« Bonne nuit, Fuzzy !

Il hurla sans fin — l'enfant-adulte dont les cris et les pleurs étaient entrés jadis dans la légende, à Three Mile Falls, plus en amont.

« Bonne nuit, Fuzzy Stone ! »

4

Le jeune Dr Wells

« Dans d'autres parties du monde, a écrit Wilbur Larch, il existe ce que les gens appellent la " société ". Ici à Saint-Cloud's, nous n'avons pas de société — nous n'avons pas les choix, les comparaisons " mieux-que " ou " moins-bien-que " presque constants dans toute société. Ici, les choses sont moins complexes, parce que les choix et les comparaisons sont soit évidents soit inexistants. Mais l'extrême rareté des options rend l'orphelin d'autant plus anxieux de trouver une société — n'importe laquelle : plus elle est compliquée d'intrigues, plus elle est saturée de ragots, meilleure elle lui paraît. Donnez-lui-en l'occasion, l'orphelin plonge dans la société — comme une loutre se jette à l'eau. »

A propos d'« options », Wilbur Larch pensait par exemple qu'Homer Wells n'avait aucun choix, ni pour son apprentissage, ni pour Melony. Homer et Melony étaient condamnés à devenir une sorte de couple parce qu'ils n'avaient personne d'autre à qui s'accoupler. Dans une société, il aurait fallu qu'ils fussent assortis l'un à l'autre ; le fait qu'ils ne l'étaient pas ne comptait nullement à Saint Cloud's. Et comme Homer avait épuisé les ressources des tristes éducateurs employés à l'orphelinat, qu'aurait-il pu apprendre d'autre que la médecine ? Plus précisément, les procédures d'obstétrique. Et celles de l'avortement, dilatation et curetage, beaucoup plus simples à enseigner pour le Dr Larch.

Homer Wells prenait ses notes sur l'un des anciens cahiers du Dr Larch, datant de son passage à la faculté ; Larch était avare de notes et écrivait très serré — aussi restait-il beaucoup de place. De l'avis de Larch, Homer n'avait nul besoin d'un cahier de notes personnel. Le bon docteur n'avait qu'à regarder autour de lui pour voir ce que coûtait le papier. Les arbres avaient disparu ; des orphelins les remplaçaient — tout cela pour du papier.

Sous la tête de chapitre « Avortement », Homer écrivit : « La femme est plus en sécurité dans des étriers. » Selon la procédure du Dr Larch, elle était également rasée.

« On prépare la région VAGINALE avec une SOLUTION ANTISEPTIQUE, écrivit Homer Wells [15]. (Il mettait beaucoup de mots en CAPITALES — c'était lié à son habitude de répéter les fins de phrase ou les mots clés.) On examine l'UTÉRUS pour évaluer sa taille. On place une main sur la PAROI ABDOMINALE ; on place deux ou trois doigts de l'autre main dans le VAGIN. On insère dans le VAGIN un SPÉCULUM VAGINAL, qui ressemble à un bec de canard, grâce auquel on peut voir le COL. (Le COL, écrivit-il entre parenthèses comme pour ne pas l'oublier, est la partie en forme de cou, à l'extrémité inférieure, resserrée, de l'UTÉRUS.) Le trou au milieu du COL constitue l'entrée de l'UTÉRUS. On dirait une bouée de sauvetage couleur cerise. En cas de GROSSESSE, le COL est gonflé et brillant.

« Avec une série de DILATATEURS MÉTALLIQUES, on dilate le COL pour permettre l'entrée du FORCEPS À OVULE. Ce sont des pinces avec lesquelles le docteur saisit ce qui se trouve à l'intérieur de l'UTÉRUS. Il retire ce qu'il peut. »

C'est-à-dire (Homer le savait) du sang et des matières visqueuses. Les « produits de la conception », selon l'expression consacrée.

« Avec une CURETTE, nota Homer, on gratte la PAROI DE L'UTÉRUS à nu. On sait que la paroi est propre quand on entend un bruit de papier de verre. »

Et ce fut tout ce qu'il nota sur le cahier au sujet de la dilatation et du curetage. En bas de page, il ajouta une simple remarque : « Les ENTRAILLES dont parle la littérature sont la partie des VOIES GÉNITALES où s'implante l'OVULE FERTILISÉ. » Et dans la marge il griffonna un numéro de page — la page de l'*Anatomie de Gray* où débute le sous-chapitre « Les organes de reproduction de la femme », qui contient de très utiles illustrations et descriptions.

En 194..., Homer Wells (presque vingt ans) avait servi de sage-femme à d'innombrables naissances et d'apprenti chirurgien à environ quatre fois moins d'avortements ; il avait mis au monde de nombreux enfants, toujours en la présence du Dr Larch, mais Larch ne lui avait pas permis de pratiquer un avortement. Le maître et l'élève savaient tous les deux qu'Homer était parfaitement compétent dans ce domaine, mais Larch estimait que le jeune homme devait terminer ses études médicales — dans une *vraie* faculté — et faire un internat dans un autre hôpital avant de se lancer dans cette opération. Non que l'opération elle-même fût compliquée ; mais Larch pensait que le *choix* d'Homer devait entrer en ligne de compte. Il entendait par là qu'Homer devait connaître un peu mieux la société avant de prendre, seul, la décision de pratiquer ou non des avortements.

En fait, le Dr Larch cherchait une personne susceptible de parrainer Homer Wells. Une personne qui enverrait le jeune homme à l'université non seulement pour passer des examens de médecine, mais pour se frotter un peu au monde extérieur à Saint Cloud's.

Mais comment faire savoir qu'il recherchait ce genre de parrainage ? Pour Wilbur Larch c'était une énigme. Devait-il demander à son collègue et correspondant du Foyer pour jeunes vagabonds de Nouvelle-Angleterre d'utiliser sa longue liste d'adresses ?

ACCOUCHEUR ACCOMPLI ET
AVORTEUR QUALIFIÉ CHERCHE
PARRAINAGE POUR ÉTUDES SUPÉRIEURES
— PLUS DÉPENSES DE FACULTÉ DE MÉDECINE !

Et où se trouvait donc la société dans laquelle Homer Wells pourrait s'intégrer ? s'interrogeait Wilbur Larch.

Avant toute chose, il fallait que Larch éloigne son apprenti de Melony. Ces deux-là ensemble ! Le docteur en était déprimé... Il croyait voir un couple marié, lassé et sans amour. Les tensions sexuelles que Melony avait réussi à créer entre eux pendant les premières années de leur cour sauvage semblaient désormais absentes. S'ils pratiquaient encore un échange sexuel, c'était peu fréquent et sans grand enthousiasme. Au déjeuner, ils s'asseyaient ensemble sans parler, sous les yeux de la section Filles ou de la section Garçons ; ensemble, ils étudiaient l'exemplaire usagé de l'*Anatomie de Gray,* comme si c'était une carte complexe — à suivre obligatoirement pour trouver la sortie de Saint Cloud's.

Melony cessa même de faire des fugues. Le Dr Larch avait le sentiment qu'un pacte étrange, sans paroles et sans joie, liait les deux adolescents. Leur maussaderie à l'égard l'un de l'autre rappelait au Dr Larch la fille de Mme Eames, qui passerait l'éternité avec un pénis de poney dans la bouche. Melony et Homer ne se querellaient jamais, ne discutaient jamais ; Melony avait renoncé, semblait-il, à élever la voix. S'il existait encore entre eux quelque chose de sexuel, Larch comprit que cela survenait par hasard, et uniquement par pur ennui.

Larch trouva donc à Melony un emploi de bonne logée chez une vieille dame aisée de Three Mile Falls. Sans doute s'agissait-il d'une invalide maniaque qui se serait plainte de n'importe qui ; toujours est-il qu'elle se plaignit de Melony — elle la trouvait « insensible », jamais

« disposée à bavarder », et quant aux attentions physiques, comme l'aider à entrer ou à sortir de son bain, la jeune fille se montrait « incroyablement brutale ». Le Dr Larch n'eut aucun mal à le croire, et Melony se plaignit elle aussi : elle préférait vivre à Saint Cloud's, dit-elle ; si elle devait travailler, elle préférait un emploi où elle se rendrait chaque matin.

— Je veux rentrer chez moi le soir, expliqua-t-elle à Mme Grogan et au Dr Larch.

Chez moi ? pensa Larch.

Il y avait bien un autre emploi en ville, mais il fallait que Melony sache conduire. Le Dr Larch trouva donc un garçon du pays qui accepta de donner des leçons à Melony, mais la façon de conduire de l'orpheline flanquait au jeune homme une peur bleue, et elle dut passer son permis trois fois avant de l'obtenir. Ensuite elle perdit sa place — elle transportait des fournitures et des outils pour un entrepreneur en bâtiment. Elle fut incapable de justifier plus de trois cents kilomètres qui s'étaient accumulés en une seule semaine au compteur de la camionnette de livraison.

« Je suis allée à des endroits parce que je m'ennuyais, expliqua-t-elle au Dr Larch avec un haussement d'épaules. Et puis il y avait un type que j'ai vu, pendant deux ou trois jours.

Larch craignit que Melony, qui avait presque vingt ans, ne fût désormais inemployable et inadoptable ; elle dépendait beaucoup de la présence d'Homer, quoique des journées entières s'écoulassent sans qu'ils échangent un seul mot — en fait, on n'observait pendant plusieurs semaines de suite aucun rapport entre eux en dehors de la simple présence (si la présence de Melony pouvait être qualifiée de « simple »). Parce que Melony déprimait énormément le Dr Larch, celui-ci supposait que la présence de la jeune femme déprimait aussi son protégé.

Wilbur Larch aimait Homer Wells — il n'avait jamais aimé personne autant que cet enfant et il ne pouvait pas imaginer l'existence à Saint Cloud's sans lui (il ne l'aurait pas supportée) —, mais le bon docteur estimait qu'Homer Wells devait vivre une rencontre authentique avec la société, pour pouvoir choisir son destin. Ce dont rêvait Larch, c'était qu'Homer s'aventurerait dans le monde, puis choisirait de revenir à Saint Cloud's. Mais qui ferait donc ce choix-là ? se demandait Larch à la fin de son rêve.

Le Maine comptait nombre de localités ; mais pas une seule aussi dénuée de charme que Saint Cloud's.

Larch s'allongeait dans la pharmacie et reniflait un peu d'éther. Il se rappelait le havre sûr de Portland ; son esprit énumérait les villes, à l'est de Portland et vers l'intérieur, et ses lèvres goûtaient leurs noms savoureux.

(Inspiration, expiration.) Wilbur Larch pouvait presque sentir le goût de ces villes, humer leurs noms. Il y avait Kennebunk et Kennebunkport, il y avait Vassalborough, Nobleboro et Waldoboro, il y avait Wiscasset et West Bath, Damariscotta et Friendship, Penobscot Bay et Sagadahoc Bay, Yarmouth et Camden, Rockport et Arundel, Rumford, Biddeford et Livermore Falls.

A l'est de Cape Kenneth, le piège à touristes, se trouve Heart's Haven, le port du cœur ; dans l'arrière-pays de ce village de pêcheurs, petit et coquet, que l'on appelle le port, se dresse l'agglomération d'Heart's Rock, le rocher du cœur. Le rocher d'Heart's Rock est un îlot inhabité qui semble flotter comme une baleine morte au milieu du port — parfait, hormis ce rocher — d'Heart's Haven. C'est un îlot qui offense les regards, et les gens d'Heart's Haven ne l'aiment pas ; peut-être ont-ils même nommé Heart's Rock le village voisin, qui offensait lui aussi leurs regards, d'après leur rocher couvert de chiures d'oiseaux et blanc comme le ventre d'un poisson mort. Presque recouvert à marée haute, très plat sur l'eau, il penche légèrement d'un côté — de là son nom : le Rocher de la Baleine morte. En fait, il n'y a aucun « rocher » à Heart's Rock, et le village ne mérite nullement le mépris ; il ne se trouve qu'à huit kilomètres de la côte, et du haut de plusieurs collines on aperçoit l'océan ; dans la majeure partie de l'agglomération, on sent une brise marine revigorante.

Mais, comparé à Heart's Haven, tout autre village est un chien galeux. Quand ils condamnent Heart's Rock, les habitants d'Heart's Haven n'évoquent jamais l'étrangeté des deux seuls magasins de la ville — le Bazar Sanborn et la Quincaillerie-plomberie Titus. Ils ont plutôt tendance à parler du Drinkwater Lake, le lac Potable, et des villas d'été qui se trouvent sur ses rives boueuses. Étang d'eau douce pas très pure, plutôt une mare — parce qu'à la mi-juillet le fond n'est pas clair et les algues puent —, le Drinkwater Lake est la seule chose qu'Heart's Rock ait à offrir aux estivants. Les gens qui passent l'été près du Drinkwater Lake ne sont pas de grands voyageurs ; ils habitent en général dans un autre quartier d'Heart's Rock — ou même en des lieux plus rustiques, du côté de Kenneth Corners. Les camps d'été et les villas qui jalonnent les bords du lac servent également en automne, pendant les week-ends de la saison de chasse. Les villas et les camps portent des noms qui expriment des ambitions démesurées. Fin d'Écho, Hallali (celle-ci couronnée de bois de cerfs); l'une d'elles s'appelle Éternel Week-end, avec un appontement flottant; il y a une Wee Three, qui suggère des propriétaires d'une finesse presque insupportable *; le seul endroit où règne la franchise s'appelle Trou-dans-la-Vase, ce qui est une description exacte.

En 194... Drinkwater Lake était déjà surpeuplé, et en 195... il serait intolérablement envahi par les canots à moteur et les skis nautiques — hélices engorgées et avirons enguirlandés par les algues couleur vert limon arrachées au fond boueux. Le lac est trop entouré d'arbres pour laisser passer le vent; les voiliers meurent toujours sur les surfaces d'un calme plat, qui sont parfaites, en revanche, pour l'éclosion des moustiques; et le temps passant, l'urine accumulée des enfants et l'essence des moteurs donneraient au lac une sorte de vernis luisant, pas très sain. Il existe dans le Maine des lacs merveilleusement isolés, mais Drinkwater Lake n'a jamais été l'un d'eux. L'amateur de canoë en quête de nature sauvage n'y trouvera pas ce qu'il cherche. On n'a guère envie de boire l'eau du lac Potable, et il existe une kyrielle de plaisanteries pénibles à ce sujet, toutes conçues à Heart's Haven, où l'habitude de juger Heart's Rock d'après son unique et regrettable plan d'eau est ancrée de longue date.

La première fois qu'Homer Wells verrait Drinkwater Lake, il se dirait que s'il existait un jour un camp de vacances pour les orphelins malheureux de Saint Cloud's, il serait sans doute situé dans le bourbier qui sépare Fin d'Écho et Trou-dans-la-Vase.

Tout Heart's Rock ne participait pas de cette laideur. C'était un village de gens fermés dans un paysage ouvert de terres bien cultivées; des terres d'élevage et d'arbres fruitiers. En 194..., le verger Ocean View, sur Drinkwater Road, la route reliant Heart's Rock à Heart's Haven, passait pour coquet et fertile — même selon les normes des habitants gâtés et difficiles à satisfaire d'Heart's Haven. Bien que le verger Ocean View se trouvât à Heart's Rock, l'endroit avait un petit air d'Heart's Haven; la maison possédait des patios dallés de pierre,

---

* Jeu de mots entre Wee Three (petit trois), We Three (nous trois) et Wee Frees, expression appliquée à la minorité de l'Église libre d'Écosse qui a refusé de fusionner avec l'Union presbytérienne, et que l'on emploie aussi pour désigner tout groupuscule récalcitrant en matière politique ou religieuse. (N.d.T.)

les abords s'ornaient de parterres de rosiers — comme les villas d'Heart's Haven sur la côte élégante — et les pelouses qui s'étendaient de la demeure à la piscine, puis jusqu'au plus proche verger de pommiers, étaient tondues et entretenues par la même équipe de jardiniers qui faisaient des gazons d'Heart's Haven de véritables *greens* de golf.

Le propriétaire du verger Ocean View, Wallace Worthington, avait même un nom du genre Heart's Haven — en ce sens qu'il ne ressemblait pas à un nom de l'endroit. Rien d'étonnant, puisque Wallace Worthington venait de New York ; il avait fui les investissements pour se consacrer à la culture des pommes juste avant que les investissements de tout le monde ne s'effondrent et, s'il ne connaissait pas tout ce que l'on peut savoir sur les pommes — étant un gentleman-farmer dans l'âme et les os (et dans sa mise) —, il savait presque tout sur l'argent, et avait engagé de bons contremaîtres pour diriger Ocean View (des spécialistes qui connaissaient vraiment les pommes).

Worthington était à perpétuité membre du bureau de l'Haven Club ; le seul membre dont la position dans le bureau n'était jamais mise aux voix — et le seul résident d'Heart's Rock qui fût membre de l'Haven Club. Comme son verger employait la moitié des habitants d'Heart's Rock, Wallace Worthington se flattait — distinction très rare — d'être apprécié dans les deux agglomérations.

Wallace Worthington aurait rappelé à Wilbur Larch un des convives rencontrés chez les Channing-Peabody le jour où il avait pratiqué son deuxième avortement — qui demeurait dans son esprit « l'avortement des riches ». Quant à Homer Wells, il verrait en Wallace Worthington l'image de ce que devait être un *vrai* « roi de Nouvelle-Angleterre ».

Il fallait avoir vécu à Heart's Rock où à Heart's Haven — et connaître les ragots « mondains » de ces deux endroits — pour savoir que l'épouse de Wallace Worthington n'était pas, jusqu'au bout des ongles, une reine ; elle en avait sans conteste les apparences, et elle se conduisait, jusqu'au bout des ongles, en souveraine. Mais aucun autochtone n'ignorait qu'Olive Worthington — quoique originaire d'Heart's Haven — venait du mauvais quartier de la ville. La société est tellement complexe que même Heart's Haven avait un mauvais quartier.

Olive Worthington était née Alice Bean ; pour les bien informés, elle était la fille de Bruce Bean (la fille du ramasseur de bigorneaux), et la sœur plus maligne de Bucky Bean (le puisatier) — ce qui impliquait à tort que Bucky n'était pas malin ; il était en tout cas plus malin que son père, Bruce. Creuser des puits — le métier du père de

Nurse Angela, le métier qui avait valu son nom à Homer Wells (puits) — est bien rémunéré ; creuser des puits vaut mieux que ramasser les bigorneaux « de plus d'un dollar et d'une lieue », comme on dit dans le Maine.

Olive Worthington avait grandi en vendant des bigorneaux à l'arrière d'une camionnette d'où fuyait la glace fondue. Sa mère, Maud, ne parlait jamais ; elle gardait un miroir de poudrier fendu sur la planche à hacher, dans le coin le plus encombré du plan de travail de sa cuisine — ses fards, qui étaient sa passion, se mêlaient aux bigorneaux en vadrouille. Une coquille Saint-Jacques lui servait de cendrier. Parfois, la peau noire et dentelée d'une moule collait à un flacon de son fond de teint. Elle mourut d'un cancer du poumon alors qu'Olive était encore au lycée.

Alice Bean devint une Worthington par son mariage avec Wallace Worthington. Elle devint une Olive en modifiant son prénom au secrétariat de la mairie d'Heart's Haven. Elle remplit, sans hésiter, une demande de changement légal de prénom — très facile d'ailleurs, en partie parce qu'il ne fallait changer que deux lettres pour transformer une Alice en Olive. Ah, la façon dont les gens de l'endroit chipotaient avec le nom « Olive », comme s'ils faisaient tourner dans leur bouche le noyau déplaisant de cet étrange fruit ! Cela n'avait pas de fin ; et, derrière le dos d'Olive Worthington, plus d'un l'appelaient encore Alice Bean, bien que seul son frère Bucky eût lancé « Alice » au visage d'Olive. Tous les autres la respectaient assez pour lui donner de l'Olive si c'était ce qu'elle souhaitait entendre, et l'on s'accordait volontiers sur un point : elle avait peut-être épousé un Worthington, et donc des pommes et de l'argent, mais son Wallace n'était pas une bonne affaire.

Joyeux drille et bon vivant, Wallace Worthington se montrait généreux et gentil. Il adorait Olive et tout ce qui la concernait : ses yeux gris, ses cheveux blond cendré qui viraient lentement au gris perle, son accent Nouvelle-Angleterre acquis à l'université (et souvent imité à l'Haven Club) — l'argent gagné à creuser des puits par son frère Bucky avait payé l'accent universitaire d'Olive, sans lequel elle ne serait peut-être jamais parvenue à attirer l'attention de Wallace Worthington. Peut-être était-ce donc par gratitude qu'Olive tolérait que Bucky lui lance « Alice » en plein visage. Elle tolérait même ses apparitions imprévisibles au verger Ocean View — ses bottes toujours boueuses de la fange couleur d'argile du centre de la Terre, saleté que seul un puisatier peut ramasser. Olive essayait de ne pas tordre le nez quand il arpentait la maison avec ses bottes en l'appelant « Alice, mon chou », ou bien, par les chaudes journées d'été, quand il plongeait dans la piscine avec tous ses vêtements, ne laissant que ses bottes du centre de la Terre hors de l'eau limpide (qu'il abandonnait agitée d'une tempête d'Atlantique Nord et colorée d'argile sur les bords ; Bucky Bean déposait une auréole sur le tour de la piscine exactement comme un enfant sale laisse une marque noire autour de sa baignoire).

Malgré tout ce qu'avait évité Olive Worthington en échappant à l'Alice Bean existant en elle, Wallace Worthington avait un défaut. C'était sans doute un vrai gentleman, il taquinait de façon parfaite les républicains de l'Haven Club, et il était juste avec les employés de ses vergers (il les dotait d'assurance-maladie à ses propres frais à une époque où la plupart des ouvriers agricoles recevaient partout moins que le minimum vital) — mais, malgré l'aimable extravagance de Wallace Worthington (au verger Ocean View, tous les véhicules agricoles et personnels portaient son monogramme sur une grosse pomme rouge !), malgré toute sa noblesse et sa grandeur, il avait l'air ivre à toute heure, et il faisait preuve d'une hyperactivité et d'une agitation infantiles telles que chacun à Heart's Haven et à Heart's Rock convenait volontiers que vivre avec lui ne devait pas être un cadeau.

Il était ivre à l'Haven Club le jour où, dans le court central, il abaissa le filet (qu'il ne semblait pas en mesure de régler à la bonne hauteur) en le coupant en plein milieu avec la lame-scie de son couteau de poche. Il était encore ivre à l'Haven Club le jour où le Dr Darryrimple eut son attaque ; Wallace lança le vieux monsieur dans le petit bassin de la piscine — pour le « réanimer », expliqua-t-il plus tard. En plus de sa crise cardiaque le pauvre vieux faillit se noyer et les Darryrimple en furent si offensés qu'ils annulèrent leur adhésion au club. Et Wallace était ivre dans son verger le jour où il lança sa Cadillac de plein fouet dans le pulvérisateur Hardie de vingt hecto-litres, arrosant lui-même et sa décapotable blanc cassé de produits chimiques qui lui donnèrent de l'urticaire sur les cuisses et blanchirent à jamais les garnitures rouge feu de la Cadillac. Il était encore ivre le jour où il insista pour conduire le tracteur qui tirait le plateau à ridelles portant la moitié des ruches d'Ira Titcomb : il renversa presque aussitôt le chargement — le miel, les ruches et des millions d'abeilles furieuses — au carrefour de Drinkwater Road et de Day Lane (en se faisant gravement piquer lui-même). Furent également piqués Everett Taft et son épouse, Dot, ainsi que la petite sœur de Dot, Debra Pettigrew, qui travaillaient dans le verger de Day Lane au moment de l'accident.

138

Pourtant, nul ne doutait que Wallace Worthington fût fidèle à Olive — les cyniques affirmaient qu'il était trop ivre pour en grimper une autre, et peut-être même trop ivre pour grimper Olive elle-même. De toute évidence, il avait tout de même réussi à grimper Olive au moins une fois ; il avait produit un fils, qui allait sur ses vingt ans en 194..., aussi grand, beau garçon et charmant que son père, avec les yeux couleur de fumée de sa mère, et pas tout à fait son ancienne blondeur (la sienne était fauve) ; il avait même un peu de son accent Nouvelle-Angleterre. Wallace Worthington Junior avait toujours été trop beau pour qu'on l'appelle Junior (on l'appelait Wally). Du jour de la naissance de Wally, Wallace Worthington était devenu Senior — même pour Olive et parfois pour Wally.

Et ceci n'est qu'un préambule nécessaire à la compréhension des sociétés d'Heart's Haven et d'Heart's Rock. S'il avait connu ne serait-ce que cela, le Dr Larch aurait peut-être essayé d'écarter Homer Wells de l'endroit ; il aurait deviné qu'à Ocean View la vie d'Homer deviendrait compliquée. Qu'est-ce qu'un orphelin peut connaître des commérages de clocher ? Quel intérêt porte-t-il à la notion de la classe sociale ? Mais pour Wilbur Larch, Heart's Haven et Heart's Rock étaient de très jolis noms, encore embellis par l'éther.

Si le Dr Larch avait passé du temps auprès de Worthington Senior, il se serait peut-être aperçu que le bonhomme était vraiment calomnié à tort ; il buvait évidemment trop — beaucoup de gens qui boivent boivent trop. Mais Senior n'était pas un ivrogne. Il présentait les caractéristiques cliniques classiques de la maladie d'Alzheimer, et Wilbur Larch l'aurait sans doute décelée et mesurée à sa juste valeur — un syndrome organique du cerveau à évolution progressive. La démence présénile d'Alzheimer se caractérise par la détérioration de l'intellect, les pertes de mémoire et l'apparition frappante d'un vieillissement rapide chez un patient au milieu de la vie, symptômes qui deviennent de plus en plus sévères sur une période de quelques années à peine, puis se terminent par la mort. Agitation, hyperactivité, défaillances du jugement sont d'autres signes révélateurs de la maladie. Mais si futés que fussent les bonnes gens d'Heart's Haven, ils ignoraient la différence entre l'ivrognerie et la maladie d'Alzheimer [16] ; les bonnes gens étaient certains d'avoir parfaitement compris les Worthington.

Ils se fourvoyaient également sur le compte d'Olive Worthington. Elle avait mérité son nom. Peut-être avait-elle désiré avec l'énergie du désespoir quitter le niveau de vie des vendeurs de bigorneaux, mais elle savait ce que travailler signifie ; elle avait vu la vitesse à laquelle la

139

glace fondait dans la camionnette, et compris qu'il est dur de garder longtemps ses bigorneaux au frais. Elle n'hésitait pas à jouer des coudes et elle avait des dons. Elle comprit instantanément que Wallace Worthington serait bon côté argent et faible côté pommes, et elle s'engagea donc dans la Cause des pommes. Elle repéra les contremaîtres compétents et les augmenta ; elle mit les autres à la porte et engagea du personnel plus jeune et plus fiable. Elle fit des tartes aux pommes pour les enfants des ouvriers agricoles et elle enseigna la recette à leurs femmes. Elle installa un four à pizza près du comptoir de vente des pommes, et put bientôt dorer quarante-huit tartes en une seule fournée, ce qui augmenta de façon spectaculaire les ventes du comptoir au moment de la récolte — ventes qui s'étaient limitées jusque-là au cidre et à la gelée en pot. Elle paya généreusement les dégâts des ruches d'Ira Titcomb et vendit bientôt à son comptoir du miel de fleurs de pommier. Elle alla à l'université pour tout apprendre sur la pollinisation croisée et la façon de planter les vergers ; et elle en apprit plus long sur la dératisation, l'égourmandage, la taille et les nouveaux insecticides et engrais que n'en savaient ses contremaîtres. Puis elle leur transmit son savoir.

Olive gardait toujours l'image de sa mère silencieuse, Maud, hypnotisée par sa propre image floue dans le miroir du poudrier — entourée de bigorneaux de toutes parts. Les petites boules de coton imbibées de fards (de la couleur de l'argile sur les affreuses bottes de son frère Bucky) étaient piquetées de cendres venues des mégots envahissant la coquille-cendrier. Cette vision donnait beaucoup de force à Olive. Elle savait à quelle vie elle avait échappé et elle gagnait plus que son écot au verger d'Ocean View ; elle protégeait l'entreprise des mains négligentes de Senior, et la dirigeait très intelligemment à sa place.

Le soir, en rentrant de l'Haven Club (elle prenait toujours le volant), Olive laissait Senior sans connaissance sur le siège du passager et posait un petit mot sur l'oreiller de son fils Wally pour lui demander de ne pas oublier, à son retour à la maison, de porter son père au lit. Wally n'oubliait jamais ; c'était un jeune homme en or — il n'en avait pas que l'apparence. Le seul soir où le jeune Wally se trouva trop ivre pour porter son père au lit, Olive Worthington ne manqua pas de remontrer à son fils son erreur de conduite.

— Je te permets volontiers de ressembler à ton père à tous égards, lui dit-elle, sauf pour l'ivrognerie. Si jamais tu lui ressembles également sur ce point, tu perdras cette ferme — et jusqu'au moindre sou que gagne la moindre pomme. Crois-tu que ton père puisse m'empêcher de te faire ça ?

Wally regarda son père, qu'il avait laissé dormir toute la nuit sur le siège avant de la Cadillac, rongé d'insecticide. Le jeune homme comprit que Senior Worthington ne pourrait rien empêcher.

— Non, maman, répondit Wally à sa mère avec respect — non seulement parce qu'il était bien élevé et poli (il aurait pu enseigner le tennis et les bonnes manières à l'Haven Club, et les bien enseigner), mais parce qu'il savait que sa mère, Olive Worthington, n'avait épousé en fait qu'un petit fonds de roulement ; le *travail*, c'était elle qui l'avait fourni ; Wilbur Larch aurait respecté ça.

Le plus triste, c'était qu'Olive elle aussi se trompait sur le cas du pauvre Senior, victime de l'alcoolisme sur les bords seulement, et victime de la maladie d'Alzheimer presque entièrement.

Les sociétés des villes et des bourgs connaissent certaines choses sur vous et se trompent sur d'autres. Senior Worthington, déconcerté par sa propre dégradation, l'attribuait lui aussi aux démons de l'alcool. Lorsqu'il buvait moins — et ne parvenait cependant pas à se souvenir le matin de ce qu'il avait dit ou fait la veille, ne constatait aucun sursis à son vieillissement remarquablement accéléré, continuait de sauter d'une activité à l'autre en laissant sa veste ici, son chapeau là, et les clés de sa voiture dans la veste perdue —, lorsqu'il buvait moins et continuait de se conduire comme un idiot, cela le bouleversait à tel point qu'il se remettait à boire. A la fin, il serait victime à la fois de la maladie d'Alzheimer et de l'alcoolisme ; un ivrogne heureux avec des accès inexpliqués de mélancolie. Dans un monde meilleur et mieux informé, on l'aurait soigné comme un malade presque parfait — il l'était.

A cet égard, Heart's Haven et Heart's Rock ressemblaient à Saint Cloud's : il était impossible de sauver Senior Worthington de son mal, exactement comme Fuzzy Stone.

En 193..., Homer Wells commença l'*Anatomie de Gray* — par le commencement. Il débuta par l'ostéologie, le squelette. Il débuta par les os. En 194..., il en était à son troisième voyage dans l'*Anatomie de Gray*, dont il avait partagé certains passages avec Melony. Melony avait du mal à se concentrer mais avouait un intérêt certain pour la complexité du système nerveux, notamment la description du douzième nerf, l'hypoglosse, nerf moteur de la langue.

141

— Qu'est-ce qu'un nerf moteur ? demandait Melony en tirant la langue.

Homer essaya de le lui expliquer mais il se sentait fatigué. Il en était à sa sixième traversée de *David Copperfield,* sa sixième des *Grandes Espérances,* sa quatrième de *Jane Eyre.* Pas plus tard que la veille, il était parvenu à un passage qui provoquait toujours chez Melony une réaction craintive — ce qui rendait Homer anxieux.

C'était vers le début du chapitre XII, quand Jane fait observer, non sans raison : *Il est vain de prétendre que les êtres humains devraient se satisfaire de la tranquillité : il leur faut de l'action ; et ils en inventeront, s'ils ne peuvent en trouver.*

— N'oublie pas, Rayon-de-soleil, le coupa Melony. Tant que je reste, tu restes. Ce qui est promis est promis.

Mais Homer Wells supportait de plus en plus mal l'angoisse que Melony suscitait en lui. Il répéta la phrase en la lisant cette fois comme s'il lançait une menace personnelle.

— *Il est vain de prétendre que les êtres humains devraient se satisfaire de la tranquillité : il leur faut de l'action ; et ils en inventeront s'ils ne peuvent en trouver.*

Le ton sinistre de sa voix laissa Mme Grogan stupéfaite.

Il recopia la citation de son écriture presque aussi régulière et serrée que celle du Dr Larch ; puis il la dactylographia sur la machine de Nurse Angela, en ne faisant que quelques fautes. Enfin, choisissant un moment où Wilbur Larch « se reposait » dans la pharmacie, Homer se glissa jusqu'au saint fatigué et posa le bout de papier contenant la citation de *Jane Eyre* sur la poitrine de Larch qui se soulevait et s'abaissait doucement. Le texte lui-même ne provoqua pas chez le bon docteur un sentiment de menace mais plutôt de malaise général : du fait que l'adolescent connût son penchant pour l'éther avec assez de précision pour pouvoir s'approcher de son lit à son insu. A moins que je ne prenne un peu plus de ce truc-là que dans le passé ? se demanda Larch.

Et pourquoi donc Homer avait-il utilisé le cône à éther pour retenir la citation de *Jane Eyre* sur la poitrine de Larch ?

« L'histoire, a écrit le Dr Larch, se compose d'erreurs infimes, souvent inaperçues. »

Peut-être faisait-il allusion à un détail aussi insignifiant que l'apostrophe ajoutée par un inconnu à l'original Saint Clouds. La présence du mot cœur — *heart* —, dans Heart's Haven et Heart's Rock, éclaire également son propos ; comme l'erreur similaire qui avait fait de Melody, à jamais, une Melony. L'explorateur à qui l'on attribue la

142

découverte du joli port d'Heart's Haven — un vagabond des mers du nom de Reginald Hart — fut également le premier colon d'Heart's Rock qui ait défriché la terre et tenté de la cultiver. L'analphabétisme général de l'époque, et de l'époque qui suivit la mort de Reginald Hart, triompha ; nul ne connaissait la différence d'écriture entre *heart* et *hart*. Comme la prononciation est la même, les premiers colons d'Heart's Haven et d'Heart's Rock, ignorant sans doute que Reginald portait un nom qui signifiait *cerf*, donnèrent à leurs villes, sans le moindre remords, le nom de *cœur*.

« Muscle creux de forme conique..., comme Homer Wells pouvait le réciter par cœur, d'après l'*Anatomie de Gray*, enfermé dans la cavité du PÉRICARDE. » En 194..., Homer avait examiné le cœur de trois cadavres que le Dr Larch avait acquis à son intention (chaque cadavre perdant son utilité à des fins exploratoires au bout d'environ deux ans).

Il s'agissait de cadavres de femmes. Examiner des cadavres masculins n'aurait guère servi le propos du docteur — enseigner à Homer Wells la procédure obstétrique et les techniques apparentées. Obtenir un cadavre posait toujours un problème. (L'un d'eux fut livré dans de l'eau, au lieu de glace ; il fallut en jeter un autre parce que le liquide utilisé pour l'embaumer devait être trop vieux, ou trop faible.) Homer se souvenait avec précision de ses trois cadavres. Ce fut seulement au troisième que son sens de l'humour évolua assez pour qu'il lui donne un nom. Il l'appela Clara, d'après la mère geignarde de David Copperfield — pauvre et faible femme qui laissait le terrible M. Murdstone la rudoyer, ainsi que le jeune David.

— Tu devrais l'appeler Jane, conseilla Melony à Homer.

Tantôt Melony était écœurée par Jane Eyre, tantôt elle s'identifiait complètement à elle.

— J'aurais pu l'appeler Melony, répliqua Homer.

Mais on ne pouvait guère compter sur l'humour de Melony, qui préférait ses propres plaisanteries.

Le cadavre numéro deux fournit à Homer la pratique de base qui le préparerait à sa première césarienne ; pour celle-ci, il avait senti les yeux de Larch rivés à ses mains avec une telle intensité qu'elles ne semblaient plus lui appartenir — elles se déplaçaient avec une finalité si harmonieuse qu'Homer pensa que le Dr Larch avait découvert un moyen de pratiquer avec son esprit (sans avoir besoin d'utiliser les mains) cette incision parfaite de l'utérus, pas plus grande que nécessaire.

L'altercation qui se produisit à la gare lors de l'arrivée du cadavre qu'Homer baptiserait Clara fournit au jeune homme sa première expérience de convulsions éclamptiques — ou convulsions puerpérales, comme on les appelait à l'époque où Wilbur Larch pratiquait à la Maternité de Boston[17]. Au moment exact où ce dernier se disputait avec le chef de gare à propos des formalités de réception de la malheureuse Clara, Homer Wells, à Saint Cloud's, essayait de localiser, exactement, la veine thyroïde inférieure de Cadavre-numéro-deux. Il l'ignorait alors, mais il avait une bonne raison d'avoir, momentanément, perdu son chemin : Cadavre-numéro-deux, complètement défraîchi, avait plus d'un organe difficile à repérer. Il s'apprêtait à consulter son *Anatomie de Gray* quand Nurse Edna lui sauta dessus — en hurlant (comme toujours quand elle voyait Homer avec Cadavre-numéro-deux ; on eût dit qu'elle le surprenait en train de batifoler avec Melony).

— Oh, *Homer !* cria-t-elle — mais elle ne put continuer.

Elle battit des bras comme un poulet qui s'affole, puis parvint à tendre l'index dans la direction de la pharmacie. Homer partit à toutes jambes et trouva une femme allongée par terre. Ses yeux fixaient le vide avec une telle intensité, et sans voir quoi que ce fût, qu'il la prit au début pour le cadavre que le Dr Larch essayait de réceptionner à la gare. Puis la femme se mit à bouger, et Homer Wells comprit qu'elle ne tarderait pas à devenir cadavre elle aussi ; les convulsions commencèrent par une contraction nerveuse de son visage, puis se répandirent rapidement dans tous les muscles de son corps. Ses joues jusque-là écarlates devinrent d'un bleu-noir brillant ; ses talons frappèrent le sol avec une telle violence que ses deux chaussures s'envolèrent — Homer constata aussitôt qu'elle avait les chevilles extrêmement enflées. Ses mâchoires se crispèrent ; sa bouche et son menton se couvrirent d'écume baveuse, à laquelle se mêlait un filet de sang parce qu'elle s'était mordu la langue — mieux valait la mordre que l'avaler. Elle avait beaucoup de mal à respirer ; elle expulsait l'air en sifflant, et de l'embrun éclaboussa le visage d'Homer avec une violence qu'il n'avait pas connue depuis le jour où, debout sur la berge, il cherchait des yeux les Winkle balayés par les grumes.

— Éclampsie, dit Homer Wells à Nurse Edna.

Cela dérive du grec ; le Dr Larch lui avait appris que ce mot se rapporte aux éclairs lumineux que voit la patiente au début des convulsions puerpérales. En général, on peut éviter l'éclampsie par un minimum de soins prénataux. On décèle facilement une augmentation de la tension artérielle, la présence d'albumine dans les urines, l'enflure des pieds et des mains, les migraines, les vomissements, et bien entendu les points lumineux et les éclairs dans les yeux. Le repos, un régime strict, la réduction de l'alimentation liquide et une purgation naturelle sont efficaces dans la plupart des cas ; mais s'ils ne le sont pas, il suffit de provoquer le travail prématurément pour éviter presque toujours les convulsions et souvent mettre au monde un enfant vivant.

Mais les patientes du Dr Larch n'étaient pas de celles qui se soucient de soins prénataux, ou même comprennent leur utilité. Celle-ci était arrivée à la toute dernière minute, même selon les normes du Dr Larch.

« Le Dr Larch est à la gare, dit Homer à Nurse Edna, d'un ton calme. Que quelqu'un aille le chercher. Nurse Angela et vous devez rester pour m'aider.

Quand il souleva la femme pour la porter dans la salle de travail, Homer sentit sa peau moite et froide, qui lui rappela Cadavre-numéro-un et Cadavre-numéro-deux (cette dernière, se souvint-il, abandonnée sur la table d'examen de la pièce qu'il utilisait pour ses études d'anatomie, à côté des cuisines de la section Garçons). Au siècle précédent, Homer Wells le savait, le médecin aurait pratiqué sur sa patiente une anesthésie à l'éther, puis aurait dilaté l'ouverture de l'utérus pour réaliser un accouchement forcé — méthode qui provoquait en général le décès de la patiente.

A la Maternité de Boston, Wilbur Larch avait appris à fortifier le muscle cardiaque avec une dose de digitaline, qui empêchait notamment la formation de fluides dans les poumons. Homer écouta la respiration aqueuse de la femme et conclut qu'il risquait d'être trop tard, même s'il se rappelait correctement la procédure. Il savait qu'il faut prendre des précautions avec l'éclampsie ; s'il était contraint de faire accoucher la femme prématurément, il devait permettre au travail d'évoluer le plus naturellement possible. A cet instant, la femme gémit ; sa tête et ses talons claquèrent sur la table d'opération à l'unisson, son ventre énorme parut en état de lévitation — et un de ses bras, sans volonté, sans intention ni but, s'envola pour frapper Homer en pleine figure.

Il savait que parfois une femme n'a qu'une seule convulsion puerpérale ; et il est établi que de rares patientes ont survécu à plus d'une centaine. Mais ce qu'Homer ignorait, bien entendu, c'était s'il observait la deuxième convulsion de cette femme ou bien sa quatre-vingt-dixième.

Quand Nurse Edna revint dans la salle de travail avec Nurse Angela, Homer ordonna aux infirmières d'administrer de la morphine à la patiente, Homer lui-même injecta du sulfate de magnésium par intraveineuse pour abaisser, au moins temporairement, sa tension artérielle [18]. Dans l'intervalle entre la précédente convulsion et la suivante prévisible, Homer demanda à Nurse Edna de prélever l'urine de la femme, et à Nurse Angela de rechercher d'éventuelles traces d'albumine. Il demanda à la femme combien de convulsions elle avait déjà subies ; la femme parlait de façon cohérente et pouvait même répondre aux questions intelligemment, mais elle fut incapable de préciser le nombre des convulsions. Trait remarquable, elle ne se rappelait rien des convulsions elles-mêmes — seulement leur début et l'épuisement consécutif. Elle estimait qu'elle était encore à environ un mois de son terme.

Aux premiers signes de la convulsion suivante, Homer donna à la femme un léger calmant à l'éther, espérant réduire ainsi la violence de l'attaque. La convulsion s'avéra différente de la précédente, mais aussi violente ; les mouvements de la femme furent plus lents, mais, en un sens, plus puissants. Homer se coucha en travers de sa poitrine ; le corps de la femme se plia en deux brusquement — et le fit voler loin de la table d'opération. Dans l'intervalle suivant — la femme toujours détendue sous l'effet de l'éther —, Homer poursuivit son auscultation : le col de l'utérus n'était pas plus court et l'orifice ne se dilatait pas ; le travail n'avait pas commencé. Il envisagea de le déclencher, pria de ne pas avoir cette décision à prendre, et se demanda pourquoi le Dr Larch prenait tant de temps à venir.

On avait chargé un orphelin grippé d'aller chercher Larch à la gare ; il revint avec deux grosses chandelles de morve, une par narine, qui formaient sur sa joue comme la zébrure d'un coup de fouet. Il portait le nom (donné par Nurse Angela, bien sûr) de Curly Day et il annonça bêtement que le Dr Larch avait pris le train de Three Mile Falls — pour poursuivre et capturer le cadavre que le chef de gare (dans un accès de perversité provoqué par ses sentiments religieux outragés) avait expédié à l'arrêt suivant. Le chef de gare avait simplement refusé le cadavre. Larch, dans une rage qui surpassait désormais celle du chef de gare, était monté dans le train suivant.

— Oh-oh, dit Nurse Edna.

Homer administra à sa patiente sa première dose de digitaline ; il recommencerait à intervalles réguliers jusqu'à ce qu'il puisse en voir les effets sur le pouls de la femme. En attendant avec la femme l'attaque suivante, il lui demanda si elle avait décidé de faire adopter son bébé, ou bien si elle était venue à Saint Cloud's parce que c'était l'hôpital le plus proche — bref était-ce un bébé très désiré ou pas désiré du tout ?

146

— Vous voulez dire qu'il va mourir ? demanda la femme.

Il lui adressa son meilleur sourire « Évidemment non ! » imité du Dr Larch ; mais il estimait que selon toute probabilité le bébé mourrait s'il ne l'accouchait pas très vite, et la femme mourrait s'il précipitait l'accouchement.

La femme lui apprit qu'elle était venue à Saint Cloud's en auto-stop parce qu'elle n'avait personne dans sa vie susceptible de l'accompagner. Elle ne voulait pas garder le bébé, mais elle désirait, elle désirait beaucoup qu'il vive.

— D'accord, dit Homer comme si cela ne dépendait que de lui.

— Vous avez l'air un peu jeune, fit observer la femme. Je ne vais pas mourir, hein ? demanda-t-elle.

— Que non pas, répondit Homer Wells avec un autre sourire « Dr Larch » qui, en tout cas, le fit paraître plus âgé.

Mais douze heures plus tard, alors que le Dr Larch n'était pas revenu et que le corps de la femme se convulsait sur la table d'opération, en proie à sa septième crise, Homer Wells avait oublié depuis longtemps l'effet produit par son sourire rassurant.

Il regarda Nurse Angela, qui essayait de l'aider à maintenir la patiente, et il dit :

— Je vais déclencher le travail. Je vais ouvrir la poche des eaux.

— Je suis certaine que tu sais ce qui est pour le mieux, répondit Nurse Angela — mais son imitation personnelle du sourire-inspirant-confiance du Dr Larch n'avait rien de remarquable.

Douze heures plus tard, les contractions utérines de la patiente commencèrent ; Homer Wells ne se rappellerait jamais le nombre exact de convulsions subies par la femme à ce moment-là. Il commençait à s'inquiéter davantage au sujet du Dr Larch qu'à celui de la femme et, pour pouvoir se concentrer sur son travail, il dut rentrer ses craintes qu'un malheur ne soit arrivé au médecin.

Dix heures après le début des contractions de la femme, elle mit au monde un garçon — deux kilos deux cents et en parfaite santé. La mère se rétablit très vite, comme Homer s'y attendait. Plus de convulsions, la tension artérielle redevint normale, les traces d'albumine dans son urine étaient insignifiantes.

Dans la soirée du lendemain de son départ à la gare pour récupérer le cadavre que le chef de gare ne voulait ni garder ni donner, Wilbur Larch — avec le cadavre sauvé qui porterait bientôt le nom de Clara — rentra fatigué et triomphant à Saint Cloud's. Il avait suivi le corps jusqu'à Three Mile Falls, mais le chef de gare du village avait éprouvé une telle horreur que le cadavre n'avait pas quitté le wagon ; il avait continué son voyage, et Larch l'avait suivi, de gare en gare, avec toujours un train de retard. Personne ne voulait de Clara, sauf pour la mettre en terre, et l'on estimait que cela ne relevait pas des compétences d'un chef de gare — aucun ne songeait à accepter dans sa gare un cadavre que personne n'était venu chercher. Clara n'était manifestement pas un cadavre destiné à la tombe. Le clapotis surnaturel du liquide d'embaumement, sa peau tannée, les couleurs extra-terrestres des artères et des veines visibles ici et là — « Quoi que ce soit, je n'en veux pas ici », avait déclaré le chef de gare de Three Mile Falls.

Et Clara alla donc de Three Mile Falls à Misery Grove, à Moxie Gore, à East Moxie... Toujours plus loin. Larch eut une altercation terrible avec le chef de gare d'Harmony (Maine) où Clara s'était arrêtée quelques minutes — donnant aux cheminots la plus grande peur de leur vie — avant de repartir plus loin.

— C'était *mon* cadavre ! cria Larch. Il y avait mon nom dessus, il est destiné à l'instruction d'un étudiant en médecine qui s'exerce avec moi dans *mon* infirmerie de Saint Cloud's. C'est le *mien* ! hurla Larch. Pourquoi l'envoyez-vous dans la mauvaise direction ? Pourquoi l'envoyez-vous loin de moi ?

— Il est venu ici, non ? répondit le chef de gare. Personne ne l'a réclamé à Saint Cloud's, il me semble.

— Le chef de gare de Saint Cloud's est fou ! brailla Larch (en faisant un petit bond en l'air, un petit saut qui le fit paraître un peu fou lui aussi).

— Peut-être bien que oui, peut-être bien que non, répondit le chef de gare d'Harmony. Tout ce que je sais, c'est que le cadavre est arrivé ici et que je l'ai renvoyé.

— Nom de Dieu, il n'est pas hanté ! lança Larch dans un gémissement.

— Je n'ai pas dit qu'il l'était, répliqua le chef de gare. Peut-être bien qu'il l'était, peut-être bien qu'il ne l'était pas. Il n'est pas resté ici assez longtemps pour qu'on sache.

— Bande d'idiots ! cria Larch — et il remonta dans le train.

A Cornville (où le train ne s'arrêta pas), Wilbur Larch hurla par la fenêtre à deux planteurs de patates qui faisaient de grands signes au train :

« Le Maine est plein de connards ! »

A Skowhegan, il demanda au chef de gare où diable avait filé ce maudit cadavre.

— A Bath, je suppose, répondit le chef de gare de Skowhegan.

C'est de là qu'il venait et, si personne ne le réclame sur la ligne, c'est là-bas qu'il retournera.

— Quelqu'un le réclame sur la ligne ! cria Wilbur Larch. Moi, je le réclame.

Le cadavre avait été envoyé à l'infirmerie de Saint Cloud's par l'hôpital de Bath ; une femme qui désirait donner son corps à la science venait de mourir, et le pathologiste du Bath Memorial Hospital savait que Wilbur Larch recherchait une femme en bon état.

Le Dr Larch rattrapa Clara à Augusta ; Augusta était une ville très évoluée, pour le Maine, et le chef de gare s'aperçut donc que le cadavre circulait dans la mauvaise direction.

« Bien sûr, qu'il va dans la mauvaise direction ! cria Wilbur Larch.

— Bonté divine, ils ne parlent donc pas l'anglais dans votre coin ? demanda le chef de gare.

— Ils n'entendent pas l'anglais ! hurla Larch. J'aimerais envoyer un cadavre à chacune de ces maudites villes ! Un par jour !

— Sûr que ça ferait enrager bien des gens ! répondit sèchement le chef de gare, en se demandant pendant combien de temps le Dr Larch continuerait d'enrager.

Pendant le long trajet de retour à Saint Cloud's avec Clara, il ne se calma pas. A chaque ville qui l'avait offensé — surtout à Harmony, mais aussi à East Moxie, à Moxie Gore et dans toutes les autres — il profita de l'arrêt du train pour offrir son opinion sur leurs chefs de gare respectifs.

— Connardville ! lança-t-il au chef de gare d'Harmony. Il n'y a pas d'*harmonie*, ici. Absolument pas !

— L'harmonie régnait avant que vous arriviez avec votre foutu cadavre, répliqua le chef de gare.

— Connardville ! cria Larch par la fenêtre tandis que le train démarrait. Idiotsbourg !

A sa vive déception, quand le train arriva à Saint Cloud's, le chef de gare n'était pas là.

— Parti déjeuner, apprit-on au médecin bien qu'on fût en début de soirée.

— Peut-être voulez-vous dire dîner ? demanda Larch. Peut-être le chef de gare ne connaît-il pas la différence ? lança-t-il méchamment.

Il engagea deux péquenots pour porter Clara jusqu'à la section Garçons en haut de la colline.

L'état lamentable dans lequel Homer Wells avait laissé Cadavre-numéro-deux surprit le docteur. Dans sa précipitation, Homer avait oublié de ranger Cadavre-numéro-deux, et Larch ordonna aux deux idiots de poser Clara sur la table — sans préparer les deux simplets au cadavre défraîchi qui s'y étalait. L'un des culs-terreux se cogna contre un mur. Cris terribles et bonds de stupeur ! Larch partit en hurlant dans l'orphelinat, à la recherche d'Homer.

« Je cours après un nouveau cadavre pour toi ! Je traverse la moitié de ce maudit État du Maine ! Et tu laisses un merdier pareil, le ventre ouvert, à un endroit où le premier imbécile venu peut tomber dessus ! *Homer !* brailla le Dr Larch. Dieu le damne ! lança-t-il entre ses dents. Jamais un adolescent ne saurait être adulte avant le temps. On ne peut jamais compter sur un gamin pour accepter des responsabilités d'adulte et faire un travail d'adulte ! »

Il traversa la section Garçons sans cesser de grommeler, à la recherche d'Homer Wells, mais celui-ci s'était écroulé sur le lit de fer de Larch, dans la pharmacie, et s'abandonnait au plus profond sommeil. L'aura d'éther qui entourait ce lit de secours, sous la fenêtre est, aurait sans doute augmenté la somnolence d'Homer, mais il n'avait guère besoin d'éther pour dormir ; il était resté debout près de quarante heures avec l'éclamptique — et avait mis au monde son enfant.

Nurse Angela arrêta le Dr Larch avant qu'il trouve Homer Wells et le réveille.

« Que se passe-t-il ici ? voulut savoir le docteur. Personne ne s'intéresse donc à ce que j'ai fait ? Et pourquoi ce gamin a-t-il laissé son cadavre dans l'état d'un blessé de guerre ? Je passe une nuit dehors, et regardez comment je retrouve cet endroit ! »

Nurse Angela le mit au courant. Elle lui expliqua qu'il s'agissait du pire cas de convulsions puerpérales qu'elle eût jamais vu — et dans sa carrière, elle en avait vu ! Wilbur Larch en avait vu pas mal lui aussi. Pendant son séjour à la Maternité de Boston, il avait perdu beaucoup de femmes par suite d'éclampsie, et, même en 194..., ces convulsions étaient responsables du quart des décès de femmes en couches [19].

« Homer a fait ça ? demanda Larch à Nurse Angela et à Nurse Edna.

Il lisait le dossier ; il avait examiné la mère, qui se portait très bien, et le garçon prématuré, normal et en bonne santé.

— Il était presque aussi calme que vous, Wilbur, dit Nurse Edna, pleine d'admiration. Vous pouvez vraiment être fier de lui.

— C'est un ange, à mon avis, ajouta Nurse Angela.

— Il avait l'air un peu sombre quand il a dû provoquer les eaux, se souvint Nurse Edna, mais il a tout fait très bien.

— Il s'est avéré parfaitement sûr de lui, renchérit Nurse Angela.

Homer avait fait presque tout très bien, songea Wilbur Larch, c'était vraiment stupéfiant. Larch jugea que perdre le compte du nombre exact de convulsions pendant la deuxième période de douze heures (surtout après les avoir comptées correctement pendant les douze premières heures) constituait une erreur légère. Et Homer n'avait noté ni le nombre ni la gravité des convulsions (ni même s'il y en avait eu) au cours des dix heures séparant les premières contractions de l'accouchement de la patiente. Critiques mineures. Wilbur Larch était un bon professeur ; il savait qu'il valait mieux garder pour lui ce genre de critique. Homer Wells avait exécuté correctement toutes les opérations difficiles ; procédure parfaite.

— Il n'a même pas vingt ans, n'est-ce pas ? demanda Larch.

Mais Nurse Edna était allée se coucher, épuisée ; dans ses rêves elle confondrait l'héroïsme d'Homer et son amour, déjà considérable, pour Larch ; elle dormirait très bien. Nurse Angela se trouvait encore dans son bureau, et quand le Dr Larch lui demanda pourquoi le bébé prématuré n'avait pas encore de nom, elle lui répondit que c'était le tour de Nurse Edna, et que celle-ci tombait de fatigue.

« Bah, ce n'est qu'une question de forme, dit Wilbur Larch. Donnez-lui donc un nom vous-même — j'y tiens. Prenez le tour de Nurse Edna, vous n'en mourrez ni l'une ni l'autre, je pense ?

Mais Nurse Angela avait une meilleure idée. C'était le bébé d'Homer — il l'avait sauvé, ainsi que la mère. Homer Wells devait lui donner son nom, déclara Nurse Angela.

« Oui, vous avez raison..., répondit le Dr Larch, plein de fierté pour son merveilleux disciple.

La journée suivante d'Homer Wells fut donc un jour de baptême. Il lui fallut donner un nom, sur la même lancée, au cadavre numéro trois et à *son* premier orphelin. Il appela le cadavre Clara, et quel nom aurait-il pu choisir pour le nouveau-né sinon David Copperfield ? A l'époque, il lisait *les Grandes Espérances,* et il préférait *les Grandes Espérances* à *David Copperfield.* Mais il se refusait à appeler un enfant Pip, et le personnage de Pip le touchait beaucoup moins que le petit David. Ce fut une décision facile, et il s'était éveillé ce matin-là frais et dispos, capable de décisions plus éprouvantes.

Il avait dormi presque la nuit entière. Il ne s'était réveillé qu'une seule fois sur le lit de la pharmacie, conscient du retour du Dr Larch ; Larch se trouvait dans la pièce, probablement le regard posé sur lui, mais Homer garda les yeux clos. Il comprit que Larch était là à l'odeur douceâtre d'éther que celui-ci portait comme de l'eau de Cologne, et à cause de la respiration régulière du docteur. Puis il sentit la main de

Larch — une main de médecin, en quête de fièvre — effleurer très légèrement son front. Homer Wells, moins de vingt ans — très compétent en matière de procédure obstétrique et aussi expert que presque n'importe quel docteur pour le traitement des « organes de reproduction de la femme » —, demeura très immobile, comme s'il dormait.

Le Dr Larch se pencha vers lui et l'embrassa, très légèrement, sur les lèvres. Homer entendit Larch murmurer :

« Du bon travail, Homer.

Il sentit un deuxième baiser, encore plus léger.

« Du bon travail, mon garçon, dit le docteur — puis il le quitta.

Homer Wells sentit les larmes monter en silence ; plus de larmes qu'il ne se rappelait en avoir versé la dernière fois qu'il avait pleuré — à la mort de Fuzzy Stone, quand Homer avait menti à Snowy Meadows et aux autres au sujet de Fuzzy. Il pleura, pleura, mais sans faire le moindre bruit ; il pleura tant qu'il dut changer la taie d'oreiller du Dr Larch le lendemain matin. Il pleura parce qu'il avait reçu ses premiers baisers paternels.

Bien entendu, Melony l'avait embrassé ; elle ne le faisait plus guère, mais elle l'avait fait. Et Nurse Edna et Nurse Angela l'avaient embrassé à s'en rendre folles, mais elles embrassaient tout le monde. Le Dr Larch ne l'avait jamais embrassé auparavant, et il venait de l'embrasser deux fois.

Homer Wells pleura parce qu'il n'avait jamais su à quel point peuvent être doux les baisers d'un père, et il pleura parce qu'il se doutait que Wilbur Larch ne l'embrasserait plus jamais — et l'aurait-il fait s'il avait su qu'Homer ne dormait pas ?

Le Dr Larch alla s'extasier sur la bonne santé de la patiente éclamptique et de son minuscule bébé vigoureux — qui deviendrait au matin l'orphelin David Copperfield (« David Copperfield, *Junior* », disait Larch en riant). Puis le bon docteur se rendit à sa chère machine à écrire, dans le bureau de Nurse Angela. Il ne put rien écrire ; il fut même incapable de penser tant le fait d'avoir embrassé Homer le troublait. Si Homer avait reçu ses premiers baisers paternels, le Dr Larch avait donné les premiers baisers de sa vie — paternellement ou d'une autre manière — depuis la guinguette de Portland où il avait attrapé la chaude-pisse dans les bras de Mme Eames. Et les baisers qu'il avait donnés à Mme Eames relevaient davantage de l'exploration que de l'amour désintéressé. Oh, mon Dieu, se demanda Wilbur Larch, que vais-je devenir quand Homer s'en ira ?

L'endroit où il irait offrait moins d'animation, moins de difficultés à vaincre, moins de tristesse, moins de deuil ; l'endroit où il irait était plein de douceur — et comment Homer Wells, avec son passé, réagirait-il à la douceur ? Se laisserait-il séduire ? La douceur n'était-elle pas meilleure pour tout le monde ?

Le malheur existait-il à Heart's Haven ou à Heart's Rock, et quelqu'un pouvait-il s'y rendre utile ?

Oui, Olive Worthington souffrait des intrusions de son frère Bucky — son argile de puisatier dans la piscine et la façon dont il arpentait ses tapis. La belle affaire ! Oui, Olive craignait que le jeune Wally ne manque de sens pratique et n'apprenne pas à diriger l'affaire de pommes — le beau gosse ne deviendrait-il pas, comme Senior, un joyeux drille destiné à finir de façon lamentable ? Comparées à l'œuvre de Dieu et à l'œuvre du Diable, ces préoccupations n'étaient-elles pas futiles ? La vie dans les endroits pleins de douceur n'était-elle pas creuse et superficielle ?

Mais des problèmes peuvent survenir également en des lieux où règne la douceur ; les problèmes voyagent, les problèmes essaiment. Les problèmes peuvent même prendre congé d'endroits où ils s'épanouissent, d'endroits comme Saint Cloud's. Le problème qui se posa à Heart's Haven et à Heart's Rock était d'une forme assez banale et ordinaire ; il débuta, comme c'est souvent le cas, par une histoire d'amour.

« Ici à Saint Cloud's, a écrit Wilbur Larch, je n'imagine personne tomber amoureux ; tomber amoureux ici serait un luxe trop criard. » Larch ignorait que Nurse Edna était amoureuse de lui depuis le premier jour, mais il avait raison de supposer que ce qui s'était passé entre Melony et Homer Wells n'était pas exactement de l'amour. Et ce qui les liait encore l'un à l'autre après l'extinction des feux de la première passion n'était pas de l'amour non plus. Et le portrait de la fille de Mme Eames avec le pénis du poney dans la bouche ne reflétait à coup sûr aucun amour. Il semblait aussi éloigné de l'amour qu'Heart's Haven et Heart's Rock étaient éloignés de Saint Cloud's.

« Dans d'autres parties du monde, a écrit Wilbur Larch, j'imagine que les gens tombent amoureux tout le temps. »

Sinon tout le temps, souvent. Le jeune Wally Worthington, par exemple, s'était cru amoureux deux fois avant d'avoir vingt ans, et une fois pendant sa vingt et unième année ; maintenant, en 194... (il avait juste trois ans de plus qu'Homer Wells), Wally éprouvait un amour violent pour la quatrième fois. Il ignorait encore que ce serait pour de bon.

La jeune personne que le cœur de Wally choisirait pour la vie était la fille d'un langoustier ; ce n'était pas un langoustier ordinaire, et nul ne s'étonnait donc qu'il eût une fille hors du commun. Raymond Kendall pêchait si bien le homard que les autres langoustiers, avec des jumelles, l'épiaient quand il relevait et appâtait ses casiers. Quand il déplaçait ses corps-morts, ils déplaçaient les leurs. Quand il ne sortait pas en mer, restait chez lui ou sur sa jetée pour réparer ses casiers, ils restaient à la maison eux aussi et réparaient les leurs ; il avait tellement de casiers dans l'eau que ses flotteurs personnalisés, noir et orange, donnaient au port d'Heart's Haven le pittoresque et la couleur d'une compétition universitaire. Un jour, une délégation d'anciens de Yale appartenant au Haven Club vint supplier Raymond Kendall de changer ses couleurs, de passer au bleu et au blanc, mais le langoustier grommela simplement qu'il n'avait pas de temps à perdre à des bêtises. D'autres délégations de l'Haven Club viendraient le supplier ; mais le sujet était rarement la couleur de ses flotteurs de casier à homards.

L'Haven Club se trouvait en face de la jetée extérieure du port d'Heart's Haven où le vivier à langoustes et l'atelier de Raymond Kendall étaient installés de longue date. Kendall habitait au-dessus du vivier, ce qui aurait incité tout homme plus superficiel à accéder aux désirs de l'Haven Club d'embellir les environs immédiats. L'établissement de Kendall était considéré, selon les normes des estivants, comme une lèpre sur un front de mer se flattant d'une grande beauté naturelle et/ou de beautés réalisées à grand prix. Même la fenêtre de la chambre à coucher de Kendall s'ornait de flotteurs à divers stades de peinture. Les casiers à homards en réparation formaient sur l'appontement une masse d'une hauteur telle qu'on ne pouvait pas voir, depuis la côte, s'il y avait des bateaux amarrés de l'autre côté du quai. Le parc à voitures du vivier à langoustes était presque plein — mais pas des véhicules de la clientèle (il n'y avait jamais assez de place pour les clients) ; il était occupé par les divers camions et voitures sur lesquels Raymond Kendall « travaillait », ainsi que par les énormes moteurs couverts de cambouis de ses bateaux langoustiers.

Les abords de la propriété de front de mer de Raymond Kendall débordaient d'engins en réparation laissés en plan par un mécanicien désordonné ; tout était en cours, inachevé, désossé, encore trempé, en attente de pièces détachées ; et, pour le bruit, on entendait à toute heure le grondement du groupe électrogène qui alimentait les réservoirs d'eau pour les homards du vivier, et la toux grave d'un moteur intérieur, tournant au ralenti près du quai. Ensuite, l'odeur . de corde goudronnée, de cette odeur de poisson légèrement différente de l'odeur de poisson que dégagent les langoustes, de carburant et d'huile pour moteurs (il en coulait sans cesse dans l'océan depuis son quai, couvert d'algues marines, farci de bigorneaux, enguirlandé de cirés jaunes suspendus dehors pour sécher). Raymond Kendall *vivait* son travail ; il aimait voir son travail étalé autour de lui ; le bout de la jetée du port d'Heart's Haven constituait son studio d'artiste.

Ce n'était pas seulement un artiste en homard, il possédait le don de réparer les choses — et il gardait tout ce que n'importe qui se serait empressé de jeter. Si on lui posait la question, Raymond Kendall ne répondait jamais qu'il était langoustier ; non qu'il en eût honte, mais il était plus fier de ses talents de mécanicien. « Je suis un simple bricoleur », se plaisait-il à dire.

Et si l'Haven Club déplorait l'étalage constant de son bricolage, qui gâchait la vue magnifique du club, ses membres ne se plaignaient pourtant pas trop ; Raymond Kendall réparait aussi ce qui leur appartenait. Par exemple, il avait réparé le filtre de leur piscine — à une époque où personne n'avait de piscine, où personne d'autre n'avait osé y toucher, et où Ray Kendall lui-même n'avait jamais vu un filtre de piscine de sa vie. « Je suppose que ça marche exactement comme ça devrait », dit-il, et il régla la question en dix minutes.

Le bruit courait que Ray Kendall ne jetait jamais qu'une seule chose : les restes de ses repas — qu'il lançait par-dessus bord ou au bout de sa jetée. « Je nourris les homards qui me nourrissent, répondait-il à tous ceux qui s'en plaignaient. Je donne à manger aux mouettes, qui ont plus faim que vous et moi. »

Le bruit courait qu'il avait davantage d'argent que Senior Worthington ; il n'en dépensait presque pas — sauf pour sa fille. Comme les enfants des membres de l'Haven Club, elle allait à une pension privée ; et Raymond Kendall payait la cotisation annuelle considérable de l'Haven Club — non pour lui-même (il ne se rendait au club que sur demande : pour des réparations) mais pour sa fille, qui avait appris à nager dans la piscine chauffée, et pris des leçons de tennis sur les courts que le jeune Wally Worthington honorait de sa présence. La fille de Kendall possédait également sa voiture — elle semblait déplacée dans le parking de l'Haven Club ; c'était plutôt un véhicule du type parc-à-voitures-de-vivier-à-langoustes, un méli-mélo de pièces encore utilisables empruntées à d'autres véhicules, un des pare-chocs, sans peinture, était fixé avec du fil de fer · il y avait une plaque Ford sur le capot et un emblème Chrysler sur le coffre. La portière du passager était soudée au châssis. Mais jamais sa batterie ne tombait à plat dans le parking de l'Haven Club ; ce n'était jamais *ce tacot* qui refusait de démarrer ; quand un membre de l'Haven Club avait une voiture rebelle au démarrage, il partait à la recherche de la fille de Raymond Kendall, car elle avait toujours des câbles de secours dans son clou et connaissait, grâce à son père, la façon de s'en servir.

Une partie de la fortune fabuleuse que la rumeur attribuait à Raymond Kendall, ce trésor qu'il accumulait, lui était versée sous forme de salaire par Olive Worthington ; outre son activité de langoustier, Ray Kendall maintenait en état de marche les véhicules et le matériel des vergers d'Ocean View. Olive Worthington lui payait un salaire de contremaître à temps plein, parce que le bonhomme en savait presque aussi long sur les pommes que sur les homards (et en tant que mécanicien de la ferme, il était indispensable), mais Ray refusait de travailler plus de deux heures par jour, et choisissait lui-même ses deux heures — parfois il venait à l'aurore, si le temps ne lui permettait pas de sortir en mer, et parfois en fin de journée, juste assez tôt pour entendre les employés des vergers se plaindre des jets du Hardie, de la pompe du pulvérisateur Bean, du carburateur bouché du tracteur Deere, ou du mauvais réglage de l'International Harvester. Il voyait instantanément ce qui coinçait les lames de la tondeuse à gazon, ce qui clochait dans la fourche pneumatique, bloquait l'élévateur mécanique, empêchait la camionnette de tourner, ce qui était déréglé dans le pressoir à cidre. Raymond Kendall en faisait davantage en deux heures qu'un autre mécanicien en toute une journée, sans compter qu'il ne bâclait jamais le travail et ne venait jamais demander à Olive d'acheter un appareil neuf.

C'était toujours Olive qui proposait la première de remplacer ceci ou cela.

— Ray, cet embrayage du Deere qu'il faut toujours régler, lui demandait-elle poliment, ne me conseillez-vous pas de le remplacer ?

Mais pour Raymond Kendall, bricoleur à l'âme de chirurgien — comme un médecin, il refusait l'idée de la mort —, remplacer quelque chose constituait un aveu de faiblesse, d'échec. Il répondait presque toujours :

— Écoutez donc, Olive... Je l'ai déjà réparé, je peux le réparer encore. Je peux bien continuer comme ça, non ?

Olive respectait le mépris de Raymond Kendall pour les gens qui ne connaissent pas leur métier et n'ont « de toute façon aucune capacité pour quelque travail que ce soit ». Elle était entièrement d'accord avec lui, et elle appréciait également qu'il n'ait jamais inclus dans ce mépris Senior et son père, Bruce Bean. D'ailleurs Senior Worthington en savait assez long sur la gestion de l'argent pour réussir sans travailler plus d'une heure par jour et d'une seule main — en général au téléphone.

— La récolte, disait souvent Olive en songeant à ses pommes bien-aimées, peut survivre au mauvais temps, même sur la floraison.

Elle entendait par là des bourrasques de vent ; une forte brise du large forçait les abeilles d'Ira Titcomb à garder leurs ruches, et les abeilles sauvages étaient repoussées par la tempête dans les bois, où elles pollinisaient tout sauf les pommiers.

« La récolte peut même survivre à une mauvaise cueillette, disait Olive.

Elle faisait sans doute allusion à la pluie : le fruit devient glissant, on le laisse tomber, il se tale et n'est plus bon que pour le cidre ; ou peut-être à une grosse tempête, qui constitue vraiment un danger pour un verger situé près des côtes.

« La récolte pourrait même survivre si quelque chose m'arrivait *à moi*, prétendait Olive avec modestie — sur quoi Senior Worthington et le jeune Wally protestaient vigoureusement —, mais jamais la récolte ne pourrait survivre, continuait-elle, si nous perdions Ray Kendall.

Elle voulait dire que sans Raymond rien ne marcherait : on serait obligé d'acheter tout à neuf, et très vite le neuf ne marcherait pas mieux que le vieux entretenu par Ray.

— Maman, je me demande vraiment, répondit le jeune Wally, si Heart's Haven et Heart's Rock pourraient survivre sans Raymond Kendall.

— Je bois à cette idée, déclara Senior Worthington.

Et il s'empressa de le faire.

Aussitôt, Olive prit un air tragique, et le jeune Wally s'efforça de changer de sujet.

Bien que Ray Kendall travaillât deux heures par jour à Ocean View, on ne le voyait jamais manger une pomme ; il ne mangeait du homard que rarement (il préférait le poulet, les côtes de porc ou même le bifteck haché). Au cours d'une régate de l'Haven Club, plusieurs marins prétendirent qu'ils avaient senti Ray Kendall fricasser un hamburger à bord de son langoustier pendant qu'il relevait ses casiers.

Mais si l'on critiquait souvent Ray pour son idéologie du travail et pour la façon dont il se plaisait à étaler ce travail autour de lui, nul ne

157

pouvait trouver un seul défaut en sa jolie fille — sauf le défaut de son nom, qui n'était pas de sa faute à elle. (Qui songerait à se nommer Candice et donc à devenir Candy — bonbon — pour tout le monde ?) Il s'agissait du nom de sa défunte mère, dont ce n'était pas la faute non plus. Candice « Candy » Kendall portait donc le nom de sa mère, morte en couches. Raymond avait baptisé sa fille en souvenir de son épouse disparue, que tout le monde avait aimée et qui, de son temps, avait maintenu un peu plus en ordre les abords du vivier à langoustes. Qui oserait trouver un défaut à un nom donné par amour ?

Il suffit de savoir qu'elle n'était pas faite de sucre candi : adorable mais sans fausse douceur ; grande, d'une beauté naturelle, non de celle qui plaît aux foules. Au premier regard, elle inspirait une confiance sans réserve ; elle était à la fois amicale et pratique — courtoise, dynamique, ferme dans la controverse sans jamais s'emporter. Elle ne se plaignait que de son nom, et toujours dans la bonne humeur. (Elle ne blessait jamais les sentiments de son père — ni ceux des autres, sauf peut-être à son insu.) Elle associait, semblait-il, l'enthousiasme et l'acharnement au travail de son père à l'éducation raffinée qu'il lui avait payée — elle s'adaptait avec la même facilité au travail et à la frivolité. D'autres jeunes filles de l'Haven Club (ou du reste d'Heart's Haven et d'Heart's Rock) ne voyaient probablement pas sans jalousie l'intérêt que le jeune Wally Worthington lui portait, mais aucune d'elles ne la détestait. Si elle était née orpheline — disons à Saint Cloud's —, la moitié de la population de l'endroit serait tombée amoureuse d'elle.

Même Olive Worthington l'aimait, or Olive nourrissait des soupçons sur toutes les jeunes filles qui accordaient des rendez-vous à Wally ; elle se demandait ce qu'elles espéraient de lui. Jamais elle n'oublierait l'acharnement avec lequel elle avait désiré fuir son propre milieu et accéder à une existence Worthington embellie par les pelouses et les pommes d'Ocean View ; le souvenir qu'elle conservait de son jeune moi incitait Olive à avoir l'œil sur les jeunes filles plus intéressées par Ocean View que par Wally lui-même. Olive savait que ce n'était pas le cas de Candy, apparemment persuadée que son existence au-dessus du vivier de crustacés grouillants représentait la perfection ; elle adorait le côté bourru de son père autant qu'elle était fière de son ingéniosité — dont elle profitait amplement. Elle n'avait pas soif d'argent, et elle préférait emmener Wally nager dans l'océan, au large de la jetée perfide et encombrée de son père, plutôt que dans la piscine de l'Haven Club ou dans celle d'Ocean View, où elle se savait toujours la bienvenue. Pour tout dire, Olive Worthington trouvait même Candy Kendall presque trop bonne pour son fils, qu'elle jugeait plutôt instable, ou en tout cas peu porté au travail — elle vous aurait assuré qu'il était charmant et d'excellent caractère, vraiment.

Entrait également en ligne de compte la douleur vague que Candy provoquait en Olive chaque fois qu'elle revoyait l'image de sa propre mère, Maud (pétrifiée à jamais au milieu de ses fards et de ses bigorneaux) : Olive enviait Candy pour son amour parfait de *sa* mère (qu'elle n'avait jamais vue) ; devant la bonté absolue de la jeune fille, Olive se sentait coupable de tout le mépris qu'elle éprouvait pour ses propres origines (le silence de sa mère, l'échec de son père, la vulgarité de son frère).

Candy rendait un culte aux petits autels que Raymond Kendall avait construits à sa mère — c'étaient des bouts d'autels rafistolés — dans toutes les pièces au-dessus du vivier, où ils habitaient parmi les gazouillis des bacs à homards. Et il y avait partout des photographies de la mère de Candy dans sa jeunesse, souvent avec le père de Candy au même âge (si jeune qu'on ne pouvait le reconnaître, avec un sourire permanent, si peu ressemblant que Candy le trouvait parfois aussi lointain que sa mère).

La mère de Candy arrondissait (prétendait-on) les angles de Ray. Elle avait l'esprit solaire, se tenait au courant de tout, et possédait l'énergie sans limites que Raymond Kendall consacrait à son travail et que Candy déployait généreusement en toutes choses. Sur la table à café de la cuisine, à côté d'une magnéto et d'un circuit d'allumage démonté (appartenant à l'Evinrude), se trouvait un triptyque de clichés de Ray et de Candice le jour de leur mariage — la seule fois où Ray Kendall s'était rendu à l'Haven Club sans être en bleu de travail pour une réparation quelconque.

Dans la chambre de Ray, sur la table de nuit, à côté de l'interrupteur à bascule cassé du Johnson (du moteur intérieur Johnson ; il y avait aussi un hors-bord Johnson), trônait une photo de Candice et de Ray — tous les deux en pantalon de ciré, en train de relever des casiers par une forte houle. (Et tout le monde pouvait voir, mais surtout Candy, que Candice était enceinte *et* acharnée au travail.)

Dans sa propre chambre, Candy gardait la photo de sa mère quand celle-ci avait son âge (qui était l'âge d'Homer Wells, exactement) : la jeune Candice Talbot, des Talbot d'Heart's Haven — les Talbot qui appartenaient depuis toujours à l'Haven Club. Elle portait une robe longue toute blanche (sans doute pour le tennis !) et elle ressemblait trait pour trait à Candy. La photo avait été prise l'été où elle avait rencontré Ray (plus âgé, fort, sombre et déterminé à réparer tout, à tout faire marcher) ; il avait peut-être un air de péquenot, un air un peu trop sérieux, mais ses ambitions étaient très claires et, à côté de lui, les garçons de l'Haven Club semblaient tous des petits crevés, des fils à papa pourris.

Candy possédait la blondeur de sa mère ; plus sombre que la blondeur de Wally et que l'ancienne blondeur d'Olive Worthington. Elle avait la peau mate et les yeux marron foncé de son père, ainsi que sa taille. Ray Kendall était grand (inconvénient pour un langoustier et pour un mécanicien, disait-il souvent en riant, à cause de l'effort à fournir par le creux des reins quand on remonte les casiers à homards — on est presque toujours en train de soulever dans ce métier — et parce qu'un mécanicien doit toujours ramper sous quelque chose ou se pencher au-dessus). Candy était donc très grande pour une femme, ce qui intimidait Olive Worthington — juste un peu — mais ne constituait à ses yeux qu'un défaut mineur : comme partenaire idéale de Wally, Candy Kendall la satisfaisait presque pleinement.

Olive Worthington, elle-même assez grande (plus grande que Senior, notamment quand Senior titubait), lançait des regards plutôt hostiles à toute personne plus grande qu'elle. Son fils Wally était plus grand lui aussi, ce qu'Olive trouvait parfois gênant — notamment quand elle désirait le réprimander.

— Candy est-elle plus grande que toi, Wally ? lui demanda-t-elle une fois, d'une voix soudain alarmée.

— Non, maman, nous avons exactement la même taille, répondit Wally à sa mère.

Mais un autre détail troublait légèrement celle-ci lorsqu'elle les voyait ensemble : ils avaient l'air physiquement identiques. Leur attirance l'un pour l'autre n'était-elle pas une forme de narcissisme ? s'inquiétait Olive. Et comme ils n'étaient encore que des enfants, ne se considéraient-ils pas mutuellement comme le frère et la sœur dont ils avaient toujours eu envie ? Wilbur Larch se serait bien entendu avec Olive Worthington ; elle avait le don de s'inquiéter pour rien. Ensemble, ils auraient remporté la palme de l'inquiétude devant le reste du monde.

Ils pensaient aussi l'un et l'autre qu'il existe vraiment un « reste du monde », concept qui signifiait pour eux le monde entier — le monde en dehors de ce qu'ils avaient bâti. Ils étaient tous les deux assez intelligents pour savoir pourquoi ils redoutaient tellement cet autre monde : ils comprenaient pleinement que, malgré leurs efforts considérables, ils ne maîtrisaient que de façon marginale les mondes fragiles qu'ils avaient créés.

Au cours de l'été 194..., lorsque Candy Kendall et Wally Worthington tombèrent amoureux l'un de l'autre, tout le monde à Heart's Haven et à Heart's Rock savait depuis toujours que cela devait arriver — on s'étonna seulement qu'il leur ait fallu tellement de temps pour se découvrir. Depuis des années les deux bourgades les jugeaient parfaits l'un pour l'autre. Même l'irritable Raymond Kendall approuva. Ray trouvait Wally « déconcentré », ce qui n'était pas synonyme de paresseux, et chacun pouvait voir que le jeune homme avait bon cœur. Ray approuvait aussi la mère de Wally ; la façon dont Olive Worthington respectait le travail lui plaisait beaucoup.

Tout le monde était navré de voir le pauvre Senior tellement déphasé : l'alcool (pensait-on) l'avait vieilli du jour au lendemain.

— Bientôt, Alice, ce type va pisser dans son froc en public, dit à Olive le peu délicat Bucky Bean.

Et Candy estimait qu'Olive Worthington ferait une belle-mère parfaite. Quand elle rêvait de sa propre mère — vieillie plus que la vie ne le lui avait permis, d'une vieillesse naturelle vécue dans un monde meilleur —, Candy la voyait toujours sous les traits d'Olive Worthington. Candy espérait en tout cas que sa mère aurait acquis le raffinement d'Olive, sinon (peut-être) son accent Nouvelle-Angleterre adopté à l'université. Candy entrerait à l'université l'année suivante (supposait-elle) et n'avait aucune intention d'y apprendre un accent. Mais, l'accent excepté, Candy trouvait Olive Worthington merveilleuse ; quant à Senior, c'était bien triste, mais il semblait très doux.

Donc tout le monde se félicita de cette histoire d'amour destinée à devenir un mariage béni du ciel : la plus belle des histoires d'amour vécues à Heart's Haven et à Heart's Rock. Il était entendu que Wally finirait d'abord ses études supérieures, et que Candy pourrait terminer les siennes, si elle le désirait, avant le mariage. Mais, étant donné la nature inquiète d'Olive Worthington, on aurait pu croire qu'elle avait prévu tout ce qui risquait de provoquer un changement de plans. On était en 194..., il y avait une guerre en Europe ; bien des gens estimaient que très vite l'Europe ne serait pas le seul continent impliqué ; pourtant Olive, en bonne mère, ne songeait qu'à chasser la guerre de son esprit.

Wilbur Larch, au contraire, pensait beaucoup à l'Europe ; il avait fait la guerre précédente et prévoyait qu'il y en aurait une autre juste au moment où Homer Wells aurait l'âge d'y participer. Comme ce

161

serait un mauvais âge, le bon docteur s'était déjà donné bien du mal pour qu'Homer Wells ne soit pas appelé, en cas de mobilisation.

Larch était après tout le seul historien de Saint Cloud's ; il rédigeait les seules annales de l'endroit ; en général, il suivait fidèlement la réalité, qui n'était pas si simple, mais il s'était également essayé à la fiction. Dans le cas de Fuzzy Stone, par exemple — et dans les autres cas, très rares, d'orphelins décédés en dépit de ses soins —, le dénouement réel n'avait pas plu à Wilbur Larch, et il s'était refusé à noter noir sur blanc la fin réelle de ces petites vies prématurément écourtées. N'était-il pas juste que Larch prenne ces libertés — si c'était pour s'offrir de temps en temps le plaisir d'un dénouement heureux ?

Dans le cas des rares enfants décédés, Wilbur Larch leur avait inventé une plus longue vie. Par exemple, l'histoire de F. Stone ressemblait beaucoup à une monographie sur ce que Wilbur Larch désirait pour Homer Wells. A la suite de l'adoption parfaitement réussie de Fuzzy (chaque membre de la famille adoptive faisait l'objet d'une description scrupuleuse) et de la plus saisissante guérison imaginable des troubles respiratoires de Fuzzy, le jeune homme faisait des études brillantes au Bowdoin College, pas moins (l'*alma mater* de Wilbur Larch), puis étudiait la médecine à Harvard. Suivant toujours les traces de Larch, il devenait interne à l'Hôpital général du Massachusetts puis à la Maternité de Boston. Larch voulait faire de Fuzzy Stone un gynécologue dévoué et compétent ; l'histoire imaginaire de l'orphelin était fabriquée avec la minutie que Wilbur Larch apportait à toute chose — à l'exception peut-être de son utilisation de l'éther — et Larch pouvait constater, enchanté, que son invention semblait plus convaincante que le destin réel de certains autres enfants.

Snowy Meadows, par exemple, avait été adopté par une famille de Bangor portant le nom de Marsh. Qui oserait croire que des prairies (*meadows*) puissent devenir un marais (*marsh*) ? Wilbur Larch se flattait de créer de meilleures histoires que ça. Les Marsh avaient une affaire de meubles, et Snowy (rebaptisé Robert sans la moindre fantaisie) fréquenta l'Université du Maine seulement quelques mois avant d'épouser une beauté locale et d'entrer comme vendeur dans l'affaire de meubles de la famille Marsh.

« C'est pour de bon, écrirait Snowy au Dr Larch au sujet de la jeune fille pour l'amour de qui il interrompait ses études. Et j'aime vraiment le commerce des meubles ! »

Dans chacune de ses lettres au docteur, Snowy Meadows. alias

Robert Marsh, demandait : « A propos, qu'est-il arrivé à Homer Wells ? » La prochaine fois, se disait Larch, Snowy Meadows va proposer une rencontre ! Il grommelait dans sa barbe pendant plusieurs jours, réfléchissant à ce qu'il pourrait raconter à Snowy Meadows sur Homer. Il aurait aimé se vanter de la procédure parfaite de son jeune disciple avec la patiente éclamptique, mais il savait que la formation d'Homer Wells par ses soins — comme l'œuvre de Dieu et l'œuvre du Diable pratiquées à Saint Cloud's — ne lui vaudrait pas l'approbation de tous.

« Homer est encore avec nous », écrivait Larch à Snowy, en restant dans le vague. Snowy est un fouineur, concluait Larch — il ne manquait jamais non plus de demander des nouvelles de Fuzzy Stone dans chacune de ses lettres.

« Qu'arrive-t-il à Fuzzy, ces temps-ci ? » écrivait Snowy, et Wilbur Larch se reportait méticuleusement au destin qu'il avait donné à Fuzzy — juste pour tenir Snowy au courant.

Snowy demandait aussi l'adresse de Fuzzy Stone, mais Larch oubliait de répondre. Il était convaincu que le jeune vendeur de meubles Robert Marsh n'était qu'un sot obstiné — si on lui donnait les adresses d'autres orphelins, il était bien capable de remuer ciel et terre pour créer un Club d'orphelins ou une Association d'anciens de Saint Cloud's. Larch se plaignit même de Snowy Meadows à Nurse Edna et à Nurse Angela :

— Je regrette que *celui-là* n'ait pas été adopté par une famille hors du Maine, et très loin. Ce Snowy Meadows est tellement stupide ! Il m'écrit comme si je dirigeais une pension normale ! Bientôt, il va me demander de publier un bulletin des anciens élèves !

Larch s'aperçut aussitôt que c'était une remarque déplacée à faire devant Nurse Edna et Nurse Angela. Les deux chères dames — chères mais sentimentales — auraient sauté à pieds joints sur l'idée d'un bulletin des anciens. Chaque orphelin qu'elles donnaient leur manquait. S'il n'avait tenu qu'à elles, il y aurait eu des rencontres d'anciens organisées tous les ans. Tous les *mois* ! se dit Larch, et il s'éloigna en grommelant.

Il s'allongea dans la pharmacie. Il songea à une légère modification qu'il avait eu l'habileté de faire dans le dossier d'Homer Wells ; il en parlerait au jeune homme un jour, si la situation l'exigeait. Car ce détail fictif qu'il avait si habilement intégré à l'histoire réelle d'Homer Wells l'enchantait en tout point. Bien entendu, il n'avait jamais évoqué noir sur blanc la formation médicale d'Homer ; il s'était incriminé plusieurs fois lui-même par ce qu'il avait écrit sur les

163

avortements, mais il estimait qu'Homer Wells ne devait pas apparaître dans ce genre d'annales écrites. Pour tout dire, Wilbur Larch avait noté que le jeune homme avait le cœur malade, faible et délicat depuis sa naissance. Larch avait même pris la peine de réécrire sa première note sur Homer, ce qui l'avait obligé à chercher du papier d'autrefois et à redactylographier péniblement toute l'histoire antérieure — réelle — du jeune homme. Bref, il était parvenu à placer la faiblesse cardiaque aux bons endroits. La référence demeurait toujours vague, manquait de précision médicale — trait peu caractéristique du docteur. Les mots « maladie », « délicat », « faiblesse » n'auraient pas convaincu un bon détective, ni même un bon médecin — le médecin qu'il faudrait peut-être convaincre un jour, imaginait Larch. En fait, il se demandait même s'il pourrait convaincre Homer lui-même, étant donné ce qu'Homer avait appris. Mais la question ne se poserait que quand la situation se présenterait, si elle se présentait.

La situation à laquelle songeait le docteur était évidemment la guerre, la guerre d'Europe, comme on disait ; Larch, comme bien d'autres, craignait que le conflit ne reste pas là-bas. (Il s'imaginait contraint d'avouer au jeune homme : « Désolé, Homer, je ne voudrais pas t'inquiéter, mais tu as le cœur faible ; il ne supporterait pas une guerre. ») Larch voulait dire en fait que son propre cœur ne supporterait pas qu'Homer Wells parte à la guerre.

L'amour de Wilbur Larch pour Homer Wells s'étendait même aux libertés qu'il prenait avec l'histoire, domaine où il était amateur, néanmoins respectueux. (Dans une note précédente du dossier d'Homer Wells — note que le Dr Larch avait supprimée car elle supposait un ton de voix incorrect, ou au moins un ton de voix inhabituel pour un texte d'histoire —, il avait écrit : « Je n'aime rien ni personne autant que j'aime Homer Wells. Point final. »)

Ainsi donc, Wilbur Larch s'était mieux préparé qu'Olive Worthington au fait qu'une guerre pouvait changer des plans importants. L'autre cause, plus probable, de changement dans les plans de mariage de son fils avec Candy Kendall — autre modification éventuelle des projets des jeunes amoureux — avait été bel et bien prévue par Olive : une grossesse non désirée. Dommage qu'elle n'eût pas été prévue par Candy ou Wally.

Quand Candy tomba enceinte (elle était vierge jusque-là), Wally et elle furent désespérés, mais également surpris. Olive aurait été désespérée elle aussi (si elle l'avait su), mais non surprise. Et aucune grossesse ne pouvait surprendre Wilbur Larch : il savait que ces choses-là se produisent tout le temps — et par accident. Mais Candy

Kendall et Wally Worthington, si beaux, emportés par leur élan et la sincérité de leurs sentiments, en furent atterrés. Ils n'étaient pas du genre à avoir honte, à être incapables de tout dire à leurs parents ; mais la perspective de modifier leurs plans parfaits — d'être contraints de se marier avant la date prévue — les consternait.

Wally Worthington avait-il besoin d'un diplôme universitaire pour hériter du verger de pommiers de ses parents ? Évidemment pas. Candy Kendall avait-elle besoin de fréquenter l'université ? Non. Ne pouvait-elle acquérir par elle-même éducation et raffinement ? Bien entendu ! De toute façon, Wally n'était guère un étudiant brillant, n'est-ce pas ? C'était l'évidence même. Il préparait une licence de botanique, sur l'instance de sa mère uniquement — Olive s'était dit que l'étude des plantes stimulerait peut-être son fils : il deviendrait un planteur de pommiers plus enthousiaste et compétent.

— Il est exact que nous ne sommes pas prêts, dit Candy à Wally. Je veux dire : nous ne le sommes pas, n'est-ce pas ? Toi, tu te sens prêt ?

— Je t'aime, répondit Wally.

C'était un brave garçon, un garçon sincère, et Candy — qui n'avait pas versé une seule larme à la nouvelle surprenante qu'elle attendait un enfant — l'aimait aussi.

— Mais ce n'est pas le bon moment pour nous, n'est-ce pas, Wally ? lui demanda Candy.

— Je suis prêt à t'épouser n'importe quand, dit-il en toute sincérité.

Mais il ajouta une chose à laquelle la jeune fille n'avait pas songé. Il avait pensé à la guerre en Europe, *lui,* même si sa mère avait préféré l'oublier. Il lança :

« Et s'il y a une guerre — je veux dire : si nous étions impliqués dans le conflit ?

— Si *quoi ?* demanda Candy, vraiment choquée.

— Je veux dire : si nous étions en guerre, je partirais — il le faudrait, j'en aurais envie, répondit Wally. Mais s'il y avait un enfant, ce ne serait pas juste... de partir à la guerre.

— Quand est-il juste de faire la guerre, Wally ? lui demanda Candy.

— Eh bien, je veux dire, il faudrait que j'y aille, c'est tout — si nous étions en guerre... Je veux dire, c'est notre pays, et puis c'est une expérience — je ne pourrais pas manquer ça.

Elle le gifla et se mit à pleurer — de rage.

— C'est une expérience ! Tu as envie d'aller à la guerre pour l'expérience !

— Euh... pas si nous avons un enfant — dans ce cas ce ne serait pas juste, répondit Wally. N'est-ce pas ?

Il était aussi innocent que la dernière pluie, et à peu près aussi irréfléchi.

— Et *moi ?* cria Candy, encore sous le choc — et encore plus surprise de l'avoir giflé.

Elle posa la main très doucement à l'endroit où la joue était écarlate.

« Avec ou sans enfant, quelle serait ma vie si tu partais à la guerre ?

— Eh bien, euh... Ce ne sont que des « si », pas vrai ? demanda Wally. Un point sur lequel réfléchir, ajouta-t-il. Surtout pour cette affaire d'enfant — je crois. Si tu vois ce que je veux dire.

— Je pense que nous devrions essayer de ne pas avoir ce bébé, lui dit Candy.

— Je ne veux pas que tu ailles dans un de ces endroits où il n'y a pas de vrai docteur, répondit Wally.

— Bien sûr, convint-elle. Mais y a-t-il de vrais docteurs qui font ça ?

— Je n'en ai pas entendu parler, admit Wally.

Il était beaucoup trop gentleman pour lui dire ce qu'il avait appris : à savoir qu'un boucher de Cape Kenneth vous faisait ça pour cinq cents dollars. Il fallait se rendre sur un parc à voitures, placer un bandeau sur ses yeux et attendre. On y allait seule. Quelqu'un vous prenait par le bras pour vous conduire chez le boucher ; on vous ramenait quand le boucher avait terminé — vous restiez les yeux bandés du début à la fin. Et le pire, c'était que vous deviez paraître absolument hystérique devant un docteur de l'endroit, à la respectabilité sans tache, pour qu'il accepte de vous indiquer le parking et le moyen d'entrer en contact avec le boucher. Si votre numéro de folie laissait à désirer, si vous n'étiez pas complètement cinglée, le docteur refusait de vous mettre en rapport avec le boucher.

Telle était l'histoire que Wally avait entendu raconter, et il n'avait pas du tout envie que Candy la vive. De toute manière, jamais Candy ne pourrait paraître suffisamment affolée. Wally aurait préféré le bébé à tout ça ; il épouserait Candy et en serait parfaitement heureux ; c'était de toute façon ce qu'il désirait pour plus tard.

Le récit que Wally avait entendu était en partie vrai. Il fallait vraiment consulter le digne médecin de la ville et jouer la comédie de la folie frénétique. Si le docteur vous croyait prête à vous noyer, il vous indiquait le parc à voitures et le moyen de contacter le boucher. Ce que Wally ignorait était la partie la plus humaine de l'histoire. Si vous étiez calme, raisonnable, bien articulée et saine d'esprit, le docteur sautait la mise en scène du parking et du boucher ; si vous aviez l'air d'une femme normale incapable de le dénoncer plus tard — le docteur vous avortait tout simplement, dans son cabinet, pour cinq cents dollars. Et si vous vous conduisiez comme une cinglée, il vous avortait également, toujours dans son cabinet, pour les mêmes cinq cents dollars. La seule différence, c'était, dans le second cas, que vous étiez obligée d'attendre les yeux bandés dans un parc à voitures, en croyant que vous alliez être opérée par un boucher ; voilà ce que vous valait votre numéro de folie. Ce qui était injuste, dans les deux cas, c'étaient les cinq cents dollars réclamés par le docteur.

Mais Wally Worthington ne rechercha pas la vérité sur ce docteur, ou soi-disant boucher. Il espérait obtenir des renseignements sur un autre avorteur, quelque part, et il avait une idée vague des personnes à interroger sur ce sujet. Demander conseil aux membres de l'Haven Club ne servirait pas à grand-chose ; il avait appris qu'une des jeunes femmes avait effectué une croisière en Suède pour un avortement, mais c'était hors de question pour Candy.

Wally soupçonnait les ouvriers des vergers d'Ocean View d'utiliser en la circonstance un remède moins extravagant ; il savait aussi que ces hommes l'aimaient bien et que, à de rares exceptions près, on pouvait leur faire confiance pour garder ce que Wally considérait comme une confidence d'homme à homme sur le sujet. Il s'adressa d'abord à l'unique célibataire du personnel des vergers, supposant que les célibataires (et celui-ci était un coureur notoire) avaient l'occasion de faire appel à des avorteurs davantage que les hommes mariés. Wally s'aboucha donc avec un ramasseur de pommes du nom d'Herb Fowler, âgé d'à peine quelques années de plus que lui — beau garçon dans le genre trop sec, trop cruel, avec une moustache trop fine sur sa lèvre sombre.

La petite amie actuelle d'Herb Fowler travaillait à l'entrepôt d'emballage pendant la récolte ; aux moments de l'année où le comptoir de vente était ouvert, elle aidait les autres vendeuses de pommes. Elle était plus jeune qu'Herb, une fille du village à peu près du même âge que Candy — Louise Tobey de son nom, et les hommes l'appelaient Squeeze Louise (Pince-moi Louise), ce qui ne gênait apparemment pas Herb. Le bruit courait qu'il fréquentait d'autres filles ; il avait l'habitude épouvantable de garder sur lui des quantités de préservatifs — à toute heure du jour et de la nuit — et, dès qu'on parlait de sexe en sa présence, Herb Fowler fouillait dans ses poches à la recherche d'une capote et la lançait à son interlocuteur (enveloppée dans son petit carton, bien entendu). Il lançait un préservatif et disait :

167

— Tu vois ça ? Pour un homme, c'est la liberté.

Wally avait déjà reçu ainsi plusieurs capotes anglaises, et la plaisanterie d'Herb commençait à le fatiguer. D'ailleurs il n'était pas d'humeur à la subir une fois de plus, étant donné les circonstances — mais il se disait qu'Herb Fowler était bien le genre d'homme à qui poser la question ; car, malgré ses capotes anglaises, il devait toujours faire des ennuis aux filles. D'une manière ou d'une autre, Herb représentait des ennuis pour toutes les filles de la terre.

— Salut Herb, lui lança Wally.

C'était une journée pluvieuse de la fin du printemps ; l'université avait fermé ses portes et Wally se mit à travailler à côté d'Herb dans la salle de stockage, toujours vide au printemps. Il vernissait des échelles, et, après les échelles, il se mettrait à peindre les rubans des élévateurs mécaniques qui tournaient à temps complet quand l'entrepôt d'emballage fonctionnait à plein rendement. Chaque année, on repeignait tout.

— Ouais, c'est mon nom, dit Herb.

Il avait la cigarette constamment piquée au coin des lèvres et ses yeux restaient toujours mi-clos ; et il maintenait son long visage penché en arrière pour aspirer par le nez le tortillon de fumée.

— Herb, je me demandais..., dit Wally. Si tu mettais une fille enceinte, qu'est-ce que tu ferais ? Connaissant tes idées, ajouta Wally finement, sur la nécessité de rester libre.

C'était voler à Herb sa meilleure réplique, et cela dut le froisser. Il avait déjà une capote à la sortie de sa poche, prête à voler vers Wally pendant qu'il lancerait sa sentence habituelle sur le sujet, mais le fait que Wally l'ait prononcée à sa place le força à arrêter l'élan de sa main. Jamais il ne sortit le préservatif tout à fait.

. — Qui as-tu mis en cloque ? demanda Herb à la place.

Wally le corrigea.

— Je n'ai pas dit que j'avais mis une fille en cloque. Je t'ai demandé ce que tu ferais, *toi*, si...

Herb Fowler déçut beaucoup Wally. Tout ce qu'il connaissait était le même parking mystérieux de Cape Kenneth — l'histoire du bandeau sur les yeux, du boucher et des cinq cents dollars.

— Peut-être que Meany Hyde sait quelque chose, ajouta Herb. Pourquoi ne demanderais-tu pas à Meany ce qu'il ferait, lui, s'il mettait une femme en cloque !

Herb Fowler sourit à Wally — ce n'était pas un homme gentil — mais Wally ne satisfit pas sa curiosité ; il lui rendit simplement son sourire.

Meany Hyde, au contraire, était très gentil. Il avait grandi avec une bande de frères plus âgés qui le tabassaient et l'humiliaient constamment. Ses frères l'avaient surnommé Meany, le Méchant — probablement pour lui brouiller l'esprit. Meany était toujours aimable ; il avait une femme toujours aimable, Florence, qui travaillait à l'emballage et au comptoir de vente ; ils avaient eu tellement d'enfants que Wally ne pouvait se souvenir de tous leurs noms et les distinguer les uns des autres, il avait donc du mal à imaginer que Meany Hyde sache même ce qu'était un avortement.

« Meany écoute tout, lui dit Herb Fowler. As-tu jamais observé Meany ? Qu'est-ce qu'il fait, en dehors d'écouter ?

Wally partit donc à la recherche de Meany Hyde. Meany cirait les planches du pressoir à cidre ; il était responsable du pressoir et, en raison de son caractère doux, on le chargeait souvent de contrôler toutes les activités de la cidrerie — y compris les rapports avec les ouvriers saisonniers qui logeaient dans le chai à cidre pendant la récolte. Olive s'efforçait de tenir Herb Fowler à distance des pauvres ouvrières saisonnières ; le caractère d'Herb n'était pas aussi doux.

Wally regarda Meany Hyde cirer pendant un moment. L'odeur âpre mais propre du cidre fermenté et des vieilles pommes était plus forte par temps humide, mais Meany semblait l'aimer ; elle ne gênait pas Wally non plus.

— Dis-moi, Meany, lança enfin Wally.

— Je croyais que tu avais oublié mon nom, répondit Meany gaiement.

— Meany, que sais-tu sur l'avortement ? demanda Wally.

— Je sais que c'est un péché, dit Meany Hyde, et je sais que Grace Lynch en a fait un — et dans son cas, je suis de tout cœur avec elle, si tu vois ce que je veux dire.

Grace Lynch était l'épouse de Vernon Lynch ; Wally — et tout le monde — savait que Vernon la battait. Ils n'avaient pas d'enfants ; le bruit courait que c'était à cause des coups de Vernon : les organes de reproduction (selon l'expression chère à Homer Wells) de Grace en avaient souffert. Grace travaillait comme pâtissière à l'époque de la récolte et quand le comptoir de vente était en pleine activité ; Wally se demanda si elle travaillait ce jour-là. Il y avait beaucoup à faire dans les vergers par une belle journée de la fin du printemps ; mais quand il pleuvait, on ne pouvait que peindre, laver ou préparer la cidrerie en vue de la récolte.

Cirer les planches du pressoir trop tôt était bien dans le caractère de Meany Hyde. Quelqu'un lui ordonnerait probablement de les recirer, juste avant l'époque de la première pressée [20]. Mais Meany détestait peindre ou lessiver, et quand il pleuvait il pouvait passer des journées entières à bichonner son pressoir bien-aimé.

« Qui connais-tu, qui ait besoin d'un avortement, Wally ? demanda Meany Hyde.

— L'amie d'un ami, répondit Wally, qui lui aurait volontiers donné un préservatif de la poche d'Herb Fowler — mais Meany était gentil, il ne prenait jamais plaisir à la malchance d'autrui.

— C'est une honte, Wally, dit Meany. Je crois que tu devrais parler à Grace à ce sujet, mais pas quand Vernon est dans les parages.

Recommandation inutile : Wally avait souvent vu les bleus sur les bras de Grace Lynch, à l'endroit où Vernon l'avait serrée pour la corriger. Un jour, il l'avait prise par les bras et tirée vers lui, en baissant la tête pour la frapper en plein visage. Le prétexte, c'était que Senior avait payé la prothèse dentaire de Grace. (Elle avait dit à Senior et à Olive qu'elle était tombée dans l'escalier.) Vernon avait également tabassé un Noir, un des saisonniers, dans le verger appelé Vieux Arbres, plusieurs récoltes auparavant. Les hommes lançaient des plaisanteries et le Noir avait proposé une blague de son cru. Vernon n'avait pas apprécié qu'un Noir fasse une plaisanterie touchant à la sexualité — il avait même dit à Wally qu'on devrait empêcher les Noirs d'avoir des rapports sexuels.

— Sinon, bientôt, il y en aura beaucoup trop, avait expliqué Vernon.

Dans le verger des Vieux Arbres, Vernon avait fait basculer le Noir de son échelle et, quand l'homme s'était relevé, Vernon lui avait maintenu les deux bras pour lui démolir le visage à coups de boule, jusqu'à ce qu'Everett Taft, un des contremaîtres, et Ira Titcomb, l'homme des abeilles, aient réussi à le ceinturer. Le Noir avait reçu vingt points de suture à la bouche, aux lèvres et à la langue ; tout le monde savait que Grace Lynch n'avait pas perdu ses dents en tombant dans un escalier.

— Wally ? demanda Meany comme le jeune homme quittait le chai à cidre. Ne dis pas à Grace que c'est moi qui t'ai conseillé de lui parler.

Wally partit donc à la recherche de Grace Lynch. Il lança la camionnette sur le chemin boueux qui séparait le verger appelé la Poêle-à-frire (parce qu'il se trouvait dans un creux et qu'il y régnait une chaleur torride) du verger appelé Doris (d'après la femme de quelqu'un). Il se dirigea ensuite vers le bâtiment appelé Numéro Deux (C'était simplement la deuxième remise à véhicules encombrants ; on remisait les pulvérisateurs dans Numéro Deux parce que le bâtiment était plus isolé et que les pulvérisateurs, et les produits chimiques des traitements, sentaient mauvais)[21]. Vernon Lynch était en train de peindre à l'intérieur ; avec un pistolet pourvu d'un long bec en forme d'aiguille, il donnait une couche de peinture rouge pomme au pulvérisateur Hardie de vingt hectolitres. Vernon portait un masque qui le protégeait des émanations de la peinture (le même masque que les ouvriers quand ils traitent les arbres) et il avait endossé sa tenue de mauvais temps — pantalon et veste de ciré. Wally savait qu'il s'agissait de Vernon bien qu'aucun de ses traits ne fût visible. Vernon avait une façon d'attaquer le travail qui ne permettait pas de se méprendre : Wally remarqua que Vernon peignait le Hardie comme s'il brandissait un lance-flammes. Wally continua son chemin ; il n'avait guère envie de demander à Vernon où se trouvait sa femme ce jour-là.

Au comptoir de vente des pommes, vide à la morte-saison, trois vendeuses bavardaient en fumant une cigarette. Elles n'avaient pas grand-chose à faire ; et, en voyant venir le fils du patron, elles ne jetèrent pas leurs gobelets de café, n'écrasèrent pas leurs mégots et ne filèrent pas dans toutes les directions. Elles s'écartèrent simplement l'une de l'autre en adressant à Wally un vague sourire gêné.

Florence Hyde, la femme de Meany, ne fit même pas semblant de s'occuper ; elle tira une bouffée et lança à Wally :

— Salut, mon chou !

— Salut, Florence, dit Wally, le sourire aux lèvres.

La grosse Dot Taft, qui avait miraculeusement couru presque deux kilomètres avec une piqûre à chaque pas, le soir où Senior avait renversé les abeilles d'Ira Titcomb, posa sa cigarette et ramassa un cageot vide ; puis elle reposa le cageot et se demanda où elle avait laissé son balai.

— Salut, mon mignon, lança Dot à Wally d'un ton joyeux.

— Quoi de neuf ? demanda Wally aux femmes.

— Ici ? rien…, répondit Irene Titcomb, la femme d'Ira.

Elle éclata de rire et détourna la tête. Elle riait toujours — et se détournait pour cacher la cicatrice de son visage brûlé, comme si elle vous rencontrait pour la première fois et voulait en faire un secret. L'accident s'était produit des années plus tôt, et tout le monde à Heart's Haven et à Heart's Rock avait déjà vu la cicatrice d'Irene Titcomb et connaissait les détails exacts de l'histoire.

Un soir, Ira Titcomb avait décidé de veiller toute la nuit dans sa cour avec une torche à essence et un fusil de chasse ; quelque chose était venu déranger ses ruches — probablement un ours ou un raton laveur. Irene connaissait les intentions d'Ira mais au milieu de la nuit,

171

éveillée par les cris de son mari qui l'appelait, elle fut tout de même surprise. Ira se trouvait sur la pelouse et agitait la torche allumée sous la fenêtre de sa femme ; elle ne vit que la torche. Il lui demanda de lui préparer des œufs au bacon, si cela ne l'ennuyait pas trop, parce qu'il s'embêtait tellement à attendre avec son fusil qu'il en avait l'estomac creux.

Irene fredonnait en regardant frire le bacon, quand Ira s'avança à la fenêtre de la cuisine et frappa au carreau pour savoir si son plat était prêt. Rien n'avait préparé Irene à la vision d'Ira dans son costume d'apiculteur, passant des ténèbres à la faible lumière qui tombait de la fenêtre de la cuisine, avec du feu dans ses mains. Elle avait déjà vu maintes fois son mari en tenue d'apiculteur, mais elle ne s'attendait pas à ce qu'il l'endosse pour tirer sur un ours ou un raton. Jamais elle n'avait vu le costume briller à la lueur d'une flamme, jamais elle ne l'avait vu la nuit.

Ira avait enfilé sa tenue parce qu'il s'était dit que son coup de fusil risquait de toucher une ruche et de disperser quelques abeilles. Il n'avait aucune intention de faire peur à sa femme, mais la pauvre Irene regarda par la fenêtre et vit ce qu'elle prit pour une apparition blafarde et flamboyante ! Sans doute était-ce cela qui avait dérangé les ruches ! Le fantôme d'un apiculteur du passé ! Il venait de tuer le pauvre Ira et allait s'attaquer à elle ! La poêle à frire vola dans ses mains et la graisse bouillante du bacon lui aspergea le visage. Irene eut la chance de ne pas perdre la vue.

— Qu'est-ce que tu veux, grand gamin ? demanda la grosse Dot Taft à Wally.

Les vendeuses du comptoir taquinaient Wally et flirtaient avec lui sans fin ; elles le trouvaient splendide et drôle — et ces trois-là le connaissaient depuis sa tendre enfance.

— Il veut nous emmener en balade ! s'écria Irene Titcomb, toujours en riant, et le visage encore détourné.

— Pourquoi ne nous paies-tu pas le ciné, Wally ? lui demanda Florence Hyde.

— Mon Dieu, qu'est-ce que je ferais pas pour toi, Wally, dit Dot Taft, si tu m'emmenais au ciné !

— Ne veux-tu pas nous faire plaisir, Wally ? le supplia Florence d'une voix plaintive.

— Peut-être que Wally veut nous mettre à la porte ! cria Irene Titcomb — et cela déclencha un rire général.

Dot Taft rugit si fort que Florence Hyde avala sa fumée de travers et se mit à tousser, ce qui fit rugir Dot encore plus.

— Grace n'est pas ici, aujourd'hui ? demanda Wally le plus naturellement du monde quand les femmes se furent calmées.

— Oh mon Dieu ! C'est Grace qu'il veut ! s'écria Dot Taft. Mais qu'a-t-elle donc de plus que nous ?

Des bleus, se dit Wally. Des os brisés, des fausses dents — et sûrement des douleurs pas fausses.

— Je veux simplement lui demander quelque chose, murmura Wally avec un sourire timide — une timidité affectée ; il manœuvrait toujours très bien au milieu des vendeuses du comptoir.

— Je parie qu'elle dira non ! lança Irene Titcomb en gloussant.

— Tu parles ! Tout le monde dit oui à Wally, répliqua Florence Hyde, mutine.

Wally laissa les rires s'apaiser. Puis Dot Taft lui dit :

— Grace est en train de nettoyer le four à tartes.

— Merci, mesdames, lança Wally en s'inclinant.

Il sortit à reculons en leur envoyant des baisers.

— Tu es un méchant, Wally, lui dit Florence Hyde. Tu n'es venu ici que pour nous rendre jalouses.

— Cette Grace doit avoir un four chaud, lança Dot Taft — et ces mots déclenchèrent une nouvelle tempête de rires et de toux.

— Ne va pas te brûler, Wally ! cria Irene Titcomb vers la porte — et le jeune homme laissa les femmes du comptoir à leurs cigarettes et à leurs bavardages, plus animés qu'à son arrivée.

Rien d'étonnant à ce que Grace Lynch fût tombée sur le plus ingrat des travaux à faire un jour de pluie. Les autres femmes avaient pitié d'elle, mais Grace n'était pas une des leurs. Elle se tenait à l'écart, comme si elle craignait toujours qu'on ne se retourne soudain contre elle pour la battre aussi sauvagement que Vernon — comme si les coups auxquels elle avait survécu jusqu'ici avaient tué en elle l'humour nécessaire pour échanger des commérages sur un pied d'égalité avec Florence, Irene et Dot.

Grace Lynch était beaucoup plus mince et un peu plus jeune que les trois autres ; sa minceur était exceptionnelle parmi les femmes du comptoir. Même la petite amie d'Herb Fowler (Pince-moi Louise) avait l'air mieux en chair que Grace, et la petite sœur de Dot Taft, Debra Pettigrew — qui travaillait presque en permanence à la saison des tartes et quand la chaîne d'emballage des pommes tournait à plein —, même Debra avait plus de formes que Grace sur les os.

Et comme elle avait besoin de dents neuves, Grace était encore plus « bouche cousue » que de coutume ; le trait fin de sa bouche exprimait une concentration morose. Wally ne se souvenait pas d'avoir vu Grace rire — or il fallait tout de même un peu de bonne humeur pour dissiper l'ennui qui régnait au comptoir de vente. Parmi les autres vendeuses, Grace faisait figure de chien battu. Elle ne prenait aucun plaisir, semblait-il, à manger des tartes, ni à manger quoi que ce fût. Elle ne fumait pas, et en 194... tout le monde fumait — même Wally. Elle avait peur du bruit et baissait la tête en passant devant les machines.

Wally espéra qu'elle porterait une robe à manches longues, pour éviter le spectacle des bleus sur ses bras ; quand il la trouva, Grace était penchée à l'intérieur d'un des compartiments profonds du four à tartes ; elle portait en effet un corsage à manches longues, mais elle avait retroussé les deux manches au-dessus du coude pour ne pas les tacher de noir. Wally la surprit la tête dans le four, ainsi que la moitié du corps ; Grace poussa un petit cri et se cogna le coude contre le gond de la porte en voulant se reculer trop vite.

— Désolé de vous avoir fait peur, Grace, se hâta de dire Wally — on avait du mal à s'approcher de Grace sans la faire se cogner ici ou là.

Elle ne répondit pas ; elle se frotta le coude ; puis elle croisa et décroisa ses bras maigres, pour cacher ses tout petits seins, ou bien pour dissimuler ses bleus en bougeant sans cesse les bras. Elle ne regardait jamais Wally dans les yeux ; si calme et sûr de lui que fût Wally, il éprouvait toujours une violente tension lorsqu'il essayait de parler à Grace ; il avait l'impression qu'elle allait soudain s'enfuir, ou bien se jeter sur lui — pour l'attaquer toutes griffes dehors, ou bien pour l'embrasser de sa langue pointue.

Il se demanda si elle n'avait pas interprété les regards qu'il lançait sur son corps à la recherche de nouveaux bleus comme une forme d'intérêt sexuel.

« Grace ? demanda Wally — et Grace se mit à trembler.

Elle serrait si fort son tampon à récurer que des filets de saleté coulèrent sur son bras, puis mouillèrent son corsage à la taille et son bleu de travail sur sa hanche osseuse. Une dent unique, probablement fausse, parut dans sa bouche et mordit un petit bout de lèvre inférieure.

« Euh... Grace, dit Wally. J'ai un problème.

Elle le fixa du regard comme si cette nouvelle l'épouvantait davantage que tout ce qu'elle avait pu entendre depuis sa naissance. Elle détourna très vite les yeux et murmura :

— Je suis en train de nettoyer le four.

Wally crut un instant qu'il allait être obligé de la saisir à bras-le-corps pour l'empêcher de replonger dans le four. Il comprit soudain que tous ses secrets — tous les secrets de n'importe qui — étaient en parfaite sécurité avec Grace Lynch. Elle n'oserait jamais dire quoi que ce fût, et, même si elle parvenait à en avoir le courage, elle n'avait dans sa vie personne à qui parler.

— Candy est enceinte, dit Wally à Grace, qui chancela sous le choc comme si la bise s'était levée — ou comme si les fortes émanations d'ammoniaque du décapant l'avaient suffoquée.

Elle regarda de nouveau Wally avec des yeux ronds de lapin.

« J'ai besoin d'un conseil, continua Wally.

Il lui vint à l'esprit que, si Vernon Lynch le surprenait en train de parler à sa femme, il y verrait sans doute une bonne raison pour flanquer à Grace une autre volée.

« Je vous en prie, dites-moi seulement ce que vous savez, Grace, lui dit Wally.

Grace Lynch cracha le mot entre ses lèvres crispées.

— Saint Cloud's, lança-t-elle — ce n'était qu'un murmure sifflant.

Wally crut qu'il s'agissait du nom de quelqu'un — le nom d'un saint ? Ou bien le surnom d'un avorteur exceptionnellement mauvais — Saint Cloud's ! Grace Lynch, de toute évidence, n'avait jamais de chance. Si elle s'était rendue chez un avorteur, n'était-ce pas le pire avorteur imaginable ?

« Je ne connais pas le nom du docteur, avoua Grace, toujours dans un murmure et sans regarder Wally — plus jamais elle ne lèverait les yeux vers lui. L'endroit s'appelle Saint Cloud's et le docteur est très bon — il est comme qui dirait gentil et il fait ça bien. (Pour elle, cela représentait un sermon — au moins un discours.) Mais n'obligez pas Candy à y aller seule — d'accord, Wally ? reprit Grace, en tendant le bras pour le toucher — et reculer aussitôt, comme si la peau de Wally était plus brûlante que le four à tartes allumé.

— Non, je ne la laisserai pas y aller seule, bien sûr, lui promit Wally.

— A la descente du train, vous demanderez l'orphelinat, expliqua Grace.

Elle replongea dans le four avant qu'il ait pu la remercier.

Grace Lynch était allée à Saint Cloud's toute seule. Vernon n'était même pas au courant et, s'il l'avait su, il l'aurait sans doute battue. Comme elle avait dû passer la nuit dehors, il l'avait battue pour ça, mais peut-être cela relevait-il d'une correction moins violente selon ses normes.

Grace était arrivée en début de soirée, juste après la tombée de la nuit ; comme d'habitude, on ne l'avait pas mise avec les femmes sur le

175

point d'accoucher ; elle était si nerveuse que les sédatifs du Dr Larch n'avaient pas eu beaucoup d'effet, et elle avait passé la nuit éveillée, à écouter tout. C'était avant les années d'apprentissage d'Homer ; peut-être l'avait-il vue mais il ne se souvint jamais d'elle, et quand — un jour — Grace Lynch verrait Homer Wells, elle ne le reconnaîtrait pas non plus.

Elle avait subi un avortement classique, dilatation et curetage, au stade normal et sans danger de sa grossesse, et il ne s'était produit aucune complication — sauf dans ses rêves. Aucun avortement pratiqué par le Dr Larch n'avait eu de séquelles graves, aucune de ses patientes n'avait subi de lésions permanentes — sauf peut-être des lésions internes, au niveau de l'esprit, dont le Dr Larch ne pouvait porter la responsabilité.

Pourtant — bien que Nurse Edna et Nurse Angela l'eussent bien accueillie, bien que Larch se fût montré gentil (comme elle l'avait dit à Wally) — Grace Lynch n'aimait guère penser à Saint Cloud's. Non point tant à cause de son expérience personnelle, ou de ses propres ennuis, qu'en raison de l'atmosphère de l'endroit pendant la longue nuit où elle était restée éveillée. L'air dense pesait comme une masse énorme, la rivière trouble avait une odeur de mort, les pleurs des nouveau-nés semblaient plus étranges que des hurlements de fous — et il y avait des chouettes, et quelqu'un épiait, et quelqu'un marchait sans cesse. Il y avait une machine dans le lointain (une machine à écrire) et d'un autre bâtiment s'éleva un cri — une longue plainte (peut-être Melony).

Après la visite de Wally, Grace fut incapable de terminer le nettoyage du four à tartes. Saisie d'un mal à l'estomac — pareil aux crampes qu'elle avait eues cette fois-là —, elle se rendit au comptoir et demanda aux femmes de finir le four à sa place ; elle ne se sentait pas bien, dit-elle. Personne ne taquina Grace. La grosse Dot Taft lui demanda si elle voulait qu'on la raccompagne chez elle d'un coup de voiture ; Irene Titcomb et Florence Hyde (qui n'avaient de toute façon rien à faire) annoncèrent qu'elles liquideraient le four « en deux secousses », comme on dit dans le Maine. Grace Lynch partit à la recherche d'Olive Worthington ; pour lui dire qu'elle ne se sentait pas bien et désirait rentrer chez elle avant l'heure.

Olive se montra fidèle à ses usages dans ce domaine ; quand elle rencontra Vernon Lynch un peu plus tard, elle lui lança un regard appuyé — assez dur pour que Vernon se sente gêné. Il était en train de rincer le jet du pistolet à peinture, au Numéro Deux, quand Olive passa à sa hauteur dans la camionnette fanée. Le regard d'Olive était si hostile que Vernon se demanda pendant un instant s'il n'était pas flanqué dehors, si ce regard n'était pas le seul congé qu'il recevrait. Mais cette idée passa vite, comme toutes les idées dans la tête de Vernon Lynch. Regardant les traînées boueuses laissées par la camionnette d'Olive, il lança une réplique typique de son personnage :

— Fais-moi une pipe, garce de riche ! dit Vernon Lynch.

Puis il continua de nettoyer le jet du pistolet.

Ce soir-là, Wally s'assit avec Candy sur la jetée de Ray Kendall et lui raconta le peu qu'il savait sur Saint Cloud's. Il ignorait, par exemple, l'existence de l'apostrophe. Il ne s'était pas donné la peine de s'inscrire à Harvard ; ses notes n'étaient pas assez bonnes pour qu'il entre à Bowdoin ; l'Université du Maine, où il faisait sans enthousiasme des études supérieures de botanique, ne lui avait rien enseigné en matière de grammaire.

— Je croyais que c'était un orphelinat, dit Candy. Rien d'autre.

Ils savaient tous les deux qu'ils ne pourraient inventer aucune bonne excuse pour passer la nuit dehors, Wally s'arrangea donc pour emprunter la Cadillac de Senior ; ils partiraient très tôt le matin et reviendraient dans la soirée du même jour. Wally raconta à Senior que c'était le meilleur moment de l'année pour explorer la côte, et peut-être faire une virée dans l'arrière-pays ; il y aurait de plus en plus de touristes sur les plages avec la venue de l'été et l'intérieur serait trop chaud pour s'y balader agréablement.

— Je sais que c'est un jour ouvrable, déclara Wally à Olive, mais qu'importe une journée de plus ou de moins, m'man ? C'est l'occasion d'une petite aventure avec Candy — juste une journée de liberté.

Olive se demanda si Wally arriverait jamais à rien.

Ray Kendall se souciait surtout de son propre travail. Il savait que Candy serait contente de faire un tour en voiture avec Wally, qui conduisait bien — quoiqu'un peu vite —, et la Cadillac était très sûre, Ray le savait mieux que personne : il assurait son entretien.

La veille de leur voyage, Candy et Wally allèrent se coucher tôt, mais ni l'un ni l'autre ne ferma l'œil de la nuit. Comme la plupart des jeunes couples sincèrement amoureux, chacun s'interrogeait sur l'effet que l'événement aurait sur l'autre. Wally craignait qu'un avortement ne rende Candy malheureuse, ou même ne la dégoûte des rapports sexuels. Candy se demandait si Wally éprouverait les mêmes sentiments pour elle quand tout serait terminé.

Le même soir, Wilbur Larch et Homer Wells ne dormirent pas non plus. Larch se trouvait devant la machine à écrire, dans le bureau de

Nurse Angela ; par la fenêtre, il vit Homer Wells qui tournait en rond dehors, dans le noir, une lampe à pétrole à la main.

Il alla à la rencontre d'Homer.

— Je ne pouvais pas dormir, avoua le jeune homme.

— Qu'y a-t-il, cette fois ? demanda le Dr Larch.

— Peut-être un hibou, répondit Homer.

La lampe à pétrole n'éclairait pas très loin dans la nuit, et le vent soufflait fort, ce qui était rare à Saint Cloud's. Lorsque le vent éteignit la lampe, le docteur et son assistant s'aperçurent que la lumière tombant de la fenêtre du bureau de Nurse Angela les éclairait à contre-jour. C'était l'unique lumière à des kilomètres à la ronde, et elle leur faisait des ombres gigantesques. L'ombre de Larch traversait le terrain en friche, sans un arbre, qui remontait sur la colline dénudée jusqu'à l'orée des bois noirs. Quant à l'ombre d'Homer Wells, elle touchait le ciel sombre. Ce fut la première fois que les deux hommes le remarquèrent : Homer était devenu plus grand que le Dr Larch.

— Que je sois pendu ! murmura Larch en écartant les bras — et son ombre ressembla à un magicien sur le point de révéler quelque chose.

Il battit des bras comme un gros vampire.

« Regarde ! dit-il à Homer. Je suis un sorcier ! »

Homer Wells, l'apprenti sorcier, battit des bras à son tour.

Le vent était très fort, et frais. L'air, en général très dense au-dessus de Saint Cloud's, semblait plus léger ; les étoiles clignaient, brillantes et glacées ; il manquait à cet air neuf le souvenir de la sciure de bois et de la fumée de cigare.

— Vous sentez ce vent ? dit Homer Wells.

Peut-être était-ce le vent qui le maintenait éveillé.

— C'est un vent de la côte [22], répondit Wilbur Larch.

Il huma, profondément, à l'affût de traces de sel. C'était une rarissime brise de mer, Larch l'aurait juré.

— D'où qu'elle vienne, elle est douce, décida Homer Wells.

Les deux hommes continuèrent de sentir le vent. Chacun pensait : Que va-t-il m'arriver ?

5

Homer rompt une promesse

Le chef de gare de Saint Cloud's était un homme solitaire, au physique ingrat — victime désignée des prospectus distribués par la poste ainsi que d'une religion particulièrement dingue diffusée par ce même moyen. Cette dernière, dont la publication prenait presque la forme d'une bande dessinée, se manifestait chaque mois ; le mois précédent, par exemple, la couverture illustrée du numéro représentait un squelette en tenue militaire à cheval sur un zèbre ailé qui volait au-dessus d'un champ de bataille ressemblant aux tranchées de la Première Guerre mondiale. Les autres catalogues déposés dans la boîte du chef de gare appartenaient à un genre plus classique, mais le pauvre homme était tellement victime de ses superstitions que ses rêves confondaient souvent les images de son prospectus religieux avec les gadgets de cuisine, les soutiens-gorge d'allaitement, les chaises pliantes et les courges géantes dont les catalogues vantaient les mérites.

Il lui arrivait donc fréquemment de s'éveiller en pleine nuit, terrorisé par une vision de cercueils en lévitation au-dessus d'un jardin idéalisé — dont les légumes, dignes d'un concours de comice agricole, prenaient leur envol parmi les cadavres. Un des prospectus se consacrait entièrement à des accessoires de pêche à la ligne ; les cadavres du chef de gare apparaissaient donc souvent en bottes cuissardes ou avec des cannes à pêche et des épuisettes à la main ; et il recevait aussi des catalogues de lingerie, présentant soutiens-gorge et porte-jarretelles. Les morts volant en soutien-gorge et porte-jarretelles effrayaient tout particulièrement le chef de gare.

Le trait le plus farfelu de la religion par correspondance était l'importance accordée à la présence en nombre croissant de morts privés de repos, de sépulture et de salut ; dans les régions du monde plus peuplées que Saint Cloud's, le chef de gare imaginait que ces âmes malchanceuses embouteillaient le ciel. L'arrivée de la « Clara »

179

du Dr Larch, qui entrait dans la ligne de son cycle de terreurs nocturnes, contribua à l'air décomposé, voire ravagé, qu'on lui voyait à l'entrée en gare de chaque train — bien que Larch eût assuré au malheureux qu'aucun autre cadavre n'arriverait pendant un an ou deux.

Pour le chef de gare, la notion de Jour du Jugement dernier était aussi tangible que le mauvais temps. Il détestait plus que tout autre le premier train du matin. C'était le train du lait ; et en toute saison, les gros bidons semblaient couverts de sueur froide. Les bidons vides, que l'on chargeait dans le train, produisaient une sorte de glas, un coup de gong creux, en heurtant le quai de bois de la gare ou quand on les manipulait sur l'escalier métallique. Le premier train du matin apportait aussi le courrier ; si impatient qu'il fût d'admirer de nouveaux catalogues, le chef de gare n'avait jamais perdu sa peur du courrier — de ce qu'il risquait de recevoir sur les bras : sinon un autre cadavre, ballottant dans son liquide d'embaumement, l'avertissement mensuel lancé par sa secte et annonçant l'imminence du Jour du Jugement (toujours plus tôt qu'on ne s'y attendait la fois précédente, et avec un enthousiasme toujours plus terrifiant). Le chef de gare vivait dans l'angoisse permanente de la catastrophe.

Un trou dans une tomate pouvait l'inciter à redoubler d'ardeur dans les accès de prière fiévreux qui le prenaient juste avant l'aube ; les animaux morts (de toute origine) le faisaient trembler — il croyait que les âmes des créatures obstruaient l'air qu'il respirait et pouvaient envahir son corps. (Elles devaient bien contribuer à ses insomnies, car le chef de gare était un insomniaque aussi chevronné que Wilbur Larch et Homer Wells, sans la contrepartie de l'éther, de la jeunesse ou de l'éducation.)

Cette fois-là ce fut le vent qui l'éveilla, il en était certain ; quelque chose — une chauve-souris détournée de son vol normal — frappa sa maison. Il se convainquit aussitôt qu'un animal ailé s'était donné la mort contre son mur et que l'âme enragée tournait autour de son logis à la recherche d'un accès. Ensuite, le vent poussa un gémissement, comme s'il soufflait dans les rayons de la bicyclette du chef de gare. Une rafale renversa le vélo de sa béquille ; le cadre cliqueta sur l'allée de briques et le timbre résonna — comme si l'une des âmes en peine du monde ténébreux avait échoué dans sa tentative de voler l'engin. Le chef de gare s'assit dans son lit et hurla.

La publication religieuse mensuelle le lui avait conseillé, car les hurlements constituaient une certaine protection (mais non une protection certaine) contre les âmes errantes. De fait, le hurlement du chef de gare eut un résultat ; sa stridence délogea un pigeon des gouttières de la maison et l'oiseau sautilla et gratouilla bruyamment sur le toit, à la recherche d'un coin plus calme. Le chef de gare s'allongea sur le dos, le regard tourné vers son toit ; il s'attendait à ce que l'âme errante fonce à tout moment sur lui. Le roucoulement du pigeon fut le cri d'un autre pêcheur torturé, le chef de gare l'aurait juré. Il se leva pour regarder par la fenêtre de sa chambre : sa veilleuse éclairait le petit lopin qu'il avait bêché pour planter des légumes. La terre fraîchement retournée lui fit un choc : il crut voir une tombe toute prête. Cela le retourna lui-même à tel point qu'il s'habilla à la hâte et fila dehors.

Sa religion par correspondance lui avait appris que les âmes des morts ne peuvent pas envahir un corps en activité. L'essentiel est de ne pas se laisser surprendre en plein sommeil, ou même debout sans bouger. Et le chef de gare partit donc, d'un pas vif et hardi, sur les chemins de Saint Cloud's. Il n'hésita pas à chuchoter des menaces aux prétendus fantômes qu'il voyait partout. « Partez ! » grognait-il — à l'adresse d'une maison, d'un bruit ou d'une ombre douteuse. Dans un bâtiment, un chien aboya. Le chef de gare surprit un raton laveur en train de se gaver d'ordures, mais les animaux vivants ne le troublaient pas ; il siffla entre ses dents pour faire peur au raton et parut satisfait de voir le raton siffler à son tour. Il préféra ne pas s'approcher des bâtiments abandonnés où, il s'en souvenait, la grosse fille de l'orphelinat — un vrai cauchemar — avait causé tant de dégâts. Il savait que, dans ces bâtiments-là, les âmes perdues sont nombreuses et hargneuses.

Il se sentit plus en sécurité près de l'orphelinat. Bien qu'il eût peur du Dr Larch, le chef de gare devenait plutôt agressif en présence des enfants et de leurs âmes imaginaires. Comme la plupart des gens qui prennent peur facilement, il faisait volontiers le fanfaron dès qu'il se sentait supérieur. « Maudits gosses », lança-t-il à mi-voix en passant devant la section Filles. Il avait du mal à penser à la section Filles sans s'imaginer en train de faire des choses horribles avec cette grande grosse poufiasse — le cuirassé, comme il l'appelait. Le simple fait de la regarder lui avait valu plus d'une nuit de terreur ; elle servait souvent de cover-girl pour les nombreux soutiens-gorge et porte-jarretelles de ses rêves. Il ne s'arrêta qu'un instant près de la section Filles et il renifla à fond — sans doute espérait-il humer un peu de l'odeur de Melony, la vandale des dortoirs —, mais le vent était trop fort ; le vent était partout. Un vent de Jugement dernier ! se dit-il, et il se hâta de repartir. Il ne risquait pas de s'arrêter assez longtemps pour qu'une âme maléfique pénètre en lui !

181

Du côté de la section Garçons où il se trouvait, il ne pouvait pas voir la fenêtre éclairée du bureau de Nurse Angela, mais par-dessus le bâtiment, sur le flanc de la colline, il aperçut la lumière que la fenêtre projetait sur le champ sans arbres. Il ne pouvait pas voir la provenance de ces lueurs, et cela le troubla ; n'était-il pas surnaturel qu'une lumière venue de nulle part illumine la pente dénudée jusqu'à l'orée noire des bois ?

Le chef de gare aurait dû pleurer sur sa couardise mais, à la place, il se maudit ; ses frayeurs lui gâchaient tant de sommeil, et le premier train du matin passait de si bonne heure ! Presque toute l'année, le train arrivait avant le jour. Et les femmes qui en descendaient parfois !... Le chef de gare frissonna. Ces femmes en robes vagues, qui demandaient toujours l'adresse de l'orphelinat — et certaines repartaient le soir même, le visage couleur de cendre, la couleur des visages qui hantaient les nuits nocturnes du chef de gare !... A peu de chose près, se dit-il, la couleur du visage de Clara (bien que le chef de gare ne connût pas son nom). Il avait lancé à Clara un seul coup d'œil, si bref que sa condamnation à la revoir si souvent depuis lors était la plus criante des injustices.

Quand le chef de gare entendit ce qu'il prit pour des voix, il regarda, par-dessus le toit de la section Garçons, le coteau éclairé qui dominait Saint Cloud's : ce fut alors qu'il vit les ombres gigantesques de Wilbur Larch et d'Homer Wells — qui s'étendaient, pour l'un jusqu'à l'orée sombre des bois, pour l'autre jusqu'au ciel. Les deux silhouettes géantes battirent de leurs énormes bras, de la taille d'une colline ; le chef de gare perçut, fouetté par le vent, le mot « sorcier ! ». Alors il comprit qu'il aurait beau marcher, ou courir, toute la nuit : cette fois, il n'y couperait pas. La dernière pensée du chef de gare fut que son heure — et celle du monde entier — était venue.

Le lendemain matin, la brise de mer hantait encore Saint Cloud's. Même Melony la remarqua ; sa mauvaise humeur habituelle connut une trêve — elle eut du mal à se réveiller bien qu'elle eût passé une nuit d'insomnie. Toute la nuit elle avait eu l'impression qu'un animal arpentait les abords de la section Filles, pour se glisser sans doute dans les poubelles. Et dans les lueurs précédant l'aurore elle avait pu observer les deux femmes qui remontaient la colline depuis la gare. Les femmes ne se parlaient pas — elles ne se connaissaient pas ; mais elles avaient deviné leurs situations respectives. Elles marchaient la tête basse. Elles étaient toutes deux trop chaudement habillées pour une journée de printemps ; Melony regarda le vent plaquer à leur corps leurs amples manteaux d'hiver. Elles n'avaient pas l'air enceintes, remarqua Melony ; elle n'oublierait pas de se mettre à sa fenêtre pour les regarder redescendre la colline vers le train du soir. Étant donné ce qu'elles laisseraient à Saint Cloud's, songea Melony, leur démarche serait plus légère au retour. Pourtant, chaque fois, les femmes descendaient la colline d'un pas plus lourd qu'elles ne l'avaient montée — comme si on leur avait donné un fardeau à emporter.

Homer ne lui avait rien dit, mais existait-il un seul problème, un seul malheur, qui échappât aux regards de Melony ? Tout ce qui avait l'éclat du mal, le vernis de l'erreur — de l'abandon, de l'espoir perdu, des options lamentables — sautait aussitôt aux regards experts de Melony. Cela et davantage.

Sans avoir mis le nez dehors, elle pouvait dire qu'il y avait dans le vent quelque chose de différent. Elle ne pouvait voir le corps du chef de gare ; il était tombé dans les herbes folles près de l'entrée de service de la section Garçons — peu utilisée ; il y avait une autre entrée de service pour l'infirmerie.

Depuis sa fenêtre-sur-le-monde (le bureau de Nurse Angela), le Dr Larch n'aurait pu voir, lui non plus, les herbes folles où le chef de gare commençait à raidir. Et ce n'était pas l'âme en partance du chef de gare qui troublait Larch ce matin-là. Il avait connu d'autres nuits sans sommeil ; les brises de mer demeuraient rares, mais il en avait déjà senti. Il s'était produit dans la section Filles une bagarre qui avait requis plusieurs points de suture sur la lèvre d'une gamine et l'arcade sourcilière d'une autre, mais Wilbur Larch ne s'en souciait guère. Homer Wells avait fait un travail très propre sur la lèvre ; Larch s'était réservé l'arcade sourcilière, où les risques de cicatrice permanente étaient plus grands.

Quant aux deux femmes qui attendaient leur avortement, elles se trouvaient au tout début de leurs grossesses respectives et, à en croire Nurse Edna, aussi robustes et bien équilibrées l'une que l'autre. L'infirmerie hébergeait aussi une femme pleine d'entrain venue de Damariscotta — juste au début de ses contractions, qui semblaient parfaitement normales ; elle avait déjà eu un accouchement sans problème et Larch n'escomptait donc aucune difficulté avec elle. Il envisageait même de laisser Homer accoucher la femme de Damariscotta parce que tout s'annonçait bien et que la patiente, à en croire Nurse Angela, s'était prise d'affection pour Homer, elle n'avait pas

183

cessé de faire des effets de voix dès qu'il se trouvait dans les parages.

Qu'est-ce donc qui ne va pas ? se demanda Wilbur Larch. Qu'y a-t-il de changé ?

Le courrier avait du retard et le réfectoire annonça qu'on n'avait pas livré le lit — et après ? Larch ignorait qu'en l'absence de son chef la gare s'était trouvée plus désorganisée que de coutume (s'il avait su, il ne s'en serait pas inquiété pour autant) ; et il ignorait d'ailleurs l'absence du chef de gare. Wilbur Larch n'avait évidemment remarqué aucune agitation particulière parmi les âmes peuplant le ciel au-dessus de Saint Cloud's. Étant donné son travail, sinon sa vocation, le Dr Larch ne pouvait pas se permettre une contemplation trop assidue de l'âme.

Avant ce matin-là, aucune occasion de contempler l'âme ne s'était offerte à Homer Wells. L'étude de l'âme n'avait pas fait partie de sa formation. Et comme il n'y avait pas de fenêtres dans la pièce où Homer étudiait Clara, ce ne fut pas le chef de gare — ou son âme — qui s'offrit soudain à Homer Wells.

Le Dr Larch avait demandé à Homer de préparer un fœtus pour une autopsie.

Une femme de Three Mile Falls venait d'être poignardée, ou de se poignarder ; ce n'était pas rare à Three Mile Falls, mais la femme était enceinte et presque à terme — et la possibilité d'accoucher une morte d'un bébé vivant constituait une rareté, même pour le Dr Larch. Il avait tenté de sauver l'enfant, mais l'enfant — ou plutôt l'embryon de presque neuf mois — n'avait pas survécu à l'un des coups de couteau. Comme sa mère, l'enfant (ou le fœtus, comme préférait dire le Dr Larch) avait été saigné à mort. Ç'aurait été un garçon — aucun doute possible, pour Homer Wells ou même pour un œil moins entraîné ; embryon ou fœtus, peu importe, se dit-il, c'est un bébé presque entièrement développé. Le Dr Larch lui avait demandé de l'aider à déterminer (plus précisément que par l'expression « saigné à mort ») l'origine de l'hémorragie du fœtus.

Homer Wells emprunta les cisailles à sternum du Dr Larch avant de s'apercevoir qu'une paire de gros ciseaux suffirait à ouvrir le sternum du fœtus. Il le découpa en plein milieu et remarqua aussitôt l'artère pulmonaire sectionnée ; à la vive surprise d'Homer, la blessure se trouvait juste à un centimètre d'un *ductus* grand ouvert — chez le fœtus, le *ductus arteriosus* a la moitié de la taille de l'aorte ; mais c'était la première fois qu'Homer regardait à l'intérieur d'un fœtus. Chez le nouveau-né, au cours des dix premiers jours, le *ductus* se réduit à un filament fibreux. Cette modification est provoquée non par quelque mystère, mais par la première respiration, qui ferme le *ductus* et ouvre les poumons. Dans le fœtus, le *ductus* constitue un raccourci — le sang gagne l'aorte en sautant les poumons.

Homer Wells n'aurait pas dû s'étonner de voir la preuve qu'un fœtus n'a pas besoin de sang dans ses poumons ; un fœtus ne respire pas. Homer fut pourtant surpris ; le coup de couteau, à la base du *ductus*, semblait un second œil à côté de la petite ouverture du *ductus* lui-même. Les faits étaient assez nets : le *ductus* était grand ouvert parce que ce fœtus n'avait jamais respiré.

Quelle est la vie d'un embryon, sinon une histoire de développement ? Homer fixa à l'artère pulmonaire sectionnée une pince minuscule à pointes d'aiguilles. Il se référa à la section du *Gray* consacrée à l'embryon. Nouveau choc : il se rappela que le *Gray* ne commence pas par l'embryon ; il termine par lui. L'embryon est le dernier sujet traité.

Homer Wells avait vu les produits de la conception à de nombreux stades de développement : parfois sous une forme presque complète, mais aussi en morceaux à peine identifiables. Il n'aurait su dire pourquoi les vieux dessins en noir et blanc le touchèrent avec une telle intensité. Dans le *Gray*, il y avait une représentation de profil de la tête d'un embryon humain, estimé âgé de vingt-sept jours. Non éveillé, comme se serait hâté de préciser le Dr Larch, et même pas humain de façon reconnaissable : ce qui serait la colonne vertébrale demeurait replié comme un poignet ; et à l'endroit correspondant aux phalanges du poing (au-dessus du poignet) se trouvait la tête informe d'un poisson (de l'espèce qui vit dans les fonds sans lumière, qu'on n'attrape jamais et qui vous donne des cauchemars). La surface inférieure de la tête de l'embryon béait comme une bouche d'anguille — les yeux étaient sur les côtés de la tête, à croire qu'ils pouvaient protéger la créature d'une agression venant de n'importe quelle direction. En huit semaines, sans être encore éveillé, le fœtus avait acquis un nez et une bouche ; il avait une expression, constata Homer Wells. Et par cette découverte — le fait qu'un fœtus, dès la huitième semaine, avait une *expression* — Homer Wells se sentit en présence de ce que d'autres appellent une âme.

Il exposa l'artère pulmonaire du bébé de Three Mile Falls allongé sur son plateau émaillé blanc, peu profond ; il utilisa deux pinces pour maintenir ouverte l'incision de la poitrine, et une troisième pour soulever et exposer l'artère sectionnée. Les joues du bébé paraissaient dégonflées ; des mains invisibles semblaient compresser son petit visage sur les côtés · il était sur le dos, appuyé sur les coudes, les avant-

185

bras tout raides perpendiculaires à la poitrine. Les doigts minuscules de ses mains s'ouvraient légèrement, comme s'il se préparait à attraper un ballon.

Homer Wells ne s'intéressa pas à l'aspect loqueteux du tronçon de cordon ombilical, qui était également trop long ; il le raccourcit et l'attacha proprement. Il y avait un peu de sang coagulé sur le minuscule pénis et Homer le nettoya. Une tache de vieux sang sur le rebord blanc brillant du plateau émaillé s'en alla facilement avec un tampon de coton imbibé d'alcool. La couleur du bébé mort, surtout à côté de la blancheur de l'émail, paraissait jaunâtre-tournant-au-gris. Homer se pencha vers l'évier et vomit à l'intérieur, presque proprement. Quand il ouvrit le robinet pour nettoyer la cuvette, les vieux tuyaux se mirent à cogner et à gémir ; il crut que c'était à cause des tuyaux, ou de ses vertiges, que la pièce — le bâtiment entier — tremblait soudain. Il n'accusa pas le vent de la côte — pourtant si violent.

Il n'accusa pas non plus le Dr Larch. Pour Homer, la cause d'un phénomène ne pouvait se réduire à la faute de quelqu'un ; Larch n'était nullement responsable — il faisait ce en quoi il croyait. Si Wilbur Larch passait pour un saint aux yeux de Nurse Angela et de Nurse Edna, il était pour le jeune homme à la fois un saint et un père. Larch savait ce qu'il faisait — et pour qui. Mais cette histoire d'éveillé et de non-éveillé : pour Homer Wells, ça ne marchait pas. On peut l'appeler fœtus, embryon ou produits de la conception, pensait Homer Wells, mais quel que soit le nom attribué à ce qu'on lui fait — on le tue. Il regarda l'artère pulmonaire sectionnée, qui était si parfaitement étalée dans la poitrine ouverte du bébé de Three Mile Falls. Que Larch lui donne le nom qu'il désire, se dit Homer Wells. Le choix lui appartient — pour lui, c'est un fœtus ? parfait ! Pour moi, c'est un bébé, songea Homer Wells. Si Larch a le choix, moi aussi.

Il souleva le plateau immaculé et l'emmena dans le couloir, comme un serveur apporterait fièrement un plat spécial à un hôte de marque. Curly Day, morveux à perpétuité, errait dans le corridor entre la pharmacie et le bureau de Nurse Angela. Il n'avait pas le droit de jouer par là, mais Curly Day avait toujours l'air accablé d'ennui ; son taux de concentration rappelait celui d'un lapin de garenne. Pour le moment, Curly traînait une boîte de carton dans le couloir — le carton dans lequel on avait livré les nouveaux lavements ; Homer le reconnut, car il avait déballé le colis.

— Qu'est-ce que t'as là ? demanda Curly Day à Homer, qui tenait le plateau et le bébé mort de Three Mile Falls à hauteur d'épaule.

Le front de Curly Day arrivait à la taille d'Homer. Quand Homer s'arrêta près du carton, il découvrit qu'il n'était pas vide ; David Copperfield Junior se trouvait au fond — Curly Day lui offrait une balade.

— Sors d'ici, Curly ! lança Homer.

— Gomer ! cria David Copperfield.

— C'est *Homer*, idiot ! dit Curly.

— Gomer ! répéta David Copperfield.

— Filez d'ici, je vous prie, leur conseilla Homer.

— Qu'est-ce que t'as là ? demanda Curly à Homer.

Il tendit le bras vers le haut, pour attraper le bord du plateau, mais Homer repoussa sa petite main sale ; il saisit le poignet de Curly et lui tordit le bras derrière le dos, tout en maintenant habilement en équilibre le plateau et son contenu ; Curly Day voulut résister.

« Aouh ! cria Curly.

David Copperfield essaya de se lever au fond du carton, mais perdit l'équilibre et s'assit. Homer releva les bras de Curly Day derrière son dos — légèrement plus haut que l'angle droit —, ce qui força Curly à se pencher et à poser son front sur le bord du carton à lavements.

« Arrête ! dit Curly.

— Tu t'en vas, Curly — d'accord ? demanda Homer.

— Ouais, ouais, répondit Curly — et Homer le laissa partir. T'es dur ! dit Curly.

— D'accord, convint Homer.

— Gomer ! parvint à dire David Copperfield.

Curly Day s'essuya le nez sur sa manche chiffonnée. Il tira sur le carton si brusquement que David Copperfield roula sur le côté.

« Ack ! cria le petit Copperfield.

— Ta gueule ! lança Curly à son chargement.

Il s'éloigna d'Homer Wells en traînant des pieds, et lui adressa un regard de tristesse excédée, de récrimination sans but précis — rien de plus. A chaque pas, son corps se penchait d'un côté tandis qu'il tirait sur le carton contenant David Copperfield. Homer remarqua que Curly s'était trompé de pied en mettant ses chaussures, et qu'un de ses souliers était dénoué, mais il jugea que Curly, aussi optimiste que brouillon, ne méritait pas qu'on le critique pour si peu — l'optimisme de Curly n'était-il pas plus important que sa négligence, surtout dans sa condition d'orphelin ?

— A bientôt, Curly, lança Homer à l'échine courbée du gamin.

La chemise en liberté de Curly lui pendait jusqu'aux genoux.

— Salut, Homer, répondit Curly sans retourner la tête.

Quand il passa devant la porte de la pharmacie, Nurse Edna apparut et le houspilla.

— Tu n'as pas le droit de jouer ici, Curly, dit-elle.

— Ouais, ouais, répliqua Curly. Je m'en vais, je m'en vais.

— Medna ! cria David Copperfield d'une voix assourdie, depuis le fond du carton à lavements.

— C'est *Edna,* petit morpion, lui dit Curly.

Homer atteignit le bureau de Nurse Angela ; la porte était ouverte. Il vit le Dr Larch à la machine à écrire ; le docteur n'écrivait pas ; il n'y avait même pas de papier dans la machine. Le Dr Larch regardait simplement par la fenêtre. Dans son expression, proche de l'état de transe, Homer crut reconnaître l'apaisement distant provoqué par l'éther, comme chaque fois qu'il avait trouvé le docteur « en train de se reposer » dans la pharmacie. Peut-être Larch était-il de plus en plus capable, en regardant simplement par la fenêtre, de provoquer l'état dans lequel le plongeait occasionnellement l'éther. Homer supposait que le Dr Larch prenait un peu d'éther à cause d'une douleur quelconque ; il supposait que presque tout le monde à Saint Cloud's souffrait d'une douleur ou d'une autre, et que Larch, en tant que médecin, était qualifié pour porter remède à la sienne. L'odeur de l'éther était pour Homer Wells si écœurante et nauséeuse qu'il n'aurait pas choisi ce médicament-là. L'idée d'une toxicomanie ne l'avait même pas effleuré. Le visage de Wilbur Larch exprimait de façon si manifeste un état second qu'Homer Wells s'arrêta sur le seuil avant de continuer sa présentation macabre ; il faillit faire demi-tour en emportant le bébé de Three Mile Falls.

Mais celui qui se trouve en présence d'une âme en des circonstances si banales ne laisse pas passer sans la moindre remarque le sentiment de mission à remplir qui accompagne toujours cette rencontre ; et le sentiment d'une mission à remplir exige en général un geste plus démonstratif qu'une remarque en passant. Sur le seuil du bureau de Nurse Angela, Homer hésita ; puis il s'avança et fit claquer le plateau métallique sur le rouleau de la machine à écrire. Le bébé mort de Three Mile Falls se trouva au niveau de la gorge du Dr Larch — « à portée d'un coup de dent », comme on dit dans le Maine.

— Docteur Larch ? dit Homer Wells.

Larch se détourna de son rêve ; il regarda Homer par-dessus le bébé.

« La source du saignement était l'artère pulmonaire, complètement sectionnée, comme vous pouvez voir, dit Homer tandis que Larch baissait les yeux vers l'objet exposé sur la machine à écrire.

188

Il contempla le bébé comme une chose qu'il aurait écrite — venue à la vie (puis à la mort) sur son ordre.

A l'extérieur de l'infirmerie, quelqu'un s'était mis à crier mais le vent emportait les paroles et les réduisait en bouillie ; le message du braillard demeurait confus.

— Bon sang ! murmura Wilbur Larch en regardant l'artère sectionnée.

— Je dois vous dire que je ne pratiquerai pas d'avortements, jamais, dit Homer Wells.

C'était la conséquence logique de l'artère sectionnée ; conséquence logique dans l'esprit d'Homer, mais le Dr Larch, apparemment, ne suivit pas.

— Tu ne ?... dit Larch. Tu ne *quoi* ?...

Le cri au-dehors parut plus fort mais pas plus distinct. Homer Wells et le Dr Larch se regardèrent — le bébé de Three Mile Falls occupait tout l'espace entre eux.

— J'arrive, j'arrive, entendirent-ils — la voix de Nurse Angela.

— C'est ce Curly Day, expliqua Nurse Edna à Nurse Angela. Je viens de le chasser d'ici, avec le petit Copperfield.

— Jamais, dit Homer Wells.

— Tu désapprouves ? lui demanda le Dr Larch.

— Je ne vous désapprouve pas, répondit Homer. Je désapprouve la chose — ce n'est pas pour moi.

— Mais... je ne t'ai jamais forcé, lui dit Larch. Et je ne le ferai jamais. Tout ne dépend que de toi.

— D'accord, répondit Homer Wells.

Une porte s'ouvrit, mais ce que Curly Day miaulait à tous les vents ne fut pas plus clair. Le Dr Larch et Homer Wells entendirent tinter les tubes à essai sur leur support près de la porte de la pharmacie ; sur le fond de ce carillon, dominant pour la première fois les rafales de vent, le mot « Mort ! » leur parvint.

— Mort ! Mort ! Mort ! braillait Curly Day, son annonce ponctuée par les émissions monosyllabiques inintelligibles du jeune Copperfield.

— Qui est mort, mon chéri ? demanda Nurse Angela d'une voix douce.

Curly Day avait découvert le chef de gare mort ; sans d'ailleurs savoir qu'il s'agissait du chef de gare — il n'avait pas regardé assez longtemps.

— Un type ! dit Curly à Nurse Angela et à Nurse Edna.

Wilbur Larch, qui entendit la réplique distinctement, se leva du bureau, contourna Homer Wells et sortit dans le couloir.

— Et si cela ne vous fait rien, lui dit Homer Wells, j'aimerais avoir la permission de ne pas être présent quand vous ferez ce que vous croyez de votre devoir de faire. J'ai envie de me rendre utile de n'importe quelle autre manière, et je ne vous désapprouve pas, dit Homer. Mais si vous êtes d'accord, je n'ai pas envie de regarder.

— Il faudra que j'y réfléchisse, Homer, répondit le Dr Larch. Allons d'abord voir qui est mort, veux-tu ?

En suivant Larch dans le couloir, Homer remarqua que la porte de la salle d'accouchement était fermée et l'ampoule au-dessus de la porte allumée — ce qui signifiait que Nurse Edna (ou Nurse Angela) avait préparé les deux femmes venues pour avorter. La femme de Damariscotta, dont les contractions étaient encore lentes et régulières, n'aurait pas besoin de la salle d'accouchement avant plusieurs heures : Larch aurait terminé les deux avortements depuis longtemps. Comme le Dr Larch, Homer jugeait cruel de faire attendre plus que nécessaire les femmes qui venaient avorter, surtout après les avoir préparées, et il ouvrit donc la porte de la salle d'accouchement, passa la tête à l'intérieur sans vraiment regarder les femmes et lança :

— Le docteur est à vous dans un instant, ne vous en faites pas.

Homer regretta son geste ; avant qu'il ait refermé la porte sur les deux femmes, Curly Day se remit à brailler « Mort ! Mort ! ».

Curly Day possédait le genre de caractère turbulent qui le conduisait toujours à des découvertes indésirables. Las de traîner David Copperfield dans le carton à lavements, il s'était mis en tête de lancer le « petit morpion » (dans son carton) depuis le quai de chargement de l'entrée de service de la section Garçons. Il avait eu du mal à faire remonter la rampe au carton et à Copperfield ; mais quand il se trouva en surplomb du chemin peu utilisé et des hautes herbes, Curly imagina que Copperfield pourrait « presque voler ». La dénivellation n'était pas bien forte ; et surtout, dans le carton, ce ne serait pas une chute terrible. Enfin, la pente couverte d'herbes folles au pied du quai de chargement permettrait probablement au carton à lavements de glisser. Curly songea un instant aux éventuels dégâts que subirait le carton — dont la destruction le laisserait seul en compagnie de David Copperfield, et la perspective de Copperfield sans carton ou autre accessoire de jeu lui parut ennuyeuse. Mais Curly était déjà las de toutes les utilisations possibles de Copperfield *avec* (ou *dans*) le carton ; il avait épuisé les choses à faire sans danger, et Copperfield ne se plaignait pas. Copperfield ignorait qu'il se trouvait au bord d'un quai de chargement ; il ne pouvait pas voir par-dessus les côtés du carton. Et quand Curly poussa le carton et Copperfield par-dessus bord, il maintint prudemment le carton en position verticale, pour que Copperfield n'atterrisse pas sur la tête. Le carton atterrit sur un coin, qui céda ; et le jeune Copperfield se trouva projeté sur la pente couverte de hautes herbes. Tel un poussin aux pattes molles titubant hors de sa coquille, il se remit un instant sur ses jambes avant de retomber et de continuer à rouler. Depuis le quai, Curly Day regarda les herbes folles lui faire signe ; elles lui indiquaient l'endroit où se trouvait Copperfield mais étaient trop hautes pour qu'il voie réellement son corps.

Copperfield n'était pas blessé, mais désorienté. Il ne pouvait plus voir Curly, et il ne pouvait plus voir le carton — auquel il s'était vraiment attaché. Quand il cessa de rouler, il essaya de se relever mais sa tête tournait encore et ses vertiges, associés à l'inégalité du sol, lui firent perdre l'équilibre. Il s'assit. Ce sur quoi il s'assit était dur et rond, comme une pierre, mais, lorsqu'il regarda de quoi il s'agissait, il vit la tête du chef de gare — nez vers le ciel, yeux grands ouverts, une terreur résignée inscrite sur ses traits figés.

Un enfant plus âgé, ou même un adulte, aurait été chaviré à l'idée de s'asseoir sur le visage du chef de gare mort, mais le petit David Copperfield considéra la chose à peu près comme il considérait le reste du monde : avec davantage de curiosité que de surprise. Pourtant, lorsqu'il toucha la peau et la sentit froide, il témoigna d'une sensibilité fort juste pour un enfant : le froid n'était sûrement pas naturel. Le jeune Copperfield s'écarta d'un bond, roula, se releva, courut, tomba, roula encore. Enfin solide sur ses jambes, il se mit à japper comme un chien. Curly Day s'élança sur sa piste au milieu des hautes herbes.

— Minute, minute, t'affole pas ! lança Curly au marmot — mais Copperfield continua de courir et de tomber en rond, sans interrompre ses étranges aboiements. Reste au même endroit que je puisse te trouver ! cria Curly.

Il mit le pied sur quelque chose qui roula sous son soulier ; on eût dit une branche tombée depuis peu, qui n'avait pas encore trouvé sa place définitive par terre ; c'était le bras du chef de gare. Voulant reprendre son équilibre, Curly posa la main sur la poitrine de l'homme. Le visage impassible aux grands yeux, que les hautes herbes protégeaient du vent, regarda au-delà de Curly, impénétrable. Puis, dans le champ d'herbes folles, il y eut soudain deux chiens aux abois qui s'agitaient, comme pris au piège d'un labyrinthe. Preuve de la bravoure de Curly et de son sens fondamental des responsabilités, il ne fila pas hors des hautes herbes avant d'avoir retrouvé David Copperfield.

191

Depuis sa fenêtre Melony observait l'inexplicable chassé-croisé au milieu des herbes ; à tout instant elle aurait pu crier à Curly Day l'endroit où se trouvait David Copperfield — elle pouvait distinguer au mouvement des herbes les positions respectives des deux animaux jappeurs. Mais elle les laissa se débrouiller tout seuls. Ce fut seulement quand Curly Day traîna le jeune Copperfield sur le chemin contournant la section Garçons vers l'entrée de l'infirmerie, que Melony éprouva le besoin d'intervenir.

— Hep, Curly. Tu t'es trompé de pied en mettant tes godasses, espèce de nouille ! lança Melony.

Mais le vent était trop violent. Curly ne l'entendit pas ; et elle n'entendit pas ce que Curly hurlait. Elle ne prononça qu'un mot qui n'était destiné à personne ; sans doute estimait-elle que le vent lui permettait de dire ce qu'elle ressentait, du fond du cœur, aussi fort qu'elle en avait envie (bien qu'elle ne prît même pas la peine de hausser la voix).

« Assommant, dit-elle.

Mais les choses devinrent plus intéressantes pour Melony quand Wilbur Larch et Homer Wells — puis Nurse Edna et Nurse Angela — apparurent sur le chemin près de l'entrée de service de la section Garçons. Manifestement, ils fouillaient le carré d'herbes folles.

« Qu'est-ce que vous cherchez ? cria Melony par la fenêtre.

Mais soit à cause du bruit du vent, soit à cause de l'intensité avec laquelle les chercheurs plongeaient dans les hautes herbes, sa question tomba dans le vide ; elle décida d'aller voir par elle-même.

Le déroulement de cette journée mettait Melony mal à l'aise, mais elle était tout de même contente qu'il semble se passer quelque chose — pour Melony n'importe quoi était mieux que rien.

Ce sentiment n'était nullement partagé par Candy Kendall ou Wally Worthington qui, au cours des trois heures précédentes, avaient gardé un silence gêné — leurs craintes de l'avenir immédiat demeuraient trop vives pour qu'ils les étouffent sous des paroles creuses. Il faisait encore sombre quand ils avaient quitté la côte, à Heart's Haven, pour s'engager dans les terres — en fuyant devant le vent, d'une violence surprenante. Il faisait vraiment trop de vent, même dans l'arrière-pays, pour baisser la capote, mais Wally préférait la Cadillac décapotée, et surtout, avec le bruit d'enfer des rafales de vent dans la voiture, l'absence de conversation entre Candy et lui paraissait moins gênante. Candy préférait elle aussi que la capote soit baissée ; ses cheveux d'un blond de miel enveloppaient son visage — les mèches sauvages volaient de toute part et elle savait que Wally ne pourrait pas voir son expression. De toute façon, cette expression, il la connaissait. Il connaissait Candy très bien.

Wally regarda sur les genoux de Candy le livre qu'elle ne lisait pas ; elle le prenait souvent pour le lire mais, quand elle le reposait sur ses genoux, elle cornait toujours la même page. C'était *la Petite Dorrit* de Charles Dickens — lecture d'été obligatoire pour toutes les filles de la classe de terminale que fréquentait Candy ; elle l'avait commencée quatre ou cinq fois mais n'avait aucune idée du sujet du livre et n'aurait même pas su dire s'il lui plaisait.

Wally, qui ne lisait pas, ne s'était pas donné la peine de remarquer le titre du roman, il regardait seulement la même page cornée et songeait à Candy. Il pensait aussi à Saint Cloud's. Il était déjà (dans sa tête) *après* l'avortement ; Candy se rétablissait gentiment ; le docteur lançait des plaisanteries ; toutes les infirmières éclataient de rire. Dans l'imagination de Wally, il y avait assez d'infirmières pour gagner une guerre. Toutes jeunes et jolies, bien sûr ; et les orphelins étaient d'amusants petits polissons dont les dents manquantes agrémentaient les sourires radieux.

Dans le coffre de la Cadillac rutilante de Senior Worthington, Wally avait chargé trois cageots à pommes pleins de gâteries pour les orphelins. En saison, il leur aurait apporté des pommes et du cidre ; au printemps, il n'y avait ni bonnes pommes ni cidre frais, mais Wally avait emporté la meilleure chose au monde — à son avis — après les pommes et le cidre. Il avait garni la Cadillac de dizaines de pots de gelée de pomme et de bidons de deux litres du meilleur miel de fleurs de pommier produit par les abeilles d'Ira Titcomb. Il se voyait arriver en Père Noël sur les lieux de l'avortement (image malheureuse, étant donné le souvenir que gardait Wilbur Larch de l'avorteuse de « derrière Harrison »).

Wally imaginait donc Candy assise juste après son avortement avec sur ses traits le soulagement d'une personne qui vient de se faire enlever une vilaine écharde ; curieusement, Wally attribuait à la salle d'avortement elle-même l'atmosphère de fête que l'on associe volontiers à la naissance d'un enfant désiré. Prenant ses désirs pour la réalité, il se félicitait de tout — et d'un bout à l'autre de cette scène joyeuse erraient les jolis petits déshérités de Saint Cloud's, chacun avec son pot de gelée, amateurs de miel aussi heureux que des oursons gavés.

Candy referma son livre et le reposa sur ses genoux ; Wally se crut obligé de dire quelque chose.

— Comment trouves-tu ton bouquin ?

193

— Je ne sais pas, répondit Candy — et elle se mit à rire.

Il lui pinça la cuisse ; quelque chose se bloqua dans sa gorge quand il voulut rire avec elle. Elle lui pinça la cuisse à son tour — avec la même passion, la même pression que le pincement de Wally. Oh, comme il fut soulagé qu'ils se ressemblent tant !

A travers les villages éberlués, de plus en plus pauvres sous le soleil qui n'en finissait pas de se lever, ils roulèrent comme des rois égarés — la Cadillac blanc cassé, avec ses passagers éblouissants, faisait tourner les têtes. Les garnitures écarlates tachetées par l'accident de Senior avec les insecticides étaient uniques en leur genre. Tous ceux qui les voyaient passer ne les oublieraient jamais.

— Plus très loin, dit Wally.

Cette fois, il eut la sagesse de ne pas lui pincer la cuisse ; il posa la main gauche sur ses genoux, à côté de *la Petite Dorrit*. Et Candy fit glisser sa main sur celle de Wally, juste au moment où Melony — qui traversait le vestibule de la section Filles d'un pas plus décidé que de coutume — attirait le regard généreux et attentif de Mme Grogan.

— Que se passe-t-il, ma chérie ? demanda Mme Grogan.

— Je ne sais pas, répliqua Melony en haussant les épaules. Vous pouvez parier que ce n'est pas l'arrivée d'un nouveau mec en ville — ce qui était une remarque bénigne pour Melony.

Mme Grogan pensa : Comme cette fille s'est adoucie ! Elle s'était adoucie — enfin, un peu. Un très petit peu.

La détermination de la grosse jeune femme incita Mme Grogan à la suivre dehors.

— Mon cœur, quel vent ! s'écria Mme Grogan.

Où étais-tu donc depuis ce matin ? pensa Melony, mais elle ne prononça pas un mot ; ce que l'on prenait pour de l'adoucissement n'était peut-être qu'une nouvelle forme d'indifférence.

— C'est le chef de gare, dit Homer Wells, qui fut le premier à trouver le corps.

— Ce connard ! murmura Wilbur Larch.

— De toute façon, il est mort, apprit Homer au docteur qui se débattait encore avec les hautes herbes, sur le chemin du cadavre.

Le Dr Larch se retint de dire qu'en mourant de cette manière le chef de gare voulait encore faire des ennuis à l'orphelinat. Si Wilbur Larch s'adoucissait, il s'adoucissait lui aussi très peu.

Saint Cloud's n'était pas un endroit favorable à l'adoucissement.

Homer Wells leva les yeux par-dessus les herbes folles qui dissimulaient le chef de gare défunt et vit Melony s'avancer vers lui à grands pas.

194

Oh, je t'en prie ! pensa-t-il. Oh, je t'en supplie, laisse-moi *partir !* Le vent violent écarta les cheveux de son visage ; il inclina le buste vers le vent, comme s'il se trouvait sur le pont d'un bateau fonçant vers la tempête, fendant les vagues d'un océan qu'il n'avait pas encore vu.

Wilbur Larch songea au cœur faible qu'il avait inventé pour Homer Wells. Mais comment annoncer au jeune homme sa faiblesse cardiaque sans l'effrayer ou lui rappeler la vision pétrifiée sur le visage du chef de gare ? Que diable cet imbécile avait-il cru voir ? se demanda Larch, en aidant les autres à traîner le cadavre raidi vers l'entrée de l'infirmerie.

Curly Day, qui adorait s'occuper, venait de partir à la gare ; le petit Copperfield l'accompagnait, ce qui ralentissait considérablement Curly — pourtant satisfait d'avoir de la compagnie. Curly conservait de vagues doutes sur le sens du message dont il était porteur, et Copperfield constituait pour lui un auditoire idéal. Curly s'entraîna donc à transmettre son message en le déclamant à David Copperfield ; le texte n'eut aucun effet visible sur le « petit morpion », mais Curly trouva la répétition du message apaisante. Surtout, s'entraîner ainsi l'aidait à *comprendre,* du moins le croyait-il.

— Le chef de gare est mort ! annonça Curly en entraînant Copperfield vers le bas de la colline.

La tête du petit s'inclina en signe d'assentiment, ou bien ballotta entre ses épaules secouées. Son équilibre manquait de perfection et, dans la descente, l'allure de Curly était dure à suivre. En plus, il avait la main gauche (coincée dans la main de Curly) tirée très haut au-dessus de son oreille gauche.

« Le docteur Larch dit qu'il a eu une crise cardiaque pendant plusieurs heures ! ajouta Curly Day.

La phrase ne sonnait pas tout à fait juste mais, quand il l'eut répétée plusieurs fois, elle acquit un vernis de raison. En fait, Larch avait pensé que la crise cardiaque du chef de gare remontait à plusieurs heures, mais plus Curly répétait sa version et plus elle lui semblait correcte.

« Dites aux parents et amis qu'il y aura bientôt une automobile ! conclut Curly Day.

Et David Copperfield hocha la tête, parfaitement d'accord.

Cette fois Curly trouva la phrase inexacte, et destinée à le rester même à la centième répétition. Et pourtant, il aurait juré qu'on lui

195

avait demandé d'annoncer quelque chose comme ça. Le mot juste était « autopsie », non « automobile » ; Curly avait retenu très bien une partie du mot. Et d'ailleurs il y avait peut-être une voiture spéciale pour emporter les morts, se dit-il. Cela ne manquait pas entièrement de sens — et très peu de sens suffisait à Curly Day : c'était déjà plus qu'il n'en voyait dans la plupart des choses.

— Mort ! cria joyeusement David Copperfield quand ils arrivèrent près de la gare.

Comme d'habitude, deux rustres étaient affalés sur le banc qui tournait le dos à la voie : le genre de ballots qui traînaient dans la gare du matin au soir, comme s'il s'agissait d'une maison de belles femmes, connues pour accorder leurs faveurs à tous les crasseux et chômeurs de la ville. Ils ne prêtèrent aucune attention à Curly Day et à David Copperfield. (« Mort ! » leur cria David Copperfield, sans effet.)

Le sous-chef de gare, quoique jeune, avait modelé son allure officielle (particulièrement détestable) sur l'allure officielle de son supérieur, de sorte que sa jeunesse avait acquis un air vieux péteux, geignard et bourru déplacé — d'ailleurs associé à la méchanceté mesquine d'un employé de fourrière qui adore son travail. Ce jeune homme stupide partageait en outre le côté faux bravache du chef de gare : il tempêtait contre les gosses qui mettaient les pieds sur les bancs, mais faisait la bouche en cœur devant le moindre individu mieux nippé que lui et tolérait les pires grossièretés de ses supérieurs. Il se montrait sans exception froid et méprisant à l'égard des femmes qui demandaient l'adresse de l'orphelinat en descendant du train ; pas une fois il n'avait pris le bras d'une de ces femmes, ni offert son assistance quand elles se hissaient sur le marchepied du train de retour ; or la première marche était très haute — la plupart des femmes avaient du mal avec cette première marche.

Ce matin-là, le sous-chef de gare se sentait particulièrement vertueux — et déplaisant. Il avait donné quinze *cents* à l'un des clochards pour qu'il aille chercher le chef de gare chez lui, mais l'idiot était revenu bredouille : le vélo du chef de gare était tombé, déclarat-il, et semblait abandonné à l'endroit de sa chute. Mauvais signe, se dit le sous-chef, mais ce n'en était que plus agaçant. D'un côté l'obligation d'accomplir les corvées de son chef l'irritait (il s'en sortait d'ailleurs assez mal), de l'autre la perspective de jouir du pouvoir l'exaltait. Lorsqu'il aperçut les deux marmots de l'orphelinat qui traversaient la grand-rue en face de la gare pour s'avancer vers lui, le sous-chef de gare sentit son autorité s'enfler soudain. Curly Day, s'essuyant le nez d'une main et traînant David Copperfield de l'autre, parut sur le point de parler, mais le sous-chef de gare le devança.

— Du balai, dit-il. Ce n'est pas votre place, ici.

Curly s'arrêta ; le jeune Copperfield lui rentra dedans et tituba sous la violence de la collision. Curly croyait n'être « à sa place » nulle part, mais il saisit sa confiance à deux mains et transmit, à haute et intelligible voix, le message qu'il avait répété :

— Le chef de gare est mort ! Le Dr Larch dit qu'il a eu une crise cardiaque pendant plusieurs heures ! Dites aux parents et amis qu'il y aura bientôt une automobile !

Même les clochards prirent acte. Le sous-chef fut en proie à une marée soudaine de sentiments contradictoires : la mort du chef de gare pouvait signifier qu'il allait, lui, prendre le poste de chef ; l'idée qu'un homme puisse être terrassé par une crise cardiaque durant plusieurs heures était fort pénible ; et quelle était donc cette promesse — ou cette menace — au sujet d'une automobile ?

Quels parents et amis ? se demandèrent les ballots.

— Qu'est-ce que c'est que cette histoire d'automobile ? demanda le sous-chef à Curly Day.

Curly se doutait bien qu'il avait fait une erreur, mais il décida de bluffer. Il n'est jamais conseillé de faire preuve de faiblesse ou d'indécision en face d'un bravache, et les brillants instincts de survie de Curly le poussèrent à préférer à la vérité l'apparence de la certitude.

— Ça signifie qu'une voiture va venir pour lui, répondit Curly Day — ce qui fit son effet sur les deux idiots ; jamais ils n'auraient cru le chef de gare assez important pour qu'une voiture se déplace.

— Tu veux dire un corbillard ? demanda le sous-chef.

Il y avait un corbillard à Three Mile Falls — il l'avait vu une fois : une longue voiture noire qui avançait à la vitesse d'une carriole tirée par des mules.

— Je veux dire une voiture, dit Curly Day pour qui le mot « corbillard » n'avait aucun sens. Je veux dire une *automobile*.

Personne ne bougea, personne ne parla ; peut-être les symptômes de la crise cardiaque spéciale, réputée longue de plusieurs heures, s'emparaient-ils lentement de chacun d'eux... Ils attendaient donc l'événement suivant de la journée quand la Cadillac blanc cassé de Senior Worthington apparut au bout de la rue.

Dans les nombreux villages pauvres et isolés qu'ils avaient traversés, Wally et Candy avaient attiré plus que leur part de regards étonnés, mais cela ne les avait guère préparés à l'ébahissement du sous-chef de gare et à l'émerveillement des deux traîne-savates assis sur le banc de devant la gare comme si on les avait cloués là.

— Nous y sommes : Saint Cloud's, dit Wally à Candy avec un enthousiasme forcé.

Candy ne put se retenir : elle tendit la main vers la jambe de Wally et l'agrippa à mi-cuisse — *la Petite Dorrit* glissa de ses genoux, effleura ses chevilles collées l'une à l'autre, puis tomba sur la moquette de la Cadillac. Plus que tout le reste, c'étaient les visages de Curly Day et de David Copperfield qui avaient frappé Candy. Malgré la crasse et le désordre de sa tenue, l'enfant avait un visage lumineux — son sourire semblait un rayon de soleil porte-bonheur ; un rayon qui perçait la saleté pour révéler un éclat secret... Ce fut l'immensité de l'espérance, sur le visage morveux de Curly, qui coupa le souffle de Candy ; elle sentit ses yeux fondre, sa vision se brouilla — mais pas avant que la bouche béante de David Copperfield ne l'étonne. De la grosse lèvre inférieure du gamin, en forme de larme, un filet de bave transparent, parfaitement sain, pendait jusqu'à ses petits poings serrés, qu'il crispait sur son estomac comme si la Cadillac d'un blanc aveuglant avait chassé tout l'air de ses poumons.

Sans en être très sûr, Wally eut le sentiment que le sous-chef de gare était responsable de cet étrange attroupement.

« Excusez-moi, dit-il au sous-chef, dont la bouche ne bougea pas, dont les yeux ne clignèrent pas. Pouvez-vous m'indiquer le chemin de l'orphelinat ?

— Ça, on peut dire que vous n'avez pas traîné, répondit le sous-chef d'une voix sans vie.

Un corbillard *blanc* ! songeait-il. Sans parler de la beauté des croque-morts ; le sous-chef s'aperçut qu'il était incapable de regarder la jeune fille.

— Pardon ? demanda Wally.

Ce type est dérangé, se dit-il, je ferais mieux de m'adresser à quelqu'un d'autre. Un regard en passant du côté du banc suffit à le convaincre de ne rien demander aux deux corniauds. Quant au plus jeune des deux marmots, dont la bave cristalline scintillait maintenant comme une chandelle de glace au soleil et parvenait presque aux fossettes maculées d'herbe de ses genoux, il semblait trop jeune pour la conversation.

« Salut, risqua Wally d'un ton aimable.

— Mort ! dit David Copperfield — et la salive dansa comme une guirlande argentée sur un arbre de Noël.

Pas lui, décida Wally, et il chercha le regard de Curly Day ; mais le regard de Curly n'était pas facile à trouver — il avait les yeux rivés sur Candy

— Bonjour, dit Candy — et Curly Day avala sa salive, visiblement et avec une douleur visible ; le bout mouillé de son nez avait l'air à vif mais il le frotta tout de même avec la dernière énergie.

— Toi, peux-tu nous indiquer le chemin de l'orphelinat ? demanda Wally à Curly Day qui, à l'inverse des clochards et du sous-chef, savait que cette Cadillac et ces spécimens angéliques d'êtres vivants n'avaient pas été envoyés pour récupérer le cadavre — non désiré — du chef de gare mort.

Ils voulaient aller à l'orphelinat, se dit Curly Day. Ils étaient venus pour *adopter* quelqu'un ! lui révéla son cœur battant. Oh mon Dieu, pria-t-il, faites que ce soit moi !

David Copperfield, dans son état de transe typique, tendit la main pour toucher le monogramme parfait sur la portière de la Cadillac : les initiales de Senior Worthington, en lettres d'or sur fond éclatant de pomme Red Delicious — avec une feuille d'un vert clair printanier, de la forme peu artistique d'une larme. Curly, d'une claque sur les doigts, éloigna la main du jeune Copperfield.

Si je veux qu'ils me choisissent, se dit Curly, il faut que je prenne les choses en main.

— L'orphelinat ? lança-t-il, je vais vous le montrer. Prenez-nous en voiture.

Candy sourit et leur ouvrit la portière arrière. Elle s'étonna un peu de voir Curly soulever le jeune Copperfield et le lancer dans la voiture — pas sur le siège mais sur le plancher. Copperfield parut d'ailleurs se satisfaire du plancher ; de fait, quand il posa la main sur les garnitures rouges curieusement tachetées du siège, il la retira brusquement, alarmé — c'était la première fois qu'il touchait du cuir —, et il bondit comme s'il craignait que le siège ne fût en vie. La journée avait été stupéfiante pour le jeune Copperfield : son emprisonnement une partie de la matinée dans un carton à lavements ; sa première tentative de vol ; sa longue chute parmi les herbes folles ; puis la tête du mort sur laquelle il s'était assis. Ensuite, quoi ? se demandait Copperfield Junior. Quand la Cadillac se mit à avancer, il hurla. C'était la première fois qu'il montait en voiture.

« Il ne connaît rien aux voitures, expliqua Curly Day à Candy.

Curly n'avait jamais touché de cuir de sa vie lui non plus, mais il essaya de s'asseoir sur le siège luxueux comme s'il était né pour se promener éternellement de cette manière. Il ne réalisa pas que les taches décolorées qui zébraient le rouge écarlate étaient le résultat d'un accident chimique — Curly Day aurait souvent l'infortune de prendre un accident pour une intention artistique.

— Ralentis, Wally, dit Candy. Le petit a peur.

Elle se pencha par-dessus le siège avant et tendit les bras vers le jeune Copperfield, dont les hurlements s'interrompirent sur-le-champ. Il reconnut la façon dont les cheveux de Candy tombaient en avant de chaque côté de son visage — ce détail, les bras tendus et l'impression réconfortante du sourire de la jeune fille lui rappelèrent Nurse Angela et Nurse Edna. Les hommes, pensait Copperfield, vous prennent d'un seul bras et vous portent sur la hanche ; par « hommes », il entendait Homer Wells et le Dr Larch. Curly Day trimbalait parfois Copperfield de cette manière, mais il n'était pas assez fort et le laissait souvent tomber.

« Viens, viens, n'aie pas peur, dit Candy à Copperfield en le faisant passer par-dessus le siège pour le poser sur ses genoux.

Copperfield sourit et toucha les cheveux de Candy ; c'était la première fois qu'il voyait des cheveux blonds, et il douta de leur réalité. Jamais il n'avait rencontré quelqu'un qui sentait aussi bon ; il blottit son visage au creux du coude de Candy et respira son parfum à fond. Elle le serra dans ses bras et l'embrassa même sur la bosse bleue de sa tempe. Elle regarda Wally et faillit pleurer.

Curly Day, malade d'envie, s'accrocha au siège de cuir en se demandant ce qu'il pourrait dire pour les inciter à le désirer *lui*. Pourquoi quelqu'un aurait-il envie de moi ? se demanda-t-il aussitôt, mais il chassa vite cette pensée. Il chercha le regard de Wally dans le rétroviseur de la Cadillac ; il souffrait trop de voir Candy serrer David Copperfield dans ses bras.

— Tu es l'un des orphelins ? demanda Wally, d'un ton qu'il espérait plein de tact.

— Et comment ! répondit Curly Day, trop fort — et d'une voix trop enthousiaste, comprit-il au même instant. Je ne suis pas seulement l'un des orphelins, ajouta-t-il tout de go. Je suis le *meilleur* !

Candy éclata de rire, se retourna sur le siège avant et lui sourit ; Curly sentit qu'il lâchait sa prise sur la garniture de cuir. Il se devait de continuer de parler, mais son nez coulait tant que tout ce qu'il dirait paraîtrait grotesque, il en était certain ; avant qu'il puisse traîner sa manche sur son visage, la main de Candy se tendit vers lui, avec un mouchoir. Et il s'aperçut qu'elle ne se contentait pas de tendre le mouchoir, elle appuyait le mouchoir contre son nez et le tenait bien en place.

— Souffle ! dit Candy.

On n'avait fait ce geste pour Curly Day qu'une seule fois — Nurse Edna, croyait-il. Il ferma les yeux et se moucha, au début avec précaution.

« Allons, lui dit Candy, souffle vraiment !

Il souffla vraiment — il se moucha avec une telle détermination que sa tête se vida dans l'instant. L'odeur délicieuse du parfum de Candy l'enivra aussitôt ; il ferma les yeux et mouilla sa culotte. Puis il perdit la tête et se lança en arrière sur l'immense banquette écarlate. Il vit qu'il s'était mouché dans la main de Candy — et elle n'avait même pas l'air en colère ; elle avait l'air soucieux, et cela le fit pisser encore plus fort. Il était incapable de s'arrêter. Elle parut surprise.

— Gauche ou droite ? demanda Wally d'un ton joyeux en s'arrêtant à l'entrée du chemin conduisant à l'entrée de service de la section Garçons.

— A gauche ! s'écria Curly, puis il ouvrit la portière arrière du côté de Candy et lui dit : Pardon ! Je ne mouille même pas mon lit. Jamais je ne l'ai fait ! Je ne suis pas un pisse-au-lit. J'ai attrapé un rhume, c'est tout ! Et je me suis excité ! C'est un mauvais jour pour moi, voilà. Mais je suis vraiment *bien* ! cria-t-il. Je suis le meilleur !

— C'est parfait, c'est parfait, remonte, lui répondit-elle.

Mais Curly fonçait déjà à travers les herbes folles, vers l'angle du bâtiment.

« Le pauvre gamin a mouillé sa culotte, expliqua Candy à Wally, qui remarqua alors la façon dont la jeune fille tenait David Copperfield sur ses genoux ; il s'aperçut de son propre trouble.

— Je t'en prie, chuchota-t-il à Candy, tu n'es pas obligée de faire ça. Tu peux avoir le bébé. J'ai *envie* du bébé — j'ai envie de *ton* bébé. Ce serait bien. Il nous suffit de faire demi-tour, supplia-t-il.

Mais elle répondit :

— Non, Wally. Je vais très bien. Le moment est mal choisi pour que nous ayons un enfant.

Elle baissa le visage contre le cou moite de David Copperfield ; le gamin avait une odeur à la fois douceâtre et rance.

La voiture ne bougeait plus.

— Tu en es sûre ? lui chuchota Wally. Tu n'y es pas obligée.

Elle adora qu'il lui dise la chose qu'il fallait, juste au moment où il le fallait, mais Candy Kendall avait l'esprit pratique, plus que Wally Worthington et, quand sa décision était prise, elle pouvait se montrer aussi têtue que son père ; elle ne parlait jamais pour ne rien dire.

— Le gosse t'a dit d'aller à gauche, répondit-elle à Wally. Va à gauche.

Mme Grogan, à l'entrée de la section Filles, de l'autre côté du chemin, remarqua l'hésitation de la Cadillac. Elle n'avait pas vu Curly

Day s'enfuir de la voiture et elle ne reconnut pas le petit enfant sur les genoux de la belle jeune fille. Elle supposa qu'il lui appartenait — tout en se demandant si elle avait déjà vu une jeune fille aussi belle. Et son jeune compagnon était beau — presque trop beau pour un mari, comme on dit dans le Maine.

De l'avis de Mme Grogan, ils avaient l'air trop jeunes pour être venus adopter quelqu'un — dommage, rêva-t-elle, parce qu'ils semblaient en avoir les moyens. La Cadillac ne signifiait rien pour Mme Grogan ; c'étaient les gens eux-mêmes qui lui semblaient précieux. Et comme elle se sentait « charmée » de voir ce couple adorable ! Les rares regards que Mme Grogan avait lancés à des riches dans le passé ne l'avaient nullement « charmée » ; ils n'avaient suscité en elle que de l'amertume — à cause des fillettes non adoptées. Uniquement à cause des fillettes ; il n'y avait rien de personnel dans l'amertume de Mme Grogan — et presque rien de personnel dans sa vie entière.

La voiture n'avança pas, ce qui permit à Mme Grogan de mieux voir. Oh, les pauvres chéris, se dit-elle. Ils ne sont pas mariés, ils ont eu cet enfant ensemble, l'un d'eux est déshérité — ils se sont déshonorés tous les deux, c'est évident — et ils sont venus abandonner leur enfant. Mais ils hésitent ! Elle eut envie de se précipiter vers eux et de lancer : Gardez l'enfant ! Fuyez ! Mais elle se sentit paralysée par le drame même qu'elle imaginait. Ne faites pas ça ! murmura-t-elle, en rassemblant toutes ses forces pour lancer un puissant signal télépathique.

Ce fut le signal que Wally entendit quand il dit à Candy que rien ne l'y obligeait. Mais presque aussitôt la voiture repartit — sans faire demi-tour, directement vers l'entrée de l'infirmerie à la section Garçons — et le cœur de Mme Grogan se brisa. Garçon ou fille ? se demanda-t-elle, dans un état de torpeur soudaine.

Que se passe-t-il, merde ? se demanda Melony à sa fenêtre d'amertume.

Le plafonnier du dortoir lançait une lumière si violente que Melony pouvait voir son visage en reflet dans la vitre ; elle regarda la Cadillac blanche s'arrêter sur sa lèvre supérieure. Curly Day s'enfuit à travers sa joue, et les bras de la jolie blonde enfermèrent David Copperfield sur sa gorge.

C'était pour ainsi dire le seul miroir dans lequel elle se regardait. Non point que la lourdeur de son visage la troublât, ou bien la vue de ses yeux trop rapprochés ou de ses cheveux rebelles ; ce qui la dérangeait dans son image, c'était son expression — le vide de son regard, l'absence d'énergie (autrefois, se disait-elle, j'avais de l'énergie). Elle avait oublié depuis combien de temps elle ne s'était pas regardée dans un vrai miroir.

Ce qui l'inquiétait ce matin-là, c'était qu'elle venait de voir ce vide qu'elle connaissait si bien sur le visage d'Homer Wells, au moment où il avait soulevé le cadavre du chef de gare — pas seulement l'absence d'effort : un regard de surprise zéro ; Melony avait peur d'Homer, à présent. Comme tout a changé ! se dit-elle. Elle eut envie de lui rappeler sa promesse. Tu ne me quitteras pas, n'est-ce pas ? faillit-elle articuler. Tu m'emmèneras si tu pars, aurait-elle voulu lui dire, mais la nouvelle expression d'Homer (familière puisque c'était sa propre expression) l'avait paralysée.

Quel est donc ce beau couple ? se demanda-t-elle. Et quelle voiture ! Elle n'avait pas vu leur visage, mais leur nuque l'avait déjà mise mal à l'aise. Les cheveux blonds de l'homme formaient un contraste si parfait avec sa nuque lisse, hâlée, que Melony avait senti passer un frisson. Et comment l'arrière de la tête de la jeune fille pouvait-il être aussi parfait — le mouvement de ses cheveux si impeccable ? Par quel miracle la longueur de ses cheveux s'alignait-elle si exactement avec les épaules droites et menues de la jeune fille ? Et pour poser sur ses genoux le jeune Copperfield — ce petit avorton, songea Melony — elle l'avait soulevé d'un geste plein de grâce. Elle avait dû prononcer le mot « avorton » presque à haute voix, parce que, au même instant, son haleine déposa de la buée sur la vitre ; elle cessa de voir sa propre bouche et son nez. Quand la fenêtre redevint claire, elle vit la voiture repartir vers l'entrée de l'infirmerie. Les gens comme ça sont trop parfaits pour avoir besoin d'un avortement, imagina Melony. Trop parfaits pour baiser, se dit-elle avec amertume. Trop propres pour faire ça. La jolie fille doit se demander pourquoi elle ne peut pas tomber enceinte. Elle ne sait pas qu'il faut baiser d'abord. Ils envisagent d'adopter quelqu'un mais ils ne trouveront personne ici. Il n'y a personne assez bien pour eux, songea Melony — qui les détesta. Elle cracha en plein sur son reflet terne et regarda le glaviot dégouliner vers le bas de la vitre. Elle n'avait pas l'énergie de bouger. Autrefois, se dit-elle, je serais au moins sortie sur le chemin, j'aurais tourné autour de la Cadillac. Peut-être ont-ils laissé quelque chose dans la voiture — quelque chose à voler. A présent, même la pensée de quelque chose à voler ne suffisait plus à tirer Melony de sa fenêtre.

Le Dr Larch avait pratiqué le premier avortement avec l'assistance de Nurse Edna ; il avait demandé à Homer de vérifier les contractions de la future mère de Damariscotta. Nurse Angela était en train d'assister Larch pour le deuxième avortement, mais le docteur avait insisté pour qu'Homer fût présent. Il avait vérifié l'anesthésie à l'éther effectuée par Homer ; le Dr Larch avait un tel doigté pour le tampon d'éther que la première avortée n'avait cessé de parler à Nurse Edna pendant toute l'opération, sans éprouver la moindre douleur. Elle parlait comme un moulin : une succession éthérée de coq-à-l'âne auxquels Nurse Edna répondait avec enthousiasme.

Homer, en revanche, avait mis la deuxième femme K.-O. et semblait furieux contre lui-même de l'avoir endormie plus qu'il n'en avait l'intention.

— Mieux vaut trop que pas assez, lui lança Nurse Angela d'un ton encourageant — les mains sur les tempes pâles de la femme, qu'elle frottait machinalement de ses doigts doux.

Larch avait demandé à Homer d'insérer le spéculum vaginal, et Homer fixait maintenant d'un œil sombre le col brillant de la femme, l'ouverture froncée de l'utérus. Baigné dans des mucosités translucides, l'organe avait une aura de brume matinale, de rosée, de nuages rosis par le soleil levant. Si Wally Worthington avait jeté un coup d'œil sur le spéculum, il aurait cru voir une pomme, à une phase pâle, éthérée, de son développement. Mais quel est donc ce petit orifice ? se serait-il sans doute demandé.

— Quelle allure ? demanda Larch.

— Excellente, répondit Homer Wells.

A sa surprise, Larch lui tendit le stabilisateur — instrument simple qui sert à tenir la lèvre supérieure du col pour le stabiliser avant de le sonder pour connaître sa profondeur, puis de le dilater.

« Vous n'avez pas compris ce que je vous ai dit ? demanda Homer au Dr Larch.

— Désapprouves-tu de toucher l'utérus, Homer ? demanda Larch.

Homer chercha la lèvre du col de la femme et la pinça, correctement. Je ne toucherai pas un seul dilatateur, se dit-il. Il ne m'y forcera pas.

Mais Larch ne le lui demanda même pas. Il dit : « Merci pour ton aide » et sonda le col, puis le dilata, lui-même. Lorsqu'il demanda la curette, Homer la lui tendit.

— Vous vous rappelez que je vous ai demandé de ne pas assister si

204

ce n'était pas nécessaire ? demanda Homer doucement. J'ai dit que si cela ne vous dérangeait pas, je préférerais ne pas regarder. Vous ne vous souvenez pas ?

— Il est nécessaire que tu regardes, répondit Wilbur Larch, qui écoutait le grattement de sa curette.

Sa respiration était rauque mais régulière.

« Je crois, reprit le Dr Larch, que tu dois participer jusqu'à un certain degré : regarder, prêter une assistance d'amateur, comprendre la procédure, apprendre à la pratiquer — que tu décides de la pratiquer ou non.

« Est-ce que j'interviens, moi ? continua Larch. Quand les femmes absolument désespérées me disent qu'elles ne peuvent pas supporter l'idée d'un avortement, qu'elles sont obligées d'avoir un autre orphelin, puis un autre et encore un autre : est-ce que j'interviens ? Dis-moi ?

« Je n'interviens pas, lança-t-il sans cesser de gratter. J'accouche l'orphelin, nom de Dieu. Et crois-tu que les bébés nés ici vivent en général une existence de conte de fées ? Crois-tu que l'avenir de ces orphelins est rose ? Le crois-tu ?

« Tu ne le crois pas, se répondit Larch à lui-même. Mais est-ce que je résiste ? Non. Je ne fais même pas de recommandations. Je leur donne ce qu'elles veulent : un orphelin ou un avortement.

— Mais... je suis un orphelin, répondit Homer Wells.

— Est-ce que j'insiste pour que tu aies les mêmes idées ? Non, dit le Dr Larch.

— Vous le souhaitez, dit Homer Wells.

— Les femmes qui viennent à moi ne sauraient être aidées par des souhaits, répondit Wilbur Larch.

Il posa la curette de taille moyenne et tendit la main pour une plus petite, qu'Homer Wells avait déjà préparée et lui remit comme un automate.

— Je *veux* me rendre utile, commença Homer.

Mais le Dr Larch refusa d'écouter.

— Alors, tu n'as pas le droit de te voiler la face, dit-il. Tu n'as pas le droit de détourner les yeux. C'est toi qui m'as dit, à juste raison, que pour te rendre utile, pour pouvoir participer, tu devais tout savoir. Il ne fallait rien te cacher. C'est toi qui me l'as appris ! Et tu as raison, dit Larch. Tu avais raison, ajouta-t-il.

— C'est *vivant,* répondit Homer Wells. Je n'ai rien d'autre à objecter.

— Tu es impliqué dans un processus, reprit le Dr Larch. Parfois une naissance, dans d'autres circonstances, une interruption. J'ai noté

ta désapprobation. Elle est légitime. Ta désapprobation est la bienvenue. Mais ton ignorance ne l'est pas. Tu n'as pas le droit de
détourner la tête, d'être incapable de te rendre utile — si tu changes
d'avis un jour.

— Je ne changerai pas d'avis, répliqua Homer Wells.

— D'accord. Alors disons : si tu y es obligé, contre ta volonté mais
pour sauver la vie de la mère, par exemple... si tu es obligé de
pratiquer un avortement un jour.

— Je ne suis pas docteur, dit Homer Wells.

— Tu n'es pas un médecin complet. Et tu pourrais encore étudier à
mes côtés pendant dix ans sans devenir un médecin complet. Mais en
ce qui concerne toutes les complications connues survenant dans le
domaine des organes de reproduction de la femme, en ce qui concerne
ces organes — je te considère comme un praticien complet. Point
final. Tu es déjà plus compétent que la plus compétente des sages-
femmes, nom de Dieu, lui dit Wilbur Larch.

Homer, qui avait prévu l'extraction de la petite curette, tendit à
Larch un premier tampon vaginal stérile.

« Je ne t'obligerai jamais à faire une chose que tu désapprouves,
Homer, lui dit le Dr Larch, mais tu regarderas, et tu sauras faire ce
que je fais. Sinon, à quoi serais-je bon ? demanda-t-il. Ne sommes-
nous pas sur cette terre pour travailler ? Au moins pour apprendre, au
moins pour observer ? Que crois-tu que signifie " se rendre utile " ? lui
demanda-t-il. Crois-tu que je doive te laisser dans ton coin ? Crois-tu
que je doive te laisser devenir une Melony ?

— Pourquoi ne lui enseignez-vous pas, à elle, comment faire ça ?
demanda Homer Wells au Dr Larch.

Ça, c'est une question ! se dit Nurse Angela, mais la tête de la
femme bougea légèrement entre ses mains ; la femme gémit, et Nurse
Angela lui effleura l'oreille de ses lèvres.

— Vous allez bien, ma chérie, murmura-t-elle. Tout est fini à
présent. Reposez-vous bien.

— Tu vois ce que je veux dire, Homer ? demanda le Dr Larch.

— D'accord, répondit Homer.

— Mais tu n'es pas du même avis, n'est-ce pas ?

— D'accord, répondit Homer Wells.

Espèce de bourrique ! songea Wilbur Larch. Buté, égoïste, mauviette, arrogant, béjaune, ignare, *adolescent !* Mais au lieu de tout
cela, il répondit à Homer Wells :

— Peut-être désires-tu revenir sur ta décision de devenir médecin ?

— Revenir ? Je n'y suis jamais venu, répliqua Homer. Jamais je n'ai dit que je voulais être médecin

Larch regarda le sang sur la gaze — une quantité de sang tout à fait normale, se dit-il — et, quand il tendit la main pour un autre tampon, Homer en avait un tout prêt.

— Tu n'as pas envie d'être médecin, Homer ? demanda le Dr Larch.

— Juste, dit Homer Wells. Je ne crois pas.

— Tu n'as guère eu l'occasion de voir autre chose, dit Larch, avec philosophie. (Son cœur lui faisait mal.) C'est de ma faute, j'en suis sûr, si j'ai rendu la médecine aussi peu attirante, ajouta-t-il.

Nurse Angela, pourtant beaucoup plus dure que Nurse Edna, crut qu'elle allait pleurer.

— Rien n'est de votre faute, se hâta de répondre Homer.

Wilbur Larch vérifia de nouveau le saignement.

— Il n'y a plus grand-chose à faire ici, dit-il avec brusquerie. Si cela ne te dérange pas, reste avec elle jusqu'à ce qu'elle sorte de l'éther — tu lui as vraiment flanqué une torgnole, ajouta-t-il en soulevant les paupières de la femme. Je peux accoucher la femme de Damariscotta seul, quand elle sera prête. Je ne m'étais pas rendu compte que tu n'aimais pas tout ça, dit Larch.

— Ce n'est pas exact, répondit Homer. Je peux accoucher la femme de Damariscotta. Je serai ravi de l'accoucher.

Mais Wilbur Larch s'était détourné de la patiente et quittait la salle d'opération.

Nurse Angela lança un regard furtif à Homer ; un regard assez neutre, nullement méprisant, sans une trace de reproche, mais sans la moindre pitié non plus (même pas un regard amical, constata Homer Wells). Elle suivit le Dr Larch, laissant Homer avec la patiente qui se dégageait peu à peu des vapeurs de l'éther.

Homer regarda la tache sur le tampon de gaze ; il sentit la main de la femme lui effleurer le poignet tandis qu'elle murmurait encore étourdie :

— J'attends ici, le temps que tu ailles chercher la voiture, mon chou.

Dans les douches des garçons, où il y avait plusieurs toilettes, Wilbur Larch s'aspergea le visage d'eau froide et vérifia dans le miroir qu'il ne portait aucune trace de ses larmes. Il ne pratiquait pas les miroirs davantage que Melony, et son reflet le surprit. Depuis combien de temps suis-je si *vieux* ? se demanda-t-il. Derrière lui, dans la glace, il reconnut les vêtements trempés, en tas par terre : ceux de Curly Day.

207

— Curly ? lança-t-il.

Il s'était cru seul, mais Curly Day pleurait lui aussi — dans un autre cabinet.

— J'ai une très mauvaise journée, annonça Curly.

— Parlons-en un peu, proposa le Dr Larch — ce qui incita Curly à sortir des toilettes.

Il portait des vêtements plus ou moins propres, mais le Dr Larch reconnut qu'ils ne lui appartenaient pas : de vieux vêtements d'Homer, devenus trop petits pour lui mais encore trop grands pour Curly Day.

— J'essaie d'avoir l'air chouette pour le couple chouette, expliqua Curly. J'ai envie qu'ils m'emmènent.

— Qu'ils t'*emmènent* ? demanda Larch. Quel couple chouette ?

— Vous savez bien, répondit Curly, persuadé que le Dr Larch savait tout. La belle femme ? La voiture blanche ?

Ce pauvre gamin a des visions, se dit Wilbur Larch ; il le prit dans ses bras et l'assit sur le bord du lavabo pour pouvoir mieux l'observer.

« Ils seraient ici pour adopter quelqu'un d'autre ? demanda Curly, atterré. Je crois que Copperfield a plu à la femme — mais il ne sait même pas parler.

— Il n'y a aucune adoption prévue aujourd'hui, Curly, dit le Dr Larch. Je n'ai aucun rendez-vous aujourd'hui.

— Ils sont peut-être venus seulement pour regarder, proposa Curly. Ils vont prendre le meilleur de nous.

— Ça ne marche pas comme ça, Curly, lui expliqua le Dr Larch, alarmé.

Ce gosse croit-il que je dirige un magasin d'animaux savants ? se demanda-t-il. Croit-il que je laisse les gens entrer ici pour flâner et faire leur choix ?

— Je ne sais pas comment rien marche, balbutia Curly en se remettant à pleurer.

Wilbur Larch, avec tout frais dans l'esprit le souvenir de l'âge qu'il paraissait dans le miroir, pensa un instant qu'il n'était plus à la hauteur de sa tâche ; il se sentit en train de déraper, et il eut soudain envie que quelqu'un l'adopte, lui — et l'emmène au loin. Il serra le visage trempé de Curly Day contre sa poitrine ; il ferma les yeux et vit les points lumineux qu'il percevait presque à chaque fois qu'il respirait les vapeurs d'éther.

Il regarda Curly Day et se demanda s'il serait un jour adopté ou s'il se trouvait en danger de devenir un autre Homer Wells.

Nurse Angela s'arrêta près de la porte des douches des garçons ; elle écouta le Dr Larch consoler Curly Day. Elle était plus inquiète pour le

Dr Larch que pour Curly ; le Dr Larch et Homer Wells s'obstinaient à s'asticoter, semblait-il, et Nurse Angela n'aurait jamais cru qu'une telle situation s'instaurerait entre deux hommes qui s'aimaient aussi manifestement et avaient tant besoin l'un de l'autre. Elle se désolait de ne pouvoir intervenir, mais qu'aurait-elle pu faire ? Elle entendit Nurse Edna l'appeler et se félicita de cette interruption ; elle décida qu'il serait plus facile de parler à Homer qu'au Dr Larch ; mais que pourrait-elle dire à l'un ou à l'autre ?

Homer regarda la deuxième avortée émerger de l'éther ; il la fit passer de la table d'opération sur un lit roulant et releva les sécurités du lit au cas où la femme serait un peu étourdie. Il passa la tête dans une autre chambre et vit que la première avortée s'asseyait déjà sur le lit, mais il décida que les deux femmes préféreraient rester seules pendant un moment ; il laissa donc la deuxième patiente dans la salle d'opération. De toute façon, il était trop tôt pour accoucher la femme de Damariscotta. L'infirmerie lui parut soudain exiguë et surpeuplée — il aurait aimé disposer d'une chambre pour lui. Mais il fallait d'abord qu'il présente ses excuses au Dr Larch, qu'il avait froissé — les mots lui avaient échappé des lèvres, et des larmes lui montèrent aux yeux à la pensée d'avoir fait la moindre peine à son protecteur. Il traversa le couloir et entra dans la pharmacie, où il vit ce qu'il prit pour les pieds du Dr Larch dépasser du bout du lit ; les armoires à médicaments dissimulaient le reste à ses regards. Il s'adressa donc aux pieds de Larch, qui lui parurent d'ailleurs plus grands que dans son souvenir ; il s'étonna aussi de voir que le docteur — toujours si minutieux — avait gardé ses chaussures, au demeurant boueuses.

— Docteur Larch ? commença Homer. Je vous demande pardon.

N'obtenant pas de réponse, Homer en conclut, contrarié, que le docteur se trouvait sous l'effet d'une dose d'éther mal calculée.

« Je vous demande pardon et je vous aime, ajouta Homer un peu plus fort.

Il retint son souffle pour écouter la respiration du docteur, qu'il ne put distinguer ; alarmé, il contourna les armoires et vit le chef de gare défunt allongé sur le lit de Larch. Il ne lui vint pas à l'esprit que c'était la première fois qu'on avait dit « Je vous aime » au chef de gare.

On n'avait pas trouvé de meilleur endroit où le déposer. Nurse Edna et Nurse Angela l'avaient déménagé de la salle d'opération. Demander à une des avortées de supporter la présence du cadavre, ou bien le coucher à côté de la future mère en travail, aurait été trop cruel. Quant à le mettre sur l'un des lits du dortoir, cela aurait sans aucun doute troublé les orphelins.

209

« Nom de Dieu ! s'écria Homer.

— Qu'est-ce qu'il y a ? demanda Larch depuis la porte de la pharmacie, avec Curly Day sur les bras.

— Rien, dit Homer Wells. Peu importe.

— Curly est en train de passer une très mauvaise journée, expliqua le Dr Larch.

— Pas de chance, Curly, dit Homer.

— Quelqu'un est venu adopter quelqu'un, expliqua Curly. Ils vont choisir comme au *magasin*.

— Je n'en crois rien, Curly, dit le Dr Larch.

— Tu leur diras que je suis le meilleur, Homer. D'accord ? demanda Curly.

— D'accord, répondit Homer Wells. Tu es le meilleur.

— Wilbur ! appela Nurse Edna, en train de bavarder avec Nurse Angela à la porte d'entrée de l'infirmerie.

Ils sortirent d'un pas nonchalant pour voir ce qui se passait : le docteur, son apprenti récalcitrant, et l'orphelin le plus âgé (après Homer) de la section Garçons.

Il y avait un attroupement, de petite taille mais très animé, autour de la Cadillac. Le coffre était ouvert et le beau jeune homme distribuait des cadeaux aux orphelins.

— Désolé que ce ne soit pas la saison des pommes, les enfants, disait Wally. Ou du cidre. Vous auriez tous bu un coup de cidre ! lança-t-il d'un ton joyeux, en tendant des bidons de miel et des pots de gelée.

Les mains sales, avides, se refermaient sur leurs proies. Mary Agnes Cork, la plus âgée (après Melony) de la section Filles, obtint plus que sa part. (Melony lui avait appris à contrôler une queue.) Le nom de Mary Agnes avait beaucoup de succès auprès de Mme Grogan, et elle était née en Irlande dans le comté de Cork. Il y avait eu beaucoup de petits bouchons (*corks*) à la section Filles.

« Il y en a des quantités pour tout le monde ! s'écria Wally, optimiste, tandis qu'Agnes, cachant deux miels et une gelée sous son corsage, tendait encore la main.

Un garçon du nom de Smoky Fields avait ouvert son pot et mangeait la gelée à pleines mains.

« C'est vraiment bon sur une tartine, le matin, lui expliqua Wally prudemment — mais Smoky Fields le toisa comme si les tartines ne faisaient pas partie de son régime, comme si l'on n'était pas sûr d'en trouver chaque matin ; Smoky Fields avait l'intention de finir le pot de gelée sur-le-champ.

210

Mary Agnes repéra une barrette à monture de corne sur le siège arrière de la décapotable — Candy l'y avait posée. Mary Agnes se tourna face à Candy, puis laissa tomber un pot de gelée de pommes aux pieds de la jeune fille.

— Oh ! s'écria Candy en se penchant pour lui ramasser la gelée — pendant que Mary Agnes volait la barrette (sous les yeux admirateurs du petit John Walsh qui ne perdit rien de son habile manœuvre).

Une trace de sang, ou peut-être de rouille, sur le mollet nu de Mary Agnes attira l'œil de Candy, dont le cœur s'émut ; elle dut se retenir de mouiller son doigt pour essuyer la tache. Quand elle se releva pour tendre le pot à la fillette, elle se sentit un peu étourdie. Plusieurs adultes venaient de sortir de l'entrée de l'infirmerie, et leur présence aida Candy à se ressaisir : je ne suis pas venue ici pour jouer avec les enfants, se dit-elle.

— Je suis le docteur Larch, expliquait le vieux monsieur à Wally qui semblait pétrifié par la détermination avec laquelle Smoky Fields dévorait le pot entier de gelée.

— Wally Worthington, répondit Wally en secouant la main du Dr Larch avant de lui tendre un pot de miel d'Ira Titcomb. Juste arrivé des vergers Ocean View. C'est à Heart's Rock, mais nous nous trouvons très près de la côte — presque à Heart's Haven.

— Heart's Haven ? répéta Wilbur Larch en examinant le miel.

Une brise de mer semblait émaner du jeune homme — aussi nette que des billets de cent dollars tout neufs, crissant sous les doigts. De quel portrait s'orne le billet de cent dollars ? essaya d'imaginer Larch.

— Va lui dire ! demanda Curly Day à Homer Wells en montrant Candy — geste inutile, car Homer Wells l'avait vue (et n'avait vu qu'elle) depuis l'instant où il avait franchi le seuil de l'infirmerie.

Le jeune Copperfield s'accrochait à ses jambes mais cela ne semblait diminuer nullement sa grâce — et rien ne pouvait voiler son rayonnement.

« Dis-lui que je suis le meilleur, répéta Curly Day à Homer.

— Bonjour, fit Candy à Homer, parce que de tous les êtres présents il était le plus grand — il était aussi grand que Wally. Je suis Candy Kendall, dit-elle. J'espère que nous n'interrompons rien.

Vous interrompez deux avortements, une naissance, une mort, deux autopsies et une querelle, songea Homer Wells, mais il dit seulement :

— C'est lui le meilleur.

D'un ton trop mécanique ! pensa Curly Day. Il manque de conviction !

211

— Moi ! lança Curly en s'avançant entre eux. Il veut dire *moi*. C'est moi le meilleur.

Candy se pencha vers Curly et ébouriffa ses cheveux collants.

— Mais bien sûr ! s'écria-t-elle gaiement.

Et en se redressant, elle demanda à Homer :

« Et vous travaillez ici ? Ou bien vous êtes l'un... (Était-il poli de dire *l'un d'eux ?* s'interrogea-t-elle.)

— Pas exactement, bafouilla Homer en songeant : Je travaille ici, mais *pas exactement*, et je ne suis *pas exactement* l'un d'eux.

— Il s'appelle Homer Wells, expliqua Curly à Candy puisque Homer ne s'était pas présenté. Il est trop vieux pour être adopté.

— Je m'en rends compte ! répondit Candy, intimidée.

Je devrais plutôt parler au médecin, se dit-elle, de plus en plus gênée ; elle en voulut à Wally d'avoir provoqué un tel attroupement.

— Je suis dans les pommes, expliquait Wally au Dr Larch. L'entreprise de mon père. Ou plutôt, ajouta-t-il, l'entreprise de ma mère.

Que veut donc cet idiot ? se demanda Wilbur Larch.

— J'adore les pommes ! dit Nurse Edna.

— Je vous en aurais apporté des quantités, répondit Wally, mais ce n'est pas la bonne saison. Vous devriez produire vos pommes... (Il tendit le bras vers la colline en friche qui s'étendait derrière eux.) Regardez ce coteau, dit-il. Le ruissellement entraîne la bonne terre. Il faudrait le planter. Je pourrais même vous trouver les arbres. Dans six ou sept ans, vous auriez vos pommes ; vous auriez des pommes pour plus de cent ans.

Qu'ai-je besoin de cent ans de pommes ? se demanda le Dr Larch.

— Ne serait-ce pas gentil, Wilbur ? lança Nurse Edna.

— Et vous pourriez avoir votre propre pressoir à cidre, proposa Wally. Pour donner aux gosses de bonnes pommes et du cidre frais — ils auraient des tas de choses à faire.

Ils n'ont pas besoin de choses à *faire*, se dit le Dr Larch. Ils ont besoin d'endroits où *aller* !

Ils font partie d'une œuvre, pensa Nurse Angela, prudente. Elle avança les lèvres contre l'oreille du Dr Larch et murmura : « Une donation importante », pour que le bon docteur ne se montre pas grossier à leur égard.

Ils sont trop jeunes pour donner leur argent aux autres, se dit Wilbur Larch.

« Des abeilles ! disait Wally. Vous devriez avoir aussi des abeilles Passionnant pour les gosses, et beaucoup plus sûr que ne le pensent la plupart des gens. Vous feriez votre miel et donneriez une éducation aux enfants — les abeilles sont une société modèle, un exemple de travail d'équipe.

Oh, tais-toi donc, Wally! songea Candy, bien qu'elle comprît pourquoi il ne pouvait s'arrêter de débiter des sottises. Il n'avait pas l'habitude d'un milieu que sa présence n'illuminait pas instantanément; il n'avait pas l'habitude d'un endroit si désespérant qu'il exigeait le silence. Il n'avait pas l'habitude d'absorber des chocs, de garder les chocs en lui-même. Le bavardage-mitraillette de Wally était un effort bien intentionné; il croyait que l'on peut embellir le monde — il se sentait obligé de tout réparer, de rendre les choses meilleures.

Le Dr Larch parcourut des yeux le groupe des enfants en train de se gaver de miel et de gelée. Ces deux-là étaient-ils venus pour jouer avec les enfants pendant une journée et rendre tout le monde malade? se demanda-t-il. Il aurait dû regarder Candy : il aurait compris la raison de leur présence. Mais Wilbur Larch ne savait pas regarder les yeux des femmes; il en avait trop vu sous des lumières dures. Nurse Angela se demandait parfois si le Dr Larch savait à quel point il avait tendance à ne pas regarder les femmes; était-ce une déformation professionnelle des gynécologues, ou bien les hommes peu enclins à regarder les femmes étaient-ils attirés par la gynécologie?

Homer Wells était différent; il regardait les femmes droit dans les yeux — ce qui expliquait peut-être pourquoi il avait l'air de trouver si troublante leur position dans les étriers, se disait Nurse Angela. C'est drôle : il a vu tout ce que fait le Dr Larch, mais il refuse de regarder quand Nurse Edna ou moi rasons une de ces femmes. Et il se montre tellement catégorique quand il discute avec le Dr Larch du rasage des femmes avant l'avortement. (« Ce n'est pas nécessaire, disait toujours Homer, et ça ne plaît pas aux patientes. — Ça ne leur plaît pas? répliquait le Dr Larch. Suis-je donc un amuseur public? »)

Candy se sentait désemparée; personne ne semblait comprendre pourquoi elle se trouvait là. Les enfants se cognaient à ses hanches; quant à ce beau jeune homme sombre et gauche, qui avait sûrement son âge mais paraissait nettement plus âgé..., était-elle censée lui dire, *à lui*, pourquoi elle était venue à Saint Cloud's? Personne ne pouvait-il le deviner simplement en la regardant? Puis Homer Wells la regarda *de cette façon-là;* leurs yeux se croisèrent. Candy comprit qu'il l'avait déjà vue très souvent, qu'il l'avait regardée grandir, l'avait vue nue, avait même observé l'acte responsable du mal particulier qu'elle était venue soigner ce matin-là. Quant à Homer, tout s'écroula quand il reconnut à l'expression de la belle inconnue qu'il était tombé

213

amoureux d'une chose aussi banale et pitoyable qu'une autre grossesse indésirée.

— Je crois que vous seriez plus confortable à l'intérieur, lui murmura-t-il.

— Oui, merci, répondit Candy, incapable de le regarder dans les yeux à présent.

Larch vit la jeune fille se diriger vers l'entrée de l'infirmerie et reconnut la démarche appliquée caractéristique d'une personne qui regarde ses pieds ; il songea soudain : Oh, ce n'est qu'un autre avortement, rien de plus. Il se retourna pour suivre la jeune fille et Homer, juste au moment où Smoky Fields terminait son pot de gelée et s'attaquait à un pot de miel. Smoky mangeait sans aucune satisfaction apparente ; mais il mangeait avec tant de méthode que, même bousculé par un orphelin voisin, il ne quittait pas des yeux sa patte qui se glissait dans le pot. Si on le bousculait trop fort, une sorte de grondement — ou de gargouillis — montait du fond de sa gorge et il courbait les épaules en avant comme pour protéger le pot d'éventuels prédateurs.

Homer ouvrit la marche jusqu'au bureau de Nurse Angela ; sur le seuil, il vit les mains du bébé mort tendues au-dessus du bord du plateau d'examen en émail blanc, encore posé sur la machine à écrire. Les mains du bébé attendaient encore le ballon, mais les réflexes d'Homer furent assez rapides ; il fit demi-tour dans l'embrasure de la porte et repoussa Candy dans le couloir.

— Voici le Dr Larch, dit Homer à Candy tout en les faisant avancer tous les deux vers la pharmacie.

Wilbur Larch ne se rappelait plus qu'il y avait un bébé mort sur la machine à écrire du bureau de Nurse Angela.

— Ne devrions-nous pas inviter Mlle Kendall à s'asseoir ? lança-t-il à Homer d'un ton rogue.

Il ne se rappelait pas non plus que le chef de gare mort se trouvait dans la pharmacie, et, en voyant les souliers boueux de l'idiot, il prit Homer à l'écart et lui chuchota sèchement :

« N'éprouves-tu donc aucun sentiment pour cette pauvre fille ? »

Homer lui répliqua sur le même ton que la vision partielle d'un homme mort lui semblait préférable à celle d'un bébé mort, dans sa totalité.

« Oh ! dit Wilbur Larch.

— Je vais accoucher la femme de Damariscotta, ajouta Homer, toujours à voix basse.

— Bien, mais pas de précipitation, chuchota Larch.

— Ce que je veux, c'est ne pas avoir affaire avec *celle-ci,* murmura Homer en regardant Candy. Je ne veux même pas la regarder, vous comprenez ?

Le Dr Larch se tourna vers la jeune femme. Il crut comprendre, un peu. C'était une très jolie jeune femme, même le Dr Larch pouvait s'en rendre compte et jamais auparavant il n'avait vu Homer aussi agité en présence de quelqu'un. Homer se croit amoureux ! se dit le Dr Larch. Ou bien il croit qu'il aimerait l'être. Me serais-je montré insensible ? se demanda Larch. Cet adolescent est-il encore assez adolescent pour avoir besoin de voir les femmes sous un jour romantique ? ou bien est-il assez homme pour désirer aussi participer au roman ?

Wally était en train de se présenter à Homer Wells. Wilbur Larch pensa : celui-là a une pomme en guise de cervelle ; pourquoi parle-t-il à voix basse ? Il ne vint pas à l'esprit du Dr Larch qu'étant donné la vision partielle qu'avait Wally du chef de gare il croyait ce dernier en plein sommeil.

— Si je pouvais avoir un instant de tranquillité avec Mlle Kendall... dit Wilbur Larch. Nous ferons connaissance plus tard. Edna, vous m'assisterez avec Mlle Kendall, je vous prie. Et Angela... voulez-vous aider Homer pour la femme de Damariscotta ? Homer, expliqua le Dr Larch à Wally et à Candy, est une *sage-femme* tout à fait accomplie.

— Ah bon ? lança à Homer un Wally enthousiaste Ouah !

Homer Wells garda le silence. Nurse Angela, hérissée par le mot « sage-femme » — par la condescendance qu'elle avait sentie, à juste raison, dans le ton du Dr Larch —, posa très doucement la main sur le bras d'Homer, et lui dit :

— Je te rendrai compte des contractions.

Nurse Edna, dont l'amour aveugle pour le Dr Larch rayonnait plus brillant que jamais, fit observer gaiement qu'il faudrait déplacer plusieurs personnes de plusieurs lits pour faire de la place à Candy.

— Eh bien, faites-le donc, je vous prie, répondit le Dr Larch. Ne pourrais-je avoir un instant seul à seule avec Mlle Kendall ? répéta-t-il.

Mais il vit qu'Homer semblait rivé sur place ; il ne s'apercevait même pas qu'il fixait des yeux Candy.

Ce gosse est devenu gaga, pensa Wilbur Larch ; et Cervelle-de-pomme n'avait pas l'air de vouloir quitter la pharmacie, lui non plus.

« J'aimerais pouvoir expliquer un peu le processus à Mlle Kendall, lança Wilbur Larch à Wally. (Il semblait incapable de s'adresser à Homer.) J'aimerais la mettre au courant du saignement, après, par exemple, ajouta Larch, espérant que le mot " saignement " ferait un certain effet sur le teint de pomme du jeune homme.

Ce fut le cas — peut-être en combinaison avec l'atmosphère saturée d'éther de la pharmacie.

— Va-t-on la couper? demanda Wally à Homer, d'un ton pathétique.

Homer saisit le bras de Wally et l'entraîna brusquement. Il le tira si fort dans le couloir et le fit sortir si vite que Wally faillit ne pas être malade du tout. En tout cas, grâce aux bons réflexes d'Homer, Wally ne vomit pas avant d'arriver derrière la section Garçons — sur la colline en friche que Wally avait proposé de planter en pommiers, la colline même où l'ombre d'Homer Wells avait, la veille au soir, dépassé celle du Dr Larch.

Les deux jeunes gens arpentèrent la colline, toujours en ligne droite — en respectant les rangées d'arbres que Wally plantait déjà en imagination.

Homer, par politesse, expliqua le traitement qu'allait subir Candy, mais Wally avait envie de parler de pommes.

« Ce coteau est parfait pour une plantation standard de douze mètres sur douze, dit Wally en comptant douze pas dans un sens avant de faire un quart de tour à angle droit.

— Si elle n'a pas dépassé le troisième mois, lui fit observer Homer, le forceps ne s'avérera pas nécessaire, seulement la dilatation classique — la dilatation de l'orifice de l'utérus, n'est-ce pas? — puis le curetage — c'est-à-dire le grattage.

— Je recommanderais quatre rangs de McIntosh, puis un rang de Red Delicious, dit Wally. Il faut que la moitié des arbres soient des Mac. Pour le reste, je mélangerais — peut-être dix pour cent de Red Delicious et dix ou quinze pour cent de Cortland et de Baldwin. Vous aurez envie de quelques Northern Spy, et je mettrais aussi quelques Gravenstein — c'est une pomme formidable pour les tartes, et on les ramasse très tôt.

— En fait, il n'y a pas de coupure, expliqua Homer à Wally, mais il y aura saignement — on devrait plutôt dire suintement parce qu'en général cela ne saigne pas beaucoup. Le Dr Larch a la main pour l'éther, alors ne vous inquiétez pas — elle ne sentira rien. Bien entendu, elle sentira quelque chose après, admit Homer. C'est une sorte de crampe spéciale. Le Dr Larch dit que l'autre souffrance est psychologique.

— Vous pourriez revenir sur la côte avec nous, dit Wally à Homer. Nous chargerions un camion de jeunes arbres et, le lendemain ou le

216

surlendemain, nous retournerions ici planter le verger ensemble. Cela
ne prendrait pas longtemps.

— Marché conclu, dit Homer Wells.

La *côte*, pensait-il. Et la jeune fille. Je vais partir dans cette voiture
avec cette jeune fille.

— Sage-femme, bon sang ! dit Wally. J'imagine que vous allez être
docteur ?

— Je ne crois pas, répondit Homer Wells. je ne sais pas encore.

— Moi... Les pommes sont dans la famille, dit Wally. Je vais à
l'université, mais je ne sais vraiment pas pourquoi je me donne cette
peine.

L'université, songea Homer Wells.

« Le père de Candy est langoustier, expliqua Wally, mais elle va
aller à l'université elle aussi.

Langouste ! songea Homer Wells. Les bas-fonds de la mer !

Du bas de la colline, Nurse Angela leur faisait signe.

— Damariscotta est prête ! cria-t-elle à Homer Wells.

— Il faut que j'accouche quelqu'un, dit Homer à Wally.

— Bon sang, dit Wally. (Il n'avait aucune envie, semblait-il, de
descendre de la colline.) Je crois que je vais rester ici. Je crois que je
n'ai pas envie d'entendre quoi que ce soit, ajouta-t-il.

Il adressa à Homer un sourire aimable, le sourire de l'aveu.

— Oh, il n'y a pas beaucoup de bruit, répondit Homer.

Il ne pensait pas à la femme de Damariscotta ; il pensait à Candy. Il
pensait au bruit de papier de verre que fait la curette, mais il épargna
ce détail à son nouvel ami.

Il abandonna Wally sur la colline et rejoignit Nurse Angela au pas
de gymnastique ; il se retourna une fois pour faire un signe de la main
à Wally. Un jeune homme de son âge ! Un jeune homme de sa taille !
Ils avaient la même taille bien que Wally fût plus musclé — à cause du
sport, avait deviné le Dr Larch. Il avait un corps de héros, avait
remarqué le docteur, se rappelant les héros qu'il avait essayé d'aider
en France, pendant la Première Guerre mondiale. Minces mais bien
musclés, les corps des héros — et pleins de trous, pensa Wilbur Larch.
Il n'aurait su dire pourquoi le corps de Wally lui rappelait cela...

Et le visage de Wally ? se demanda-t-il. Beau, avec plus de finesse
que le visage d'Homer, pourtant beau lui aussi. Si le corps de Wally
était plus fort, ses os semblaient, si l'on peut dire, plus pointus — et
plus délicats. Il n'y avait pas la moindre trace de colère dans les yeux
de Wally ; c'étaient les yeux des bonnes intentions. Le corps d'un
héros, et le visage..., le visage d'un bienfaiteur ! conclut Wilbur Larch.

en poussant de côté une boucle blonde de poils pubiens qui n'était pas tombée directement dans le sac-poubelle mais s'accrochait à l'intérieur de la cuisse de Candy, près de son genou plié, soulevé. Il passa de la curette moyenne à la petite, remarqua que les paupières de la jeune fille papillonnaient, remarqua aussi les pouces doux de Nurse Edna — en train de masser les tempes — et les lèvres de la jeune fille, légèrement entrouvertes ; elle s'était montrée remarquablement détendue en dépit de sa jeunesse, et sous l'éther elle semblait encore plus calme. La beauté de son visage, pensa Larch, c'était l'absence totale de culpabilité. Cela surprit Larch : Candy donnait l'impression qu'elle ne se sentirait jamais coupable.

Il s'aperçut que Nurse Edna remarquait l'examen qu'il faisait de la fille, et il se pencha donc de nouveau vers la vue que lui offrait le spéculum pour terminer son travail avec la petite curette.

Un bienfaiteur, se dit-il. Homer a rencontré son bienfaiteur !

Homer Wells pensait sur une voie parallèle. J'ai rencontré un prince du Maine, songeait-il ; j'ai vu un roi de Nouvelle-Angleterre — et je suis invité dans son château. Après toutes ses traversées de *David Copperfield*, il comprenait enfin la première impression faite par Steerforth sur le jeune David. *C'était à mes yeux une personne de grand pouvoir, observait le jeune Copperfield. Aucun avenir voilé ne tombait sur lui parmi les rayons de lune. Ses pas ne laissaient aucune ombre dans le jardin où je rêvais de marcher toute la nuit.*

Aucun avenir voilé, songea Homer Wells. Je vais sur la *côte* !

— Poussez, dit-il à la femme de Damariscotta. Damariscotta est-il sur la côte ? ajouta-t-il tandis que le cou de la malheureuse se contractait sous l'effort — elle tenait le poignet de Nurse Angela d'une main crispée, presque blanche.

— Presque ! cria-t-elle en poussant son enfant dans l'air de Saint Cloud's — sa tête gluante capturée impeccablement par la paume de la main droite confiante d'Homer.

Il fit glisser le creux de sa main sous le cou fragile du nouveau-né ; sa main gauche souleva les fesses du bébé qu'il guidait « au-dehors », comme disait le Dr Larch.

C'était un garçon. *Steerforth*. Homer Wells l'appellerait Steerforth — son deuxième accouchement tout seul. Homer coupa le cordon et sourit en entendant le braillement vigoureux du petit Steerforth.

Candy, qui émergeait de l'éther, entendit les cris du bébé et frissonna ; si le Dr Larch avait vu son visage à cet instant-là, il y aurait décelé une certaine culpabilité.

— Garçon ou fille ? demanda-t-elle d'une voix pâteuse. (Seule Nurse Edna l'entendit.) Pourquoi pleure-t-il ?

— Ce n'était rien, mon chou, lui dit Nurse Edna. Tout est terminé.

— J'aimerais avoir un bébé un jour, murmura Candy. J'aimerais vraiment.

— Mais bien entendu, mon chou, lui répondit Nurse Edna. Vous pourrez en avoir autant que vous voudrez. Je suis sûre que vous aurez de très beaux enfants.

— Vous aurez des princes du Maine ! dit le Dr Larch soudain. Vous aurez des rois de Nouvelle-Angleterre !

Ce vieux bouc ! pensa Nurse Edna — il est en train de flirter avec elle ! Son amour pour Larch s'en trouva momentanément froissé.

Quelle idée étrange, songea Candy — je ne vois pas de quoi ils auraient l'air. Son esprit partit à la dérive pendant un instant. Pourquoi le bébé pleurait-il ? se demanda-t-elle. Wilbur Larch, qui finissait de nettoyer, remarqua une autre boucle de poils pubiens ; du même ton fauve que la peau de Candy — sans doute la raison pour laquelle ils avaient échappé à Nurse Edna. Il écouta les cris du nouveau-né de la femme de Damariscotta et jugea qu'il ne devait pas se montrer égoïste ; il fallait qu'il encourage Homer à se lier d'amitié avec ce jeune couple. Il lança un regard furtif à la jeune fille qui somnolait ; une occasion à saisir — elle symbolisait cette occasion à saisir.

Et les gens mangeront toujours des pommes, se dit-il — ce doit être une belle vie.

La pomme rutilante sur la portière de la Cadillac — avec le monogramme en or — attira Melony, qui s'était enfin décidée à bouger. Elle essaya de voler la pomme sur la portière, mais comprit aussitôt qu'elle ne se détacherait pas. L'arrivée de Mary Agnes à la section Filles — protégeant de ses bras décharnés ses pots de gelée et de miel — avait poussé Melony à aller voir de ses yeux ce qui se passait. Elle constata, amère, qu'on ne lui avait rien laissé — même pas le plaisir d'un coup d'œil à ce beau couple ; elle aurait bien aimé les revoir de plus près. Rien ne méritait d'être volé, elle le vit au premier regard — seulement un vieux livre ; signe du destin, songe-rait-elle plus tard, le titre et le nom de l'auteur étaient tournés vers elle. Le livre avait été jeté sur le plancher de la voiture, semblait-il. *La Petite Dorrit* n'avait aucun sens pour Melony, mais elle reconnut le nom de Charles Dickens — c'était pour Homer Wells une sorte de héros. Sans même s'apercevoir que ce serait le premier acte dénué d'égoïsme de sa vie, Melony vola le livre — pour Homer. Sur le

219

moment, elle ne songea même pas à l'effet que cela ferait sur lui, aux sentiments favorables qu'elle recevrait en retour. Elle pensa seulement, en toute générosité : Tiens, un cadeau pour Homer.

Le fait qu'Homer lui avait promis de ne jamais quitter Saint Cloud's sans elle signifiait davantage pour elle qu'elle ne se l'était jamais avoué.

Puis elle vit Wally ; il s'avançait vers la Cadillac dans la direction de l'entrée de l'infirmerie, mais ne cessait de se retourner pour regarder la colline. Dans son esprit, il voyait le verger à la saison de la récolte — les échelles longues dans les arbres, avec les orphelins occupés à la cueillette. Les cageots s'entassaient entre les rangs d'arbres ; dans un rang, un tracteur tirait une remorque-plateau déjà chargée de pommes. A première vue, une bonne récolte.

Où dénicheront-ils le tracteur ? se demanda Wally. Il trébucha, reprit son équilibre et regarda où il se dirigeait — vers la Cadillac abandonnée. Melony était repartie. Elle avait perdu courage à la pensée d'affronter ce beau jeune homme toute seule — sans doute ne pourrait-elle pas supporter son indifférence. Si Wally avait paru épouvanté par la dégaine de Melony, elle en aurait été émoustillée ; elle prenait plaisir à son pouvoir de choquer les gens. Mais elle ne pouvait courir le risque qu'il ne la remarque pas. Et s'il lui avait tendu un pot de miel, elle lui aurait fendu le crâne avec. Personne ne peut m'emmieller, se dit-elle — *la Petite Dorrit* glissée sous son corsage, contre son cœur battant.

Elle traversa le chemin reliant la section Garçons à la section Filles juste au moment où le sous-chef de gare, sur ce même chemin, montait vers l'infirmerie. Au début, elle ne le reconnut pas — il s'était mis sur son trente et un. Pour Melony, ce n'était qu'un imbécile en bleu de chauffe, une mouche du coche, qui essayait de se donner des airs importants alors qu'il faisait ce que Melony imaginait comme le travail le plus stupide du monde : regarder les trains arriver, puis les regarder partir. La solitude de la gare déprimait Melony ; elle évitait l'endroit. On n'y allait que dans un seul but : Partir. Mais rester là-bas toute la journée en imaginant qu'on partait — pouvait-il exister occupation plus triste, ou plus stupide ? Et voici qu'arrivait ce nullard, avec sur la lèvre supérieure son effort vain de toute une année pour faire pousser une moustache, mais sapé comme un milord — non s'aperçut Melony : déguisé en croque-mort.

La raison de tout cela ? La Cadillac blanche avait fait beaucoup d'effet sur ce jeune homme simple mais ambitieux ; il s'était dit que le poste de chef de gare serait à lui s'il faisait montre d'une déférence solennelle et adulte à l'égard du décès de son supérieur. Le Dr Larch le terrifiait, et l'idée de croiser des femmes enceintes lui donnait des envies de fuir ; mais il s'était convaincu que présenter ses respects à l'orphelinat, où reposait le corps du défunt, constituait un rite de passage — éprouvant mais nécessaire. En plus, l'odeur de vomi qu'il associait aux nouveau-nés lui donnait la nausée ; c'était donc une bravoure exceptionnelle qui guidait ses pas vers l'infirmerie et conférait à son jeune visage idiot une expression presque adulte — hormis l'ombre soyeuse qui tachait sa lèvre supérieure et rendait ridicules tous ses efforts pour se viriliser. Il s'était chargé, pour la montée de la côte, de tous les catalogues ; le chef de gare n'en aurait plus besoin, maintenant, et le sous-chef s'était dit qu'il se concilierait sans doute les grâces du Dr Larch en lui apportant les catalogues en présent — telle une offrande propitiatoire. Il ne s'était pas demandé de quelle utilité seraient pour Wilbur Larch des semences et de la lingerie féminine, ni comment le bon docteur réagirait à des déclarations concernant le péril des âmes — la sienne et les multitudes d'autres privées de repos.

Les deux orphelins que le sous-chef de gare méprisait le plus étaient Homer et Melony. Homer, parce que sa sérénité lui donnait une allure confiante, adulte, que le sous-chef se sentait incapable d'atteindre ; et Melony, parce qu'elle se moquait de lui. Or, pour gâcher complètement une journée déjà mauvaise, voici que Melony lui bloquait le passage.

— Qu'est-ce que tu as sur la lèvre ? Un mal blanc ? lui demanda Melony. Tu devrais le laver.

Elle était plus grande que le sous-chef de gare — surtout ainsi, en le dominant sur la colline. Il fit comme s'il n'avait rien entendu.

— Je suis venu voir le corps, dit-il avec dignité.

S'il avait eu le moindre bon sens, il aurait su que ces mots étaient mal choisis pour s'adresser à Melony.

— Tu veux voir *mon* corps ? lui demanda-t-elle. Je ne plaisante pas, ajouta-t-elle en le sentant perdu, affolé.

D'instinct, Melony profitait de tout avantage, mais elle renonçait vite quand son adversaire n'était pas de taille. Comprenant que le sous-chef de gare resterait planté au milieu du chemin jusqu'à ce qu'il tombe de fatigue, elle s'écarta de lui et murmura :

« Je plaisantais.

Écarlate, il la dépassa d'un pas trébuchant ; quand il arriva presque à l'angle de la section Garçons, elle lui lança :

« Il faudra que tu te *rases*, avant que je te *laisse* regarder !

221

Il chancela légèrement — et Melony s'émerveilla de son propre pouvoir ; puis il contourna l'angle, et la vue de la Cadillac éblouissante — qu'il prenait pour un corbillard blanc — le transporta à de nouvelles hauteurs. Si à cet instant un chœur de voix célestes avait entonné un cantique, le sous-chef se serait jeté à genoux, au milieu des catalogues éparpillés. La même lumière qui bénissait la Cadillac semblait rayonner des cheveux blonds du jeune homme à l'allure puissante : le chauffeur du corbillard. Ça, c'était une responsabilité qui emplissait le sous-chef de gare de respect et de crainte religieuse.

Il s'avança vers Wally, non sans précaution. Le jeune homme, adossé à la Cadillac, une cigarette aux lèvres, contemplait dans son imagination le futur verger de pommiers de Saint Cloud's. Le sous-chef de gare, avec son air de déterreur de cadavres au service d'une entreprise de pompes funèbres, surprit Wally.

— Je suis venu voir le corps, dit le sous-chef.

— Le corps ! demanda Wally. Quel corps ?

La crainte de paraître gêné paralysait presque le sous-chef de gare. Il imaginait le monde réglé par une étiquette dépassant son entendement ; de toute évidence, faire allusion au corps du défunt devant le responsable même de son heureux transport en d'autres parages constituait un manque de tact.

— Mille grâces ! balbutia le sous-chef.

C'était une expression qu'il avait lue.

— Mille *quoi !* dit Wally, qui commença à s'inquiéter.

— Inconvenant de ma part, murmura le sous-chef de gare en s'inclinant onctueusement avant de se glisser vers l'entrée de l'infirmerie.

— Quelqu'un est *mort ?* demanda Wally, anxieux.

Mais le sous-chef parvint à se faufiler dans l'hôpital, où il se cacha aussitôt dans un recoin en se demandant ce qu'il devait faire ensuite. Il avait froissé les sentiments, tendus à craquer, réglés avec précision, du chauffeur de corbillard. Cette affaire est délicate, se dit le sous-chef en essayant de se calmer. Quelle erreur vais-je commettre à présent ? Il se tapit dans le recoin du couloir, d'où il pouvait sentir les émanations d'éther venant de la pharmacie ; il ne se doutait guère que le corps qu'il désirait voir se trouvait à moins de cinq mètres de lui. Il crut sentir également une odeur de nouveau-nés — il en entendit un brailler. Il croyait que, quand les bébés naissaient, les femmes avaient les jambes tendues vers le haut, la plante des pieds vers le plafond ; cette vision le cloua dans son recoin. Je sens du sang ! imagina-t-il, et il lutta pour dominer sa panique. Il se colla au mur comme du plâtre — à tel point que Wally ne le remarqua même pas lorsqu'il franchit le seuil de l'infirmerie en se demandant qui venait de mourir. Wally entra dans la pharmacie, comme si l'éther l'attirait — bien qu'il sentît revenir sa nausée. Il présenta ses excuses aux pieds du chef de gare « Oh, je vous demande pardon, murmura Wally.

Et il recula dans le couloir.

Il entendit Nurse Angela parler à Candy, qui était déjà capable de s'asseoir. Wally entra en coup de vent dans la salle d'opération, mais l'expression de soulagement sur ses traits — en voyant que Candy n'était pas le cadavre annoncé par le sous-chef de gare — toucha Nurse Angela au point qu'elle lui pardonna son intrusion.

— Entrez, s'il vous plaît, dit-elle à Wally de sa plus belle voix d'hôpital (toujours associée à la première personne du pluriel). Nous allons beaucoup mieux, maintenant. Nous ne sommes pas encore prêtes à sauter partout, mais nous nous asseyons déjà gentiment — n'est-ce pas ? demanda-t-elle à Candy, qui sourit.

Candy était si heureuse de voir Wally que Nurse Angela se demanda si elle ne ferait pas mieux de les laisser seuls. Saint Cloud's ne possédait pas une longue et tendre histoire de couples heureux dans cette salle d'opération, et Nurse Angela était si surprise et ravie de voir un homme et une femme qui s'aimaient ! Je peux nettoyer plus tard, se dit-elle — ou je demanderai à Homer de le faire.

Homer et le Dr Larch parlaient ensemble. Nurse Edna avait ramené la femme de Damariscotta sur son lit de la maternité, et le Dr Larch examinait le bébé qu'Homer Wells avait mis au monde — le petit Steerforth (nom que Larch avait déjà critiqué ; il y a une certaine méchanceté dans le personnage de Steerforth — Homer aurait-il oublié le passage ? —, sans parler de la mort par noyade ; de l'avis du Dr Larch, Steerforth était davantage une marque au fer rouge qu'un nom). Mais ils ne parlaient plus de l'enfant.

— Wally assure qu'il ne faudrait pas plus de deux jours, disait Homer Wells. Nous aurons un camion à charger, j'imagine. Vous pensez : quarante arbres ! Et j'aimerais bien voir la côte.

— Tu dois y aller, Homer, bien entendu — c'est une occasion magnifique, répondit le Dr Larch.

Il enfonça le doigt dans le ventre de Steerforth ; puis il essaya de se faire saisir les autres doigts par le nouveau-né ; ensuite, il projeta un petit faisceau de lumière dans les yeux de l'enfant.

— Je ne serai absent que deux jours, dit Homer Wells.

Wilbur Larch secoua la tête ; au début, Homer crut que Steerforth avait un trouble quelconque.

223

— *Peut-être* deux jours, Homer, corrigea le Dr Larch. Tu dois être prêt à profiter de la situation, ne laisse pas une occasion te passer sous le nez — en n'étant absent que deux jours.

Homer regarda le Dr Larch, mais Larch examinait les oreilles de Steerforth.

« Si tu plais à ce jeune couple, Homer, et s'ils te plaisent... Ma foi..., dit Larch. Je crois que tu rencontreras aussi leurs parents, et si tu plais à leurs parents... Ma foi..., dit-il. Je crois que tu devrais essayer... de te faire aimer de leurs parents.

Il évitait de regarder Homer, qui le fixait des yeux ; il examina le nœud à l'extrémité du cordon ombilical, tandis que Steerforth criait de tous ses poumons.

« Nous savons l'un et l'autre, je pense, que cela te ferait du bien de partir d'ici plus de deux jours, Homer, reprit le Dr Larch. Tu comprends, je ne parle pas d'une adoption, mais peut-être d'un emploi d'été — pour commencer. On risque de t'offrir les moyens de rester loin d'ici plus de deux jours — c'est tout ce que je veux dire — si les perspectives sont intéressantes.

Le Dr Larch regarda Homer ; ils se dévisagèrent.

— D'accord, dit enfin Homer.

— Bien entendu, tu auras peut-être envie de revenir dans deux jours ! lança Larch d'un ton joyeux — mais ils détournèrent les yeux, comme s'ils préféraient ne pas considérer cette éventualité. Auquel cas, reprit Larch en se lavant les mains, tu sais que tu seras toujours le bienvenu ici.

Il quitta la pièce, ainsi qu'Homer et le bébé — trop vite cette fois encore pour qu'Homer puisse lui dire à quel point il l'aimait. Le sous-chef de gare tremblotant regarda Wilbur Larch emmener Nurse Angela et Nurse Edna dans la pharmacie.

Peut-être l'atmosphère éthérée de la pharmacie — malgré la présence du chef de gare — réconforta-t-elle Wilbur Larch et l'aida-t-elle à dire à ses loyales infirmières les mots qu'il fallait.

« Je veux que nous rassemblions toutes nos ressources, dit-il. Je veux que ce garçon ait autant d'argent que nous pourrons en réunir en grattant nos fonds de tiroir, et qu'il dispose en matière de vêtements de tout ce qui paraîtra à moitié convenable.

— Ce n'est que pour deux jours, Wilbur ? demanda Nurse Edna.

— De combien d'argent ce garçon a-t-il besoin pour deux jours ? précisa Nurse Angela.

— Pour lui c'est une occasion, vous ne voyez donc pas ? demanda le Dr Larch. Je ne crois pas qu'il reviendra ici au bout de deux jours.

J'espère qu'il ne reviendra pas — en tout cas si tôt, continua-t-il.

Son cœur brisé lui rappela ce qu'il avait oublié : la « faiblesse de cœur » d'Homer. Comment le lui dire ? Où et quand ?

Il traversa le couloir pour voir comment Candy se remettait. Il savait qu'elle et Wally avaient envie de partir le plus tôt possible ; ils avaient une longue route devant eux. Et si Homer doit me quitter, se disait Wilbur Larch, mieux vaut que ce soit précipitamment — bien que vingt ans d'attente ne fussent pas ce que la plupart des gens auraient appelé un départ précipité. Mais Homer devait précipiter son départ à présent, parce que le Dr Larch avait besoin de voir s'il pourrait jamais surmonter son absence.

Je ne crois pas, se dit-il. Il vérifia la tache de sang sur le tampon vaginal stérile — tandis que Wally regardait le plafond, ses mains, puis le plancher.

— Vous allez très bien, dit le Dr Larch à Candy.

Il était sur le point de lui annoncer qu'Homer pourrait la conseiller sur les contractions douloureuses qu'elle aurait, et vérifier également les épanchements de sang, mais il préféra ne pas assener cette responsabilité au jeune homme. D'ailleurs le Dr Larch aurait été incapable, en cet instant, de prononcer le nom d'Homer.

— C'est toi qu'ils emmènent ? demanda Curly Day à Homer quand il le vit faire ses bagages.

— Je ne suis pas adopté, Curly, répondit Homer Wells. Je dois revenir dans deux jours.

— C'est toi qu'ils emmènent ! répéta Curly Day, le visage si décomposé qu'Homer dut se détourner.

Le Dr Larch, quoique historien amateur, comprenait la puissance de l'information reçue par des voies détournées. Il expliqua donc à Candy et à Wally la faiblesse cardiaque d'Homer. Non seulement c'était plus facile pour lui que de mentir à Homer, mais à longue échéance, se dit Larch, l'histoire serait plus convaincante.

— Jamais je ne l'ai laissé partir auparavant — ne serait-ce que pour deux jours — sans dire un petit mot sur sa condition, dit le Dr Larch à Candy et à Wally.

Condition : quel mot merveilleux ! Son effet dans la bouche d'un médecin est stupéfiant. Candy parut oublier qu'elle venait d'avorter ; la couleur revint sur le visage de Wally.

« C'est le cœur, dit Wilbur Larch. Je ne lui en ai jamais parlé pour ne pas l'inquiéter. C'est le genre de condition que l'inquiétude risque d'aggraver, confia le Dr Larch à ces deux innocents au grand cœur, qui lui accordaient une attention captivée.

« Il ne faut l'exposer à rien de trop épuisant, à rien de trop violent en matière d'exercice physique — à rien de trop choquant, dit Wilbur Larch, dont le dossier fictif correspondait à la nécessité de prendre des précautions.

Il avait donné à son orphelin préféré un passé qui devait logiquement le tenir à l'abri de tout. Le genre d'histoire qu'un père fabriquerait pour son fils — s'il croyait pouvoir la lui faire avaler.

Homer Wells, au même moment, ne parvenait pas à fabriquer une histoire susceptible d'apaiser Curly Day, qui s'enfouit sous plusieurs oreillers et une couverture, puis éclata en sanglots.

— A quoi ça te servira, à toi, d'être adopté ? brama Curly. Tu es presque docteur !

— Ce n'est que pour deux jours, répéta Homer Wells.

Mais à chaque répétition sa promesse paraissait de moins en moins vraisemblable.

— C'est toi qu'ils emmènent ! Je ne peux pas le croire ! cria Curly Day.

Nurse Angela vint s'asseoir à côté d'Homer sur le lit de Curly. Ils regardèrent ensemble la bouche qui sanglotait sous la couverture.

— Ce n'est que pour deux jours, Curly, dit Nurse Angela, mais sans conviction.

— Le Dr Larch disait qu'Homer était ici pour nous protéger ! protesta Curly. Tu parles d'une protection !

Nurse Angela chuchota à Homer que s'il allait nettoyer la table d'opération elle resterait avec Curly jusqu'à ce que l'enfant se sente mieux ; elle n'avait pas voulu nettoyer la table sur le moment, parce que le gentil couple avait besoin de solitude. « Tes amis avaient envie d'un instant d'intimité », chuchota Nurse Angela à Homer Wells. Mes amis ! pensa-t-il. Est-ce possible ? Vais-je avoir des amis ?

« Ce n'est pas toi le meilleur ! braila Curly sous la couverture.

— D'accord, répondit Homer.

Il voulut lui caresser l'épaule, mais Curly se raidit et retint son souffle.

« A bientôt, Curly, dit Homer.

— Traître ! lança Curly Day.

Puis il parut reconnaître la main de Nurse Angela ; son corps crispé se détendit et il s'abandonna à des sanglots réguliers.

Nurse Edna avait enfin arrêté les pleurs du petit Steerforth, ou peut-être avait-elle attendu que le bébé se calme de lui-même ; lavé et

226

habillé, il était presque endormi dans les bras de l'infirmière. Il avait assez goûté de cette douce position, aux yeux de Nurse Edna, et elle le posa donc dans son lit avant de finir de nettoyer la salle de travail où il avait été mis au monde. A peine avait-elle placé un drap propre sur la table — elle était en train d'essuyer les étriers chromés — que le Dr Larch pénétra dans la pièce avec sur l'épaule le cadavre raidi du chef de gare, pareil à une planche souple.

— Wilbur ! lança Nurse Edna d'un ton de reproche. Vous devriez laisser Homer vous aider pour une chose comme ça.

— Il est temps de s'habituer à ne plus avoir Homer dans nos jambes, répondit sèchement le docteur en laissant tomber le corps du chef de gare sur la table.

Seigneur, se dit Nurse Edna, nous allons passer des heures terribles.

« Vous n'avez sûrement pas vu les cisailles à sternum ? lui demanda le Dr Larch.

— Les sécateurs ?

— On dit *cisailles,* lança-t-il. Déshabillez-le donc, je vais demander à Homer.

Homer frappa à la porte avant d'entrer dans la salle d'opération, où Candy s'était rhabillée, avec l'aide maladroite de Wally ; elle s'appuyait maintenant à lui, dans une attitude qu'Homer trouva guindée — comme si le couple venait de terminer un concours de danse et attendait les applaudissements du jury.

— Vous pouvez vous détendre, à présent, dit Homer Wells, sans pouvoir regarder Candy droit dans les yeux. Peut-être aimeriez-vous prendre un peu l'air ? Je n'en ai pas pour longtemps ; il faut que je nettoie la table.

Comme s'il y pensait tout à coup, il ajouta à l'intention de Candy : « Vous vous sentez très bien, n'est-ce pas ?

— Oh, oui, répondit-elle — et ses yeux passèrent très vite sur Homer pour adresser à Wally un sourire rassurant.

A cet instant, le Dr Larch entra pour demander à Homer s'il savait où se trouvaient les cisailles à sternum.

— Avec Clara, avoua Homer. Désolé, se hâta-t-il d'ajouter. Je les avais prises parce que je croyais en avoir besoin pour l'autopsie. Celle du fœtus, précisa-t-il.

— On ne se sert pas de cisailles à sternum pour un fœtus, grogna le Dr Larch.

— Je sais... J'ai utilisé des ciseaux ordinaires, répondit Homer Wells, sentant que les mots « fœtus » et « autopsie » tombaient sur

Wally et Candy comme des gouttes de sang. Je vais vous chercher les cisailles.

— Non, termine ce que tu faisais ici, dit Larch. Vous devriez aller respirer un peu d'air frais, lança-t-il à Wally et à Candy, qui prirent sa suggestion pour un ordre — c'en était un.

Ils sortirent de la salle d'opération ; en suivant le couloir vers la porte de l'infirmerie ils auraient repéré le sous-chef de gare, à l'affût dans son recoin, si celui-ci, bouleversé à la vue du Dr Larch sortant de la pharmacie avec le cadavre du chef de gare sur l'épaule, n'avait pas tenté de suivre, prudemment, cette vision troublante. Dans sa frayeur, il tourna du mauvais côté et se retrouva dans la pharmacie. Lorsque Wally conduisit Candy à l'extérieur, il était en train de regarder la tache de boue sur le drap, au pied du lit.

— Si vous êtes si certain que c'était son cœur, demandait Homer Wells au Dr Larch, pourquoi cette précipitation à faire l'autopsie ?

— J'aime m'occuper, répondit Larch, surpris par la colère à peine contenue qu'il entendit dans sa propre voix.

A la place, il aurait pu dire à Homer qu'il l'aimait beaucoup et qu'il avait besoin d'une activité précise pour être absorbé au moment où le jeune homme allait partir. Il aurait pu également avouer à Homer qu'il avait très envie de se coucher sur son lit dans la pharmacie et de s'administrer un peu d'éther, ce qu'il n'aurait pu faire si le chef de gare était resté sur ce lit-là. Il songea un instant à prendre Homer Wells dans ses bras, à l'étreindre et à l'embrasser, mais non — et il se prit à espérer qu'Homer comprendrait à quel point la retenue des sentiments était (en tout cas pour le Dr Larch) la condition du respect de soi-même. Il n'ajouta donc pas un mot ; il laissa Homer seul dans la salle d'opération pendant qu'il partait à la recherche des cisailles à sternum.

Homer passa la table au désinfectant. Il venait de refermer le sac-poubelle lorsqu'il remarqua la blondeur presque transparente de quelques poils pubiens accrochés à la jambe de son pantalon — une boucle serrée, nette, des poils particulièrement fins de Candy s'était fixée à la hauteur de son genou. Il la présenta à la lumière puis la mit dans sa poche.

Nurse Edna pleurait en déshabillant le chef de gare. Le Dr Larch lui avait dit, ainsi qu'à Nurse Angela, qu'il ne voulait pas d'effusions ni de grands adieux pour le départ d'Homer Wells — rien qui puisse amener Candy et Wally à soupçonner qu'Homer Wells envisageait de rester absent plus de deux jours. « Rien », avait ordonné le Dr Larch. Pas d'étreintes, pas de baisers, songeait Nurse Edna en pleurant. Ses larmes n'avaient aucun effet sur l'expression du chef de gare, dont le visage demeurait saisi de frayeur ; Nurse Edna ne voyait d'ailleurs même pas le chef de gare. Elle se consacrait à son chagrin de ne pas pouvoir s'attendrir en disant adieu à Homer Wells.

— Pour son départ, nous prendrons tous un air détaché. Point final, avait dit le Dr Larch.

Un air détaché ! songeait Nurse Edna. Le chef de gare n'avait plus que ses chaussettes quand le Dr Larch revint avec les cisailles à sternum.

« Il n'y aura pas de pleurs, lui dit-il sévèrement. Vous voulez donc tout compromettre ?

D'une secousse, elle ôta les chaussettes du chef de gare et elle les lança au Dr Larch ; puis elle le laissa seul avec le cadavre.

Homer Wells inspecta la table d'opération à fond : un examen final, un dernier regard. Il fit passer la boucle de poils de Candy de sa poche dans son portefeuille ; il compta de nouveau l'argent que le Dr Larch lui avait donné. Presque cinquante dollars.

Il retourna au dortoir des garçons ; Nurse Angela était encore assise sur le bord du lit où Curly Day continuait de sangloter. Elle embrassa Homer sans ralentir le mouvement de sa main, qui frottait le dos de Curly Day à travers la couverture ; Homer l'embrassa et la quitta sans dire un mot.

— Je ne peux pas croire qu'ils l'ont pris lui, murmura Curly Day à travers ses larmes.

— Il reviendra, chuchota Nurse Angela d'une voix apaisante.

Notre Homer ! pensait-elle — je suis sûre qu'il reviendra ! Ne sait-il pas où il est chez lui ?

Nurse Edna, tentant de se ressaisir, entra dans la pharmacie, où elle rencontra le sous-chef de gare tremblant.

— Que désirez-vous ? demanda Nurse Edna, en retrouvant un peu son calme.

— Je suis venu voir le corps, bafouilla le sous-chef.

Nurse Edna entendit, venant de l'autre côté du couloir, le claquement familier des cisailles à sternum, en train d'ouvrir la poitrine du chef de gare. Elle se dit que le sous-chef n'apprécierait guère la vue du corps dans son état actuel. Elle lui répondit :

— Le Dr Larch n'en a pas terminé avec l'autopsie.

— J'ai apporté quelques catalogues pour le Dr Larch, répondit le sous-chef en tendant à Nurse Edna la collection hétéroclite de son supérieur.

— Mon Dieu, merci bien, répondit l'infirmière.

229

Mais le jeune crétin en tenue de croque-mort ne fit nullement mine de vouloir partir. Peut-être l'éther, dans l'air de la pharmacie, était-il en train de lui éclaircir l'esprit !

« Vous désirez attendre ? lui demanda Nurse Edna.

Il la regarda avec des yeux ronds.

« Pour voir le corps, lui rappela-t-elle. Vous pouvez attendre dans le bureau de Nurse Angela.

Nurse Edna lui montra la direction, au bout du couloir, et le sous-chef inclina la tête, reconnaissant.

« La dernière porte sur votre droite, lui lança-t-elle. Installez-vous confortablement.

Déchargé des catalogues du chef de gare, le sous-chef avait le pas plus léger, plus détendu lorsqu'il s'élança vers le bureau de Nurse Angela. Il découvrit, enchanté, qu'il avait le choix entre plusieurs sièges. Bien entendu, il ne jetterait pas son dévolu sur le fauteuil de bureau, derrière la machine à écrire, mais il y avait deux fauteuils plus bas, visiblement plus confortables, en face du bureau et de la machine. C'était dans ces fauteuils que s'asseyaient les parents adoptifs pressentis pour leur entretien officiel avec le Dr Larch — deux grands fauteuils dépareillés, revêtus de tissu à dessins cachemire, et le sous-chef de gare choisit le plus bas, le plus rembourré. Il regretta sa décision dès qu'il comprit à quel point le fauteuil était bas ; tout dans le bureau trop meublé parut le dominer, le menacer. Si le Dr Larch s'était trouvé à son bureau, derrière la machine, il aurait écrasé complètement le sous-chef dans son fauteuil surbaissé.

Le sous-chef vit alors une sorte de cuvette blanche émaillée, ou plutôt un plateau, posé sur la machine à écrire, mais il était assis tellement bas que le contenu de la cuvette échappait à ses regards. Deux mains minuscules se tendaient au-dessus du bord du plateau d'examen, mais seuls les bouts des doigts du bébé mort de Three Mile Falls étaient visibles pour le sous-chef de gare. Jamais il n'avait vu de fœtus, ni même de nouveau-né ; il ne s'attendait pas à voir des doigts d'une si extrême petitesse. Il continua de regarder tout autour de la pièce, depuis sa position surbaissée et de plus en plus inconfortable, mais ses yeux ne cessaient de retourner aux bouts de doigts qui dépassaient du plateau émaillé. Il n'arrivait pas à croire qu'il voyait des *doigts*.

Quoi que ce soit, cela ressemble à des doigts, se dit-il. Peu à peu, il cessa de regarder autre chose dans la pièce. Il fixait donc les bouts de doigts, et une partie de son esprit disait : Lève-toi, va voir ce que c'est ! Mais une autre partie de son esprit poussait son corps à s'aplatir dans le fauteuil bas et le maintenait immobile, comme sous l'effet d'un énorme poids.

Impossible que ce soient des doigts! pensa-t-il, en continuant de regarder, toujours sans bouger.

Nurse Edna décida d'aller dire au Dr Larch que pour une fois il devrait permettre à ses sentiments de s'exprimer — et avouer à Homer Wells ce qu'il ressentait —, mais elle s'arrêta à la porte de la salle d'opération et écouta en silence. La poitrine du chef de gare craqua encore une ou deux fois. Ceci ne la mit nullement mal à l'aise — Nurse Edna était de la partie — et elle comprit, à la vigueur des claquements, que le Dr Larch avait décidé d'exprimer ses émotions dans le travail. A lui de décider, se dit-elle. Elle fit demi-tour pour aller s'enquérir du gentil couple.

Le jeune homme faisait ce que font tous les jeunes hommes après avoir soulevé le capot de leur voiture, et la jeune fille se reposait, presque allongée sur le siège arrière spacieux de la Cadillac. La capote était encore baissée. Nurse Edna se pencha vers Candy et lui murmura :

— Vous êtes jolie comme un tableau !

Candy lui adressa un sourire chaleureux, mais Nurse Edna vit à quel point elle était épuisée.

« Écoutez, ma chère petite, lui dit Nurse Edna. N'ayez pas honte... Si vous êtes inquiète, pour le sang, murmura-t-elle en confidence, ou si vous souffrez de crampes particulières, parlez-en à Homer. Promettez-moi de ne pas faire la pudibonde. Et si vous avez la fièvre, sans hésiter, n'est-ce pas ? Promettez-moi.

— Je promets, répondit Candy en rougissant.

Melony était en train de dédicacer, non sans mal, l'exemplaire de *la Petite Dorrit* qu'elle avait volé pour Homer lorsqu'elle entendit Mary Agnes Cork vomir dans la salle de bains.

— La ferme ! lui lança Melony.

Mais Mary Agnes continua de dégobiller. Elle avait mangé deux pots de gelée de pommes, un pot de miel, puis un troisième pot de gelée. Elle aurait juré que c'était la faute du miel.

Smoky Fields avait déjà vomi. Il avait englouti tous ses pots, miel et gelée, puis un pot appartenant à l'un des petits Walsh. Allongé sur son lit, le malheureux, il écoutait les pleurs de Curly Day, et le flot continu des paroles de Nurse Angela.

A HOMER « RAYON-DE-SOLEIL » WELLS
POUR LA PROMESSE
QUE TU M'AS FAITE

écrivit Melony. Elle jeta un regard par sa fenêtre, mais il ne se passait rien. Il ne faisait pas sombre ; ce n'était pas encore l'heure où les femmes qu'elle avait observées le matin redescendraient la côte pour leur train de retour — qui savait où ?

AVEC MON AMOUR, MELONY

ajouta-t-elle tandis que Mary Agnes gémissait et rejetait de nouveau.

« Espèce de sale petit cochon femelle ! lui cria Melony.

Quand Homer Wells entra dans la salle d'opération, Wilbur Larch venait de retirer le cœur du chef de gare. Il ne fut pas autrement surpris de ne voir aucune trace de maladie de cœur, aucun tissu musculaire mort (« Pas d'infarctus », dit-il à Homer sans lever les yeux vers lui) — bref, aucune lésion, d'aucune sorte, au cœur lui-même.

— Le chef de gare avait un cœur sain, annonça le Dr Larch à Homer Wells.

L'homme n'avait pas été terrassé par une attaque, comme Larch s'y attendait. Il s'était produit apparemment un changement très soudain du rythme cardiaque.

« Arythmie, je crois, dit le Dr Larch.

— Son cœur s'est simplement arrêté, c'est ça ? demanda Homer.

— Je pense qu'il a subi un choc, ou une frayeur, répondit Wilbur Larch.

Homer Wells le crut sans peine — il suffisait de regarder le visage du cadavre.

— D'accord, dit-il.

— Bien entendu, ce pourrait être aussi un caillot dans le cerveau, dit Wilbur Larch. Où faut-il que je regarde ? demanda-t-il à Homer familièrement.

— Pédoncule cérébral.

— Exact, répondit Wilbur Larch. Bravo.

Quand Homer Wells vit à découvert le pédoncule cérébral du chef de gare, il comprit que le Dr Larch était assez absorbé, les deux mains occupées, pour qu'il puisse lui dire enfin ce qu'il voulait.

— Je vous aime, dit Homer Wells.

Il savait qu'il devait quitter la pièce tout de suite — tant qu'il pouvait encore voir la porte — et il commença à s'éloigner.

— Je t'aime aussi, Homer, dit Wilbur Larch, qui pendant une bonne minute n'aurait pas pu voir un caillot de sang dans le pédoncule cérébral s'il y en avait eu un.

Il entendit Homer répondre « D'accord » avant que la porte ne se referme.

Au bout d'un instant, il put distinguer clairement le pédoncule cérébral ; il n'y avait pas de caillot.

« Arythmie », se répéta Wilbur Larch. Puis il ajouta : « D'accord », comme s'il répondait à la place d'Homer Wells. Il posa ses instruments, et ses mains se crispèrent sur le rebord de la table d'opération — pendant un long moment.

Dehors, Homer Wells posa son sac dans le coffre de la Cadillac, sourit à Candy sur la banquette arrière, puis aida Wally à remonter la capote ; le soir tomberait vite et, s'ils laissaient la capote baissée, Candy aurait très froid à l'arrière.

— A dans deux jours ! dit Nurse Edna à Homer d'une voix trop forte.

— Deux jours, répéta Homer, d'une voix trop faible.

Elle lui posa un baiser sur la joue, il lui posa la main sur le bras. Puis Nurse Edna se retourna et partit au trot vers l'entrée de l'infirmerie ; la vitesse à laquelle elle s'éloigna parut faire beaucoup d'effet sur Candy et Wally. Une fois à l'intérieur de l'infirmerie Nurse Edna se rendit tout droit dans la pharmacie et se jeta sur le lit ; elle avait le cœur sensible mais l'estomac bien accroché — peu lui importait que le cadavre du chef de gare eût passé sur le même lit la majeure partie de la journée, ni que la boue de ses bottines eût souillé le drap du dessus.

Le Dr Larch agrippait encore la table d'opération quand il entendit le cri du sous-chef de gare. Un seul cri suivi d'une longue série de plaintes geignardes. Homer, Candy et Wally n'entendirent jamais le cri ; Wally avait déjà lancé le moteur de la voiture.

Le sous-chef avait attendu le plus longtemps possible avant de s'extraire de force du fauteuil profond surbaissé. Il n'avait guère envie de regarder de plus près le contenu de la cuvette émaillée blanche, mais les petits doigts lui avaient fait signe, et il s'était senti attiré vers le plateau, où la vue sans obstacle et en gros plan du fœtus au ventre ouvert lui avait fait (comme Curly Day) mouiller sa culotte. Il hurla quand il découvrit que ses jambes refusaient de bouger ; la seule façon dont il parvint à quitter le bureau de Nurse Angela fut à quatre pattes ; il continua de gémir tout le long du couloir ainsi qu'un chien battu. Le Dr Larch lui bloqua le passage à la porte de la salle d'opération.

— Qu'est-ce qui vous arrive ? demanda Larch au sous-chef d'une voix cinglante.

— Je vous ai apporté tous ces catalogues ! réussit à articuler le malheureux, toujours à quatre pattes.

— Des catalogues ? lança Larch avec un dégoût manifeste. Levez-vous, mon vieux ! Vous n'allez pas bien ?

Il prit sous les aisselles le sous-chef tremblant et le remit, chancelant, sur ses jambes.

— Je voulais simplement voir le corps, protesta faiblement le sous-chef.

Wilbur Larch haussa les épaules. Pourquoi la mort exerce-t-elle une telle fascination sur les gens ? se demanda-t-il, mais il s'écarta et entraîna le sous-chef dans la salle d'opération où le chef de gare, son cœur et son pédoncule cérébral à découvert sautaient aux yeux.

— Changement soudain de rythme cardiaque, expliqua Wilbur Larch. Quelque chose lui a donné une frayeur mortelle.

Le sous-chef n'avait aucun mal à s'imaginer en train de mourir de frayeur, bien qu'à son avis le chef de gare parût plutôt écrasé par un train — ou bien victime du même mal que le bébé hideux sur la machine à écrire.

— Merci, murmura le sous-chef au Dr Larch.

Puis il s'en fut si vite, dans le couloir et dans la cour, que le bruit de ses pas tira Nurse Edna de ses larmes ; ses propres sanglots l'avaient empêchée d'entendre le cri du sous-chef et ses gémissements.

Nurse Angela avait l'impression que rien ne consolerait Curly Day, et elle essaya donc de s'installer confortablement sur son petit lit, persuadée que ce serait pour une longue nuit.

Le Dr Larch s'assit à sa place habituelle, derrière la machine à écrire ; le fœtus abandonné par Homer Wells ne le troubla pas le moins du monde. Peut-être apprécia-t-il qu'Homer lui ait laissé de quoi fixer son attention — dur labeur, dur labeur, accordez-moi beaucoup de dur labeur, pensa Wilbur Larch. Juste avant la tombée de la nuit, il se pencha en avant pour allumer sa lampe de bureau. Puis il s'enfonça dans le fauteuil où il avait passé tant de soirées. Il avait l'air d'attendre quelqu'un. Il ne faisait pas encore noir mais il entendit une chouette à l'extérieur — très distinctement. Il comprit que les rafales de vent venant de la côte s'étaient calmées.

Il faisait encore jour quand Melony regarda par la fenêtre et vit passer la Cadillac. Le siège du passager, à l'avant, se trouvait du côté de la section Filles, et Melony reconnut sans peine Homer Wells — de profil par rapport à elle. Il était assis, très raide, comme s'il retenait sa respiration ; c'était le cas. S'il l'avait vue — ou pis, s'il avait dû lui parler avant de se lancer dans son escapade — il n'aurait jamais réussi à lui dire qu'il reviendrait dans seulement deux jours. Melony savait ce qu'est un mensonge et ce qu'est une promesse ; elle savait à quel instant une promesse se trouve rompue. Elle entrevit la belle fille aux longues jambes sur la banquette arrière de la voiture, et elle supposa que le beau jeune homme se trouvait au volant ; elle regarda, plus longtemps et mieux, le profil d'Homer Wells. Lorsqu'elle referma avec violence l'exemplaire volé de *la Petite Dorrit*, l'encre n'était pas encore sèche et la dédicace coula. Elle lança le livre contre le mur — ce que seule Mme Grogan entendit : Mary Agnes, encore trop malade, baignait dans ses propres bruits.

Melony se mit au lit sans dîner. Mme Grogan, inquiète à son sujet, s'arrêta près de son lit pour lui tâter le front, qui était fiévreux ; mais la directrice ne put convaincre Melony de boire quoi que ce fût.

— Il a rompu sa promesse, dit-elle seulement.

Plus tard, elle dit aussi :

« Homer Wells a quitté Saint Cloud's.

— Tu as un peu de température, ma chérie, lui signala Mme Grogan.

Mais à l'heure où Homer Wells aurait dû lire *Jane Eyre* à haute voix, la directrice commença à s'inquiéter davantage. Elle permit à Melony de faire la lecture aux filles ce soir-là ; la voix de Melony était curieusement plate et dénuée de passion. La lecture de *Jane Eyre* avec cette voix déprima Mme Grogan — surtout au moment du passage :

> *... toutes les femmes succombent à la folie de laisser un amour secret s'embraser en elles, car s'il n'est pas partagé et demeure inconnu, il dévore la vie même qui le nourrit...*

Mon Dieu, cette fille n'a même pas cillé ! remarqua Mme Grogan.

Nurse Angela n'eut guère plus de succès lorsqu'elle fit la lecture de Dickens à la section Garçons. Les descriptions dickensiennes exigeaient trop d'efforts de sa part — elle s'égarait dans les longs paragraphes — et, chaque fois qu'elle devait reprendre au commencement, son auditoire perdait tout intérêt.

Nurse Edna fit de son mieux pour la bénédiction vespérale ; le Dr Larch refusait de quitter le bureau de Nurse Angela ; il écoutait une chouette (disait-il) et voulait continuer d'écouter. La bénédiction intimidait Nurse Edna ; et d'abord, elle ne l'avait jamais pleinement comprise — elle la prenait pour une sorte de plaisanterie obscure entre le Dr Larch et l'univers. Sa voix trop aiguë fit sursauter le petit Smoky Fields, malade et déjà à moitié endormi, et arracha à Curly Day un long gémissement à pleins poumons — avant qu'il ne reprenne le cours de ses sanglots réguliers.

235

— Bonne nuit, princes du Maine ! rois de Nouvelle-Angleterre ! pépia Edna.

Où est Homer ? chuchotèrent plusieurs voix, tandis que Nurse Angela continuait de frotter Curly Day entre les omoplates, dans le noir.

Nurse Edna, extrêmement agitée par le comportement du Dr Larch, prit son courage à deux mains et partit d'un pas ferme vers le bureau de Nurse Angela. Elle allait entrer sans frapper et dire à Wilbur qu'il ferait bien de prendre une bonne reniflée d'éther suivie d'une bonne nuit de sommeil ! Mais elle perdit peu à peu confiance à mesure que se rapprochait la lumière solitaire tombant du bureau. Elle n'était pas au courant de l'autopsie du fœtus, elle non plus, et, lorsqu'elle passa très prudemment la tête dans le bureau de Nurse Angela, l'horrible embryon lui retourna les sangs. Le Dr Larch, assis devant la machine à écrire, ne bougeait pas. Il était en train de composer dans sa tête la première des nombreuses lettres qu'il écrirait à Homer Wells. Il essayait d'apaiser ses angoisses et de faire taire ses pensées. Je t'en prie, reste en bonne santé, je t'en prie sois heureux, je t'en prie fais attention, songeait Wilbur Larch — les ténèbres se resserraient et les mains suppliantes du bébé assassiné de Three Mile Falls se tendaient vers lui.

6

Ocean View

Pendant les deux premières semaines où Homer Wells fut absent de Saint Cloud's, Wilbur Larch laissa le courrier s'entasser sans réponse, Nurse Angela se débattit avec les longues phrases denses de Charles Dickens (ce qui avait un curieux effet sur l'attention des garçons : ils s'accrochaient à chaque mot tombant de sa bouche et retenaient leur souffle dans l'attente d'une erreur), et Mme Grogan subit l'interprétation parfaitement insensible que donnait Melony de Charlotte Brontë. Vers la fin du chapitre XXVII, Mme Grogan put même déceler dans la voix de la lectrice un soupçon de l'esprit « indomptable » de Jane Eyre.

— *Je ne me soucie que de moi*, lut Melony. *Plus je serai solitaire, moins j'aurai d'amis et de soutiens, plus je me respecterai.*

Brave fille, se dit Mme Grogan, sois une brave fille je t'en prie. La voix de Melony la déprimait, avoua-t-elle au Dr Larch, mais il fallait encourager la jeune fille, lui donner davantage de responsabilités.

Nurse Angela déclara qu'elle serait ravie d'abandonner Dickens. Quant au Dr Larch, après la troisième semaine d'absence d'Homer, il annonça que peu lui importait qui lisait quoi à qui. De même, il cessa de prodiguer la bénédiction. Mais Nurse Edna — qui ne se fit d'ailleurs jamais à cet usage — n'en continua pas moins d'adresser ses salutations vespérales aux imaginaires princes du Maine, « aux chers petits rois de Nouvelle-Angleterre ».

Mme Grogan se laissa subjuguer par la voix de Melony au point de l'accompagner désormais à la division Garçons, pour l'écouter lire Charles Dickens en compagnie des petits rois nerveux. La voix de Melony était beaucoup trop monocorde pour Dickens ; elle avançait mécanique — sans se tromper mais sans jamais chercher à adapter son rythme à celui du texte ; elle offrait l'animation et le rayon de soleil sur le même ton pesant que la tristesse et le brouillard. A l'air sévère de Melony, Mme Grogan comprit que la jeune fille analysait à mesure

237

qu'elle lisait — mais le sujet de son analyse n'était pas Charles Dickens ; elle fouillait Dickens à la recherche de traits particuliers qu'elle associait à Homer Wells. Parfois, à en croire la concentration sur son visage, Melony semblait sur le point de découvrir le refuge d'Homer dans l'Angleterre d'un autre siècle. (Le Dr Larch avait déclaré à Melony que l'endroit où se trouvait réellement Homer ne la concernait pas.)

Peu importait que Melony assassinât chaque instant d'humour dickensien par sa férocité, ou que les détails riches et pittoresques des personnages et des décors fussent plongés dans une uniforme grisaille par sa voix. (« Cette fille ne met aucun relief », se plaignait Nurse Edna.) Peu importait : Melony terrifiait les gamins, et leurs craintes les poussaient à lui accorder plus d'attention qu'ils n'en avaient jamais concédée à Homer Wells. Parfois, l'intérêt pour la littérature ne s'adresse pas à la littérature elle-même — la division Garçons constituait un public comme tant d'autres : l'intérêt personnel, les souvenirs intimes, les angoisses secrètes des enfants se glissaient dans leur entendement du texte (à l'insu de ce que Charles Dickens avait fait, et de ce que Melony lui faisait).

Ne se sentant pas la conscience très pure quand elle abandonnait la section Filles à elle-même pour trotter chez les garçons écouter la lecture de Melony, Mme Grogan prit l'habitude de faire suivre l'extrait de *Jane Eyre* d'une courte prière, à la fois charmante et pleine de menaces, qui s'attardait sur les couvre-lits fanés et tachés à la lueur du clair de lune longtemps après que Mme Grogan eut laissé les filles seules. Même Mary Agnes Cork était réduite au silence — sinon aux bonnes manières — par la prière de Mme Grogan.

Si Mme Grogan l'Irlandaise avait su que sa prière venait d'Angleterre, elle ne l'aurait peut-être pas récitée ; elle se l'était remémorée après l'avoir entendue à la radio, et elle se la récitait à elle-même avant de s'abandonner au sommeil. C'était une prière écrite par le cardinal Newman. Quand Melony fut chargée de faire la lecture aux garçons, Mme Grogan rendit publique sa prière personnelle.

— Oh, Seigneur, disait-elle dans la tache de lumière, sur le seuil de la porte, tandis que Melony s'impatientait à ses côtés. Oh, Seigneur, soutiens-nous tout le jour, jusqu'à ce que les ombres s'allongent et que le soir vienne, que l'activité du monde se taise et que la fièvre de la vie s'apaise, jusqu'à ce que notre tâche soit accomplie. Puis, dans ta miséricorde, accorde-nous une retraite sûre, un saint repos et enfin la paix [23].

— Amen, disait Melony — d'un air aussi peu facétieux que respectueux.

Elle le disait comme elle lisait Charlotte Brontë et Charles Dickens — Mme Grogan en frissonnait bien que les nuits d'été fussent chaudes et humides, et qu'elle dût faire deux pas pour chaque foulée de Melony si elle voulait la suivre dans sa traversée résolue jusqu'à la section Garçons. Melony disait « Amen » comme elle disait tout le reste. D'une voix sans âme, pensait Mme Grogan — et ses dents claquaient quand elle s'asseyait sur une chaise dans la section Garçons, en dehors de la lumière, derrière Melony, les yeux fixés sur son large dos. Et ce fut sans doute l'air pétrifié de Mme Grogan qui engendra dans la section Garçons, avec l'aide de Curly Day, la rumeur selon laquelle la directrice de la section Filles n'avait jamais fréquenté l'école, était illettrée, incapable de lire le journal toute seule — d'où son entière dépendance à l'égard de Melony.

Les petits marmots allongés dans leurs lits, terrorisés, avaient l'impression de se trouver sous la dépendance de Melony eux aussi.

La lecture de Melony troublait tant Nurse Edna qu'elle avait hâte d'entonner son refrain sur les princes du Maine et les rois de Nouvelle-Angleterre (quand bien même elle le trouvait dénué de sens). Nurse Edna suggéra que Melony était responsable de l'accroissement des cauchemars dans la section Garçons, et proposa de la relever de ses responsabilités de lectrice. Nurse Angela ne partagea pas son avis : s'il émanait encore de Melony une présence maléfique, c'était bien parce qu'on ne lui avait pas confié assez de responsabilités. En outre, déclara Nurse Angela, le nombre de cauchemars s'était-il vraiment accru ? Depuis le départ d'Homer Wells (cela faisait maintenant un mois), Nurse Edna et Nurse Angela entendaient ces terreurs nocturnes, alors qu'auparavant le jeune homme s'occupait lui-même des enfants angoissés.

Mme Grogan était partisane, elle aussi, d'accroître les responsabilités de Melony ; elle sentait la jeune fille au seuil d'un changement — prête à s'élever au-dessus de sa propre amertume, ou bien à s'y enfoncer davantage. Ce fut Nurse Angela qui suggéra au Dr Larch que Melony pourrait se rendre utile.

— *Plus* utile, vous voulez dire ? demanda le Dr Larch.

— D'accord, répondit Nurse Angela.

Mais le Dr Larch n'appréciait guère que l'on imitât les tics de langage d'Homer Wells ; le regard qu'il décocha à Nurse Angela fut si noir que jamais plus elle ne se risquerait à répondre « D'accord ». Il n'appréciait pas non plus l'idée que Melony apprenne à remplacer Homer — ne serait-ce qu'en se rendant utile.

Nurse Edna prit le parti de Melony.

— Si c'était un *garçon*, Wilbur, vous lui auriez déjà donné davantage à faire.

— L'hôpital est lié à la section Garçons, répliqua Larch. Il est impossible de dissimuler aux garçons ce qui se passe ici. Mais les *filles*, c'est une autre histoire, conclut-il de façon spécieuse.

— Melony n'ignore rien de ce qui se passe ici, dit Nurse Angela.

Wilbur Larch se savait acculé. En outre il en voulait à Homer Wells — il avait donné au jeune homme la permission de prolonger son séjour en dehors de Saint Cloud's aussi longtemps qu'il le souhaitait, mais il ne s'attendait pas à rester *sans nouvelles* de lui (pas un mot!) pendant six semaines.

— Je ne sais pas si j'aurais encore la patience de travailler avec une adolescente, lança Larch hargneux.

— Melony doit avoir vingt-quatre ou vingt-cinq ans, dit Mme Grogan.

Comment peut-on se trouver encore dans un orphelinat à cet âge? se demanda Larch. Exactement comme je suis encore ici, *moi*, se répondit-il. Qui d'autre voudrait cette place? Qui d'autre voudrait de Melony?

— Très bien, dit-il. Demandons-lui si cela l'intéresse.

Il redoutait la rencontre avec Melony; malgré lui, il lui imputait la morosité qui avait entaché la personnalité d'Homer, et il lui en voulait — surtout de la rébellion qu'avait manifestée Homer à son égard depuis peu. Larch se savait injuste et se sentait d'autant plus coupable; il entreprit de répondre au courrier.

Il y avait une lettre longue (quoique dans un style de correspondance d'affaires) signée Olive Worthington, avec un chèque — une donation substantielle pour l'orphelinat. Mme Worthington se disait ravie que son fils, « séduit » par le bon travail effectué à Saint Cloud's, ait jugé bon de ramener à la maison un des « garçons » du Dr Larch. Les Worthington étaient enchantés qu'Homer reste jusqu'à la fin de l'été. Ils engageaient souvent des « lycéens en vacances » et elle se félicitait sincèrement que son fils Wally ait « l'occasion de se lier avec quelqu'un de son âge — mais vivant dans des circonstances moins privilégiées... ». Olive Worthington assurait Larch que son mari et elle jugeaient Homer un excellent garçon, courtois et travailleur, et qu'il semblait exercer « une influence bénéfique sur Wally ». Elle concluait qu'elle espérait même qu'« au contact d'Homer Wally apprendrait la valeur d'une journée de travail », et qu'Homer avait « manifestement tiré parti d'une éducation rigoureuse » — elle fondait ce jugement sur la capacité d'Homer à apprendre la culture des pommes « comme s'il était habitué à des études plus astreignantes ».

Olive désirait informer le Dr Larch qu'Homer avait exigé d'être payé sous la forme d'une donation mensuelle à Saint Cloud's, sur laquelle seraient prélevées ses dépenses d'entretien ; comme il partageait une chambre avec Wally, empruntait les vêtements de Wally et prenait ses repas avec la famille Worthington, Olive estimait les dépenses du jeune homme à une somme minime. Elle était ravie que son fils ait pour l'été « un compagnon aussi adulte et honorable », et enchantée d'avoir l'occasion de contribuer, du peu qu'elle pourrait, au bien-être des orphelins de Saint Cloud's. « Les jeunes, écrivait Olive (c'était son expression pour désigner Wally et Candy), m'ont dit que vous y faites de grandes choses. Ils sont si contents d'être tombés sur vous par hasard. »

De toute évidence, Olive Worthington ignorait qu'elle disposait d'un gynécologue accompli pour s'occuper de ses pommiers, et Larch pesta dans sa barbe en songeant à l' « éducation rigoureuse » offerte à Homer Wells, en pure perte (estimait le docteur) étant donné son occupation actuelle. Mais Wilbur Larch se calma assez pour composer une réponse cordiale, quoique guindée, à la lettre de Mme Worthington.

Sa donation était acceptée avec reconnaissance et il se félicitait qu'Homer Wells révèle son éducation à Saint Cloud's sous un jour aussi positif — il n'en attendait pas moins du jeune orphelin que ce que Mme Worthington avait eu l'amabilité de lui communiquer. Il ajoutait qu'il serait gentil, de la part d'Homer, d'écrire un peu. Le Dr Larch était enchanté qu'Homer ait trouvé pour l'été un emploi aussi sain ; sa présence manquerait beaucoup à Saint Cloud's, où il s'était toujours rendu utile, mais Larch insistait sur le plaisir qu'il éprouvait à savoir Homer heureux. Il félicita Olive Worthington des bonnes manières et de la générosité de son fils ; les « jeunes » seraient les bienvenus à Saint Cloud's en toute circonstance. Quelle chance — pour tout le monde — qu'ils fussent « tombés par hasard » sur l'orphelinat.

Wilbur Larch grinça des dents et tenta d'imaginer un endroit sur lequel il serait plus difficile de « tomber par hasard » que Saint Cloud's ; au prix d'un dernier effort de concentration, il se lança dans la partie de la lettre qu'il avait attendu d'écrire pendant plus d'un mois.

« Je dois vous dire une chose au sujet d'Homer Wells, écrivit Wilbur Larch. Il a un problème de cœur. » Et il donna des détails. Il demeura plus prudent que lors de sa discussion avec Wally et Candy sur cette prétendue faiblesse cardiaque. Il essaya de se montrer aussi précis et évasif qu'il serait contraint de l'être quand il décrirait sa maladie à Homer lui-même. Sa lettre à Olive Worthington au sujet du cœur d'Homer constituait en fait un exercice préparatoire. Il semait des graines (expression agaçante, mais il se surprenait souvent en train de la formuler dans sa tête — depuis qu'il avait hérité des catalogues du chef de gare) ; il voulait qu'Homer soit traité avec une main de velours, comme on dit dans le Maine.

Olive Worthington lui avait signalé qu'Homer recevait de Wally des leçons de conduite automobile, et de Candy des leçons de natation — ces dernières dans la piscine chauffée de l'Haven Club. « Ces dernières » — les leçons de natation de la jeune fille ! — firent ronchonner Wilbur Larch, et il conclut ses conseils de prudence à propos du cœur d'Homer en suggérant qu'Homer « ne force pas trop sur la natation ».

Le Dr Larch ne partageait pas l'opinion d'Olive Worthington : pour elle « tout jeune homme devrait savoir conduire et nager » ; le Dr Larch ne savait faire ni l'un ni l'autre.

« Ici à Saint Cloud's, écrivit-il donc pour lui-même, il est impératif de posséder une bonne procédure obstétrique et d'être capable d'exécuter une dilatation suivie de curetage. Dans d'autres parties du monde, on apprend à conduire et à nager ! »

Il montra la lettre d'Olive Worthington à Nurse Angela et à Nurse Edna, qui pleurèrent toutes les deux en la lisant. Elles trouvèrent Mme Worthington « charmante », « pleine de chaleur » et « intelligente » ; mais n'était-il pas étrange, grommela Larch, que *monsieur* Worthington ne fût pas davantage présent ? Qu'en était-il de lui ? « Pourquoi est-ce sa femme qui dirige l'exploitation ? » demanda Larch à ses infirmières, mais elles le morigénèrent toutes les deux : quel mal y avait-il donc ? Pourquoi Larch voyait-il rouge dès qu'une femme prenait quelque chose en main ? Et elles lui rappelèrent qu'il avait rendez-vous avec Melony.

Melony s'était mise dans l'état d'esprit qui convenait à son entrevue avec le Dr Larch. Elle s'était préparée en se couchant dans son lit et en lisant sans interruption la dédicace qu'elle avait inscrite sur l'exemplaire volé de *la Petite Dorrit*.

A HOMER « RAYON-DE-SOLEIL » WELLS
POUR LA PROMESSE
QUE TU M'AS FAITE
AVEC MON AMOUR, MELONY.

Ensuite elle avait essayé, à plusieurs reprises, de commencer le livre à travers ses larmes de colère.

L'image du soleil éclatant, flamboyant de Marseille — le rayonnement oppressant — était pour Melony à la fois aveuglante et trompeuse. Sur quelle expression personnelle pouvait-elle se fonder pour comprendre un soleil d'une telle brillance ? Et puis la coïncidence de tous ces *rayons de soleil* (étant donné le surnom d'Homer Wells) l'accablait trop. Elle lisait, se perdait, recommençait, se perdait encore ; et sa colère ne cessait de croître et d'embellir.

Ensuite elle regarda dans le sac de toile contenant ses affaires de toilette et remarqua que la barrette à monture de corne, volée par Mary Agnes à Candy — et que Melony avait arrachée des cheveux de Mary Agnes pour se l'approprier —, venait d'être volée de nouveau. Elle partit au pas de charge vers le lit de Mary Agnes Cork et retrouva l'élégante barrette sous le traversin. Melony avait les cheveux coupés trop court pour pouvoir l'utiliser, d'ailleurs elle n'aurait pas su comment s'y prendre. Elle l'enfonça dans la poche de son jean. Ce n'était guère agréable car son jean était trop serré. Elle entra dans les douches des filles, où Mary Agnes Cork se lavait la tête, et tourna le robinet d'eau chaude à fond. La gamine, presque ébouillantée, se jeta hors de la douche et se tortilla par terre, la peau écarlate. Melony lui prit le bras et le lui tordit derrière le dos, puis sauta de tout son poids sur l'épaule de la fillette. Elle n'avait pas l'intention de lui briser les os, et le bruit de la clavicule de Mary Agnes, lorsqu'elle céda, la surprit et l'effraya. Elle s'écarta aussitôt de la gamine — dont le corps nu passa du rouge très rouge au blanc très blanc. Allongée sur le carrelage des douches, Mary Agnes se mit à frissonner et à gémir, sans oser remuer.

— Habille-toi, je te conduis à l'infirmerie, lui lança Melony. Tu as quelque chose de cassé.

Mary Agnes tremblait.

— Je ne peux pas bouger, chuchota-t-elle.

— Je ne l'ai pas fait exprès, dit Melony, mais je t'avais prévenue de ne pas fourrer le nez dans mes affaires.

— Tu as les cheveux trop courts, répliqua Mary Agnes. De toute façon, tu ne peux pas la porter.

— Tu as envie que je te casse autre chose ? demanda Melony à la fillette.

Mary Agnes voulut secouer la tête, mais y renonça aussitôt.

— Je ne peux pas bouger, répéta-t-elle.

Et quand Melony se pencha pour l'aider à se relever, elle hurla ·

243

« Ne me touche pas !

— A ta guise ! lança Melony en la plantant là. Ne fourre pas le nez dans mes affaires, c'est tout.

Dans le vestibule de la section Filles, en route vers son rendez-vous avec le Dr Larch, Melony grogna deux ou trois mots à Mme Grogan au sujet de Mary Agnes et de « quelque chose de cassé ». La directrice supposa naturellement que Mary Agnes avait cassé une lampe, ou une fenêtre, ou même un lit.

— Comment trouvez-vous ce livre, ma chérie ? demanda-t-elle à Melony qui emportait toujours *la Petite Dorrit* sous son bras ; elle n'avait pas réussi à dépasser la première page.

— Le début est plutôt lent, répondit Melony.

Quand elle arriva au bureau de Nurse Angela, où le Dr Larch l'attendait, elle avait le souffle un peu court et elle transpirait.

— Quel est ce livre ? lui demanda le Dr Larch.

— *La Petite Dorrit,* de Charles Dickens, répondit Melony.

Et, quand elle s'assit, elle sentit la barrette lui mordre la cuisse.

— D'où le tiens-tu ?

— C'était un cadeau, répondit-elle, ce qui n'était pas tout à fait un mensonge.

— L'histoire est charmante, dit Wilbur Larch.

Melony haussa les épaules.

— Le début est plutôt lent, répéta-t-elle.

Ils se dévisagèrent pendant un moment, sur la défensive. Larch esquissa un sourire. Melony essaya, elle aussi, mais n'étant pas trop sûre du résultat sur son visage, elle s'arrêta. Elle se trémoussa sur sa chaise ; la barrette dans sa poche la blessa un peu moins.

« Il ne reviendra pas, hein ? demanda Melony.

Et le Dr Larch la regarda avec le respect et la circonspection que l'on réserve à ceux qui lisent dans vos pensées.

— Il a trouvé un travail d'été, dit Larch. Bien entendu d'autres occasions pourront se présenter.

Melony haussa les épaules.

— Il fera peut-être des études, je suppose, dit-elle.

— Oh, je l'espère bien !

— Vous avez sans doute envie qu'il soit docteur, continua Melony.

Larch haussa, lui aussi, les épaules : c'était son tour de feindre l'indifférence.

— S'il en a envie, *lui,* répondit-il.

— J'ai cassé le bras de quelqu'un, une fois, dit Melony. Ou c'était peut-être quelque chose dans la poitrine.

— La poitrine ? demanda Larch. Quand as-tu fait ça ?

— Il n'y a pas longtemps... Plutôt récemment. Je ne l'ai pas fait exprès.

— Comment est-ce arrivé ? lui demanda Larch.

— Je lui ai tordu le bras derrière le dos — elle était par terre — et puis je lui ai sauté sur l'épaule, l'épaule du bras que je tordais.

— Aïe ! dit le Dr Larch.

— Je l'ai entendu, précisa Melony. Le bras ou la poitrine.

— Peut-être la clavicule, suggéra Larch. (Étant donné la position, il pensait naturellement à la clavicule.)

— En tout cas, j'ai entendu le bruit, répondit-elle.

— Et après, comment t'es tu sentie ? demanda Larch à Melony, qui haussa les épaules.

— Je ne sais pas, dit-elle. Écœurée, je pense, mais forte, ajouta-t-elle. Malade mais forte.

— Peut-être aimerais-tu avoir plus de choses à faire ? lui demanda Larch.

— Ici ?

— Eh bien... oui, ici... Je pourrais te trouver davantage de choses à faire ici — des choses plus importantes. Bien entendu, je pourrais aussi chercher du travail pour toi — à l'extérieur, je veux dire. Hors d'ici.

— Vous voulez que je parte ou que je fasse plus de corvées, c'est ça ?

— Je ne veux pas que tu fasses une chose dont tu n'aurais pas envie. Tu m'as dit un jour que tu ne voulais pas partir — et je ne t'y forcerai jamais. Je me suis dit que tu cherchais peut-être un changement, c'est tout.

— Vous n'aimez pas ma façon de lire, hein ? demanda Melony. C'est ça ?

— Non ! répondit le Dr Larch. Je veux que tu continues de lire, mais c'est seulement une chose parmi toutes celles que tu pourrais faire ici.

— Vous voulez que je fasse comme Homer Wells ?

— Homer Wells *étudiait* beaucoup, répondit le Dr Larch. Peut-être pourrais-tu aider Nurse Angela, Nurse Edna et moi. Peut-être qu'*observer,* seulement, t'intéresserait — pour voir si cela te plaît.

— Je trouve ça écœurant, dit Melony.

— Tu désapprouves ? demanda Larch.

Mais Melony parut sincèrement surprise.

— Quoi ? fit-elle.

245

— Tu crois que nous ne devrions pas pratiquer d'avortements, c'est ça ? demanda Larch. Tu estimes qu'il ne faut pas interrompre la grossesse, avorter le fœtus ?

Melony haussa de nouveau les épaules.

— Je pense que ça m'écœurerait, c'est tout, répéta-t-elle. Mettre des bébés au monde — beurk ! dit-elle. Et arracher des bébés en petits morceaux du ventre d'une femme — re-beurk !

Larch parut interdit.

— Mais tu ne crois pas que c'est mal ? demanda-t-il.

— Qu'y a-t-il de mal à ça ? lui demanda-t-elle. Écœurant, ça oui. Du sang, les femmes qui perdent des trucs de leur corps — pouah ! dit Melony. Ça sent mauvais partout, ici, ajouta-t-elle, songeant à l'atmosphère de l'infirmerie — l'aura d'éther, le relent de vieux sang.

Wilbur Larch regarda Melony et se dit : Mon Dieu, ce n'est qu'un grand enfant ! Une brute bébé.

« Je n'ai pas envie de travailler autour de l'hôpital, dit Melony carrément. Je ratisserai des feuilles, n'importe quoi — ce genre de truc, d'accord, si vous voulez que je travaille davantage, pour ce que je mange ou autre chose...

— Je veux que tu sois plus heureuse qu'à présent, Melony, lui dit le Dr Larch, timidement.

Il avait honte de constater à quel point l'être humain en face de lui avait été abandonné à lui-même.

— Plus heureuse ! dit Melony — elle fit un petit bond sur sa chaise et la barrette volée s'enfonça dans sa peau. Faut-il que vous soyez stupide ou cinglé !

Le Dr Larch n'en fut pas choqué ; il hocha la tête et envisagea les deux possibilités.

Il entendit alors Mme Grogan qui l'appelait, dans le couloir devant la pharmacie.

— Docteur Larch ! Docteur Larch ! criait-elle, et elle ajouta : Wilbur ! — ce qui donna un choc à Nurse Edna, qui croyait posséder certains droits d'exclusivité sur l'utilisation de ce prénom. Mary Agnes s'est cassé le bras !

Larch fixa Melony qui, pour la première fois, parvint à sourire.

— Tu disais que c'était arrivé *il n'y a pas longtemps ?* lui demanda Larch.

— J'ai dit *plutôt récemment,* admit Melony.

Larch se rendit dans la pharmacie où il examina la clavicule de Mary Agnes, qui était cassée ; puis il ordonna à Nurse Angela de préparer la fillette pour une radiographie.

— J'ai glissé sur le carrelage des douches, gémit Mary Agnes. C'était vraiment trempé.

— Melony ! lança le Dr Larch.

Melony était en train de traîner dans le couloir.

« Melony, aimerais-tu voir comment nous remettons en place un os brisé ?

Melony entra dans la pharmacie, petite et encombrée — d'autant que Nurse Edna et Mme Grogan s'y trouvaient, avec Nurse Angela qui emmenait Mary Agnes faire sa radio. Quand il vit tout son monde réuni, Larch se rendit compte soudain de sa fragilité et de celle de ses collaboratrices, à côté de Melony.

« Aimerais-tu participer à la réduction d'une fracture, Melony ? demanda Larch à la robuste et imposante jeune femme.

— Nan ! répliqua-t-elle. J'ai des choses à faire. (Elle agita l'exemplaire de *la Petite Dorrit* d'un air vaguement menaçant.) Et il faut que je regarde ce que je vais lire ce soir, ajouta-t-elle.

Elle retourna à la section Filles, à sa fenêtre, tandis que le Dr Larch remettait en place la clavicule de Mary Agnes ; et elle tenta une fois de plus de comprendre pourquoi le soleil était si accablant à Marseille. *Même la poussière était roussie par la chaleur,* lut-elle à voix basse, *et quelque chose frémissait dans l'atmosphère comme si l'air lui-même haletait.* Oh, Rayon-de-soleil, se dit-elle, pourquoi ne m'as-tu pas emmenée n'importe où ? Pas forcément en France, quoique la France aurait été très bien.

Comme elle rêvait en lisant, elle manqua la transition entre le « regard universel » du soleil à Marseille et l'atmosphère de la prison dans cette même ville. Soudain, elle se découvrit en prison. *Une souillure de geôle enduisait tout...,* lut-elle. *Comme un puits, comme une cave, comme une tombe, la prison ignorait totalement la lumière éclatante de l'extérieur...* Elle s'arrêta de lire. Elle laissa *la Petite Dorrit* sur son oreiller. Elle enleva la taie d'oreiller d'un lit plus propre que le sien et y fourra le sac de toile contenant ses objets de toilette, avec quelques vêtements. Elle mit aussi *Jane Eyre* dans la taie.

Dans la chambre plutôt spartiate de Mme Grogan, Melony n'eut aucun mal à trouver le sac à main de la directrice — elle vola à Mme Grogan son argent (il y en avait peu) et son gros manteau d'hiver (en été, le manteau lui serait très utile si elle devait dormir à même la terre). Mme Grogan était encore à l'infirmerie, préoccupée par la clavicule de Mary Agnes ; Melony aurait aimé dire au revoir à Mme Grogan (même après l'avoir volée), mais elle connaissait l'horaire des trains par cœur — en réalité, elle le connaissait par l'oreille ; le bruit de chaque arrivée et de chaque départ montait jusqu'à sa fenêtre.

A la gare, elle prit un billet seulement pour Livermore Falls. Elle savait que même le nouveau chef de gare, si jeune et si stupide qu'il fût, se souviendrait de sa destination, et révélerait au Dr Larch et à Mme Grogan où elle était partie. Elle savait aussi qu'une fois dans le train elle pourrait prendre un billet pour un endroit beaucoup plus éloigné que Livermore Falls. Ai-je assez d'argent pour Portland ? se demanda-t-elle. Le moment venu, il faudrait qu'elle explore la côte — parce que, au-dessous du monogramme d'or sur fond de pomme Red Delicious qu'elle avait vu sur la Cadillac, elle avait lu (également en or) sur la feuille de pommier d'un vert éclatant : VERGERS OCEAN VIEW. Ce devait être en vue de la mer, et la Cadillac portait une plaque minéralogique du Maine. Peu importait pour Melony que l'État du Maine eût des milliers de kilomètres de côtes. Comme son train s'éloignait de Saint Cloud's, Melony se dit — avec une telle véhémence que son haleine couvrit la vitre de brume et dissimula à ses yeux les bâtiments à l'abandon de ce village abandonné : « Je te retrouverai, Rayon-de-soleil. »

Le Dr Larch tenta de consoler Mme Grogan — qui regrettait juste, lui dit-elle, de n'avoir pas eu plus d'argent à se faire voler par Melony.

— Et mon manteau n'est même pas imperméable, se plaignit-elle ; dans cet État, on a besoin d'un bon manteau de pluie !

Le Dr Larch s'efforça alors de la rassurer : Melony n'était plus une fillette.

— Elle a vingt-quatre ou vingt-cinq ans, rappela-t-il à Mme Grogan.

— Je crois qu'elle a le cœur brisé, répondit la malheureuse directrice.

Le Dr Larch lui fit observer que Melony avait emporté *Jane Eyre* ; il considérait ce geste comme un signe de bon augure — partout où elle irait, Melony ne serait pas sans guide, ne serait pas sans amour, ni sans foi ; elle avait un bon livre avec elle. Si seulement elle continuait de le lire et de le relire... se disait Larch.

Le livre que Melony avait laissé sur son lit constitua une énigme pour Mme Grogan comme pour le Dr Larch. Ils lurent la dédicace à Homer « Rayon-de-soleil » Wells, qui toucha profondément la directrice.

Mais quand ils voulurent se lancer dans la lecture de *la Petite Dorrit*, ils n'eurent de chance ni l'un ni l'autre. Mme Grogan ne put jamais parvenir à l' « infâme » prison : la puissance du soleil de Marseille lui fit baisser les yeux. Le Dr Larch, qui — en l'absence d'Homer Wells *et* de Melony — reprit ses responsabilités de lecteur du soir dans les deux sections de l'orphelinat, essaya de lire *la Petite Dorrit* aux filles ; le personnage principal n'était-il pas une fillette ? Mais le contraste entre l'air embrasé sous le soleil marseillais et l'atmosphère viciée de la prison marseillaise créa un tel climat d'insomnie chez les fillettes que Larch, non sans soulagement, abandonna le livre au chapitre III, qui avait un titre fort malencontreux pour des orphelins : « Retour au foyer. » Il se lança dans la description de Londres un dimanche soir — traqué par les cloches d'églises.

— *Rues de mélancolie, dans leurs robes de pénitent couleur de suie*, lut le Dr Larch, puis il s'arrêta — nous n'avons nul besoin d'un surcroît de mélancolie ici, se dit-il.

— Ne vaudrait-il pas mieux attendre un peu, et relire *Jane Eyre* ? demanda-t-il.

Les filles acquiescèrent sans réserve.

Sachant que le beau garçon au visage de bienfaiteur devait avoir une mère au cœur prêt à faire du bien à des êtres qui vivaient (selon ses propres termes) « dans des circonstances moins privilégiées », le Dr Larch écrivit à Olive Worthington.

> Chère madame Worthington,
> Ici à Saint Cloud's, nous dépendons des autres pour nos rares luxes, et nous nous figurons qu'ils pourront durer toujours — nous prions pour cela. Voudriez-vous avoir l'amabilité de dire à Homer que son amie Melony nous a quittés — pour une destination inconnue — en emportant notre unique exemplaire de *Jane Eyre*. Les orphelines avaient l'habitude d'entendre lire ce livre à haute voix — en fait, c'était Homer qui leur en faisait la lecture. Si Homer pouvait découvrir un exemplaire de remplacement, les fillettes et moi lui en serions infiniment redevables. Dans d'autres parties du monde, il y a des librairies...

Par cette épître, Larch faisait d'une pierre deux coups. Olive Worthington lui enverrait elle-même un exemplaire de *Jane Eyre* (sûrement pas un livre d'occasion, se dit-il), et Homer recevrait le message important : Melony avait filé. Elle était en liberté dans le monde. Larch estimait qu'Homer devait le savoir ; pour pouvoir garder l'œil ouvert...

Quand Nurse Edna lut la dédicace de *la Petite Dorrit*, elle pleura. Ce n'était pas une grande lectrice, Edna. Elle n'alla pas au-delà de la dédicace. Nurse Angela avait déjà été vaincue par Dickens ; elle cligna des yeux une fois, très vite, sous le soleil de Marseille, et ne se hasarda pas à tourner la page.

Pendant des années, le livre dédaigné de Candy demeura dans le bureau de Nurse Angela ; les femmes qui attendaient, nerveuses, un entretien avec le Dr Larch ouvriraient souvent *la Petite Dorrit* comme elles auraient ouvert un magazine — pour calmer leur agitation mais sans attention soutenue. Larch laissa rarement l'une d'elles attendre au-delà des premiers éclats du soleil. Et la plupart préféraient feuilleter la vieille collection de catalogues. Les semences, le matériel de pêche à la ligne, la lingerie féminine extravagante — cette dernière présentée de manière surréaliste : sur ces troncs sans tête, sans jambes et sans bras qui constituaient à l'époque le modèle classique du mannequin de couturière.

« Dans d'autres parties du monde, commença le Dr Larch un jour, il existe des soutiens-gorge d'allaitement. » Mais ce début ne le conduisit nulle part ; il tomba, sous forme de fragment, entre les nombreuses, très nombreuses pages de sa *Brève Histoire de Saint Cloud's*.

La Petite Dorrit semblait condamnée à une existence privée de lecture. Même Candy, qui remplaça son exemplaire volé (et se demanda toujours ce qu'il en était advenu), ne termina jamais le livre, bien que ce fût une lecture obligatoire de sa classe. Elle fut incapable elle aussi de négocier la traversée au-delà de l'assaut initial du soleil sur ses sens ; ses difficultés avec ce livre tenaient, se dit-elle, au fait qu'il lui remémorait ses peines pendant le long voyage aller et retour à Saint Cloud's — sans parler de ce qu'il lui était arrivé là-bas.

Elle se souvenait en particulier du retour vers la côte — allongée sur la banquette arrière, avec pour toutes lumières celle du tableau de bord de la Cadillac et le bout embrasé de la cigarette de Wally (lumineux mais minuscule) au milieu des ténèbres. Les pneus de la grosse voiture ronronnaient, apaisants ; elle était ravie de la présence d'Homer, car cela lui évitait de parler à Wally — ou de l'écouter. Elle ne pouvait même pas entendre ce que Wally et Homer se disaient. « On se racontait nos vies, lui expliquerait Wally plus tard. Ce type a eu une sacrée existence, mais il vaut mieux qu'il te la raconte lui-même. »

Le bourdonnement de leur conversation était aussi régulier et apaisant que le chant des pneus mais — si épuisée qu'elle fût — elle ne put dormir. Elle pensait à la quantité de sang qu'elle perdait — peut-être plus que je ne devrais, s'inquiéta-t-elle. Entre Saint Cloud's et la côte elle demanda trois fois à Wally d'arrêter la voiture. Elle ne cessait de vérifier les saignements et de changer le tampon ; le Dr Larch lui en avait donné beaucoup — mais y en aurait-il assez, et à partir de quelle quantité perdait-on « trop » de sang ? Elle regarda la nuque d'Homer. Si c'est pire demain, ou aussi mauvais après-demain, se dit-elle, il faudra que je l'interroge.

Quand Wally alla aux toilettes et les laissa seuls dans la voiture, Homer lui parla, mais sans se retourner.

— Vous avez des crampes, à peu près comme pour vos règles, dit-il. Vous devez sans doute saigner, mais pas comme pendant vos règles — rien de commun avec ce que vous perdez au plus mauvais moment. Si les taches sur la serviette ont cinq à sept centimètres de diamètre, c'est normal. Il faut s'y attendre.

— Merci, chuchota Candy.

— Le saignement devrait ralentir demain et devenir beaucoup plus léger après-demain. Si vous êtes inquiète, il faudra m'en parler, dit-il.

— Oui, répondit Candy.

Elle se sentait si étrange : qu'un jeune homme de son âge en sache autant sur elle la dérangeait.

— Je n'ai jamais vu de langouste, dit Homer Wells pour changer de sujet — et permettre à la jeune fille de prendre l'ascendant.

— Dans ce cas, vous n'en avez jamais mangé non plus, répondit Candy d'un ton joyeux.

— Je ne sais pas si j'ai envie de manger une chose que je n'ai jamais vue, dit Homer.

Et Candy éclata de rire ; elle riait encore quand Wally remonta dans la voiture.

« Nous parlions de langoustes, expliqua Homer.

— Oh, elles sont très drôles, dit Wally.

Et ils rirent de plus belle, tous les trois.

— Attendez d'en voir une ! lança Candy à Homer. Il n'en a jamais vu ! dit-elle à Wally.

— Elles sont encore plus drôles quand on les voit, dit Wally.

Le rire fit mal à Candy ; elle s'arrêta aussitôt mais Wally continua.

« Et tu verras quand elles essaieront de parler, ajouta-t-il. Les langoustes me font vraiment crever de rire, chaque fois qu'elles essaient de parler.

251

Quand Wally et lui s'arrêtèrent de rire, Homer dit :

— Je n'ai jamais vu l'océan, vous savez.

— Candy, tu entends ça ? demanda Wally — mais le fait de rire, même si peu, l'avait détendue, et elle dormait profondément. Tu n'as *jamais* vu l'océan ? demanda Wally à Homer.

— C'est exact, dit Homer Wells.

— Ce n'est pas drôle, répondit Wally gravement.

— D'accord, convint Homer.

Un peu plus tard, Wally lui demanda :

— Tu veux conduire un moment ?

— Je ne sais pas conduire, répondit Homer.

— Vraiment ? demanda Wally.

Et encore un peu plus tard — il était presque minuit — il demanda encore :

« Euh... tu es déjà allé avec une fille ?... Fait l'amour avec elle, tu vois ?

Mais Homer Wells s'était détendu lui aussi : il avait ri tout fort avec ses nouveaux amis. Cet insomniaque chevronné malgré sa jeunesse s'était endormi. Wally n'aurait-il pas été surpris d'apprendre qu'Homer n'avait également jamais éclaté de rire avec des amis de toute sa vie ? Et peut-être Homer aurait-il eu du mal à définir ses liens avec Melony comme une relation de nature sexuelle.

Quelle impression nouvelle de sécurité Homer avait ressentie en ces instants de rire avec des amis, dans l'obscurité close de la voiture en mouvement ! Et quelle impression de liberté lui donnait la voiture elle-même ! — sa façon d'avancer sans effort tenait du miracle pour Homer, car, pour lui, l'idée de mouvement (sans parler de la sensation de changement) ne se réalisait que rarement et seulement au prix d'une lutte énorme.

« Candy ? murmura Wally.

Et un peu plus tard, il chuchota :

« Homer ?

L'idée de piloter ces deux êtres au milieu du monde enténébré d'être leur guide jusqu'au bout de la nuit et de les protéger de ce qui les attendait au-delà de la lumière des phares, plaisait assez à Wally

« Eh bien, mon pote, lança-t-il à Homer Wells endormi, il est grand temps que tu *t'amuses* un peu !

Wilbur Larch, presque un mois plus tard — attendant encore des nouvelles d'Homer Wells et trop fier pour écrire le premier —, se demandait à quoi pouvait bien « s'amuser » Homer. Des leçons de natation ! se disait-il. Que met-on sur le dos pour nager dans une piscine chauffée ? Comment chauffe-t-on la piscine, et à quelle température ?

En 194..., la piscine de l'Haven Club était la première piscine chauffée du Maine. Raymond Kendall trouvait ridicule de chauffer l'eau à d'autres fins que pour faire sa cuisine ou se raser, mais il avait tout de même inventé le système de chauffage de la piscine de l'Haven Club. Pour lui, ce n'était qu'un exercice de mécanique appliquée.

— Si tu apprends à nager dans l'océan, dit Ray à Homer, tu connaîtras la réaction naturelle d'un corps humain à toute cette flotte.

— Mais tu ne sais pas nager, papa, lui lança Candy.

— C'est bien ce que je veux dire, répliqua Ray en lançant un clin d'œil à Homer Wells. Si tu mets le pied dans l'océan, ou si tu y tombes, tu auras assez de bon sens pour ne plus jamais y replonger un orteil — c'est trop froid !

Homer aimait beaucoup le père de Candy, peut-être parce que la chirurgie est la mécanique de la médecine, et qu'Homer avait reçu une formation de chirurgien. Il identifiait instantanément les mécanismes sur lesquels Ray Kendall travaillait, qu'il s'agît des machines agricoles du verger ou bien des appareils à transporter les homards ou à les maintenir en vie.

Contrairement à la promesse que Wally lui avait faite à propos de l'humour des langoustes et des homards, Homer ne s'amusa guère au premier regard qu'il lança à ces animaux. Entassés dans le vivier de Ray Kendall, ils se rampaient les uns sur les autres, les pinces bloquées par un petit coin de bois — ils les brandissaient sous l'eau comme des massues inutiles. Homer comprit qu'il avait sous les yeux une bonne raison d'apprendre à nager. Si l'on tombait dans la mer, on n'avait pas envie de se retrouver dans les fonds où ces créatures vivaient. Homer mit un certain temps à apprendre que les langoustes ne recouvrent pas le fond de l'océan avec la même densité que le fond d'un vivier. La première question qui lui vint à l'esprit ne concernait pas la façon dont ces crustacés mangeaient ou se reproduisaient — mais simplement pourquoi ils existaient.

« Il faut bien qu'il y ait quelque chose pour ramasser ce qui se perd, expliqua Ray Kendall à Homer.

— C'est le monstre-poubelle des profondeurs marines, lança Wally en riant — il riait toujours quand il parlait des langoustes.

— La mouette nettoie la côte, dit Ray Kendall. La langouste nettoie le fond.

— Les langoustes et les mouettes..., dit Candy. Elles ramassent les restes.

Wilbur Larch aurait sans doute fait remarquer qu'on leur donnait la part de l'orphelin. Homer Wells y songea également ; il s'aperçut qu'il pouvait passer beaucoup de temps à observer les langoustes (avec effroi), les mouettes (avec plaisir) — mais les unes et les autres avec une crainte respectueuse.

Des années plus tard, quand il devint le fier propriétaire du premier poste de télévision d'Heart's Rock, Wally Worthington dirait qu'Homer Wells était le seul être au monde qui eût jamais apporté une chaise pour s'asseoir devant le vivier à langoustes de Ray Kendall « comme s'il regardait les informations à la télévision ».

Le dimanche, Homer relevait les casiers à homards avec le père de Candy — pas pour de l'argent, pour sortir en mer et goûter la compagnie de Ray. Six jours par semaine, Homer travaillait avec Wally dans les vergers. L'océan n'était visible que de l'un des nombreux vergers d'Ocean View, mais l'on sentait la présence de la mer dans toute la propriété, surtout les matins de brouillard et quand la brise du large rafraîchissait la chaleur de l'été — aussi à cause des mouettes qui tournaient en rond dans les terres et se perchaient parfois dans les arbres. Elles préféraient les myrtilles aux pommes mais leur présence agaçait Olive, qui n'avait aucun amour pour ces oiseaux criards depuis sa jeunesse au milieu des bigorneaux : elle luttait contre les mouettes pour défendre le petit carré de myrtilles qu'elle cultivait — elle protégeait les baies avec des filets tendus très bas, mais les mouettes et les corbeaux étaient assez malins pour se faufiler par-dessous.

Parmi les orphelins, pensait Homer Wells, les mouettes sont supérieures aux corbeaux — non pas par l'intelligence ou la personnalité, remarqua-t-il, mais par la liberté qu'elles possèdent et chérissent. Ce fut en regardant les mouettes qu'Homer Wells perçut pour la première fois qu'il était libre.

Wilbur Larch savait que la liberté est pour un orphelin l'illusion la plus dangereuse, et, quand il reçut enfin des nouvelles d'Homer, il parcourut rapidement la lettre, curieusement guindée et décevante par son manque de détails. Pour ce qui est des illusions, et de tout le reste, elle ne contenait aucune preuve.

« J'apprends à nager, écrivait Homer Wells. (Je sais ! Je sais ! Mais parle-m'en un peu ! pensa Wilbur Larch.) Je me débrouille mieux pour les leçons de conduite, ajoutait Homer.

« Mme Worthington est très gentille. (Je m'en serais douté ! pensa Wilbur Larch.) Elle connaît tout sur les pommes.

« Le père de Candy est très gentil, lui aussi, écrivait Homer Wells au Dr Larch. Il m'emmène en mer dans son langoustier et il m'enseigne comment fonctionne un moteur. (Portes-tu un gilet de sauvetage sur le langoustier ? aurait voulu savoir Wilbur Larch. Tu crois qu'un *moteur* est tellement spécial ? Je pourrais t'enseigner comment fonctionne le cœur humain, pensa-t-il, tandis que son propre cœur lui donnait des leçons — et pas seulement en tant que muscle.)

« Candy et Wally sont merveilleux ! écrivait Homer. Je vais partout avec eux. Je dors dans la chambre de Wally. Je porte ses vêtements. C'est formidable que nous ayons la même taille, bien qu'il soit plus fort. Candy et Wally vont se marier un jour, et ils désirent beaucoup d'enfants. (Parle-moi des leçons de natation, se dit Wilbur Larch. Attention aux leçons de natation !)

« Pauvre M. Worthington — tout le monde l'appelle Senior ! » (Ah-ah ! songea Wilbur Larch. Tout n'est donc pas parfait, n'est-ce pas ? Qu'y a-t-il de « pauvre » chez ce M. Worthington ?)

Il demanda à Nurse Angela et à Nurse Edna ce qu'elles pensaient de « Senior », comme prénom. Elles convinrent que c'était original.

— Moi, je le trouve stupide, dit Wilbur Larch.

Nurse Angela et Nurse Edna lui répondirent qu'il se montrait injuste. Le jeune homme était parti avec sa bénédiction — plus, sur son encouragement. Elles admettaient volontiers qu'Homer aurait pu écrire un mot et l'envoyer sans attendre six semaines, mais n'était-ce pas la preuve qu'il était heureux — toujours occupé et content de l'être ? Et quelle était donc l'expérience d'Homer en matière épistolaire ?

— Vous auriez voulu qu'il soit docteur, Wilbur, dit Nurse Edna, mais c'est *sa* vie.

— Vous espériez qu'il serait *aussi* écrivain ? carillonna Nurse Angela.

— Et qu'il ne se marierait jamais ? demanda Nurse Edna, s'aventurant sur un terrain dangereux.

J'espère seulement qu'il se rendra *utile*, songea Wilbur Larch avec lassitude. Et je voudrais qu'il soit avec moi ; ce dernier souhait était égoïste, et il le savait. Il se reposait de la chaleur estivale dans la pharmacie. Tout ce verre, cet acier, c'était rafraîchissant, et les vapeurs de l'éther s'évaporaient plus lentement dans l'humidité. Il avait l'impression de voyager plus loin et plus longtemps, à présent, dans ses rêves à l'éther. Et quand il sortait des vapeurs, il en émergeait (semblait-il) avec plus de lenteur. Je vieillis, se répétait-il.

Un bel exemplaire intact de *Jane Eyre* arriva, envoyé par Mme Worthington, et Wilbur Larch reprit sa lecture aux filles, et d'un meilleur cœur — la nouveauté de l'histoire le revigorait. Cela secoua même sa lassitude à l'égard de la triste conclusion des *Grandes Espérances.* (Il n'avait jamais cru que Pip et Estella aient pu être heureux après ce qui leur était arrivé ; il ne croyait jamais cela de personne.)

Un style de correspondance s'établit peu à peu entre Wilbur Larch et Homer Wells. Homer esquissait, sans détails, les faits de sa vie à Heart's Rock et Heart's Haven ; il offrait au Dr Larch un coup d'œil — comme la vue de l'océan, au loin, depuis l'unique verger d'Ocean View d'où l'on pouvait entrevoir la mer. Il envoyait au Dr Larch une page, peut-être deux, une fois par semaine ou tous les quinze jours. A ce point minuscule près de l'horizon, le Dr Larch répondait avec toute l'orchestration de la parole écrite : des questions (destinées à rester toujours sans réponse) sur les détails absents de la lettre précédente d'Homer (« Quel est exactement le problème de M. Worthington ? ») et un flot de précisions sur la monotonie quotidienne de Saint Cloud's. Malgré son mépris pour l'instinct de commère de Snowy Meadows, toujours avide de se « tenir au courant » de l'actualité de l'orphelinat, le Dr Larch offrait à Homer Wells un véritable bulletin des anciens, avec calendrier de l'infirmerie et des événements sociaux. Ses lettres à Homer Wells étaient plus longues que ses plus longues notes pour sa *Brève Histoire de Saint Cloud's ;* et il les écrivait et les postait le lendemain du jour où il recevait le plus insignifiant griffonnage d'Homer.

— Vous ne pouvez pas demander à ce garçon d'écrire autant que vous, Wilbur, remontra Nurse Edna au Dr Larch.

— Vous ne pouvez pas lui demander d'écrire *davantage* que vous, renchérit Nurse Angela.

— Qu'est-ce qui ne va pas pour ce Senior Worthington ? demanda Larch.

— Homer vous a dit qu'il s'agissait d'un problème de boisson, Wilbur, lui rappela Nurse Edna.

— Que voulez-vous savoir de plus — sa marque de schnaps ? demanda Nurse Angela.

Mais Wilbur Larch espérait au moins de son jeune apprenti qu'il mette à profit l'enseignement reçu à Saint Cloud's : l'analyse clinique, la définition exacte des traits caractéristiques associés à une ivrognerie légère, moyenne ou forte. Parlons-nous d'un type qui se rend ridicule à des soirées ? se demandait Wilbur Larch. Ou bien est-ce plus grave et chronique ?

Comme Homer Wells n'avait jamais vu un ivrogne auparavant, il se laissa abuser — au début — par l'état de Senior Worthington encore plus facilement que la famille et les proches ; et Homer n'était pas mieux préparé qu'eux à prendre la dégradation intellectuelle de Senior pour autre chose que la conséquence de l'alcoolisme [24]. Longtemps admiré à Heart's Rock et à Heart's Haven, surtout à cause de la douceur de son tempérament, Senior était devenu hargneux, irritable, et même agressif à l'occasion. Depuis l'incident du gâteau à l'angélique, Olive ne le laissait plus aller à l'Haven Club sans elle : Senior avait étalé tout un gâteau à l'angélique sur la poitrine d'un jeune et gentil maître nageur, et il avait fallu le ceinturer pour l'empêcher de tartiner le reste de la crème vert pâle sur la croupe d'une jeune et gentille serveuse.

— Il crânait, déclara Senior du maître nageur. Il était planté là et il *crânait*, expliqua-t-il.

— Et la serveuse ? demanda Olive.

Senior parut troublé et se mit à pleurer.

— Je l'ai prise pour quelqu'un d'autre, dit-il faiblement.

Olive l'avait ramené à la maison ; Wally avait fait la cour à la serveuse ; et Candy avait charmé et rassuré le maître nageur.

Senior se perdait dès qu'il n'allait pas à un endroit habituel ; jamais Olive ne le laissait prendre la voiture sans Wally ou Homer pour l'accompagner. Bientôt, il se perdit même en essayant de se rendre aux endroits qu'il connaissait bien ; Homer dut le ramener à Ocean View depuis le vivier de Ray Kendall — même Homer, qui connaissait mal le réseau de petites routes conduisant à la côte, s'était aperçu que Senior n'avait pas tourné au bon endroit.

Senior commettait des erreurs affreuses pour tout ce qui concernait les moteurs. Pour nettoyer le carburateur de la Cadillac — réparation simple que Ray Kendall lui avait montrée maintes fois —, il avalait l'essence et les petites particules de carbone se trouvant dans les gicleurs. (Il aspirait au lieu de souffler.)

La mémoire récente de Senior était si délabrée qu'il traînait parfois une heure dans sa propre chambre, incapable de s'habiller ; il confondait le tiroir de ses chaussettes et celui des dessous d'Olive. Un matin, son erreur le mit dans une telle rage qu'il parut à la table du déjeuner avec chaque pied enveloppé dans un soutien-gorge. Normalement aimable avec Homer et tendre envers Wally et Olive, il se mit à hurler contre Wally et à l'accuser — son propre fils portait les chaussettes de son père, qu'il avait prises sans sa permission ! — puis il reprocha amèrement à Olive de transformer son domicile en hospice d'enfants trouvés sans lui demander non plus l'autorisation.

— Tu serais bien mieux à Saint Cloud's que dans cette maison de voleurs, lança-t-il à Homer.

Et, sur ces mots, Senior Worthington éclata en sanglots et supplia Homer de lui pardonner ; il posa la tête sur l'épaule d'Homer et pleura à chaudes larmes.

« Mon cerveau envoie du poison à mon cœur, dit-il à Homer — qui trouva étrange que Senior paraisse ivre à toute heure alors qu'il ne semblait jamais boire avant la fin de l'après-midi.

Parfois, Senior ne buvait pas pendant trois jours : une partie de lui-même pouvait observer que son idiotie n'en fleurissait pas moins avec ardeur. Seulement, il oubliait de le faire remarquer à Olive, ou à quiconque, avant de rompre son abstinence et de reprendre un verre ; quand il se souvenait de dire qu'il n'avait pas bu, il était déjà ivre. Pourquoi oublié-je tout ? se demandait-il, puis il l'oubliait.

Pourtant, ses plus vieux souvenirs demeuraient à peu près intacts. Il chantait à Olive des chansons d'étudiants (dont elle était, elle, incapable de se rappeler les paroles) et il lui remémorait tendrement les soirées romantiques où il lui faisait la cour ; il racontait à Wally des anecdotes sur Wally bébé ; il amusait Homer en évoquant avec humour la plantation des vergers les plus anciens, notamment l'unique parcelle depuis laquelle on voyait la mer.

— C'était ici que je voulais construire la maison, Homer, lui raconta Senior un jour, à l'heure du déjeuner.

Wally et Homer étaient en train d'égourmander dans le verger : de couper les branches inutiles au milieu de l'arbre ainsi que toutes les nouvelles pousses (ou « gourmands ») tournées vers l'intérieur — celles qui ne pointent pas vers le soleil. Wally avait déjà entendu l'histoire ; il pensait à autre chose ; il versait du Coca-Cola sur une fourmilière. Égourmander a pour but d'exposer à la lumière le plus grand nombre possible de branches ; cela permet à la lumière de traverser l'arbre.

— On ne laisse pas un pommier pousser dans tous les sens, avait expliqué Wally à Homer.

— Comme un garçon ! s'était écrié Senior en riant.

« Olive a trouvé que le vent soufflait trop fort ici, pour une maison, raconta Senior à Homer. Les femmes sont affectées par le vent davantage que les hommes, lui confia-t-il. C'est un fait. Quoi qu'il en soit...

Il s'arrêta. Il fit signe à la mer, comme si c'était un public lointain qu'il voulait inclure par ce geste large de la main. Puis il se tourna vers les pommiers autour d'eux... Ils constituaient un auditoire plus intime. qui prêtait davantage d'attention.

« Le vent..., commença-t-il — mais il s'arrêta encore, peut-être pour attendre que le vent intervienne en quelque manière. La maison..., lança-t-il.

« On peut voir ce verger depuis le premier étage de notre maison. Tu le savais ? demanda-t-il à Homer.

— D'accord, dit Homer.

La chambre de Wally se trouvait au premier. De là, il pouvait entrevoir le verger d'où l'on apercevait la mer, mais la mer n'était pas visible de la fenêtre de Wally — ni de toute autre fenêtre de la maison.

— J'ai appelé toute la propriété Ocean View, expliqua Senior, parce que je croyais que la maison se trouverait ici. Ici même, répéta-t-il.

Il baissa les yeux vers le Coca-Cola mousseux que Wally versait lentement dans la fourmilière.

« On utilise de l'avoine et du maïs empoisonnés pour tuer les souris, dit Senior. Ça pue.

Wally leva les yeux vers lui ; Homer hocha la tête.

« On éparpille le produit pour les souris des champs, mais il faut trouver les trous et mettre le produit dans les galeries si l'on veut tuer les souris des pins, expliqua-t-il.

— Nous le savons, p'pa, dit Wally avec douceur.

— Les souris des champs sont les mêmes que les souris de prairie, confia Senior à Homer, qui l'avait déjà appris.

— D'accord, répondit-il.

— Les souris de prairie annellent les arbres, les souris des pins rongent leurs racines, récita Senior, du fond d'un souvenir lointain.

Wally cessa de verser du Coca sur la fourmilière. Ni lui ni Homer ne savaient pourquoi Senior était passé les voir à l'heure du déjeuner ; ils avaient égourmandé dans le verger de l'océan toute la matinée et Senior venait d'arriver. Au volant de la vieille Jeep sans plaque minéralogique ; elle ne servait que pour faire le tour des vergers.

— P'pa ? lui demanda Wally. Qu'es-tu venu faire ici ?

Senior lança à son fils un regard vide. Il regarda Homer ; il espérait sans doute que le jeune homme lui fournirait la réponse. Puis il embrassa des yeux son public — les pommiers, l'océan dans le lointain.

— Je voulais construire la maison ici, *juste ici,* dit-il à Wally. Mais ta garce de mère, avec ses manières de patron-qui-n'en-fait-jamais-qu'à-sa-tête, m'en a empêché — elle m'en a empêché, la *connasse !* cria-t-il. *Con* de marchand de bigorneaux, *minou* de puisatier ! brailla-t-il

259

Il se leva, il avait l'air désorienté ; Wally se leva à son tour.

— Viens, p'pa, dit-il. Je te reconduis à la maison.

Ils partirent avec la camionnette de Wally. Homer les suivit dans la vieille Jeep ; c'était le véhicule sur lequel il avait appris à conduire, quand Wally lui eut assuré qu'il ne pourrait pas l'abîmer davantage.

L'alcool, pensa Homer ; cela détruit un homme.

Senior avait aussi tous les autres symptômes. A cinquante-cinq ans, il en paraissait soixante-dix. Il avait des périodes de paranoïa, de folie des grandeurs, de délire. Ses rares tics — qu'il avait toujours eus — s'étaient aggravés ; dans son cas, se curer le nez, par exemple. Il était capable d'explorer une narine pendant une heure ; il mettait de la morve séchée sur son pantalon ou sur les meubles. Bucky Bean, le frère vulgaire d'Olive, prétendait que Senior aurait fait un bon puisatier. « A la façon dont il ramone son tarin, disait Bucky, je pourrais l'utiliser à curer les puits. »

Le maître nageur de l'Haven Club, dont la poitrine avait reçu de plein fouet le gâteau à l'angélique, ne s'était pas complètement apaisé. Il s'opposa à ce que Candy donne des leçons de natation dans le petit bassin de la piscine en fin d'après-midi. La piscine était bondée à cette heure-là, se plaignit-il ; les leçons de natation étaient prévues en début de matinée, et données par lui (le maître nageur) — moyennant finance. Il ne se laissa pas convaincre de fermer les yeux en la matière. Homer travaillait à Ocean View toute la journée, objecta Candy. La fin d'après-midi, pendant que Wally jouait au tennis après son travail, était une heure idéale pour l'éducation nautique d'Homer par Candy.

— Idéale pour *vous*, répliqua le maître nageur à Candy.

Il avait le béguin pour elle, à n'en pas douter.

C'était une chose de se montrer jaloux de Wally Worthington — tout le monde l'était — mais une tout autre chose de supporter les attentions que Candy Kendall accordait à ce cas social venu de Saint Cloud's. A l'Haven Club — mais jamais en présence de Candy ou de l'un des Worthington — on ne disait pas « l'enfant trouvé » ou « l'orphelin » en parlant d'Homer Wells ; il était « le cas social venu de Saint Cloud's » ou « le cas social des Worthington ».

Homer déclara que peu lui importait de s'exercer dans la piscine privée des Worthington à Ocean View, mais que ce serait gentil d'être — Candy et lui — à l'Haven Club quand Wally terminait sa partie de tennis ; cela leur permettrait de partir ensemble à la plage, sur la jetée de Ray Kendall ou ailleurs. En outre, dans la piscine des Worthington, il fallait tenir compte de Senior ; de plus en plus, Olive essayait de garder Senior à la maison, loin de l'Haven Club. Elle s'aperçut qu'elle pouvait le calmer beaucoup mieux en lui servant des *gin tonic* et en le laissant *dans* la piscine — flotter sur un matelas pneumatique. Mais la vraie raison pour laquelle Homer ne devait pas apprendre à nager dans la piscine *non chauffée* des Worthington (une mauvaise idée, de l'avis de tout le monde), c'était que l'eau froide risquait de lui produire un choc au cœur.

Olive décida qu'elle se chargerait des leçons de natation d'Homer à la place de Candy ; elle savait que le maître nageur de l'Haven Club n'oserait jamais se plaindre à elle.

— Je ne veux faire aucun dérangement, dit Homer, étonné et sans doute déçu que les mains sous son estomac, pendant qu'il barbotait d'un côté à l'autre, fussent celles d'Olive et non celles de Candy. L'eau de votre piscine n'est pas trop froide pour moi, Wally, dit-il.

— C'est plus dur d'apprendre quand c'est froid, répondit Candy.

— Oui, c'est juste, renchérit Olive.

— Mais... j'ai l'intention de nager dans l'océan, dès que j'aurai appris, leur dit Homer. L'eau y est beaucoup plus froide que dans votre piscine.

Oh, mon Dieu, s'inquiéta Olive. Elle écrivit au Dr Larch, au sujet du « problème de cœur », une lettre qui laissa au bon docteur un arrière-goût de culpabilité et l'impression d'être pris au piège. En fait, lui répondit-il, l'eau froide ne provoque pas le genre de choc associé à un accident — « par exemple, le risque de noyade ».

Quel tissu de mensonges ! se dit Larch, mais il n'en envoya pas moins la lettre à Mme Worthington, qui découvrit d'ailleurs qu'Homer apprenait très vite à nager. « Il devait être juste sur le point d'y arriver quand je t'ai remplacée », dit-elle à Candy ; mais, à vrai dire, Homer apprit plus vite avec Olive, parce que les leçons elles-mêmes étaient moins agréables.

Avec Candy, il n'aurait peut-être jamais appris à nager ; en tout cas il aurait fait durer le plaisir pour que les leçons se prolongent jusqu'à la fin de l'été.

S'il avait pu, Homer Wells aurait prolongé cet été-là jusqu'à la fin de sa vie. Tant de choses l'enchantaient dans son existence à Ocean View.

Il n'avait pas honte d'aimer la moquette des Worthington, lui qui n'avait connu que des murs de planches et des sols recouverts de maintes couches de linoléum, entre lesquelles on pouvait sentir la sciure glisser sous les pas. On ne pouvait prétendre que les murs des Worthington fussent tapissés d'œuvres d'art, mais c'était la première fois qu'Homer voyait des tableaux sur des murs (en dehors du portrait

261

de la femme au poney); même la mièvrerie suprême de la peinture à l'huile représentant un chat dans un parterre de fleurs (dans la salle de bains de Wally) plaisait à Homer — et le papier à fleurs derrière le tableau lui plaisait aussi. Que savait-il sur le papier peint ou l'art? Il trouvait tous les papiers peints merveilleux.

Il sentait que jamais il ne cesserait d'adorer la chambre de Wally. Que connaissait-il du sport universitaire et des ballons de football trempés dans la dorure et portant le score d'une partie importante? Et des trophées de tennis, des annuaires des anciens élèves de collège et des bouts de billets que l'on glisse entre le cadre et la glace d'un miroir (ceux du premier film auquel Wally avait emmené Candy)? Que savait-il du cinéma? Wally et Candy l'avaient emmené dans un des premiers *drive-in* du Maine. Comment aurait-il pu imaginer cela? Et que savait-il des gens qui se réunissent chaque jour pour travailler ensemble, apparemment par choix? Ses compagnons de travail à Ocean View étaient pour lui un sujet d'émerveillement; au début, il les aimait tous. Et Meany Hyde plus que les autres, parce qu'il était si gentil, et qu'il expliquait avec un tel amour comment tout devait être fait — même des choses qu'Homer (ou quiconque) aurait su faire sans explication. Homer adorait surtout écouter Meany expliquer l'évidence.

Il adorait Florence, la femme de Meany Hyde — et les autres femmes qui passaient l'été à préparer pour la récolte le comptoir de vente des pommes et la cidrerie. Il adorait la grosse Dot Taft, bien que le frémissement de sa peau, à l'arrière de ses bras, lui rappelât Melony (à qui il ne pensait jamais, même pas depuis qu'il connaissait son départ de Saint Cloud's). Il aimait bien Debra Pettigrew, la petite sœur de Dot Taft, qui avait son âge; elle était jolie, mais la rondeur de ses joues avait un caractère inéluctable qui laissait supposer qu'elle atteindrait un jour le volume de sa grosse sœur.

Le mari de la grosse Dot, Everett Taft, montra à Homer tous les secrets du fauchage. On fauchait l'herbe entre les rangs d'arbres deux fois par été; puis on ratissait et on faisait faner en andains; ensuite, on pressait le foin en bottes que l'on vendait à la laiterie de Kenneth Corners. On utilisait le mauvais foin en vrac comme paillis au pied des jeunes arbres. A Ocean View, rien n'était perdu.

Homer aimait bien Ira Titcomb, l'apiculteur et mari d'Irene, à la stupéfiante brûlure : ce fut Ira qui expliqua à Homer la question des abeilles.

— Elles aiment au moins dix-huit degrés, pas de vent, pas de grêle, pas de gelée, lui dit Ira. Une abeille vit trente jours et fait plus de travail que certains hommes — je ne dirai pas qui — pendant toute leur vie. Tout le miel, lui apprit Ira Titcomb, est du carburant pour abeilles.

Homer apprit aussi que les abeilles préfèrent les pissenlits aux fleurs de pommier, raison pour laquelle on fauche les pissenlits juste avant d'apporter les abeilles dans le verger. Il apprit pourquoi il fallait plusieurs espèces d'arbres dans un verger : pour la pollinisation croisée — il fallait que les abeilles transportent le pollen d'une espèce d'arbre à une autre. Il apprit que l'on devait placer les ruches dans le verger pendant la nuit ; la nuit, les abeilles dorment, et l'on peut fermer la petite porte donnant sur la planchette, au bas de la caisse contenant la ruche proprement dite ; quand on transporte les ruches, les abeilles se réveillent mais ne peuvent pas sortir. Les ruches étaient légères quand on les apportait sur la remorque à ridelles pour les répartir dans les vergers, mais une semaine plus tard, quand on les rechargeait, elles étaient alourdies par le miel. Parfois une ruche était trop lourde pour un seul homme. Quand on secouait les ruches, les abeilles à l'intérieur se mettaient à bourdonner. On les sentait qui s'agitaient à travers le bois. Si du miel fuyait entre les planchettes, une abeille isolée risquait de se trouver engluée dans la coulée de miel — c'était la seule façon dont on pouvait se faire piquer.

Un jour, comme Homer serrait une ruche contre sa poitrine en s'avançant à pas prudents vers le plateau de la remorque, il sentit une vibration contre les planches rigides contenant le nid ; même dans la fraîcheur de la nuit, les planches étaient chaudes ; l'activité de la ruche engendrait de la chaleur — comme une infection, pensa Homer soudain. Il se rappela le ventre rigide de la femme qu'il avait sauvée des convulsions. Il songea à l'activité à l'intérieur de l'utérus, qui produisait dans l'abdomen à la fois de la chaleur et de la rigidité. Sur combien de ventres Homer Wells avait-il posé la main avant d'avoir vingt ans ? Je préfère la culture des pommes, se dit-il.

A Saint Cloud's la croissance n'était pas désirée même lorsqu'elle était assurée — et le processus aboutissant à la naissance se trouvait souvent interrompu. A Ocean View, Homer se lançait au contraire dans une entreprise fondée sur la croissance. Ce qu'il adorait dans sa nouvelle existence, c'était que tout était utile à quelque chose, et tout était désiré.

Il pensait même qu'il aimait Vernon Lynch — on lui avait pourtant appris qu'il battait sa femme, et Grace Lynch regardait toujours Homer d'une manière qui l'inquiétait. Il n'aurait su dire s'il lisait dans son regard de la détresse, des soupçons, ou de la curiosité — Grace lançait le genre de regard que l'on continue de sentir sur soi après avoir baissé les yeux.

Vernon Lynch apprit à Homer comment on traitait les arbres. N'était-il pas normal que Vernon fût le responsable des insecticides, de l'extermination ?

— Dès qu'il y a des feuilles, il y a des ennuis, expliqua-t-il à Homer. Donc dès le mois d'avril. On commence à traiter en avril et on ne s'arrête pas avant fin août, à la veille de la cueillette. On traite toutes les semaines ou tous les dix jours. Contre la gale et contre les insectes. Nous avons deux pulvérisateurs ici, un Hardie et un Bean ; chacun contient vingt hectos de produit. On porte un masque, parce qu'on n'a pas envie de respirer cette merde, et le masque ne sert à rien s'il n'est pas maintenu très serré !

A ces mots, Vernon Lynch serra le masque autour de la tête d'Homer, qui sentit battre ses tempes.

« Si tu ne laves pas sans cesse la toile dans le masque, tu risques d'étouffer, lui dit Vernon.

Il posa les mains au-dessus de la bouche et du nez d'Homer, qui se trouva sans air.

« Et garde la tête couverte si tu ne veux pas devenir chauve.

La main de Vernon resta fixée sur la bouche et le nez d'Homer.

« Et garde les lunettes si tu ne veux pas devenir aveugle, ajouta-t-il.

Homer envisagea de se débattre, décida de conserver ses forces, songea à s'évanouir, se demanda si ses poumons explosaient vraiment ou si ce n'était qu'une impression.

« Si tu as ce qu'on appelle une plaie ouverte, comme une coupure, et que cette merde entre dedans, tu risques de devenir stérile, dit Vernon Lynch. Ce qui veut dire : plus de jolies bandaisons.

Homer tapa sur l'épaule de Vernon et lui fit un signe de la main, comme s'il voulait exprimer une chose trop compliquée pour être transmise par des moyens normaux. Je ne peux pas respirer ! Hello ! Je ne peux pas respirer. Alors quoi ?...

Quand les genoux d'Homer commencèrent à flageoler, Vernon lui arracha le masque du visage — l'élastique lui racla les oreilles vers le haut et lui ébouriffa les cheveux.

« Vu le tableau ? demanda Vernon.

— D'accord ! cria Homer, les poumons en feu...

Il aimait même Herb Fowler. Il n'avait pas passé deux minutes avec Herb qu'un préservatif s'envolait vers lui et le frappait au front Meany Hyde avait simplement dit :

— Salut, Herb, voici Homer Wells — le copain de Wally qui vient de Saint Cloud's.

Et Herb avait lancé la capote anglaise à Homer.

— Il n'y aurait pas tant d'orphelins si davantage de gens mettaient ça sur leur machin, lança Herb.

Homer Wells n'avait jamais vu un préservatif dans un emballage commercial. Ceux que le Dr Larch conservait à l'infirmerie et distribuait par poignées à la plupart des femmes qui venaient le voir étaient enveloppés dans quelque chose d'uni et de transparent, comme du papier sulfurisé ; aucun nom de marque ne les ornait. Le Dr Larch se plaignait toujours de ne pas savoir où disparaissaient toutes ses capotes, mais Homer n'ignorait pas que Melony s'était servie en douce à plus d'une occasion. C'était Melony, bien entendu, qui avait fait l'éducation d'Homer en matière de préservatifs.

La petite amie d'Herb Fowler, Louise Tobey, devait sans doute manipuler les préservatifs d'Herb en professionnelle. Quand Homer se touchait, il pensait à Pince-moi Louise — il imaginait sa dextérité avec une capote anglaise, ses doigts de fée, rapides et agiles (la façon dont elle tenait une brosse à peinture, dents serrées, quand elle étalait une couche épaisse sur les étagères du comptoir à pommes, et qu'elle écartait une boucle de cheveux de son front en soufflant une bouffée de son haleine, aigrie par les cigarettes...).

Homer refusait de se masturber quand il pensait à Candy. Il restait allongé sans se toucher dans la chambre de Wally, qui dormait paisiblement à ses côtés. Il lui arrivait d'imaginer Candy en train de dormir près de lui, mais jamais ils ne se touchaient intimement — ils se serraient l'un contre l'autre en une étreinte de chaste affection. (« Rien de génital », comme aurait dit Melony.)

Candy fumait, mais de façon si maniérée, si extravagante qu'elle laissait souvent tomber sa cigarette sur ses genoux : elle bondissait, époussetait rageusement les escarbilles, et éclatait de rire.

— Oh, quel manche je suis ! s'écriait-elle.

Peut-être, songeait Homer, mais seulement quand vous fumez.

Louise Tobey, au contraire, engloutissait les cigarettes ; elle aspirait un nuage de fumée et en ressoufflait si peu qu'Homer se demandait toujours où le nuage passait. Les vendeuses plus âgées du comptoir fumaient sans arrêt (toutes sauf Grace Lynch, qui avait résolu de ne pas desserrer les lèvres — sous aucun prétexte), mais Florence, Irene et la grosse Dot Taft fumaient depuis si longtemps qu'elles avaient un air dégagé. Seule Debra Pettigrew, la petite sœur de Dot, fumait aussi rarement que Candy, et avec la même maladresse. Pince-moi Louise fumait avec une violence hâtive, déterminée, inspirée (imaginait Homer) par l'usage cavalier que faisait Herb Fowler de ses petits objets en caoutchouc.

Dans tout Heart's Rock et Heart's Haven — depuis le gargouillis saumâtre du vivier jusqu'à la sécurité javellisée de la piscine de l'Haven Club ; depuis l'animation des préparatifs du comptoir jusqu'aux travaux dans les vergers —, absolument rien ne rappelait à Homer, même de loin, l'atmosphère de Saint Cloud's. Absolument rien jusqu'au premier jour de pluie, quand on l'envoya avec une petite équipe nettoyer et repeindre la cidrerie.

Rien dans le bâtiment, vu de l'extérieur, ne l'y avait préparé. Sur ou dans les divers véhicules de l'exploitation, Homer était souvent passé devant ce long chai étroit, d'un seul niveau, pourvu d'un toit en appentis, ayant la forme d'un coude plié à angle droit ; le coude du bâtiment, où s'ouvrait un portail d'entrée, était occupé par le pressoir et les machines (le broyeur, la pompe, le moteur de la pompe, le moteur du broyeur et le réservoir de quarante hectolitres).

Une aile du chai se composait de cellules frigorifiques : c'était une chambre froide pour le cidre. Dans l'autre aile se trouvait une petite cuisine suivie de deux longues rangées de lits de fer, dans le genre hôpital, chacun avec sa couverture et son oreiller. Il y avait un matelas roulé sur chacun des vingt et quelques lits. Parfois une couverture montée sur des tringles de fil de fer isolait un lit ou un groupe de lits, en une semi-intimité qu'Homer Wells associa à une chambre d'hôpital. Des étagères de contre-plaqué sans peinture formaient, entre les lits, des placards-penderies primitifs mais stables, équipés de lampes de lecture en forme de col de cygne tordu (partout où il y avait une prise électrique). Les meubles étaient fatigués mais propres, comme récupérés parmi les rebuts d'hôpitaux et de bureaux, où ils auraient subi une utilisation impitoyable quoique soigneuse.

Cette aile de la cidrerie possédait l'économie fonctionnelle d'une caserne militaire, mais avec cependant trop de touches personnelles pour un bâtiment officiel. Il y avait des rideaux, par exemple, et Homer s'aperçut qu'ils auraient été parfaits (bien que fanés) aux fenêtres de la salle à manger des Worthington — ils en venaient. Homer remarqua aussi une touche apaisante dans les paysages fleuris et portraits d'animaux accrochés aux murs de Placoplâtre — à des endroits si invraisemblables (parfois trop haut, parfois trop bas) qu'on avait dû les accrocher là, pensa-t-il, pour dissimuler des trous. Peut-être des trous de coups de botte, peut-être des trous de coups de poing, peut-être des trous de coups de tête. Homer Wells eut l'impression qu'il émanait de la pièce une sorte de rage mêlée à de l'appréhension, ambiance typique d'un dortoir — il la reconnut sans mal après presque vingt ans de section Garçons, à Saint Cloud's !

— Quel est cet endroit ? demanda-t-il à Meany Hyde, tandis que la pluie crépitait sur le toit de tôle, au-dessus d'eux.

— Le chai à cidre, répondit Meany.

— Mais qui *dort* ici — qui habite ici ? Y a-t-il des gens qui *vivent* ici ? demanda Homer.

C'était d'une propreté exemplaire, mais l'atmosphère de décorayant-beaucoup-servi demeurait si prenante qu'Homer se rappela les vieilles couchettes de Saint Cloud's où les bûcherons et les scieurs de long s'étaient libérés, dans leurs rêves, de leurs existences fatiguées.

— C'est le logement du personnel — pour les ramasseurs, répondit Meany Hyde. Pendant la récolte, les ramasseurs habitent ici — les saisonniers.

— C'est pour les gens de couleur, dit la grosse Dot Taft en laissant tomber les serpillières et les seaux. Chaque année, nous le leur faisons bien joli. Nous nettoyons et nous passons partout une couche de peinture fraîche.

— Il faut que je cire les planches du pressoir, dit Meany Hyde en s'esquivant de ce qu'il considérait comme du travail de femmes — même si Homer et Wally y participaient la plupart des jours de pluie de l'été.

— Des nègres ? demanda Homer Wells. Les ramasseurs sont des nègres ?

— Noirs comme la nuit, certains ! dit Florence Hyde. Ils sont corrects.

— Ils sont gentils ! cria Meany Hyde.

— Certains sont plus gentils que d'autres, lança la grosse Dot Taft.

— Comme d'autres gens que je connais, dit Irene Titcomb en gloussant, penchée pour cacher sa cicatrice.

— Ils sont gentils parce que Mme Worthington est gentille avec eux ! cria Meany Hyde au milieu des bruits du jet sur le pressoir à cidre voisin.

Le bâtiment avait une odeur de vinaigre — de vieux cidre aigri —, une odeur forte mais qui n'avait rien de suffocant ou de malpropre.

Debra Pettigrew sourit à Homer par-dessus le seau d'eau qu'ils partageaient ; il lui rendit prudemment son sourire tout en se demandant où Wally travaillait ce jour-là, sous la pluie. Il essaya aussi d'imaginer quel travail faisait Ray Kendall : ou bien il était sorti sur la mer houleuse avec son suroît ruisselant, ou bien il travaillait au circuit électrique de l'International Harvester, dans le bâtiment appelé Numéro Deux.

Grace Lynch était en train de récurer les plans de travail de la cuisine ; Homer s'étonna de ne pas l'avoir remarquée plus tôt : il ne s'était même pas aperçu qu'elle faisait partie de leur équipe. Louise Tobey aspira une cigarette jusqu'au trognon, lança le mégot dehors par la porte du logement des ramasseurs, et fit observer que son tord-éponge était « détraqué ».

— Il s'est bloqué ou je ne sais quoi, grogna Pince-moi Louise, furieuse.

— Le tordoir de Louise est détraqué, lança la grosse Dot Taft, moqueuse.

— Pauvre Louise, coincé ton tordoir, hein ? dit Florence Hyde en riant — ce qui provoqua un rugissement de la grosse Dot Taft.

— Oh, vos gueules ! dit Louise.

Elle donna un coup de pied à son tord-éponge.

— Que se passe-t-il, là-bas ? cria Meany Hyde.

— Louise a trop travaillé du *tordoir !* répondit la grosse Dot Taft.

Homer regarda Louise, qui était furieuse ; puis Debra Pettigrew, qui rougit.

— Tu surmènes ton pauvre tordoir, Louise ? demanda Irene Titcomb.

— Louise, tu dois mettre trop d'éponges dans ton tordoir, mon chou, dit Florence Hyde.

— Soyez gentilles, vous toutes ! cria Meany Hyde.

— Ou trop *d'une seule* éponge, c'est sûr, dit la grosse Dot Taft.

Même Louise trouva l'allusion drôle. Quand elle regarda Homer Wells, il détourna les yeux.

Herb Fowler passa à l'arrêt de midi.

— Pouah ! dit-il en entrant. Ça sent encore le nègre ici, après toute une année !

— Je crois que c'est seulement le vinaigre, dit Meany Hyde.

— Qui prétend que ça ne sent pas le nègre ? demanda Herb Fowler. Tu ne sens pas le nègre ? demanda Herb à Louise.

Elle haussa les épaules.

« Et toi ? demanda Herb à Homer. Tu ne sens pas le nègre ?

— Je sens le vinaigre, les vieilles pommes, le vieux cidre, dit Homer.

Il vit la capote anglaise arriver sur lui juste à temps pour l'attraper au vol.

— Tu sais ce que font les nègres avec ces trucs-là ? lui demanda Herb.

Il lança un autre préservatif à Louise Tobey, qui l'attrapa sans le moindre effort — elle s'attendait à voir voler des capotes dans sa direction à toute heure du jour.

« Montre-lui ce que font les nègres avec ça, Louise, dit Herb.

Les autres femmes parurent s'ennuyer ; elles avaient vu cette démonstration toute leur vie ; Debra Pettigrew lança un regard nerveux à Homer Wells, et se détourna carrément de Louise ; Louise elle-même semblait nerveuse et ennuyée à la fois. Elle arracha la capote de l'enveloppe et y enfonça l'index — son ongle tendit le caoutchouc, le rebord limé à côté du bout en forme de tétine.

« Une année j'ai dit aux nègres de mettre leur machin dans ces capotes s'ils voulaient éviter les maladies ou les gosses, dit Herb.

Il saisit le doigt de Louise dans le fourreau de caoutchouc et le brandit pour que tout le monde le voie bien.

« Et l'année d'après, tous les nègres m'ont dit que les capotes ne marchaient pas. Ils m'ont dit qu'ils avaient mis leur doigt dedans, comme je le leur avais montré, et qu'ils avaient eu quand même des maladies et des enfants à tous les coups !

Personne ne rit ; personne n'y croyait ; c'était une vieille blague pour tous sauf pour Homer Wells ; et l'idée que des gens aient des enfants « à tous les coups » n'était pas drôle pour Homer.

Quand Herb Fowler proposa de les emmener tous en voiture à la gargote de Drinkwater Road prendre un repas chaud, Homer refusa ; Mme Worthington lui préparait son déjeuner chaque matin, en même temps que celui de Wally, et Homer l'appréciait toujours. Il savait aussi que le personnel n'était pas censé quitter les vergers pendant l'arrêt de midi, surtout dans l'un des véhicules d'Ocean View, or Herb Fowler conduisait la fourgonnette verte qu'Olive utilisait la plupart du temps. Ce n'était pas une règle stricte, mais Homer était sûr qu'Herb n'aurait pas proposé la balade si Wally avait travaillé avec eux dans le chai à cidre.

Homer prit son déjeuner dans la cuisine de la cidrerie ; il posa les yeux sur la longue pièce et ses deux rangées de lits étroits, et se dit que les matelas roulés et les couvertures ressemblaient beaucoup à des gens endormis — sauf que les formes sur les lits de fer demeuraient trop immobiles pour être des dormeurs. Des cadavres attendant l'identification, songea-t-il.

Malgré la pluie, il sortit jeter un coup d'œil au ramassis d'épaves de voitures et de morceaux de tracteurs et de remorques, en bordure du chemin de terre battue devant la cidrerie. A l'arrière se trouvait une aire irrégulière de mauvaise herbe décolorée où l'on jetait la pulpe, ou marc, après la pressée. Un éleveur de porcs faisait le long trajet depuis Waldoboro pour récupérer ces déchets, avait expliqué Meany Hyde à Homer ; le marc était sensationnel pour les cochons.

Plusieurs épaves de voitures avaient des plaques de Caroline du Sud. Homer Wells n'avait jamais regardé une carte des États-Unis ; il avait vu un globe terrestre, mais de facture si grossière que les États n'étaient pas marqués. Il savait cependant que la Caroline du Sud était très loin vers le midi ; les nègres venaient de là-bas dans des camions, lui avait expliqué Meany, ou au volant de leur voiture, mais certaines bagnoles étaient si vieilles et déglinguées qu'elles mouraient ici ; Meany ne savait pas comment tous les nègres retournaient en Caroline du Sud.

— Ils font la cueillette des pamplemousses en Floride, je crois, dit Meany, celle des pêches ailleurs, quand c'est la saison, et celle des pommes ici. Ils voyagent, quoi, pour cueillir des trucs.

Homer regarda une mouette qui l'observait depuis le toit de la cidrerie ; la mouette était si recroquevillée sur elle-même qu'Homer se rappela qu'il pleuvait et retourna à l'intérieur.

Il déroula un des matelas et s'allongea dessus, en plaçant sous sa tête l'oreiller et la couverture. Quelque chose le poussa à sentir la couverture et l'oreiller, mais il ne put rien déceler en dehors du relent de vinaigre et d'une odeur qu'il associa simplement à l'usure. La couverture et l'oreiller semblaient plus humains au contact qu'à l'odorat, mais plus il enfonça la tête, plus leur odeur devint humaine. Il songea à la contrainte sur le visage de Louise Tobey, à la façon dont son doigt s'était enfoncé dans la capote anglaise, à la façon dont son ongle paraissait sur le point de passer au travers. Il se rappela le matelas du dortoir des scieurs à Saint Cloud's, où Melony avait provoqué pour la première fois ce qu'il ressentait à présent. Il sortit son membre du bleu de travail et se masturba rapidement, tandis que les ressorts du vieux lit de fer grinçaient. Quand il eut fini, quelque chose dans sa vision lui parut plus clair. Lorsqu'il s'assit sur le lit, il aperçut aussitôt l'autre corps qui avait pris la liberté de se reposer dans la cidrerie. Bien que ce corps fut pelotonné sur lui-même — comme la mouette sous la pluie, comme un fœtus, comme une femme atteinte de crampes —, Homer reconnut Grace Lynch sans mal.

Même si elle ne l'avait pas regardé, même si elle ne s'était jamais tournée dans sa direction, elle n'avait pas pu se méprendre sur le rythme des vieux ressorts — ou même, se dit Homer, sur l'odeur forte, décelable, du sperme qu'il gardait encore au creux de la main. Il sortit sans bruit et tendit sa paume sous la pluie. La mouette, encore en boule sur le toit de la cidrerie, s'intéressa soudain à lui — pour un fouilleur d'ordures, l'endroit possédait une longue histoire de succès. Quand Homer retourna dans la cidrerie, il vit que Grace Lynch avait remis en ordre le matelas qu'elle occupait et se tenait près de la fenêtre, le visage appuyé contre le rideau. Il fallait regarder attentivement pour voir Grace Lynch ; Homer ne l'aurait pas vue près de la fenêtre s'il n'avait pas su qu'elle se trouvait dans la pièce.

— Je suis allée là-bas, dit Grace Lynch doucement, sans regarder Homer. D'où vous venez, expliqua-t-elle. J'y suis allée — je ne sais pas comment vous pouviez dormir la nuit.

Sa minceur semblait sèche, en lame de couteau, dans la lumière grise, morte, dont la journée de pluie auréolait la fenêtre ; elle enroula le rideau fané autour de ses épaules étroites comme un châle. Elle évitait de regarder Homer Wells, rien dans son attitude fragile, frémissante, ne pouvait s'interpréter comme un signe, un appel, et pourtant Homer se sentit attiré vers elle — de la façon dont nous sommes poussés, surtout par mauvais temps, à nous réfugier vers ce que nous connaissons bien. A Saint Cloud's on était habitué aux victimes, or il émanait de Grace Lynch une attitude de victime plus aveuglante qu'un reflet de soleil. Homer sentit rayonner de Grace un tel éclat de contradiction qu'il fut contraint de s'avancer vers elle et de lui prendre les mains, molles et moites.

« Étrange, murmura-t-elle, toujours sans le regarder. C'était si affreux, là-bas, et pourtant je m'y suis sentie en parfaite sécurité.

Elle posa la tête sur la poitrine d'Homer et glissa son genou pointu entre les cuisses du jeune homme, en tournant contre lui sa hanche osseuse.

« Pas comme ici, murmura-t-elle. Ici, c'est dangereux.

Sa fine main osseuse se glissa dans le pantalon d'Homer, aussi frétillante et froide qu'un lézard.

L'arrivée bruyante de la fourgonnette verte contenant les déser-teurs, en quête d'un repas chaud, sauva le jeune homme. Comme une chatte affolée, Grace bondit loin de lui. Quand le groupe franchit la porte, elle grattait la saleté d'un joint de linoléum, sur le plan de travail de la cuisine, avec une brosse métallique qu'elle avait dans sa poche mais qu'Homer n'avait pas remarquée. Comme tant de choses chez Grace Lynch, la brosse était cachée. Mais la tension dans le regard que Grace lui lança à la fin de la journée — tandis qu'il repartait au comptoir de vente sur les aimables genoux de la grosse

Dot Taft — suffit à faire comprendre à Homer que l'élément de « danger », quel qu'il fût, hantait toujours Grace Lynch. Et si loin qu'il aille lui-même, jamais les victimes de Saint Cloud's ne cesseraient de le hanter.

Le lendemain de son agression par Grace Lynch, Homer eut son premier rendez-vous avec Debra Pettigrew ; ce fut aussi sa première sortie au *drive-in* avec Candy et Wally. Ils partirent tous dans la Cadillac de Senior. Homer et Debra Pettigrew s'installèrent sur la banquette arrière mouchetée où, pas plus de deux mois auparavant, le pauvre Curly Day avait perdu le contrôle de sa vessie ; Homer ne savait pas encore que le but des drive-in était, en dernière analyse, de perdre le contrôle de soi-même sur le siège arrière des voitures.

— C'est la première fois qu'Homer va dans un drive-in, annonça Wally à Debra Pettigrew quand ils passèrent la prendre.

Les Pettigrew étaient une famille nombreuse avec des chiens — beaucoup de chiens, la plupart à la chaîne ; certains étaient attachés aux pare-chocs de plusieurs voitures jamais conduites et jugées défuntes qui occupaient la pelouse de la façade de façon tellement permanente que l'herbe poussait entre les arbres de direction et les cardans de transmission. Tandis qu'Homer contournait prudemment les chiens aux abois pour gagner l'entrée, ces bêtes tiraient de toute leur force sur les autos immobiles.

Les Pettigrew étaient une grande famille par le volume comme par le nombre. Les rondeurs aguichantes de Debra n'évoquaient qu'en miniature le potentiel d'embonpoint de la tribu. A la porte, la mère de Debra accueillit Homer, massive femelle du gène monstrueux responsable des formes de la sœur de Debra, la grosse Dot Taft.

— DEBRA ! brailla la mère de Debra. C'est ton GALANT ! Bonsoir, mon petit chou, dit-elle à Homer. J'ai tout appris sur ta gentillesse et tes bonnes manières — excuse le désordre, je t'en prie.

Debra, rougissante à côté d'elle, tenta de pousser Homer dehors avec autant de hâte que sa mère en mettait à le tirer dedans. Il aperçut plusieurs individus énormes, au visage enflé, comme s'ils avaient vécu la moitié de leur vie sous l'eau ou survécu à d'incroyables tabassages ; tous avec de larges sourires avenants, qui contredisaient l'agressivité bruyante des chiens.

— Il faut qu'on parte, m'man, pleurnicha Debra en bousculant Homer sur le seuil. On va être en retard.

272

— En retard pour *quoi ?* ricana une voix dans la maison, qui se mɪt à trembler sous les rires.

Des toux suivirent, elles-mêmes suivies par des soupirs affectés puis les chiens explosèrent. Avec une violence telle qu'Homer se crut perdu — le vacarme suffirait à les empêcher, Debra et lui, de parvenir à la Cadillac.

— La ferme ! hurla Debra aux chiens.

Ils s'arrêtèrent tous — une fraction de seconde.

Quand Wally annonça : « C'est la première fois qu'Homer va dans un drive-in », il dut crier pour dominer le bruit des chiens.

— Je n'ai jamais vu de films non plus, avoua Homer.

— Bon sang ! dit Debra Pettigrew.

Elle sentait bon, elle était encore plus nette et propre que dans sa tenue du comptoir de vente ; Debra s'habillait avec une certaine élégance effrontée, même pour travailler. Elle contenait ses rondeurs. Dès qu'ils partirent vers Cape Kenneth, sa bonne humeur habituelle s'épancha avec une telle ardeur que même sa timidité disparut — c'était une *marrante,* comme on dit dans le Maine. Elle était mignonne, détendue, de bonne composition, dure à la tâche et pas très fine. Ses ambitions, au mieux, s'orientaient vers un mariage avec quelqu'un de gentil, pas beaucoup plus vieux ni plus malin qu'elle.

L'été, les Pettigrew occupaient l'une des nouvelles maisons des rives boueuses et surpeuplées du Drinkwater Lake ; ils étaient parvenus presque instantanément à donner à cet endroit neuf un côté vécu — dans sa course rapide vers le délabrement et la ruine. La pelouse avait envahi les carcasses de voitures du jour au lendemain, et les chiens avaient survécu au déménagement de la maison d'hiver des Pettigrew, à Kenneth Corners, sans perdre un soupçon de leur acharnement à défendre leur territoire. Ainsi que toutes les « villas » des bords du Drinkwater Lake, celle des Pettigrew portait un nom — comme si les maisons elles-mêmes étaient des orphelines, nées incomplètes et nécessitant une deuxième création. La maison des Pettigrew s'appelait « Nous tous ! »

— C'est le point d'exclamation qui me tue, avait dit Wally à Homer en freinant devant la parcelle garnie de voitures et de chiens. Comme s'ils étaient fiers de leur surpopulation.

Mais Wally se montra très respectueux dès que Debra fut avec eux dans la Cadillac.

L'hypocrisie de ce qu'il avait entrevu de la société frappait beaucoup Homer Wells ; des gens, même très gentils — car Wally était incontestablement très gentil —, disaient souvent des quantités de

273

choses critiques sur une personne avec qui ils se montreraient aussitôt après parfaitement agréables. A Saint Cloud's, la critique était plus directe — et plus difficile (sinon impossible) à dissimuler.

Le drive-in de Cape Kenneth était pour le Maine presque aussi nouveau que la piscine chauffée de l'Haven Club et beaucoup moins pratique. Les cinémas en plein air ne feraient jamais recette dans le Maine ; le brouillard vespéral le long de la côte prêtait à plus d'un film gai l'atmosphère fantomatique, tout à fait déplacée, d'un spectacle d'horreur. Des années plus tard, les gens qui partaient à tâtons à la recherche des toilettes et du bar ne parvenaient pas à retrouver leur voiture quand ils se lançaient à sa recherche.

Autre problème : les moustiques. En 194..., quand Homer Wells vit son premier film dans un drive-in, le bourdonnement des moustiques dans l'air de Cape Kenneth était beaucoup plus audible que la bande sonore. Wally avait à peu près réussi à empêcher les moustiques de s'emparer de la voiture, parce qu'il emportait toujours un vaporisateur à insecticide, dont il aspergeait la voiture — et l'atmosphère autour. Il chargeait le vaporisateur à pompe avec l'insecticide qui servait pour les pommiers. Dans la Cadillac et à l'extérieur, l'air était donc nocif et puant, mais presque exempt de moustiques. Le chuintement du vaporisateur et l'odeur de l'insecticide provoquaient de fréquentes plaintes de spectateurs, dans les voitures voisines de la Cadillac — jusqu'à ce que les moustiques les piquent si fort qu'ils cessent de protester ; certains demandaient même poliment à Wally de leur prêter l'appareil pour empoisonner leur propre voiture.

Il n'y avait pas encore de bar au drive-in de Cape Kenneth en 194..., et il n'y avait pas non plus de toilettes. Les hommes et les gamins urinaient chacun à leur tour contre un mur de béton, toujours humide, à l'arrière de la zone des voitures ; en haut du mur se perchaient toujours plusieurs marmots mal élevés (des habitants de Cape Kenneth trop jeunes ou trop pauvres pour avoir des voitures) : ils voyaient le film de loin, même s'ils n'avaient aucun espoir d'entendre. De temps à autre, quand le film ne leur plaisait pas, ils pissaient du haut du mur sur les malchanceux en train de pisser en bas.

Les jeunes filles et les femmes n'étaient pas censées pisser au cinéma, et elles se conduisaient donc mieux que les hommes et les garçons — les femmes buvaient moins, par exemple, bien que leur comportement à l'intérieur des voitures n'ait fait l'objet d'aucun contrôle.

Pour Homer Wells, ce fut merveilleux — toute l'expérience. Il observait avec une sensibilité particulière ce que les êtres humains

274

faisaient pour leur plaisir — ce qu'ils *choisissaient* de faire (on ne pouvait se méprendre à cet égard) — parce qu'il venait d'un endroit où le choix n'était pas si évident, et les exemples de gens accomplissant quelque chose pour le plaisir infiniment moins nombreux. Cela le stupéfia que des gens supportent une soirée dans un drive-in, de leur propre choix et pour le plaisir ; mais il crut que s'il ne parvenait pas à voir le côté amusant de la chose, c'était de sa faute.

Le plus déconcertant pour lui fut le film lui-même. Quand les gens eurent bien klaxonné, lancé des appels de phares et manifesté d'autres signes d'impatience moins anodins — Homer entendit ce qui était le bruit d'un individu en train de vomir contre une aile de voiture —, une image gigantesque emplit l'écran. C'est la bouche de quelqu'un ! pensa Homer Wells. La caméra recula, ou plutôt tituba vers l'arrière. La tête de quelque chose — une sorte de cheval, pensa Homer Wells. En réalité, il s'agissait d'un chameau, mais Homer Wells n'avait jamais vu de chameau, ni de photo de chameau ; il crut qu'il s'agissait d'un cheval horriblement déformé — un cheval mutant ! Peut-être à une phase fœtale épouvantable ! La caméra, non sans secousses, recula davantage. Monté sur la bosse grotesque du chameau se trouvait un homme à la peau noire, presque entièrement dissimulé dans du tissu blanc — des pansements ! songea Homer Wells. Féroce, le nomade arabe noir brandit une épée recourbée effrayante ; frappant du plat de l'épée le chameau qui avançait à pas pesants, il lança l'animal dans un galop bancal au milieu de dunes s'étendant si loin que monture et cavalier ne furent bientôt qu'un point minuscule sur l'immense horizon. Soudain, *musique !* Homer sursauta. *Des mots !* Les titres, les noms des acteurs inscrits sur le sable par une main invisible.

— Qu'est-ce que c'était ? demanda Homer à Wally. (Il voulait dire : l'animal, son cavalier, le désert, le générique — tout !)

— Une espèce de bédouin, je pense, répondit Wally.

Un bédouin ? se dit Homer Wells.

— C'est une race de cheval ? demanda-t-il.

— Quel cheval ? demanda Debra Pettigrew.

— L'animal, dit Homer, devinant aussitôt son erreur.

Candy se retourna sur le siège avant et regarda Homer avec une tendresse émouvante.

— C'était un chameau, Homer, dit-elle.

— Tu n'as jamais vu de chameau ! s'écria Wally.

— Et où donc aurait-il pu voir un chameau ? lui lança Candy d'un ton sec.

— Ça m'a surpris, voilà tout, répondit Wally en guise de défense.

— Je n'ai jamais vu de nègre non plus, dit Homer. C'en était un non ? — sur le chameau.

— Un bédouin noir, je suppose, lui répondit Wally.

— Bon sang, dit Debra Pettigrew, qui lança à Homer un coup d'œil vaguement effrayé, comme si elle le soupçonnait d'exister simultanément sur une autre planète, sous une autre forme de vie.

Puis le générique s'acheva. Le Noir sur le chameau avait disparu et ne réapparaîtrait pas. Le désert avait disparu lui aussi ; il avait rempli sa fonction indéterminée — il ne réapparaîtrait pas non plus. Il s'agissait d'un film de pirates. De grands bateaux s'arrosaient de mitraille ; des hommes au teint basané, cheveux sur les épaules et pantalons informes, faisaient des choses horribles à d'autres hommes à l'air plus gentil et mieux habillés. Aucun des hommes n'était noir. Peut-être le bédouin au chameau était-il une sorte de présage, se dit Homer Wells. Ses contacts avec l'art du conteur, à travers Charles Dickens et Charlotte Brontë, l'avaient mal préparé à des personnages venant de n'importe où et allant nulle part, et à des histoires n'ayant aucun sens.

Les pirates volèrent un coffre de pièces et une femme blonde sur le bateau qui semblait le plus agréable, avant de le couler et de s'en aller dans leur propre vaisseau infect, où ils essayèrent vulgairement de s'amuser dans l'ivresse et les chants. Ils semblaient prendre plaisir à lorgner la femme et à se gausser d'elle, mais une force mystérieuse, invisible, les empêchait de lui faire du mal — pendant une heure entière, alors qu'ils faisaient du mal à presque tout le monde, y compris à eux-mêmes. La femme devait être réservée pour d'autres agaceries. Mais elle protestait amèrement contre son sort et Homer eut l'impression qu'il était censé la plaindre.

Un homme qui adorait la geignarde s'était lancé à sa poursuite à travers les océans et les mers, tout en incendiant au passage des ports entiers et des auberges sans charme, repaires d'une lubricité suggérée mais jamais vue. Le brouillard commença à monter et une bonne partie du film eut de plus en plus de mal à rester visible elle aussi, mais Homer demeura cependant rivé à l'image dans le ciel. Il s'aperçut à peine que Wally et Candy ne s'intéressaient pas au film ; ils s'étaient laissés glisser sur la banquette avant, hors de vue, et la main de Candy n'apparaissait que de temps à autre, pour agripper le haut du siège — ou s'y appuyer mollement. Deux fois, Homer l'entendit dire « Non, Wally » — une fois avec une fermeté qu'il n'avait jamais entendue dans la voix de la jeune fille. Le rire fréquent de Wally continuait par intermittence, et il chuchotait, murmurait et gloussait du creux de la gorge.

Homer s'aperçut à plusieurs reprises que Debra Pettigrew s'intéressait moins que lui au film de pirates ; quand il la regardait, il s'étonnait de voir qu'elle le regardait aussi. D'un œil aussi peu critique qu'affectueux. Plus le film avançait, et plus elle semblait tomber des nues en le regardant. Une fois, elle lui toucha la main ; il crut qu'elle avait envie de quelque chose et il la dévisagea poliment. Elle se borna à lui rendre son regard ; et il se retourna pour suivre le film.

La blonde barricadait sans cesse sa porte contre ses ravisseurs mais, malgré ses efforts, ceux-ci faisaient toujours irruption dans sa chambre ; ils semblaient entrer dans le simple but de lui démontrer qu'elle ne pouvait pas les obliger à rester dehors. Une fois dans sa chambre, ils la houspillaient de la manière habituelle, puis se retiraient — sur quoi elle tentait de nouveau de leur barrer la route.

— Je crois que quelque chose m'a échappé, annonça Homer Wells au bout d'un peu plus d'une heure de film.

Candy se rassit sur le siège avant et le regarda — sincèrement inquiète, c'était manifeste, malgré le désordre impensable de sa coiffure.

— Qu'est-ce qui t'a échappé ? demanda Wally — d'une voix endormie, crut Homer.

Debra Pettigrew, charmante, se serra contre Homer et lui chuchota à l'oreille :

— C'est moi, non ? Je crois que tu as oublié que j'étais ici.

Homer voulait dire qu'une partie de l'histoire lui avait échappé ; il regarda Debra, d'un air obtus. Debra lui donna un baiser très propre — pas mouillé du tout — sur la bouche. Elle s'adossa au siège et lui sourit.

« A ton tour, dit-elle.

A cet instant, Wally ouvrit la portière de devant et pompa des vapeurs mortelles tout autour de la Cadillac — une bonne partie du produit rentra par la portière ouverte. Candy et Wally, ainsi que Debra, toussèrent de tous leurs poumons, mais Homer continua de regarder fixement Debra Pettigrew : la fonction réelle des drive-in s'infiltrait lentement en lui.

Il embrassa Debra avec précaution, sur sa petite bouche sèche. Elle lui rendit son baiser. Il s'installa plus confortablement à côté d'elle et elle posa la tête contre son épaule, une main sur sa poitrine. Il voulut poser à son tour la main sur la poitrine de Debra, mais elle la repoussa. Il sentit que quelque chose lui échappait encore mais il s'élança, timidement, à la découverte des règles. Il l'embrassa dans le cou ; c'était acceptable — elle se blottit contre son cou et quelque chose de nouveau et d'audacieux (et de mouillé) lui lécha la gorge (la langue de Debra !) ; Homer laissa sa langue s'aventurer dans l'air empoisonné — pendant un instant, pour réfléchir aux utilisations possibles de sa langue. Il décida d'embrasser Debra sur la bouche et de suggérer doucement l'introduction de sa langue à cet endroit, mais ceci lui fut refusé avec énergie — la langue de Debra repoussa celle d'Homer et ses dents bloquèrent le passage.

Il commença à comprendre qu'il se trouvait en face d'une série de règles de type oui-non ; il avait le droit de lui frotter le ventre mais pas de lui toucher les seins. La main posée sur sa hanche avait le droit d'y rester ; la main sur ses cuisses, sur ses genoux, était enlevée. Elle prit Homer dans ses bras et le serra contre elle ; elle lui donna des baisers tendres et doux ; il commença à se sentir comme un caniche gâté — plus gâté que la plupart des chiens des Pettigrew.

« Non ! » dit Candy, si fort qu'Homer et Debra Pettigrew baissèrent la tête ; puis Debra gloussa et se blottit contre lui. En tirant le cou et en roulant des yeux sur le côté, Homer Wells pouvait encore voir un peu de film.

Enfin, l'infatigable amant avait retrouvé la trace de la blonde en un autre lieu de servitude ; cette jeune imbécile s'était encore barricadée, mais cette fois c'était de son sauveur qu'elle tentait de se protéger. Vraiment très agaçant de le voir s'escrimer contre la porte.

De l'une des voitures perdues dans le brouillard dangereux qui les entourait, une voix cria : « *Plaque*-la donc ! » Une autre lança : « *Tue*-la ! » Homer comprit : personne ne la *baiserait* jamais — elle semblait protégée du sexe, comme d'ailleurs de la mort, par quelque chose d'aussi nébuleux que le brouillard de Cape Kenneth —, et aucun d'entre eux, dans la Cadillac, ne poursuivrait l'aventure au-delà du plaisir qu'on offre à des petits animaux de compagnie.

Ces réflexions rappelèrent à Homer l'affection que le Dr Larch éprouvait pour lui — ainsi que l'affection de Nurse Edna et de Nurse Angela. A la fin du film, il s'aperçut qu'il pleurait ; il s'aperçut que, s'il aimait l'endroit où il se trouvait, il aimait le Dr Larch plus que toute autre chose — à ce moment de sa vie, il aimait encore Larch davantage que Candy — et il s'aperçut aussi que Larch lui manquait — alors que, dans le même temps, il espérait ne jamais remettre les pieds à Saint Cloud's.

Les larmes d'Homer étaient inspirées par un désarroi très profond, mais Debra Pettigrew se méprit sur leur cause, elle crut que le film l'avait ému aux larmes.

— Là, là…, dit-elle d'un ton maternel en le serrant dans ses bras.

Candy et Wally se penchèrent par-dessus la banquette avant. Candy posa la main sur la tête d'Homer.

— Ça va. Tu peux pleurer. Je pleure à des tas de films, dit-elle.

Même Wally se montra très respectueux.

— Eh, mon pote, nous savons que tout ça doit te faire un sacré choc.

Son pauvre *cœur!* pensait le doux Wally. Cher garçon, pensa Candy, surtout surveille ton *cœur!* Elle posa la joue contre la joue d'Homer et l'embrassa près de l'oreille. Le plaisir qu'elle éprouva à ce baiser d'amitié la surprit, et surprit Homer Wells. Malgré les petits bécots secs que Debra Pettigrew lui prodiguait, il éprouva dans tout son corps une différence remarquable à l'instant du baiser de Candy : un sentiment qui ne venait de nulle part — et il comprit en regardant le beau visage affectueux de Wally que ce sentiment n'avait nulle part où aller non plus. Était-ce cela l'amour ? Était-ce ainsi que cela tombait sur vous : sans vous laisser la moindre possibilité de l'utiliser, de le vivre ? Comme le nomade à peau noire sur le chameau : quelle était sa place et sa raison d'être dans un film de pirates ?

C'est *moi,* le nomade à peau noire sur ce chameau, songea l'orphelin Homer Wells. Comment l'appelait-on déjà ?

Plus tard, quand il eut raccompagné Debra Pettigrew chez elle et échappé de justesse aux gueules des chiens enragés, il le demanda à Wally. Homer était assis à l'avant de la Cadillac, Candy au milieu de la banquette entre eux.

« Un bédouin, dit Wally.

Je suis un *bédouin!* pensa Homer Wells.

Lorsque Candy s'endormit, elle glissa contre l'épaule de Wally, mais cela le gêna pour conduire ; il la poussa très doucement vers Homer. Le reste du trajet, jusqu'à Heart's Haven, elle dormit avec la tête sur l'épaule d'Homer, les cheveux effleurant son visage. En arrivant au vivier de Ray Kendall, Wally coupa le moteur et murmura : « Ohé, la belle endormie. » Il embrassa Candy sur les lèvres, ce qui l'éveilla. Elle se redressa brusquement, désorientée pendant une seconde, puis elle lança des regards accusateurs à Wally et à Homer, comme si elle ne savait pas lequel des deux l'avait embrassée.

« Repos ! lui dit Wally en riant. Tu es chez toi.

Chez toi, songea Homer Wells. Il savait que pour le bédouin — venu de nulle part, allant nulle part — il n'y a pas de chez soi.

En août de la même année, un autre bédouin quitta ce qui avait été son foyer jusque-là ; Curly quitta Saint Cloud's pour Boothbay, où un jeune pharmacien et sa femme venaient de s'installer et souhaitaient faire une bonne action. Le Dr Larch avait certains doutes sur ce jeune couple, mais des doutes encore plus certains sur l'aptitude de Curly Day à supporter un hiver de plus à Saint Cloud's. La fin de l'été est la dernière bonne période pour les visites de familles adoptives, et le beau temps du début de l'automne ne dure guère. Or l'optimisme habituel de Curly était en déclin depuis le départ d'Homer Wells ; jamais Curly ne pourrait se convaincre qu'Homer ne lui avait pas en quelque manière volé le beau couple qu'un destin plus clément lui avait assigné.

Le pharmacien et sa femme ne formaient pas un beau couple. Ils avaient de l'argent et bon cœur, mais ils n'étaient pas nés dans l'aisance, et jamais ils ne s'adapteraient sans doute à une existence décontractée. Ils avaient *lutté* pour parvenir à leur situation, et leur idée d'assister leur prochain semblait reposer sur la notion que leur prochain devait apprendre à *lutter*. Ils avaient réclamé un orphelin âgé ; ils voulaient un gamin capable de travailler quelques heures par jour dans la pharmacie, après l'école.

Ils considéraient leur stérilité comme une décision irrévocable du Ciel et jugeaient l'un et l'autre que Dieu les avait destinés à recueillir un enfant abandonné et à l'éduquer selon leurs méthodes d'autosuffisance et d'auto-éducation — l'enfant trouvé en serait récompensé, puisqu'il hériterait de la pharmacie du jeune couple, et donc des moyens de veiller sur leur vieillesse, apparemment attendue avec impatience.

C'étaient des gens pratiques et chrétiens — quoique sinistres lorsqu'ils évoquèrent pour le bénéfice de Larch leurs efforts pour avoir un enfant bien à eux. Avant qu'il ne rencontre le couple — quand il ne les connaissait que par correspondance —, Larch avait espéré les convaincre de laisser l'enfant conserver son prénom de Curly, qui signifie Frisé. Quand un orphelin arrive à l'âge de Curly, soutenait Larch, son nom avait pris une grande importance. Mais ses espoirs firent naufrage dès qu'il vit le couple : le jeune homme était prématurément chauve — si chauve que Larch se demanda s'il n'était pas victime de l'application d'un produit pharmaceutique mal testé —, et les cheveux de sa jeune épouse paraissaient rares et plats. La richesse des cheveux frisés de Curly Day parut choquer le couple, et Larch imagina que leur première sortie en famille comporterait probablement une visite chez le coiffeur.

Quant à Curly, il afficha aussi peu d'enthousiasme pour le couple que le couple pour son prénom, mais il avait envie de quitter Saint Cloud's — une sale envie. Larch s'aperçut que l'enfant espérait encore une adoption aussi éblouissante que celle de ses rêves, par un couple aussi rayonnant que Candy et Wally, dont émanait la promesse d'une autre vie. Sur le jeune couple très quelconque de Boothbay, Curly Day déclara au Dr Larch :

— Ils font l'affaire. Ils sont gentils, on dirait. Et Boothbay se trouve sur la côte. Je crois que l'océan va me plaire.

Larch ne répondit pas à l'enfant que ses parents adoptifs ne lui semblaient pas du genre qui se promène en bateau, qui traîne sur la plage, ou même qui pêche à la ligne depuis les jetées ; il les soupçonnait de juger qu'une vie passée à s'amuser avec, sur ou dans la mer était frivole, juste bonne pour les touristes. (Larch partageait d'ailleurs cette opinion lui-même.) Il aurait juré que la pharmacie restait ouverte l'été du petit jour à la tombée de la nuit, et que le couple dur au labeur ne quittait pas le magasin une seule minute — pour vendre des huiles solaires aux estivants tandis qu'eux-mêmes demeuraient aussi blafards que l'hiver, et s'en rengorgeaient

— Ne faites donc pas la fine bouche, Wilbur, dit Nurse Edna. Si le gamin tombe malade, les cachets et les sirops pour la toux seront à portée de main.

— Pour moi, il sera toujours Curly, lança Nurse Angela d'un ton de défi.

Plus grave, se dit Larch : il sera toujours Curly pour Curly. Mais Larch le laissa partir ; il était grand temps qu'il s'en aille — ce fut la principale raison de son départ.

Le couple se nommait Rinfret ; ils appelèrent Curly « Roy ». Et Roy « Curly » Rinfret prit donc résidence à Boothbay. La Pharmacie Rinfret se trouvait sur le port ; la famille habitait à plusieurs kilomètres dans les terres, hors de vue de la mer. « Mais pas hors d'*odorat* », avait expliqué Mme Rinfret ; elle prétendait que, par bon vent, on pouvait sentir l'océan depuis la maison.

Pas avec le nez de Curly, se dit le Dr Larch : il émanait du nez de Curly un flot de morve si constant qu'il devait en avoir perdu l'odorat.

— Réjouissons-nous pour Curly Day, annonça donc le Dr Larch à la section Garçons un soir d'août 194..., par-dessus les sanglots

281

intarissables de David Copperfield. Curly Day a trouvé une famille. Bonne nuit, Curly !

— B'ne nuit *Burly !* brama le petit Copperfield.

Quand Homer Wells reçut la lettre qui lui apprit la nouvelle de l'adoption de Curly, il la lut et la relut à plusieurs reprises — à la lumière de la lune qui tombait de la fenêtre de Wally, pendant que Wally dormait.

Un pharmacien ! pensait Homer Wells. La nouvelle l'avait tellement bouleversé qu'il en avait parlé à Wally et à Candy. Ils étaient assis sur la jetée de Ray Kendall au clair de lune, plus tôt dans la soirée, et ils lançaient des bigorneaux à la mer. *Ploc ! Ploc !* faisaient les bigorneaux ; Homer commença à parler et ne s'arrêta plus. Il leur parla de la litanie — « Réjouissons-nous pour Curly Day », et cetera — et il essaya de leur faire comprendre ce qu'il ressentait quand il était traité de prince du Maine et de roi de Nouvelle-Angleterre.

— Je crois que j'imaginais quelqu'un comme toi, dit Homer à Wally.

Candy se souvint que le Dr Larch lui avait dit la même chose : il lui avait proclamé que ses enfants seraient ces princes, ces rois.

— Mais je ne savais pas ce qu'il voulait dire, ajouta-t-elle. Il me semblait gentil — mais c'était inimaginable.

— C'est toujours inimaginable pour moi, avoua Wally. Je veux dire : ce que tu voyais, expliqua-t-il à Homer. Ce que vous imaginiez tous — ce devait être différent pour chacun de vous.

Wally refusait d'admettre l'idée qu'un être semblable à lui puisse correspondre à l'expression.

— Cela paraît un peu ironique, reprit Candy. Je ne vois pas ce qu'il voulait dire au juste.

— Ouais, renchérit Wally. Cela me semble un peu cynique.

— Peut-être, répondit Homer Wells. Peut-être le disait-il pour lui-même et non pour nous.

Il leur parla de Melony, mais en omettant des détails. Il respira à fond avant de leur parler aussi de Fuzzy Stone ; il imita l'appareil à respirer — au vacarme qu'il fit, ils éclatèrent d'un rire si tonitruant qu'il noya le ploc insignifiant des bigorneaux dans la mer. Wally et Candy comprirent qu'ils étaient à la fin de l'histoire seulement quand Homer y parvint.

« Fuzzy Stone a trouvé une nouvelle famille, leur répéta-t-il. Bonne nuit, Fuzzy, conclut-il d'une voix sourde.

Il n'y eut pas un bruit, même pas un ploc de bigorneaux ; la mer léchait les poteaux de la jetée ; les bateaux amarrés autour d'eux se balançaient sur l'eau. Quand une amarre se tendait et sortait soudain de l'eau, on entendait les gouttes tomber de la corde ; quand les câbles plus gros se tendaient, ils faisaient comme un grincement de dents.

« Curly Day est le premier garçon que j'ai circoncis, annonça Homer Wells — simplement pour passer à un autre sujet que Fuzzy Stone. En présence du Dr Larch, ajouta-t-il, et ce n'est pas une affaire, une circoncision — vraiment facile.

Wally sentit son pénis se recroqueviller sur lui-même comme un bigorneau. Candy, prise d'une crampe au mollet, cessa de balancer les jambes au bord de la jetée ; elle remonta les pieds.

« Curly était mon premier, reprit Homer. Je l'ai fait un peu en biais. avoua-t-il.

— Nous pourrions aller à Boothbay d'un coup de voiture voir comment il s'en sort..., proposa Wally.

Que verrions-nous ? se demanda Candy. Elle imagina Curly en train de pisser encore partout dans la Cadillac en lui répétant qu'il était le meilleur.

— Je ne crois pas que ce serait une bonne idée, répondit Homer.

Il rentra à Ocean View avec Wally et écrivit au Dr Larch une longue lettre — la plus longue à cette date. Il tenta de parler à Larch de sa soirée au drive-in, mais la lettre dégénéra en une critique du film lui-même, et il essaya de changer de sujet.

Devait-il lui parler d'Herb Fowler et de ses poches pleines de préservatifs ? (Le Dr Larch approuvait l'utilisation des préservatifs, mais n'aurait pas approuvé Herb Fowler.) Devait-il dire à Larch qu'il avait appris le véritable but des drive-in ? N'était-ce pas de s'émoustiller avec sa cavalière jusqu'à un état de frénésie sexuelle — sans qu'aucun des deux ait le droit de passer à l'acte lui-même ? (Le Dr Larch n'en penserait pas grand bien.) Devait-il raconter au Dr Larch ce que Grace Lynch avait dit et fait, en expliquant la façon dont il rêvait d'elle — ou bien qu'il se croyait en train de tomber, ou déjà tombé, amoureux de Candy (ce qu'il savait interdit) ? Et comment lui dire « Vous me manquez ? » (se demanda-t-il) alors que je ne pense jamais : « J'ai envie de revenir » ?

Et il termina donc la lettre à sa manière ; il la termina ainsi : « Je me rappelle que vous m'avez embrassé, écrivit-il au Dr Larch. Je ne dormais pas vraiment. »

Oui, songea le Dr Larch, je m'en souviens aussi. Il se reposait dans la pharmacie. Pourquoi ne l'ai-je pas embrassé davantage — pourquoi ne l'ai-je pas embrassé tout le temps ? Dans d'autres parties du monde rêva-t-il, il y a des cinémas drive-in

283

Avant la réunion annuelle du conseil d'administration de Saint Cloud's, il prenait toujours plus d'éther qu'il n'aurait dû. Il n'avait jamais tout à fait compris l'utilité d'un conseil d'administration, et les questions stupides l'impatientaient de plus en plus. Au bon vieux temps, c'était le conseil des officiers de santé de l'État du Maine ; jamais on ne lui posait de questions — jamais on ne voulait entendre de ses nouvelles. Maintenant, pensait Wilbur Larch, il y a un conseil d'administration pour tout. Cette année-là, comme deux nouveaux membres du conseil n'avaient jamais vu l'orphelinat, la réunion se tint à Saint-Cloud's — d'habitude le conseil se réunissait à Portland. Les nouveaux membres voulaient voir l'endroit, et les anciens convinrent qu'ils avaient besoin de se remettre l'atmosphère en mémoire.

C'était une matinée parfaite du mois d'août, avec un air vif de septembre davantage que de juillet — finies l'humidité et la chaleur lourde ; mais Larch était irritable.

— Non, je ne sais pas *exactement* ce qu'est un drive-in, répliqua-t-il avec sécheresse à Nurse Angela. Homer ne le dit pas *exactement*.

Nurse Angela parut vexée.

— Non, il ne le dit pas, répéta-t-elle en relisant la lettre.

— Que fait-on de sa voiture pendant qu'on regarde le film ? demanda Nurse Edna.

— Je ne sais pas, dit Larch. Je suppose que si l'on entre là-dedans en voiture pour voir le film, on doit rester *dans* la voiture.

— Mais dans *quoi* entre-t-on en voiture, Wilbur ? demanda Nurse Edna.

— C'est ce que j'ignore ! cria Larch.

— Mon Dieu, ne sommes-nous pas d'excellente humeur ? dit Nurse Angela.

— Mais pourquoi donc emmener sa voiture au cinéma ? insistait Nurse Edna.

— Je ne connais pas non plus la réponse à cette question, répliqua le Dr Larch d'un ton las.

Hélas, il parut las également pendant la réunion du conseil. Nurse Angela essaya d'exposer à sa place certains besoins prioritaires de l'orphelinat ; elle voulait éviter qu'il s'emporte contre un des membres. Les deux nouveaux semblaient horriblement pressés de démontrer qu'ils avaient déjà tout compris — et Nurse Angela surprit le Dr Larch en train de les fixer avec le regard qu'il réservait jusque-là à

Clara, quand il découvrait qu'Homer n'avait pas rangé correctement son cadavre.

La nouvelle femme du conseil avait été recrutée pour ses aptitudes en matière de collecte de fonds ; elle semblait agressive. Veuve d'un missionnaire congrégationniste qui s'était suicidé au Japon, elle était retournée dans son État natal du Maine avec l'intention d'appliquer ses énergies considérables à quelque chose de « faisable ». Le Japon ne s'était pas avéré « faisable », ne cessait-elle de répéter. Les problèmes du Maine, en comparaison, lui paraissaient entièrement surmontables. Tout ce dont le Maine avait besoin — la seule chose dont le Maine manquait (à l'entendre) —, c'était d'organisation ; et elle croyait que toute solution commençait par « du sang nouveau » — expression, remarqua Nurse Angela, qui fit pâlir le Dr Larch comme s'il perdait son propre sang.

— Le mot n'est pas heureux pour ceux d'entre nous qui pratiquent le travail d'hôpital, jappa le Dr Larch aussitôt, mais la remarque passa sur la femme — Mme Goodhall — sans la mordre.

Mme Goodhall exprima, quoique en termes glacés, son admiration pour la rigueur et la durée de l' « entreprise » du Dr Larch, et son respect pour l'expérience accumulée par Larch et ses assistants dans l'administration de Saint Cloud's ; mais peut-être pourraient-ils tous se voir revigorés par un collaborateur plus *jeune*.

— Un jeune interne — prêt à travailler dur et possédant des idées neuves dans le domaine de l'obstétrique, suggéra Mme Goodhall.

— Je me tiens au courant des nouveautés dans ce domaine, répliqua le Dr Larch. Et je suffis à mettre au monde les enfants qui naissent ici.

— Dans ce cas, pourquoi pas un nouveau collaborateur administratif ? proposa Mme Goodhall. Nous vous laissons le côté médical — je parle d'une personne au courant de certaines nouvelles procédures d'adoption, ou bien de quelqu'un capable de vous remplacer pour la correspondance et les entretiens avec les familles

— J'aurais besoin d'une machine à écrire neuve, répondit Larch Fournissez-moi donc une machine neuve, et gardez votre collaborateur — ou donnez-le à un autre, qui devient *vraiment* gâteux.

Le nouvel homme du conseil était psychiatre ; il faisait ses débuts en psychiatrie, et en 194... la psychiatrie faisait également ses début dans le Maine. Il s'appelait Gingrich ; même à l'égard de personnes qu'il venait juste de rencontrer, il prenait l'air de comprendre les tensions qu'elles subissaient — tout le monde subissait des tensions, il était catégorique sur ce point. Même quand il avait raison (au sujet de vos

285

tensions particulières) et que vous abondiez dans son sens (lui avouant qu'il existait bien certaines tensions et que vous les subissiez vraiment), il prenait l'air de connaître d'*autres* tensions qui vous accablaient (et qui échappaient toujours à vos regards). Par exemple, s'il avait vu le film commençant par le bédouin sur le chameau, le Dr Gingrich aurait supposé que la femme captive subissait une grande tension à épouser quelqu'un — tandis qu'elle affirmait hautement sa volonté de rester libre. Ses yeux et son sourire, quand il se présentait, exprimaient une sympathie inlassable que vous ne méritiez sans doute pas — comme s'il voulait vous communiquer, par l'amabilité contrôlée de sa voix et la lenteur de son élocution, la certitude que tout était beaucoup plus subtil que vous ne pouviez le supposer.

Les anciens membres du bureau — tous des hommes, et tous à peu près du même âge que Larch — se laissèrent intimider par ce nouveau spécialiste, qui parlait si bas, et cette nouvelle femme, qui s'exprimait si fort. En tandem, ils semblaient tellement sûrs d'eux ! Ils considéraient leurs nouveaux rôles au sein du conseil non comme une chance de s'instruire, ou même de découvrir la vie de l'orphelinat, mais comme une occasion de prendre la situation en main.

Oh la la !..., se dit Nurse Edna.

Les ennuis arrivent, se dit Nurse Angela. Comme si nous en avions besoin ! Un jeune interne, ou même un collaborateur administratif, n'aurait pas été superflu ; mais elle savait que Wilbur Larch protégeait la possibilité de pratiquer les avortements. Comment pouvait-il accepter un nouveau collaborateur sans connaître préalablement ses convictions ?

— Voyons, docteur Larch, commença le Dr Gingrich en douceur, vous savez bien que nous ne vous croyons pas gâteux.

— Parfois, je pense que je le suis, répondit Larch sur la défensive. Je suppose donc que vous pouvez le penser aussi.

— Les *tensions* que vous subissez... reprit le Dr Gingrich. Une personne ayant toutes vos responsabilités devrait bénéficier de toute l'assistance possible.

— Une personne ayant ma responsabilité devrait rester responsable, dit Larch.

— Étant donné les tensions que vous *devez* subir, dit le Dr Gingrich, rien d'étonnant que vous trouviez difficile de déléguer même une petite partie de cette responsabilité.

— Une machine à écrire me serait plus utile qu'un délégué, répliqua Wilbur Larch.

Mais quand il cligna des yeux, il vit les étoiles scintillantes qui peuplaient à la fois le ciel du Maine par nuit claire et le firmament de l'éther — sans trop savoir de quelle espèce d'étoiles il s'agissait. Il se frotta le visage et surprit Mme Goodhall en train de griffonner quelque chose sur un bloc-notes d'épaisseur impressionnante, posé devant elle.

— Voyons, dit-elle — d'un ton sec comparé à la voix ouatinée du Dr Gingrich. Vous avez plus de soixante-dix ans — est-ce que je me trompe ? N'avez-vous pas soixante-dix et quelques ?

— Exact, répondit Wilbur Larch. Soixante-dix et quelques.

— Et quel est l'âge de *médème* Grogan ? demanda Mme Goodhall brusquement, comme si Mme Grogan n'était pas présente — ou tellement vieille qu'elle ne pouvait plus répondre elle-même.

— J'ai soixante-six ans, répliqua Mme Grogan d'un ton guilleret, et aussi vive qu'un poulet de grain.

— Oh, personne ne doute de votre vivacité ! dit le Dr Gingrich.

— Et Nurse Angela ? demanda Mme Goodhall sans regarder personne, l'examen de sa propre écriture sur le bloc devant elle exigeant toute son attention concentrée.

— J'ai cinquante-huit ans, dit Nurse Angela.

— Angela est forte comme un bœuf ! commenta Mme Grogan.

— Nous n'en doutons pas, répondit le Dr Gingrich gaiement.

— J'ai cinquante-cinq ou cinquante-six ans, proposa Nurse Edna, avant que la question ne soit posée.

— Vous ne *savez pas* votre âge ? demanda le Dr Gingrich d'un air concerné.

— En fait, répondit Wilbur Larch, nous sommes tous tellement séniles que nous ne pouvons nous souvenir de rien — nous répondons au hasard. Mais regardez-vous donc ! lança-t-il soudain à Mme Goodhall (ce qui força celle-ci à lever les yeux de son bloc). Vous avez tant de mal à vous souvenir des choses, lui dit Larch, que vous êtes obligée de les inscrire.

— J'essaie juste de me faire une image claire de ce qui se passe ici, répondit Mme Goodhall d'une voix égale.

— Eh bien, répliqua Larch, je vous suggère de m'écouter. Je suis ici depuis assez longtemps pour que l'image soit très claire dans mon esprit.

— Il est très clair que vous faites un travail merveilleux, dit le Dr Gingrich. Il est également clair que c'est un travail très dur.

Il suintait du Dr Gingrich une telle sympathie du type serviette chaude, que Larch se sentit tout mouillé — et ravi de ne pas être assis

287

à côté du Dr Gingrich, qui l'aurait sans doute palpé ; Gingrich était manifestement un palpeur.

— Si ce n'est pas trop vous demander, en matière d'assistance, dit le Dr Larch, je ne voudrais pas seulement une machine à écrire neuve ; j'aimerais obtenir la permission de garder la vieille.

— Je crois que nous pouvons arranger ça, répondit Mme Goodhall.

Nurse Edna, qui n'avait pas l'habitude de recevoir des intuitions soudaines — ni, malgré les années, des illuminations — et qui ne possédait aucune expérience du monde des présages, des signes et des pressentiments, sentit une violence totalement étrangère à sa nature, mais non moins suffocante, surgir au creux de son estomac. Elle s'aperçut qu'elle dévisageait Mme Goodhall avec une haine qu'elle (Nurse Edna) ne se serait jamais crue capable de ressentir à l'égard d'un autre être humain. Oh, mon Dieu, *l'ennemi !* se dit-elle ; elle dut s'excuser — elle se sentait sur le point de vomir. (Elle le fit, mais discrètement, hors de vue, dans les douches des garçons.) Seul David Copperfield, encore accablé de chagrin par le départ de Curly Day — accablé aussi par ses éternelles difficultés d'élocution —, remarqua sa présence.

— Medna ? demanda le petit Copperfield.

— Je vais bien, David, répondit-elle.

Mais elle n'allait pas bien du tout.

J'ai entrevu la *fin*, pensait-elle avec une amertume qui ne lui ressemblait pas.

Larch l'avait entrevue, lui aussi. Quelqu'un va me remplacer, comprit-il. Et avant longtemps. Il regarda son calendrier. Deux avortements « sûrs » le lendemain, trois « probables » vers la fin de la semaine. Et il fallait toujours compter sur celles qui se présentaient sans rendez-vous.

Et s'ils nommaient quelqu'un qui refuse d'en pratiquer un seul ? se dit-il.

Quand la machine à écrire neuve arriva, elle trouva sa place — juste à temps — dans le cadre de ses plans pour Fuzzy Stone.

« Merci pour la machine à écrire neuve », écrivit Larch au conseil d'administration. Elle était arrivée « juste à temps », ajouta-t-il, parce que la vieille machine (qu'il désirait conserver, s'ils se souvenaient bien) s'était complètement détraquée. Ce n'était pas exact. Il avait fait remplacer les touches, et elle tapait à présent une histoire de caractère différent.

Ce que tapait la vieille machine était la correspondance du jeune Fuzzy Stone. Fuzzy commença à faire savoir au Dr Larch avec quelle passion il espérait devenir docteur quand il serait grand, décision d'ailleurs inspirée par le Dr Larch.

« Je crois pourtant que je ne partagerai jamais vos idées concernant l'avortement, écrivait le jeune Fuzzy au Dr Larch. Incontestablement, c'est l'obstétrique qui m'intéresse et, incontestablement c'est votre exemple qui est à l'origine de mon intérêt, mais je pense que nous ne tomberons jamais d'accord au sujet de l'avortement. Je sais que vous en pratiquez, conformément à vos convictions les plus profondes et dans les meilleures intentions du monde, mais permettez-moi de suivre mes propres convictions de la même manière. »

Et ainsi sur des pages et des pages. Larch rendit compte des années passées ; et il écrivit l'avenir, en laissant quelques blancs pour la vraisemblance. Il termina les études du Dr F. Stone. (Il lui fit suivre les cours de la faculté de médecine et lui attribua une procédure d'accouchement impeccable — avec même plusieurs variantes par rapport à la procédure du Dr Larch, que le Dr Larch fit décrire au Dr Stone.) Toujours, Fuzzy Stone restait fidèle à ses convictions.

« Je regrette, mais je crois à l'existence de l'âme, à son existence depuis l'instant de la conception », écrivait Fuzzy Stone. Il se montrait pompeux, en prenant de l'âge, voire presque onctueux dans sa bienveillance à l'égard de Larch, capable même de condescendance parfois — le genre de ton protecteur que se permet un jeune homme lorsqu'il croit avoir « dépassé » son maître. Larch attribuait à Fuzzy Stone un rigorisme moral inébranlable, capable d'enchanter, il en était certain, tous les partisans de la loi en vigueur contre l'avortement.

Il fit même proposer par le jeune Dr Stone de remplacer le Dr Larch — « mais pas avant que vous ne soyez prêt à prendre votre retraite, bien entendu ! » —, ce remplacement lui permettrait de démontrer au Dr Larch que la loi devait être respectée, qu'aucun avortement ne devait être pratiqué, et qu'une conception saine et bien documentée du planning familial (contrôle des naissances, etc.) pourrait, avec le temps, aboutir au résultat désiré (« ... sans contrevenir aux lois de Dieu ou de l'homme », écrivait un Fuzzy Stone papelard mais convaincant).

« L'effet désiré » — le Dr Larch et le Dr Stone semblaient pour une fois du même avis — était la réduction au minimum du nombre des naissances d'enfants non désirés. « Quant à moi, je suis heureux d'être ici ! » se gargarisait le jeune Dr Stone. On croirait entendre un missionnaire ! se disait Wilbur Larch. L'idée de faire de Fuzzy un missionnaire lui plaisait beaucoup, et pour plusieurs raisons — parmi elles : Fuzzy n'aurait pas besoin d'une autorisation légale d'exercer la médecine s'il allait diffuser sa magie en quelque contrée primitive et reculée.

Cela épuisa Larch, mais il mit tout noir sur blanc — une machine à écrire pour Fuzzy (elle ne servait à rien d'autre) et la machine neuve pour lui. (Il conservait un double de ses propres lettres et faisait souvent allusion à son « dialogue » avec le jeune Dr Stone dans les fragments qu'il composait pour sa *Brève Histoire de Saint Cloud's*.)

Il imagina que leur correspondance se terminait, plutôt brusquement, après la lettre où Larch s'opposait vertement à l'idée de se faire remplacer par une personne refusant de pratiquer des avortements. « Je continuerai jusqu'à ce que je tombe, écrivit-il à Fuzzy. Ici à Saint Cloud's, je ne me laisserai jamais remplacer par un bigot réactionnaire qui se soucie davantage des scrupules mesquins de son âme fragile que des souffrances bien réelles d'innombrables enfants non désirés et maltraités. Je *regrette* que tu sois médecin ! déclara Larch au pauvre Fuzzy. Je regrette que toutes ces études aient été gaspillées sur un homme qui refuse d'aider les vivants à cause d'un point de vue présomptueux sur des choses qui ne vivent pas encore. Tu n'es pas le médecin qu'il faut à cet orphelinat et, pour prendre ma place, il faudra que tu passes sur mon cadavre ! »

Il ne reçut du Dr Stone, après cela, qu'une note plutôt sèche, où Fuzzy disait qu'il avait besoin de méditer en son âme au sujet de sa dette personnelle envers le Dr Larch, et de sa dette « peut-être plus importante à l'égard de la société, et de tous les êtres assassinés avant de naître » ; il était fort difficile, sous-entendait Fuzzy, d'écouter sa conscience et de ne pas « indiquer » le Dr Larch « ... aux autorités », ajoutait-il comme une menace.

Quelle belle histoire ! pensait Wilbur Larch. Il y avait consacré tout le reste du mois d'août 194... Il désirait que l'affaire soit en place — parfaitement organisée — quand Homer rentrerait à Saint Cloud's à la fin de son emploi d'été.

Wilbur Larch s'était créé un remplaçant, et un remplaçant tout à fait acceptable par les autorités — quelles qu'elles fussent. Il avait créé un médecin qualifié en matière d'obstétrique et — que demander de mieux ? — un orphelin connaissant bien l'endroit, pour y être né. Il avait créé également un mensonge parfait, parce que le Dr F. Stone que Wilbur Larch avait en tête pratiquerait des avortements, bien entendu, tout en possédant — que demander de mieux ? — un dossier complet d'adversaire acharné de l'avortement. Quand Larch se retirerait (ou s'il était pris un jour), il disposerait déjà d'un remplaçant parfait. Bien entendu, Larch n'en avait pas terminé avec Fuzzy ; un remplacement de cette importance exigeait certaines révisions.

Wilbur Larch était couché dans la pharmacie, et les étoiles du Maine et celles de l'éther tournaient autour de lui. Il avait donné à Fuzzy Stone un rôle dans la vie dépassant de beaucoup les capacités du pauvre enfant. Comment Fuzzy, victime des défaillances de son appareil respiratoire, aurait-il pu l'imaginer ?

Il ne restait qu'un seul problème, songeait Wilbur Larch dans son rêve étoilé. Comment convaincre Homer de jouer le rôle ?

Homer Wells, qui contemplait par la fenêtre de Wally les étoiles réelles du Maine et les vergers visibles à la lueur de la lune sur son déclin, vit quelque chose scintiller — au-delà du verger d'où l'on pouvait voir l'océan. Il leva et baissa la tête derrière la fenêtre de Wally, et l'étincelle réapparut ; ce faible signal lui rappela le soir où les bois profonds du Maine ne lui avaient pas renvoyé sa voix — le soir où il avait crié bonne nuit à Fuzzy Stone sans recevoir d'écho.

Puis il comprit d'où provenait le reflet. Ce devait être un petit coin brillant du toit de tôle de la cidrerie — un endroit pas plus large qu'une lame de couteau. Ce petit scintillement dans la nuit était l'une de ces choses qui continuent à vous trotter dans la tête — même quand on a reconnu ce que c'est.

Écouter la respiration paisible de Wally ne l'aida en rien. Le problème, c'est que je suis amoureux de Candy, se dit-il. Et c'était Candy qui avait suggéré qu'il ne retourne pas à Saint Cloud's.

— Mon père t'aime beaucoup, avait-elle dit à Homer. Je suis sûre qu'il te donnera du travail sur le bateau ou au vivier.

— Ma mère t'aime beaucoup, avait ajouté Wally. Je suis sûr qu'elle voudra te garder dans les vergers, surtout pendant la récolte. Et elle se sent seule quand je retourne à l'université. Je parie qu'elle sera ravie que tu restes où tu es — dans ma chambre.

Au loin dans les vergers, le toit du chai à cidre cligna encore vers lui ; étincelle aussi minuscule et fugitive que le reflet entrevu sur une canine de Grace Lynch — sa bouche ne s'était entrouverte qu'un instant, pendant le dernier coup d'œil qu'elle lui avait lancé.

Comment pourrais-je *ne pas être* amoureux de Candy ? se demanda-t-il. Et si je reste ici, que pourrai-je faire ?

Le toit de la cidrerie scintilla ; puis il demeura sombre et muet. Homer avait vu le clin d'œil de la curette avant qu'elle ne se mette à l'œuvre ; il l'avait vue posée dans le plateau émaillé, ternie par le sang, attendant d'être nettoyée.

Et si je retourne à Saint Cloud's, se demanda-t-il, que pourrai-je faire ?

Dans le bureau de Nurse Angela, sur la machine à écrire neuve, le Dr Larch commença une lettre à Homer Wells. « Je ne me souviens de rien avec autant de netteté que des deux baisers que je t'ai donnés », écrivit-il, mais il s'arrêta ; il savait qu'il ne pouvait pas dire ça. Il arracha la page de la machine puis la dissimula au plus profond de sa *Brève Histoire de Saint Cloud's,* comme une autre parcelle d'histoire sans public.

David Copperfield avait de la fièvre quand il s'était couché et Larch alla voir comment se sentait l'enfant. Il constata, soulagé, que la température du gamin était redevenue normale ; son front était frais et une légère sueur glaçait son cou, que Larch sécha doucement avec une serviette. Il n'y avait pas beaucoup de clair de lune, donc Larch se crut à l'abri des regards. Il se pencha vers Copperfield et l'embrassa, à peu près comme il se souvenait d'avoir embrassé Homer Wells. Puis il se tourna vers le lit voisin et embrassa Smoky Fields, qui avait un vague goût de saucisses chaudes ; ce fut malgré tout un apaisement pour Larch. Comme il regrettait de ne pas avoir embrassé Homer plus souvent, quand il en avait eu l'occasion ! Ii alla de lit en lit et embrassa les enfants ; il s'aperçut qu'il ne les connaissait pas tous par leur nom, mais il les embrassa quand même. Il les embrassa tous.

Lorsqu'il quitta le dortoir, Smoky Fields demanda à la nuit : « Pourquoi *ça,* hein ? » Mais personne d'autre n'était réveillé, ou personne d'autre n'eut envie de lui répondre.

Ah, s'il m'avait embrassé moi aussi, songea Nurse Edna, qui avait toujours une oreille à la traîne quand il se passait quelque chose d'inhabituel.

— Je trouve que c'est gentil, répondit Mme Grogan à Nurse Angela quand celle-ci la mit au courant.

— Je trouve que c'est sénile, dit Nurse Angela.

Mais Homer Wells, à la fenêtre de Wally, ne savait pas que des baisers du Dr Larch erraient de par le monde, à sa recherche.

Il ne savait pas non plus — jamais il n'aurait pu l'imaginer ! — que Candy était éveillée elle aussi — et tout aussi préoccupée. S'il *reste,* s'il ne retourne *pas* à Saint Cloud's, pensait-elle, que ferai-je ? La mer s'agitait tout autour d'elle, les ténèbres se dissipaient, la lune se couchait.

Puis vint le moment où Homer Wells put distinguer les contours de la cidrerie, mais le toit ne lui fit aucun clin d'œil, quelle que soit la position de sa tête. Comme aucun signal ne lui parvenait, il put croire qu'il parlait à un mort lorsqu'il chuchota « Bonne nuit, Fuzzy ».

Il ne savait pas que Fuzzy Stone, comme Melony, était à sa echerche.

7

Avant la guerre

Un jour de ce même mois d'août, un soleil voilé planait au-dessus de la route côtière entre York Harbor et Ogunquit ; ce n'était pas le Phoebus éblouissant de Marseille, ni l'astre plutôt frais et vif qui clignote sur la majeure partie des côtes du Maine à cette époque de l'année. C'était le soleil de Saint Cloud's, brumeux et sans relief, qui irrita Melony. Elle était en sueur quand elle accepta de monter dans un camion de lait en route vers l'intérieur.

Elle savait qu'elle se trouvait au sud de Portland et que la côte du Maine, dans cette direction, est relativement courte ; il lui avait pourtant fallu tous ces mois pour explorer les vergers de pommiers sur cet espace limité. Elle n'était pas découragée : elle avait eu de la malchance, c'est pourquoi sa chance ne pouvait que tourner. Elle avait réussi à faire les poches de plusieurs citoyens de Portland, ce qui l'avait remise à flot pour quelque temps. Elle avait eu quelques ennuis avec des gars de la Marine, dont elle avait essayé de vider les portefeuilles à Kittery. Elle était parvenue à ne pas leur céder sur le plan du sexe, mais ils lui avaient brisé le nez, qui avait guéri de travers, et cassé deux dents de devant — les grosses d'en haut. Elle n'avait jamais eu tendance à sourire, mais elle adopta dès lors une expression plutôt bouche-cousue, lèvres-closes.

Des deux premiers vergers où elle s'était rendue on voyait l'océan, mais ils ne s'appelaient pas Ocean View, et personne n'y avait entendu parler d'un verger Ocean View. Ensuite, elle trouva un verger dans les terres où quelqu'un avait entendu parler d'un Ocean View, mais ce n'était qu'un nom comme un autre, prétendait l'homme : l'endroit était loin des côtes. Melony prit alors un emploi à Biddeford — elle lavait des bouteilles dans une laiterie — mais le quitta dès qu'elle eut assez d'argent pour reprendre la route.

Le verger entre York Harbor et Ogunquit s'appelait York Farm, et semblait aussi banal que son nom, mais Melony demanda quand même au chauffeur du camion de lait de la déposer à l'entrée. C'était un verger de pommiers ; quelqu'un aurait peut-être entendu parler d'Ocean View.

Au premier coup d'œil, le régisseur d'York Farm supposa que Melony était une ramasseuse de pommes essayant de trouver du travail avant l'arrivée des saisonniers.

— Vous êtes en avance de trois semaines, dit-il. On ne ramasse que les Gravenstein ce mois-ci, et je n'ai besoin de personne : nous n'en avons pas assez.

— Vous avez entendu parler d'un verger appelé Ocean View ? lui demanda Melony.

— Vous avez déjà fait la récolte là-bas ?

— Non, je le cherche, c'est tout.

— C'est un nom de maison de repos, répliqua le régisseur — mais, comme Melony ne sourit même pas, il cessa de se montrer aimable. Vous savez combien il y a d'endroits, dans le Maine, qui s'appellent Ocean View ? demanda-t-il.

Melony haussa les épaules. Si l'on engageait du monde à York Farm dans trois semaines, se dit-elle, pourquoi ne pas y rester ? Parmi les autres ramasseurs, certains auraient peut-être entendu parler de l'endroit où Homer Wells était parti.

— Vous aurez quelque chose pour moi ? demanda-t-elle au régisseur.

— Dans trois semaines... si vous savez ramasser, ajouta-t-il.

— Ça ne doit pas être sorcier.

— Vous croyez que c'est facile ? Venez donc par ici, dit-il.

Il lui fit traverser le comptoir de vente, d'une propreté douteuse, où deux femmes entre deux âges peignaient à la main, sur une planchette, une liste de prix. Dans le premier verger derrière le comptoir, le régisseur se mit à exposer à Melony l'art de cueillir les pommes.

« Vous prenez le fruit avec la queue. Mais juste au-dessus de la queue se trouve le bourgeon de la pomme de l'an prochain. C'est la pousse, dit-il. Si vous arrachez la pousse, vous cueillez deux années d'un seul coup.

Il montra à Melony comment on fait tourner le fruit.

« On tourne, on ne tire pas, lui expliqua-t-il.

Melony tendit le bras vers l'arbre et cueillit une pomme en tournant. D'un geste correct : elle regarda le régisseur et haussa les épaules. Elle donna un coup de dent à la pomme, qui n'était pas mûre ; elle cracha la bouchée et jeta la pomme dans le champ.

« C'est une Northern Spy, expliqua le régisseur. Nous les cueillons en dernier ; elles ne sont pas prêtes avant octobre.

Melony, que tout cela assommait, reprit le chemin du comptoir de vente.

« Je vous donnerai dix *cents* le boisseau ! lui lança le régisseur. Seulement cinq *cents* le boisseau pour les tombées, ou si vous blessez les fruits ! Vous avez l'air assez costaud, continua-t-il en lui emboîtant le pas. Si vous prenez bien le coup, vous pourrez ramasser jusqu'à quatre-vingt-dix boisseaux par jour. J'ai eu des gars, ici, qui faisaient cent boisseaux. Ça représente dix tickets par jour... Revenez dans trois semaines, ajouta-t-il en s'arrêtant à côté des deux femmes qui préparaient toujours leur écriteau.

Melony était déjà revenue sur la route.

— Dans trois semaines, je serai ailleurs, dit-elle au régisseur.

— Dommage, répondit-il.

Il la regarda suivre la route en direction de la côte.

« Elle a l'air costaud, lança-t-il à l'une des femmes du comptoir. Je parie qu'elle pèse bien soixante-quinze kilos.

— Ce n'est qu'une traîne-savates, répondit la femme.

A moins de deux kilomètres de là, Melony passa devant un verger où deux hommes ramassaient des Gravenstein. L'un d'eux fit signe à Melony. Elle faillit lui répondre mais se ravisa. A peine avait-elle parcouru cent mètres qu'elle entendit la camionnette des hommes derrière elle. Ils ralentirent à sa hauteur, contre le bas-côté, et le conducteur lui lança :

— Vous avez l'air d'avoir perdu votre amoureux. Une chance que vous m'ayez trouvé.

L'homme du côté du passager ouvrit la porte avant que la camionnette ne s'arrête de rouler.

— Tu as intérêt à me laisser tranquille, corniaud, répondit Melony au conducteur — mais l'autre homme avait déjà contourné la camionnette et se rapprochait.

Melony sauta par-dessus le fossé de la route et s'enfuit dans le verger. L'homme la poursuivit en poussant des cris d'orfraie. Le conducteur coupa le moteur et se joignit à la chasse à courre — tellement pressé qu'il en oublia de refermer sa portière.

Il n'y avait aucun endroit où se cacher, mais les vergers s'éten-daient, semblait-il, jusqu'à l'infini. Melony courut entre les arbres, descendit un rang puis remonta un autre. Le premier homme qui la poursuivait gagnait du terrain, mais elle remarqua que le conducteur prenait de plus en plus de retard ; il était gros et lent, et au bout de cinq ou six arbres il s'était mis à souffler comme un phoque. Melony haletait elle aussi, mais elle courait avec une puissance égale, sûre d'elle, et, bien que le premier homme, le plus petit, gagnât du terrain, elle l'entendait souffler de plus en plus fort.

Elle traversa un chemin de terre et s'engagea dans un autre verger. Loin derrière elle, peut-être à deux ou trois cents mètres, elle vit que le gros conducteur avait ralenti : il marchait à présent d'un pas déterminé.

— Attrape-la, Charley ! cria-t-il au rapide.

A la vive surprise de Charley, Melony s'arrêta brusquement et lui fit face. Elle retrouva son souffle très vite puis s'élança *vers* Charley — jambes pliées, près du sol, avec une sorte de râle félin dans sa gorge, et le nommé Charley n'eut pas le temps de s'arrêter pour reprendre haleine avant qu'elle se jette sur lui. Ils tombèrent ensemble et, quand Melony sentit son genou contre la gorge de l'homme, elle força de tout son poids. Charley fit un bruit d'étouffement et roula sur le côté. Melony se releva d'un bond ; elle sauta deux fois à pieds joints sur son visage, et quand Charley parvint à se retourner, à quatre pattes, elle bondit le plus haut qu'elle put et atterrit, toujours à pieds joints, sur le creux des reins de son adversaire. Il avait déjà perdu conscience quand elle lui bloqua les deux bras dans le dos et lui mordit l'oreille ; elle sentit ses dents se rejoindre. Elle le lâcha et s'agenouilla à côté de lui, le temps de reprendre son souffle, puis elle lui cracha dessus. Quand elle se releva, elle vit que le gros bonhomme venait de traverser le chemin de terre et d'entrer dans le deuxième verger.

« Charley ! Lève-toi ! cria-t-il, haletant.

Mais Charley ne bougea pas.

Melony fit rouler Charley sur le dos et défit sa ceinture. Elle la retira des passants à grands coups secs, puis la prit bien en main. Le gros homme, le conducteur de la camionnette, n'était plus qu'à trois ou quatre pommiers d'elle. Elle enroula le bout de la ceinture deux fois autour de son poignet et de son poing ; quand elle laissa pendre le bras le long de la hanche, la boucle de la ceinture lui toucha le bout du pied. Le gros homme s'arrêta à deux arbres d'elle.

« Qu'est-ce que vous avez fabriqué à Charley ? lui demanda-t-il, mais Melony se mit à faire tourner la ceinture en moulinets de plus en plus rapides, au-dessus de sa tête.

La boucle carrée de cuivre commença à siffler. Melony avança vers le gros conducteur, qui approchait de la cinquantaine ou l'avait même dépassée ; le peu de cheveux qu'il lui restait tournait au gris, et il était précédé par une belle panse. Il conserva sa position pendant un

297

instant, les yeux fixés sur Melony qui se rapprochait. La ceinture était une large bande de cuir tachée de sueur et de graisse ; la boucle de cuivre avait la taille de la main d'un homme ; avec ses bords carrés, elle sifflait dans le vide comme le vent du nord — on eût dit le bruit d'une faux.

« Hé ! dit le gros.

— Hé *quoi*, salopard ? répondit Melony.

Elle abaissa brusquement la ceinture, et la boucle claqua sur un des mollets de l'homme, où elle arracha un bout de blue-jean et de peau qui ressemblait à un billet d'un dollar froissé. Quand l'homme se baissa pour se tenir la jambe, la boucle lancée à toute volée le frappa sur le côté du visage ; il s'assit soudain et porta la main à sa joue, où il découvrit une entaille, de la longueur et de la grosseur d'une cigarette. Sans lui laisser le temps d'examiner la plaie, la boucle le frappa en plein sur l'arête de son nez — la violence du coup (et la douleur) l'aveugla un instant. Il tenta de se protéger la tête avec un bras, tout en essayant d'attraper Melony avec l'autre, à tâtons, mais elle n'eut aucun mal à le frapper partout, et il se hâta de remonter les genoux contre sa poitrine et de se couvrir la tête avec les deux bras. La boucle racla et tailla son échine pendant un moment ; puis Melony cessa d'utiliser le côté boucle de la ceinture — elle se mit à le cingler avec le cuir plat, sur l'arrière des cuisses et sur le derrière. Elle ne semblait pas du tout prête à s'arrêter.

« Les clés sont dans la camionnette, saligaud ? lui demanda-t-elle entre deux coups.

— Oui ! cria-t-il.

Mais elle le frappa encore un moment avant de l'abandonner.

Elle emporta la ceinture, traversa tranquillement le premier verger, en fouettant de temps en temps une pomme avec le bout du cuir — elle était devenue très habile.

Le nommé Charley reprit conscience, mais ne bougea pas ni n'ouvrit les yeux.

« Est-ce qu'elle est partie, Charley ? demanda le gros au bout d'un moment, car il n'avait pas bougé ni ouvert les yeux lui non plus.

— Je l'espère bien, répondit Charley.

Mais ni l'un ni l'autre ne bougea avant d'entendre Melony lancer le moteur de la camionnette.

Il lui vint à l'esprit qu'elle était redevable au Dr Larch d'avoir obtenu jadis un emploi où elle avait appris à conduire, mais ce ne fut qu'une pensée fugitive. Elle fit faire demi-tour à la camionnette et revint au comptoir de vente, où le régisseur fut surpris de la voir.

298

Elle lui déclara, devant les femmes qui travaillaient encore à la pancarte, que deux des hommes du verger avaient tenté de la violer. L'un des deux, le gros, était le mari de la femme qui peignait les lettres sur l'écriteau. Melony demanda au régisseur de mettre ces deux hommes à la porte et de lui donner leurs places :

— Je peux faire seule ce qu'ils faisaient à deux, et sûrement bien mieux qu'eux.

Ou sinon, continua-t-elle, le régisseur pouvait appeler la police, et elle expliquerait comment elle avait été agressée. La femme dont le mari avait attaqué Melony, très pâle, garda le silence, mais l'autre répéta au régisseur ce qu'elle lui avait déjà dit :

— Ce n'est qu'une traîne-savates. Pourquoi l'écoutez-vous donc ?

— Je peux faire aussi tout ce que tu fais, dit Melony à la femme. Surtout tout ce que tu fais à l'horizontale. T'as l'air d'être une vraie merde quand t'es sur le dos.

Et elle fit claquer le cuir de la ceinture en direction de la femme, qui s'écarta d'un bond comme s'il s'agissait d'un serpent.

— Eh ! c'est la ceinture de Charley, dit le régisseur.

— D'accord ! répondit Melony — et cet écho d'Homer Wells faillit lui faire monter les larmes aux yeux. Charley l'a perdue, ajouta-t-elle.

Elle retourna à la camionnette et en sortit son baluchon — ses quelques affaires, enveloppées dans le manteau de Mme Grogan. Elle se servit de la ceinture pour attacher plus solidement le manteau et son contenu.

— Je ne peux pas mettre ces types à la porte, lui dit le régisseur. Ils ont travaillé ici toute leur vie.

— Alors appelez la police, répliqua Melony.

— Elle crâne, lança au régisseur l'épouse du gros.

— Essaie donc voir ! dit Melony.

Le régisseur installa Melony confortablement dans la cidrerie.

— Vous pouvez rester ici, en tout cas jusqu'à l'arrivée des ramasseurs, lui dit-il. Je ne sais pas si vous aurez envie d'y rester quand ils seront là. Parfois, il y a des femmes avec eux, et parfois même des gosses, mais si ce n'est que des hommes, je ne crois pas que vous aurez envie de rester là. Ce sont des nègres.

— Ça fera l'affaire pour l'instant de toute façon, répondit Melony en regardant autour d'elle.

Il y avait moins de lits que dans le chai à cidre des Worthington, et c'était beaucoup moins net et propre. York Farm paraissait beaucoup plus petit et plus pauvre qu'Ocean View, personne ne s'y souciait du logement des saisonniers ; York Farm n'avait pas son Olive Worthington. L'odeur de vinaigre y demeurait plus forte et, derrière le pressoir, les blocs de marc séché collaient au mur comme des gales. Le coin-cuisine ne possédait pas de four — seulement une plaque chauffante, qui avait tendance à faire sauter les vieux fusibles. La même boîte de fusibles servait pour la pompe, le broyeur et les ampoules du plafond, toutes très faibles ; l'ampoule du réfrigérateur était grillée, mais cela permettait de moins voir la moisissure.

C'était parfait pour Melony, qui avait contribué de façon décisive à l'histoire de plus d'une pièce dégradée, aussi bien dans la partie abandonnée que dans la partie habitée de Saint Cloud's.

— Cet Ocean View, celui que vous cherchez, lui demanda le régisseur, comment se fait-il que vous le cherchiez ?

— C'est mon petit ami que je cherche, lui répondit Melony.

Elle a un *petit ami* ? s'étonna le régisseur.

Il alla prendre des nouvelles des hommes. Le gros, que sa femme avait accompagné à l'hôpital (sans lui dire un mot, et elle ne lui adresserait pas la parole pendant trois mois), avait l'air assez paisible au milieu de tous ses points de suture, mais il prit le mors aux dents quand le régisseur lui apprit qu'il avait installé Melony dans la cidrerie et lui avait donné du travail — au moins jusqu'à la fin de la récolte

— Vous lui avez donné du travail ! cria le gros. C'est un tueur !

— Alors t'as intérêt à pousser ton cul hors de son chemin, lui répondit le régisseur. Si tu bronches, je serai obligé de te virer — elle a déjà failli me forcer à le faire.

Le gros avait le nez cassé, plus un total de quarante et un points de suture, trente-sept sur le visage et quatre sur la langue, où il s'était mordu.

Le nommé Charley s'en était mieux sorti, rayon couture. Quatre points seulement — pour refermer la morsure de son oreille. Mais, en lui sautant dessus, Melony lui avait cassé deux côtes ; en lui trépignant sur la tête, elle avait provoqué une commotion cérébrale ; et il avait dans le bas du dos des spasmes musculaires si fréquents qu'il ne pourrait pas monter sur une échelle avant la fin de la cueillette.

— Sainte garce ! dit Charley au régisseur. J'ai pas envie de me trouver nez à nez avec le fils de pute qui lui sert de petit ami.

— Ne croise pas son chemin, c'est tout, lui conseilla le régisseur

— Elle a encore ma ceinture ? s'enquit Charley.

— Si tu lui demandes de te la rendre, je serai obligé de te virer Achètes-en une neuve, lui dit le régisseur.

— Vous ne me verrez jamais rien lui demander, répliqua Charley

Elle n'a pas dit que son petit ami allait venir ici, j'espère ? demanda-t-il — et le régisseur lui expliqua que si Melony cherchait le petit ami, c'est qu'il ne lui avait pas envoyé son adresse ; il avait dû la plaquer.

— Et que Dieu l'assiste, s'il l'a plaquée, dit le régisseur — à plusieurs reprises.

— Et alors ? dit la femme du comptoir de vente qui avait traité Melony de traîne-savates. Si vous aviez une femme comme celle-là, vous n'essaieriez pas de la quitter ?

— Primo, répondit le régisseur, jamais je n'aurais une femme comme ça. Deuzio, si je l'*avais*, jamais je ne la quitterais — je n'oserais pas.

Dans la cidrerie d'York Farm — quelque part dans l'arrière-pays d'York Harbor, quelque part à l'ouest d'Ogunquit, avec plusieurs centaines de kilomètres de côtes entre Homer Wells et elle —, Melony, allongée sur son lit, écoutait les souris. Parfois elles détalaient, parfois elles grignotaient. La première souris qui eut la hardiesse de traverser en courant le bas du matelas de Melony fut frappée si fort avec la boucle de la ceinture de Charley qu'elle survola quatre lits d'un coup et heurta le mur avec un bruit mou. Melony se hâta de la ramasser — elle était bien morte, l'échine brisée. A l'aide d'un crayon à papier sans mine, Melony réussit à caler la souris morte en position assise sur sa table de nuit — une caisse à pommes retournée, qu'elle poussa ensuite au pied de son lit. Elle était persuadée que la souris morte fonctionnerait comme une sorte de totem, pour avertir les autres souris de se tenir à l'écart ; du reste aucune souris n'ennuya Melony pendant plusieurs heures. Elle se mit à lire *Jane Eyre* à la lumière faible — et tout autour d'elle les vergers sombres et vides n'en finissaient pas de mûrir.

Elle relut, deux fois, le passage vers la fin du chapitre XXVII qui se termine par : *Des opinions préconçues, des solutions décidées d'avance — c'est tout ce qu'il me reste pour me soutenir à présent : là je plante mon pied.*

Sur ces mots, elle referma le livre et éteignit la lumière. Elle s'allongea bravement sur le dos, ses larges narines pleines d'air amer, parfumé au vinaigre de cidre — le même air que sent Homer Wells, se dit-elle. Juste avant de s'endormir, elle murmura — bien que seules les souris pussent l'entendre — : « Bonne nuit, Rayon-de-soleil. »

Le lendemain, il plut. Il plut de Kennebunkport à Christmas Cove. Le vent du nord-est était si fort que les drapeaux des bateaux amarrés à l'Haven Club, quoique saturés de pluie, se tournaient vers la côte et lançaient des claquements secs aussi incessants que le frottement du langoustier de Ray Kendall contre les vieux pneus usés jusqu'à la corde qui rembourraient sa jetée.

Ray passerait la journée sous le John Deere, dans le bâtiment Numéro Deux ; alternativement, il remonterait le collecteur d'échappement du tracteur et piquerait un petit somme. C'était l'endroit où il dormait le mieux : sous un gros véhicule qu'il connaissait bien. Jamais nul ne s'en apercevait ; parfois ses jambes sortaient de sous le moteur dans une posture tellement étalée qu'il avait l'air mort — renversé ou écrasé. Un des ouvriers du verger, surpris de le voir là, lui criait :

— Ray ? C'est vous ?

Sur quoi, tel le Dr Larch émergeant de l'éther, Ray Kendall s'éveillait et lançait :

— Voilà ! Je suis là !

— Quel boulot, hein ? demandait l'autre, inquiet.

— Ouais, disait Ray. Quel boulot !

La pluie tombait comme de la grêle, le vent soufflait si fort de la mer que les mouettes gagnaient les terres. A York Farm, elles se tassèrent contre la cidrerie et leur agitation éveilla Melony ; à Ocean View, elles envahirent le toit de tôle du chai à cidre, où une équipe de nettoyage et de peinture avait repris le travail.

Grace Lynch, comme toujours, avait la plus mauvaise place : elle astiquait le réservoir à cidre de quarante hectolitres ; elle s'était agenouillée dans la cuve et le bruit de ses mouvements à l'intérieur suggérait aux autres une sorte d'énergie furtive, comme si un animal chipotait, pour son nid ou pour son dîner. Meany Hyde avait quitté la cidrerie pour ce que sa femme, Florence, appelait « une autre course bidon ». Meany avait décidé que la courroie de ventilateur du convoyeur était trop lâche ; il l'avait enlevée en disant qu'il allait l'apporter à Ray Kendall, pour voir ce que Ray pourrait y faire.

— Et qu'est-ce que Ray va donc faire à une courroie de ventilateur détendue ? demanda Florence à Meany. En commander une neuve ou couper un bout de celle-là — pas vrai ?

— Je suppose, répondit Meany sans s'engager.

— Et quel besoin as-tu du convoyeur aujourd'hui ? demanda Florence.

— Je vais seulement l'apporter à Ray ! dit Meany excédé.

— Tu n'as pas envie de te casser les reins au travail, c'est ça ? lança Florence — et Meany sortit de son pas traînant sous la pluie.

En montant dans la camionnette il sourit et lança un clin d'œil à Homer Wells.

302

« J'ai un mari paresseux, déclara Florence d'un ton joyeux.

— Ça vaut mieux que certains, d'une autre espèce, répondit Irene Titcomb — et tout le monde machinalement regarda dans la direction de la cuve de quarante hectolitres que Grace Lynch frottait avec l'énergie du désespoir.

Irene et Florence, qui avaient des mains patientes et précises, peignaient des châssis et les appuis des fenêtres, dans l'aile « dortoir » du chai à cidre. Homer Wells, la grosse Dot Taft et Debra Pettigrew, la sœur de la grosse Dot, peignaient la cuisine à coups de pinceaux plus désinvoltes.

— Vous ne pensez pas que je vous serre de trop près, j'espère ? dit la grosse Dot à Debra et à Homer. Je ne suis pas votre chaperon, ni rien. Si vous voulez disparaître, ne vous privez pas.

Debra Pettigrew parut gênée et furieuse ; Homer sourit timidement. N'était-ce pas drôle : vous avez deux ou trois rendez-vous avec quelqu'un — juste pour s'embrasser et se caresser ici et là — et tout le monde se met à vous parler comme si vous étiez en train de *faire ça* dans votre tête à chaque minute. L'esprit d'Homer était davantage occupé par Grace Lynch, dans la cuve, que par Debra Pettigrew à deux pas de lui, en train de peindre le même mur. Quand Homer atteignit l'interrupteur près de la porte de la cuisine, il demanda à la grosse Dot Taft s'il devait peindre autour ou laisser Florence et Irene, avec leurs petites brosses, faire une finition plus nette.

« Peins par-dessus, répondit la grosse Dot Taft. On fait comme ça tous les ans. On donne à la pièce un air neuf et propre. On n'essaie pas de gagner un concours de décoration.

A côté du bouton électrique, une punaise fixait au mur une feuille de papier-machine — les lettres étaient très pâles pour avoir reçu trop longtemps la lumière du soleil, par les fenêtres sans rideaux de la cuisine. Il s'agissait d'une sorte de liste ; le quart de la page, vers le bas, avait été déchiré ; quoi que ce fût, c'était incomplet. Homer arracha la punaise du mur et il aurait froissé la feuille pour la jeter vers le baquet d'ordures si la première ligne dactylographiée n'avait attiré son attention.

RÈGLEMENT DE LA CIDRERIE

disait la première ligne.

Quel règlement ? se demanda-t-il en lisant la page. Les diverses règles étaient numérotées.

1. Ne pas faire marcher le broyeur ou le pressoir après avoir bu.

2. Ne pas fumer au lit, ni utiliser de bougies.

3. Ne pas monter sur le toit après avoir bu — surtout la nuit.

4. Nettoyer les toiles du pressoir le jour ou la nuit même de leur utilisation.

5. Enlever le filtre immédiatement après la pressée et le nettoyer au jet AVANT QUE LE MARC AIT SÉCHÉ DESSUS !

6. Ne pas emporter de bouteilles sur le toit.

7. Ne jamais dormir — même si vous avez très chaud (ou si vous avez bu) — dans la chambre froide.

8. Donnez vos listes de courses au chef d'équipe à sept heures du matin.

9. Il ne doit y avoir à aucun moment plus de six personnes sur le toit.

S'il existait d'autres règles, Homer ne put les lire parce que la page avait été arrachée. Il tendit le papier déchiré à la grosse Dot Taft.

— Qu'est-ce que c'est, cette histoire de toit ? demanda-t-il à Debra Pettigrew.

— Depuis le toit, on peut voir l'océan, dit Debra.

— C'est pas ça, lança la grosse Dot Taft. La nuit, on peut voir la Grande Roue et les lumières du parc d'attractions de Cape Kenneth.

— La belle affaire ! dit Homer Wells.

— Ce n'est pas une affaire pour moi non plus, répondit la grosse Dot Taft, mais les mal-blanchis aiment vraiment ça.

— Des fois, ils restent assis sur le toit toute la nuit, dit Debra Pettigrew.

— Des fois, ils se soûlent là-haut, et ils tombent, annonça Florence Hyde depuis le dortoir.

— Ils cassent des bouteilles là-haut, et ils se coupent partout, ajouta Irene Titcomb.

— Oh, pas toutes les nuits, non..., dit la grosse Dot Taft.

— Et un soir, l'un d'eux s'est tellement soûlé, il a tellement transpiré en serrant le pressoir, qu'il s'est évanoui dans la chambre froide et s'est réveillé avec une pneumonie, dit Debra Pettigrew.

— On ne se « réveille pas avec une pneumonie », corrigea Homer Wells. C'est plus compliqué que ça.

— Excuse-*moi* ! répondit Debra, boudeuse.

— De toute manière, personne n'y fait attention, à ce règlement, dit la grosse Dot Taft. Chaque année Olive l'affiche, et, chaque année, personne n'y fait attention.

— Tous ces ramasseurs qu'on a eus, ce ne sont que des enfants, commenta Florence Hyde. Si Olive n'allait pas faire leurs courses tous les jours, ils crèveraient de faim.

— Ils ne s'organisent jamais, dit Irene Titcomb.

— L'un d'eux s'est fait prendre le bras entier dans le broyeur, rappela la grosse Dot Taft. Pas seulement la main, l'imbécile ! le bras entier.

— Beurk ! dit Debra Pettigrew.

— Beurk, tu peux le dire : vraiment moche, son bras ! dit Florence Hyde.

— Combien de points de suture ? demanda Homer Wells.

— Tu es vraiment curieux, tu sais ? lui lança Debra Pettigrew.

— Ma foi, ils ne font jamais de mal qu'à eux-mêmes ! conclut Irene Titcomb, philosophe. Quelle importance, s'ils ont envie de trop boire et de rouler du toit ? Il n'y a jamais eu de mort ici, non ?

— Pas encore, répondit la petite voix tendue de Grace Lynch, ses paroles étrangement amplifiées du fait qu'elle parlait du fond de la cuve de quarante hectolitres.

La combinaison de l'étrangeté de sa voix et de la rareté de ses contributions à la conversation générale provoqua un silence complet.

Ils s'étaient tous remis au travail quand Wally arriva dans la fourgonnette verte avec Louise Tobey ; il déposa Louise avec son bidon et sa brosse, puis demanda à tous les autres s'ils avaient besoin de quelque chose — des brosses ? de la peinture ?

— Seulement un baiser, mon chou, lança Florence Hyde.

— Emmène-nous donc au cinéma, dit la grosse Dot Taft.

— Demande-moi en mariage. *Demande-moi* ma main, c'est tout ! cria Irene Titcomb.

Tout le monde riait quand Wally s'en alla. C'était presque l'heure du déjeuner, et chacun savait que Pince-moi Louise était en retard pour venir au travail. D'habitude, elle arrivait avec Herb Fowler, plus ou moins à l'heure. Elle avait l'air de faire la tête, ce matin-là, et personne ne lui adressa la parole pendant un moment.

— Voyons, dit la grosse Dot Taft au bout de quelques minutes, tu peux avoir tes règles ou je ne sais quoi, et dire quand même bonjour.

— Bonjour, bougonna Louise Tobey.

— Tra-la-la ! dit Irene Titcomb.

Debra Pettigrew donna un coup de hanche à Homer ; quand il la regarda, elle lui fit un clin d'œil. Rien d'autre ne se passa jusqu'au moment où Herb Fowler vint proposer d'emmener tout le monde déjeuner en voiture à la gargote de Drinkwater Road.

Homer regarda vers la cuve mais Grace Lynch n'apparut pas par-dessus le bord ; ses grattements et ses crissements continuèrent dans le fond. De toute façon, elle n'aurait pas accepté l'invitation. Homer se dit qu'il ferait mieux de l'accepter, pour échapper à Grace Lynch, mais il s'était promis d'examiner le toit de la cidrerie — il voulait trouver l'endroit qui avait scintillé si mystérieusement vers lui au clair de lune ; et maintenant qu'il connaissait le règlement de la cidrerie, et savait que du toit on pouvait voir l'océan — et la Grande Roue Ferris de Cape Kenneth —, il avait envie d'y grimper. Même sous la pluie.

Il sortit avec tous les autres, persuadé que Grace Lynch le supposerait parti avec eux, puis il dit à Herb Fowler, au milieu du chemin, qu'il avait l'intention de rester. Il sentit un doigt l'accrocher par la poche de son blue-jean, sur le devant, et quand Herb et les autres eurent disparu, il regarda dans sa poche et découvrit la capote anglaise. La présence du préservatif sur lui le poussa à monter en toute hâte sur le toit du chai à cidre.

Son arrivée là-haut surprit les mouettes — et leur envol soudain, au milieu des cris rauques, le surprit, *lui ;* il ne les avait pas remarquées, blotties sur la pente du toit du côté opposé du faîte — à l'abri du vent. Sous la pluie, le toit était glissant ; il dut agripper les ondulations de la tôle à deux mains et poser les pieds très près l'un de l'autre à mesure qu'il grimpait. La pente n'était pas trop raide, sinon il aurait été totalement incapable de monter. A sa vive surprise, il trouva un certain nombre de planches — de vieilles lattes de dix centimètres de largeur — clouées en haut du toit du côté de la mer. Des bancs ! se dit-il. Malgré la pente ils étaient plus confortables que la tôle ondulée, pour s'asseoir. Il s'y assit sous la pluie et essaya d'imaginer le plaisir de la vue, mais le temps était beaucoup trop couvert pour qu'il distingue les vergers les plus éloignés ; quant à l'océan, il était complètement dans le gris, et Homer dut imaginer où seraient, par nuit claire, la Grande Roue et les lumières du parc d'attractions de Cape Kenneth.

Il commençait à se tremper et il allait descendre lorsqu'il vit le couteau. Un gros couteau pliant, la lame plantée dans la planche, en haut du toit, non loin de lui ; le manche, en fausse corne, était fendu en deux endroits et, quand Homer Wells essaya d'extraire la lame du bois, le manche se brisa dans sa main. Sans doute l'avait-on abandonné là pour cette raison. Une fois le manche brisé, le couteau ne pourrait plus se refermer normalement ; il serait dangereux de le porter ainsi — et d'ailleurs la lame était rouillée. Tout le toit était rouillé, remarqua Homer ; il n'y avait pas un seul point assez brillant pour réfléchir le clair de lune jusqu'à la chambre de Wally. Ensuite, il remarqua le verre brisé ; de gros morceaux coincés dans les sillons de la tôle ondulée. C'était sans doute un de ces fragments qui avait reflété la lune, se dit Homer.

Du verre de bouteille de bière et du verre de bouteille de rhum, du verre de bouteille de whisky et du verre de bouteille de gin, supposa-t-il. Il essaya d'imaginer les Noirs en train de boire sur le toit, la nuit ; mais la pluie l'avait trempé jusqu'aux os, et maintenant le vent le glaçait. En redescendant lentement du toit — vers l'endroit où sauter au sol présenterait le moins de danger — il se coupa la main (juste une petite entaille) sur un morceau de verre qu'il n'avait pas vu. A son retour dans la cidrerie, la coupure saignait abondamment — beaucoup de sang pour une si petite plaie, se dit-il, et il se demanda s'il ne restait pas un minuscule bout de verre à l'intérieur. Grace Lynch dut l'entendre rincer la blessure dans l'évier de la cuisine (si elle ne l'avait pas entendu sur le toit). A la surprise d'Homer, Grace se trouvait encore dans la cuve de quarante hectolitres.

— Aidez-moi, lui cria-t-elle. Je ne peux pas sortir.

C'était un mensonge ; elle essayait seulement de l'attirer au bord de la cuve. Mais les orphelins sont crédules par nature ; la vie dans un orphelinat est toute simple ; par comparaison, le moindre mensonge paraît plus élaboré. Homer Wells s'avança vers le bord de la cuve d'un pas ferme, quoique le cœur battant. La vivacité des mains fines de Grace et la force nerveuse avec laquelle elle lui saisit les poignets le surprirent ; il faillit perdre l'équilibre — il bascula presque dans la cuve, sur elle. Grace Lynch avait enlevé tous ses vêtements, mais l'extrême précision du dessin de ses os sous la peau frappa davantage Homer que tout ce que sa nudité pouvait révéler d'autre. On eût dit un animal affamé, enfermé dans un piège plus ou moins humain ; humain, sauf que l'on pouvait voir, à ses bleus, que son ravisseur la battait avec violence et régularité. Les plus gros bleus se trouvaient sur ses hanches et ses cuisses ; le violet le plus profond était celui des empreintes de pouces à l'arrière des bras, et il y avait une ecchymose jaune tournant au vert sur l'un de ses petits seins — qui semblaient particulièrement en colère.

— Laissez-moi partir, dit Homer Wells.

— Je sais ce qu'on fait, à l'endroit d'où tu viens ! cria Grace Lynch en lui tirant les poignets.

— D'accord, répondit Homer Wells.

Systématiquement, il se mit à décrocher les doigts de Grace, mais elle remonta le long de la paroi de la cuve et lui mordit le dos de la main. Il dut la repousser, et il lui aurait sûrement fait mal s'ils n'avaient pas tous les deux entendu arriver Wally dans la fourgonnette verte, au milieu des flaques. Grace Lynch lâcha Homer et se hâta de remettre ses vêtements. Wally resta au volant, sous la pluie battante, et klaxonna à plusieurs reprises. Homer courut voir ce qu'il désirait.

— Monte ! lui cria Wally. Nous devons aller au secours de mon idiot de père — il s'est fourré dans je ne sais quel pétrin, chez Sanborn.

Pour Homer Wells, qui avait grandi dans un monde sans parents, ce fut un choc d'entendre quelqu'un ayant un père traiter celui-ci d'idiot, même si c'était vrai. Il y avait un sac de dix litres de Gravenstein sur le siège du passager, et Homer prit les pommes sur ses genoux tandis que Wally suivait Drinkwater Road en direction du Grand Bazar Sanborn. Les propriétaires, Mildred et Bert Sanborn, comptaient parmi les plus anciens amis de Senior ; ils avaient fréquenté la même école que lui et Senior était même sorti avec Milly, dans le temps (avant qu'il ne rencontre Olive, et que Milly n'épouse Bert).

La Quincaillerie-plomberie Titus se trouvait à côté de chez les Sanborn. Quand Wally et Homer arrivèrent à Heart's Rock, Warren Titus, le plombier, se tenait sous la galerie du bazar et ne laissait entrer personne.

— Heureusement que tu arrives, Wally, lança Warren quand les deux jeunes gens s'élancèrent sous la galerie. Ton père a vraiment le cul à rebrousse-poil.

Dans le magasin, Homer et Wally virent aussitôt que Mildred et Bert Sanborn avaient — pour le moment — acculé Senior dans un recoin d'étagères réservé aux fournitures pour pâtisserie ; Senior avait jonché le sol, semblait-il, et aspergé presque tout son corps, avec la farine et le sucre à portée de sa main. Son air traqué rappela Grace Lynch à Homer.

— Quel est le problème, p'pa ? demanda Wally à son père.

En voyant Wally, Mildred Sanborn poussa un soupir de soulagement, mais Bert ne quitta pas Senior du regard.

— Problème p'pa, dit Senior.

— Il s'est mis en rage parce qu'il ne pouvait pas trouver les aliments pour chien, dit Bert à Wally sans tourner la tête — il s'attendait à voir Senior se jeter à tout moment sur une autre partie du magasin pour le saccager.

— Pourquoi voulais-tu des aliments pour chien, p'pa ? demanda Wally à son père.

— Pour chien p'pa, répéta Senior.

— C'est comme s'il ne se souvenait de rien, Wally, dit Bert Sanborn.

— Nous lui avons bien dit qu'il n'avait pas de chien, dit Mildred.

— Je me souviens de t'avoir grimpée, Milly! cria Senior.

— Voilà qu'il remet ça! dit Bert. Senior, Senior, continua-t-il gentiment. Nous sommes tous amis ici.

— Il faut que je donne à manger à Blinky, dit Senior.

— Il avait un chien qui s'appelait comme ça, quand il était gosse dit Milly Sanborn à Wally.

— Si Blinky était encore vivant, Senior, raisonna Bert Sanborn, il serait plus vieux que nous tous.

— Vieux que nous tous, dit Senior.

— Rentrons à la maison, p'pa, supplia Wally.

— La maison, p'pa, dit Senior.

Mais il laissa Homer et Wally le conduire vers la voiture.

— Je te le dis, Wally, ce n'est pas la gnôle, lança Warren Titus en leur ouvrant la porte latérale de la fourgonnette. Cette fois, il n'y a rien dans son haleine, rien.

— C'est autre chose, Wally, confirma Bert Sanborn.

— Qui êtes-vous? demanda Senior à Homer.

— Je suis Homer Wells, monsieur Worthington.

— Monsieur Worthington, dit Senior.

Après cinq minutes de trajet en silence, Senior cria :

« Vos gueules, tout le monde! »

A leur arrivée à Ocean View, Olive attendait la fourgonnette dans l'allée. Sans un regard pour Senior, elle s'adressa à Wally.

— Je ne sais pas ce qu'il a bu ce matin, à moins que ce ne soit de la vodka ; il n'avait rien dans son haleine à son départ. Je ne lui aurais pas laissé prendre une voiture si j'avais pensé qu'il avait bu.

— Je crois que c'est autre chose, m'man, répondit Wally.

Avec l'aide d'Homer, il conduisit Senior dans sa chambre, lui ôta ses chaussures et l'invita à s'allonger sur le lit.

— Tu sais, j'ai grimpé Milly dans le temps, dit Senior à son fils.

— Bien sûr, p'pa.

— J'ai grimpé Milly! J'ai grimpé Milly! dit Senior.

Wally essaya de mettre Senior de bonne humeur en lui récitant un *limerick ;* Senior avait appris beaucoup de limericks à Wally, mais il avait du mal à se les rappeler, maintenant ; même si Wally les lui soufflait vers après vers

309

— Tu te souviens de la duchesse d'Évian, p'pa ? demanda Wally à son père.

— Bien sûr, répondit Senior — mais il n'ajouta pas un mot.

— *Oh, pitié pour la duchesse d'Évian !* commença Wally — mais Senior se contenta d'écouter. *Elle a le con tellement déviant,* dit Wally.

— Déviant ? lança Senior.

Wally essaya encore, deux vers à la fois :

> Oh pitié pour la duchesse d'Évian !
> Elle a le con tellement déviant.

« Tellement déviant ! chanta Senior à tue-tête.

> Oh pitié pour la duchesse d'Évian !
> Elle a le con tellement déviant,
> Que la pauv' garce se turlupine :
> « Il me faudrait une barre à mine
> Pour foutre un mec dans mon soufflant [25]. »

Mon Dieu ! pensa Homer Wells. Mais Senior parut déconcerté et se tut. Wally et Homer le quittèrent dès qu'ils le crurent endormi.

En bas, Homer Wells dit à Olive et à Wally qu'il croyait à un trouble neurologique.

— Neurologique ? s'écria Olive.

— Qu'est-ce que ça veut dire ? demanda Wally.

Ils entendirent Senior crier d'en haut « Soufflant ! », à tue-tête.

Homer Wells, qui avait eu l'habitude de répéter les fins de phrase, savait que les répétitions de Senior n'étaient pas normales. Ce fut le premier symptôme qu'il décrivit dans sa lettre au Dr Larch au sujet de Senior Worthington. « Il répète tout », écrivit-il. Il nota aussi que Senior semblait oublier les noms des objets les plus ordinaires ; bloqué alors qu'il demandait une cigarette à Wally, Senior s'était borné à montrer la poche de chemise de son fils. « Je crois que le mot *cigarette* lui échappait », écrivit Homer Wells. Il avait également remarqué que Senior n'avait pas pu faire fonctionner la serrure de la boîte à gants, la dernière fois qu'Homer l'avait conduit au magasin Sanborn pour des courses banales. Et Senior avait la fort curieuse habitude d'épousseter tout le temps ses vêtements « comme s'il croyait avoir de la poussière, des cheveux ou des peluches sur son costume, écrivit Homer Wells, alors qu'il n'y a rien ».

Olive Worthington assura à Homer que le médecin de famille, un

310

barbon encore plus vieux que le Dr Larch, estimait sans le moindre doute que les problèmes de Senior étaient « liés à l'alcool ».

— Doc Perkins est trop vieux pour être encore docteur, m'man, dit Wally.

— Doc Perkins t'a mis au monde — je crois qu'il sait ce qu'il fait, répliqua Olive.

— Je parie que j'ai été facile à mettre au monde, lança Wally d'un ton joyeux.

Je le parierais aussi, imagina Homer. Il voyait bien que Wally tenait tout pour acquis, dans le monde — sans égoïsme, d'ailleurs, ni comme un enfant gâté, mais comme un prince du Maine, comme un roi de Nouvelle-Angleterre ; Wally était né pour régner.

La réponse du Dr Larch à Homer Wells lui fit un tel effet qu'il la montra immédiatement à Mme Worthington.

« Ce que tu m'as décrit, Homer, possède tous les caractères d'un syndrome cérébral organique en évolution, écrivait le Dr Larch. Chez un homme de cet âge, il existe un certain éventail de diagnostics possibles. Je dirais que la meilleure chance est la démence précoce d'Alzheimer ; elle est assez rare ; j'ai vérifié dans l'un de mes volumes reliés du *Journal de médecine de Nouvelle-Angleterre*.

« Épousseter des peluches imaginaires sur ses vêtements est ce que les neurologues appellent *carphologie*. Au cours de la dégradation classique de la maladie d'Alzheimer, le malade répète souvent en écho ce que l'on dit. Cela se nomme *écholalie*. L'incapacité de nommer même des objets usuels comme une cigarette est due à l'impossibilité de reconnaître ces objets. Cela s'appelle *anomie*. Et la perte de la capacité d'accomplir un mouvement délicat ou acquis, comme ouvrir la boîte à gants, est également typique. Cela s'appelle *apraxie*.

« Tu devrais insister auprès de Mme Worthington pour qu'elle fasse examiner son mari par un neurologue. Je sais qu'il en existe au moins un dans le Maine. Je crois qu'il s'agit de la maladie d'Alzheimer, mais ce n'est qu'une conjecture de ma part. »

— La maladie d'*Alzheimer* ? demanda Olive Worthington.

— Tu veux dire que c'est une *maladie* — qu'est-ce qu'il a qui ne va pas ? s'étonna Wally.

Le jour où il accompagna Senior chez le neurologue, Wally pleura dans la voiture. « Je suis désolé, p'pa », dit-il. Mais Senior avait l'air ravi.

Quand le neurologue confirma le diagnostic du Dr Larch, Senior Worthington exulta.

« J'ai une maladie ! » cria-t-il fièrement, et même gaiement. Presque comme si on lui annonçait qu'il venait de guérir — alors que son mal était tout à fait incurable. « J'ai une *maladie !* » Il en devenait euphorique.

Quel soulagement pour lui — en tout cas, pendant quelque temps — d'apprendre qu'il n'était pas simplement ivrogne. Pour Olive, le soulagement fut si immense qu'elle en pleura sur l'épaule de Wally ; elle étreignit et embrassa Homer avec une énergie que le jeune homme n'avait pas connue depuis qu'il avait quitté les bras de Nurse Angela et de Nurse Edna. Mme Worthington remercia Homer à maintes reprises. Olive n'était plus amoureuse de Senior depuis longtemps (à supposer qu'elle l'eût été un jour) mais cette nouvelle information lui permettait de recouvrer son respect pour son mari, et cela comptait beaucoup pour elle. Elle éprouva pour Homer et pour le Dr Larch une reconnaissance débordante : n'avaient-ils pas sauvé l'estime qu'avait Senior de lui-même — et un peu de celle qu'Olive éprouvait pour lui ?

Tout cela contribua à l'atmosphère spéciale qui entoura le décès de Senior à la fin de l'été, peu de temps avant la récolte ; l'impression de soulagement fut beaucoup plus sensible que le chagrin. Worthington avançait sur le chemin d'une mort certaine depuis pas mal de temps. Le fait que, de justesse, il ait réussi à mourir avec honneur — « ... d'une authentique maladie ! » disait Bert Sanborn — était une heureuse surprise.

Bien entendu, les habitants d'Heart's Rock et d'Heart's Haven éprouvèrent certaines difficultés avec l'expression — Alzheimer n'était pas un nom courant sur la côte du Maine en 194... Les employés d'Ocean View, notamment, eurent beaucoup de mal ; Ray Kendall, un jour, simplifia la question pour tout le monde :

— Senior a eu la maladie d'*Al's Hammer,* annonça-t-il.

Al's Hammer : le marteau d'Alfred ! Ça, c'était une maladie que chacun pouvait comprendre.

— J'espère que ça ne s'attrape pas ? dit la grosse Dot Taft.

— Peut-être qu'il faut être riche pour l'avoir ? demanda Meany Hyde.

— Non, c'est neurologique, insista Homer Wells — ce qui ne signifiait rien pour personne sauf pour lui.

Et cette année-là les hommes et les femmes d'Ocean View, tout en se préparant pour la récolte, donnèrent ses lettres de noblesse à la nouvelle expression...

— Fais gaffe, disait Herb Fowler, sinon t'auras le marteau d'Alfred.

Quand Louise Tobey arrivait en retard, Florence Hyde (ou Irene Titcomb, ou la grosse Dot Taft) lui demandait :

— Qu'est-ce qui se passe, t'as tes règles ou le marteau d'Alfred ?

Et lorsque Grace Lynch se présentait en boitant ou avec un bleu bien visible, tout le monde pensait, mais ne disait jamais tout fort :

— Elle a reçu le vieux marteau d'Alfred la nuit dernière, c'est sûr.

— Moi, dit Wally à Homer Wells, je crois que tu devrais être médecin — tu en as l'instinct.

— Le médecin, c'est le Dr Larch, répondit Homer. Moi je suis le bédouin.

Juste avant la récolte — quand Olive Worthington eut mis des fleurs fraîches dans l'aile dortoir de la cidrerie et dactylographié un règlement propre (presque exactement les mêmes règles que les années précédentes) qu'elle fixa avec des punaises près de l'interrupteur de la cuisine — elle offrit au bédouin un foyer.

— Je n'ai jamais aimé le moment où Wally retourne à l'université, dit Olive à Homer. Et cette année, comme Senior n'est plus là, je vais l'aimer encore moins. Ce qui me plairait beaucoup... Si vous croyez pouvoir être heureux ici... Vous pourriez rester dans la chambre de Wally. J'aime bien avoir quelqu'un dans la maison la nuit, et quelqu'un à qui parler le matin.

Olive, le dos tourné à Homer, regardait par la baie de la cuisine, chez elle. Le matelas pneumatique si souvent utilisé par Senior se balançait dans la piscine sous ses yeux, mais Homer n'aurait su dire si Olive regardait vraiment le matelas.

— Je ne sais pas ce que le Dr Larch en penserait, répondit Homer.

— Le Dr Larch serait content que vous alliez à l'université un jour, dit Olive. Et moi aussi. Je serais ravie de demander aux professeurs de Cape Kenneth de s'occuper de vous — ils pourraient évaluer ce que vous savez et ce que vous avez besoin d'apprendre. Vous avez reçu une éducation très... *bizarre.* Je sais que le Dr Larch souhaite vous voir étudier toutes les sciences. (Homer comprit qu'elle devait se souvenir d'une lettre de Larch à ce sujet.) Et le latin, dit Olive Worthington.

— Le latin, répéta Homer Wells, sentant aussitôt la main du Dr Larch.

Cutaneus maximus, songea-t-il ; *dura mater,* sans parler du bon vieil *umbilicus.*

« Le Dr Larch voudrait que je sois médecin, expliqua Homer à Mme Worthington. Mais je n'en ai pas envie.

— Ce qu'il souhaite, je crois, c'est que vous ayez l'*option* de devenir médecin, si vous changez d'avis, répondit Olive. Je suis presque sûre qu'il a dit : le latin ou le grec.

Ils devaient avoir échangé beaucoup de lettres, pensa Homer Wells, mais il répondit :

— J'aime travailler dans les vergers.

— Mais... j'ai très envie de vous garder dans les vergers, lui confirma Olive. J'ai besoin de votre aide — jusqu'à la fin de la récolte surtout. Je ne songe pas à ce que vous deveniez étudiant à plein temps. Il faut que je parle à la direction du lycée, mais je suis sûre qu'ils vous considéreront comme une sorte d'expérience.

— Une expérience, dit Homer Wells.

Pour un bédouin, tout n'était-il pas une expérience ?

Il songea au couteau cassé qu'il avait trouvé sur le toit de la cidrerie. Était-il là parce que Homer était *destiné* à le trouver ? Et le verre brisé, dont un morceau lui avait fait signe au cours d'une insomnie, à la fenêtre de Wally : le verre se trouvait-il sur le toit *afin de* lui transmettre un message ?

Il écrivit au Dr Larch pour lui demander l'autorisation de rester à Ocean View : « Je prendrai en option la biologie, précisa Homer Wells, et toutes les matières scientifiques. Mais faut-il que j'étudie le latin ? Plus personne ne le parle. »

Regardez-moi ce monsieur Je-sais-tout ! se dit Wilbur Larch, qui voyait cependant des avantages à ce qu'Homer *ne sache pas* le latin ou le grec, langues auxquelles tant de termes médicaux ont emprunté leur racine. Comme coarctation de l'aorte, pensait le Dr Larch. C'est une forme de trouble cardiaque congénital bénin qui peut diminuer à mesure que le patient vieillit ; parvenu à l'âge d'Homer, le patient n'a plus aucun « souffle » et seul un œil bien exercé est capable de déceler, sur une radiographie, le léger élargissement de l'aorte. Dans un cas bénin, les seuls symptômes seraient une hypertension des extrémités supérieures. Donc, n'apprends pas le latin si tu n'en as pas envie, se dit Wilbur Larch.

Quant à la *meilleure* lésion cardiaque congénitale pour Homer Wells, le Dr Larch penchait pour une sténose de la valvule pulmonaire. « Depuis la naissance et pendant toute son adolescence, Homer Wells a eu un souffle au cœur assez fort », écrivit Larch — pour mémoire, seulement pour juger de l'effet produit. « A vingt et un ans, nota-t-il ailleurs, l'ancien souffle au cœur d'Homer est difficile à

314

déceler ; toutefois, je trouve que la sténose de la valvule pulmonaire demeure apparente sur ses radiographies. » Elle pouvait être *à peine* décelable, il le savait. La faiblesse cardiaque d'Homer n'avait pas besoin d'être visible de tous — c'était le point crucial. L'essentiel, c'était qu'elle existât.

« N'étudie pas le latin ni le grec si tu n'en as pas envie, écrivit le Dr Larch à Homer Wells. Nous vivons dans un pays libre, non ? »

Homer Wells commençait à se le demander. Dans la même enveloppe que la lettre de Larch se trouvait une lettre du bon vieux Snowy Meadows, que le docteur lui transmettait. De l'avis de Wilbur Larch, Snowy était un imbécile, « mais de l'espèce têtue ».

« Salut, Homer, c'est moi — Snowy », commençait Snowy Meadows. Il expliquait qu'il s'appelait à présent Robert Marsh — « des Marsh de Bangor, nous sommes la grande famille des meubles ».

La famille des meubles ? se demanda Homer Wells.

Et Snowy continuait avec force détails sur sa rencontre et son mariage avec la fille de ses rêves, et comme il était content d'avoir choisi le magasin de meubles au lieu des études, et comme il était content de s'être tiré de Saint Cloud's ; Snowy espérait (ajoutait-il) qu'Homer « s'était tiré » lui aussi.

« Et quelles nouvelles as-tu de Fuzzy Stone ? voulait savoir Snowy Meadows. Le vieux Larch m'a dit que Fuzzy s'en sort très bien. J'aimerais lui écrire si tu as son adresse. »

L'*adresse* de Fuzzy Stone ! se dit Homer Wells. Et que voulait donc dire le « vieux Larch » (« Fuzzy s'en sort bien ») ? Se sort bien *de quoi ?* se demanda Homer Wells, mais il répondit à Snowy Meadows que Fuzzy s'en sortait bien en effet ; il avait égaré son adresse pour le moment ; et il trouvait que la culture des pommes était une occupation saine et satisfaisante. Homer ajouta qu'il ne projetait pas de voyage à Bangor dans l'immédiat, mais que, s'il passait par cette ville, il chercherait « les Meubles Marsh ». Et non, conclut-il, il n'était pas d'accord avec Snowy : « Une sorte de réunion à Saint Cloud's » ne lui paraissait pas une idée géniale ; il était certain que jamais le Dr Larch n'approuverait un projet de ce genre ; il avouait que Nurse Angela et Nurse Edna lui manquaient — ainsi, bien entendu, que le Dr Larch — mais ne valait-il pas mieux tirer un trait définitif sur l'endroit ? « N'est-ce pas sa raison d'être ? demanda Homer Wells à Snowy Meadows Un orphelinat n'est-il pas un endroit fait pour être quitté ? »

Ensuite, Homer écrivit au Dr Larch.

« Quelle est donc cette histoire ? Fuzzy Stone " s'en sort bien " — il se sort bien de QUOI ? Je sais que Snowy Meadows est un imbécile, mais si vous avez l'intention de lui raconter je ne sais quelle blague à propos de Fuzzy Stone, ne croyez-vous pas préférable de me mettre au courant, moi aussi ? »

Le moment venu, le moment venu, se dit Wilbur Larch, de plus en plus las. Il se sentait harcelé. Le Dr Gingrich et Mme Goodhall régentaient maintenant le conseil d'administration ; le conseil avait exigé que Larch se soumette à la recommandation du Dr Gingrich, au sujet d'un rapport de « suivi » sur la réussite (ou l'échec) de chaque orphelin dans chaque foyer adoptif. Si le travail de bureau supplémentaire s'avérait trop fastidieux pour le Dr Larch, le conseil lui recommandait de souscrire à la suggestion de Mme Goodhall et d'accepter un collaborateur administratif. N'ai-je pas assez d'histoires à rédiger comme ça ? se demanda Larch. Il s'allongea dans la pharmacie, il renifla un peu d'éther et retrouva son calme. Gingrich et Goodhall, se dit-il. Ginghall et Goodrich, murmura-t-il. Richhall et Ginggood ! Goodging et Hallrich ! Il se réveilla en riant.

— Et qu'est-ce qui vous réjouit donc tellement ? lui lança sèchement Nurse Angela depuis le couloir, devant la pharmacie.

— Goodballs et Ding Dong ! lui répondit Wilbur Larch.

Il entra dans le bureau de Nurse Angela, avec sa vengeance toute prête. Il avait son plan pour Fuzzy Stone. Il téléphona au Bowdoin College (où Fuzzy était en train de terminer avec succès son premier cycle d'études supérieures) puis à l'école de médecine de Harvard (où Larch avait l'intention que Fuzzy soit très, très brillant). Il expliqua aux archives de Bowdoin qu'une donation venait d'être faite à l'orphelinat de Saint Cloud's dans l'intention expresse de payer des études médicales à un jeune homme ou une jeune femme qui accepterait de travailler — mieux, de se consacrer entièrement — à Saint Cloud's. Le Dr Larch pourrait-il consulter les copies d'examen des diplômés récents de Bowdoin ayant continué leurs études dans le domaine médical ? Il raconta une histoire légèrement différente à l'école de médecine de Harvard : il désirait consulter les thèses d'étudiants, bien entendu, mais cette fois la donation en espèces avait été faite pour une spécialisation en obstétrique.

Ce fut le premier voyage de Wilbur Larch depuis sa course poursuite sur les traces de Clara — la première fois qu'il dormit ailleurs que dans la pharmacie de Saint Cloud's depuis la Première Guerre mondiale, mais il fallait qu'il connaisse bien les devoirs d'examen de Bowdoin et de l'école de médecine de Harvard. C'était son seul moyen de créer de toutes pièces une copie au nom de F. Stone ; il demanda qu'on lui prête une machine à écrire et du papier

— « une de vos feuilles blanches d'examen me facilitera la vie » — et il fit semblant de dactylographier le nom et les références de quelques candidats intéressants. « J'en vois tellement qui seraient parfaits, dit-il à Bowdoin et à Harvard, mais comment savoir si un seul pourra supporter la vie à Saint Cloud's ? Nous sommes très isolés », avoua-t-il, en les remerciant de leur concours. Et il leur rendit leurs copies d'examen (celle de Fuzzy au bon endroit, avec les S.).

A son retour à Saint Cloud's, le Dr Larch écrivit à Bowdoin et à Harvard pour demander des photocopies des examens de plusieurs diplômés remarquables ; il avait effectué une première sélection, leur dit-il. Une copie des devoirs de Fuzzy arriva au courrier avec les autres.

Quand Larch s'était rendu à l'école de médecine de Harvard, il avait retenu une boîte postale à Cambridge (Massachusetts) au nom de Fuzzy. Il écrivit aussitôt à la poste pour demander de faire suivre le courrier de F. Stone à Saint Cloud's. L'adresse de la boîte postale serait également utile si le jeune Dr Stone devait suivre la voie de ses instincts zélés dans une mission à l'étranger. Enfin, il envoya une enveloppe vide à l'adresse de Cambridge et attendit son retour.

Quand la lettre lui revint — quand il fut certain que le système fonctionnait —, il composa le reste de l'histoire de F. Stone et de sa famille adoptive (nommée Earnes) et l'envoya au conseil d'administration de Saint Cloud's, avec l'adresse de Fuzzy. Il n'eut rien à inventer pour Curly Day ; mais il grinça des dents en écrivant le nom de Roy Rinfret. Et il dit la vérité sur Snowy Meadows et la plupart des autres, bien qu'il eût du mal à taper « les Marsh des meubles » sans éclater de rire. Quand il en vint au cas d'Homer Wells, il aborda la question de sa faiblesse cardiaque en choisissant bien ses mots.

Parmi les membres du bureau, il n'y avait ni cardiologue, ni radiologue, ni chirurgien ; et le très vieux généraliste présent aux réunions ne lisait jamais rien. Larch ne comptait pas le Dr Gingrich parmi les médecins ; il comptait les psychiatres pour rien du tout, et il était certain de pouvoir éblouir Mme Goodhall avec le moindre terme technique.

Il avoua au bureau (la confidence flatte toujours celui qui la reçoit) qu'il s'était abstenu de parler à Homer de son problème de cœur ; il avoua ses atermoiements : inquiéter l'enfant aurait sans doute aggravé son cas, et il désirait qu'Homer prenne confiance dans le monde extérieur avant de l'accabler par la connaissance de sa maladie — mais il avait l'intention de mettre le jeune homme au courant sous peu. Larch signala qu'il avait cependant informé les Worthington de la faiblesse cardiaque ; ils entoureraient donc Homer de précautions particulières ; il ne s'était pas donné la peine de leur expliquer la présence du « souffle », ni de leur définir les caractéristiques exactes de la sténose de la valvule pulmonaire. Il fournirait ces détails au conseil, si le bureau en exprimait le désir. Il rit en imaginant Mme Goodhall le nez collé à une radiographie.

En conclusion, il précisa qu'il considérait la décision du conseil de réclamer des rapports de « suivi » comme une excellente idée ; d'ailleurs, il avait pris un immense plaisir à les préparer ; loin d'avoir besoin d'un collaborateur administratif pour accomplir cette tâche, il s'était senti « positivement revigoré » par cette « mission tombant à merveille » — car, ajouta-t-il, la vie adoptive de ses orphelins n'abandonnait jamais son esprit. (Quand elle ne naît pas entièrement dans ma tête, se dit-il.)

Épuisé, il en oublia de circoncire un nouveau-né que Nurse Angela avait préparé pour l'opération. Il prit une femme attendant un avortement pour une accouchée de la veille et lui déclara que son bébé était en excellente santé et dormait bien. Il renversa un peu d'éther sur son propre visage et dut faire un bain d'yeux.

Il se mit en rogne parce qu'il avait commandé trop de préservatifs — il y en avait encore des quantités dans les placards. Depuis le départ de Melony, plus personne n'en volait. Et, en pensant à Melony, il s'inquiéta — ce qui ne fit qu'augmenter sa rogne.

Il retourna au bureau de Nurse Angela écrire un rapport, sans rien d'imaginaire, sur le zézaiement de David Copperfield ; il ne signala pas que David Copperfield avait été mis au monde et baptisé par Homer Wells. Il rédigea de même un rapport légèrement fictif pour signaler que l'orphelin Steerforth avait eu une naissance si facile que Nurse Angela et Nurse Edna s'étaient occupées de tout sans l'assistance d'un docteur. Sur Smoky Fields, il écrivit la vérité : l'enfant accumulait de la nourriture (attitude plus fréquente à la section Filles qu'à la section Garçons) et il commençait à présenter un symptôme d'insomnie comme on n'en avait pas vu à Saint Cloud's « depuis l'époque d'Homer Wells ».

Le souvenir de cette époque lui fit aussitôt monter les larmes aux yeux, mais il se ressaisit pour écrire que Mme Grogan et lui-même s'inquiétaient au sujet de Mary Agnes Cork : depuis le départ de Melony, elle se trouvait souvent dans un état dépressif. Il dit également la vérité sur Melony, sans mentionner toutefois ses actes de vandalisme. Sur Mary Agnes, Larch écrivit : « Peut-être se considère-t-elle comme l'héritière de l'ancienne position de Melony, mais elle ne

318

possède pas le caractère dominateur associé en général à un rôle de puissance ou d'initiative. » Cet idiot de Dr Gingrich va aimer ça, imagina Larch. « Rôle », dit-il à haute voix d'un ton de mépris. Comme si des orphelins avaient le luxe de se croire investis d'un *rôle !*

Sous le coup d'une impulsion, il alla à la pharmacie et gonfla deux préservatifs. Il faut bien utiliser ces trucs-là d'une manière ou d'une autre, se dit-il. Avec un crayon gras il inscrivit le nom de GINGRICH sur une des capotes et le nom de GOODHALL sur l'autre. Puis, ces joyeux ballons à la main, il partit à la recherche de Nurse Angela et de Nurse Edna.

Il les trouva à la section Filles, en train de prendre le thé avec Mme Grogan.

— Ah-ah ! dit Larch en faisant sursauter les femmes qui n'avaient pas l'habitude de le voir surgir dans la section Filles, sauf pour la dose vespérale de *Jane Eyre* — et encore moins de le voir brandir des préservatifs gonflés sous leur nez.

« Docteur Gingrich et *médème* Goodhall, je présume ! dit Larch en s'inclinant devant tout le monde.

Sur quoi, d'un coup de scalpel, il fit sauter les deux capotes. A l'étage supérieur, Mary Agnes Cork entendit le bruit et s'assit sur le lit où elle gisait, en proie à une dépression accablante. Mme Grogan fut trop stupéfiée pour parler.

Quand le Dr Larch laissa ces dames à leur thé pour retourner à l'infirmerie, Nurse Edna fut la première à émettre un commentaire.

— Wilbur travaille si dur, avança-t-elle. N'est-ce pas un miracle qu'il trouve encore le temps de se montrer facétieux ?

Mme Grogan était encore sans voix, mais Nurse Angela répondit :

— Je crois bien que le vieux est en train de perdre ses billes.

Nurse Edna reçut cette remarque comme un affront personnel ; elle posa sa tasse bien droite dans sa soucoupe avant de parler.

— Je crois que c'est l'éther, dit-elle calmement.

— Oui et non, répondit Nurse Angela.

— Vous croyez que c'est également Homer Wells ? demanda Mme Grogan.

— Oui, dit Nurse Angela. C'est l'éther *et* c'est Homer Wells, *et* c'est l'âge, *et* ce sont les nouveaux membres du conseil. C'est tout. C'est Saint Cloud's.

— Et aussi ce qui est arrivé à Melony, commença Mme Grogan.

Mais en prononçant le nom de Melony elle éclata en sanglots.

Mary Agnes Cork, au premier, entendit le nom de Melony et pleura.

319

— Homer Wells reviendra, j'en suis sûre, dit Nurse Angela.

Ce qui la fit fondre en larmes à son tour, si bien que Nurse Edna fut obligée de la consoler en même temps que Mme Grogan.

— Là !... Là !... dit Nurse Edna aux deux pleureuses.

Mais elle se demandait : Où est le jeune homme ou la jeune femme qui va s'occuper de nous tous ?

— Oh, Seigneur..., commença Mme Grogan.

Au premier, Mary Agnes Cork baissa la tête et joignit les mains ; en appuyant très fort la paume de ses mains l'une contre l'autre sous un certain angle, elle pouvait faire renaître un peu la douleur de son ancienne fracture de la clavicule.

« Oh, Seigneur, pria Mme Grogan, soutiens-nous tout le jour, jusqu'à ce que les ombres s'allongent et que le soir vienne, que l'activité du monde se taise et que la fièvre de la vie s'apaise, jusqu'à ce que notre tâche soit accomplie.

Ce soir-là, dans le noir, à l'unisson avec le cri plaintif d'une chouette, Nurse Edna murmura « Amen » à elle-même, tout en écoutant le Dr Larch faire sa ronde et embrasser chaque garçon — même Smoky Fields, qui accumulait sa nourriture et la cachait dans son lit (puant), et qui faisait semblant de dormir.

Depuis la Grande Roue Ferris, au-dessus du parc d'attractions et de la plage de Cape Kenneth, Homer Wells essaya de repérer le toit de la cidrerie ; il faisait sombre et la cidrerie n'était pas éclairée — mais même si toutes les lumières avaient été allumées, même en plein jour par le plus beau temps imaginable, le chai d'Ocean View se trouvait beaucoup trop loin. Du toit de la cidrerie, on ne voyait que les lumières les plus vives de la kermesse, et surtout l'éclairage, facile à reconnaître, de la Grande Roue ; dans l'autre sens, la visibilité était nulle.

— J'ai envie d'être pilote, dit Wally. J'ai envie de voler. Si j'avais mon brevet de pilote et mon avion personnel, je pourrais faire moi-même tous les traitements des vergers — j'achèterais un avion pulvérisateur, mais je le peindrais comme un chasseur. C'est si moche de traîner ces grosses sulfateuses derrière ces idiots de tracteurs, en montant et en descendant ces tristes collines.

C'était ce que faisait Ray, le père de Candy, juste à ce moment-là ; Meany Hyde était malade, et Everett Taft, le régisseur, avait demandé à Ray s'il ne pourrait pas passer le pulvérisateur ce soir-là —

Ray connaissait si bien le matériel ! C'était le dernier traitement avant la récolte, et, quelque part dans la masse verte plongée dans le noir au-dessous de la Grande Roue, Raymond Kendall et Vernon Lynch tiraient chacun leur machine d'un bout à l'autre d'Ocean View.

Wally effectuait parfois les traitements ; Homer était en train d'apprendre. De temps en temps, Herb Fowler le faisait aussi, mais il renâclait quand on lui demandait de traiter le soir. (« J'ai mieux à faire après la tombée de la nuit », disait-il.) Il est préférable de traiter le soir, parce que le vent s'arrête de souffler, surtout le long de la côte.

Wally n'avait pas pris un des tracteurs ce soir-là parce que c'était sa dernière nuit à Ocean View ; il rentrait à l'université le lendemain matin.

— Tu veilleras sur Candy à ma place, n'est-ce pas, Homer ? demanda Wally.

Ils dominaient la côte rocheuse et la plage bondée de Cape Kenneth : en cette fin d'été, quelques feux de joie de dîners sur la plage clignotaient encore dans le noir. La roue descendit.

Candy devait terminer ses études à l'académie pour jeunes filles de Camden ; elle rentrerait chez elle presque tous les week-ends, mais Wally resterait à Orono, sauf pour Thanksgiving Day, Noël et les plus longues vacances.

— D'accord, dit Homer Wells.

— Si j'étais pilote — à la guerre, dit Wally. *Si* je m'étais engagé et *si* je volais, je veux dire, *si* j'étais dans un bombardier, je préférerais le B-24 au B-25. J'aimerais mieux être *stratégique* que *tactique*, bombarder des choses, non des gens. Et je n'aimerais pas non plus piloter un chasseur, à la guerre. C'est encore tuer des gens, n'est-ce pas ?

Homer Wells ne savait pas de quoi parlait Wally ; Homer ne suivait pas la guerre — ne connaissait pas les nouvelles. Le B-24 était un quadrimoteur, un bombardier lourd utilisé pour les bombardements stratégiques — les ponts, les raffineries de pétrole, les dépôts de carburant, les voies ferrées. Il frappait l'industrie, il ne lâchait pas ses bombes sur les armées — cette mission était réservée au B-25, bombardier tactique de taille moyenne. Wally avait étudié la guerre — avec davantage d'intérêt que sa botanique (ou ses autres cours) à l'université du Maine. Mais la guerre, que l'on appelait encore « la guerre d'Europe » — dans le Maine à l'époque —, ne troublait guère l'esprit d'Homer. Seuls les gens qui ont des familles se préoccupent des guerres.

Les bédouins ont-ils des guerres ? se demanda Homer Wells. Et si c'est le cas, leur accordent-ils beaucoup d'importance ?

321

Il attendait avec impatience le début de la récolte ; il était curieux de rencontrer des saisonniers, de voir des nègres. Il ne savait pas pourquoi. Étaient-ils comme des orphelins ? N'étaient-ils pas, en un sens, sans foyer ? Et se rendaient-ils suffisamment *utiles* ?

Parce qu'il aimait Wally, il résolut de ne plus penser à Candy. C'était le genre de résolution téméraire que renforçait sans doute son sentiment d'élévation sur la Grande Roue. Et pour cette soirée, il y avait un plan ; Homer Wells — orphelin attaché à la routine — aimait que chaque soirée ait un plan, même si le plan de ce jour-là ne l'emballait pas particulièrement.

Il conduisit Wally, dans la Cadillac de Senior, au vivier à langoustes de Kendall, où Candy attendait. Il y laissa Candy et Wally. Ray traiterait les vergers pendant plusieurs heures, et les deux jeunes gens désiraient se dire au revoir en privé avant le retour de Ray. Homer irait chercher Debra Pettigrew et l'emmènerait au drive-in de Cape Kenneth. Ce serait leur premier film sans Candy et Wally, et Homer se demandait si les règles « touche-moi-ci-mais-pas-ça » varieraient quand Debra serait seule avec lui. Tout en négociant un itinéraire délicat au milieu des chiens violents des Pettigrew, il s'aperçut, fort déçu, qu'il n'avait pas une envie folle de savoir si Debra voudrait ou ne voudrait pas. Un cabot athlétique hurla en bondissant près du visage d'Homer, mais la chaîne lui servant de collier parut étrangler la bête en plein vol ; elle atterrit à plat sur sa cage thoracique, poussa un gémissement surpris, et fut lente à se remettre sur ses pattes. Pourquoi les gens ont-ils des chiens ? se demanda Homer.

C'était un western, et Homer en conclut que traverser le pays avec une caravane de chariots était un acte de démence et de mortification ; à tout le moins, se dit-il, il fallait prendre un accord avec les Indiens avant de partir. Or il n'y avait eu aucun accord préalable dans le film, et Homer ne put obtenir non plus l'accord de Debra pour utiliser les préservatifs d'Herb Fowler, qu'il gardait dans sa poche — « à tout hasard ». La jeune fille se montra sensiblement plus libre qu'auparavant, mais, poussée dans ses derniers retranchements, son refus n'en fut pas moins ferme.

— Non ! hurla-t-elle une fois.

— Pas besoin de crier, répondit Homer Wells en ôtant la main de l'endroit interdit.

— Mais, c'est la deuxième fois que tu fais ça, lui fit remarquer Debra — avec dans la voix une certitude mathématique (et d'autres certitudes).

Homer Wells fut forcé d'accepter que, dans le Maine en 194.. ce

que l'on appelait « peloter » était permis ; ce que l'on appelait
« astiquer » restait dans le cadre du règlement ; mais pour ce qu'il
avait fait avec Melony — pour ce que Grace Lynch semblait lui offrir
et que Candy et Wally faisaient (ou avaient fait au moins une fois) —,
la réponse était toujours « Non ! »

Mais comment Candy avait-elle pu tomber enceinte ? se demandait
Homer Wells, avec le petit visage mouillé de Debra Pettigrew appuyé
contre sa poitrine. Les cheveux de la jeune fille lui chatouillaient le
nez mais il pouvait quand même voir (tout juste) au-dessus d'elle : il
fut donc témoin du massacre par les Indiens. Avec Herb Fowler qui
distribuait des préservatifs encore plus vite que le Dr Larch n'en faisait
cadeau aux femmes venues à Saint Cloud's, comment Wally avait-il pu
mettre Candy enceinte ? Wally était si bien *pourvu ;* Homer Wells ne
parvenait pas davantage à comprendre pourquoi Wally s'intéressait à
la guerre. Mais comment un orphelin se sentirait-il frustré d'être trop
gâté, de n'être jamais mis à l'épreuve ? Et un orphelin peut-il
s'ennuyer, ou s'impatienter — ces états d'esprit ne sont-ils pas trop
luxueux pour lui ?... Il se souvint que Curly Day s'ennuyait.

« Est-ce que tu dors, Homer ? lui demanda Debra Pettigrew.

— Non, répondit-il. Je réfléchissais.

— Réfléchissais à quoi ?

— Comment se fait-il que Wally et Candy font ça, et pas nous ? lui
demanda Homer.

La question mit Debra Pettigrew sur ses gardes, ou en tout cas son
côté direct la surprit ; elle composa sa réponse avec précaution.

— Eh bien, commença-t-elle avec philosophie, ils s'aiment —
Wally et Candy. N'est-ce pas ?

— D'accord, dit Homer Wells.

— Mais tu n'as jamais dit que tu étais amoureux — de moi, ajouta
Debra. Et je n'ai jamais dit que je l'étais — de toi.

— D'accord, convint encore Homer Wells. Donc, c'est contre les
règles de faire ça si l'on n'est pas amoureux ?

Debra Pettigrew se mordit la lèvre inférieure. C'était aussi dur
qu'elle l'avait imaginé.

— Il faut voir les choses sous cet angle : si l'on s'aime et qu'il se
produit un accident, reprit-elle. Si quelqu'un tombe enceinte, je veux
dire ; alors *si* l'on s'aime, on se marie. Wally et Candy s'aiment, et s'ils
ont un accident, ils se marieront.

Peut-être, pensa Homer Wells, peut-être la *prochaine fois.* Mais il
répondit :

— Je vois.

323

Et il songea : telles sont donc les règles ! C'est à cause des accidents, à cause du risque de grossesse quand on ne veut pas avoir d'enfant. Mon Dieu, tout tourne-t-il autour de ça ?

Il envisagea de sortir la capote anglaise de sa poche et de l'offrir à Debra Pettigrew. Si le risque de grossesse accidentelle était la seule raison de ne pas faire ça, que pensait-elle de la solution offerte par Herb Fowler à tout bout de champ ? Mais en raisonnant de cette manière, ne suggérerait-il pas que toute intimité revenait à de la vulgarité — ou était même vulgaire en soi ? Ou bien l'intimité n'était-elle vulgaire que pour lui ?

Dans le film, plusieurs scalps se balançaient au bout d'une lance ; pour des raisons insondables (pour Homer Wells), les Indiens transportaient partout cette lance comme si elle constituait un trésor. Soudain, un officier de cavalerie eut la main clouée à un arbre par une flèche ; l'homme fit l'impossible (avec son autre main et même ses dents) pour arracher la flèche de l'arbre, mais elle resta plantée au beau milieu de sa main. Un Indien armé d'un tomahawk s'avança vers l'officier de cavalerie, qui semblait à toute extrémité, surtout depuis qu'il s'obstinait à essayer d'armer le chien de son pistolet avec le pouce de la main fixée à l'arbre par la flèche.

Pourquoi n'utilise-t-il pas sa main valide ? se demanda Homer Wells. Mais le pouce fit le travail ; le pistolet fut — enfin ! — armé. Homer Wells conclut de ce tour de force que la flèche avait réussi à traverser la main sans toucher la branche du nerf médian qui rejoint les muscles du pouce. Quel veinard ! se dit Homer, tandis que l'officier de cavalerie tuait d'une balle au cœur l'Indien qui s'avançait — forcément au cœur, pensa Homer Wells, car l'Indien était mort sur le coup. C'était drôle, mais il pouvait voir les dessins de la main dans l'*Anatomie de Gray* plus distinctement que le film.

Il reconduisit Debra chez elle et s'excusa de ne pas lui proposer de la raccompagner jusqu'à sa porte ; l'un des chiens était en liberté, il avait cassé sa chaîne et il raclait avec fureur la portière, côté conducteur. (Homer avait pu remonter la glace juste à temps.) Le molosse haletait, bavait et faisait claquer ses dents contre le verre, qui s'embua et se salit au point qu'Homer eut du mal à voir quand il voulut faire demi-tour avec la Cadillac.

— Reste ici, Eddy ! hurlait Debra Pettigrew au chien quand Homer s'en alla. Veux-tu rester ici, Eddy, *s'il te plaît !*

Mais le chien pourchassa la Cadillac pendant presque deux kilomètres.

Eddy ? songea Homer Wells. Nurse Angela n'avait-elle pas appelé quelqu'un Eddy, une fois ? Il en était presque sûr. Sans doute un enfant adopté très vite — comme il est souhaitable.

Quand il arriva au vivier à langoustes de Kendall, Ray venait de rentrer. Il se faisait du thé, et réchauffait au-dessus de la théière ses mains craquelées de rides profondes — sous ses ongles déchirés demeurait en permanence la crasse, noire de cambouis, du mécanicien.

— Eh bien, regardez donc qui a survécu au drive-in ! lança Ray. Assieds-toi donc un moment, pour prendre le thé avec moi.

Homer aperçut Candy et Wally dehors, sur la jetée, blottis dans les bras l'un de l'autre.

« Les tourtereaux ne sentent jamais le froid, j'imagine, dit Ray à Homer. Ils n'ont pas l'air d'avoir terminé leurs adieux.

Homer était ravi de prendre le thé avec Ray ; il l'aimait bien et savait que Ray l'appréciait.

« Qu'as-tu appris aujourd'hui ? lui demanda Ray.

Homer faillit lui parler des règles du drive-in, mais devina que Ray ne songeait pas à ce domaine.

— Rien, dit-il.

— Non, je parierais que tu as appris quelque chose. Tu es un appreneur. Je le sais, parce que j'en étais un. Quand tu vois quelqu'un faire quelque chose une fois, tu sais le faire toi aussi ; voilà ce que je voulais dire.

Ray avait enseigné à Homer les vidanges et les graissages, les bougies et les vis platinées, l'avance à l'allumage, le nettoyage du carburateur et l'équilibrage des roues avant ; il avait montré au jeune homme comment on resserre un embrayage et, à l'étonnement de Ray, Homer s'était souvenu de tout. Il l'avait initié au rodage de soupapes et au remplacement du joint de culasse. En un seul été, Homer Wells avait appris davantage de mécanique automobile que Wally n'en savait. Mais Ray n'appréciait pas seulement la dextérité manuelle d'Homer ; il respectait la solitude, et un orphelin (imaginait-il) en avait sans doute sa bonne part.

« Mince ! dit Ray. Je parierais que tu pourrais apprendre n'importe quoi. Que tes mains se souviendront toujours de tout. De n'importe quoi si elles se sont posées dessus un jour.

— D'accord, répondit Homer Wells en riant.

Il se souvint de l'équilibre parfait du jeu de dilatateurs à pointes de Douglass ; on peut les tenir fermement entre le pouce et l'index, juste en posant la tige contre le coussinet du majeur. Le dilatateur bouge alors seulement et exactement quand et où on le fait bouger. Quelle merveilleuse précision! songea Homer. Le spéculum existe en plusieurs tailles, et il y a toujours une taille qui convient à la perfection. Et quelle sensibilité dans le réglage quand on fait faire un demi-tour à la petite vis à molette!

Homer Wells, vingt et un ans, en train de humer la vapeur de son thé brûlant, attendait que sa vie commence.

Dans la Cadillac avec Wally, sur le chemin du retour à Ocean View — la beauté de roche et de mer d'Heart's Haven cédant la place à la campagne moins propre, moins nette d'Heart's Rock —, Homer dit :

— Je me demandais — mais ne me dis rien si tu préfères ne pas en parler —, je me demandais comment Candy avait pu tomber enceinte. Je veux dire : tu n'avais rien utilisé ?

— Mais si! répondit Wally. Une des capotes d'Herb Fowler. Seulement elle avait un trou.

— Un trou ?

— Pas gros, dit Wally, mais je m'en suis bien aperçu. Tu comprends, elle fuyait.

— N'importe quel trou est assez gros, répondit Homer.

— Tu parles! dit Wally. Il trimbale toujours ces machins sur lui, quelque chose dans sa poche a dû percer le caoutchouc.

— Tu ne te sers plus des capotes qu'Herb te lance, j'imagine ? demanda Homer Wells.

— Tout juste, répondit Wally.

Quand Wally fut endormi — aussi paisible qu'un prince, aussi indifférent qu'un roi — Homer Wells se glissa hors de son lit, fouilla dans son pantalon, trouva les préservatifs dans la poche et en emporta un dans la salle de bains, où il le remplit au robinet d'eau froide. Le trou était minuscule mais précis — une aiguille d'eau, fine mais ininterrompue, coulait du bout de la capote. Un trou plus gros qu'une piqûre d'épingle mais beaucoup moins large qu'un clou ; Herb Fowler devait utiliser une punaise, ou la pointe d'un compas, se dit Homer Wells.

Et c'était un trou voulu, placé à la perfection, en plein centre. L'image d'Herb Fowler en train de percer ce trou donna le frisson à Homer. Il se rappela le premier fœtus qu'il avait vu, en revenant de l'incinérateur — et qui lui avait semblé tombé du ciel. Il se rappela les bras tendus du fœtus assassiné de Three Mile Falls. Et le bleu vert-tournant-au-jaune sur le sein de Grace Lynch. Le voyage de Grace à

Saint Cloud's avait-il pour cause réelle un des préservatifs d'Herb Fowler?

A Saint Cloud's, Homer Wells avait vu de ses yeux l'angoisse et les formes les plus simples du malheur — de la dépression, de l'esprit de destruction. Il connaissait aussi la méchanceté et l'injustice. Mais cela! Cela, c'est le Mal, n'est-ce pas? se demanda-t-il. Ai-je déjà vu le Mal? Il songea à la femme avec le pénis de poney dans sa bouche. Que fait-on quand on reconnaît le Mal? se demanda-t-il.

Il regarda par la fenêtre de Wally — mais dans le noir, avec l'œil de son esprit, il vit la colline en friche, encore sans un arbre, derrière l'infirmerie et la section Garçons, à Saint Cloud's; il vit la forêt épaisse mais blessée, incapable de vous rendre un son, au-delà du torrent qui avait emporté son chagrin pour Fuzzy Stone. S'il avait connu la prière de Mme Grogan, il l'aurait essayée, mais la prière dont se servait Homer pour se calmer était la fin du chapitre XLIII de *David Copperfield*. Comme il restait encore vingt chapitres, ces mots étaient peut-être trop incertains pour une prière, et Homer les prononçait en lui-même sans certitude — pas comme s'il les croyait *vrais*, mais comme s'il voulait les contraindre de l'être; et à force de répéter ces mots, peut-être deviendraient-ils vrais pour lui, Homer Wells :

Je me suis mis à l'écart pour voir passer devant moi les fantômes de ces jours-là. Ils sont partis et je reprends le fil de mon histoire.

Mais toute la nuit, il resta éveillé, parce que les fantômes de ces jours-là *n'étaient pas* partis. Comme les minuscules trous terrifiants des préservatifs, les fantômes de ces jours-là ne semblaient pas faciles à déceler — et leur signification demeurait inconnue — mais ils existaient.

Le matin venu, Wally partit, sans grand enthousiasme, à l'université d'Orono. Le lendemain, Candy s'en alla à l'académie de Camden. La veille de l'arrivée des ramasseurs à Ocean View, Homer Wells — le plus grand élève du lycée de Cape Kenneth par la taille et par l'âge — suivit le premier cours de biologie. Son amie Debra Pettigrew dut le conduire au laboratoire; Homer, qui s'était perdu en route, errait dans une classe appelée Atelier du Bois.

Le manuel de la dernière année de biologie était l'*Anatomie pratique du lapin,* par B. A. Bensley[26]. Le texte et les illustrations intimidèrent les autres étudiants, mais emplirent Homer Wells de nostalgie. Il s'aperçut, bouleversé, que le *Gray* patiné du Dr Larch lui manquait vraiment. Homer, de prime abord, se montra critique à l'égard de Bensley ; le *Gray* commençait par le squelette, mais Bensley débutait par les tissus ! Heureusement, le professeur n'était pas un idiot ; M. Hood avait tout du cadavre, mais il plut à Homer Wells en annonçant qu'il ne suivrait pas le manuel pas à pas — son cours, comme le *Gray,* commencerait par les os. Réconforté par ce qui était pour lui de la routine, Homer prit un certain plaisir à examiner le vieux squelette jauni d'un lapin. La classe gardait un silence complet ; certains élèves avaient mal au cœur. Attendez donc qu'on arrive au système urogénital, se dit Homer Wells, tandis que ses yeux glissaient sur les os parfaits ; mais cette pensée lui fit un nouveau choc : il s'aperçut que la perspective d'étudier le système urogénital du pauvre lapin le remplissait de joie.

Il voyait le crâne du lapin de profil ; il se mit à l'épreuve en désignant chaque partie — c'était si facile pour lui : pariétal, temporal, nasal, frontal, maxillaire inférieur, maxillaire supérieur, prémaxillaire. Avec quelle précision il se souvenait de Clara, et des autres qui lui avaient tant appris !

Quant à Clara, elle trouva enfin le repos en un lieu qu'elle n'aurait sans doute pas choisi : le cimetière de Saint Cloud's se trouvait dans la partie abandonnée de la ville. Peut-être était-ce normal, se dit le Dr Larch qui supervisa l'enterrement, car Clara elle-même avait été abandonnée — et on l'avait sûrement davantage explorée et examinée qu'aimée.

Nurse Edna reçut un choc en voyant partir le cercueil, mais Nurse Angela lui assura qu'aucun orphelin n'avait trépassé dans la nuit. Mme Grogan accompagna le Dr Larch au cimetière ; il le lui avait demandé, car il savait que la moindre occasion de dire sa prière enchantait la directrice. (Il n'y avait à Saint Cloud's ni pasteur, ni prêtre, ni rabbin ; si le besoin de paroles sacrées se faisait sentir, quelqu'un venait de Three Mile Falls pour les prononcer. Le fait que Wilbur Larch avait refusé de demander quoi que ce fût à Three Mile Falls et préféré Mme Grogan — contraint qu'il était d'écouter des paroles sacrées — témoigne de l'isolationnisme de plus en plus strict du docteur.)

Ce fut la première fois que Wilbur Larch pleura à un enterrement ; Mme Grogan comprit que les larmes du docteur ne s'adressaient pas à Clara. Larch n'aurait pas enterré Clara s'il avait cru qu'Homer Wells reviendrait.

— Eh bien, il se *trompe,* déclara Nurse Angela. Même un saint peut faire une erreur. Homer Wells *reviendra.* Son foyer est *ici,* qu'on le veuille ou non.

Est-ce l'éther ? se demanda le Dr Larch. Il voulait dire : était-ce l'éther qui lui donnait l'impression, de plus en plus souvent, de savoir à l'avance tout ce qui allait se passer ? Par exemple, il avait pressenti la lettre qui arriva pour F. Stone — retransmise par la boîte postale de Fuzzy.

— Est-ce une plaisanterie macabre ? demanda Nurse Angela en tournant et retournant l'enveloppe entre ses mains.

— Je la prends, s'il vous plaît, lui lança le docteur.

La lettre venait du conseil d'administration, comme Larch s'y attendait. C'était pour cette raison qu'ils lui avaient réclamé des rapports de « suivi » qui indiquaient les adresses des orphelins. Ils voulaient vérifier les dires de Larch, c'était évident.

La lettre à Fuzzy débutait par des bons vœux cordiaux ; elle expliquait que le conseil connaissait beaucoup de choses sur Fuzzy par l'entremise du Dr Larch, mais désirait en savoir plus long sur l' « expérience Saint Cloud's » de Fuzzy — tout ce que Fuzzy voudrait, naturellement, « partager » avec eux.

L' « expérience Saint Cloud's » : on dirait un *happening* mystique ! songea Larch. Le questionnaire joint le mit en fureur, bien qu'il s'amusât un moment à imaginer quelles questions avaient été conçues par le fastidieux Dr Gingrich, et quelles autres s'étaient épanouies dans l'esprit glacial de Mme Goodhall. Le Dr Larch prit également plaisir à imaginer comment Homer Wells, Snowy Meadows et Curly Day — et tous les autres — répondraient à ce questionnaire idiot, mais ce fut avec le plus grand sérieux qu'il se mit aussitôt à la tâche : il voulait que les réponses de Fuzzy Stone au questionnaire soient parfaites. Il voulait s'assurer que le conseil d'administration n'oublierait jamais Fuzzy Stone.

Il y avait cinq questions. Chacune d'elles se fondait sur l'hypothèse incorrecte que les enfants atteignaient au moins cinq ou six ans avant d'être adoptés. Cette ânerie, et plusieurs autres, convainquirent Wilbur Larch que le Dr Gingrich et Mme Goodhall s'avéreraient des adversaires faciles.

1. Votre vie à Saint Cloud's était-elle convenablement surveillée ? (Notez S.V.P. dans votre réponse si vous avez eu l'impression de recevoir un traitement particulièrement satisfaisant du point de vue affectif ou instructif ; nous n'aimerions

pas apprendre que vous avez eu le sentiment d'être traité de façon grossière.)

2. Receviez-vous des soins médicaux adéquats à Saint Cloud's ?

3. Étiez-vous adéquatement préparé pour votre nouvelle vie dans un foyer adoptif, et estimez-vous que votre foyer adoptif a été soigneusement et correctement choisi ?

4. Avez-vous des améliorations éventuelles à suggérer pour les méthodes et la gestion de Saint Cloud's ? (En particulier, estimez-vous que les choses se seraient mieux passées pour vous s'il y avait eu à l'orphelinat un personnel plus jeune et énergique — ou plus nombreux.)

5. Quels efforts ont été tentés pour intégrer l'existence quotidienne de l'orphelinat à la vie de la communauté environnante ?

— *Quelle* communauté ? brailla Wilbur Larch.

Debout devant la fenêtre du bureau de Nurse Angela, il fixait la colline sans joie où Wally avait eu envie de planter des pommiers. Pourquoi n'étaient-ils pas revenus planter leurs arbres stupides, ne serait-ce que pour me faire plaisir ? se demandait Larch.

« Quelle *communauté* ? hurla-t-il.

Oh oui, j'aurais pu demander au chef de gare de leur offrir de l'instruction religieuse — de leur parler du chaos terrifiant d'âmes sans foyer qui planent dans tous les recoins du ciel. J'aurais pu aussi demander à ce digne monsieur de leur présenter ses catalogues de frous-frous.

J'aurais pu demander à la famille de bourreaux d'enfants de Three Mile Falls de venir donner des leçons une fois par semaine. J'aurais pu garder quelques femmes venues avorter pour leur demander de révéler, à nous tous, pourquoi elles ne voulaient pas d'enfants à ce moment particulier de leur vie, ou j'aurais pu inviter des mères à revenir — elles auraient expliqué aux enfants pourquoi ils se trouvaient là ! Instructif, *ça,* non ? Oh Dieu, se dit Wilbur Larch, quelle *communauté* aurions-nous pu être — si seulement j'avais été plus jeune, plus *énergique !*

Oh oui, j'ai commis des erreurs, se dit-il ; et, pendant une ou deux heures sombres, il s'en remémora certaines. Si seulement j'avais su construire une bonne machine à respirer... Si seulement j'avais pu dénicher une paire de poumons de rechange pour Fuzzy...

Et peut-être Homer Wells leur dira-t-il qu'il n'était pas « adéquate-

330

ment préparé » pour sa première rencontre avec un fœtus, sur la colline. Et existait-il un moyen de préparer Homer pour Three Mile Falls, pour les Draper de Waterville, ou pour la disparition des Winkle dans le torrent ? Quel autre choix avais-je ? se demanda Wilbur Larch. Je suppose que j'aurais pu *ne pas* faire de lui mon apprenti.

« Nous sommes sur cette terre pour nous rendre utiles », écrivit Wilbur Larch (à la place de Fuzzy Stone) au conseil d'administration. « *Faire* vaut mieux que critiquer, écrivit le jeune idéaliste Fuzzy Stone. Mieux vaut faire n'importe quoi que regarder, bras croisés. » Ne prends pas de gants, Fuzzy ! pensa le Dr Larch.

Et Fuzzy Stone raconta au conseil d'administration que l'infirmerie de Saint Cloud's était un modèle du genre.

« C'est Larch qui m'a donné envie d'être docteur, écrivit-il. Ce vieux type, Larch — c'est une inspiration. Vous parlez d'énergie : il a plus de nerf qu'un adolescent.

« Si vous envoyez des jeunes à Saint Cloud's, méfiez-vous : le vieux Larch les fera travailler si dur qu'ils tomberont malades. Ils seront tellement pompés qu'ils prendront leur retraite au bout d'un mois !

« Et vous croyez que ces vieilles infirmières n'abattent pas leur journée de travail ? Je vais vous dire une chose : quand Nurse Angela se met à lancer la balle pour une partie de softball, on se croirait à une compétition olympique. Vous parlez de traitement *affectif* — d'accord, c'est bien d'elles. Elles sont toujours en train de vous prendre dans leurs bras et de vous embrasser, mais elles savent aussi vous faire entrer du plomb dans la tête.

« Vous parlez de *surveillance*, écrivit Fuzzy Stone. Se rend-on compte que des chouettes nous surveillent ? Telles sont Nurse Edna et Nurse Angela — des *chouettes :* rien ne leur échappe. Et certaines filles disaient souvent que Mme Grogan savait ce qu'elles faisaient avant qu'elles le fassent — avant qu'elles sachent elles-mêmes qu'elles allaient le faire !

« Et vous parlez de *communauté,* écrivit Fuzzy Stone. Saint Cloud's était très spécial. Mon Dieu, je me souviens de gens qui descendaient du train et montaient la colline uniquement pour visiter l'endroit — ce devait être parce que nous représentions une communauté modèle, pour la région. Je me souviens de ces gens qui allaient et venaient juste pour nous regarder, comme si nous étions l'une des merveilles du Maine. »

L'une des merveilles du Maine ? songea Wilbur Larch, en s'efforçant de retrouver son calme. Une bouffée de vent, égarée, souffla dans le bureau de Nurse Angela par la fenêtre ouverte ; elle transportait un peu de fumée noire, venant de l'incinérateur. La fumée aida Larch à retrouver son bon sens. Mieux vaut que je m'arrête, se dit-il. Je ne veux pas m'emballer.

Après son effort historique, il se reposa dans la pharmacie. Nurse Edna vint le voir une fois ; pour elle, Wilbur Larch était l'une des merveilles du Maine, et elle s'inquiétait à son sujet.

Larch s'inquiéta un peu lui aussi, à son réveil. Où était donc passé le temps ? Le problème, c'est qu'il faut que je *dure,* se dit-il. Il pouvait réécrire l'histoire mais non toucher au temps ; les dates étaient fixes ; le temps marchait à son propre rythme. Même s'il parvenait à convaincre Homer Wells de faire de vraies études médicales, cela lui prendrait du temps. Fuzzy Stone avait besoin de plusieurs années pour terminer sa formation. Il faut que je dure jusqu'à ce que Fuzzy soit qualifié pour me remplacer, se dit Wilbur Larch.

Il eut envie d'entendre de nouveau la prière de Mme Grogan, et il alla donc à la section Filles un peu plus tôt, pour sa lecture habituelle de *Jane Eyre.* Depuis le couloir, derrière la porte, il prêta l'oreille ; il faut que je l'invite à la dire aux garçons, pensa-t-il, puis il se demanda si cela ne les troublerait pas, juste sur les talons ou tout de suite avant sa bénédiction « princes du Maine, rois de Nouvelle-Angleterre ». Parfois je m'y perds moi-même, constata-t-il.

— Accorde-nous une retraite sûre, un saint repos, disait Mme Grogan, et enfin la paix.

Amen, se dit Wilbur Larch, le saint de Saint Cloud's, qui avait soixante-dix ans et quelques, la manie de l'éther, et l'impression d'avoir déjà parcouru un long chemin tout en ayant encore un long chemin à franchir.

Quand Homer Wells lut le questionnaire envoyé par le conseil d'administration de Saint Cloud's, il fut pris d'angoisses sans savoir pourquoi. Le Dr Larch et les autres vieillissaient, bien entendu, mais pour lui ils avaient toujours été « vieux ». Il se demanda un instant ce qui se passerait à Saint Cloud's quand le Dr Larch serait trop âgé, mais cette pensée était si dérangeante qu'il glissa le questionnaire et l'enveloppe pour réponse dans son exemplaire de l'*Anatomie pratique du lapin.* En outre, c'était le jour de l'arrivée des saisonniers ; la récolte commençait à Ocean View, et Homer Wells avait beaucoup à faire.

Mme Worthington et lui attendirent le personnel de ramassage au comptoir de vente et le conduisirent à son logement de la cidrerie — plus de la moitié de l'équipe avait déjà cueilli des pommes à Ocean View et connaissait le chemin, et le chef d'équipe était ce que Mme Worthington appelait « un vieux de la vieille ». Il parut très jeune à Homer. C'était la première année que Mme Worthington traitait directement avec les ramasseurs et leur chef ; les formalités d'engagement par correspondance faisaient partie des responsabilités de Senior Worthington, et Senior avait toujours soutenu que, si l'on conservait un bon chef d'équipe d'une année sur l'autre, tous les engagements — et la prise en main nécessaire du personnel pendant la récolte — étaient effectués par cet homme.

Il s'appelait Arthur Rose et paraissait à peu près de l'âge de Wally — à peine plus âgé qu'Homer — tout en étant sans doute plus vieux ; il était chef d'équipe depuis cinq ou six ans. Une année, Senior Worthington avait écrit au vieux bonhomme qui lui servait de chef d'équipe depuis aussi longtemps que remontaient les souvenirs d'Olive, et Arthur Rose avait répondu à Senior qu'il prendrait désormais la place — « le vieux chef, avait écrit Arthur Rose, est fatigué à mort de voyager ». (A vrai dire, le vieux chef était simplement mort.) Arthur Rose avait fait du bon travail : il avait ramené le nombre de ramasseurs qu'il fallait et un très petit nombre avait refusé de travailler ou s'était enfui, ou avait perdu plus d'une ou deux journées de bon travail pour avoir trop bu. Le niveau des bagarres entre eux semblait très contrôlé — même quand une ou deux femmes les accompagnaient. Et si par hasard un enfant venait, il savait se tenir. Bien entendu, des ramasseurs tombaient des échelles, mais sans blessures graves. Il y avait toujours de petits accidents autour du pressoir à cidre — mais c'est un travail que l'on fait à la hâte, souvent tard dans la nuit, quand tout le monde est fatigué ou a un peu bu. Et il fallait aussi compter avec les maladresses prévisibles et la boisson, qui provoquaient les rares accidents associés à l'utilisation presque rituelle du toit de la cidrerie.

Le fait de diriger une exploitation agricole avait conféré à Olive Worthington une affection particulière pour les heures de la journée et une méfiance tenace à l'égard de la nuit ; à son avis, les ennuis les plus graves dont souffraient les gens venaient de ce qu'ils veillaient trop tard.

Olive avait mis Arthur Rose au courant de la mort de Senior, en lui précisant que la responsabilité de l'équipe de ramassage lui incombait désormais. Elle lui avait écrit à l'adresse habituelle — une boîte postale dans un village appelé Green, en Caroline du Sud — et Arthur

Rose répondit promptement, avec ses condoléances et son assurance que le personnel arriverait, comme toujours, à temps et en nombre suffisant.

Il tint parole. Sauf quand elle écrivait son prénom sur une enveloppe ou qu'elle lui envoyait sa carte de Noël habituelle (« Joyeux Noël, Arthur ! »), Olive Worthington ne l'appelait jamais Arthur ; personne d'autre ne l'appelait Arthur non plus. Pour des raisons qui ne furent jamais expliquées à Homer Wells, mais peut-être à cause de l'autorité dont un bon chef d'équipe devait se revêtir, il était *monsieur* Rose pour tout le monde.

Quand Olive le présenta à Homer Wells, cette dose de respect s'exprima sans ambiguïté.

— Homer, dit Olive, je te présente monsieur Rose. Et je vous présente Homer Wells, ajouta Olive.

— Enchanté de vous connaître, Homer, dit M. Rose.

— Homer est devenu mon bras droit, précisa Olive d'un ton affectueux.

— Ravi de l'apprendre, Homer ! répondit M. Rose.

Il serra la main d'Homer très fort, mais la lâcha avec une rapidité inhabituelle. Il n'était pas mieux habillé que le reste de l'équipe, et comme la plupart il semblait très mince ; pourtant, dans le genre miteux, il ne manquait pas de style. Un veston sale et déchiré, mais tout de même un veston de complet prince de Galles, un veston croisé qui avait, en son temps, donné à quelqu'un une certaine classe ; et, en guise de ceinture, M. Rose portait une vraie cravate de soie. Il avait également de bonnes chaussures, ce qui est vital pour le travail agricole ; elles étaient vieilles mais bien graissées, ressemelées, visiblement confortables et en bon état. Ses chaussettes n'étaient pas dépareillées. Son veston possédait un gousset dans lequel se trouvait une montre en or et en état de marche ; il regardait sa montre d'un geste naturel et fréquent, comme si le temps comptait beaucoup pour lui. Il était rasé de si près qu'il semblait n'avoir jamais eu besoin de rasage ; son visage était une tablette lisse du chocolat amer le plus sombre et le moins sucré, et il faisait tourner dans sa bouche, d'une langue habile, une petite pastille à la menthe d'un blanc lumineux, qui l'entourait en tout temps d'un halo frais.

Il parlait et se déplaçait lentement — avec modestie mais détermination ; par son élocution et ses gestes, il donnait une impression d'humilité et de retenue. Mais quand on l'observait, immobile et muet, il semblait extraordinairement rapide et sûr de lui.

C'était une chaude journée de l'« été indien » et le comptoir de vente se trouvait suffisamment dans les terres pour ne pas sentir le peu de brise marine qui soufflait. M. Rose et Mme Worthington bavardaient au milieu des véhicules de la ferme, stationnés et en mouvement, dans le parking du comptoir ; le reste du personnel attendait dans les voitures — glaces baissées, avec un orchestre de doigts noirs tambourinant sur les capots. Il y avait dix-sept ramasseurs et un cuisinier — ni femmes ni enfants cette année, au plus grand soulagement d'Olive.

« Très joli, dit M. Rose des bouquets de fleurs dans la cidrerie.

Avant de se retirer, Mme Worthington posa l'index sur le règlement qu'elle avait fixé au mur près de l'interrupteur de la cuisine.

— Et vous voudrez bien montrer ceci à tout le monde, je vous prie ?

— Oh, oui, je suis bon pour les règlements, répondit M. Rose en souriant. Vous reviendrez bien assister à la première pressée, Homer ? dit M. Rose pendant que le jeune homme tenait pour Olive la portière de la fourgonnette. Je suis sûr que vous avez mieux à voir — le cinéma et tout ça — mais si vous avez un peu de temps libre, venez donc nous regarder faire un peu de cidre. A peu près quarante hectos, ajouta-t-il timidement, en traînant les pieds, comme honteux d'avoir l'air de se vanter. Il ne nous faut que huit heures et à peu près trois cents boisseaux de pommes. Quarante hectos, répéta-t-il avec fierté.

Pendant le trajet de retour au comptoir de vente, Olive Worthington expliqua à Homer :

— M. Rose est un vrai travailleur. Si tous les autres lui ressemblaient, ils pourraient améliorer leur sort.

Homer ne comprit pas le ton de sa voix. Il avait reconnu de l'admiration, de la sympathie — et même de l'affection —, mais aussi la glace qui enferme un point de vue ancré de longue date et immuable.

Heureusement pour Melony, l'équipe de ramassage d'York Farm comprenait deux femmes et un enfant ; Melony put donc rester dans la cidrerie en toute sécurité. L'une des femmes avait un mari, et l'autre était la mère de la première — et la cuisinière ; la première femme ramassait avec les hommes pendant que la vieille s'occupait des repas et de l'enfant — silencieux, à la limite de la non-existence. Il n'y avait qu'une seule douche, installée à l'extérieur — derrière la cidrerie, au-dessus d'une plate-forme de parpaings, sous une ancienne treille dont

335

les palisses étaient pourries par le mauvais temps. Les femmes se douchaient en premier, chaque soir, et ne permettaient aucun regard en coulisse. Le chef de l'équipe d'York Farm, brave bougre — c'était sa femme qui accompagnait la bande —, ne s'opposa pas à ce que Melony partage la cidrerie avec son personnel.

Il s'appelait Pluto ; c'était un surnom, provenant d'une curieuse habitude de cet homme peu loquace : pendant chaque activité, il soupirait qu'il aimerait *plutôt* faire autre chose. Son autorité semblait moins assurée, ou en tout cas moins électrique, que celle de M. Rose ; personne ne l'appelait d'ailleurs *monsieur* Pluto. C'était un ramasseur régulier mais pas d'une rapidité exceptionnelle, et pourtant on lui comptait toujours plus de cent boisseaux par jour ; Melony ne mit qu'une journée à se rendre compte que les autres travailleurs de l'équipe payaient à Pluto une commission. Ils lui donnaient un boisseau tous les vingt boisseaux qu'ils ramassaient.

— Après tout, expliqua Pluto à Melony, c'est moi qui leur trouve le boulot.

Il se plaisait à dire que sa commission, étant donné les circonstances, demeurait « plutôt petite », mais il ne suggéra jamais que Melony lui devait quoi que ce fût.

« Après tout, je ne t'ai pas trouvé ton boulot ! lui expliqua-t-il en riant.

Le troisième jour de récolte, elle parvint à quatre-vingts boisseaux ; elle travailla aussi à la mise en bouteilles de la première pressée de cidre. Mais elle fut très déçue : elle avait trouvé le temps de demander si quelqu'un avait entendu parler d'Ocean View, en vain.

Peut-être parce qu'il considérait toutes choses avec un peu moins de cynisme que Melony n'en apportait à chacune de ses expériences, Homer Wells mit plusieurs jours à remarquer la commission que M. Rose extorquait à ses hommes. C'était le plus rapide de tous, sans jamais avoir l'air de se presser — et il ne faisait jamais tomber de fruits ; jamais il ne blessait les pommes en cognant son seau de toile contre les barreaux de l'échelle. M. Rose aurait pu atteindre, tout seul, cent dix boisseaux par jour, mais, malgré sa vitesse, Homer s'aperçut que ses habituels cent cinquante ou cent soixante boisseaux dépassaient la norme. Il ne prenait pour commission qu'un boisseau tous les quarante, mais il avait une équipe de quinze hommes, dont aucun ne ramassait moins de quatre-vingts boisseaux à la journée. M. Rose ramassait très vite une demi-douzaine de boisseaux, puis se reposait un instant, ou bien vérifiait la technique de ramassage de ses hommes.

— Un peu moins vite, George, disait-il. Si tu blesses ce fruit, à quoi sera-t-il bon ?

— A faire du cidre, répondait George.

— Tout juste, s'écriait M. Rose. Les pommes à cidre ne font que vingt-cinq *cents* le boisseau.

— Parfait, répondait George.

— Ouais, disait M. Rose. Tout sera parfait.

Le troisième jour, il plut et personne ne ramassa ; les pommes et les hommes glissent sous la pluie, et le fruit est plus sensible aux chocs.

Homer alla voir Meany Hyde, et M. Rose organisa la première pressée de cidre. Ils dirigeaient de loin, hors de portée des éclaboussures. Ils placèrent deux hommes au pressoir, et deux à la mise en bouteille ; la relève avait lieu à peu près toutes les heures. Meany ne surveillait qu'une seule chose : si les planches étaient posées l'une sur l'autre bien droit ou de travers. Quand les planches du pressoir sont empilées de travers on risque de perdre la pressée — trois boisseaux de pommes gaspillés d'un coup, trente-cinq ou quarante litres de cidre qui s'envolent partout avec le marc. Les hommes du pressoir portaient des tabliers de caoutchouc ; ceux qui mettaient le cidre en bouteilles, des bottes de caoutchouc. Les gémissements du broyeur rappelèrent à Homer Wells les bruits qu'il avait imaginés à Saint Cloud's — les lames de la scierie qui hurlaient dans ses rêves (et dans ses insomnies) à lui briser les oreilles. La pompe aspirait, le dégorgeoir dégorgeait une pulpe de pépins, de peau et de purée de pommes, et même de vers (si les pommes étaient véreuses). Cela ressemblait à ce que Nurse Angela appelait sans broncher du « remonté ». De la grosse bassine au-dessous du pressoir, le cidre traversait en sifflant un filtre rotatif, avant d'être refoulé dans la cuve de quarante hectolitres où, quelques jours plus tôt, Grace Lynch s'était montrée à Homer toute nue.

Au bout de huit heures de travail sans relâche, ils avaient quarante hectolitres. L'élévateur mécanique entraînait les bouteilles en cliquetant, directement dans la chambre froide. Un nommé Branches reçut l'ordre de passer la cuve au jet et de rincer le filtre rotatif ; il tenait son nom de son habileté à cueillir dans les grands arbres — et de son mépris pour les échelles. Un nommé Héros lava les toiles du pressoir ; Meany Hyde raconta à Homer que l'homme avait été une sorte de héros, une fois...

— Je ne sais rien d'autre. Il vient ici depuis des années, mais c'était un héros. Juste une fois, ajouta Meany — comme s'il associait au caractère exceptionnel de cet héroïsme davantage de honte qu'il n'y avait de gloire dans le grand moment de lumière du bonhomme.

337

— Je parie que tu t'es ennuyé, dit M. Rose à Homer, qui mentit — il lui assura que c'était intéressant : huit heures à traîner autour d'un pressoir à cidre représentant plusieurs heures au-delà du seuil d'ennui.

« Il faut venir la nuit pour vraiment sentir l'ambiance, lui confia M. Rose. Ce n'était qu'une pressée de jour de pluie. Quand on ramasse toute la journée et que l'on presse toute la nuit, alors oui : on *sent* vraiment l'ambiance.

Il fit un clin d'œil à Homer, supposant sans doute qu'il avait par ces mots révélé le mystère d'une sorte d'existence secrète ; puis il tendit un bol de cidre à Homer. Homer avait goûté du cidre toute la journée, mais ce bol lui était offert d'un geste solennel — ils prononçaient un vœu pour la future pressée nocturne de cidre. Homer prit donc le bol et le but. Les larmes lui montèrent aux yeux dans l'instant ; le cidre était tellement mouillé de rhum qu'Homer sentit son visage rougir et son estomac brûler. Sans ajouter un mot, M. Rose reprit le bol et offrit le peu qui restait au nommé Branches, qui le siffla sans que tremble d'un pouce le jet de son tuyau d'arrosage.

Homer Wells emporta quelques cruchons de cidre dans la fourgonnette et vit le bol passer des mains de Meany Hyde à celles du nommé Héros — sous le regard calme de M. Rose, qui n'avait révélé l'origine du rhum à personne. L'expression « le don de la dissimulation » vint à l'esprit d'Homer quand il songea à M. Rose ; il n'avait pas la moindre idée de l'endroit d'où venait la phrase, mais il savait que c'était forcément de Charles Dickens ou de Charlotte Brontë — il ne l'avait sûrement pas rencontrée dans l'*Anatomie de Gray* ou dans l'*Anatomie pratique du lapin* de Bensley.

Dans chaque geste de M. Rose, il n'y avait aucun mouvement gaspillé — qualité qu'Homer Wells n'avait auparavant associée qu'au Dr Larch ; le bon docteur possédait évidemment d'autres qualités, très différentes — de même que M. Rose.

Au comptoir des pommes, la récolte semblait au point mort, encalminée par la pluie que la grosse Dot Taft et les autres vendeuses regardaient d'un air morose depuis leur poste de travail, devant le tapis roulant de la chaîne d'emballage.

Nul ne parut emballé par le cidre qu'Homer apporta. Il était très doux, comme en général les premières pressées, et trop aqueux — à base de Mac et de Gravenstein précoces. On n'a jamais de bon cidre avant la fin d'octobre, avait expliqué Meany Hyde à Homer, et M. Rose l'avait confirmé d'un hochement de tête solennel. Un bon cidre a besoin de pommes tardives — Golden Delicious, Winter Banana, Baldwin ou Russet.

— Le cidre n'a pas de fumée avant octobre, dit la grosse Dot Taft en tirant nonchalamment sur sa cigarette.

Homer Wells, qui écoutait Dot, se sentait un peu comme la grosse femme — amorti. Wally était loin, Candy était partie et l'anatomie du lapin, après Clara, ne faisait pas le poids ; les saisonniers dont il avait attendu la venue avec tellement d'impatience curieuse n'étaient que de simples manœuvres ; la vie se réduisait à une longue corvée. Était-il devenu adulte sans remarquer *quand ?* N'y avait-il donc rien de remarquable dans la transition ?

Au bout de quatre belles journées de récolte à Ocean View, Meany Hyde déclara qu'on ferait une pressée de nuit et M. Rose invita de nouveau Homer à venir dans la cidrerie pour en « sentir l'ambiance ». Homer dîna paisiblement avec Mme Worthington, et, après l'avoir aidée à faire la vaisselle, déclara qu'il pensait se rendre à la cidrerie, et donner un coup de main pour la pressée ; il savait qu'il y aurait deux ou trois heures de gros travail.

— Quel bon travailleur tu es, Homer ! lui dit Olive, élogieuse.

Homer Wells haussa les épaules. C'était une nuit froide et claire, le meilleur temps qui soit pour les McIntosh [27] : des journées chaudes et ensoleillées suivies par des nuits fraîches. Il ne faisait pas assez froid pour qu'Homer perde l'odeur des pommes sur le chemin de la cidrerie, et il ne faisait pas assez sombre pour qu'il soit obligé de rester sur l'allée ; il pouvait passer à travers champs. Comme il n'était pas sur la route, il put s'avancer jusqu'à la cidrerie sans être vu.

Pendant un moment, il resta hors de portée des lumières vives du chai et il écouta le bruit des hommes qui travaillaient au pressoir (ils parlaient et riaient) ainsi que le murmure de ceux qui parlaient et riaient sur le toit. Il écouta longtemps. Il s'aperçut que, quand ces hommes ne faisaient aucun effort pour être compris d'un Blanc, il ne pouvait absolument pas les comprendre — même pas M. Rose dont la voix claire semblait ponctuer les autres voix d'interjections calmes mais énergiques.

On pressait aussi du cidre à York Farm ce soir-là, mais cela n'intéressait pas Melony. Elle n'essayait de comprendre ni la méthode, ni le jargon. Le chef d'équipe, Pluto, lui avait signifié clairement que les hommes n'aimaient pas la voir travailler au pressoir ou à la mise en bouteilles ; cela diminuait leur paie. De toute façon, Melony était fatiguée après la cueillette. Allongée sur son lit dans le dortoir de la cidrerie, elle lisait *Jane Eyre ;* il y avait un homme endormi au fond du dortoir, mais la lumière de Melony ne le gênait pas — il avait bu trop de bière (la seule boisson alcoolisée que tolérait

Pluto). La bière se trouvait dans la chambre froide, à côté du pressoir, et les hommes buvaient en bavardant tout au long de la pressée.

La femme gentille qu'on appelait Sandra, l'épouse de Pluto, s'était assise sur un lit, non loin de Melony, pour essayer de recoudre la fermeture Éclair du pantalon d'un des hommes. Celui-ci, un nommé Sammy, n'avait qu'un seul pantalon ; de temps à autre il sortait de la salle du pressoir pour voir comment le travail de Sandra avançait — des caleçons courts trop larges, formant ballon, tombaient presque jusqu'à ses genoux noueux ; au-dessous des genoux ses jambes ressemblaient à des sarments nerveux.

La mère de Sandra, que tout le monde appelait Ma et qui préparait d'énormes repas pour le personnel, gisait comme un gros tas sur le lit de Sandra, enfouie sous plus que sa part de couvertures — elle avait toujours froid, mais c'était bien la seule chose dont elle se plaignait.

Sammy entra dans le dortoir, une bière à la main — l'odeur de purée de pommes de la cidrerie l'accompagnait ; les éclaboussures du pressoir mouchetaient ses jambes nues.

— Avec des jambes comme ça, pas étonnant que tu aies envie de récupérer ton pantalon, dit Sandra.

— Quelles sont mes chances ? demanda Sammy.

— Un, ta fermeture est coincée. Deux, tu l'as arrachée de ton pantalon, expliqua Sandra.

— Pourquoi étais-tu si pressé d'ouvrir ta fermeture Éclair, hein ? lança Ma sans bouger de sa position avachie.

— Merde, répondit Sammy.

Il retourna au pressoir. De temps en temps, le broyeur tombait sur quelque chose de dur — une branchette ou un bloc de pépins — et faisait un bruit de scie circulaire qui peine sur un nœud. Chaque fois, Ma disait : « Adieu la main de quelqu'un », ou « Adieu la tête de quelqu'un. Bu trop de bière et tombé dans la purée. »

Sur ce fond sonore, Melony parvenait à lire. A son avis, elle n'était pas asociale. Les deux femmes, comprenant qu'elle ne courait pas après les hommes, s'étaient montrées fort gentilles à son égard. Les hommes respectaient son travail — et la marque laissée sur elle par le petit ami disparu. Il leur arrivait de la taquiner, mais ils ne lui voulaient aucun mal.

Elle avait menti, avec succès, à l'un des hommes ; et le mensonge — comme elle l'escomptait — avait fait le tour de l'équipe. L'homme s'appelait Mercredi, pour une raison que Melony ne chercha jamais à élucider. Mercredi lui avait posé trop de questions sur l'Ocean View qu'elle cherchait et le petit ami qu'elle essayait de trouver

340

Elle avait coincé son échelle dans un arbre touffu et elle essayait de la dégager sans faire tomber de pommes par terre ; Mercredi l'aidait Melony lui dit :

— Je porte un pantalon joliment serré, non ?

— Ouais, répondit Mercredi après l'avoir regardée.

— On peut voir tout dans les poches, pas vrai ? demanda Melony.

Mercredi regarda de nouveau. Il n'y avait que l'étrange barrette à bord de corne, en forme de faucille, à moitié ouverte ; serrée contre la toile bleue usée, elle s'enfonçait dans la cuisse de Melony. C'était la barrette que Mary Agnes Cork avait volée à Candy, et que Melony s'était appropriée. Un jour, se disait-elle, elle aurait les cheveux assez longs pour l'utiliser. En attendant, elle la portait comme un couteau de poche sur la cuisse droite.

— Qu'est-ce que c'est ? demanda Mercredi.

— Un couteau à pénis, répondit Melony.

— Un couteau à *quoi* ?

— Tu m'as bien entendue, dit-elle. C'est tout petit et ça coupe très bien. Ce n'est bon qu'à une chose.

— Laquelle ? demanda Mercredi.

— Ça coupe le bout du pénis, répondit Melony. Vite fait, et vraiment facile. Juste le bout.

Si l'équipe de ramassage d'York Farm avait été du genre amateur d'armes blanches, quelqu'un aurait peut-être demandé à Melony de montrer ce couteau à pénis — comme un objet susceptible de provoquer l'admiration générale, entre connaisseurs. Mais personne ne lui demanda rien ; et l'histoire semblait solide. Elle était bien dans la ligne des autres récits associés à Melony, et elle renforçait le sentiment de malaise sous-jacent que l'orpheline inspirait aux ouvriers d'York Farm : Melony n'était pas quelqu'un à qui chercher noise. Devant elle, même les buveurs de bière se tenaient à carreau.

Le seul effet néfaste de la bière sur les ramasseurs d'York Farm pendant la pressée était la fréquence avec laquelle ils urinaient — Melony n'objectait que lorsqu'ils pissaient trop près de la cidrerie.

« Hé, je ne veux pas entendre ça ! braillait-elle par la fenêtre quand elle entendait un homme pisser. Et je ne veux pas non plus le sentir plus tard ! Allez plus loin de la maison. Qu'est-ce qu'il y a donc ? Vous avez peur du noir ?

Mais si tout le monde tolérait la dureté de Melony, ou même l'en appréciait davantage, personne n'aimait qu'elle lise la nuit. Elle était d'ailleurs la seule à lire, et elle mit du temps à se rendre compte à quel point ils trouvaient sa lecture grossière, à quel point ils se sentaient insultés chaque fois qu'elle lisait.

A la fin de la pressée ce soir-là, quand tout le monde se mit au lit, Melony demanda comme d'habitude si sa lumière ne gênait personne.

— La *lumière* ne gêne personne, dit Mercredi.

Il y eut quelques murmures d'assentiment, puis Pluto dit :

— Vous vous souvenez de Cameron ?

Il y eut des rires, et Pluto expliqua à Melony que Cameron, un habitué d'York Farm pendant des années, était tellement bébé qu'il lui fallait une lampe allumée toute la nuit pour dormir.

— Il croyait que des animaux allaient le manger s'il éteignait la lumière ! dit Sammy.

— Quels animaux ? demanda Melony.

— Cameron ne le savait pas, dit quelqu'un.

Melony continua de lire *Jane Eyre,* et, au bout d'un moment, Sandra dit :

— Ce n'est pas la *lumière* qui nous gêne, Melony.

— Ouais, lança quelqu'un.

Melony ne comprit pas pendant un certain temps, mais, peu à peu, elle s'aperçut qu'ils s'étaient tous tournés vers elle dans leurs lits et qu'ils la regardaient d'un air sombre.

— D'accord, dit-elle. Qu'est-ce qui vous gêne ?

— De toute façon, qu'est-ce que tu lis ? demanda Mercredi.

— Ouais, ajouta Sammy. Qu'est-ce qu'il a de spécial, ce bouquin ?

— Ce n'est qu'un livre, dit Melony.

— Tu sais lire. C'est pas rien pour toi, hein ? demanda Mercredi.

— Quoi ? dit Melony.

— Peut-être que si tu aimes tant ça, dit Pluto, *nous* pourrions aimer ça nous aussi.

— Vous voulez que je vous lise ce livre ? demanda Melony.

— Une fois, quelqu'un m'a lu un livre, assura Sandra.

— Ce n'était pas moi ! se défendit Ma. Ni ton père non plus.

— Je n'ai jamais dit ça ! répliqua sa fille.

— Jamais je n'ai entendu quelqu'un lire un livre à quelqu'un, dit Sammy.

— Ouais, confirma une voix.

Melony vit que plusieurs hommes s'étaient levés sur le coude, dans leurs lits, en attente. Même Ma tourna sa grosse masse vers le lit de Melony.

— Silence, tout le monde, dit Pluto.

Pour la première fois de sa vie, Melony eut le trac. Après tous ses efforts et son dur voyage, elle eut l'impression d'être revenue, sans s'en rendre compte, à la section Filles ; mais pas seulement ça. C'était la première fois que quelqu'un attendait quelque chose d'elle. Elle savait ce que *Jane Eyre* signifiait pour elle, mais quel sens cela prendrait-il pour eux ? Elle l'avait lue à des enfants trop jeunes pour comprendre la moitié des mots, trop jeunes pour concentrer leur attention jusqu'à la fin d'une phrase, mais c'étaient des orphelines — prisonnières de la routine d'une lecture à haute voix ; c'était la routine qui comptait.

Melony était plus qu'à mi-chemin de sa troisième ou quatrième traversée de *Jane Eyre*. Elle dit :

— J'en suis à la page deux cent huit. Il s'est déjà passé beaucoup de choses.

— Lis donc, c'est tout, répondit Sammy.

— Peut-être devrais-je commencer au début, proposa Melony.

— Lis seulement ce que tu lisais pour toi, dit Pluto gentiment.

C'était la première fois que la voix de Melony tremblait, mais elle commença.

— *Le vent rugissait dans le grand arbre dont la végétation encharmillait les grilles,* lut-elle.

— « Encharmiller », qu'est-ce que c'est ? lui demanda Mercredi.

— Comme une charmille, dit Melony. Quand ça pend au-dessus de vous, comme la vigne ou les rosiers.

— L'endroit où il y a la douche, c'est une sorte de charmille, dit Sandra.

— Oh ! lança une voix.

— *Mais la route, à perte de vue,* continua Melony, *vers la droite et la gauche, était complètement vide et solitaire.*

— Qu'est-ce que c'est ? demanda Sammy.

— Solitaire, c'est *seul,* dit Melony.

— Comme le solitaire, quand on joue aux cartes sans partenaire, tu sais bien, expliqua Pluto, et il y eut un murmure d'acquiescement.

— Cessez donc d'interrompre, s'écria Sandra.

— Mais... il faut bien qu'on comprenne, protesta Mercredi.

— Vos gueules, c'est tout, lança Ma.

— Lis ! ordonna Pluto à Melony — et elle essaya de continuer.

— *La route... complètement vide et solitaire : excepté les ombres des nuages qui la traversaient de temps à autre, quand la lune se montrait, ce n'était qu'une longue ligne pâle, qu'aucun point mouvant ne faisait varier.*

— Ne faisait quoi ? lança une voix.

— Varier veut dire changer, bouger, dit Melony.

— Je le sais, dit Mercredi. Celui-là, je le connais.

— La ferme ! cria Sandra.

— *Une larme puérile*, commença Melony — mais elle s'arrêta. Je ne sais pas ce que veut dire *puérile*, précisa-t-elle, mais il n'est pas important de connaître le sens de chaque mot.

— D'accord, répondit quelqu'un.

— *Une larme puérile perla dans mon œil tandis que je regardais — une larme de déception et d'impatience : j'en eus honte et je l'essuyai.*

— Ça, on sait ce que c'est de toute façon, dit Mercredi.

— *Je m'attardai...*, lut Melony.

— Tu *quoi* ? demanda Sammy.

— Traînai ; s'attarder, ça veut dire traîner ! lança Melony sèchement, avant de poursuivre : ... *La lune s'enferma pour de bon dans sa chambre et referma son rideau de nuages denses ; la nuit s'assombrit...*

— Ça commence à vous donner les jetons, fit remarquer Mercredi.

— *La pluie arriva, poussée par le vent.* (Melony avait changé « rafale » par « vent » sans qu'ils s'en aperçoivent.) *Ah, comme je voudrais qu'il vienne ! Comme je voudrais qu'il vienne ! m'exclamai-je, saisie d'un pressentiment hypocondriaque.*

Sur ces mots, Melony s'arrêta ; des larmes emplirent ses yeux, et elle cessa de voir les lignes. Il y eut un long silence avant qu'une voix s'élève.

— *Saisie* de quoi ? demanda Sammy, pris de peur.

— Je ne sais pas ! murmura Melony en sanglotant. Une sorte de frayeur, je crois.

Ils respectèrent les sanglots de Melony pendant un moment, puis Sammy dit :

— Je crois que c'est une sorte d'histoire d'horreur.

— Pourquoi as-tu envie de lire ça avant de t'endormir ? demanda Pluto à Melony avec une compassion sincère.

Mais Melony s'allongea sur le lit et éteignit sa lampe.

Quand toutes les lumières furent éteintes, Melony sentit que Sandra s'asseyait sur son lit, près d'elle. (Ce n'était pas Ma, se dit-elle, car le lit aurait fléchi davantage.)

— Si tu veux mon avis, tu ferais mieux d'oublier ce type, lui murmura Sandra. S'il ne t'a pas dit où le retrouver, il ne vaut rien de toute façon.

Melony n'avait pas senti une main lui caresser les tempes depuis Mme Grogan et la section Filles de Saint Cloud's ; elle réalisa que

Mme Grogan lui manquait beaucoup, et cette pensée lui fit oublier Homer Wells un instant.

Quand tout le monde fut endormi, Melony ralluma sa lampe ; même si *Jane Eyre* était un échec pour les autres, le livre lui avait toujours fait de l'effet — il l'avait aidée — et elle avait besoin de pages, mais sans pouvoir chasser Homer Wells de son esprit. *Je dois me séparer de toi pour ma vie entière,* lut-elle avec horreur. *Je dois commencer une nouvelle existence au milieu de visages inconnus.* La vérité de ces paroles referma le livre pour elle, et le referma à jamais. Elle glissa *Jane Eyre* sous son lit dans le dortoir de la cidrerie d'York Farm — et n'y toucha plus. Si elle avait lu le passage de *David Copperfield* qu'Homer Wells aimait tant et répétait à voix basse comme une prière d'espoir, elle aurait jeté également *David Copperfield. Je me suis mis à l'écart pour voir passer devant moi les fantômes de ces jours-là.* Tu parles d'une occasion ! se serait dit Melony. Elle savait que tous les fantômes de ces jours-là étaient attachés à Homer et à elle plus solidement que leurs ombres. Et Melony pleura donc jusqu'à ce qu'elle s'endorme — elle n'avait aucun espoir mais elle était résolue, et l'œil de son esprit fouillait les ténèbres à la recherche d'Homer Wells.

Elle n'aurait pas pu le voir cette nuit-là — il était trop bien caché, hors de portée des lumières éclatantes de la salle du pressoir, à Ocean View. Même s'il avait éternué, ou s'il était tombé, le bruit du broyeur et de la pompe aurait dissimulé sa présence. Il regardait les yeux rouges des cigarettes, qui brillaient puis se voilaient, au-dessus du toit de la cidrerie. Quand il eut froid, il rejoignit les hommes autour du pressoir et prit un peu de cidre au rhum.

M. Rose parut content de le voir ; il servit Homer, avec très peu de cidre dans le mélange, puis ils regardèrent ensemble l'orchestre de la pompe et du broyeur. Un nommé Jack, qui avait une cicatrice atroce en travers de la gorge — une blessure du genre dont-on-ne-réchappe-pas —, dirigeait le dégorgeoir. Un nommé Orange lançait les planches à leur place et recevait les éclaboussures avec une sorte de fierté sauvage ; on l'appelait Orange, parce que, un jour où il avait voulu se teindre les cheveux, ils étaient devenus orange — il ne restait plus aucune trace de cette couleur à présent. A cause du rhum, Jack et Orange travaillaient avec une sorte de rage insolente, méprisant les éclaboussures, mais Homer eut le sentiment que M. Rose, manifestement lucide, tenait tout en main. Il pilotait hommes et machines — et faisait tout marcher à pleins gaz.

— Essayons d'en finir avant minuit, dit M. Rose calmement.

Jack bloqua le flot de marc au niveau de la planche supérieure ; Orange releva le pressoir en position.

Dans l'autre coin de la salle, deux hommes dont Homer Wells ne connaissait pas le nom mettaient en bouteilles à toute allure. L'un d'eux éclata de rire et son compagnon se joignit à lui en ricanant si fort que M. Rose leur cria :

« Qu'est-ce qu'il y a de si drôle ?

L'un des hommes expliqua que sa cigarette venait de tomber de sa bouche dans la cuve ; à ces mots, même Jack et Orange se mirent à rire et Homer sourit, mais M. Rose dit, sans élever le ton :

« Dans ce cas, tu as intérêt à la repêcher. Personne ne veut que ça gâche le cidre.

Les hommes se turent brusquement. Seules les machines continuèrent à chuinter et à taper.

« Allez, répéta M. Rose. Va la repêcher.

L'homme à la cigarette perdue se pencha vers la cuve de quarante hectolitres ; même à moitié pleine, c'était encore une sacrée piscine. Il ôta ses bottes de caoutchouc, mais M. Rose lança :

« Pas seulement les bottes. Enlève *tous* tes vêtements. Va prendre une douche — et que ça saute. Nous avons du travail.

— Quoi ? dit l'homme. Je ne vais pas me déshabiller et me laver juste pour nager là-dedans ?

— Tu es sale de la tête aux pieds, répondit M. Rose. Allez, dégage !

— Dégage toi-même ! répondit l'homme à M. Rose. Si tu veux sortir ce clope de là, tu peux aller le repêcher tout seul.

Ce fut Orange qui parla à l'homme.

— T'es dans quel boulot ? lui demanda Orange.

— Hein ? Quoi ? dit l'homme.

— T'es dans quel boulot, mec ? dit Orange.

— Réponds que ton boulot, c'est les pommes, mec, conseilla Jack à l'homme.

— Réponds *quoi* ? demanda l'homme.

— Réponds seulement que ton boulot, c'est les pommes, mec, dit Orange.

Ce fut à ce moment-là que M. Rose prit Homer par le bras et lui dit :

— Allons voir la vue que l'on a du toit, mon ami.

La pression sur le coude d'Homer était ferme mais douce. M. Rose fit sortir très aimablement Homer de la salle du pressoir, puis du chai, par la porte de la cuisine.

346

— Tu sais dans quel boulot est M. Rose, mec ? entendit Homer. (C'était la voix d'Orange.)

— Son boulot, c'est le couteau, mec, entendit-il répondre par Jack.

— Tu n'as pas envie de te mettre dans le boulot de couteau avec M. Rose, dit Orange.

— Reste donc dans le boulot de pommes, mec, tu t'en sors très bien, dit Jack.

Homer était en train de monter sur l'échelle du toit, derrière M. Rose, quand il entendit couler la douche ; une douche intérieure — plus privée que la douche d'York Farm. Sans leurs cigarettes, les hommes auraient été difficiles à voir, mais Homer prit la main de M. Rose et le suivit le long de la planche du faîte jusqu'à ce qu'ils trouvent deux bons sièges.

— Vous connaissez tous Homer, dit M. Rose aux hommes sur le toit.

Quelques saluts s'élevèrent en un murmure flou. Le nommé Héros se trouvait là, ainsi que l'homme qu'on appelait Branches ; il y avait aussi un nommé Willy, deux ou trois autres dont Homer ignorait le nom, puis le vieux cuisinier, surnommé La Gamelle. Il avait la forme d'une marmite ; gagner son perchoir sur le toit exigeait de lui un certain effort.

Une main tendit à Homer une bouteille de bière, mais la bouteille était chaude et pleine de rhum.

— Ça s'est encore arrêté, dit Branches — et tout le monde regarda vers la mer.

Les lumières de la vie nocturne de Cape Kenneth étaient tellement basses sur l'horizon qu'une partie demeurait invisible — on ne voyait que leurs reflets, en particulier quand elles étaient dirigées vers l'océan —, mais la Grande Roue étincelait de tous ses feux. Elle était immobile, pour charger de nouveaux clients et décharger les anciens.

« Peut-être que ça s'arrête pour respirer, dit Branches — ce qui fit rire tout le monde.

Puis une voix suggéra que ça s'arrêtait pour péter, et les rires redoublèrent. Ensuite Willy dit :

— Quand ça s'approche trop près du sol, c'est *forcé* de s'arrêter, je crois, et tout le monde parut réfléchir sérieusement à la question.

Mais la Grande Roue se remit à tourner et les hommes sur le toit de la cidrerie poussèrent un murmure respectueux.

— Voilà que ça repart ! dit Héros.

— C'est comme une étoile, dit La Gamelle, le vieux cuisinier... Ça

347

a l'air vraiment froid mais quand on s'approche de trop, ça vous cuit
— c'est plus brûlant qu'une flamme.

— C'est une roue Ferris, dit Homer Wells.

— Une *quoi ?* lança Willy.

— Une roue quoi ? demanda Branches.

— Une roue Ferris, répondit Homer Wells. C'est le parc d'attractions de Cape Kenneth et c'est la Grande Roue.

M. Rose lui donna un coup de coude dans les côtes, mais Homer ne
comprit pas. Personne ne parla pendant longtemps et, quand Homer
regarda M. Rose, celui-ci secoua doucement la tête.

— J'ai entendu parler d'un truc comme ça, dit La Gamelle. Je crois
qu'ils en ont un à Charleston.

— Ça s'est encore arrêté, remarqua Héros.

— C'est pour laisser descendre les passagers — les gens qui
viennent de faire un tour, expliqua Homer Wells. Et pour que d'autres
puissent monter.

— Des gens *montent* dans ce machin-là ? s'étonna Branches.

— Te fous pas de ma gueule, Homer ! dit Héros.

De nouveau, Homer sentit le coude dans ses côtes, et M. Rose dit,
avec une grande douceur :

— Vous manquez tellement d'instruction ! Homer se moque un peu
de vous.

Quand la bouteille de rhum passa de main en main, M. Rose la
transmit à son voisin sans boire.

« Le nom d'Homer ne signifie rien pour vous ? demanda M. Rose
aux hommes.

— Je crois en avoir entendu parler, dit le cuisinier La Gamelle.

— Homère était le premier conteur du monde ! annonça M. Rose,
avec un nouveau coup de coude dans les côtes d'Homer. *Notre* Homer
connaît lui aussi une bonne histoire.

— Merde, dit une voix au bout d'un instant.

— Quel genre de roue tu appelles ça, Homer ? demanda Branches.

— Une roue Ferris, dit Homer Wells.

— Ouais ! lança une voix, et tout le monde rit.

— Une putain de roue *Ferris !* dit Héros. C'est pas mal.

L'un des hommes dont Homer ne connaissait pas le nom roula
du toit. Les autres attendirent qu'il soit tombé par terre avant de
crier.

— Tu vas bien, trou-du-cul ? demanda La Gamelle.

— Ouais, dit l'homme — et tout le monde rit.

Quand M. Rose entendit la douche couler de nouveau, il sut que

348

l'homme de la mise en bouteilles avait repêché la cigarette et lavait le cidre de son corps.

— Willy et Héros, à votre tour de mettre en bouteilles, dit M. Rose.

— Mais la dernière fois, c'était moi ! protesta Héros.

— Ça te permettra de le faire mieux, répondit M. Rose.

— Je vais aller presser pendant un moment, proposa quelqu'un.

— Jack et Orange s'en sortent bien, dit M. Rose. Laissons-les continuer encore un peu.

Homer sentit qu'il devait quitter le toit en même temps que M. Rose. Ils descendirent l'échelle tour à tour ; au sol, M. Rose s'adressa très sérieusement à Homer.

« Il faut que tu comprennes, chuchota M. Rose. Ils ne veulent pas *savoir* ce que c'est. Quel bien cela leur ferait-il de savoir ?

— D'accord, dit Homer, qui resta un long moment hors de portée des lumières éclatantes de la salle du pressoir.

Maintenant qu'il connaissait mieux leur dialecte, il pouvait comprendre de temps en temps les voix qui venaient du toit.

— Ça s'est encore arrêté, entendit-il dire par Branches.

— Ouais, ça prend des *passagers !* lança quelqu'un — et tous rigolèrent.

— Vous savez, c'est peut-être un terrain de l'armée, dit La Gamelle.

— Quelle armée ?

— Nous sommes presque en guerre, répondit La Gamelle. Je l'ai entendu dire.

— Merde, lança une voix.

— C'est un truc pour que les avions le voient, dit La Gamelle.

— Les avions de qui ? demanda Héros.

— Voilà que ça repart, signala Branches.

Homer Wells traversa les vergers à pied jusqu'à la maison Worthington ; il fut touché que Mme Worthington lui ait laissé allumées les lampes de l'escalier. Quand il vit le rai de lumière sous la porte de la chambre d'Olive, il dit doucement :

— Bonne nuit, madame Worthington. Je suis rentré.

— Bonne nuit, Homer, répondit-elle.

Il regarda par la fenêtre de Wally pendant un moment. A cette distance, il n'avait aucun moyen de découvrir quelle serait la réaction, sur le toit du chai à cidre, quand la Grande Roue Ferris de Cape Kenneth s'arrêterait pour la nuit. (Quand toutes les lumières s'éteindraient d'un coup, que diraient les hommes du toit ? se demanda-t-il.)

Peut-être croyaient-ils que la Grande Roue venait d'une autre planète et qu'au moment de l'extinction des feux elle y retournait.

Fuzzy Stone aurait-il aimé la voir ? se demanda encore Homer Wells. Et Curly Day ! Et le petit Copperfield ! Et ne s'y serait-il pas bien amusé avec Melony ? — juste un petit tour, pour voir ce qu'elle en aurait dit. Le Dr Larch serait resté froid. Existait-il un seul mystère pour le Dr Larch ?

Le matin venu, M. Rose décida, entre deux arbres, de reposer ses mains magiques ; il alla rejoindre Homer qui travaillait comme vérificateur dans le verger Poêle-à-frire : il comptait les caisses d'un boisseau avant qu'on les charge sur le plateau à ridelles, et il comptait les boisseaux de chaque ramasseur.

— Je voudrais bien que tu me montres cette roue, lui demanda M. Rose en souriant.

— La Grande Roue Ferris ? dit Homer Wells.

— Si ça ne t'ennuie pas de me la montrer, répondit M. Rose. Ça ne sert à rien d'en discuter, pas vrai ?

— D'accord, dit Homer. Mais il faudra y aller vite, avant qu'il ne fasse plus froid et qu'ils ne ferment pour la saison. Je parierais qu'il fait drôlement frais en ce moment, là-haut.

— Je ne peux pas savoir si j'aurai envie d'y monter avant d'avoir vu, répondit M. Rose.

— Bien sûr, dit Homer.

Mme Worthington lui permit de prendre la fourgonnette mais, quand il alla chercher M. Rose à la cidrerie, tout le monde se montra curieux.

— Il faut qu'on aille vérifier quelque chose dans le verger du fond, expliqua M. Rose aux hommes.

— De quel verger parle-t-il ? demanda La Gamelle à Héros pendant qu'Homer et M. Rose entraient dans la camionnette.

Homer Wells se rappela son tour de Grande Roue avec Wally. Il faisait beaucoup plus froid, et M. Rose eut l'air déprimé pendant tout le trajet jusqu'à Cape Kenneth. Il demeura renfermé pendant leur traversée de la kermesse. La foule de l'été s'en était allée ; plusieurs attractions avaient déjà fermé leurs portes.

— Ne vous en faites pas, dit Homer à M. Rose. La Grande Roue ne présente aucun danger.

— Ce n'est sûrement pas pour une roue que je vais me tracasser, répondit M. Rose. Vous avez vu beaucoup de gens de ma couleur dans le coin ?

Homer n'avait senti aucune hostilité dans les regards des promeneurs ; étant orphelin, il avait toujours soupçonné les gens de l'isoler dans la foule pour le regarder — il ne s'était donc pas senti observé en compagnie de M. Rose. Mais il prêta davantage d'attention aux regards, et il se rendit compte qu'en comparaison les coups d'œil que sentait sur lui un orphelin n'étaient qu'imagination.

Lorsqu'ils arrivèrent à la Grande Roue, il n'y avait pas de queue, mais ils durent attendre la fin du tour en cours. Quand la roue s'arrêta, Homer et M. Rose montèrent et s'assirent ensemble sur une banquette.

— On peut prendre chacun son siège, si vous préférez, dit Homer Wells.

— Restons comme ça, répliqua M. Rose.

Quand la roue commença de monter, il demeura très immobile, très droit, en retenant son souffle presque jusqu'en haut.

— Le verger est par là, indiqua Homer Wells.

Mais M. Rose regarda droit devant lui, comme si la stabilité de la Grande Roue tout entière reposait sur l'équilibre parfait de chaque client.

— Qu'est-ce qu'il y a de tellement spécial là-dedans ? demanda M. Rose, rigide.

— C'est juste le plaisir de faire un tour, et la vue, je suppose, dit Homer Wells.

— J'aime bien la vue depuis le toit, répondit M. Rose.

Quand la descente commença, il ajouta :

« Heureusement que je n'ai pas mangé beaucoup aujourd'hui. »

Le temps qu'ils passent au niveau du sol et recommencent à monter, une foule assez nombreuse s'était réunie — mais les gens ne semblaient pas faire la queue pour le tour suivant. Sur la roue, avec Homer et M. Rose, il n'y avait que deux couples et un gamin tout seul ; quand ils arrivèrent en haut, la deuxième fois, Homer comprit que la foule, au-dessous, s'était formée pour regarder M. Rose.

« Ils viennent voir si les nègres volent, dit M. Rose, mais je ne vais nulle part — en tout cas pour faire rire les gens. Ils viennent voir si la machine va casser, à vouloir soulever un nègre — ou peut-être qu'ils veulent me voir dégueuler. »

— Ne faites surtout rien, lui dit Homer Wells.

— C'est le conseil que j'ai entendu toute ma vie, petit, répondit M. Rose.

Quand la descente commença, M. Rose se pencha par-dessus le siège — dangereusement, et beaucoup plus loin qu'il n'était nécessaire — et vomit en une cascade splendide sur la foule au-dessous. La foule s'écarta en bloc, mais tout le monde ne se dégagea pas à temps.

Quand leur banquette arriva en bas, la Grande Roue s'arrêta pour que le malade puisse descendre. La foule avait battu en retraite, sauf un jeune homme particulièrement aspergé. Lorsque Homer Wells et M. Rose quittèrent l'enceinte de la Grande Roue, le jeune homme s'avança et lança à M. Rose :

— Vous aviez l'air de le faire *exprès !*

— Qui peut faire exprès d'être malade ? répondit M. Rose.

Il continua de marcher et Homer resta à sa hauteur. Le jeune homme devait avoir à peu près l'âge d'Homer ; il aurait mieux fait d'étudier ses leçons, se dit ce dernier — s'il va encore au lycée ; il y a cours demain.

— Je crois que vous l'avez fait exprès, répéta le jeune homme à M. Rose, qui s'arrêta aussitôt.

— Vous êtes dans quel boulot ? demanda M. Rose au jeune homme.

— Quoi ? répondit l'autre.

Mais Homer Wells se glissa entre eux.

— Mon ami est malade, dit-il. Je vous en prie, laissez-le tranquille.

— Votre *ami !* dit le jeune homme.

— Demandez-moi dans quel boulot je suis, lança M. Rose.

— Quel putain de boulot vous faites, *monsieur ?* cria le jeune homme.

Soudain, Homer se sentit écarté du chemin ; il se rendit compte que M. Rose était déjà devant le jeune homme, poitrine contre poitrine. Mais l'haleine de M. Rose n'avait pas l'odeur aigre des vomissures. Il avait dû glisser une pastille à la menthe dans sa bouche ; la vivacité, que M. Rose avait perdue pendant son malaise, était revenue dans son regard. Le jeune homme parut surpris d'être si près de M. Rose, et de façon si soudaine, il était un peu plus grand et vraiment plus lourd que le Noir, mais il ne semblait pas du tout sûr de lui.

« J'ai dit : Quel putain de boulot vous faites, monsieur ? répéta-t-il, et M. Rose sourit.

— Dégobilleur ! dit M. Rose avec humilité.

Quelqu'un dans la foule éclata de rire ; Homer Wells éprouva un immense soulagement. M. Rose sourit d'une manière qui permettait au jeune homme de lui rendre son sourire.

« Désolé d'avoir fait ça sur vous, dit M. Rose aimablement.

— Pas de problème, répondit le jeune homme en se retournant pour partir.

Au bout de quelques pas, il tourna dans la direction de M. Rose un regard inquisiteur, mais M. Rose avait pris Homer Wells par le bras et s'éloignait. Homer lut de la stupéfaction sur le visage du jeune homme. Son blouson de flanelle, dont la fermeture Éclair était encore fermée, bâillait grand ouvert — une longue entaille bien nette l'avait découpé du col à la taille — et tous les boutons de sa chemise avaient disparu. Le jeune homme, bouche bée, se regarda puis regarda M. Rose, qui ne se retourna pas ; puis le jeune homme se laissa entraîner dans la sécurité de la foule.

— Comment avez-vous fait ? demanda Homer à M. Rose quand ils arrivèrent à la fourgonnette.

— Il faut avoir les mains rapides, répondit M. Rose. Il faut avoir un couteau bien aiguisé. Mais on le *fait* avec les yeux. Vos yeux éloignent de vos mains les yeux de l'autre.

Le blouson grand ouvert du jeune homme rappela à Homer Clara et les scalpels qui ne se trompent jamais. Seules les mains se trompent. Il avait froid à la poitrine et il conduisait trop vite.

Quand Homer quitta Drinkwater Road pour prendre, entre les vergers, le chemin de la cidrerie, M. Rose lui dit :

« Tu vois, j'avais raison, n'est-ce pas ? A quoi bon, pour des ramasseurs de pommes, connaître cette roue-là ?

Rien de bon, se dit Homer Wells. Et quel bien cela ferait-il à Melony de la connaître, ou à Curly Day ou à Fuzzy — ou à n'importe quel bédouin ?

« N'ai-je pas raison ? demanda M. Rose.

— D'accord, répondit Homer Wells.

8

L'occasion frappe

A York, le régisseur demanda à Melony de rester après la récolte pour participer à la dératisation.

— Il faut détruire les souris avant que le sol ne gèle, sinon elles feront la loi dans les vergers tout l'hiver, expliqua-t-il.

On utilisait de l'avoine et du maïs empoisonnés, que l'on répandait autour des arbres et glissait dans les galeries creusées par les souris des pins.

Pauvres souris, se dit Melony, mais elle prit part à la dératisation pendant plusieurs jours. Quand elle découvrait une galerie, elle essayait de la cacher ; jamais elle n'y versait de poison. Et elle faisait semblant de jeter l'avoine et le maïs autour des arbres ; l'odeur du poison lui déplaisait. Elle le versait dans le fossé de la route et remplissait son sac de sable et de gravier, qu'elle répandait à la place.

— Bon hiver, les souris ! leur chuchotait-elle.

Il commença à faire très froid dans la cidrerie ; on donna à Melony un poêle à bois, dont elle fit passer le tuyau par une fenêtre du dortoir ; le poêle empêchait les toilettes de geler. Le matin où la douche extérieure gela, Melony décida de poursuivre son chemin. Elle ne regretta qu'un instant de ne pouvoir rester pour sauver davantage de souris.

— Si vous cherchez un autre verger, l'avertit le régisseur, vous n'en trouverez aucun qui embauche en hiver.

— Pour l'hiver, je préférerais un boulot en ville, lui répondit-elle.

— Quelle ville ? demanda l'homme.

Melony haussa les épaules. Elle avait sanglé son petit baluchon avec la ceinture de Charley ; le manteau de Mme Grogan la serrait aux épaules et sur les hanches, les manches ne lui arrivaient qu'au milieu des avant-bras. Pourtant elle donnait l'impression d'être à son aise.

« Il n'y a pas de vraies villes dans le Maine, lui dit le régisseur.

354

— Pour moi, une ville n'a pas besoin de faire très ville, répliqua
t-elle.

Il la regarda s'éloigner sur ce même bout de route où il lui avait déjà
dit au revoir. C'était l'époque de l'année où les arbres sont dénudés,
où le ciel semble de plomb, et où le sol devient moins souple chaque
jour — mais il est encore trop tôt pour qu'il neige, sauf en cas de
tempête exceptionnelle, et la neige ne tient pas.

Sans raison, le régisseur éprouva soudain un violent désir de s'en
aller avec Melony ; il se mit à penser tout haut — ce qui le surprit.

— J'espère qu'il va neiger bientôt, dit-il.

— Quoi ? demanda l'une des femmes du comptoir.

— Au revoir ! cria le régisseur à Melony.

Mais elle ne lui répondit pas.

— Bon débarras, dit l'une des femmes.

— La pute, ajouta une autre.

— Pourquoi « la pute » ? demanda le régisseur sèchement. Avec
qui l'as-tu vue coucher ?

— Ce n'est qu'une traîne-savates, répondit l'une des femmes.

— En tout cas elle est *intéressante,* lança le régisseur.

Les femmes le regardèrent pendant un instant sans rien dire, puis :

— Vous avez le béguin pour elle, pas vrai ? demanda l'une.

— Je parie que vous regrettez de ne pas être le petit ami qu'elle
cherche, dit une autre — ce qui fit glousser toutes les femmes du
comptoir.

— Ce n'est pas ça ! répliqua le régisseur. J'espère qu'elle ne le
retrouvera jamais, ce type — pour son bien à lui ! dit-il. Et à elle,
ajouta-t-il aussitôt.

La femme dont le gros mari avait agressé Melony cessa de participer
à la conversation. Elle ouvrit la grande Thermos collective posée sur la
table, à côté de la caisse enregistreuse ; mais quand elle voulut verser
du café, il n'en coula pas. A la place s'en échappèrent les graines
d'avoine et de maïs empoisonnées. Si Melony avait eu réellement
l'intention d'empoisonner l'une des femmes, elle se serait montrée
moins généreuse dans les proportions. Ce n'était qu'un message, et les
femmes du comptoir le considérèrent avec le même silence tendu que
si elles essayaient de lire dans du marc de café.

« Vous voyez ce que je veux dire ? lança le régisseur.

Il prit une pomme dans un plateau exposé sur le comptoir et mordit
dedans avec détermination ; la pomme, restée trop longtemps au
froid, était en partie gelée, et si farineuse dans sa bouche qu'il la
recracha sur-le-champ.

Sur la route conduisant à la côte, il faisait très froid, mais la marche réchauffa Melony ; et comme il n'y avait aucune circulation, elle n'avait pas le choix. Elle marcha donc, mais dès qu'elle parvint sur la nationale côtière, elle n'eut pas longtemps à attendre. Un jeune homme pâle mais souriant, au volant d'un fourgon, s'arrêta pour la prendre.

— Peintures Yarmouth et Shellac à votre service, dit le jeune homme à Melony.

Il était un peu plus jeune qu'Homer Wells, et — de l'avis de Melony — beaucoup moins rompu aux choses de ce monde, semblait-il. Le camion empestait le brou de noix, le vernis et la créosote.

« Je suis spécialiste du traitement des bois, lui annonça le jeune homme avec fierté.

Au mieux un vendeur, songea Melony ; plus probablement un livreur. Elle lui adressa un sourire pincé, pour bien dissimuler ses dents cassées. Le jeune homme se figea — il attendait d'elle au moins un salut. En moins d'une minute, je suis capable de rendre nerveux n'importe qui, se dit Melony.

« Euh... Où vous allez ? lui demanda le jeune homme, tandis que le fourgon démarrait au milieu des éclaboussures.

— A la ville, répondit Melony.

— Quelle ville ?

Melony laissa son sourire entrouvrir ses lèvres — le jeune homme inquiet réalisa quel sort avait été réservé à la bouche de l'orpheline.

— A vous de me le dire, dit-elle.

— Il faut que j'aille à Bath, répondit le jeune homme nerveusement.

Melony le regarda comme s'il avait annoncé qu'il voulait prendre un bain*.

— Bath, répéta-t-elle.

— C'est une ville, comme qui dirait, lui répondit l'expert en traitement des bois.

C'était la ville de Clara ! auraient pu apprendre à Melony le Dr Larch ou Homer Wells — cette brave Clara était venue à Saint Cloud's de Bath ! Mais Melony l'ignorait, et ne s'en serait pas souciée ; ses relations avec Clara s'étaient limitées à une désagréable envie. Homer Wells connaissait Clara plus intimement qu'elle ! En revanche, Melony aurait apprécié de savoir qu'à Bath elle se trouverait plus près d'Ocean View que pendant son séjour à York Farm — peut-être

---

* Bain : *bath*, en anglais. (*N.d.T.*)

356

même certains habitants de Bath avaient-ils entendu parler des vergers Ocean View ; sans aucun doute de nombreux habitants de Bath auraient pu lui indiquer la route d'Heart's Haven ou d'Heart's Rock.

« Vous voulez aller à Bath ? demanda le jeune homme d'une voix hésitante.

Melony lui montra de nouveau ses dents abîmées ; cela tenait moins du sourire que de l'expression d'un chien qui montre ses crocs.

— D'accord, dit-elle.

Wally revint à la maison pour Thanksgiving Day. Candy avait passé plusieurs week-ends chez elle en début d'automne, mais Homer n'avait pu se résoudre à la voir sans Wally. Wally s'étonna qu'Homer et Candy ne se soient pas rendu visite ; et l'embarras que causa à Candy l'étonnement de Wally apprit à Homer que la jeune fille n'avait pas osé, elle non plus, provoquer une rencontre entre eux. Mais la dinde devait être arrosée de son jus tous les quarts d'heure, il fallait encore mettre le couvert et Olive prenait beaucoup de plaisir à retrouver sa maison pleine — il n'y avait pas le temps de se sentir gêné.

Raymond Kendall avait déjà partagé le dîner de Thanksgiving avec les Worthington, mais jamais sans la demi-présence de Senior. Pendant quelques minutes, non sans effort, il se montra poli, puis il se détendit et parla boutique avec Olive.

— Papa se conduit comme s'il avait un rendez-vous galant, dit Candy à Olive dans la cuisine.

— J'en suis flattée, répondit Olive en pinçant le bras de Candy, le rire aux lèvres ; mais la plaisanterie n'alla pas plus loin.

Homer proposa de découper la dinde. Il fit un excellent travail, et Olive lui dit :

« Tu devrais devenir chirurgien, Homer !

Wally éclata de rire ; Candy baissa les yeux vers son assiette, ou vers ses mains sur ses genoux, et Ray Kendall ajouta :

— Il est formidable avec ses mains. Quand on a de bonnes mains, si l'on fait une chose une fois, les mains ne l'oublient jamais.

— Comme vous, Ray, répondit Olive — ce qui détourna l'attention du travail d'Homer avec le couteau ; il détacha toute la viande des os en un temps record.

Wally parla de la guerre. Il songeait à interrompre ses études pour suivre une école de pilotage.

— Comme ça, s'il y a la guerre — je veux dire, si nous y participons —, je saurai déjà voler.

— Tu ne feras pas une chose pareille ! s'exclama Olive.

— Pourquoi aurais-tu *envie* de faire ça ? lui demanda Candy. Je crois que tu es égoïste.

— *Égoïste ?* Qu'est-ce que tu racontes ? s'écria Wally. La guerre, c'est pour son pays qu'on la fait, on sert son pays !

— Pour toi, c'est une aventure, répliqua Candy. Voilà ce qu'il y a d'égoïste.

— De toute façon, tu ne feras pas une chose pareille ! répéta Olive.

— J'étais trop jeune pour prendre part à la dernière guerre, dit Ray, et s'il y en a une autre, je serai trop vieux.

— Vous avez de la chance ! répondit Olive.

— C'est certain, dit Candy.

Ray haussa les épaules.

— Je ne sais pas, dit-il. A l'autre guerre, j'avais envie d'y aller. J'ai essayé de mentir sur mon âge, mais quelqu'un m'a dénoncé.

— A présent, vous êtes plus sage, dit Olive.

— Je n'en suis pas si sûr, avoua Ray. S'il y a une guerre maintenant, on verra des quantités d'armes nouvelles — il se construit des trucs qu'on ne peut même pas imaginer.

— J'essaie d'imaginer, dit Wally. J'imagine la guerre tout le temps.

— Sauf la mort, Wally, lança Olive Worthington en emportant la carcasse de la dinde dans la cuisine. Je crois que tu n'as pas imaginé la mort.

— D'accord, dit Homer Wells, qui imaginait la mort tout le temps.

Candy le regarda et sourit.

— Tu aurais dû passer me voir pendant le week-end, Homer, dit-elle.

— Ouais, pourquoi ne l'as-tu pas fait ? lui demanda Wally. Trop occupé avec Debra Pettigrew, sans doute.

Homer secoua la tête.

— Trop occupé avec l'anatomie pratique du lapin ! lança Olive de la cuisine.

— La *quoi ?* dit Wally.

Mais Olive se trompait. Il n'avait fallu à Homer que trois semaines de cours de biologie (terminale) pour se rendre compte qu'il en savait davantage sur l'animal en question et ses relations avec l'anatomie humaine que son squelettique professeur, M. Hood.

Ce fut, comme Wilbur Larch l'aurait deviné, le système urogénital qui révéla les insuffisances de M. Hood par rapport à l'expérience du jeune Dr Wells. Quand il voulut discuter des trois phases de spécialisation de l'utérus, M. Hood s'embrouilla. La vie intra-utérine de l'embryon de lapin ne dure que trente jours ; il naît entre cinq et huit petits. Conformément à la nature primitive de ce brave rongeur, la lapine possède deux utérus complets — la structure de l'organe à cette phase porte le nom d'*uterus duplex*. La structure de l'organe chez la femelle humaine, qu'Homer Wells connaissait très bien — deux tubes utérins s'ouvrent dans une seule cavité utérine —, porte le nom d'*uterus simplex*. Le troisième type de structure utérine tombe entre les deux — il s'agit d'une fusion partielle, qui existe chez certains mammifères (par exemple le mouton) — et porte le nom d'*uterus bicornis*[28].

Le pauvre M. Hood, lorsqu'il tenta de révéler au tableau noir les secrets de l'utérus, confondit son *duplex* avec son *bicornis* ; il appela brebis une lapine (et vice versa). L'erreur était moins grave que s'il avait imaginé la femelle humaine avec deux utérus complets — et répandu cette contrevérité dans toute la classe —, mais une erreur reste une erreur, et Homer Wells ne la laissa pas passer. C'était la première fois qu'il se trouvait en mesure de corriger l'affirmation d'une personne faisant autorité. « L'orphelin éprouve un sentiment particulier de malaise et de doute dans ces circonstances », a écrit le Dr Wilbur Larch.

— Excusez-moi, monsieur ? lança Homer Wells.

— Oui, Homer ? répondit M. Hood.

Son côté décharné, sous une certaine lumière, lui donnait un air aussi nu que les nombreux cadavres de lapins, le ventre ouvert, sur les tables de laboratoire des élèves. Il paraissait écorché, presque prêt à l'étiquetage. Ses yeux exprimaient une patience aimable mais lasse ; c'étaient ses seuls traits vivants.

— C'est l'inverse, monsieur, dit Homer Wells.

— Pardon ? dit M. Hood.

— La lapine a deux utérus complets, la lapine est *uterus duplex*, non la brebis, monsieur, dit Homer. L'utérus de la brebis est à fusion partielle, c'est un utérus presque unique — la brebis est *uterus bicornis*.

La classe attendait. M. Hood plissa les yeux ; pendant un instant, il ressembla à un lézard qui regarde une mouche, mais il battit soudain en retraite.

— N'est-ce pas ce que j'ai dit ? demanda-t-il en souriant.

— Non, murmura la classe, vous avez dit l'inverse.

— Dans ce cas, j'ai fait une erreur, lança M. Hood d'un ton enjoué.

Je voulais dire exactement ce que vous venez d'expliquer, Homer.

— Peut-être ai-je mal compris, monsieur, répondit Homer — mais la classe murmura :

— Non, tu as bien compris.

Le gamin, du nom de Bucky, avec qui Homer devait partager son cadavre de lapin, lui lança un coup de coude dans les côtes.

— Comment se fait-il que tu saches tout sur les cons ? demanda-t-il à Homer.

— Fouille-moi, répondit Homer Wells.

Il tenait cette expression de Debra Pettigrew. C'était un de leurs jeux. Il lui posait une question, à laquelle elle ne pouvait pas répondre. Elle disait alors : « Fouille-moi », Homer répondait : « D'accord » et commençait à la fouiller. « Pas *là !* » criait Debra en repoussant sa main, mais elle riait. Elle riait toujours, et toujours repoussait sa main. Homer Wells n'avait *aucun* moyen d'accéder à l'*uterus simplex* de Debra Pettigrew.

— Rien à faire si je ne la demande pas en mariage, expliqua-t-il à Wally lorsqu'ils se retrouvèrent dans la chambre de Wally, le soir de Thanksgiving.

— Je n'irais pas jusque-là, vieux, lui répondit Wally.

Homer ne raconta pas à Wally qu'il avait mis M. Hood dans l'embarras, ni que le bonhomme paraissait changé par l'incident. M. Hood avait toujours eu l'air cadavérique mais, à présent, il trahissait l'insomnie — comme s'il était surmené en plus d'être moribond, couché trop tard, pour potasser son anatomie du lapin, pour essayer de mettre un peu d'ordre dans *tous* ses utérus. Sa fatigue le rendait un peu moins cadavérique, car l'épuisement est un signe de vie ; en tout cas, une façon d'être humain. M. Hood commença à avoir l'air d'attendre sa retraite, en redoutant de ne pas y parvenir.

Où ai-je déjà vu cet air-là ? se demanda Homer Wells.

Nurse Angela et Nurse Edna (et même Mme Grogan) auraient pu le lui rappeler ; elles ne connaissaient que trop bien « cet air-là » — cette combinaison tendue d'épuisement et d'espérance, cette contradiction violente entre l'angoisse morose et la foi d'un enfant. Depuis des années, « cet air-là » s'était infiltré jusque dans les expressions les plus innocentes de Wilbur Larch ; depuis peu Nurse Angela et Nurse Edna (et même Mme Grogan) avaient reconnu « cet air-là » dans leurs propres expressions.

— Qu'attendons-nous ? demanda Nurse Edna à Nurse Angela un matin.

Il y avait comme une atmosphère de destin en suspens, une aura de changement inévitable. Ces braves femmes se sentaient aussi insultées par le questionnaire Goodhall-Gingrich, maintenant célèbre, qu'avait pu l'être le Dr Larch. Quant à Larch, les remarques de l'ancien Snowy Meadows l'avaient rempli de joie — le bureau avait trouvé la réponse de Snowy si louangeuse qu'il l'avait transmise au docteur.

A la question sur la « surveillance », Snowy avait répondu que le Dr Larch et les infirmières ne le quittaient jamais des yeux. A la question sur les soins médicaux « adéquats » ou non, Snowy Meadows avait conseillé au bureau : « Demandez donc à Fuzzy Stone ! » De l'avis de Snowy, le Dr Larch avait *respiré* pour Fuzzy. « Jamais vous n'avez entendu une aussi mauvaise paire de poumons, écrivit Snowy Meadows, mais le vieux Larch a juste branché le gosse sur un vrai appareil à sauver la vie. » Et à la question sur le foyer adoptif « soigneusement et correctement choisi », Snowy Meadows déclara que le Dr Larch était un génie pour ce délicat travail de conjecture. « Comment ce type pouvait-il savoir que j'allais m'adapter à la perfection à une famille de meubles ? Eh bien, je vais vous dire : il le savait ! écrivit au conseil d'administration Snowy Meadows (devenu Robert Marsh). Voyez-vous, la propriété privée, les objets personnels qu'on possède, ce n'est pas tout un monde pour la plupart des gens. Mais, permettez-moi de vous le dire, écrivit Snowy Meadows, les meubles, c'est tout un monde pour un orphelin. »

— L'une de vous doit avoir laissé tomber ce garçon sur la tête, dit Wilbur Larch à Nurse Edna et à Nurse Angela — mais elles virent qu'il était enchanté des réponses de Snowy.

Toutefois, dans un souci d'équilibre, le bureau envoya également à Larch la réponse moins enthousiaste de Curly Day. Roy Rinfret de Boothbay bouillonnait encore de rancœur. « Je n'étais pas davantage préparé à une adoption par des pharmaciens, que je l'avais été à me faire couper le cordon ombilical, écrivait Roy " Curly " Rinfret. Le plus beau couple du monde est parti avec quelqu'un qui n'avait ni besoin ni envie d'être adopté, et je me suis fait alpaguer par des pharmaciens ! se plaignait Curly. Vous appelez ça " surveiller " de jeunes enfants, quand ils peuvent tomber sur des cadavres ? demandait Curly Day au conseil d'administration. Imaginez donc : le jour où je trouve le cadavre d'un homme dans l'herbe, le couple de mes rêves adopte quelqu'un d'autre, le Dr Larch me dit qu'un orphelinat n'est pas un magasin pour chiens, et peu après, deux pharmaciens m'engagent pour travailler gratuitement dans leur droguerie — et vous appelez ça être adopté ! »

— Mon Dieu, quelle ingratitude ! Ce petit morveux ! lança Nurse Angela.

— Oh, Curly Day ! N'as-tu pas honte ? demanda Nurse Edna dans le vide indifférent.

— Si ce gosse était ici, dit Nurse Angela, je le mettrais sur mon genou, et vlan !

Mais pourquoi notre Homer Wells n'a-t-il pas rempli le questionnaire ? se demandaient les femmes.

A propos d' « ingratitude » !... songea Wilbur Larch, mais il tint sa langue.

Nurse Angela ne tint pas la sienne. Elle écrivit directement à Homer Wells, ce qui aurait irrité le Dr Larch s'il l'avait su. Nurse Angela se montra très directe : « Ce questionnaire est le moins que tu puisses faire. Nous avons tous besoin d'un peu d'aide. Ce n'est pas parce que tu prends du bon temps (je suppose) que tu as le droit d'oublier d'être utile — n'oublie pas l'endroit où tu es né. Et si tu tombes par hasard sur de jeunes médecins et infirmières susceptibles de comprendre avec sympathie notre situation, tu sais, n'est-ce pas, que tu dois nous les recommander — et nous recommander à eux. Nous ne rajeunissons pas, comprends-tu ? »

Mon cher Homer,
(écrivit le Dr Larch au courrier du lendemain).
Il est parvenu à mon attention que le conseil d'administration essaie d'entrer en relation avec plusieurs anciens enfants de Saint Cloud's sous la forme d'un questionnaire ridicule. Donne les réponses de ton choix, mais je t'en prie, réponds. Et tu dois t'attendre à une autre correspondance, plus troublante, de leur part. J'ai dû me montrer franc avec eux au sujet de la santé des orphelins. Je n'ai vu aucune raison de leur dire que j'avais « perdu » Fuzzy Stone à la suite d'une maladie pulmonaire — quel bien cet aveu pourrait-il faire à Fuzzy ? — mais j'ai parlé au conseil de ton cœur. J'ai pensé que s'il m'arrivait quoi que ce soit, quelqu'un devait savoir. Je te prie de m'excuser de ne t'avoir rien dit de ton état. Je t'en parle maintenant, parce que, tout bien considéré, je ne tiens pas à ce qu'un autre te mette au courant avant moi. Surtout NE T'INQUIÈTE PAS. On ne saurait prononcer le mot *trouble* au sujet de ton cœur, car le trouble est insignifiant : tu as eu, dans ta petite enfance, un souffle cardiaque assez prononcé, mais il avait presque entièrement disparu la dernière fois que je t'ai ausculté — pendant

ton sommeil : tu ne t'en souviendras pas — et j'ai toujours retardé le moment d'évoquer ce problème avec toi de peur que tu ne t'inquiètes sans raison. (L'inquiétude risquerait d'aggraver ton état.) Tu as (ou tu as eu) une sténose de la valvule pulmonaire, mais, JE T'EN PRIE, NE TE FAIS PAS DE SOUCI ! Ce n'est rien, ou presque rien. Si tu désires davantage de détails, je peux te les fournir. Pour le moment, je ne veux pas que tu te laisses troubler par je ne sais quelle idiotie dont te feraient part les imbéciles du conseil d'administration. Tu dois éviter toute situation imposant une tension nerveuse extrême ou une fatigue physique accablante, mais, je tiens à ce que tu le saches : en dehors de cela, tu es en mesure de mener, à peu près, une existence normale.

Une existence normale ? se dit Homer Wells. Je suis un bédouin affligé de troubles cardiaques et le Dr Larch prétend que je peux mener une existence normale ? Je suis amoureux de la fiancée de mon meilleur — et unique — ami, mais serait-ce, selon Larch, une cause de « tension nerveuse extrême » ? Et qu'était Melony pour moi, sinon une « fatigue physique accablante » ?

Chaque fois qu'Homer Wells pensait à Melony (ce n'était pas souvent), il découvrait qu'elle lui manquait ; puis il s'emportait contre lui-même. Pourquoi me manque-t-elle donc ? Il essayait de ne pas penser à Saint Cloud's ; vue de loin, l'existence là-bas lui paraissait de plus en plus « extrême » et « accablante » — et pourtant, quand il y songeait, Saint Cloud's lui manquait aussi. Nurse Angela, Nurse Edna, Mme Grogan et Dr Larch — tout le monde lui manquait. Et il s'emportait contre lui-même chaque fois ; aucun signe intime qui lui indiquât que la vie de Saint Cloud's était l'existence qu'il désirait.

L'existence à Ocean View lui plaisait. Il désirait Candy et un peu de vie avec elle. Quand elle repartit à Camden, il essaya de ne pas penser à elle ; et comme il ne pouvait pas penser à Wally sans penser à Candy, il fut soulagé quand Wally retourna à Orono — bien que Wally lui eût manqué tout l'automne.

« Quand un orphelin est déprimé, a écrit Wilbur Larch, il a tendance à dire des mensonges. Un mensonge est (au moins) une entreprise exigeant de la vigueur, il vous maintient sur la pointe des pieds en vous rendant soudain responsable de ce qui se produit à cause de lui. Il faut être aux aguets pour mentir, et rester aux aguets pour protéger et perpétuer votre mensonge. Les orphelins ne sont pas maîtres de leur destin ; ils sont les derniers à vous croire si vous leur dites que d'autres personnes ne sont pas responsables de leur destin non plus.

« Quand on ment, on se sent responsable de sa vie. Mentir exerce beaucoup d'attrait sur les orphelins. Je le sais, a écrit le Dr Larch, je le sais parce que je leur mens aussi. J'aime mentir. Quand on ment, on a l'impression de tromper le destin — son propre destin et celui de tout le monde. »

Et donc Homer Wells répondit au questionnaire ; il chanta un hymne de louange à Saint Cloud's. Il parla de la « restauration » des bâtiments abandonnés de Saint Cloud's, comme de l'une des nombreuses tentatives « d'intégrer la vie quotidienne de l'orphelinat à la vie de la communauté environnante ». Il mentit aussi à Nurse Angela, mais ce n'était qu'un petit mensonge — de ceux que l'on fait pour complaire à autrui. Il prétendit qu'il avait perdu le questionnaire original — d'où son retard à le renvoyer. Peut-être le conseil d'administration aurait-il l'obligeance de lui en adresser un autre ? (A la réception du deuxième exemplaire, il serait temps d'envoyer celui qu'il avait si laborieusement rempli — ainsi il donnerait l'impression d'avoir répondu spontanément, sur l'impulsion du moment.)

Il écrivit au Dr Larch avec un calme feint. Il apprécierait de plus amples détails sur sa sténose pulmonaire. Le Dr Larch croyait-il nécessaire qu'Homer fasse examiner son cœur chaque mois ? (Bien entendu, le Dr Larch jugerait ces examens inutiles.) Et existait-il des signes de la maladie qu'Homer pourrait détecter ? Comment déceler le souffle au cas où il reviendrait ? (Calme-toi donc, lui conseillerait le Dr Larch ; c'est le meilleur remède : rester calme.)

Dans son effort pour se calmer, Homer fixa le questionnaire supplémentaire — qu'il ne remplit pas — sur le mur de la chambre de Wally, à côté de l'interrupteur, de sorte que les questions sur l'existence à Saint Cloud's occupèrent une position d'autorité ignorée, tout à fait semblable à celle du règlement fixé chaque année dans la cuisine de la cidrerie. Chaque fois qu'Homer entrait et sortait, il regardait ces questions auxquelles il avait répondu par des mensonges si brillants — et se sentait ragaillardi.

La nuit, l'insomnie d'Homer battait au rythme d'une nouvelle musique ; les branches d'hiver des pommiers sans fruits, qui s'entrechoquaient sous le vent de décembre, claquaient comme si elles allaient se briser. Allongé sur son lit — un clair de lune couleur d'ossements dessinait faiblement le contour de ses mains jointes sur sa poitrine —, Homer Wells pensait que les arbres essayaient peut-être de secouer la neige de leurs branches, avant même qu'elle ne tombe

Peut-être les arbres savaient-ils, eux aussi, qu'une guerre se préparait, mais Olive Worthington refusait d'y songer. Elle avait entendu bruire des vergers en hiver pendant de nombreuses années ; elle avait vu les branches d'hiver dénudées, puis ourlées de neige, puis de nouveau nues. Les vents de la côte donnaient au fragile verger de telles secousses que les arbres entrechoqués ressemblaient à des soldats gelés dans toutes les postures de matamore, mais Olive avait entendu ces bruits depuis tant d'années que jamais elle ne comprendrait qu'une guerre s'annonçait. Si les arbres lui parurent particulièrement nus ce décembre-là, ce devait être (se dit-elle) parce qu'elle affrontait son premier hiver sans Senior.

« Les adultes ne cherchent pas des présages dans les événements ordinaires, remarqua le Dr Wilbur Larch dans sa *Brève Histoire de Saint Cloud's,* mais les orphelins sont toujours à l'affût de signes. »

Homer Wells, à la fenêtre de Wally, fouillait des yeux le verger dénudé à la recherche de l'avenir — son avenir, surtout, mais aussi celui de Candy et celui de Wally. L'avenir du Dr Larch n'était certainement pas là dehors, dans ces branches d'hiver — ni même l'avenir de Melony. Et quel avenir y aurait-il pour l'œuvre de Dieu ? se demanda Homer Wells.

La guerre imminente ne s'annonça par aucun signe à Saint Cloud's ; l'ordinaire et l'extraordinaire s'y taisaient, étouffés par le rituel et l'habitude. Une grossesse se terminait soit par une naissance, soit par un avortement ; un orphelin était adopté ou attendait de l'être. Par un froid sec et sans neige, la sciure en liberté irritait les yeux, les nez et les gorges de Saint Cloud's ; la sciure ne disparaissait de l'air que peu de temps, juste après les chutes de neige. Au dégel, la neige fondait, et les bourrelets de sciure avaient une odeur de poils mouillés ; quand il gelait de nouveau, la sciure refaisait son apparition — sèche et, fait curieux, couvrant la vieille neige — et de nouveau les yeux brûlaient, les nez coulaient et personne ne parvenait jamais à s'éclaircir la gorge.

— Réjouissons-nous pour Smoky Fields, annonça le Dr Larch à la section Garçons. Smoky Fields a trouvé une famille. Bonne nuit, Smoky.

— Bonne nuit, Smoky ! lança David Copperfield.

— B'ne nuit ! cria le petit Steerforth.

Bonne nuit, espèce de petit amasseur de bouffe ! pensa Nurse

365

Angela. Ceux qui l'ont pris, se dit-elle, apprendront vite à fermer le réfrigérateur à clé.

Dans la matinée de décembre, à la fenêtre où naguère Melony laissait passer le monde avec ou sans commentaire, Mary Agnes Cork regarda les femmes monter la colline. Elles n'ont pas l'air enceintes, se dit Mary Agnes.

Sur la colline en friche où Wally Worthington avait imaginé un verger de pommiers, le petit Copperfield essayait de piloter une caisse en carton sur la première neige mouillée. Le carton avait contenu autrefois quatre cents tampons vaginaux stériles ; Copperfield le savait parce qu'il avait déballé la caisse — et il avait mis le petit Steerforth *dans* le carton au pied de la colline. Parvenu presque en haut, il commençait à comprendre son erreur. Non seulement il avait eu beaucoup de mal à traîner Steerforth sur la pente, mais le poids du gosse, ajouté à l'état aqueux de la neige, avait rendu le fond du carton complètement spongieux. Copperfield se demanda si sa luge improvisée parviendrait à glisser — à supposer qu'il réussisse à tirer le tout jusqu'en haut.

« Bonne nuit, Smoky ! chantait Steerforth.

— La verme, imbézile, lança David Copperfield.

Le Dr Larch était très fatigué. Il se reposait dans la pharmacie. La lumière grise de l'hiver baignait les murs blancs de grisaille, et pendant un instant Larch se demanda quelle heure de la journée il était — quel moment de l'année. Dorénavant, se disait-il, je ne dois rien faire sans raison. Je ne dois gaspiller aucun geste.

Il vit en esprit l'angle exact selon lequel le spéculum vaginal lui permettait une vue parfaite du col de l'utérus. L'utérus de qui ? se demanda-t-il. Même dans son sommeil d'éther, le pouce et l'index de sa main droite resserrèrent l'écrou que maintenaient en place les becs du spéculum, et il vit l'étonnante blondeur de la petite boucle de poils pubiens prise dans les poils de son poignet. Ils étaient si blonds qu'il faillit ne pas les voir sur sa peau pâle. Quand il secoua le poignet, la petite boucle était si légère qu'elle flotta dans l'air. Au milieu de sa syncope d'éther, sa main gauche se tendit vers les poils, qu'elle manqua de peu. Oh oui... l'utérus de celle-là, se dit Wilbur Larch. Comment s'appelait-elle donc ?

— Elle avait un nom de bonbon, dit Larch à haute voix.

Candy ! se rappela-t-il, puis il rit.

Nurse Edna, qui passait devant la pharmacie, retint sa respiration et écouta le rire. Mais elle eut beau ne pas respirer, les vapeurs d'éther lui firent monter les larmes aux yeux. Les vapeurs et la sciure. Et puis les orphelins — certains orphelins lui faisaient aussi monter les larmes aux yeux.

Elle ouvrit la porte de l'infirmerie pour laisser entrer de l'air frais dans le couloir. Elle regarda une caisse en carton faire une descente cahotante sur la colline ; elle savait que le carton avait abrité des tampons vaginaux stériles, mais elle ignorait son contenu actuel. Quelque chose de lourd, parce que le carton descendait gauchement, par à-coups. Parfois il prenait de la vitesse et glissait presque sans anicroche, puis une pierre ou un trou dans la neige fondue modifiait sa trajectoire et le ralentissait. Le premier petit corps à rouler hors du carton pour continuer seul jusqu'en bas de la colline fut celui de Steerforth ; elle reconnut ses moufles trop grandes et le bonnet de ski qui lui tombait toujours sur les yeux. Pendant un instant, il valdingua presque aussi vite que le carton, mais une vaste plaque de sol nu, gelée, finit pas l'arrêter. Nurse Edna le regarda remonter la colline à la recherche d'une de ses moufles.

Le deuxième corps, plus gros, qui fut projeté hors du carton, était de toute évidence celui de David Copperfield ; il roula en chute libre avec un grand bout de carton trempé dans chaque main. Le carton parut se désintégrer en plein vol.

— Melde ! cria Copperfield.

En tout cas, se dit Nurse Edna, son zézaiement améliore un peu ses gros mots.

— Fermez cette porte, lança le Dr Larch dans le couloir, derrière Nurse Edna.

— J'essayais de faire entrer un peu d'air frais, répondit Nurse Edna.

— J'ai failli me tromper, dit Wilbur Larch. J'ai cru que vous tentiez de congeler les enfants à naître.

Ce sera peut-être la méthode de l'avenir, songea Nurse Edna — mais y aurait-il seulement un avenir ? se demanda-t-elle.

En décembre, sur la piscine, le matelas dont Senior Worthington se servait flottait encore, poussé par le vent d'un côté de la piscine à l'autre, et brisait les dentelles de glace qui se formaient sans cesse sur les bords. Olive et Homer avaient vidé un tiers de l'eau pour laisser de la place à la pluie et à la neige fondue.

Le matelas froid de Senior, à demi dégonflé par la chute de température, continuait de charger tout autour de la piscine, tel un cheval sans cavalier. Chaque jour, Olive le regardait de la fenêtre de la cuisine, et Homer se demanda quand elle proposerait de s'en débarrasser.

Un week-end, Candy rentra de Camden, et la confusion d'Homer augmenta : que devait-il faire au sujet de la jeune fille ? Le vendredi fut un mauvais jour, un jour indécis. Il arriva à l'avance à son cours de biologie, car il espérait persuader M. Hood de lui laisser avoir un lapin à disséquer pour lui seul, ou bien de lui désigner un autre partenaire de laboratoire que le jeune Bucky. Bucky mélangeait les intestins du lapin dès qu'il y touchait, et Homer trouvait à la fois ridicule et affolante la fixation du pauvre garçon sur les systèmes de reproduction. Récemment Bucky s'était bloqué sur le fait que les marsupiaux ont des vagins jumelés.

— Deux minous ! Tu te rends compte ? demanda Bucky à Homer.

— Bien sûr.

— Et c'est tout ce que tu trouves à dire ? Tu ne piges donc pas ? Si tu étais un hamster, tu pourrais baiser ta copine *en même temps que ton copain !*

— Pourquoi aurais-je envie de faire ça ? demanda Homer.

— Deux cons ! s'exclama Bucky enthousiaste. Tu n'as aucune imagination.

— Je pense que même les hamsters ne s'intéressent pas à ce que tu suggères, dit Homer Wells.

— C'est ce que je veux dire, idiot, répondit Bucky. Quel gaspillage ! Donner deux minous à un hamster ! Tu les as déjà vus cavaler sur leurs petits moulins ? Ils sont cinglés ! Tu ne serais pas cinglé, toi, si tu savais que la fille de tes rêves a deux cons et ne s'intéresse quand même pas à la chose ?

— La fille de mes rêves, répéta Homer.

C'était déjà assez cinglé, de l'avis d'Homer, que la fille de ses rêves eût deux types qui l'aimaient.

Et il arriva donc en avance au cours de biologie pour demander un autre lapin ou un remplaçant à ce petit obsédé de Bucky.

A son arrivée, il y avait un cours de géographie dans la salle ; et quand les élèves sortirent, Homer vit les grandes cartes du monde qui couvraient encore le tableau noir.

« Puis-je jeter un coup d'œil à ces cartes pendant un instant avant mon prochain cours ? demanda Homer au professeur de géographie. Je les enroulerai et les rangerai pour vous.

Et il resta donc seul avec sa première vision exacte du monde : le monde entier, quoique à plat contre un tableau noir (ce qui était peu

réaliste). Au bout d'un moment, il trouva le Maine. Que c'était petit !
Puis la Caroline du Sud ; il regarda la Caroline du Sud longuement,
comme si la position exacte de M. Rose et des autres saisonniers allait
se matérialiser. Il avait beaucoup entendu parler de l'Allemagne, qui
se révéla plus facile à trouver que le Maine. La petitesse de
l'Angleterre le surprit ; Charles Dickens lui avait donné l'impression
d'étendues beaucoup plus grandes.

Et l'océan, qui semblait si vaste quand on le regardait depuis la
jetée de Ray Kendall — mon Dieu, les océans du monde étaient
encore plus vastes qu'il ne l'avait imaginé ! Alors que Saint Cloud's,
dont la présence occupait une place si immense dans la vie d'Homer,
demeurait impossible à situer sur la carte du Maine. Il était penché, la
loupe du professeur de géographie à la main, lorsqu'il s'aperçut
soudain que toute la classe de biologie s'était installée derrière lui.
M. Hood le dévisageait d'un œil bizarre.

— Vous cherchez votre lapin, Homer ? lui demanda-t-il.

La classe apprécia énormément la plaisanterie et Homer comprit
qu'il avait perdu — en tout cas pour le moment — l'occasion de se
débarrasser de Bucky.

— Regarde donc la chose sous cet angle, lui chuchota Bucky vers la
fin du cours. Si Debra Pettigrew avait deux minous, elle te laisserait
peut-être entrer dans l'un. Tu vois les avantages ?

Par malheur l'idée de vagins jumelés troubla Homer pendant tout
son rendez-vous du vendredi avec Debra Pettigrew. Il y avait un film
de Fred Astaire à Bath, mais c'était à presque une heure de voiture, à
l'aller et au retour, et que savait donc Homer Wells de la danse ? S'en
souciait-il seulement ? Il avait décliné plusieurs invitations à participer
aux cours de danse de Debra Pettigrew ; si elle avait envie de voir le
film de Fred Astaire, qu'elle y aille donc avec un garçon de son cours,
se disait Homer. Et il commençait à faire trop froid pour descendre
sur la plage en voiture et se garer dans un coin. Olive, généreuse,
permettait à Homer de prendre la fourgonnette. Bientôt, l'essence
serait rationnée, ce qui mettrait fin à toutes ces vaines allées et venues
en voiture.

Il emmena Debra Pettigrew au parc d'attractions de Cape Kenneth.
Sous la lune, la Grande Roue abandonnée, sans lumière, ressemblait à
la rampe de lancement de la première fusée du monde, ou bien aux
ossements d'un spécimen datant de l'ère des dinosaures. Homer
essaya de parler à Debra de l'art de M. Rose à manier le couteau, mais
elle avait le cœur pris par Fred Astaire ; il décida donc de ne pas
gaspiller une bonne histoire alors qu'elle boudait. Ils se rendirent au

drive-in de Cape Kenneth, qui était « fermé pour la saison » ; ils faisaient le tour, semblait-il, des décors d'un roman d'amour vécu par d'autres personnes — et pas seulement l'été précédent : pendant une autre génération.

— Je ne sais pas ce que tu as contre la danse, dit Debra.

— Je ne le sais pas non plus, répondit Homer Wells.

Il était encore tôt quand il ramena Debra à sa maison d'hiver de Kenneth Corners ; les mêmes chiens féroces les y attendaient avec des pelages plus fournis, et leur haleine tiède se glaçait sur leurs museaux. La semaine précédente, Debra et Homer avaient envisagé d'utiliser la maison d'été sur le Drinkwater Lake pour une sorte de soirée ; la maison ne serait pas chauffée, et ils ne pourraient pas allumer la lumière sinon quelqu'un risquait de signaler un cambriolage, mais malgré ces inconvénients ce serait excitant de se trouver sans chaperon. Pourquoi ? se demandait Homer Wells. Il savait qu'il n'aboutirait jamais à rien avec Debra Pettigrew — même si elle avait eu deux vagins. Après le morne vendredi soir qu'ils venaient de passer ensemble, et avec l'haleine des chiens qui se cristallisait sur la glace de la fourgonnette, côté conducteur, ils ne parlèrent pas de cette alléchante soirée ce jour-là.

— Et qu'allons-nous faire demain soir ? demanda Debra en soupirant.

Homer regarda un chien happer son rétroviseur latéral à pleine gueule.

— C'est-à-dire... Je dois aller voir Candy — elle est rentrée de Camden, expliqua Homer. Je ne l'ai pas vue un seul week-end de tout l'automne, et Wally m'a demandé de veiller sur elle.

— Tu vas aller la voir sans Wally ? demanda Debra.

— Oui.

La fourgonnette à cabine avancée permettait aux chiens de se précipiter contre le pare-brise sans être obligés de grimper sur le capot. Les pattes d'un molosse tirèrent un des essuie-glaces, puis le lâchèrent avec un claquement sec ; la tige était tordue ; jamais plus le caoutchouc ne toucherait la surface du pare-brise.

— Tu vas la voir toute seule, dit encore Debra.

— Ou avec son père, répondit Homer.

— Bien sûr, lança-t-elle en descendant de la fourgonnette.

Elle laissa la portière entrouverte un peu trop longtemps. Un chien à la tête en fer de lance, genre doberman, chargea dans l'interstice ; il passa la moitié du corps dans la cabine, sa lourde poitrine haletante contre le siège du passager, son museau givré bavant contre la boîte de vitesses. Debra le saisit par l'oreille et, d'une secousse, le tira en arrière ; il se mit à japper.

— Au revoir, dit Homer Wells doucement — après le claquement de la portière, après avoir essuyé la bave glaireuse du chien sur le levier des vitesses.

Il passa deux fois devant le vivier à langoustes de Kendall, mais rien ne lui indiqua si Candy était chez elle. Les week-ends où elle rentrait à la maison, elle prenait le train ; puis Ray la raccompagnait en voiture le dimanche. Je lui téléphonerai demain — samedi —, décida Homer.

Lorsque Candy lui annonça qu'elle avait envie de voir le film de Fred Astaire, Homer ne fit aucune objection.

« J'ai toujours eu envie de voir Astaire, répondit-il.

Bath, après tout, se trouvait à moins d'une heure de route.

Du haut du pont de la Kennebec, ils purent voir plusieurs gros bateaux dans l'eau, et plusieurs autres en cale sèche ; les chantiers navals de Bath occupaient toute la côte — même le samedi l'on entendait le rythme des marteaux et d'autres bruits métalliques. Ils étaient arrivés beaucoup trop tôt pour le film. Ils cherchèrent un restaurant italien dont Ray leur avait parlé — Existait-il encore ? Raymond Kendall n'était pas allé à Bath depuis des années.

En 194..., surtout pour un visiteur de l'extérieur, la ville semblait dominée par les chantiers navals, par les bateaux, plus hauts que les bâtiments des chantiers, et par le pont enjambant la Kennebec. Bath était une ville ouvrière, comme Melony le découvrit très vite.

Elle trouva un emploi sur les chantiers et commença sa saison d'hiver devant une chaîne de montage, avec d'autres femmes — et parfois un ou deux hommes handicapés — au premier étage d'une usine spécialisée dans les pièces détachées. La pièce détachée à laquelle Melony consacra ses énergies pendant son premier mois de travail était une came de forme hexagonale, qui avait l'air d'un demi-jambon, fendu dans la longueur ; Melony ignorait l'endroit de la chaîne où l'on s'occupait de l'autre moitié du jambon. La came arrivait sur le convoyeur devant elle, s'y arrêtait pendant exactement quarante-cinq secondes, puis repartait pour faire place à la came suivante. L'évidement de l'axe, au centre de la came, était rempli de graisse ; on pouvait enfoncer son doigt dans la graisse jusqu'à la deuxième phalange. Le travail consistait à insérer six roulements à billes dans le trou garni de graisse : on poussait chaque roulement dans la graisse jusqu'à ce que le premier touche le fond ; les six roulements s'adaptaient à la perfection. Le truc, c'était de ne mettre qu'une seule main dans la graisse ; avec une main propre, il était beaucoup plus facile de manipuler les roulements, de la taille d'une boule de loto. L'autre partie du travail consistait à s'assurer que les six roulements à billes étaient parfaits — parfaitement ronds, parfaitement lisses, ni creux ni bosses, ni bouts de métal ni limailles. La proportion normale était d'un roulement à billes défectueux tous les deux cents ; à la fin de la journée, on rendait les mauvais roulements. Si l'on ne rendait aucun roulement en fin de journée, le contremaître vous reprochait de ne pas inspecter les roulements avec une attention suffisante.

On pouvait travailler assis ou debout, et Melony utilisait les deux positions, tantôt l'une tantôt l'autre. La bande transporteuse était trop haute pour que l'on puisse travailler confortablement assis, et trop basse pour qu'il soit plus agréable de se mettre debout. Le dos vous faisait mal à un endroit quand vous étiez debout et à un autre dès que vous adoptiez la position assise. Melony ignorait qui faisait quoi, et où, à l'autre moitié de la came, mais aussi à quoi servirait la pièce. Bien mieux, elle s'en moquait.

Au bout de deux semaines, sa technique était bien au point : de vingt-six à vingt-huit secondes pour insérer les roulements à billes et jamais plus de dix secondes pour choisir six roulements parfaits. Elle apprit à garder un petit nid de roulements sur ses genoux, quand elle était assise, et dans un cendrier (elle ne fumait pas), quand elle était debout ; elle avait ainsi un bon roulement toujours à portée de la main si elle en lâchait un. Il lui restait de douze à quatorze secondes de repos entre chaque came, ce qui lui permettait de regarder la personne à sa gauche, puis la personne à sa droite, et de fermer les yeux pour compter jusqu'à trois, parfois jusqu'à cinq. Elle remarqua qu'il y avait deux styles de travail sur la chaîne. Certaines ouvrières choisissaient leurs six roulements parfaits aussitôt après avoir terminé leur came, les autres attendaient d'abord que la nouvelle came arrive.

La voisine de Melony lui expliqua :

— Certaines sont des choisisseuses, d'autres des poseuses.

— Je ne suis ni l'une ni l'autre, répondit Melony.

— Oh, je crois que tu auras la vie plus facile, mon chou, si tu choisis entre les deux, répondit la femme.

Elle s'appelait Doris. Elle avait trois enfants ; un côté de son visage était encore joli, mais l'autre était gâché par un nævus couvert de poils. Pendant les douze à quatorze secondes dont disposait Doris entre deux cames, elle fumait.

De l'autre côté de Melony se trouvait un homme entre deux âges,

372

dans un fauteuil d'infirme. Son problème, c'était qu'il ne pouvait pas ramasser les roulements à billes qu'il laissait tomber ; certains se prenaient dans la couverture posée sur ses genoux ou dans le mécanisme du fauteuil roulant, ce qui provoquait des cliquetis quand il s'éloignait pour la pause café ou le déjeuner. Il se nommait Walter. Trois ou quatre fois par jour, Walter criait :

— Au cul les roulements à billes !

Certains jours, quand une ouvrière tombait malade, la chaîne était modifiée et Melony ne se trouvait plus entre Walter et Doris. Parfois elle était à côté de Troy, un aveugle. Il vérifiait la perfection des roulements *au toucher* et il les enfonçait délicatement dans la graisse épaisse — et invisible. Il devait avoir quelques années de plus que Melony mais il avait toujours travaillé aux chantiers navals ; il était devenu aveugle à la suite d'un accident à un poste de soudure, et les chantiers lui devaient un emploi à vie.

— Au moins, j'ai la sécurité, répétait-il trois ou quatre fois par jour.

Certaines journées, Melony se retrouvait à côté d'une jeune fille de son âge, une petite poulette pleine d'énergie qui répondait au prénom de Lorna.

— Il y a pire, comme boulot, dit-elle un jour.

— Par exemple ? demanda Melony.

— Turluter un bouledogue, lança Lorna.

— Ça, je connais pas, répondit Melony. Mais je parierais que chaque bouledogue est différent.

— Alors comment se fait-il que les hommes soient tous les mêmes ? demanda Lorna.

Melony décida que cette fille lui plaisait.

Lorna s'était mariée à dix-sept ans — « avec un type plus âgé », lui dit-elle —, mais ça n'avait pas marché. C'était un mécanicien, « vingt et un ans et des poussières, il m'a épousée juste parce que j'étais la première qu'il se tapait », raconta Lorna à Melony.

Melony expliqua à Lorna qu'elle avait été séparée de son « ami » par « une fille riche qui s'est mise entre nous » ; Lorna convint volontiers que c'était « le pire ».

— Mais voilà ce que je crois, lui dit Melony. De deux choses l'une : ou bien il ne l'a pas encore baisée, parce qu'elle ne l'a pas laissé faire, et il sait maintenant tout ce qu'il perd. Ou bien elle s'est laissé baiser, et il a encore compris tout ce qu'il perd.

— Ça, c'est bien vrai ! s'écria Lorna.

Melony avait l'air de lui plaire.

« J'ai des amies, expliqua-t-elle à l'orpheline. Nous allons manger une pizza ensemble, voir un film, tu vois ?

Melony hocha la tête ; elle n'avait jamais rien fait de tout ça... Lorna était aussi mince que Melony semblait énorme, elle montrait autant d'os que Melony de chairs ; elle était pâle et blonde alors que Melony paraissait de plus en plus sombre ; elle avait l'air frêle et toussait beaucoup, tandis que Melony affichait une force colossale, presque comme si ses poumons étaient des moteurs. Pourtant elles se sentaient bien ensemble.

Quand elles demandèrent qu'on les mette côte à côte à la chaîne, leur requête fut repoussée. On considérait que les amitiés, surtout celles qui engendrent des bavardages, nuisaient au rendement dans les ateliers. Melony ne put donc travailler à côté de Lorna que les jours où la chaîne était modifiée par suite de maladie. Melony supporta donc les homélies bébêtes de Doris et les roulements perdus de Walter-les-roulettes, comme tout le monde l'appelait. Mais cette séparation obligatoire de Lorna pendant les heures de travail ne fit que renforcer son attachement pour elle — attachement mutuel, d'ailleurs. Ce samedi-là, elles se proposèrent pour des heures supplémentaires ensemble, et travaillèrent côte à côte tout l'après-midi.

Vers le moment où Candy et Homer Wells traversaient le pont sur la Kennebec pour entrer dans le centre de Bath, Lorna laissa tomber un roulement à billes dans le décolleté de la blouse de travail de Melony — une manière comme une autre d'attirer son attention.

« Il y a un film de Fred Astaire en ville, dit Lorna en crachant son chewing-gum. T'as pas envie de le voir ?

Bien que sa voix manquât de la chaleur étudiée de celle du Dr Larch, Mme Grogan fit de son mieux pour inspirer une réponse joyeuse à son annonce à la section Filles.

— Réjouissons-nous pour Mary Agnes Cork, dit-elle.

La pleurnicherie fut générale, mais Mme Grogan continua de plus belle :

« Mary Agnes Cork a trouvé une famille. Bonne nuit Mary Agnes !

Il y eut des gémissements étouffés, le bruit de quelqu'un qui enfouit ses larmes dans son oreiller, et les habituels sanglots déchirants.

« Soyons *contentes* pour Mary Agnes Cork ! supplia Mme Grogan.

— Va te faire foutre ! lança une voix dans le noir.

— Je souffre de vous entendre dire une chose pareille ! Comme nous souffrons toutes. Bonne nuit, Mary Agnes ! répéta Mme Grogan.

— Bonne nuit, Mary Agnes, dit l'une des plus petites.

— Fais bien attention, Mary Agnes, pleurnicha une voix.

Oh, oui, bonté divine ! songea Mme Grogan, les joues ruisselantes de larmes. Oui, fais bien attention.

Larch avait assuré à Mme Grogan que la famille adoptive était particulièrement bonne pour une fillette déjà âgée comme Mary Agnes. C'était un jeune couple qui achetait, restaurait et vendait des antiquités ; leur affaire leur prenait trop de temps pour qu'ils s'occupent d'un jeune enfant, mais ils avaient beaucoup d'énergie à partager avec une fillette plus âgée pendant les soirées et les week-ends. L'épouse avait eu des relations très étroites avec une sœur beaucoup plus jeune ; elle « adorait les conversations de fillettes », déclara-t-elle au Dr Larch. (Apparemment, la jeune sœur avait épousé un étranger et n'habitait plus les États-Unis.)

Et Wilbur Larch avait un certain penchant pour Bath ; il avait toujours entretenu une correspondance amicale avec le pathologiste de l'hôpital de la ville et c'était de là-bas que venait la brave Clara. Il lui semblait donc parfaitement souhaitable que Mary Agnes Cork parte à Bath.

Mary Agnes tenait beaucoup à son nom et on lui permit donc de le garder — non seulement le Mary Agnes, mais aussi le Cork. Après tout, ses parents adoptifs étaient des Callahan ; Cork ou Callahan, on restait en Irlande, n'est-ce pas ? Tout cela semblait un peu « moderne » au goût de Mme Grogan, mais elle se laissa pourtant toucher par le plaisir d'avoir donné à quelqu'un son nom pour la vie.

Ted et Patty Callahan désiraient que Mary Agnes Cork les considère comme des amis. La première chose « amicale » que fit le jeune couple fut d'emmener Mary Agnes voir son premier film. Couple robuste, les Callahan estimaient qu'ils habitaient assez près du cinéma de Bath pour s'y rendre à pied ; c'était un long trajet, mais Ted et Patty en profitèrent pour montrer à Mary Agnes certaines différences de base entre le fox-trot et la valse. En décembre, le trottoir était plein de flaques, mais Ted et Patty avaient envie de préparer Mary Agnes à l'éblouissant Fred Astaire.

Un vent humide, glacé, montait de la Kennebec, et Mary Agnes sentit des douleurs dans sa clavicule ; quand elle essaya de danser avec les Callahan, la vieille blessure parut s'ouvrir puis palpita, et s'engourdit. Le trottoir était tellement glissant qu'elle faillit s'étaler — elle se rattrapa à l'aile d'une fourgonnette verte, et sale. Patty épousseta son manteau. Devant le cinéma, des gens prenaient leur billet dans le crépuscule. Sur la porte latérale coulissante de la fourgonnette, Mary Cork reconnut la pomme, le monogramme W.W. et OCEAN VIEW. Elle avait déjà vu cet emblème sur une Cadillac — elle faisait alors la queue pour du miel et de la gelée ; elle se rappela la belle jeune fille qui se tenait à l'écart et le beau garçon qui distribuait les pots. Ils sont *ici !* se dit Mary Agnes. Les beaux jeunes gens qui avaient emmené Homer Wells ! Peut-être Homer se trouvait-il encore avec eux... Mary Agnes se mit à le chercher des yeux.

Homer et Candy n'avaient guère eu de chance, pour le restaurant italien que Ray leur avait recommandé ; ils avaient trouvé deux ou trois restaurants italiens, qui servaient tous des pizzas, des sandwiches et de la bière — tous tellement envahis par les ouvriers des chantiers navals qu'il n'y avait pas le moindre endroit où s'asseoir. Ils avaient mangé une tranche de pizza dans la fourgonnette et étaient arrivés au cinéma en avance.

Quand Homer Wells prit son portefeuille, devant la caisse extérieure, il s'aperçut qu'il n'avait jamais ouvert son portefeuille dehors — dans le vent d'hiver. Il tourna le dos au vent, mais les billets en liberté voletèrent ; Candy mit les mains de chaque côté du portefeuille, comme pour protéger une flamme en danger de s'éteindre, et elle se trouva donc en mesure d'attraper sa boucle de poils pubiens — conservée comme un trésor — lorsque celle-ci s'envola du portefeuille d'Homer et s'accrocha au poignet de son manteau. Ils tendirent tous les deux la main — Homer en lâcha son portefeuille —, mais Candy le devança. Quelques fins poils blonds auraient pu disparaître dans le vent, mais Candy saisit fermement la boucle — et la main d'Homer se referma aussitôt sur celle de la jeune fille.

Ils s'écartèrent de la caisse ; une petite queue les dépassa pour entrer dans la salle. Candy continuait de tenir fermement ses poils pubiens et Homer refusait de lui lâcher la main — il ne voulait pas qu'elle l'ouvre pour examiner ce qu'elle tenait. Mais c'était inutile : Candy le savait déjà ; elle l'avait compris, autant à la vue de l'expression d'Homer qu'à la vue de la boucle de poils.

— J'aimerais faire un tour, murmura-t-elle.

— D'accord, répondit Homer Wells, sans lui lâcher la main.

Tournant le dos au cinéma, ils descendirent vers la Kennebec. Candy regarda la rivière et s'appuya contre Homer Wells.

— Tu es peut-être collectionneur, dit-elle, aussi doucement qu'elle put, tout en se faisant entendre par-dessus le bruit de la Kennebec. Tu es peut-être collectionneur de poils pubiens, dit-elle. Tu étais vraiment à la bonne place pour le devenir.

— Non, répondit-il.

— Mais ce sont des poils pubiens, lança-t-elle en secouant son poing crispé dans la main d'Homer. Et ce sont les miens, n'est-ce pas ?

— D'accord, répondit Homer Wells.

— Seulement les miens ? demanda Candy. Tu n'as gardé que les miens ?

— C'est cela, dit Homer.

— Pourquoi ? Ne mens pas !

Jamais il n'avait dit les mots : je suis amoureux de toi. Il ne s'attendait pas à l'effort nécessaire pour les prononcer. Sans doute se trompa-t-il sur le poids étrange qu'il sentit sur son cœur — certainement lié à la contraction de ce gros muscle dans sa poitrine à la suite de la lettre récente du Dr Larch ; il n'éprouvait que de l'amour mais il crut sentir sa sténose de la valvule pulmonaire. Il lâcha la main de Candy et posa les deux mains sur sa poitrine. Il avait vu les cisailles à sternum au travail — il connaissait les méthodes de l'autopsie —, mais jamais respirer ne lui avait paru aussi difficile et douloureux.

Lorsque Candy se tourna vers lui et vit son visage, elle ne put se retenir : ses mains s'ouvrirent pour saisir celles d'Homer, et la boucle blonde de poils pubiens s'envola à l'air libre ; une rafale de vent l'emporta au-dessus de la rivière, dans les ténèbres.

« Est-ce ton cœur ? lui demanda Candy. Oh, mon Dieu, ne dis rien... Je t'en prie, n'y pense pas !

— Mon cœur ? dit-il. Tu es au courant, pour mon cœur ?

— Et *toi* ? Tu sais ? demanda-t-elle. Ne t'inquiète pas ! ajouta-t-elle avec véhémence.

— Je t'aime, gémit Homer Wells comme s'il prononçait ses dernières paroles.

— Oui, je le sais — n'y pense pas, répondit Candy. Ne t'inquiète pas. Je t'aime aussi.

— Vraiment ? demanda-t-il.

— Oui, oui, et Wally aussi, dit-elle. Je t'aime, toi, *et* j'aime Wally, mais ne t'en inquiète pas, n'y pense même pas.

— Comment peux-tu savoir, **pour** mon cœur ? demanda Homer Wells.

— Nous sommes tous au courant, dit Candy. Olive, Wally...

Ces paroles convainquirent Homer Wells bien plus que les remarques inattendues du Dr Larch dans sa lettre. Il sentit de nouveau son cœur battre à une allure débridée.

« Ne pense pas à ton cœur, Homer ! dit Candy en le prenant dans ses bras. Ne te tracasse pas pour moi, pour Wally — pour rien de tout ça.

377

— Que suis-je censé en penser ? demanda Homer Wells.

— Seulement des bonnes choses, lui répondit Candy.

Puis elle le regarda dans les yeux et dit brusquement :
« Je n'arrive pas à croire que tu aies gardé mes poils !

Mais quand elle le vit se rembrunir soudain, elle ajouta :
« Je veux dire : c'est parfait — je comprends, quoi. Ne t'en fais pas pour ça non plus. C'est peut-être spécial, mais très... romantique.

— Romantique, répéta Homer, en tenant dans ses bras la fille de ses rêves — mais il ne faisait que la tenir dans ses bras.

La toucher davantage serait interdit — d'après toutes les règles — et il essaya d'accepter la douleur dans son cœur comme ce que le Dr Larch appellerait les symptômes ordinaires d'une vie normale. Car c'est une vie normale, essaya-t-il de croire, en tenant Candy dans ses bras tandis que montaient vers eux, de la rivière, le brouillard et les ténèbres de la nuit.

Ce n'était pas la soirée idéale pour une comédie musicale.

— Nous verrons Fred Astaire danser une autre fois, dit Candy, résignée.

La sécurité de ce que l'on connaît bien les attira vers la jetée de Raymond Kendall — quand ils auraient froid, assis dehors, ils pourraient toujours prendre un thé avec Ray. Ils retournèrent donc à Heart's Haven dans la fourgonnette ; aucune des personnes qui les connaissait ne les vit arriver ou repartir.

Pendant le film de Fred Astaire, Mary Agnes Cork mangea trop de pop-corn ; sa famille adoptive crut la pauvre gosse trop énervée par son premier film ; elle ne tenait pas en place. Elle regardait le public davantage que la danse. Elle scrutait chaque visage dans l'obscurité scintillante. C'était la jolie jeune fille et le beau garçon qu'elle cherchait — et peut-être Homer Wells. Elle ne s'attendait donc pas du tout à repérer dans la foule le visage de la personne qui lui manquait le plus dans son univers limité ; la vue de cette silhouette lourde, de ce visage sombre, réveilla une telle douleur dans sa vieille clavicule fracturée que la boîte de pop-corn lui vola des mains.

Melony écrasait de sa taille la petite blonde effrontée qui s'appelait Lorna — massive dans son fauteuil avec l'autorité d'un cinéphile impénitent et blasé, aussi amère qu'un critique insatisfait de naissance, bien que ce fût son premier film. Même dans la lumière grise du projecteur, Mary Agnes Cork reconnut aussitôt l'auteur de tant de brimades, la ci-devant reine et tueuse de la section Filles.

— Je crois que tu as mangé assez de pop-corn, mon lapin, dit Patty

378

Callahan à Mary Agnes, qui semblait avoir un grain de maïs soufflé coincé en travers de la gorge.

Et pendant le reste du spectacle frivole de la soirée, Mary Agnes ne put détacher les yeux de ce membre remarquable du public : Melony. De l'avis de Mary Agnes Cork, Melony aurait pu balayer n'importe quelle piste de danse avec Fred Astaire, elle aurait pu briser tous les os du corps svelte de Fred — elle l'aurait paralysé après la première valse.

— Tu vois quelqu'un que tu connais, ma chérie ? demanda Ted Callahan à Mary Agnes.

Il crut la pauvre fillette tellement gavée de pop-corn qu'elle ne pouvait plus parler.

Dans le hall d'entrée, sous la lumière blafarde des néons, Mary Agnes s'avança vers Melony comme si un rêve dirigeait ses pas — captive, semblait-il, de l'ancienne transe violente liée à l'autorité de Melony.

— Salut, dit-elle.

— Tu me causes, môme ? demanda Lorna — mais Mary Agnes ne souriait qu'à Melony.

— Salut, c'est *moi* ! dit Mary Agnes.

— Alors tu as filé ? demanda Melony.

— J'ai été adoptée ! répondit Mary Agnes Cork.

Ted et Patty se tenaient non loin d'elle, un peu nerveux, ne voulant pas s'imposer mais refusant de perdre la fillette de vue.

« Voici Ted et Patty, reprit Mary Agnes. Mon amie Melony.

Melony parut ne savoir que faire des mains tendues vers elle. La petite garce à l'œil dur qui s'appelait Lorna battit des prunelles — un peu de rimmel collait une de ses paupières et l'empêchait de se fermer.

— C'est mon amie Lorna, dit Melony, maladroite.

Tout le monde dit « Salut ! » et resta planté sur place. Que veut donc cette petite idiote ? pensait Melony. Ce fut alors que Mary Agnes demanda :

— Où est Homer ?

— Quoi ? lança Melony.

— Homer Wells, dit Mary Agnes. Il n'est pas avec toi ?

— Pourquoi ? demanda Melony.

— Ces gens si beaux, avec la voiture... commença Mary Agnes.

— *Quelle* voiture ?

— Eh bien, ce n'était pas la même voiture, la belle voiture, mais il y avait la pomme sur la portière — je n'oublierai jamais cette pomme là, dit Mary Agnes.

Melony posa lourdement ses grosses mains sur les épaules de Mary Agnes ; et celle-ci sentit le poids l'enfoncer dans le sol.

— De quoi parles-tu ? demanda Melony.

— J'ai vu une vieille voiture, mais il y avait une pomme dessus, expliqua Mary Agnes. J'ai cru qu'ils étaient venus voir le film, ces gens si beaux — et Homer aussi. Et quand je t'ai vue, je me suis dit qu'il était ici, c'était certain.

— Où était la voiture ? demanda Melony tandis que ses deux pouces écrasaient les deux clavicules de Mary Agnes. Montre-moi la voiture.

— Tout va bien ? demanda Ted Callahan.

— Occupez-vous de vos oignons, lança Melony.

Mais la fourgonnette était partie. Dans le froid humide, sur le trottoir boueux, les yeux fixés sur le caniveau vide, Melony demanda :
« Tu es sûre que c'était bien cette pomme-là ? Avec deux W et Ocean View écrit ?

— Exactement, répondit Mary Agnes. Sauf que ce n'était pas la même voiture. C'était une vieille camionnette, mais je reconnaîtrais cette pomme-là n'importe où. On n'oublie pas une chose comme ça.

— Oh, ferme-la ! lança Melony d'un ton las.

Elle était campée sur le bord du trottoir, les mains sur les hanches, les narines dilatées ; elle essayait de retrouver un parfum, à la façon dont un chien tente de deviner dans l'air la succession des intrusions sur son territoire.

— Qu'est-ce qu'il y a ? demanda Lorna à Melony. Ton mec était ici avec son andouille pleine aux as ?

Ted et Patty étaient impatients de ramener Mary Agnes à la maison, mais Melony les arrêta au moment où ils s'en allaient. Elle fouilla dans sa poche et tendit la barrette de corne que Mary Agnes avait volée à Candy, puis que Melony lui avait prise. Elle donna la barrette à Mary Agnes.

— Garde-la, dit-elle. Tu l'as prise, elle est à toi.

Mary Agnes saisit la barrette comme si c'était une médaille pour bravoure, pour conduite valeureuse dans la seule arène que respectait Melony.

— J'espère qu'on se verra ! lança Mary Agnes à Melony qui s'éloignait à grands pas — Homer Wells en fuite se trouvait peut-être au coin de la rue suivante.

— De quelle couleur, la camionnette ? cria Melony.

— Verte ! dit Mary Agnes. J'espère qu'on se verra ! répéta-t-elle.

— Vous avez entendu parler d'un Ocean View ? cria encore Melony à l'adresse des Callahan.

Non : à quoi riment les pommes pour des antiquaires ?

— Je pourrai te voir de temps en temps ? insista Mary Agnes.

— Je suis aux chantiers, dit Melony à la fillette. Si jamais tu entends parler d'un Ocean View, tu pourras venir me voir.

— Tu ne sais même pas si c'était lui, dit Lorna à Melony un peu plus tard.

Elles buvaient de la bière. Melony ne parlait pas.

« Et tu ne sais même pas si l'andouille pleine aux as est encore avec lui.

Elles se tenaient sur la berge de la Kennebec embrumée, tout près de la pension de famille où logeait Lorna ; quand elles avaient terminé une bière, elles lançaient la bouteille dans la rivière. Pour lancer des choses à l'eau, Melony n'avait pas sa pareille. Elle restait le visage tourné vers le haut ; elle sentait encore le vent — comme si même la fameuse boucle de poils pubiens de Candy ne pouvait échapper à son pouvoir de détection.

Homer Wells lui aussi contemplait l'eau. *Ploc !* disaient les bigorneaux qu'il lançait depuis la jetée de Ray Kendall.

Candy et Homer étaient assis, le dos contre un poteau, chacun à un angle du bout de la jetée, face à face. S'ils avaient allongé les jambes l'un vers l'autre, les plantes de leurs pieds se seraient touchées, mais Candy était assise les genoux légèrement repliés — position banale pour Homer Wells, qui avait vu tellement de femmes dans les étriers.

— Ça va ? demanda Candy à mi-voix.

— Qu'est-ce qui va ? demanda Homer.

— Ton cœur, chuchota-t-elle.

Comment le savoir ?

— Je crois, répondit-il.

— Ça ira, dit-elle.

— Qu'est-ce qui ira ? demanda Homer Wells.

— Tout, se hâta de répondre Candy.

— Tout, répéta Homer Wells. Le fait que je t'aime — ça va. Et que tu m'aimes, *ainsi que* Wally — ça va, aussi ? D'accord, dit-il.

— Il faut « attendre voir », répondit Candy. Pour tout, il faut « attendre voir » ce qui arrive.

— D'accord.

— Je ne sais pas quoi faire moi non plus dit-elle faiblement.

— Il faut faire ce qu'il faut, répondit Homer Wells.

Wally voulait toujours faire ce qu'il faut, et le Dr Larch faisait ce qu'il croyait qu'il fallait, lui aussi. Si l'on peut avoir la patience d' « attendre voir », ce qu'il faut doit se présenter tout seul — n'est-ce pas ? De toute façon, que fait un orphelin sinon « attendre voir » ?

« Je sais patienter, dit Homer Wells.

Melony savait patienter elle aussi. Ainsi que Ray Kendall, à sa fenêtre au-dessus de sa jetée — il savait patienter. Un mécanicien doit être patient ; un mécanicien doit « attendre voir » que quelque chose se casse avant de pouvoir le réparer. Ray regardait fixement l'espace entre les pieds de sa fille et ceux d'Homer Wells ; ce n'était pas une grande distance ; il avait observé plus d'une fois sa fille dans les bras de Wally sur cette même jetée — et il se souvenait de l'époque où Candy et Wally se tenaient eux aussi sur cette jetée sans que leurs pieds se touchent.

Ce sont trois braves gosses, pensait Ray. Mais il était mécanicien — trop avisé pour s'interposer. Quand ça casserait, il réparerait ; il était désolé pour tous.

« Je peux te ramener à ton école demain, dit Homer.

— Mon père peut me ramener, dit Candy. Je crois qu'il aime bien.

Olive Worthington regarda le réveil sur sa table de nuit et éteignit sa lampe de chevet ; jamais Homer ne restait dehors aussi tard avec Debra Pettigrew, se dit-elle. Olive imaginait sans mal l'attirance exercée par Candy sur Homer Wells ; elle éprouvait le plus grand respect pour l'application du jeune homme. Elle s'était aperçue qu'il étudiait mieux — et notamment le lapin ! — que son fils Wally ; et c'était aussi un compagnon fidèle et amical. Olive enrageait en silence. Elle éprouvait la contradiction typique si fréquente chez un parent : elle était complètement du parti de son fils — elle avait même envie de le prévenir, d'aider sa cause —, mais, d'un autre côté, une bonne leçon ne ferait pas de mal à Wally, n'est-ce pas ? Seulement, peut-être pas cette leçon-là, se disait Olive.

— Dieu merci, ce sont trois jeunes gens très gentils ! dit-elle tout fort, et sa propre voix dans la maison vide la surprit et la réveilla tout à fait — un chocolat chaud me calmerait, se dit-elle ; et quand Homer rentrera, il pourra en prendre une tasse avec moi.

Mais, dans la cuisine, Olive se figea. Le brouillard, traversé par un rayon de lune cotonneux, donnait au matelas pneumatique de la piscine une allure fantomatique. Le matelas était coincé sur le côté de la piscine, à moitié dans l'eau, à moitié hors de l'eau, pareil à une photographie grisée, ombrée, de lui-même. Cette image troubla Olive Worthington et elle décida qu'elle avait assez vu ce machin-là. Elle chaussa une paire de bottes et enfila un long manteau d'hiver par-dessus sa robe de chambre. La lumière extérieure du patio ne marchait pas et cela l'agaça ; seules les lampes des parois de la piscine s'allumèrent, sous l'eau, et elle constata, surprise, que l'eau de la piscine avait fini par geler — ce qui expliquait la position du matelas. Il était prisonnier, aussi raide qu'une statue, pareil à un bateau pris par la banquise. En s'agrippant prudemment au rebord de la piscine, elle éprouva la résistance de la glace à coups de talon, mais, quand elle tira sur le matelas, il refusa de bouger. Si je marche là-dessus, se dit-elle, je passe au travers, c'est certain.

Ce fut à cet instant qu'Homer rentra. Elle entendit la fourgonnette dans l'allée et elle appela le jeune homme.

— Que voulez-vous en faire ? demanda Homer à Olive, au sujet du matelas.

— Le sortir, c'est tout, répondit-elle.

— Et après ? insista-t-il.

— Le jeter. En attendant, je vais te préparer un chocolat chaud.

Homer se débattit donc avec le matelas. La glace, trop faible pour supporter son poids, était assez épaisse pour retenir solidement l'objet. Il eut l'idée judicieuse de se laisser glisser sur le matelas, dans l'espoir qu'il contiendrait encore assez d'air pour ne pas couler quand se briserait le lien avec la glace. Il se balança d'avant en arrière, sur les genoux, jusqu'à ce qu'il sente la glace se briser. Puis il cassa un passage dans la glace, remonta sur le bord de la piscine et retira le matelas pneumatique. Il y avait encore des blocs de glace accrochés ; le matelas était si lourd qu'il dut le traîner. Lorsqu'il parvint à l'appentis, il lui fallut dégonfler le matelas pour pouvoir l'enfoncer dans l'une des poubelles. La valve métallique était coincée par l'oxydation, et même en sautant dessus à pieds joints il ne put faire éclater la grosse toile.

Il entra dans l'appentis des outils de jardin, et y trouva une paire de cisailles à raser les haies ; avec la petite lame, il perça un trou dans le matelas, puis coupa vers le haut — l'air aigre, caoutchouteux, lui jaillit en plein visage. C'était humide et fétide, et lorsqu'il agrandit le trou l'odeur l'inonda — curieusement tiède dans l'air froid de la nuit, et curieusement répugnante. Ce n'était pas seulement l'odeur de vieilles godasses laissées sous la pluie ; elle avait aussi un côté putride, et Homer ne put s'empêcher d'examiner l'objet fendu, comme s'il s'agissait d'entrailles éventrées. Il fourra le matelas dans une poubelle, mais quand il rentra dans la maison pour sa récompense — le chocolat chaud — l'odeur resta sur ses mains même après qu'il les eut lavées. Il posa le nez contre le creux de ses paumes ; l'odeur demeurait. Puis il la reconnut : la même odeur collait à ses mains quand il enlevait les gants en caoutchouc de chirurgien.

« Comment va Candy ? demanda Olive.

— Très bien, répondit-il.

Ils dégustèrent leur chocolat chaud — tels une mère et son fils (pensaient-ils tous les deux) ; et en même temps *pas du tout* comme une mère et son fils (pensaient-ils également).

— Et toi, comment vas-tu ? lui demanda Olive au bout d'un moment.

— Très bien aussi, répondit Homer Wells — mais en fait il pensait : Je vais « attendre voir ».

Wilbur Larch inspira et vit les étoiles défiler à toute allure sur le plafond de la pharmacie : « attendre voir » est un luxe — il ne le savait que trop bien. Même si je dure, se disait-il, je risque d'être pris ; les avorteurs croient aux probabilités. Il était dans la partie depuis trop longtemps. Quelles sont les chances pour que l'on sonne l'alarme avant que j'en aie terminé ? se demandait le vieil homme.

Pas plus tard que la veille, il s'était fait un ennemi de plus — une femme à son huitième mois qui se prétendait à son quatrième. Il avait dû refuser. Quand les femmes faisaient des crises d'hystérie, il attendait en général que cela leur passe ; si elles avaient besoin de fermeté, il leur envoyait Nurse Angela ; Nurse Edna savait mieux leur tenir la main. Avec le temps, elles se calmaient. Si une femme arrivait trop tard (selon son opinion de médecin) — s'il s'estimait contraint de refuser l'avortement —, il parvenait d'habitude à convaincre la femme qu'elle serait en sécurité à Saint Cloud's : il mettrait l'enfant au monde et lui trouverait un foyer, ce qui était préférable au risque encouru dans le cas d'un avortement exécuté trop tard.

Mais pas cette femme-là. Il n'y avait eu aucune crise de nerfs. Le calme absolu d'une haine de longue date lui conférait une sorte de sérénité.

— C'est bien ça ? Vous refusez ? lui dit-elle.

— Je regrette, répondit Larch

— Vous voulez combien ? lui demanda la femme. Je peux trouver ce qu'il faudra.

— Tout ce que vous pouvez vous permettre de donner à l'orphelinat sera apprécié, répondit Larch. Si vous ne pouvez rien vous permettre, tout est gratuit. L'avortement est gratuit, l'accouchement est gratuit. Les donations sont appréciées. Si vous n'avez nulle part où aller, vous êtes la bienvenue ici. Vous n'aurez pas longtemps à attendre.

— Dites-moi seulement ce que je dois faire, répondit la femme. Vous voulez que je vous baise ? D'accord, je vous baise.

— Je veux que vous ayez cet enfant et que vous me laissiez lui trouver un foyer, répondit Wilbur Larch. Je n'attends rien d'autre de vous.

Mais la femme l'avait foudroyé du regard. Elle eut du mal à quitter le fauteuil trop rembourré du bureau de Nurse Angela. Elle regarda le presse-papiers sur le bureau de Larch ; c'était un spéculum vaginal lesté, mais il maintenait beaucoup de paperasses et la plupart des familles adoptives en puissance ne savaient pas de quoi il s'agissait. La femme regarda l'instrument comme si sa vue lui donnait des crampes. Puis elle se tourna vers la fenêtre, dans laquelle (imagina Larch) elle avait l'intention de lancer le presse-papiers.

Elle ramassa le spéculum et braqua le bec de l'objet vers Larch, comme une arme.

— Vous allez le regretter ! dit-elle.

Dans la brume de l'éther, Wilbur Larch revit la femme braquer le spéculum vers lui. *Comment* vais-je le regretter ? se demanda-t-il.

— Je regrette, dit-il à haute voix.

Nurse Edna, qui passait dans le couloir — comme toujours —, pensa aussitôt : Vous êtes pardonné ; je vous pardonne.

C'était dimanche, un dimanche gris et couvert — comme d'habitude. Le même film de Fred Astaire qui distrayait les habitants de Bath passait à Orono, et en 194... les étudiants de l'université du Maine n'étaient pas encore assez blasés pour ne pas l'apprécier. Wally alla au cinéma avec plusieurs copains. Pendant la séance de la matinée, le spectacle ne fut pas interrompu pour annoncer la nouvelle qui interrompit la vie du reste du monde. On laissa Fred Astaire danser, et danser encore : les spectateurs n'apprirent l'événement qu'à la fin du film, quand ils sortirent de l'obscurité douillette de la salle dans le crépuscule du centre ville d'Orono.

Candy roulait vers Camden avec son père. Raymond Kendall était particulièrement fier de la réception radio qu'il avait conçue et réalisée pour sa Chevrolet ; on ne pouvait pas capter les émissions plus clairement, à l'époque, sur un poste classique de voiture, et Ray avait fabriqué lui-même l'antenne verticale souple. Candy et son père entendirent la nouvelle en même temps que tout le Maine, et ils l'entendirent clairement.

Olive avait toujours la radio allumée, et elle était donc de ces gens qui ont besoin d'entendre les choses plusieurs fois avant de les entendre vraiment. Elle était en train de surveiller la cuisson d'une tarte, tout en faisant mijoter un sirop de pommes, et ce fut seulement la tension inhabituelle dans la voix du présentateur qui l'incita à prêter l'oreille.

Homer Wells, dans la chambre de Wally, lisait *David Copperfield* et songeait au Paradis — *... ce ciel au-dessus de moi, où, dans le mystère à venir, je pourrai encore l'aimer d'un amour inconnu sur cette terre, et lui parler des conflits qui se livraient en moi quand je l'aimais ici-bas.* Je crois que je préférerais aimer Candy *ici-bas,* « sur cette terre », se disait Homer Wells — quand Olive l'interrompit.

— Homer ! cria Olive d'en bas. Où se trouve Pearl Harbor ?

Homer n'était pas la personne à qui poser cette question ; il n'avait vu le monde en son entier qu'une seule fois, et brièvement — à plat contre le tableau noir. Il avait eu du mal à situer la Caroline du Sud ; non seulement il ne savait pas où se trouvait Pearl Harbor, mais il ignorait ce que c'était.

— Je ne sais pas ! cria-t-il d'en haut.

— Eh bien, les Japonais viennent de le bombarder ! lui lança Olive.

— Vous voulez dire, avec des avions ? demanda Homer Wells. Du ciel ?

— Évidemment, du ciel ! cria Olive. Tu ferais bien de descendre écouter.

— Où se trouve Pearl Harbor ? demanda Candy à son père.

— Chut ! lança Raymond Kendall. Écoute donc, ils vont peut-être le dire.

— Comment ont-ils pu réussir une attaque pareille ? demanda Candy.

— Parce que quelqu'un ne faisait pas son boulot, répondit Ray.

Les premiers comptes rendus étaient trompeurs. Quelqu'un évoqua une attaque de la Californie, et même une invasion. De nombreux auditeurs s'embrouillèrent dès le début ; ils crurent Pearl Harbor en Californie.

— Où se trouve Hawaii ? demanda Mme Grogan.

Ils apprirent la nouvelle en prenant le thé avec des gâteaux secs ; la radio était allumée pour faire un peu de musique.

— Hawaii est dans le Pacifique, répondit Wilbur Larch.

— Oh, c'est trop loin, remarqua Nurse Edna.

— Pas assez, répliqua le docteur.

— Il va y avoir une autre guerre, n'est-ce pas ? demanda Nurse Angela.

— Je crois qu'elle est déjà commencée, répondit Wilbur Larch.

Tandis que Wally — pour qui cette guerre compterait bien davantage — regardait Fred Astaire ; Fred n'arrêtait pas de danser, et Wally se sentait prêt à admirer ce déploiement de grâce pendant des heures.

Melony et Lorna écoutaient la radio dans le salon de la pension où Lorna habitait, un foyer pour femmes seules dont les clientes étaient soit assez âgées, soit, comme Lorna, séparées de leur mari depuis peu. Par ce dimanche après-midi, la plupart des femmes qui écoutaient la radio étaient vieilles.

— Nous devrions simplement bombarder le Japon, fit observer Melony. Sans tourner autour du pot : faire sauter tout leur pays.

— Tu sais pourquoi les Japs ont les yeux plissés ? demanda Lorna.

Melony et toutes les femmes âgées prêtèrent l'oreille.

« Parce qu'ils se masturbent tout le temps — les hommes et les femmes. Ils font ça sans arrêt.

Le silence qui suivit fut poli, surpris, ou les deux. Dans le cas de Melony, il s'agissait d'un silence poli.

— C'est une blague ? demanda-t-elle avec respect à son amie.

— Bien sûr que c'est une blague ! s'écria Lorna.

— Je crois que je ne pige pas, avoua Melony.

— Pourquoi les Japs ont les yeux plissés ? répéta Lorna Parce qu'ils se masturbent tout le temps.

Elle s'arrêta.

— C'est ce que j'avais cru entendre, dit Melony.

— Parce qu'ils ferment les yeux chaque fois qu'ils jouissent ! dit Lorna. Les yeux se fatiguent à toujours se fermer et se rouvrir. C'est pour ça qu'ils ne peuvent plus les ouvrir à fond. Pigé ? demanda Lorna, triomphante.

Toujours gênée par ses dents, Melony ébaucha un sourire lèvres pincées. Personne, en regardant les vieilles dames dans le salon de la pension, n'aurait pu dire au juste ce qui les emplissait de crainte et de tremblement : la nouvelle de l'attaque de Pearl Harbor, ou bien Lorna et Melony.

Puis le jeune Wally Worthington, si impatient de devenir un héros, sortit en dansant dans les rues d'Orono, où il apprit la nouvelle. Le président Roosevelt qualifierait ce dimanche-là de « jour d'infamie », mais pour Wally dont le cœur noble et aventureux rêvait de piloter un B-24 Liberator — un bombardier lourd quadrimoteur utilisé pour bombarder les ponts, les raffineries de pétrole, les dépôts de carburant, les voies ferrées, etc. — ce dimanche-là ne signifia pas seulement « infamie » : quelque part, un bombardier B-24 libérateur attendait que le jeune Wally Worthington apprenne à piloter...

Les gens d'Heart's Haven et d'Heart's Rock disaient toujours que Wally possédait tout : l'argent, la beauté, la bonté, le charme, la fille de ses rêves — mais il avait aussi du courage, ainsi qu'une dose généreuse des qualités les plus dangereuses de la jeunesse : l'optimisme et la soif d'agir. Il était capable de risquer tout ce qu'il possédait pour piloter l'avion qui porterait la bombe décisive dans ses flancs.

Wally s'engagea dans l'armée de l'Air avant Noël, mais on lui permit de passer les fêtes chez lui. Il faudrait à l'armée de l'Air plus d'un an pour enseigner à Wally l'art sinistre de la guerre.

— D'ici là, expliqua-t-il à Olive et à Candy dans la cuisine d'Ocean View, tous les combats seront terminés. Ce sera bien ma chance !

— Ce serait vraiment ta chance, répliqua Olive.

Et Candy acquiesça de la tête.

— D'accord ! lança Homer Wells de la pièce voisine.

Il songeait encore à sa dispense pour raison de santé ; l'exposé du Dr Larch sur l'évolution des troubles cardiaques d'Homer avait suffi. Seuls les jeunes classés I passaient l'examen de santé. Homer Wells était classé IV. Selon son médecin de famille, Homer avait une sténose pulmonaire congénitale ; le « médecin de famille » d'Homer était le Dr Larch, dont la lettre au conseil de révision local avait été acceptée comme preuve suffisante pour réformer Homer — Larch faisait partie du conseil de révision local.

— Je lui ai demandé de m'épouser, mais elle a refusé, raconta Wally à Homer dans la chambre qu'ils partageaient. Elle m'a dit qu'elle m'attendrait, mais elle n'a pas voulu m'épouser. Elle veut bien être ma femme, mais pas ma veuve.

— C'est ce que tu appelles *attendre voir* ? demanda Homer à Candy le lendemain.

— Oui, répondit Candy. Depuis des années, je compte épouser Wally. Tu n'es venu qu'en second. Il faut que j'attende voir à ton sujet. Et maintenant, la guerre nous tombe dessus. Il faut aussi que j'attende voir au sujet de la guerre.

— Mais tu lui as fait une promesse, répondit Homer Wells.

— Oui, dit-elle. Une promesse, n'est-ce pas comme attendre voir ? As-tu déjà fait une promesse, une promesse sincère — pour la rompre ensuite ?

La réaction d'Homer Wells fut une sorte de recul involontaire, aussi soudain et incontrôlable que si Candy l'avait appelé « Rayon-de-soleil ».

Pendant le dîner de Noël, Raymond Kendall, pour tenter d'alléger le silence, déclara :

— Moi, j'aurais choisi les sous-marins.

— Vous auriez fini comme aliment pour langoustes, lança Wally.

— Pourquoi pas ? dit Ray. Elles me nourrissent bien.

— On a une meilleure chance en avion, répliqua Wally.

— Oui, *une chance*, fit Candy avec une ironie amère. Pourquoi as-tu envie d'aller à un endroit où tout ce que tu as, c'est *une chance* ?

— Bonne question, répondit Olive, de mauvaise humeur.

Elle laissa tomber la fourchette d'argent sur le plat de viande avec une telle force que l'oie parut sursauter.

— Une chance suffit, dit Homer Wells, qui ne reconnut pas le ton de sa propre voix. Nous n'avons jamais qu'une chance, pas vrai ? Dans l'air, sous l'eau, ou ici même, depuis la minute où nous naissons.

Ou depuis la minute où nous ne naissons pas, pensa-t-il ; et il reconnut alors le ton de sa voix — c'était celui du Dr Larch.

— C'est une philosophie plutôt sinistre, dit Olive.

— Je croyais que tu étudiais l'anatomie, fit observer Wally à Homer, qui regarda Candy.

Elle se détourna.

L'armée envoya Wally à Fort Meade, dans le Maryland, au début du mois de janvier. C'était un correspondant fidèle mais très décevant ; il écrivait à sa mère, il écrivait à Homer et à Candy, et même à Ray, mais il n'expliquait jamais rien ; s'il y avait un plan d'ensemble à ce qu'on lui enseignait, Wally ne le connaissait pas, ou était incapable de le décrire ; il racontait simplement, avec de fastidieux détails, la dernière chose qui lui était passée par la tête avant qu'il ne commence sa lettre ; par exemple, le sac de toile qu'il avait eu l'idée d'accrocher à sa couchette pour séparer son cirage de sa pâte dentifrice, ou bien le concours pour le meilleur nom d'avion qui avait fait rivaliser d'imagination la compagnie A. De plus, il était ravi qu'un sergent cuisinier lui ait enseigné plus de limericks que Senior, au cours de ses dernières années, ne parvenait à se rappeler. Chaque lettre que Wally écrivait, à quiconque, contenait un limerick ; Ray les aimait beaucoup, ainsi qu'Homer, mais ils mettaient Candy en fureur et Olive en était épouvantée. Candy et Homer se montrèrent les limericks que Wally leur envoyait, jusqu'au jour où Homer comprit que cela décuplait la colère de Candy : les limericks que Wally choisissait pour Candy étaient innocents comparés à ceux qu'il adressait à Homer. Ainsi, il envoya celui-ci à Candy :

> Il était une belle dame d'Aix(e)
> Qui rendait les hommes perplexes.
> Seul l'un d'eux eut un jour le cœur
> De lui brandir d'un air vainqueur
> Le panache éminent de son sexe.

Il envoya celui-là à Homer Wells :

> Je connais une nommée Marge,
> Au con si énormément large
> Que l'accoustique à l'intérieur
> Devient d'une telle splendeur
> Qu'on entend tout quand on décharge.

Wally envoyait à Ray des limericks dans le même style :

> L'est une pucelle d'Évreux,
> Vraiment dure à fendre au milieu,
> Mais quand on la découvre,
> Et que les poils s'entrouvrent,
> On peut la baiser tant qu'on veut [29].

Dieu seul sait quels limericks Wally envoyait à Olive — où Wally peut-il en trouver d'assez décents ? se demandait Homer, qui, au cours des soirées qui suivirent le départ de Wally et le retour de Candy à l'école, s'allongeait pour écouter son cœur. Si seulement je savais *quoi* écouter, se disait-il, ce serait plus facile.

L'armée envoya Wally à Saint Louis (Missouri), caserne Jefferson, groupe 17, 28ᵉ escadrille-école. Homer Wells se dit que l'armée de l'Air devait prendre modèle sur l'*Anatomie de Gray* — elle manifestait la même foi scrupuleuse dans les catégories et les nomenclatures. Pour Homer Wells, c'était rassurant ; dans son esprit, cette division sans fin en catégories augmentait la sécurité de Wally ; mais comment en convaincre Candy ?

— Il est en sécurité pendant une minute, mais à la minute suivante, il ne l'est plus, répondit la jeune fille en haussant les épaules.

« Veille bien sur Homer, veille sur son cœur », lui avait écrit Wally.

« Et moi, qui veille sur *mon* cœur ? Oui, je suis encore furieuse ! » lui répondit-elle, bien qu'il ne le lui eût pas demandé.

Malgré sa colère contre Wally, Candy lui demeurait loyale ; elle tenait sa promesse, au sujet d' « attendre voir ». Elle embrassait Homer quand il arrivait puis quand ils se disaient au revoir, mais elle ne l'encourageait pas.

« Nous sommes seulement bons copains, dit-elle à son père, qui ne lui avait rien demandé.

— Je vois ça, répondit Raymond.

Il n'y avait guère de travail dans les vergers en hiver, excepté la taille des arbres. Tour à tour, les hommes enseignèrent à Homer l'art de tailler.

— On fait les grosses coupes au-dessous de zéro, lui expliqua Meany Hyde.

— Un arbre ne saigne presque pas quand il fait froid, lui lança Vernon Lynch en taillant à grands coups.

— Quand il fait froid, il y a moins de risque d'infection, ajouta Herb Fowler, qui se montrait moins généreux de ses préservatifs pendant les mois d'hiver, peut-être parce qu'il lui aurait fallu ôter ses gants pour les attraper.

Mais Homer sentait qu'Herb se méfiait depuis qu'il lui avait parlé des trous.

« Des trous ? avait répliqué Herb. Défaut de fabrication, je suppose.

Un peu plus tard, il avait abordé Homer pour lui chuchoter :

« Ils n'ont pas tous des trous.

— Tu as une combine ? demanda Homer. Lesquels ont des trous, lesquels n'en ont pas ?

— Je n'ai pas de combine, répondit Herb Fowler. Certains ont des trous, certains n'en ont pas. Défaut de fabrication.

— D'accord, dit Homer Wells — mais par la suite des capotes anglaises volèrent rarement de son côté.

Florence, la femme de Meany Hyde, tomba de nouveau enceinte, et, pendant tout l'hiver, la grosse Dot Taft et Irene Titcomb plaisantèrent au sujet de la puissance sexuelle de Meany.

— Ne t'approche pas de moi ! disait la grosse Dot. Je ne te laisserai même pas goûter à mon café. Je crois qu'il te suffit de souffler sur une femme pour la mettre enceinte.

— Oui, c'est tout ce qu'il m'a fait ! répondait Florence — et la grosse Dot Taft s'esclaffait.

— Ne donne surtout pas aux hommes des leçons de soufflet, Meany, lança Irene Titcomb.

— Meany pourrait te mettre en cloque juste en t'embrassant l'oreille, répondit fièrement Florence Hyde, se rengorgeant dans sa grossesse.

— Donnez-moi des protège-oreilles, s'écria Pince-moi Louise Tobey. Donnez-moi un de ces bonnets de ski.

— Donnez-moi une douzaine de capotes d'Herb ! lança Irene Titcomb.

Non, n'en prenez pas, pensa Homer Wells. C'est probablement à cause d'une de ces capotes que Florence Hyde se trouvait dans cet état. Homer la regardait fixement, émerveillé de voir une femme aussi heureuse de sa grossesse.

— Sincèrement, Homer, dit la grosse Dot Taft, est-ce la première fois que tu vois quelqu'un qui attend un bébé ?

— Non, répondit Homer Wells en se détournant.

Grace Lynch ne le quittait pas des yeux et il évita aussi son regard.

— Si j'avais ton âge, dit Vernon Lynch à Homer pendant qu'ils taillaient ensemble un verger appelé Coteau-du-coq, je m'engagerais. Je ferais comme Wally.

— Je ne peux pas, répondit Homer Wells.

— Ils n'acceptent pas les orphelins ? demanda Vernon.

— Ce n'est pas ça. J'ai une maladie de cœur. Un truc de naissance.

Vernon Lynch n'était pas bavard, mais Homer n'eut rien d'autre à dire — les employés d'Ocean View pardonnèrent à Homer de ne pas s'engager, et commencèrent à lui éviter toute fatigue. Ils le traitèrent exactement comme le Dr Larch aurait aimé qu'on le traitât.

— Tu sais, expliqua Herb Fowler à Homer, je n'avais pas de mauvaise intention — au sujet du défaut de fabrication. Je n'aurais pas dit ça si j'avais su, pour ton cœur.

— C'est parfait, répondit Homer.

Et au début du printemps, quand vint le moment de réparer les ruches, Ira Titcomb se précipita pour aider Homer qui avait du mal à soulever une palette de manutention particulièrement lourde.

— Mon Dieu, ne te crève pas ! lança Ira.

— Ne t'en fais pas, Ira. Je suis plus costaud que toi, répondit Homer sans comprendre — tout de suite — pourquoi Ira s'inquiétait.

— Il paraît que ton cœur n'est pas aussi costaud que le reste, dit Ira.

Le jour de la fête des Mères, Vernon Lynch lui apprit à faire marcher les pulvérisateurs tout seul. Il insista pour donner à Homer une autre leçon sur le masque de protection.

— Surtout toi, lui dit Vernon. Tu as intérêt à garder ce truc sur le museau, et à le tenir propre.

— Surtout moi, répondit Homer Wells.

Même Debra Pettigrew lui pardonna son amitié ambiguë avec Candy. Dès que le temps se réchauffa, ils recommencèrent à garer la voiture dans un coin, et un soir ils se livrèrent à des baisers prolongés dans la maison d'été vide des Pettigrew, sur le Drinkwater Lake ; l'odeur de froid et de renfermé rappela à Homer ses premières journées dans la cidrerie. Quand il donnait des baisers trop calmes, Debra s'agitait, quand ils semblaient trop passionnés, Debra disait : « Attention ! Ne t'excite pas trop. » C'était un jeune homme d'une exceptionnelle gentillesse, sinon il aurait répondu à Debra que rien de ce qu'elle lui permettait ne mettrait jamais son cœur en danger.

C'était le printemps. On envoya Wally à la base de Kelly — près de San Antonio (Texas) — pour l'entraînement d'élève officier de l'armée de l'Air (escadrille 2, groupe C), et Melony jugea qu'il était temps de reprendre la route.

— Tu es folle, lui expliqua Lorna. Plus il y aura de guerre, et plus il y aura de bons boulots pour nous. Le pays a besoin de fabriquer des trucs — pas de bouffer davantage de pommes.

— Les besoins du pays, je m'en tape, répondit Melony. Je cherche Homer Wells et je vais le retrouver.

— On se verra l'hiver prochain ? demanda Lorna à son amie.

— Si je ne trouve pas Ocean View ou Homer Wells, dit Melony.

— Donc on se verra l'hiver prochain, répliqua Lorna. Tu laisses un homme te tourner en bourrique !

— C'est justement ce que je ne veux pas qu'il fasse, dit Melony.

Le manteau de Mme Grogan n'était plus très reluisant, mais le baluchon serré par la ceinture de Charley avait pris beaucoup de volume. Melony, qui gagnait de l'argent aux chantiers, s'était offert quelques robustes vêtements d'ouvrière, dont une bonne paire de bottes. Quand elle s'en alla, Lorna lui fit un cadeau.

— J'aimais bien tricoter, dans le temps, expliqua Lorna.

Il s'agissait d'une moufle d'enfant — seulement la moufle gauche —, trop petite pour Melony mais avec de très jolies couleurs.

« C'était pour un bébé que je n'ai jamais eu, parce que je ne suis pas restée mariée assez longtemps. Je n'ai jamais fini celle de droite.

Melony regarda le cadeau, qu'elle tenait dans sa main — la moufle était très lourde ; Lorna l'avait remplie de roulements à billes qu'elle avait fauchés aux chantiers navals.

« C'est une arme formidable, expliqua Lorna, si tu rencontres quelqu'un encore plus coriace que toi !

Ce cadeau fit monter des larmes dans les yeux de Melony et les deux femmes s'enlacèrent avant de se séparer. Melony quitta Bath sans dire au revoir à Mary Agnes Cork, qui aurait fait n'importe quoi pour lui plaire. (Elle demandait à toutes ses camarades d'école, et à tous les clients qui flânaient dans le magasin d'antiquités de Ted et Patty Callahan, s'ils avaient entendu parler des vergers de pommiers Ocean View ; ce renseignement pouvait lui valoir l'amitié de Melony et Mary Agnes Cork ne cesserait donc jamais de poser la question.) Après le départ de Melony, Lorna découvrit que son amie lui manquait énormément ; elle s'aperçut qu'elle posait des questions sur Ocean View à tout le monde — comme si c'était une partie aussi nécessaire et loyale de son amitié pour Melony que le don de la moufle défensive.

A présent elles étaient trois à chercher Homer Wells.

Pendant l'été, on muta Wally de San Antonio à Coleman (Texas). « J'aimerais que quelqu'un déclare la guerre au Texas, écrivit-il à Homer. Cela justifierait peut-être ma présence ici. » Il volait en sous-vêtements et en chaussettes, expliqua-t-il — aucun des pilotes ne pouvait supporter autre chose dans cette fournaise.

— Où croit-il donc aller ? se plaignit Candy à Homer. Il compte sur un climat idéal ? Il s'en va à la *guerre* !

Homer était assis en face d'elle sur la jetée de Ray Kendall, et la densité des bigorneaux se ressentait de leur conversation.

Dans la classe fraîche, au sol de ciment, du lycée de Cape Kenneth, Homer Wells déroula la carte du monde ; il n'y avait presque jamais personne, en dehors du concierge, qui ne connaissait guère mieux la géographie qu'Homer Wells. Il profitait du vide estival pour étudier les endroits où il pensait qu'on enverrait Wally.

Un jour, M. Hood le surprit au milieu de cette étude. Peut-être M. Hood rendait-il visite à son ancienne classe par pure nostalgie, ou peut-être était-il temps de commander les lapins de l'année scolaire suivante.

— Je suppose que vous allez vous engager, dit M. Hood à Homer.

— Non, monsieur. J'ai un mauvais cœur — une *sténose de la valvule pulmonaire.*

M. Hood contempla la poitrine de son ancien élève. Homer savait que l'homme n'avait d'yeux que pour les lapins — et encore pas de très bons yeux.

— Vous avez eu un souffle depuis la naissance ? demanda M. Hood.

— Oui, monsieur.

— Et vous avez encore un souffle ?

— Plus très fort, à présent.

— Votre cœur n'est donc pas si mauvais que ça, répondit M. Hood d'un ton encourageant.

Mais pourquoi Homer Wells aurait-il cru que M. Hood faisait autorité en la matière ? Il n'était même pas capable de distinguer ses utérus ; il confondait les lapines et les brebis.

Même les saisonniers furent différents cette année-là, pour la récolte — ou plus âgés, ou plus jeunes. Les hommes dans la force de l'âge s'étaient engagés, sauf M. Rose.

— Pas grand choix pour des ramasseurs, cette année, expliqua-t-il à Olive. Trop d'imbéciles se figurent que la guerre est plus intéressante que les pommes.

— Oui, je sais, répondit Olive. Vous n'avez pas besoin de me le dire.

Cette année-là, il y avait une femme, que M. Rose appelait Mama, bien qu'elle n'eût pas l'âge d'être la mère de quiconque. Elle ne devait allégeance qu'à M. Rose ; Homer le comprit parce que la femme se comportait à sa guise — elle ramassait un peu, quand elle en avait envie ou quand M. Rose le lui proposait ; elle faisait un peu de cuisine, mais pas tous les jours et pas pour tout le monde. Certains soirs, elle allait même s'asseoir sur le toit, mais seulement quand M. Rose l'y accompagnait. C'était une grande jeune femme un peu lourde, aux mouvements d'une lenteur délibérée, copiée (semblait-il) sur M. Rose ; elle arborait un sourire presque constant, ni franchement détendu ni franchement affecté — copié sur M. Rose lui aussi.

Homer s'étonna qu'aucun arrangement particulier n'ait été prévu pour la femme ; son lit se trouvait à côté de celui de M. Rose, mais nul n'essaya d'isoler leurs lits avec des rideaux ou de leur ménager d'une autre manière tant soit peu d'intimité. Seulement ceci : de temps en temps, quand Homer venait faire un tour en voiture du côté de la cidrerie, il remarquait que tout le monde sauf M. Rose et sa compagne flânait hors du dortoir ou se trouvait sur le toit. Ce devait être leurs moments intimes, et M. Rose les planifiait sans doute avec la même sagesse calculée qu'il semblait accorder à chaque chose.

Vers la fin de l'été, toute lumière fut interdite sur la côte ; plus de Grande Roue à regarder le soir, plus de lueurs magiques auxquelles donner d'autres noms, mais ce couvre-feu n'empêcha pas les ramasseurs de monter sur le toit. Ils s'asseyaient dans le noir pour regarder le noir et M. Rose disait :

— Je suis monté dessus — c'était beaucoup plus haut que ce toit et plus brillant que toutes les étoiles serrées les unes contre les autres. Et ça tournait, ça tournait..., continuait M. Rose, la grande femme lourde appuyée contre lui ; et les têtes noires, au-dessus du faîte du toit, acquiesçaient.

« Maintenant, il y a un machin, là-bas sous l'océan — un machin avec des bombes, des fusils sous-marins. Ce machin sait quand une lumière est allumée et les lumières attirent les bombes — comme l'aimant attire le métal. Ça se passe automatiquement.

— Il n'y a pas de gens, le doigt sur la gâchette ? demanda une voix.

— Il n'y a pas de gâchette, répondit M. Rose. Tout est automatique. Mais il y a des gens. Ils sont là pour surveiller le machin, pour s'assurer qu'il marche bien.

— Il y a des gens là-bas, sous l'océan ? demanda une voix.

— Ouais, dit M. Rose. Des tas de gens. Vraiment malins. Ils ont ces machins pour pouvoir te voir.

— Sur la terre ?

— Ouais, répondit M. Rose. Ils peuvent te voir partout.

Les hommes du toit poussèrent un soupir à l'unisson — comme un corps de ballet qui souffle entre deux numéros... Dans la chambre de Wally, Homer, émerveillé, découvrait comment le monde est dans le même temps inventé et détruit.

Rien de merveilleux dans tout ça, lui aurait assuré le Dr Larch. A Saint Cloud's, hormis l'agacement provoqué par les tickets de sucre et autres aspects du rationnement, la guerre avait changé très peu de chose. (Pas plus que la période noire que certains appelaient Dépression, estimait Wilbur Larch.)

Nous sommes un orphelinat ; nous fournissons certains services ; nous restons les mêmes — si l'on nous permet de rester les mêmes, se dit-il. Quand il était au bord du désespoir, quand l'éther était trop écrasant, quand son âge semblait un obstacle infranchissable et que la vulnérabilité de son entreprise illégale devenait aussi précise à ses yeux que les silhouettes des sapins sur le ciel des nuits fraîches d'automne, Wilbur Larch se sauvait avec une seule pensée. J'aime Homer Wells, et je l'ai sauvé de la guerre.

Homer Wells, lui, ne se sentait pas sauvé. Une personne amoureuse et insatisfaite de la façon dont elle est aimée en retour peut-elle jamais se sentir *sauvée*? Au contraire, Homer Wells se sentait désigné pour une persécution spéciale. Quel jeune homme — même un orphelin — est assez patient pour « attendre voir » en amour? Et si Wilbur Larch avait sauvé Homer Wells de la guerre, même le docteur n'avait pas le pouvoir de s'opposer à Melony.

Pendant la récolte, cette année-là, Wally changea encore de place — on l'envoya à la base Perrin, près de Sherman (Texas) : entraîne-ment de base, compagnie D — mais Melony changea cinq fois. Elle avait assez d'argent; elle n'était pas obligée de travailler. Elle prenait un emploi dans un verger après l'autre, et s'en allait dès qu'elle apprenait que personne n'avait entendu parler d'un Ocean View. Elle travailla dans un verger à Harpswell, dans un autre à Arrowsic; elle travailla jusqu'à Rockport dans le nord, jusqu'à Appleton et Lisbon dans les terres. Elle fit un détour à Wiscasset parce qu'on lui avait raconté qu'il y avait un Ocean View dans le village; c'était la vérité, mais il s'agissait d'un immeuble loué en garni. Un marchand de glaces lui apprit qu'il avait vu un Ocean View à Friendship; c'était le nom d'un bateau de l'endroit. Melony se battit à coups de poing avec le maître d'hôtel d'un restaurant de poisson de South Thomaston, parce qu'elle voulait demander à chaque client s'il connaissait Ocean View; elle gagna le combat, mais dut payer une amende pour avoir provoqué du tapage; elle était un peu à court d'argent lorsqu'elle traversa Boothbay Harbor, au début de novembre. La mer, gris ardoise, se couvrait de moutons blancs, les jolis bateaux de plaisance se réfu-giaient en cale sèche, le vent avait un goût d'hiver imminent. Les pores de la peau de Melony, comme ceux de la terre, se refermaient aussi serré que son cœur déçu.

Elle ne reconnut pas le garçon renfrogné, au visage jaunâtre, qui servait des boissons glacées aux clients du comptoir des bonbons de la Pharmacie Rinfret, mais le jeune Roy Rinfret — l'ancien (et lui aussi profondément déçu) Curly Day — reconnut Melony sur-le-champ.

— Je m'appelais Curly Day! Tu te souviens de moi? lança à Melony un Curly tout excité.

Il lui glissa une poignée de bonbons et de chewing-gums, et insista pour lui offrir un ice-cream soda.

« Un double, à mon compte, lui dit Curly — ses parents adoptifs auraient désapprouvé.

— Mon pauvre, tu ne t'en es pas sorti si bien que ça, lui dit Melony.

Elle n'avait guère l'intention de l'insulter par cette remarque ; elle faisait allusion à son teint, plutôt terreux, et à sa taille — il n'avait pas beaucoup grandi. Elle ne pensait à rien d'autre, mais ses paroles déclenchèrent toute la hargne qui couvait chez Curly Day en attendant de s'embraser.

— Tu ne saurais si bien dire, je m'en suis très mal sorti, répondit-il furieux. On m'a largué. Homer Wells m'a volé les gens à qui j'étais destiné.

Melony avait les dents trop mauvaises pour le chewing-gum, mais elle l'empocha néanmoins ; ce serait un gentil cadeau pour Lorna. Les caries de Melony la faisaient souffrir dès qu'elle suçait des bonbons acidulés, mais elle les aimait bien quand même, de temps à autre, malgré la douleur — ou peut-être à cause d'elle. Et c'était la première fois qu'elle goûtait de l'ice-cream soda.

Pour bien montrer son mépris de l'endroit où il se trouvait, Curly Day fit gicler par terre un gros floc visqueux de sirop de fraise — après avoir vérifié que seule Melony pourrait le voir. Il le fit comme s'il essayait le bouchon verseur avant d'arroser de sirop le soda de Melony.

« Ça attire les fourmis, expliqua-t-il.

Melony se dit qu'il ne devait pas rester beaucoup de fourmis en novembre.

« C'est ce qu'ils ne cessent de me répéter, ajouta Curly. N'en renverse pas, ça attire les fourmis !

Il fit gicler du sirop par terre plusieurs fois de suite.

« J'essaie d'inviter les fourmis à emporter toute la baraque.

— Tu es encore monté contre Homer Wells ? lui demanda sournoisement Melony.

Elle suggéra à Curly de demander simplement — à chaque client — s'il connaissait Ocean View. Curly n'avait jamais réfléchi à ce qu'il ferait ou dirait à Homer Wells s'il le rencontrait un jour ; il était furieux, mais n'avait aucun désir de vengeance. Il se rappela soudain la violence de Melony. Il devint soupçonneux.

— Pourquoi veux-tu retrouver Homer ? demanda Curly.

— *Pourquoi ?* demanda Melony avec douceur (on n'aurait su dire si elle y avait réfléchi). Mais, et *toi,* pourquoi aimerais-tu le retrouver, Curly ? demanda-t-elle.

— Eh bien... hésita Curly, partagé. J'imagine que j'aimerais seulement le revoir, lui dire qu'il m'a baisé quand il est parti en me plantant là-bas — parce que je croyais que c'était moi qui devais partir, pas lui.

Tout bien réfléchi, Curly conclut qu'il aimerait simplement revoir Homer — peut-être devenir son ami, peut-être faire des trucs avec lui. Il avait toujours admiré Homer. Il se sentait un peu abandonné par lui, rien de plus. Il se mit à pleurer. Melony se servit de la serviette en papier qui accompagnait son ice-cream soda pour essuyer les larmes de Curly.

— Hé, je sais ce que tu veux dire, lui répondit-elle avec douceur. Je sais ce que tu ressens. J'ai été plantée là, moi aussi, tu sais. Sincèrement, ce type me manque. J'ai envie de le revoir, quoi.

Les larmes de Curly attirèrent l'attention de l'un de ses parents adoptifs, M. Rinfret, le pharmacien, qui se tenait dans la partie du magasin où l'on vendait les médicaments sérieux.

« Je suis de Saint Cloud's, expliqua Melony à M. Rinfret. Nous étions tous si proches, là-bas — chaque fois qu'on se rencontre, il nous faut un peu de temps pour nous habituer.

Elle enveloppa Curly dans une étreinte maternelle quoique un peu brusque, et M. Rinfret leur accorda un peu d'intimité.

« Essaie de te rappeler, Curly, chuchota Melony en berçant le garçon dans ses bras comme si elle lui racontait une histoire avant de l'endormir. Ocean View. Demande aux gens s'ils connaissent Ocean View.

Quand elle l'eut apaisé, elle lui donna l'adresse de Lorna à Bath.

Sur le chemin du retour à Bath, Melony espérait bien que les chantiers navals l'embaucheraient de nouveau, et que l'effort de guerre, comme on disait, changerait sans cesse les trucs et les machins qui défileraient à la chaîne de montage — elle n'avait pas envie de recommencer à enfiler des roulements à billes dans le trou d'une came en forme de jambon. Sur cette pensée, elle sortit de la poche du manteau de Mme Grogan la moufle offerte par Lorna. Elle ne s'en était pas encore servie comme arme, mais sa présence l'avait réconfortée pendant plus d'une nuit. Et je n'ai pas complètement gaspillé mon année, songea-t-elle aussitôt, en laissant tomber la lourde moufle avec un claquement douloureux dans la paume de sa grosse main. A présent, nous sommes quatre à ta recherche, Rayon-de-soleil !

L'armée laissa Wally au Texas, mais le muta encore une fois — à l'école de pilotage de Lubbock (baraquement 12, D3). Il y passerait le mois de novembre et presque tout décembre, mais l'armée de l'Air lui avait promis des fêtes de Noël dans ses foyers.

« Bientôt dans le sein de ma famille ! » écrivit-il à Candy, à Homer et à Olive — et même à Ray, qui avait contribué à l'effort de guerre en s'engageant dans l'unité de mécaniciens de l'arsenal de Kittery ; Ray fabriquait des torpilles. Il avait embauché des gamins de la ville, encore en âge scolaire, pour l'aider à empêcher son vivier de sombrer ; et il s'occupait des véhicules d'Ocean View pendant les week-ends. Il fit une démonstration enthousiaste du gyroscope sur la table de cuisine des Worthington, à l'intention d'Olive et d'Homer Wells.

— Avant de comprendre la torpille, se plaisait à dire Raymond, il faut analyser le gyroscope.

Homer était intéressé, Olive polie — et, qui plus est, entièrement sous la dépendance de Ray ; s'il ne réparait pas tous les engins d'Ocean View, elle était convaincue que les pommes s'arrêteraient de pousser.

Candy était de mauvaise humeur presque tout le temps — l'effort de guerre de tout le monde semblait la déprimer, bien qu'elle se fût portée volontaire elle aussi : elle travaillait de longues heures à l'hôpital de Cape Kenneth, comme aide-infirmière. Elle estimait qu'aller à la faculté dans ces circonstances serait indécent, et elle n'eut aucun mal à convaincre Homer de se porter volontaire lui aussi — avec son passé, il ferait une aide-infirmière très efficace.

— D'accord, avait répondu le jeune homme.

Mais si Homer avait repris une vie d'hôpital (ou presque) à son corps défendant, il s'y trouva bientôt très à l'aise ; il avait parfois du mal à taire son opinion (compétente) sur certains sujets et à jouer le débutant dans un rôle pour lequel il était manifestement né — ce qui ne laissait pas de le troubler. Même les infirmières se montraient pleines de condescendance à l'égard de leurs aides, et la condescendance des docteurs pour tout le monde — et surtout leurs malades — exaspéra Homer Wells.

Candy et Homer n'avaient le droit ni d'administrer des piqûres, ni de donner des médicaments, mais ils ne se contentaient pas de recouvrir les lits, vider les pots de chambre, frotter les dos, donner des bains, et faire toutes les corvées qui transforment un hôpital moderne en un perpétuel raclement de pieds. Il leur arrivait de travailler dans la salle d'accouchement ; la procédure obstétrique dont Homer fut témoin ne lui fit pas une forte impression. Elle n'arrivait pas à la cheville de la technique du Dr Larch, et dans certains cas même pas à la cheville de sa propre technique. Le Dr Larch avait souvent critiqué

Homer parce qu'il avait la main lourde pour l'éther, mais comment aurait réagi le vieux médecin à la « lourdeur de main » apparemment de règle à l'hôpital de Cape Kenneth ? A Saint Cloud's, Homer avait vu de nombreuses patientes si légèrement éthérisées qu'elles pouvaient bavarder d'un bout à l'autre de l'intervention ; dans les salles de récupération de Cape Kenneth, les malades qui se débattaient pour émerger de leurs doses d'éther avaient l'air matraquées — elles ronflaient, la bouche ouverte, les bras ballant comme des poids morts, et les muscles des joues si flasques que parfois leurs yeux restaient à demi ouverts.

Homer s'insurgeait surtout contre la façon d'endormir les enfants — les docteurs ou les anesthésistes semblaient si mal informés qu'ils ne prenaient même pas la peine de tenir compte du poids du malade.

Un jour, il se trouva en face de Candy au chevet d'un gamin de cinq ans que l'on venait d'opérer des amygdales. Cela faisait partie du travail des aides-infirmières : rester près du patient pendant qu'il sortait de l'anesthésie à l'éther — surtout les enfants, surtout après l'ablation des amygdales : on se réveille affolé, au milieu de souffrances et de nausées. Homer déclara que les nausées seraient beaucoup moins fortes si on leur donnait un peu moins d'éther.

Une des infirmières se trouvait dans la pièce avec eux : celle qu'ils préféraient — une jeune fille quelconque, de leur âge, appelée Caroline ; elle était gentille avec les malades et sévère pour les médecins.

— Tu en sais bien long sur l'éther, Homer, dit Nurse Caroline.

— Il me semble qu'on en donne trop, dans certains cas, balbutia Homer.

— Les hôpitaux ne sont pas aussi parfaits qu'on le souhaiterait, répondit Nurse Caroline. Et les médecins ne sont pas parfaits non plus ; même s'ils croient l'être.

— D'accord, dit Homer Wells.

Quand le gamin de cinq ans finit par se réveiller, il souffrait énormément de la gorge, et il continua de vomir assez longtemps avant que le moindre sorbet accepte de glisser dans son estomac, et d'y rester. L'une des responsabilités des aides-infirmières consistait à s'assurer que les enfants, dans cet état, ne s'étouffent pas avec leurs vomissures. Homer expliqua à Candy qu'il était très important que l'enfant, encore à moitié sous éther, n'*inhale* pas, ou n'aspire pas, le moindre fluide (comme ses vomissures) dans ses poumons.

— *Inhale,* dit Nurse Caroline. Votre père était médecin, Homer ?

— Pas exactement, répondit Homer Wells.

Et Nurse Caroline présenta Homer au jeune Dr Harlow, qui semblait toujours avoir beaucoup de mal à émerger de ses cheveux ; une mèche s'obstinait à rétrécir son front ; une plaque souple de poils couleur paille conférait aux yeux du Dr Harlow l'angoisse constante d'une personne qui regarde par-dessous le bord de son chapeau.

— Ah oui, Wells — notre expert en éther, dit le Dr Harlow d'une voix insidieuse.

— J'ai grandi dans un orphelinat, répondit Homer Wells. J'ai beaucoup aidé à l'infirmerie.

— Mais vous n'avez sûrement jamais administré de l'éther ? dit le Dr Harlow.

— Sûrement pas, mentit Homer Wells.

Comme l'avait découvert le Dr Larch avec le conseil d'administration, il est fort agréable de mentir à des gens déplaisants.

— Ne crâne pas, dit Candy à Homer pendant le trajet de retour à Heart's Haven. Ce n'est pas digne de toi, et cela risque d'attirer des ennuis à ton Dr Larch.

— Quand ai-je crâné ? demanda Homer.

— En fait, pas encore, répondit Candy. Mais ne le fais pas, d'accord ?

Homer se mit à bouder.

« Et ne fais pas la tête, ajouta Candy. Ce n'est pas digne de toi non plus.

— Je ne fais qu'*attendre voir,* lui répondit Homer. Tu sais ce que c'est...

Il la déposa au vivier à langoustes : généralement il entrait avec elle pour bavarder avec Ray. Mais Homer prenait à tort l'irritabilité de Candy pour de la froideur à son égard, alors que la jeune fille était en réalité troublée.

Elle claqua la portière et contourna la fourgonnette du côté d'Homer avant qu'il ne démarre. Elle lui fit signe de baisser la glace. Puis elle se pencha à l'intérieur et l'embrassa sur la bouche ; elle lui tira les cheveux, très fort — avec les deux mains, en lui renversant la tête en arrière —, puis elle le mordit, douloureusement, dans le cou. Quand elle s'écarta de lui, elle se cogna la tête au montant de la portière ; elle avait les yeux humides, mais aucune larme ne roula sur son visage.

— Tu crois peut-être que je m'amuse ? lui demanda-t-elle. Tu te figures que je te fais marcher ? Tu t'imagines que je sais si c'est toi ou Wally que je veux ?

Il retourna à l'hôpital de Cape Kenneth ; il avait besoin d'un travail plus important que la chasse aux souris. On était revenu à cette maudite saison de dératisation — et comme il détestait manipuler le poison !

Il arriva aux urgences en même temps qu'un marin tailladé au cours d'une bagarre au couteau. C'était arrivé à l'endroit où travaillait Ray — à l'arsenal de Kittery — et les copains du marin lui avaient fait un garrot sommaire avant de l'emmener en voiture ; ils étaient tombés en panne sèche sans bons d'essence et n'avaient pas su trouver d'hôpital plus proche de la scène du combat que celui de Cape Kenneth. L'entaille, dans la partie charnue entre le pouce et l'index du marin, rejoignait presque le poignet. Homer aida Nurse Caroline à laver la blessure avec du savon blanc ordinaire et de l'eau stérilisée. Homer ne put s'empêcher de parler avec autorité — il avait l'habitude de s'adresser à Nurse Angela et à Nurse Edna sur ce ton.

— Prenez sa tension artérielle, à l'autre bras, dit-il à Nurse Caroline, et posez une bande sous la sangle — pour protéger la peau, ajouta-t-il comme Nurse Caroline lui lançait un regard curieux. La sangle a de grandes chances de rester en place plus d'une demi-heure...

— Je pense que je peux donner moi-même les instructions à Nurse Caroline, si cela ne vous fait rien, fit le Dr Harlow à Homer.

Le docteur et son infirmière dévisageaient le jeune homme comme s'ils avaient sous les yeux un animal ordinaire doté soudain de pouvoirs divins. Comme s'ils s'attendaient presque à le voir imposer les mains sur le marin qui saignait d'abondance, et arrêter le flot de sang aussi vite que le garrot.

« Travail très propre, Wells, dit le Dr Harlow.

Homer observa l'injection de procaïne à 0,5 pour cent dans la blessure, puis le sondage du Dr Harlow. Le couteau était entré du côté paume de la main, remarqua Homer Wells. Il se souvenait de son *Gray*, ainsi que du film qu'il avait vu avec Debra Pettigrew : l'officier de cavalerie avec la flèche plantée dans la main, la flèche qui avait miraculeusement épargné la branche du nerf médian qui plonge dans les muscles du pouce. Il regarda le marin bouger son pouce.

Le Dr Harlow examinait la plaie.

« Il y a une branche assez importante du nerf médian, dit lentement le Dr Harlow au marin blessé. Si elle n'est pas coupée, vous avez de la chance.

— Le couteau est passé à côté, dit Homer.

— Oui, c'est vrai, répondit le Dr Harlow en levant les yeux de la

403

blessure. Comment le savez-vous ? demanda-t-il à Homer Wells — qui leva le pouce de sa main droite et le remua.

« Pas seulement expert en éther, je vois, lança le Dr Harlow, toujours condescendant. Vous savez également tout sur les muscles !

— Juste sur celui-là, répondit Homer Wells. Je lisais souvent l'*Anatomie de Gray* — pour m'amuser, ajouta-t-il.

— Pour vous *amuser ?* Je suppose que vous savez tout sur les vaisseaux sanguins dans ce cas. Pourquoi ne me dites-vous pas d'où vient tout ce sang ?

Homer Wells sentit la hanche de Nurse Caroline s'appuyer contre sa main ; c'était en signe de sympathie — Nurse Caroline ne portait pas le Dr Harlow dans son cœur, elle non plus. Malgré la désapprobation certaine de Candy, Homer ne put se retenir :

— Le vaisseau sanguin est une branche de l'arcade palmaire, dit-il.

— Excellent, répondit le Dr Harlow, déçu. Et que recommande-riez-vous de faire ?

— Une ligature, dit Homer Wells. Au chromique trois-O.

— Précisément, répondit le Dr Harlow. Vous n'avez pas trouvé ça dans le *Gray*.

Il montra à Homer Wells que le couteau avait également coupé les tendons du fléchisseur profond et du fléchisseur superficiel des doigts.

« Et où vont-ils donc ? demanda-t-il à Homer Wells.

— A l'index.

— Est-il nécessaire de réparer les deux tendons ? demanda le Dr Harlow.

— Je ne sais pas, répondit Homer Wells. Je ne connais pas bien les tendons.

— Cela me surprend ! lança le docteur. Il suffit de réparer le profond, expliqua-t-il. Je vais utiliser de la soie deux-O. J'aurai besoin de quelque chose de plus fin pour réunir les bords du tendon.

— Soie quatre-O.

— Excellent, dit le Dr Harlow. Et il me faudra autre chose pour réparer le fascia palmaire.

— Du chromique trois-O, proposa Homer Wells.

— Ce garçon connaît ses sutures ! dit le Dr Harlow à Nurse Caroline, qui regardait Homer Wells avec des yeux ronds.

— On refermera la peau avec de la soie quatre-O, dit Homer. Puis je recommanderais un pansement à pression sur la paume — vous aurez envie de recourber un peu les doigts autour du pansement.

— C'est ce que l'on appelle la *position de fonction*, dit le Dr Harlow.

— Je ne sais pas comment on l'appelle, dit Homer.

— Vous avez fait des études de médecine, Wells ? lui demanda le Dr Harlow.

— Pas exactement.

— Vous comptez en faire ?

— C'est peu probable, répondit Homer.

Il voulut quitter la salle d'opération sur ces paroles, mais le Dr Harlow le rappela.

— Pourquoi ne vous êtes-vous pas engagé ?

— J'ai un problème de cœur.

— Je suppose que vous ne savez pas comment on l'appelle, dit le Dr Harlow.

— Non, répondit Homer Wells.

Il aurait pu découvrir sur-le-champ la vérité sur sa sténose de la valvule pulmonaire — il lui suffisait de demander ; il aurait pu faire une radiographie, et la présenter à un spécialiste. Il aurait appris toute la vérité. Mais qui désire obtenir la vérité de bouches déplaisantes ?

Il alla lire quelques histoires à des opérés des amygdales. Elles étaient toutes stupides — les livres pour enfants n'avaient pas la faveur d'Homer Wells. Mais les petits opérés des amygdales ne restaient pas assez longtemps pour qu'on leur lise *David Copperfield* ou *les Grandes Espérances*.

Nurse Caroline lui demanda de donner un bain et de frotter le dos d'un gros bonhomme qui venait de subir une opération de la prostate.

— Ne sous-estimez jamais le plaisir de pisser, dit le gros à Homer Wells.

— Non, monsieur, répondit Homer en frottant la montagne de chair jusqu'à ce que le gros dos devienne d'un beau rose.

Olive n'était pas à la maison quand Homer retourna à Ocean View ; c'était son tour de surveillance des avions. On utilisait ce que l'on appelait la tour d'observation des yachts, à l'Haven Club, mais Homer aurait juré qu'aucun avion ne serait jamais repéré. Tous les hommes qui participaient à la surveillance — d'anciens compagnons de beuverie de Senior, pour la plupart — avaient fixé les silhouettes des avions ennemis sur leur vestiaire ; les femmes rapportaient les silhouettes à la maison et les collaient par exemple sur la porte de leur glacière. Olive faisait du repérage d'avions deux heures par jour.

Homer examina les silhouettes qu'Olive avait fixées sur la glacière. Je pourrais les apprendre, se dit-il. Et je peux apprendre tout ce qu'il y a à savoir sur la culture des pommes. Mais ce qu'il savait déjà (à n'en pas douter) c'était une procédure obstétrique presque parfaite et l'autre procédure, beaucoup plus facile — celle qui était contre les règles.

Il songea aux règles et aux règlements. Ce marin à la main tailladée n'avait pas participé à un combat au couteau selon des règles définies. Dans un combat avec M. Rose, il n'y avait pas d'autres règles que celles de M. Rose, quelles qu'elles fussent. Affronter M. Rose un couteau à la main revenait à se faire becqueter à mort par un petit oiseau, songea Homer Wells. M. Rose, en véritable artiste, ne prenait que le bout d'un nez, un bouton ou un mamelon. Le *vrai* règlement de la cidrerie, c'était celui de M. Rose.

Et à Saint Cloud's, quel était le règlement ? Celui du Dr Larch ? Les règles qu'il observait, celles qu'il transgressait, ou remplaçait — et au nom de quoi ?... Manifestement, Candy observait certaines règles, mais les règles de qui ? Et Wally savait-il seulement qu'il existait des règles ? Et Melony — Melony obéissait-elle à quelque règle que ce fût ? se demanda Homer Wells.

— Écoute, dit Lorna. C'est la guerre. T'as pas remarqué ?

— Et après ? dit Melony.

— Parce qu'il est sûrement dans le coup, voilà pourquoi ! répliqua Lorna. Ou il s'est engagé, ou on va le mobiliser.

Melony secoua la tête.

— Je ne le vois pas du tout à la guerre. Pas lui. Ce n'est pas son genre.

— Nom de Dieu, lança Lorna. Tu crois que tous ceux qui vont à la guerre, c'est leur *genre* ?

— S'il y va, il en reviendra, répondit Melony.

En décembre, la glace sur la Kennebec n'était pas sûre ; dans une rivière à marée, l'eau reste saumâtre, et au milieu il y avait encore du courant, des vaguelettes grises. Mais même Melony n'aurait pas pu lancer une bouteille de bière jusqu'au milieu de la Kennebec à Bath. Sa bouteille rebondit sur la glace craquante, fit un son creux et roula vers l'eau vive, qu'elle ne put atteindre. Elle dérangea une mouette, qui se leva et fit quelques pas le long de la glace, comme une vieille femme retroussant une quantité de jupons encombrants pour franchir une flaque.

— Tout le monde ne reviendra pas de cette guerre. C'est tout ce que je veux dire, répondit Lorna.

Wally eut du mal à revenir du Texas. Il y eut une série de contretemps, et du mauvais temps ; le terrain d'atterrissage était fermé — quand Homer et Candy allèrent le chercher à Boston, il commença par les avertir qu'il n'avait que quarante-huit heures. Il semblait pourtant très content — « C'était le même Wally », dirait Candy plus tard — et tout ravi d'avoir reçu ses galons d'officier.

— Sous-lieutenant Worthington ! annonça Wally à Olive.

Tout le monde pleura, même Ray.

L'essence était rationnée, et ils ne firent donc pas leurs habituelles balades en voiture. Homer se demanda quand Wally aurait envie d'être seul avec Candy, et comment ils y parviendraient. Il a envie d'y parvenir, c'est certain, pensait Homer. Mais *elle,* en avait-elle envie ?

La veille de Noël, tous demeurèrent ensemble. Le jour de Noël il n'y avait nulle part où aller ; Olive restait à la maison, Ray ne fabriquait pas de torpilles ni ne posait de casiers à homards. Et le lendemain de Noël, Candy et Homer devaient ramener Wally à Boston.

Oh, Candy et Wally ne se privèrent pas d'enlacements et de baisers — tout le monde put le constater. Le soir de Noël, dans la chambre de Wally, Homer s'aperçut qu'il était tellement content de revoir Wally qu'il n'avait presque rien remarqué de ce deuxième Noël loin de Saint Cloud's. Il se souvint aussi qu'il n'avait rien envoyé au Dr Larch — même pas une carte de vœux. Il avait oublié.

« J'ai encore pas mal d'école de pilotage à faire, lui expliqua Wally, mais je crois que pour moi ce sera l'Inde.

— L'Inde, répéta Homer Wells.

— La piste birmane, dit Wally. Pour aller d'Inde en Chine, il faut survoler la Birmanie. Les Japs tiennent la Birmanie.

Au lycée de Cape Kenneth, Homer Wells avait étudié les cartes. Il savait que la Birmanie n'était que montagnes et jungles. Quand on abattait votre avion, vous pouviez atterrir sur tout un éventail d'obstacles désagréables.

— Comment ça va, avec Candy ? demanda Homer.

— Formidable ! dit Wally. Enfin, je verrai demain, ajouta-t-il.

Ray partit de bonne heure fabriquer des torpilles, et Homer remarqua que Wally quitta Ocean View à peu près à l'heure où Ray s'en allait à Kittery. Homer passa le début de la matinée à consoler Olive de son mieux.

— Quarante-huit heures, ce n'est pas ce que j'appelle un séjour chez soi, se plaignit-elle. Il n'est pas venu depuis un an — appelle-t-il cela une permission normale ? L'armée appelle-t-elle cela une permission normale ?

Candy et Wally passèrent chercher Homer avant midi. Homer imagina qu'ils « y étaient parvenus ». Mais comment être sûr de ce genre de chose, à moins de demander ?

— Vous voulez que je conduise ? demanda Homer.

Il était du côté de la portière, Candy assise entre eux.

— Pourquoi ? demanda Wally.

— Vous voulez peut-être vous tenir la main, dit Homer.

Candy le regarda.

— Nous nous sommes déjà tenu la main, répliqua Wally en riant. Merci quand même.

Candy n'avait pas l'air content, remarqua Homer.

— Vous avez fait ça, n'est-ce pas ? demanda Homer Wells à tous les deux.

Candy regardait fixement droit devant elle, et cette fois Wally ne rit pas.

— Qu'est-ce qu'il y a, vieux ? demanda-t-il.

— J'ai dit : Vous avez fait ça, n'est-ce pas ? Fait l'amour, quoi ! insista Homer Wells.

— Mon Dieu, Homer ! dit Wally. Quelle question !

— Oui, nous avons fait ça — fait l'amour, dit Candy, le regard toujours fixe.

— J'espère que vous avez fait attention, dit Homer (à tous les deux). J'espère que vous avez pris des précautions.

— Mon Dieu, Homer ! répéta Wally.

— Oui, nous avons fait attention, répondit Candy.

Et elle le dévisagea d'un regard aussi neutre que possible.

— Je suis content que vous ayez pris des précautions, dit Homer, s'adressant directement à Candy. C'est nécessaire — quand on fait l'amour avec quelqu'un qui va partir en Birmanie.

— En Birmanie ?

Candy se tourna vers Wally.

— Tu ne m'avais pas dit où tu partais. C'est en Birmanie ?

— Je ne sais pas où je vais, répondit Wally, irrité. Mon Dieu, Homer, qu'est-ce qui te prend ?

— Je vous aime tous les deux, dit Homer. Si je vous aime, j'ai le droit de vous demander tout ce que je veux — j'ai le droit de savoir tout ce que j'ai envie de savoir.

C'était, comme on dit dans le Maine, une réponse à vous clouer le bec. Ils firent presque tout le trajet de Boston en silence, sauf que Wally lança — en essayant de blaguer :

— Je ne sais pas ce que tu as, Homer. Tu deviens très raisonneur.

Les adieux furent un peu brusqués.

« Je vous aime tous les deux moi aussi vous savez, dit Wally en les quittant.

— Je n'en ai jamais douté, répondit Homer.

Sur le chemin du retour, Candy déclara à Homer :

— Je ne dirais pas *raisonneur* ; je dirais *excentrique*. Tu deviens très excentrique, à mon avis. Et tu n'as pas le droit de savoir tout sur moi, que tu m'aimes ou non.

— Tout ce que j'ai besoin de savoir, c'est : l'aimes-tu vraiment ? dit Homer. Aimes-tu Wally ?

— J'ai grandi près de Wally, répondit Candy. J'ai toujours aimé Wally et je l'aimerai toujours.

— Bien, dit Homer. Dans ce cas, il n'y a rien à ajouter.

— Mais je ne connais même plus Wally, reprit Candy. Je te connais mieux, et je t'aime aussi.

Homer Wells soupira. Nous voici donc repartis pour une autre dose d'« attendre voir », se dit-il. Il était profondément blessé : Wally ne lui avait pas posé une seule question sur son cœur. Mais de toute façon, que lui aurait-il répondu ?

Wilbur Larch, qui savait que le cœur d'Homer n'avait aucun défaut, se demandait *où* ce cœur se trouvait. Pas à Saint Cloud's, hélas !

Et Wally partit à Victorville (Californie) : école supérieure de pilotage, armée de l'Air des États-Unis, disait son papier à lettres. Wally passa plusieurs mois à Victorville — tous les mois où l'on taille les pommiers, se rappellerait Homer Wells. Peu après l'époque de la floraison, quand les abeilles d'Ira Titcomb répandirent leur merveilleuse énergie vitale dans les vergers d'Ocean View, Wally fut envoyé en Inde.

Les Japonais tenaient Mandalay. Wally lâcha ses premières bombes sur le pont du chemin de fer de Myitnge. Les voies et le quai du côté sud furent salement touchés et la travée sud du pont détruite. Tous les avions et leurs équipages rentrèrent sans encombre. Wally lâcha également ses bombes sur la zone industrielle de Myingyan, mais des nuages lourds empêchèrent d'observer les destructions avec exactitude. Cet été-là, pendant qu'Homer Wells repeignait la cidrerie en blanc, Wally bombarda la jetée d'Akyab et le pont de Shweli dans le nord de la Birmanie ; plus tard, il toucha les ateliers de chemin de fer de Prome. Il contribua au largage des dix tonnes de bombes sur les ateliers de chemin de fer de Shwebo, et aux incendies des entrepôts de Kawlin et de Thanbyuzayat, abandonnés au feu. Le raid le plus spectaculaire dont il se souviendrait fut celui des gisements de pétrole d'Yenangyat — la vision de ces derricks en flammes hanterait Wally pendant tout son vol de retour, par-dessus les jungles et les montagnes. Tous les avions et équipages rentrèrent indemnes.

On le nomma capitaine et on lui donna ce qu'il appela du « travail facile ».

— Méfie-toi toujours du travail facile, avait dit un jour Wilbur Larch à Homer Wells.

Wally avait gagné le concours du meilleur nom d'avion à Fort Meade ; cela lui servit enfin à quelque chose ; il baptisa son appareil. Il l'appela *L'occasion frappe*. Le poing fermé, peint sous le nom, avait un air très autoritaire. Plus tard, Candy et Homer ne comprendraient pas pourquoi ce nom n'était pas : *L'occasion frappe une fois* (ou *deux fois*), mais seulement *L'occasion frappe*.

Wally vola sur l'itinéraire Inde-Chine, par-dessus l'Himalaya, par-dessus la Birmanie. Il transporta en Chine du carburant, des bombes, de l'artillerie, des fusils, des munitions, des vêtements, des moteurs d'avion, des pièces détachées et des vivres ; il ramena du personnel militaire en Inde. C'était un vol de sept heures aller et retour — environ huit cents kilomètres. Pendant six heures sur sept, il portait un masque à oxygène — à cause de l'altitude à laquelle il devait voler. Au-dessus des montagnes il fallait voler haut à cause des montagnes ; au-dessus des jungles il fallait voler haut à cause des Japonais. L'Himalaya a les courants aériens les plus traîtres du monde.

Quand il quittait l'Assam, il faisait quarante-cinq degrés Celsius. C'était comme au Texas, pensait Wally. Les pilotes partaient en short et en chaussettes.

Les avions de transport lourdement chargés devaient grimper à cinq mille mètres en trente-cinq minutes ; c'était l'altitude nécessaire pour franchir le premier col.

A trois mille mètres, Wally enfilait son pantalon. A quatre mille mètres, il passait sa tenue doublée de mouton. Il faisait alors moins six degrés. Par temps de mousson, les pilotes se dirigeaient presque uniquement aux instruments.

Ils appelaient cet itinéraire aérien la « ligne de vie » ; ils disaient qu'ils sautaient la « bosse ».

Voici quelles furent les manchettes de journaux le 4 Juillet, jour de la Fête nationale.

410

LES YANKEES DÉTRUISENT
UN PONT DE CHEMIN DE FER
EN BIRMANIE.
LES CHINOIS ÉCRASENT LES JAPS
DANS LA PROVINCE DE HUPEH.

Et voici ce que Wally écrivit à Candy et à Homer. Wally devenait paresseux ; il leur envoya à tous les deux le même limerick :

> Il était un gars de Bombay :
> D'argile il fit un con parfait,
> Mais à la chaleur de sa trique
> Le bel objet cuisit en brique
> Et son prépuce en fut râpé [30].

Cet été 194..., l'intérêt public commandait de réduire au minimum les lumières de la côte, et le cinéma drive-in de Cape Kenneth dut fermer temporairement ses grilles — ce qu'Homer Wells ne ressentit pas comme une perte tragique. Il n'aurait pas eu le choix : il lui aurait fallut aller voir les films avec Candy *et* Debra Pettigrew ; et il remercia donc l'effort de guerre de lui épargner cette situation délicate.

M. Rose informa Olive qu'il ne serait pas en mesure de lui fournir une équipe de ramassage correcte pour la récolte.

« Étant donné les hommes qui sont partis, écrivit-il. Et le déplacement. Je pense aux bons d'essence. »

— Nous avons donc nettoyé la cidrerie pour rien, dit Homer à Olive.

— Améliorer et embellir servent toujours à quelque chose, Homer, répondit-elle.

Le besoin qu'ont les Yankees de justifier leur dur labeur pendant les mois d'été est à la fois désespéré et démenti par le rare plaisir de cette saison fugitive.

Homer Wells — aide-infirmière et cultivateur de pommes — fauchait l'herbe entre les rangs d'arbres quand la nouvelle lui parvint. C'était une journée étouffante de juin ; au volant de l'International Harvester, il ne quittait pas des yeux la barre de fauche. Il ne voulait pas l'abîmer sur une souche ou une branche tombée ; ce fut pour cette raison qu'il ne vit pas la fourgonnette verte, qui lui bloquait le passage. Il faillit lui rentrer dedans. Comme le moteur tournait — ainsi que la lame faucheuse —, il n'entendit pas ce que Candy hurlait

411

en sautant de la fourgonnette pour venir vers lui. Olive, au volant, avait un visage de pierre.

— Abattu ! criait Candy quand Homer coupa enfin le contact du tracteur. Il a été abattu — dans le ciel de Birmanie !

— Dans le ciel de Birmanie, répéta Homer Wells.

Il descendit du tracteur et serra dans ses bras la jeune fille qui sanglotait. Le moteur du tracteur était coupé, mais il continuait de cogner, puis il tressauta, et palpita encore un peu ; sa chaleur faisait vibrer l'air. Peut-être l'air vibre-t-il toujours ainsi, se dit Homer Wells, dans le ciel de Birmanie.

9

Dans le ciel de Birmanie

Deux semaines après que l'avion de Wally fut abattu, le capitaine Worthington et l'équipage de *L'occasion frappe* étaient encore portés disparus.

Un avion qui suivit le même itinéraire remarqua qu'environ trois kilomètres carrés de jungle birmane, presque à mi-chemin entre l'Inde et la Chine, venaient d'être détruits par un incendie — sans doute déclenché par l'explosion de l'avion ; on parvint même à identifier la cargaison : moteurs de jeep, pièces détachées et carburant. Aucune trace de l'équipage ; c'était une région de jungle dense et estimée déserte.

Un envoyé de l'armée de l'Air rendit à Olive une visite personnelle pour lui expliquer qu'on avait de bonnes raisons de se montrer optimiste. Comme l'avion n'avait apparemment pas explosé en vol, l'équipage avait eu le temps de sauter en parachute. Pour ce qui s'était passé ensuite, on en était réduit aux conjectures.

Cela aurait fait un meilleur nom d'avion, pensa Homer Wells . *Réduit aux conjectures*. Mais Homer soutint ouvertement l'opinion d'Olive et de Candy : Wally n'était pas mort, mais « seulement disparu ». Entre eux, Homer et Ray Kendall convinrent qu'il n'y avait guère d'espoir pour le jeune homme.

— Supposons déjà qu'il ne soit pas tombé avec l'avion, dit Ray à Homer pendant qu'ils relevaient les casiers à homards. Dans ce cas, il est en pleine jungle. Et qu'est-ce qu'il y fait ? Il ne peut pas se laisser ramasser par les Japs. Or il est entouré de Japs — ce sont eux qui ont descendu l'avion, pas vrai ?

— Il y a peut-être aussi des indigènes, répondit Homer Wells, des paysans birmans sympathisants.

— Ou personne, dit Ray Kendall. Des tigres, et des quantités de serpents... Oh, merde ! Il aurait dû choisir les sous-marins.

« Si ton ami a survécu à tout le reste, écrivit Wilbur Larch à Homer

413

Wells, encore lui faut-il compter avec les maladies de l'Asie — des quantités de maladies. »

Imaginer Wally en train de souffrir était horrible et, malgré le désir qu'avait Homer de Candy, l'idée que Wally était déjà mort ne lui offrait aucune consolation : dans ce cas, Candy se figurerait toujours qu'elle aimait Wally davantage — Homer en était certain. Pour les orphelins, la réalité est si souvent écrasée par leurs idéaux ; Homer désirait Candy, mais il la désirait *idéalement*. Pour que Candy choisisse Homer, il fallait que Wally soit vivant ; et comme Homer aimait Wally, il voulait aussi la bénédiction de son ami. Une autre solution ne serait-elle pas un compromis pour tous les trois ?

Wilbur Larch fut flatté qu'Homer lui demande son avis — surtout en matière d'amour romantique ! (« Comment dois-je me comporter avec Candy ? » lui avait écrit Homer.) Le vieil homme avait tellement l'habitude de faire autorité, qu'il trouva naturel de prendre un ton autoritaire — « même sur une question à laquelle il n'entend rien ! » déclara à Nurse Edna Nurse Angela indignée. Larch était tellement fier de sa réponse à Homer, qu'il la montra à ses vieilles infirmières avant de la lui envoyer.

« As-tu oublié à quoi ressemble l'existence à Saint Cloud's ? demandait le Dr Larch à Homer. As-tu dérivé si loin de nous que tu trouves inacceptable une vie de compromis ? Toi surtout, un orphelin ? Aurais-tu oublié la nécessité d'être utile ? Garde-toi de mal juger les compromis ; nous ne pouvons pas toujours choisir par quel moyen nous rendre utiles. Tu dis que tu aimes cette jeune fille — alors laisse-la user de toi. Ce ne sera peut-être pas de la façon que tu crois, mais si tu l'aimes, tu dois lui donner ce dont elle a besoin — et quand elle en a besoin, pas forcément quand tu juges le moment opportun. Et que peut-elle te donner d'elle-même ? Ce qu'il lui reste — et si ce n'est guère ce dont tu rêvais, à qui la faute ? Vas-tu la refuser parce qu'elle n'a pas cent pour cent d'elle-même à donner ? Une partie de son cœur est dans le ciel de Birmanie — vas-tu rejeter le reste ? Vas-tu t'entêter dans la voie du tout ou rien ? Et appelles-tu ça te rendre utile ? »

— Ce n'est pas très romantique, dit Nurse Angela à Nurse Edna.

— Wilbur s'est-il jamais montré romantique ? lui demanda Nurse Edna.

— Votre avis est affreusement utilitaire, déclara Nurse Angela au Dr Larch.

— Ma foi, j'y compte bien ! répliqua le docteur en cachetant la lettre.

Maintenant, Homer avait une compagne d'insomnie. A l'hôpital de

Cape Kenneth, Candy et lui préféraient le service de nuit. Quand il se produisait une accalmie dans le travail, on leur permettait de somnoler sur les lits de la salle des enfants non contagieux. Homer s'aperçut que la musique des enfants agités l'apaisait — il connaissait bien leurs problèmes et leurs douleurs, leurs pleurnicheries et leurs cris, ainsi que leurs terreurs nocturnes, et cela l'emportait au-delà de ses propres angoisses. Quant à la jeune fille, elle trouvait que les rideaux noirs tirés la nuit dans l'hôpital convenaient bien à son chagrin. Le couvre-feu imposé — qu'Homer et elle devaient respecter pour aller à l'hôpital et en revenir, après la tombée du jour — plaisait à Candy. Ils prenaient alors la Cadillac de Wally — on n'avait le droit de rouler qu'avec les feux de position, et les feux de position de la Cadillac éclairaient davantage. Même ainsi, les routes sombres de la côte demeuraient dans le noir ; ils avançaient à la vitesse d'un corbillard. Si le chef de gare de Saint Cloud's (ci-devant sous-chef de gare) les avait vus passer, il aurait cru qu'ils conduisaient un corbillard blanc.

Meany Hyde, dont la femme, Florence, attendait un bébé, expliqua à Homer que l'enfant à naître partagerait un peu de l'âme de Wally (si celui-ci était mort) — et si Wally était encore en vie, dit Meany, l'apparition du bébé représenterait l'évasion de Wally hors de Birmanie. Everett Taft raconta à Homer que sa femme, la grosse Dot, avait été affligée de rêves auxquels on ne pouvait attribuer qu'un seul sens : Wally se démenait pour communiquer avec Ocean View. Même Ray Kendall, qui partageait son attention sous-marine entre ses langoustes et ses torpilles, prétendait qu'il « lisait » dans ses casiers : il voulait dire qu'il jugeait digne d'interprétation le contenu des nasses relevées du fond de la mer. L'appât intact constituait un signe particulier : si les langoustes (qui préfèrent ce qui est mort) refusaient de manger, cela signifiait sans conteste qu'un esprit vivant se manifestait dans l'appât.

— Et tu sais que je ne crois à rien, confia Ray à Homer.

— D'accord, répondit celui-ci.

Comme Homer Wells avait passé de nombreuses années à se demander si sa mère ne reviendrait pas le chercher un jour, ou si elle pensait à lui, ou si elle était vivante ou morte, il avait moins de mal que les autres à admettre le statut indéfini de Wally. Un orphelin comprend vraiment le sens de l'expression « seulement disparu », pour une personne importante de sa vie. Olive et Candy, prenant à tort la réserve d'Homer pour de l'indifférence, se montraient parfois irascibles à son égard.

« Je fais ce que nous devons tous faire, répondait-il — d'un ton un peu plus insistant quand il s'adressait à Candy. J'attends voir.

Le 4 Juillet, il y eut très peu de feux d'artifice. D'une part, ils auraient été en infraction contre le couvre-feu et, surtout, simuler les bombes et les coups de canon aurait manqué de respect à l'égard de ceux de « nos petits gars » qui affrontaient la vraie musique. A l'hôpital de Cape Kenneth, les aides-infirmières de service de nuit firent une petite fête nationale, qu'interrompirent les cris hystériques d'une femme qui réclamait un avortement au jeune et impérieux Dr Harlow, fidèle observateur de la loi.

— Mais c'est la guerre ! lui répliqua la femme.

Son mari venait de mourir, tué dans le Pacifique ; elle lui mit la preuve sous le nez : le télégramme du ministère. Elle avait dix-neuf ans et n'en était pas encore à son quatrième mois.

— Je serai ravi de reprendre la conversation quand elle se montrera raisonnable, déclara le Dr Harlow à Nurse Caroline.

— Pourquoi devrait-elle se montrer raisonnable ? lui demanda Nurse Caroline.

Homer Wells dut se fier à son instinct concernant l'infirmière ; en outre, elle lui avait dit, ainsi qu'à Candy, qu'elle était socialiste.

« Et je ne suis pas jolie, avait-elle ajouté en toute sincérité. Donc le mariage ne m'intéresse pas. Dans mon cas, on s'attendrait trop à ce que je me montre reconnaissante — ou au moins que je me considère comme veinarde.

La femme hystérique refusa de se calmer, peut-être parce que le cœur de Nurse Caroline n'y était pas.

— Je ne demande rien de secret ! cria la femme. Pour quelle raison devrais-je avoir cet enfant ?

Homer Wells trouva un bout de papier réglé, réservé aux résultats d'analyse. En travers des colonnes, il écrivit :

ALLEZ À SAINT CLOUD'S, DEMANDEZ L'ORPHELINAT.

Il glissa le morceau de papier à Candy, qui le donna à Nurse Caroline. L'infirmière le lut avant de le remettre à la femme, qui cessa instantanément de protester.

Après le départ de la femme, Nurse Caroline demanda à Homer et à Candy de l'accompagner à la pharmacie du service.

— Je vais vous dire ce que je fais d'habitude, commença Nurse Caroline comme si elle était furieuse contre eux. J'effectue une dilatation, dans les bonnes règles, sans procéder au curetage : la D.

sans le C. Je dilate seulement le col de l'utérus. Je le fais dans ma cuisine et je prends toutes les précautions. Évidemment, il faut qu'elles viennent à l'hôpital pour la fin. Certains docteurs pensent sans doute qu'elles ont essayé de le faire elles-mêmes, mais il n'y a pas d'infection et rien n'est abîmé ; c'est une simple fausse couche. Tout ce qu'il leur faut alors, c'est un bon grattage. Et les salopards sont obligés de se montrer accommodants — il y a tellement de sang : il est manifeste que la femme a déjà perdu le bébé.

Elle s'arrêta, les yeux fixés sur Homer Wells.

« Vous êtes expert également pour ça, pas vrai ?

— D'accord, dit Homer.

— Et vous connaissez un meilleur moyen que le mien ? demanda-t-elle.

— Pas tellement meilleur, répondit-il. Un avortement complet, la D. plus le C., et le médecin est un homme remarquable.

— Un homme remarquable, répéta Nurse Caroline, sceptique. Combien coûte cet homme remarquable ?

— Rien, dit Homer.

— Je ne me fais pas payer non plus.

— Il demande de faire une donation à l'orphelinat, si la femme en a les moyens.

— Pourquoi n'a-t-il pas été pris ? demanda Nurse Caroline.

— Je ne sais pas, répondit Homer. Peut-être que les gens lui sont reconnaissants.

— Les gens sont ce qu'ils sont, répondit Nurse Caroline de sa voix socialiste. Vous avez pris un risque stupide, en me mettant au courant. Et un risque encore plus stupide avec cette femme : vous ne la connaissez même pas.

— Oui, avoua Homer.

— Votre docteur ne durera pas longtemps si vous continuez comme ça, dit Nurse Caroline.

— D'accord, répondit Homer Wells.

Le Dr Harlow les trouva tous dans la pharmacie ; seule Candy avait l'air coupable, et ce fut donc elle qu'il regarda fixement.

— Qu'est-ce que vous racontent ces deux experts ? demanda le Dr Harlow.

Il passait beaucoup de temps à lorgner Candy quand il se croyait à l'abri des regards, mais Homer Wells l'avait vu, et Nurse Caroline était très sensible aux désirs qu'inspiraient les autres femmes. Candy, la langue nouée, parut encore plus coupable, et le Dr Harlow se tourna vers Nurse Caroline.

« Vous vous êtes débarrassée de la folle ? lui demanda-t-il.

— Pas de problème, répondit-elle.

— Je sais que vous désapprouvez, plastronna le Dr Harlow, mais il n'existe pas de règles sans raison.

— Il n'existe pas de règles sans raison, dit Homer Wells, incapable de se contenir.

C'était une chose si stupide qu'il se sentait obligé de la répéter. Le Dr Harlow le regarda fixement.

— Vous êtes sans doute expert en avortement, Wells ? dit-il.

— Ce n'est pas très compliqué d'être expert en avortement, répondit Homer. Rien n'est plus facile.

— Vous croyez ? lança le Dr Harlow, agressif.

— Ma foi, qu'est-ce que j'en sais ? répondit Homer en haussant les épaules.

— Oui, qu'est-ce que vous en savez ? dit le Dr Harlow.

— Pas grand-chose, répondit Nurse Caroline d'un ton bourru.

Même le Dr Harlow apprécia son intervention. Même Candy sourit, Homer Wells ébaucha lui aussi un sourire penaud. Vous voyez ? Je deviens plus malin — disait son sourire à Nurse Caroline, qui le dévisagea avec l'expression de condescendance que les infirmières en titre réservent comme il se doit à leurs aides. Le Dr Harlow s'en aperçut : la hiérarchie qu'il révérait était donc traitée avec le respect que tous lui devaient. Une sorte de vernis parut revêtir son visage, amalgame de vertu satisfaite de soi et d'adrénaline. Homer Wells s'offrit une brève sensation de plaisir en imaginant une chose capable de secouer un peu le Dr Harlow, et de l'humilier. Le couteau de M. Rose aurait sans doute cet effet sur le docteur : Homer imagina M. Rose en train de déshabiller le Dr Harlow à la pointe du couteau ; chaque article de son costume tomberait autour des chevilles en bandes et en lambeaux, sans que la peau nue ait une seule égratignure.

Un mois après la perte de l'avion de Wally, on reçut des nouvelles de l'équipage de *L'occasion frappe.*

« Nous étions à mi-chemin de la Chine, écrivit le copilote, quand les Japs nous ont pris pour cible. Le capitaine Worthington a commandé à l'équipage de sauter. »

Le chef d'équipage et le radio avaient sauté presque en même temps ; le copilote aussitôt après. Le toit de la jungle était si dense que, quand le premier homme passa au travers, il cessa de voir les autres parachutes. La jungle elle-même s'avéra d'une telle épaisseur que le chef d'équipage dut rechercher les autres — il lui fallut sept heures pour trouver le radio. La pluie tombait si dru — et faisait un tel vacarme sur les larges feuilles — qu'aucun homme n'entendit l'avion exploser. L'atmosphère était si riche de ses propres senteurs que l'odeur d'essence en feu et la fumée de l'incendie ne les atteignirent jamais. Ils se demandèrent si l'avion ne s'était pas miraculeusement sauvé pour continuer son vol. Lorsqu'ils levaient les yeux, ils ne pouvaient pas voir au-delà des feuillages (qui scintillaient partout de pigeons vert clair).

En sept heures, le chef d'équipage hérita de treize sangsues de grosseurs diverses — que le radio eut l'amabilité de lui enlever ; le chef d'équipage cueillit à son tour quinze sangsues sur la peau du radio. Ils découvrirent que le meilleur moyen d'enlever les sangsues consistait à poser la braise d'une cigarette sur leur extrémité postérieure ; aussitôt elles lâchaient la peau. Si l'on se contentait de tirer, elles se brisaient ; et leurs puissantes bouches suceuses restaient fixées.

Le radio et le chef d'équipage ne mangèrent rien pendant cinq jours. Quand il pleuvait — c'est-à-dire la plupart du temps — ils buvaient l'eau de pluie que recueillaient en grosses flaques les grandes feuilles des palmiers. Ils avaient peur de boire toute autre eau. Dans certains marécages, ils crurent voir des crocodiles. Comme le radio avait peur des serpents, le chef d'équipage ne lui montra pas les serpents qu'il vit ; lui-même avait peur des tigres et il crut en voir un, une fois, mais le radio soutint qu'ils avaient seulement *entendu* un tigre, ou plusieurs tigres — ou le même tigre plusieurs fois. Le chef d'équipage déclara que le même tigre les avait suivis pendant cinq jours.

Les sangsues les épuisaient. Le toit de la jungle décuplait le bruit de la pluie, mais empêchait l'eau de tomber directement sur les deux hommes ; pourtant la jungle était si saturée que l'eau dégouttait sur eux presque à tout instant. Quand, pour de brèves accalmies, la pluie cessait, le toit de la jungle ne laissait pénétrer aucun rayon de soleil, et les oiseaux, silencieux sous le déluge, faisaient encore plus de vacarme que la pluie dès qu'ils avaient l'occasion de protester contre la mousson.

Le radio et le chef d'équipage n'avaient aucune idée de l'endroit où se trouvaient Wally et le copilote. Le cinquième jour, ils rencontrèrent le copilote qui, la veille, avait atteint un village indigène. Les sangsues l'avaient vidé — comme il était seul, personne n'avait brûlé les sangsues qu'il ne pouvait atteindre. Au milieu du dos, il en avait tout un attroupement dont les indigènes l'avaient débarrassé avec dextérité. Ils utilisaient une tige de bambou allumée, à la manière d'un cigare. Ces indigènes étaient des Birmans, amis du camp allié ; ils ne parlaient pas anglais, mais ils firent comprendre qu'ils n'éprouvaient aucune sympathie pour l'envahisseur japonais ; ils connaissaient la route de la Chine.

Mais où était Wally ? Le copilote avait atterri dans une forêt de bois de fer, et les bambous au milieu desquels il avait dû se frayer un passage à la machette avaient le diamètre de la cuisse d'un homme. Le tranchant de sa machette était aussi émoussé et arrondi que l'autre côté de la lame.

Les Birmans les avertirent : rester dans le village pour attendre Wally n'était pas sûr ; des indigènes conduiraient le copilote, le chef d'équipage et le radio en Chine. Pour le voyage, ils se teintèrent la peau avec des baies écrasées — des baies de l'arbre des conseils — et ils mirent des orchidées dans leurs cheveux. Ils ne voulaient pas avoir l'air de Blancs.

Il leur fallut vingt journées de marche. En tout, trois cent quatre-vingts kilomètres. Ils ne firent rien cuire en chemin ; à la fin du voyage, leur riz était moisi — il pleuvait tellement. Le chef d'équipage assura qu'il était constipé à mort ; le copilote prétendit qu'il mourait de diarrhée. Le radio avait chié des crottes de lapin et supporté une fièvre de cheval pendant quinze jours sur les vingt ; il avait attrapé la teigne tonsurante. Chacun avait perdu une vingtaine de kilos.

Lorsqu'ils parvinrent à leur base, en Chine, on les hospitalisa pendant une semaine. Puis on les renvoya par avion en Inde, où le copilote resta à l'hôpital pour diagnostic et traitement d'une amibiase — personne ne savait ce qu'était une amibiase. Le chef d'équipage avait un problème de côlon. On le garda également. Le radio (et sa teigne) reprit le combat. « Quand on nous a hospitalisés, en Chine, écrivit-il à Olive, on nous a pris notre équipement. Le jour où on nous l'a rendu, tout était en vrac ensemble. Il y avait quatre boussoles. Nous n'étions que trois mais il y avait quatre boussoles. L'un de nous avait sauté de l'avion avec la boussole du capitaine Worthington. » De l'avis du radio, mieux valait s'être écrasé avec l'avion que s'être posé dans cette partie de la Birmanie sans boussole.

En août 194..., la Birmanie déclara officiellement la guerre à la Grande-Bretagne et aux États-Unis. Candy annonça à Homer qu'il fallait trouver un autre endroit où s'asseoir quand ils voulaient être seuls. La jetée lui donnait envie de se flanquer à l'eau ; elle s'était trop souvent assise là avec Wally. Le fait qu'Homer s'y assoie maintenant avec elle n'arrangeait rien.

— Je connais un endroit, lui dit Homer.

Peut-être Olive avait-elle raison, se dit-il ; peut-être n'avaient-ils pas nettoyé la cidrerie pour rien. Quand il pleuvait, Candy s'asseyait à l'intérieur et écoutait les gouttes sur le toit de tôle. Elle se demanda si la jungle faisait autant de bruit ou davantage ; et l'odeur douceâtre de pourriture des pommes à cidre ressemblait sans doute aux relents étouffants de décomposition qui stagnent près du sol des grandes forêts tropicales. Par beau temps, Candy allait s'asseoir sur le toit. Certains soirs, elle laissait Homer Wells lui raconter des histoires. Peut-être fut-ce l'absence de la Grande Roue et des interprétations de M. Rose sur les ténèbres qui poussa Homer Wells à tout dire à Candy.

Cet été-là, Wilbur Larch écrivit de nouveau aux Roosevelt. Il leur avait écrit si souvent, sous les constellations de l'éther, qu'il ne savait plus très bien si ses lettres étaient réelles ou imaginaires. Il n'écrivait jamais à l'un sans écrire à l'autre.

En général, il commençait par : « Cher monsieur le Président » et « Chère madame Roosevelt » mais, se sentant parfois moins cérémonieux, il commençait par « Cher Franklin Delano Roosevelt » ; une fois il écrivit même : « Chère Eleanor ».

Cet été-là, il s'adressa au président des États-Unis en toute simplicité : « Monsieur Roosevelt, écrivit-il, en se passant du *cher*, je sais que la guerre doit vous occuper beaucoup, mais j'éprouve une telle confiance en votre sens humanitaire — et votre dévouement aux pauvres, aux oubliés et surtout aux enfants... » A Mme Roosevelt, il écrivit : « Je sais que votre mari doit être très occupé, mais peut-être pourriez-vous lui signaler une question de la plus extrême urgence — car elle concerne les droits de la femme et le malheur qui accable l'enfant non désiré... »

Les étranges constellations qui scintillaient, éblouissantes, sur le plafond de la pharmacie, contribuèrent au style agressif et incompréhensible de la lettre.

« Les mêmes personnes qui nous disent que nous devons défendre la vie des enfants à naître sont celles qui ne s'intéressent à défendre qu'elles-mêmes, semble-t-il, quand l'accident de la naissance s'est produit ! Les mêmes personnes qui professent leur amour pour l'âme de l'enfant à naître sont celles qui ne songent guère à aider les

421

pauvres, à offrir leur assistance aux humiliés et aux opprimés. Comment justifient-elles un tel intérêt pour le fœtus, et un tel manque d'intérêt pour les enfants abandonnés et maltraités ? Elles condamnent autrui pour l'accident de la conception ; elles condamnent les pauvres — comme si les pauvres pouvaient s'empêcher de l'être ! Une manière dont ils pourraient éviter la pauvreté serait de limiter la dimension de leur famille. Je pensais que la liberté du choix était manifestement démocratique — manifestement américaine !

« Vous êtes, les Roosevelt, des héros nationaux ! De toute façon, vous êtes mes héros. Comment pouvez-vous tolérer les lois sur l'avortement, antiaméricaines et antidémocratiques, de ce pays ? »

A ce moment-là, le Dr Larch avait cessé d'écrire : il divaguait dans la pharmacie. Nurse Edna se dirigea vers la porte et gratta les carreaux de verre dépoli.

— Une société qui condamne les gens à l'accident de la conception est-elle démocratique ? rugissait Wilbur Larch. Que sommes-nous donc — des singes ? Si vous demandez aux citoyens d'être responsables de leurs enfants, accordez-leur le droit de décider s'ils auront des enfants ou non. A quoi pensez-vous donc ? Vous n'êtes pas seulement des paresseux ! Vous êtes des ogres !

Wilbur Larch hurlait si fort que Nurse Edna entra dans la pharmacie et le secoua.

— Wilbur, les enfants peuvent vous entendre, lui dit-elle. Ainsi que les mères. Tout le monde peut vous entendre.

— Personne ne m'écoute, répliqua le Dr Larch.

Nurse Edna reconnut le tic sur les joues de Wilbur Larch, et la mollesse de sa lèvre inférieure : le docteur émergeait à peine de l'éther.

« Le président ne répond pas à mes lettres, se plaignit Larch à Nurse Edna.

— Il est très occupé, répliqua l'infirmière. Il n'a peut-être même pas le temps de les lire.

— Mais Eleanor ? demanda Wilbur Larch.

— Quoi Eleanor ? demanda Nurse Edna.

— N'a-t-elle pas le temps de lire mes lettres ? lança Wilbur Larch d'un ton plaintif, pareil à un enfant — et Nurse Edna lui tapota le dos de la main, qui était parsemé de taches brunes.

— Mme Roosevelt est très occupée elle aussi, dit-elle. Mais je suis sûre qu'elle prendra bientôt le temps de vous répondre.

— Cela fait des années, murmura le Dr Larch en se retournant vers le mur.

Nurse Edna le laissa somnoler un moment dans cette position. Elle se retint de le toucher ; elle aurait aimé relever les cheveux qui lui tombaient sur le front, comme elle avait souvent fait pour nombre d'enfants. Est-ce qu'ils redevenaient tous enfants — le docteur, Mme Grogan, Nurse Angela, elle-même ? Et devenaient-ils tous identiques, comme le prétendait Nurse Angela ? Se ressemblaient-ils tous de plus en plus, même physiquement ? Une personne se rendant à Saint Cloud's pour la première fois aurait pu croire qu'ils appartenaient tous à la même famille.

Nurse Angela la surprit dans la pharmacie.

— Alors, nous n'en avons plus ? demanda-t-elle à Nurse Edna. Que se passe-t-il ? J'en avais commandé toute une caisse, j'en suis sûre.

— Une caisse de quoi ? demanda Nurse Edna.

— De mercurothiolate, répliqua Nurse Angela, furieuse. Je vous ai demandé d'aller me chercher du mercurothiolate, il n'en reste pas une goutte dans la salle d'accouchement.

— Oh, j'ai oublié ! répondit Nurse Edna, et elle éclata en sanglots.

Wilbur Larch se réveilla.

— Je sais que vous êtes très occupés tous les deux, dit-il aux Roosevelt — mais en reconnaissant peu à peu Nurse Edna et Nurse Angela : leurs bras fatigués se tendaient vers lui. Mes fidèles amies, dit-il comme s'il s'adressait à un vaste public de sympathisantes à sa cause. Mes bonnes collaboratrices, lança-t-il comme s'il sollicitait sa réélection — d'un ton un peu las mais n'en réclamant pas moins le soutien de ses compagnes, qui honoraient elles aussi l'œuvre de Dieu.

Olive Worthington s'assit dans la chambre de Wally les lumières éteintes pour qu'Homer ne devine pas sa présence s'il regardait la maison de l'extérieur. Elle savait Homer et Candy dans la cidrerie, et elle tentait de se dire qu'elle n'en voulait pas à Homer d'offrir à Candy, de toute évidence, une certaine consolation. (Homer était incapable de consoler Olive ; en revanche, la présence d'Homer — étant donné l'absence de son fils — irritait la mère de Wally ; et le fait qu'elle se reprochait cette irritation démontrait bien sa force de caractère : elle ne laissait que rarement son humeur faire surface.) Jamais elle n'aurait accusé Candy d'infidélité — même si la jeune fille avait annoncé à tous les vents qu'elle plaquait Wally pour épouser Homer Wells. Mais Olive connaissait Candy : elle se rendait compte que Candy ne pouvait pas plaquer Wally sans le tenir pour mort — et cela, Olive ne le lui aurait pas pardonné. Je ne le *sens* pas mort ! se disait Olive. Et ce n'est pas la faute d'Homer s'il est ici et Wally là-bas, se répétait-elle.

Il y avait un moustique dans la pièce, et sa plainte, semblable à des coups d'épingle, troubla Olive au point qu'elle en oublia pourquoi elle avait laissé la chambre de Wally dans le noir ; elle alluma les lampes pour chasser l'insecte. N'y avait-il pas des moustiques horribles à l'endroit où se trouvait Wally ? Les moustiques birmans étaient tachetés (et beaucoup plus gros que l'espèce du Maine).

Ray Kendall se sentait seul lui aussi, mais les moustiques ne le tourmentaient guère. C'était une nuit paisible, et Ray regarda l'éclair de chaleur violer en silence les consignes de couvre-feu le long de la côte. Il se tourmentait pour Candy. Raymond Kendall savait que la mort d'un être peut arrêter votre propre vie, et il déplorait (à l'avance) que le parcours de Candy soit interrompu par la perte de Wally.

— Si c'était moi, dit Ray à haute voix, je prendrais l'autre gars.

L'*autre gars* ressemblait davantage à Ray. Il ne préférait sans doute pas Homer Wells à Wally — mais il le comprenait mieux. Et pourtant, Ray ne déplaçait pas un seul bigorneau quand il s'asseyait sur sa jetée ; il savait qu'il faut beaucoup de temps à un bigorneau pour arriver où il va.

« Chaque fois que tu lances un bigorneau de la jetée, avait dit Ray à Homer Wells pour le taquiner, tu obliges un être à recommencer son existence à zéro.

— Je lui rends peut-être service, avait répliqué Homer, l'orphelin.

Ray dut s'avouer que ce garçon lui plaisait.

L'orage de chaleur était moins spectaculaire depuis le toit de la cidrerie — on ne voyait pas la mer, même à la lumière des éclairs les plus violents. L'orage n'en paraissait pas moins inquiétant ; sa distance et son silence rappelèrent à Candy et à Homer Wells la guerre qu'ils ne pouvaient sentir ni entendre : pour eux c'était une guerre d'éclairs lointains.

— Je le crois vivant, dit Candy à Homer.

Quand ils s'asseyaient ensemble sur le toit, ils se tenaient la main.

— Je crois qu'il est mort, dit Homer Wells.

Ce fut à ce moment-là qu'ils virent tous les deux des lumières s'allumer dans la chambre de Wally.

En cette nuit d'août, les arbres avaient fait le plein : leurs branches ployaient sous le poids des pommes, d'un vert pâle tournant au rose — sauf les Gravenstein d'un vert clair cireux. Entre les rangs d'arbres, l'herbe montait aux genoux ; on faucherait encore une fois avant la récolte. Cette nuit-là, une chouette ulula dans le verger Coteau-du-coq ; Candy et Homer entendirent aussi un renard glapir dans La Poêle-à-frire.

« Les renards grimpent aux arbres, dit Homer Wells.

— Sûrement pas, dit Candy.

— En tout cas, aux pommiers, répliqua Homer. Wally me l'a dit.

— Il est vivant, murmura Candy.

Pendant l'éclair de chaleur qui détacha de la nuit le visage de la jeune fille, Homer vit briller ses larmes ; quand il l'embrassa, elle avait les joues humides et salées. C'était une avance tremblante, maladroite — un baiser sur le toit du chai à cidre.

— Je t'aime, dit Homer Wells.

— Je t'aime aussi, dit Candy. Mais il est vivant.

— Non, dit Homer.

— Je l'aime, répondit Candy.

— Je le sais bien, dit Homer Wells. Moi aussi, je l'aime.

Candy baissa l'épaule et posa la tête contre la poitrine d'Homer, pour qu'il puisse l'embrasser ; il la soutint d'un bras pendant que son autre main s'égarait sur la poitrine de Candy où elle s'arrêta.

— C'est tellement dur, murmura-t-elle — mais elle laissa la main d'Homer là où elle était.

Il y avait ces éclairs lointains de lumière, au large, et une brise tiède si faible qu'elle agitait à peine les feuilles des pommiers ou les cheveux de Candy.

Olive, dans la chambre de Wally, poursuivit le moustique depuis un abat-jour (contre lequel elle ne parvint pas à l'écraser) jusqu'à un carré de mur blanc, au-dessus du lit d'Homer. Lorsqu'elle tua l'insecte du plat de la main, la tache de sang qui resta sur le mur la surprit : elle avait la taille d'une pièce de dix *cents* — la sale bestiole s'était gorgée. Olive mouilla son index et frotta la tache, ce qui ne fit qu'augmenter le désastre. Furieuse contre elle-même, elle se leva du lit d'Homer et lissa sans nécessité son oreiller intact ; elle lissa également l'oreiller intact de Wally ; puis elle éteignit la lampe de chevet. Elle s'arrêta sur le seuil de la chambre vide pour jeter un dernier coup d'œil avant d'éteindre la lumière du plafond.

Homer Wells prit Candy par la hanche — pour l'aider à descendre du toit. Il aurait dû savoir combien il était périlleux de s'embrasser sur le toit de la cidrerie ; pour eux, ce fut encore plus dangereux au sol. Ils étaient debout, enlacés par la taille — le menton d'Homer contre le front de Candy (elle secouait la tête : Non, Non, mais juste un peu) —, lorsqu'ils s'aperçurent ensemble que la lumière de la chambre de Wally s'était éteinte. Ils s'appuyèrent l'un à l'autre, en direction de la cidrerie, les hautes herbes s'accrochaient à leurs jambes.

Ils veillèrent à ne pas laisser claquer l'écran moustiquaire. Qui aurait pu l'entendre ? Ils préférèrent le noir ; comme ils ne touchèrent pas l'interrupteur de la cuisine, ils ne prirent pas connaissance du règlement de la cidrerie, fixé à côté. Seuls les faibles éclairs de l'orage de chaleur leur montrèrent le chemin du dortoir, où les deux rangées de lits de fer attendaient, ressorts métalliques exposés — vieux matelas roulés au pied de chaque lit, comme dans une caserne. Ils en déroulèrent un.

C'était un lit qui avait connu plus d'un client de passage. L'histoire des rêves survenus dans ce lit devait être riche. Le petit gémissement au creux de la gorge de Candy, très doux, fut difficile à entendre parmi les grincements métalliques des ressorts rouillés — gémissement aussi délicat dans cet air fermenté, que l'effleurement de ses mains, pareilles à des ailes de papillon sur les épaules d'Homer, avant qu'il sente les doigts de la jeune fille l'agripper fort et s'enfoncer dans sa peau, lorsqu'elle l'étreignit. Le gémissement qui échappa à Candy ensuite était plus aigu que le grincement des ressorts et presque aussi fort que le râle d'Homer. Oh, cet enfant dont les hurlements avaient jadis fait légende du côté de Three Mile Falls !... Oh, comme son cri était sonore !

Olive Worthington, rigide dans son lit, écouta ce qu'elle prit pour une chouette dans Coteau-du-coq. Pourquoi tous ces ululements ? Elle pensait à n'importe quoi, qui puisse la détourner de sa vision de moustiques dans la jungle de Birmanie.

Mme Grogan était allongée, les yeux grands ouverts, effrayée soudain pour le salut de son âme ; la brave femme n'avait rien à craindre. C'était vraiment une chouette qu'elle entendait — mais le cri semblait si lugubre !

Wilbur Larch, qui ne dormait jamais, posa ses doigts habiles et sages sur le clavier de la machine à écrire, dans le bureau de Nurse Angela : « Oh, je vous en supplie, monsieur le Président », écrivit-il.

Le petit Steerforth, qui souffrait d'allergies à la poussière et au moisi, trouvait la nuit oppressante ; il avait l'impression de ne pas pouvoir respirer. Trop paresseux pour sortir du lit, il se moucha dans sa taie d'oreiller. Au bruit gras de trompette enrouée qu'il fit, Nurse Edna se précipita vers lui. Les allergies de Steerforth semblaient sans gravité, mais le précédent orphelin allergique à la poussière et au moisi n'était autre que Fuzzy Stone.

« Vous avez déjà fait tant de bien, écrivait Wilbur Larch à Franklin

D. Roosevelt, et votre voix à la radio me donne bon espoir. En tant que membre de la profession médicale, je suis conscient du caractère insidieux de la maladie dont vous avez triomphé. Après vous, toute personne qui occupera votre fonction aura honte si elle ne réussit pas à aider les pauvres et les abandonnés — ou devrait avoir honte... »

Ray Kendall, couché sur sa jetée comme si la mer l'avait rejeté là, ne pouvait se résoudre à se lever, rentrer chez lui et se mettre au lit. L'air était rarement aussi lourd sur la côte ; à Saint Cloud's, l'air était comme d'habitude.

« J'ai vu une photo de vous et de votre épouse — vous assistiez à un service religieux. A l'église épiscopalienne, je crois, écrivit Wilbur Larch au président. J'ignore ce que l'on vous dit de l'avortement, dans cette église, mais vous devez savoir ceci : trente-cinq à quarante-cinq pour cent de la croissance démographique de notre pays peuvent être attribués à des naissances non planifiées, non désirées. En général, les gens qui vivent dans l'aisance n'ont que des enfants qu'ils désirent ; moins de dix-sept pour cent des enfants nés dans des foyers aisés ne sont pas désirés. MAIS PARMI LES PAUVRES ? Quarante-deux pour cent des bébés mis au monde dans des foyers pauvres ne sont pas désirés. Monsieur le Président, cela fait presque la moitié. Et nous ne sommes plus à l'époque de Ben Franklin [31], partisan convaincu (comme vous le savez sans doute) d'un accroissement de la population. Le principal objectif de votre gouvernement a été de trouver assez de travail pour occuper la population actuelle, et assez de biens pour la pourvoir. Ceux qui plaident pour la vie des enfants à naître devraient songer aussi à l'existence des enfants vivants. M. Roosevelt, vous devriez savoir — vous, entre tous les hommes — que les enfants à naître ne sont pas aussi malheureux, n'ont pas autant besoin de votre assistance, que ceux qui sont déjà nés. Je vous en supplie, ayez pitié des enfants nés ! »

Olive Worthington se tournait et se retournait dans son lit. Oh, prenez mon fils en pitié ! priait-elle sans fin.

Au milieu des feuilles d'un pommier, dans le verger de La Poêle-à-frire — accroupi prudemment à la jonction des trois plus grosses branches de l'arbre —, un renard roux, les oreilles et le nez en alerte, la queue en panache aussi légère qu'une plume, examinait le verger d'un œil prédateur. Pour le renard, le sol au-dessous pullulait de rongeurs, bien que le goupil ne fût pas monté dans l'arbre pour la vue — il était grimpé là pour manger un oiseau, dont une plume restait coincée dans ses moustaches et dans le bouc couleur de rouille qui ornait son menton pointu.

Candy Kendall s'accrochait à Homer Wells — oh, comme elle s'accrochait ! Ils perdirent le souffle, puis leur haleine fit vibrer l'air immobile. Et les souris tremblantes sous le parquet se figèrent soudain entre les murs de la cidrerie pour écouter les amants. Les souris savaient qu'elles devaient s'inquiéter de la chouette et du renard. Mais quel était donc cet animal dont le bruit les pétrifiait ? La chouette n'ulule pas quand elle chasse, et le renard ne glapit pas au moment où il bondit. Mais quel est ce nouvel animal ? se demandèrent les souris du chai à cidre — quelle bête nouvelle avait chargé, et troublait l'air ?

N'était-elle pas dangereuse ?

De l'avis de Wilbur Larch, l'amour était dangereux — presque toujours. Il aurait sans doute accusé l'amour d'avoir augmenté sa fragilité depuis qu'Homer Wells avait quitté Saint Cloud's. Comme il était devenu hésitant pour certaines choses, et irascible pour certaines autres !... Nurse Angela aurait pu lui suggérer que ses récentes crises de pessimisme et de colère prenaient leur source autant dans ses cinquante années de mariage avec l'éther et dans son âge avancé que dans son amour angoissé pour Homer Wells. Mme Grogan, si la question lui avait été posée, aurait répondu qu'il souffrait moins d'amour que de ce qu'elle appelait le syndrome de Saint Cloud's ; quant à Nurse Edna, jamais elle n'aurait accusé l'amour de quoi que ce fût.

Mais Wilbur Larch considérait l'amour comme une maladie encore plus insidieuse que la poliomyélite, contre laquelle le président Roosevelt avait lutté avec un tel courage. Et qui aurait osé reprocher à Larch d'appeler de temps en temps « résultats de l'amour » les fameux produits de la conception ? — bien que ses chères infirmières se missent en colère contre lui chaque fois qu'il employait l'expression. N'avait-il pas le droit de juger l'amour avec rigueur ? Après tout, les preuves étaient flagrantes — les produits de la conception, la douleur qui les accompagnait, et les existences déchirées de la plupart de ses orphelins — pour justifier son opinion : on ne peut pas plus se fier à l'amour qu'à un virus.

Eût-il ressenti la violence de la rencontre entre Candy Kendall et Homer Wells — eût-il goûté leur sueur et touché la tension dans les muscles de leurs dos luisants, eût-il entendu la souffrance puis le soulagement de la souffrance que l'on pouvait discerner dans leurs râles — Wilbur Larch n'aurait pas changé d'avis. La vision fugitive

428

d'une telle passion aurait confirmé son opinion sur le péril d'aimer ; il en serait resté aussi pétrifié que les souris.

De l'avis du Dr Larch, même quand il parvenait à convaincre ses patientes d'appliquer une méthode de contraception, l'amour n'était jamais sans danger.

« Considérons la méthode dite du " cycle ", a écrit Wilbur Larch. Ici à Saint Cloud's, nous avons pu constater de nombreux résultats de la méthode du cycle. »

Il avait fait imprimer un prospectus en lettres capitales :

FRÉQUENTES ERREURS D'UTILISATION DES PRÉSERVATIFS

Il avait rédigé le texte comme s'il s'adressait à des enfants ; c'était d'ailleurs souvent le cas.

1. CERTAINS HOMMES METTENT LE PRÉSERVATIF SEULEMENT SUR LE BOUT DU PÉNIS : C'EST UNE ERREUR, PARCE QUE LE PRÉSERVATIF S'EN VA. IL FAUT LE PLACER SUR LE PÉNIS ENTIER, ET IL FAUT LE PLACER QUAND LE PÉNIS EST EN ÉRECTION.

2. CERTAINS HOMMES ESSAIENT D'UTILISER LE PRÉSERVATIF UNE DEUXIÈME FOIS : C'EST ÉGALEMENT UNE ERREUR. DÈS QUE VOUS VOUS ÊTES SERVI D'UN PRÉSERVATIF, JETEZ-LE ! ET LAVEZ SOIGNEUSEMENT VOTRE RÉGION GÉNITALE AVANT DE VOUS PERMETTRE LE MOINDRE CONTACT AVEC VOTRE PARTENAIRE — LES SPERMATOZOÏDES SONT DES CHOSES VIVANTES (EN TOUT CAS PENDANT UN CERTAIN TEMPS, ASSEZ BREF) ET ILS SAVENT NAGER !

3. CERTAINS HOMMES ENLÈVENT LE PRÉSERVATIF DE SON ENVELOPPE : ILS EXPOSENT LE CAOUTCHOUC À LA LUMIÈRE ET À L'AIR TROP LONGTEMPS AVANT DE L'UTILISER ; EN CONSÉQUENCE, LE CAOUTCHOUC SE DESSÈCHE ET IL S'Y PRODUIT DES CRAQUELURES ET DES TROUS. C'EST UNE ERREUR ! LES SPERMATOZOÏDES SONT TRÈS PETITS — ILS PEUVENT NAGER PAR LES CRAQUELURES ET LES TROUS !

4. CERTAINS HOMMES RESTENT LONGTEMPS À L'INTÉRIEUR DE LEUR PARTENAIRE APRÈS AVOIR ÉJACULÉ : QUELLE ERREUR ! LE PÉNIS DIMINUE DE VOLUME ! QUAND LE PÉNIS N'EST PLUS EN ÉRECTION, ET QUAND L'HOMME RETIRE ENFIN SON PÉNIS DE SA

PARTENAIRE, LE PRÉSERVATIF PEUT SE DÉGAGER COMPLÈTE-
MENT. LA PLUPART DES HOMMES NE PEUVENT MÊME PAS SENTIR
QUE CELA SE PRODUIT, MAIS QUELLE CATASTROPHE ! VOICI,
DÉPOSÉ À L'INTÉRIEUR DE LA FEMME, UN PRÉSERVATIF ENTIER ET
UNE QUANTITÉ ÉNORME DE SPERMATOZOÏDES !

Et certains hommes, aurait pu ajouter Homer Wells — en songeant
à Herb Fowler —, distribuent à leur prochain des préservatifs
agrémentés de trous.

Dans la cidrerie d'Ocean View, blottis au milieu des souris
interdites, Homer Wells et Candy Kendall ne pouvaient pas se
détacher l'un de l'autre. Tout d'abord, le matelas était trop étroit — ils
ne pouvaient le partager que s'ils restaient enlacés —, et ensuite, ils
avaient attendu si longtemps ; ils avaient tant espéré. Et pour tous les
deux, avoir joui ensemble était d'une telle importance. Ils partageaient à la fois un amour et un chagrin, car ni l'un ni l'autre n'aurait
permis cet instant si au moins une partie d'eux-mêmes n'avait pas
accepté la mort de Wally. Et, après l'amour, cette partie d'eux-mêmes
qui ressentait la perte de Wally fut forcée de prendre conscience de
l'instant avec révérence et solennité ; leurs deux visages n'exprimaient
pas tout à fait le ravissement et la sérénité qu'éprouvent les amants
après l'amour.

Homer Wells, le visage enfoui dans les cheveux de Candy, rêvait
qu'il arrivait juste à la destination originelle de la Cadillac blanche ; il
avait l'impression que Wally le pilotait encore, avec Candy, loin de
Saint Cloud's — comme si Wally était resté au volant ; et Wally était
un vrai bienfaiteur de l'avoir conduit en toute sécurité jusqu'à ce lieu
de repos. Le battement de la tempe de Candy, qui touchait son propre
pouls, était aussi apaisant pour Homer que le crissement des pneus
quand la grande Cadillac l'avait sauvé de la prison où il était né. Il y
eut une larme sur le visage d'Homer ; il aurait remercié Wally, s'il
l'avait pu.

Et si, dans le noir, il avait pu voir le visage de Candy, il se serait
aperçu qu'une partie d'elle-même se trouvait encore dans le ciel de
Birmanie.

Ils restèrent immobiles si longtemps... La première souris assez
hardie pour courir sur leurs jambes nues les surprit. Homer Wells se
jeta à genoux d'un bond ; un instant s'écoula, puis il se rendit compte
qu'il avait laissé à l'intérieur de Candy *un préservatif entier et une
quantité énorme de spermatozoïdes*. C'était le numéro 4 sur la liste de

Wilbur Larch des FRÉQUENTES ERREURS D'UTILISATION DES PRÉSERVA-
TIFS.

— Oh! oh! dit Homer Wells, dont les doigts étaient rapides,
sensibles et entraînés.

Il n'eut besoin que de l'index et du majeur de la main droite pour
récupérer la capote perdue ; il avait agi très vite, mais pas assez vite
tout de même, se dit-il.

Il voulut donner à Candy des instructions très détaillées mais elle le
coupa.

— Je crois que je sais me laver, Homer, lui dit-elle.

Et donc la première nuit de leur passion, si lente à s'épanouir, se
termina dans la hâte typique des mesures prises pour éviter une
grossesse non désirée — dont la cause possible était d'ailleurs assez
typique elle aussi.

— Je t'aime, répéta Homer en l'embrassant avant qu'ils se sépa-
rent.

Le baiser de Candy en retour contint de la ferveur et de la colère, et
il y eut de la férocité et de la résignation dans la façon dont elle lui
agrippa les mains. Homer resta immobile un moment dans le parking,
derrière le vivier à langoustes ; le seul bruit provenait de l'appareil
d'aération qui faisait circuler de l'oxygène dans le réservoir d'eau des
langoustes vivantes. Dans l'air du parking, l'odeur de l'océan se mêlait
à celle d'huile de vidange. La chaleur de la soirée s'en était allée. Une
brume fraîche, humide, montait de la mer ; plus d'éclairs de chaleur
pour illuminer — ne serait-ce que faiblement — la vue sur l'Atlantique.

Après avoir connu tellement d' « attendre voir » dans sa vie —
Homer Wells avait désormais quelque chose d'autre à attendre !

Wilbur Larch, soixante-dix ans et quelques, grand maître de
l'attendre voir pour l'État du Maine, contempla de nouveau le plafond
étoilé de la pharmacie. L'un des agréments de l'éther, c'est qu'il
emporte parfois celui qui s'y adonne jusqu'à une position qui lui
permet de se voir lui-même de très haut. Wilbur Larch put donc, ce
soir-là, sourire de loin à son image. C'était le soir où il avait béni
l'adoption du petit David Copperfield, le zézayeur.

— Réjouissons-nous pour le jeune Copperfield, avait lancé le
Dr Larch. Le jeune Copperfield a trouvé une famille. Bonne nuit,
Copperfield !

Seulement à présent, dans sa mémoire à l'éther, c'était une fête joyeuse. Les réponses fusaient à l'unisson comme si Larch dirigeait un chœur d'anges en train de chanter gaiement le départ de Copperfield... Rien de commun avec la réalité. Copperfield avait beaucoup de succès parmi les jeunes orphelins ; il était « très liant », selon l'expression de Nurse Angela — sa présence zézayeuse et sa bonne humeur permanente remontaient le moral des autres orphelins et les unissaient. Ce soir-là, personne ne s'était joint au Dr Larch pour souhaiter bonne nuit et bonne vie à David Copperfield. Mais le départ de Copperfield s'était révélé particulièrement dur pour le Dr Larch, parce que s'en allait avec lui non seulement le dernier orphelin « baptisé » par Homer Wells, mais aussi le dernier orphelin à avoir connu Homer. Avec le départ de Copperfield, un peu plus d'Homer Wells s'en allait aussi. Le petit Stereforth — né en second et baptisé en second — avait été adopté en premier.

Mais comme l'éther était bon ! il permettait au Dr Larch de réviser son histoire. Peut-être était-ce l'éther, depuis le début, qui avait poussé le bon docteur à se montrer révisionniste au sujet de Fuzzy Stone. Et dans ses rêves éthérés, Larch avait maintes fois sauvé Wally Worthington — après l'explosion l'avion s'était reconstitué et avait regagné le ciel, le parachute s'était ouvert et les aimables courants de l'air birman avaient emporté Wally jusqu'en Chine, indemne au-dessus des Japonais, au-dessus des tigres et des serpents, et au-dessus des redoutables maladies de l'Asie —, Wilbur Larch avait vu de ses yeux Wally voler en parfaite sérénité. Et comme la belle allure noble de Wally avait fait bon effet sur les Chinois — l'ossature patricienne de son beau visage ! —, le moment venu, les Chinois aideraient Wally à retrouver sa base, et il rentrerait dans ses foyers, auprès de sa petite amie. C'était *cela* que Wilbur Larch désirait le plus : il voulait que Wally reprenne Candy, car c'était son seul espoir qu'Homer Wells retourne à Saint Cloud's.

Environ trois mois après l'explosion de l'avion de Wally, la récolte commença à Ocean View et Candy Kendall sut qu'elle était enceinte. Après tout, elle connaissait bien les symptômes ; Homer Wells aussi.

Cette année-là, les vergers furent saccagés par une équipe de ramasseurs vraiment minables ; il y avait de braves ménagères et des épouses de guerre qui tombaient des arbres, et des jeunes renvoyés des écoles locales pour pouvoir participer à la cueillette. Même la récolte des pommes, en 194..., fut considérée comme partie intégrante de l'effort de guerre. Olive nomma Homer chef d'équipe des jeunes du lycée, dont les méthodes pour taler les fruits étaient si variées qu'Homer devait toujours rester sur le qui-vive.

Candy travailla au comptoir ; elle déclara à Olive que ses fréquentes nausées devaient être provoquées par l'odeur de carburant diesel et de vapeurs d'échappement qui accompagnait en tout temps les véhicules de la ferme. Olive lui fit observer qu'elle aurait cru la fille d'un mécanicien et langoustier moins sensible aux odeurs fortes ; quand elle suggéra que Candy serait davantage à l'air si elle travaillait dans les champs, la jeune fille avoua que grimper dans les arbres lui soulevait également le cœur.

— Je ne vous savais pas aussi délicate, lui dit Olive.

Jamais Olive n'avait autant travaillé pendant une récolte, jamais elle n'avait été aussi heureuse qu'il y ait des pommes sur les arbres. Mais cette année-là la récolte rappela à Homer le moment où il avait appris à nager debout ; Candy et Olive le lui avaient enseigné. (Olive disait : « nager sur place ».)

— Je nage sur place, dit Homer à Candy. Nous ne pouvons pas abandonner Olive pendant la récolte.

— Si je travaille aussi dur que je peux, lui répondit Candy, je ferai peut-être une fausse couche.

Peu probable, Homer le savait.

— Et si je n'ai pas envie que tu fasses une fausse couche ? lui demanda-t-il.

— Si quoi ? demanda Candy.

— Si j'ai envie que tu m'épouses et que tu aies l'enfant ? insista Homer.

Ils étaient au bout de la chaîne, dans la salle d'emballage ; Candy se trouvait en tête de la file de femmes qui triaient les pommes — pour l'emballage ou la réforme, c'est-à-dire le cidre. Candy avait le cœur soulevé, bien qu'elle eût choisi la tête de la chaîne pour se trouver plus près de la porte ouverte.

— Nous devons attendre voir, dit Candy entre deux renvois.

— Nous n'aurons pas longtemps à attendre, répondit Homer Wells. Nous verrons dans très peu de temps.

— Je ne dois pas t'épouser avant au moins un an, ou davantage, dit Candy. J'ai vraiment *envie* de t'épouser, mais Olive ? Nous devons attendre.

— Le bébé n'attendra pas, répondit Homer.

— Nous savons où aller, tous les deux, pour ne pas avoir le bébé, dit Candy.

. — Ou pour l'avoir, répondit Homer Wells. C'est aussi mon bébé.

— Comment pourrais-je avoir un bébé sans que personne ne le sache ? demanda Candy.

Elle vomit de nouveau, et la grosse Dot Taft remonta la chaîne pour voir ce qui se passait.

— Homer, vous n'avez pas de bonnes manières. On ne regarde pas dégueuler une jeune dame ! lança la grosse Dot.

Elle posa son énorme bras autour des épaules de Candy.

« Éloignez-vous de la porte, mon chou, dit la grosse Dot Taft à Candy. Venez travailler plus bas, il n'y a que l'odeur des pommes par là. Les vapeurs du tracteur entrent par la porte.

— On se voit bientôt, bafouilla Homer à Candy et à la grosse Dot.

— Personne n'aime se sentir mal en face du sexe opposé, Homer, lui apprit la grosse Dot.

— D'accord, dit Homer Wells, orphelin et père en puissance.

Dans le Maine, on considère que savoir une chose est plus sage que d'en parler ; le fait que personne ne dit que Candy Kendall était enceinte ne signifiait pas forcément que nul ne sut qu'elle l'était. Dans le Maine, il est acquis que n'importe quel garçon peut « mettre dans l'embarras » n'importe quelle fille. Ce qu'ils font à ce sujet est leur affaire ; s'ils veulent un conseil, ils n'ont qu'à le demander.

« Si *vous* étiez orphelin, que choisiriez-*vous* ? a écrit Wilbur Larch dans sa *Brève Histoire de Saint Cloud's*. Un orphelin ou un avortement ? »

— Un avortement, sans hésiter, avait répondu Melony à Homer Wells, un jour où il lui avait posé la question. Et toi ?

— Je choisirais l'orphelin, avait répliqué Homer.

— Tu n'es qu'un rêveur, Rayon-de-soleil, lui avait lancé Melony.

Melony ne s'était pas trompée, se disait-il maintenant : il n'était qu'un rêveur. Il confondait les gamins du lycée et attribuait à certains des boisseaux que d'autres avaient cueillis. Il empêcha deux garçons de se lancer les pommes, et voulut faire un exemple à ce sujet — pour protéger les fruits et asseoir son autorité. Mais pendant qu'il ramenait les deux garnements au comptoir, où il les força à attendre sagement (en perdant une demi-journée de ramassage), un combat général éclata parmi les autres gosses — à coups de pommes — et, quand Homer retourna dans le verger, il dut interrompre une guerre. Les caisses déjà chargées sur la remorque étaient éclaboussées de pépins, et des parties chaudes du tracteur émanait une puanteur de pomme brûlée (quelqu'un avait dû utiliser le tracteur comme abri). Vernon Lynch aurait sans doute fait un meilleur contremaître pour les gosses

434

DANS LE CIEL DE BIRMANIE

du lycée, se dit Homer. Il ne pensait qu'à une chose : faire ce qu'il fallait avec Candy.

Maintenant, quand ils s'asseyaient sur la jetée de Ray Kendall, ils se mettaient côte à côte et ne restaient pas longtemps — il commençait à faire froid. Ils se blottissaient contre l'un des poteaux du bout de la jetée, où Ray avait vu — si souvent — Candy s'asseoir avec Wally, presque dans la même position (quoique Wally se tenait toujours plus droit, remarqua Ray, comme s'il était déjà attaché à son siège de pilote).

Ray Kendall comprenait que, pour eux, tomber amoureux passait forcément par une période noire, mais il en souffrait lui aussi ; il estimait que l'amour ne devrait jamais être aussi morose. Seulement Ray n'éprouvait que respect pour Olive et c'était pour Olive, il le savait, qu'Homer et Candy étaient contraints de vivre leur histoire d'amour dans le deuil.

— Vous devriez partir ailleurs, dit Ray par la fenêtre à Homer et à Candy — mais il parlait à voix très basse et la fenêtre était fermée.

Homer avait peur : insister auprès de Candy pour qu'elle l'épouse — insister pour qu'elle ait leur bébé — serait peut-être la forcer à le repousser complètement. Il savait aussi que Candy avait peur d'Olive ; et Candy n'avait guère envie de subir un deuxième avortement : Homer sentait bien que Candy l'épouserait et aurait leur bébé le jour même, si elle pouvait dissimuler la vérité à Olive. Candy n'avait pas honte d'Homer ; elle n'avait pas honte non plus d'être enceinte. Elle avait honte d'être mal jugée par Olive à cause de l'insuffisance de ses sentiments à l'égard de Wally — la foi de Candy (dans la survie de Wally) s'était révélée moins forte que celle d'Olive. Il n'est pas inhabituel que la mère d'un fils unique et la jeune femme amoureuse de ce garçon se jugent dans une position de rivalité.

Ce qu'Homer pouvait découvrir de ses propres sentiments était plus choquant (au moins pour lui). Il savait déjà qu'il aimait Candy, et qu'il la désirait ; maintenant, il se rendait compte qu'il désirait son enfant — encore plus qu'elle-même.

Ils n'étaient qu'un couple pris au piège — comme tant d'autres —, plus à l'aise dans leurs illusions qu'en face de la réalité de leur situation.

— Après la récolte, proposa Homer à Candy, nous irons à Saint Cloud's. Je dirai qu'on a besoin de moi là-bas. C'est probablement vrai de toute façon. Et à cause de la guerre, personne ne s'intéresse à eux. Tu pourras expliquer à ton père que c'est un autre aspect de l'effort de guerre. Nous annoncerons à Olive que nous nous sentons obligés... d'être où l'on a le plus besoin de nous ; pour nous rendre plus utiles.

— Tu veux que j'aie le bébé ? lui demanda Candy.

— Je veux que tu aies notre enfant, répondit Homer Wells. Et après la naissance du bébé, quand vous serez rétablis tous les deux, nous reviendrons ici. Nous dirons à ton père et à Olive — ou nous leur écrirons — que nous sommes tombés amoureux et que nous nous sommes mariés.

— Et que nous avons conçu l'enfant *avant ?* demanda Candy.

Homer Wells, les yeux posés sur les vraies étoiles au-dessus de la côte entièrement obscure du Maine — les étoiles brillantes et froides —, se faisait de toute l'histoire une image très claire.

— Nous prétendrons que l'enfant est adopté, répondit-il. Nous raconterons que nous avons éprouvé cette autre obligation... à l'égard de l'orphelinat. De toute façon, c'est une obligation que je ressens, ajouta-t-il.

— Notre bébé sera adopté ? demanda Candy. Nous aurons un enfant qui se croira orphelin ?

— Non, répondit Homer Wells. Nous aurons notre enfant et il saura qu'il est à nous. Nous *dirons* qu'il est adopté, c'est tout — seulement pour Olive, et pour quelque temps.

— C'est mentir, dit Candy.

— D'accord, répondit Homer Wells. C'est mentir pendant quelque temps.

— Peut-être — à notre retour, avec le bébé —, peut-être ne serons-nous pas obligés de prétendre qu'il a été adopté. Peut-être pourrons-nous dire la vérité à ce moment-là, avança Candy.

— Peut-être, concéda Homer.

Tout ne sera peut-être qu'attendre voir, se dit-il. Il posa les lèvres sur la nuque de la jeune femme et enfouit son nez dans ses cheveux.

— Si nous pensons qu'Olive pourra l'accepter, si nous pensons qu'elle pourra accepter... au sujet de Wally, ajouta Candy, nous n'aurons pas besoin de mentir à propos de l'adoption du bébé, n'est-ce pas ?

— D'accord, répondit Homer Wells.

Pourquoi tous ces embarras pour un mensonge ? se demanda-t-il en serrant fort Candy qui pleurait en silence. Était-il exact que Wilbur Larch n'avait aucun souvenir de la mère d'Homer ? Était-il exact que Nurse Angela et Nurse Edna n'avaient aucun souvenir de sa mère, elles non plus ? Peut-être, mais jamais Homer Wells ne leur aurait reproché de mentir, car ils ne lui mentaient que pour le protéger. Et s'ils se souvenaient de sa mère et que sa mère était un monstre, ne valait-il pas mieux qu'ils aient menti ? Pour un orphelin, toute vérité n'est pas bonne à savoir.

Et si Homer avait découvert que Wally était mort dans de terribles souffrances, accablé de douleur — s'il avait été torturé, brûlé à mort, dévoré par un animal —, Homer aurait sans doute menti sur ce point. Si Homer Wells avait été historien amateur, il se serait montré aussi révisionniste que Wilbur Larch — il aurait essayé de tout arranger au dénouement. Homer Wells disait toujours à Wilbur Larch que c'était *lui* (Larch), le médecin, mais il était beaucoup plus médecin qu'il ne le pensait.

Le soir de la première pressée de cidre, il partagea le travail au pressoir et au broyeur avec Meany Hyde et Everett Taft ; la grosse Dot et sa petite sœur, Debra Pettigrew, mettaient en bouteilles. Ce travail sale déplaisait à Debra ; elle se plaignait chaque fois que le cidre débordait et l'éclaboussait — la présence d'Homer Wells ne faisait qu'augmenter son irritation. Elle n'avait pas dit un mot au jeune homme — elle comprenait bien que Candy et Homer partagent une certaine douleur, mais sa compréhension semblait nettement nuancée par des soupçons : Candy et Homer n'avaient-ils pas partagé aussi un certain plaisir ? En tout cas, Debra n'avait pas réagi généreusement quand Homer lui avait proposé qu'ils soient juste amis. L'hostilité de la jeune fille surprit beaucoup Homer, et il supposa que ses années d'orphelinat l'avaient privé d'une explication raisonnable du comportement féminin. Homer avait l'impression que Debra lui avait refusé tout accès à autre chose que de l'amitié. Pourquoi était-elle à présent si outrée qu'il ne lui eût pas demandé davantage ?

Meany Hyde annonça à Homer et à Everett Taft que ce serait sa première et sa dernière pressée de nuit, parce qu'il tenait à rester chez lui avec Florence — « maintenant que son terme approche », dit-il.

Quand M. Rose pressait le cidre, l'ambiance était très différente dans l'air fermenté. D'abord, tout allait plus vite ; presser devenait une sorte de match. Ensuite, l'autorité de M. Rose créait une tension — et la présence des hommes fatigués, endormis ou essayant de dormir, dans la pièce voisine prêtait au travail du broyeur et du pressoir l'impression de hâte (et de perfection) que l'on ressent uniquement à la limite de l'épuisement.

Plus elle était trempée, et plus Debra Pettigrew trahissait sa future lourdeur ; les épaules des deux sœurs avaient des courbes parallèles, et une certaine mollesse à l'arrivée des bras de Debra annonçait déjà les énormes masses qui vibraient sur tout le corps de la grosse Dot. S'imitant comme deux sœurs, elles essuyaient la sueur de leurs yeux avec leur biceps — pour ne pas toucher leur visage avec leurs mains collantes, pleines de cidre sucré.

Vers minuit, Olive leur apporta de la bière fraîche et du café chaud. Après son départ, Meany Hyde dit :

— Cette Mme Worthington est une femme prévenante — non seulement elle nous apporte quelque chose, mais elle nous donne le choix.

— Et avec Wally qui n'est plus là, commenta Everett Taft. C'est un miracle qu'elle ait même pensé à nous.

Quoi que l'on m'apporte, quoi qu'il advienne, se dit Homer, je l'accepterai sans esquiver. La vie allait enfin s'ouvrir à lui — le voyage qu'il se proposait de faire, son retour à Saint Cloud's, allait enfin le libérer réellement de Saint Cloud's. Il aurait un enfant (et peut-être, en plus, une épouse) ; il lui faudrait un emploi.

Bien entendu, j'emmènerai de jeunes arbres et je les planterai, se dit-il — comme si des pommiers pouvaient contenter Saint Cloud's, comme si planter des arbres exaucerait ce que Wilbur Larch attendait de lui.

A la fin de la récolte, la lumière devint plus grise et les vergers parurent plus sombres en plein jour, bien que davantage de lumière passât à travers les arbres vides. On pouvait constater l'inexpérience du personnel de ramassage aux pommes ratatinées qui s'accrochaient encore aux branches difficiles à atteindre. A Saint Cloud's le sol était déjà gelé. Homer serait obligé de faire un voyage spécial pour les jeunes arbres. Il les planterait au printemps ; son fils serait un bébé de printemps.

Maintenant Homer et Candy ne travaillaient plus que la nuit à l'hôpital de Cape Kenneth. Les journées où Ray fabriquait les torpilles, Homer les passait avec Candy, dans la chambre de la jeune fille au-dessus du vivier à langoustes.

Il y avait beaucoup d'abandon dans leurs rapports sexuels depuis que Candy était enceinte. Elle n'aurait pas pu le lui dire — pas encore — mais elle adorait faire l'amour avec Homer Wells ; elle y prenait beaucoup plus de plaisir que naguère avec Wally, seulement elle ne pouvait pas se résoudre à avouer qu'une chose pût être *meilleure qu'avec Wally ;* elle préférait faire l'amour avec Homer, mais ce n'était pas la faute de Wally, se disait-elle. Wally et Candy n'avaient jamais eu le temps de se sentir si libres.

« Nous allons venir, la jeune fille et moi, écrivit Homer au Dr Larch. Elle va avoir mon enfant — ni un avortement, ni un orphelin. »

— Un bébé *désiré !* s'écria Nurse Angela. Nous allons avoir un bébé *désiré !*

— Mais non planifié ! répliqua Wilbur Larch qui regardait fixement par la fenêtre du bureau de Nurse Angela, comme si la colline de l'autre côté de la vitre se dressait personnellement contre lui. Et je suppose qu'il va planter ses maudits pommiers, ajouta-t-il. Pourquoi a-t-il envie d'un enfant ? Comment pourra-t-il avoir un enfant et continuer ses études, ou aller à la faculté de médecine ?

— Quand a-t-il été question qu'il aille à la faculté de médecine, Wilbur ? demanda Nurse Edna.

— Je savais qu'il reviendrait ! cria Nurse Angela. Il fait partie de nous !

— Oui, oui, répondit Wilbur Larch.

Involontairement, non sans raideur, son dos se redressa, ses genoux se plièrent légèrement, ses bras se tendirent et les doigts de ses mains s'entrouvrirent — comme s'il se préparait à recevoir un objet lourd. Nurse Edna frémit en le voyant dans cette attitude, qui lui rappela le fœtus de Three Mile Falls, ce bébé mort dont la posture de supplication extrême était l'œuvre d'Homer Wells.

Homer confia à Olive Worthington :

— Je déteste l'idée de partir, surtout si près de Noël, avec tous ces souvenirs — mais j'ai négligé quelque chose, et quelqu'un. J'ai négligé tout le monde à Saint Cloud's : là-bas, rien ne change. Ils ont toujours besoin des mêmes choses, et maintenant qu'il y a une guerre et que tout le monde participe à l'effort du pays, je crois que Saint Cloud's est plus oublié que jamais. Surtout, le Dr Larch ne rajeunit pas. Je me rendrai plus utile là-bas qu'ici. La récolte est terminée et je sens que je n'aurai pas assez de travail. A Saint Cloud's, il y a toujours trop à faire.

— Tu es un brave jeune homme, répondit Olive Worthington— mais Homer baissa la tête.

Il se rappelait ce que M. Rochester avait dit à Jane Eyre :

Craignez le remords quand vous êtes tentée de fauter, miss Eyre : le remords est le poison de la vie.

439

C'était un matin du début de novembre, dans la cuisine d'Ocean View ; Olive n'était encore ni coiffée ni maquillée. Le gris de la lumière, de son visage et de ses cheveux la fit paraître soudain plus âgée aux yeux d'Homer. Avec le fil de son sachet elle essayait d'extraire la dernière goutte de thé, et Homer fut incapable de lever les yeux des veines gonflées, nouées, qui formaient comme des cordes sur le dos de ses mains. Elle avait toujours trop fumé, et tous les matins elle toussait.

— Candy m'accompagne, dit Homer Wells.

— Candy est une brave jeune femme, répondit Olive. C'est très désintéressé de votre part — alors que vous pourriez vous amuser — d'aller apporter la consolation de votre présence à des enfants non désirés.

En travers du sachet de thé, le fil était si tendu qu'Homer crut qu'il allait couper la toile. La voix d'Olive était si compassée qu'elle aurait pu parler sur le même ton à une distribution solennelle de médailles, pour décrire un héroïsme digne de récompense. Elle avait du mal à se retenir de tousser. Lorsque le fil déchira le sachet de thé, plusieurs feuilles mouillées se collèrent au jaune de son œuf à la coque, ouvert mais intact, perché sur un coquetier de porcelaine qu'Homer Wells avait pris une fois pour un chandelier.

— Jamais je ne pourrai vous remercier assez pour tout ce que vous avez fait pour moi, dit Homer.

Olive Worthington secoua simplement la tête ; elle avait les épaules carrées, elle dressait le menton, et la rigidité de son dos paraissait redoutable.

« Je suis désolé pour Wally, dit Homer Wells.

Il y eut un tremblement presque imperceptible dans la gorge d'Olive, mais les muscles de son cou restèrent figés.

— Il est seulement disparu, dit-elle.

— D'accord.

Homer posa la main sur l'épaule d'Olive. Elle ne trahit en aucune manière si la présence de cette main était pour elle un poids ou une consolation, mais, après être restée un instant ainsi, elle tourna la tête pour poser la joue sur la main d'Homer ; ils demeurèrent sans bouger pendant un peu plus longtemps, comme s'ils posaient pour un peintre de la vieille école — ou un photographe attendant l'improbable : un rayon de soleil en novembre.

Olive insista pour qu'il prenne la Cadillac blanche.

— Ma foi, dit Ray à Candy et à Homer, je crois que vous avez raison de rester ensemble, cela vous fera du bien.

Il fut déçu que ni Homer ni Candy n'accueillent sa remarque avec enthousiasme. Au moment où la Cadillac quitta le parking du vivier à langoustes, Ray leur lança :

« Et essayez de vous *amuser* un peu ensemble !

Il se demanda s'ils l'avaient entendu. Qui va à Saint Cloud's pour s'amuser ?

Je n'ai pas été vraiment adopté, pensait Homer Wells. Je ne suis pas en train de trahir vraiment Mme Worthington. Elle n'a jamais dit qu'elle était ma mère... Homer et Candy ne parlèrent guère pendant le trajet.

Tandis qu'ils s'enfonçaient dans les terres, plus ils allaient vers le nord, plus les feuilles avaient abandonné les arbres ; ils trouvèrent un peu de neige à Skowhegan, où le sol ressemblait au visage d'un vieillard ayant besoin de se raser. Il y avait davantage de neige à Blanchard, puis à East Moxie et à Moxie Gore. Ils durent attendre une heure à Ten Thousand Acre Tract, où un arbre était tombé en travers de la route. La neige s'était accumulée autour de l'arbre dont la masse écrasée ressemblait à un dinosaure culbuté. A Moose River et à Misery Grove, puis à Tomhegan, la neige avait l'intention de persister. Les congères le long de la route étaient taillées si net par le chasse-neige — et se dressaient si haut — que Candy et Homer ne décelaient la présence d'une maison qu'à la fumée de sa cheminée, ou à l'étroit sentier creusé dans les congères et que tachait ici et là le pipi territorial de quelque chien.

Olive, Ray et Meany Hyde leur avaient donné des bons d'essence supplémentaires. Ils avaient décidé de prendre la voiture, pensant qu'il serait agréable d'avoir un moyen de s'évader de Saint Cloud's — ne serait-ce que pour de courtes balades — mais quand ils arrivèrent à Black Rapids et qu'Homer installa les chaînes sur les roues arrière, ils comprirent que l'hiver (et ce n'était qu'un début) rendrait impossible toute promenade en voiture.

S'ils lui avaient posé la question, le Dr Larch leur aurait épargné l'ennui de prendre la voiture. Il leur aurait dit que personne ne vient à Saint Cloud's dans le but de faire de petites balades récréatives ; il leur aurait suggéré, pour s'amuser, de prendre par exemple le train jusqu'à Three Mile Falls.

Avec les routes mauvaises, la lumière mourante, la neige qui se mit à tomber après Ellenville, il faisait déjà sombre quand ils parvinrent à Saint Cloud's. Les phares de la Cadillac blanche, pendant la montée vers la section Filles, éclairèrent deux femmes qui descendaient la colline vers la gare — leurs deux visages se détournèrent de la lumière.

Leur démarche ne semblait pas très sûre ; l'une n'avait pas de cache-nez ; l'autre était sans chapeau ; la neige scintillait dans les phares comme si les femmes lançaient des diamants dans le vide.

Homer Wells arrêta la voiture et baissa la glace.

— Voulez-vous que je vous conduise ? demanda-t-il aux femmes.

— Vous n'allez pas dans le bon sens, répondit l'une.

— Je peux tourner ! leur lança-t-il — mais elles poursuivirent leur chemin sans répondre.

Il continua jusqu'à l'entrée de l'infirmerie, section Garçons, et éteignit les phares. La neige devant la fenêtre éclairée de la pharmacie était semblable à celle qui tombait le soir de son retour à Saint Cloud's, après sa fuite de chez les Draper de Waterville.

Il s'était produit une sorte de querelle entre Larch et ses infirmières au sujet de l'endroit où Homer et Candy coucheraient. Larch supposait que Candy dormirait à la section Filles et Homer, comme autrefois, avec les autres garçons ; mais les femmes s'insurgèrent violemment.

— Ils sont amoureux ! fit observer Nurse Edna. Ils dorment sûrement ensemble.

— Ils l'ont *sûrement* fait ! répondit Larch. Cela ne signifie pas qu'ils doivent continuer ici.

— Homer a dit qu'il allait l'épouser, insista Nurse Edna.

— Allait ! marmonna Wilbur Larch.

— Je trouve que ce serait gentil d'avoir quelqu'un dormant avec quelqu'un d'autre à Saint Cloud's, intervint Nurse Angela.

— Il me semble, dit Wilbur Larch, que nous existons parce que les gens dorment beaucoup trop ensemble.

— Ils sont amoureux ! répéta Nurse Edna, indignée.

Ce furent les femmes qui triomphèrent. Candy et Homer partageraient une chambre à deux lits au rez-de-chaussée de la section Filles ; la façon dont ils disposeraient les lits ne regardait qu'eux-mêmes. Mme Grogan se déclara ravie d'avoir un homme à la section Filles ; les fillettes se plaignaient parfois de rôdeurs ou de voyeurs : un homme pendant la nuit était une bonne idée.

— En outre, dit Mme Grogan, je suis toute seule là-bas — vous êtes trois ici.

— Nous dormons *seuls,* ici, répondit le Dr Larch.

— Mon Dieu, Wilbur, répliqua Nurse Edna, n'en soyez donc pas si fier.

442

Olive Worthington, seule dans la chambre de Wally, regarda les deux lits, celui d'Homer et celui de son fils — tous les deux immaculés, les deux oreillers sans un pli. Sur la table de nuit entre les lits se trouvait une photographie de Candy en train de donner une leçon de natation à Homer. Comme il n'y avait pas de cendrier dans la chambre des jeunes gens, Olive tenait sa main libre en berceau sous la longue cendre branlante de sa cigarette.

Raymond Kendall, seul au-dessus du vivier à langoustes, ne quittait pas des yeux le triptyque de photographies, debout comme un autel sur sa table de nuit, à côté de son jeu de clés à pipe. Le cliché du milieu le représentait dans sa jeunesse, assis dans un fauteuil à l'air confortable, avec sa femme sur ses genoux ; elle était enceinte de Candy ; le fauteuil semblait sur le point de s'effondrer. La photographie de gauche représentait Candy le jour de son diplôme de fin d'études secondaires ; sur celle de droite, Candy et Wally braquaient leurs raquettes de tennis l'une vers l'autre, comme des armes. Ray n'avait aucune photo d'Homer Wells ; il lui suffisait de regarder sa jetée par la fenêtre pour imaginer nettement le jeune homme ; et il ne pouvait pas regarder sa jetée et penser à Homer Wells sans entendre la pluie des bigorneaux sur l'eau.

Nurse Edna avait essayé de garder au chaud un petit dîner pour Homer et Candy ; elle avait mis le morceau de viande cuit à l'étouffée dans le stérilisateur à instruments, qu'elle vérifiait de temps en temps. Mme Grogan, en train de prier à la section Filles, ne vit pas la Cadillac monter la colline. Nurse Angela, dans la salle de travail, rasait une femme qui venait de perdre ses eaux.

Homer et Candy passèrent devant la pharmacie, vide et brillamment éclairée, puis jetèrent un coup d'œil dans le bureau de Nurse Angela, vide lui aussi. Homer se garda bien de passer la tête dans la salle de travail tant que la lumière était allumée au-dessus de la porte. Ils entendirent, venant du dortoir, la voix du Dr Larch en train de lire. Bien que Candy lui serrât fermement la main, Homer Wells se retint de s'élancer — pour ne pas manquer la lecture du soir.

Florence, la femme de Meany Hyde, accoucha d'un garçon en pleine santé — quatre kilos cent cinquante grammes — peu après Thanksgiving Day, qu'Olive Worthington et Raymond Kendall célébrèrent à Ocean View — une soirée assez guindée, et calme. Olive

443

invita tous ses employés permanents à un buffet et demanda à Ray de l'aider à recevoir. Meany Hyde déclara à Olive que son bébé était le signe évident que Wally était en vie.

— Oui, je sais qu'il est vivant, répondit Olive à Meany de sa voix la plus calme.

Ce ne fut pas une journée trop épuisante pour elle, mais elle trouva Debra Pettigrew assise sur le lit d'Homer, dans la chambre de Wally : elle regardait fixement la photo de Candy en train de faire nager Homer. Et peu après avoir escorté Debra hors de la pièce, Olive découvrit Grace Lynch assise juste dans le creux que Debra avait fait sur le lit d'Homer. Grace, toutefois, regardait fixement le questionnaire du conseil d'administration de Saint Cloud's, celui qu'Homer n'avait jamais rempli et qu'il avait fixé au mur de la chambre de Wally avec des punaises comme s'il s'agissait de règles non écrites.

Et la grosse Dot Taft s'effondra dans la cuisine en racontant un de ses rêves à Olive. Everett l'avait trouvée, endormie, en train de se traîner sur le parquet de la chambre, vers la salle de bains.

— Je n'avais plus de jambes, dit la grosse Dot à Olive. C'était la nuit de la naissance du fils de Florence et je me suis réveillée sans jambes — sauf que je ne m'étais pas vraiment réveillée, je rêvais qu'il ne restait rien de moi au-dessous de la taille.

— Sauf que tu devais aller à la salle de bains, fit observer Everett Taft. Sinon pourquoi aurais-tu rampé sur le sol ?

— L'important, c'est que j'étais blessée, lança la grosse Dot à son mari d'une voix furieuse.

— Oh ! dit Everett Taft.

— L'idée, expliqua Meany Hyde à Olive, c'est que mon bébé est né très bien, mais que la grosse Dot a rêvé qu'elle ne pouvait pas marcher. Vous ne voyez pas, Olive ? demanda Meany. Je crois que Dieu veut nous dire que Wally est sauvé — qu'il est en vie — mais qu'il a été touché.

— Il est blessé ou quelque chose, dit la grosse Dot en éclatant en sanglots.

— Bien entendu, répondit Olive sèchement. C'est ce que j'ai toujours pensé.

Ces paroles les firent tous sursauter — même Ray Kendall.

« S'il n'était pas blessé, nous aurions déjà eu de ses nouvelles. Et s'il n'était pas vivant, je le saurais, dit Olive.

Elle tendit son mouchoir à la grosse Dot Taft et alluma une cigarette au mégot de celle qu'elle venait à peine de terminer.

Thanksgiving Day à Saint Cloud's fut beaucoup moins mystique, et le repas moins savoureux, mais tout le monde prit du bon temps. Au lieu de ballons de baudruche, le Dr Larch distribua des préservatifs à Nurse Angela et à Nurse Edna, qui, malgré leur dégoût visible, gonflèrent les capotes et les trempèrent dans des cuvettes de colorants alimentaires vert et rouge. Une fois les colorants secs, Mme Grogan peignit les noms des orphelins sur les capotes, et Homer et Candy allèrent cacher les préservatifs aux couleurs vives un peu partout dans l'orphelinat.

— C'est une chasse à la capote anglaise, dit Wilbur Larch. Nous aurions dû garder l'idée pour Pâques. Les œufs sont si chers...

— Nous n'abandonnerons pas les œufs de Pâques, Wilbur, répliqua Nurse Edna indignée.

— Sans doute, sans doute, concéda le Dr Larch, fatigué.

Olive Worthington avait envoyé une caisse de champagne. Wilbur Larch n'avait jamais bu une goutte de vin mousseux de sa vie — ce n'était pas un buveur —, mais la façon dont les bulles pétillèrent contre son palais, ouvrirent ses cavités nasales, et lui firent l'œil sec mais clair, lui rappela la plus légère des vapeurs, la fameuse inhalation à laquelle il s'adonnait. Il en but des quantités. Il se mit même à chanter, pour les enfants, une chanson qu'il avait entendue dans la bouche de soldats français pendant la Première Guerre mondiale. Cette chanson ne convenait pas mieux aux enfants que les préservatifs, mais — par ignorance du français et des choses du sexe — la chanson française (plus cochonne qu'aucun limerick de Wally Worthington ne le serait jamais) fut prise pour une charmante bluette, et les capotes rouges pour de vrais ballons.

Même Nurse Edna s'enivra un peu ; elle découvrait, elle aussi, le champagne — bien qu'elle arrosât parfois sa soupe chaude au xérès. Nurse Angela ne but pas, mais elle devint sentimentale — au point de se jeter au cou d'Homer, de l'embrasser de toutes ses forces et de proclamer que l'esprit de Saint Cloud's avait connu une baisse sensible en l'absence d'Homer, et qu'un Dieu compatissant leur avait renvoyé le jeune homme pour leur redonner vie à tous.

— Mais Homer ne va pas rester, hoqueta Wilbur Larch.

Candy leur avait fait à tous beaucoup d'effet ; même le Dr Larch disait d'elle « notre bénévole angélique », et Mme Grogan chantait chaque jour ses louanges comme si c'était sa propre fille. Quant à Nurse Edna, elle s'agitait autour des jeunes amoureux comme un papillon de nuit autour d'une lampe allumée.

Le jour de Thanksgiving, le Dr Larch alla même jusqu'à flirter avec Candy.

« Jamais je n'ai vu une si jolie fille accepter de donner des lavements, dit Larch en posant la main sur le genou de Candy.

— Je ne fais pas de manières ! lui répondit Candy.

— Ici, il n'y a pas de place pour les manières, lui dit Larch en rotant.

— Il y a encore un peu de place pour la politesse, j'espère, se plaignit Nurse Angela.

Jamais Larch ne l'avait complimentée, ni Nurse Edna, de sa bonne volonté à donner des lavements.

— Bien entendu, je voulais qu'il fasse des études de médecine, qu'il devienne docteur et qu'il revienne ici prendre ma relève, dit Wilbur Larch à Candy d'une voix forte — comme si Homer n'était pas assis de l'autre côté de la table.

De nouveau, il caressa le genou de Candy.

« Mais c'est très bien ! dit-il. Qui ne préférerait mettre une jeune fille comme vous enceinte — et faire pousser des pommes !

Il prononça plusieurs mots en français et vida un autre verre de champagne.

« Évidemment, chuchota-t-il à Candy, il n'a pas besoin de faire ses études de médecine pour devenir docteur *ici*. Il ne lui reste plus que quelques techniques à apprendre. Bon Dieu ! ajouta-t-il en montrant les orphelins qui mangeaient leur dinde — chacun avec une capote anglaise colorée, en guise de carte de visite, devant son assiette. Ce n'est pas un mauvais endroit pour élever une famille. Et si Homer parvient un jour à planter cette maudite colline en friche, vous pourriez même faire pousser des pommes ici aussi.

Quand le Dr Larch s'endormit la tête sur la table, Homer Wells le porta dans la pharmacie. Le jeune homme se demanda si en son absence le Dr Larch n'était pas devenu complètement toqué. A qui poser la question ? Mme Grogan, Nurse Edna et surtout Nurse Angela en seraient peut-être convenues : il avait dérapé dans le virage — il avait un aviron hors de l'eau, comme aurait dit Ray Kendall ; ou une roue ensablée, comme disait toujours Wally — mais elles défendraient certainement le docteur avec la dernière énergie. Elles pensaient sans aucun doute qu'Homer était parti depuis trop longtemps : son jugement s'était rouillé. Par bonheur, la procédure obstétrique d'Homer n'avait pas souffert de son absence.

Les femmes enceintes n'ont aucun égard pour les vacances. Les trains passent à des heures différentes, mais ils passent. Il était plus de six heures du soir quand la femme arriva à Saint Cloud's ; ce n'était pas dans ses habitudes mais le chef de gare l'accompagna jusqu'à

446

l'entrée de l'infirmerie, parce que la femme se trouvait déjà en pleine deuxième phase du travail — elle avait perdu ses eaux et les douleurs de l'enfantement survenaient à intervalles réguliers. Homer Wells était en train de palper la tête du bébé à travers le périnée quand Nurse Angela lui apprit que le Dr Larch était trop ivre pour se réveiller et que Nurse Edna dormait à poings fermés elle aussi. Le périnée semblait faire bosse, ce qui inquiéta Homer, et la réaction de la femme à une dose d'éther assez forte s'avéra un peu trop lente.

Homer fut obligé de retenir la tête de l'enfant pour éviter le déchirement du périnée ; il décida d'exécuter une incision médio-latérale en un point correspondant à sept heures sur un cadran d'horloge. C'était une épisiotomie plus sûre, de l'avis d'Homer, car on pouvait, si nécessaire, prolonger la coupure beaucoup plus loin que dans le cas d'une incision médiane.

Aussitôt après le passage de la tête, Homer glissa son doigt autour du cou de l'enfant, pour vérifier que le cordon ombilical ne s'y était pas enroulé, mais ce fut une naissance facile et les deux épaules sortirent d'elles-mêmes. Il fit deux ligatures au cordon ombilical et coupa entre les deux [32]. Il portait encore sa blouse de chirurgien quand il alla à la pharmacie voir comment le Dr Larch se remettait de son champagne de Thanksgiving Day. Larch connaissait bien les transitions qui surviennent en passant d'un monde d'éther à un monde sans anesthésie, mais il n'avait aucune expérience de la transition entre ivresse et gueule de bois. En voyant Homer Wells dans la tenue ensanglantée de sa profession, Wilbur Larch se crut sauvé.

— Ah ! docteur Stone, dit-il en tendant la main à Homer avec la politesse suffisante de rigueur entre confrères du corps médical.

— Docteur qui ? demanda Homer Wells.

— Docteur Stone, redit Wilbur Larch en retirant sa main, tandis que la gueule de bois s'installait — son palais était tellement pâteux qu'il ne put que se répéter : Fuzzy Stone, Fuzzy Stone, Fuzzy Stone.

— Homer ? demanda Candy, quand ils se couchèrent côte à côte dans un des lits jumeaux de leur chambre, à la section Filles, pourquoi le Dr Larch a-t-il laissé entendre que tu n'aurais pas besoin d'aller à la faculté de médecine pour exercer ici ?

— Peut-être voulait-il dire que la moitié du travail est illégale de toute manière, répondit Homer Wells. Alors à quoi bon être vraiment docteur ?

— Mais personne ne t'engagerait si tu n'étais pas un vrai docteur, n'est-ce pas ? demanda Candy.

— Peut-être que le Dr Larch le ferait. Je sais certaines choses

— De toute façon, tu n'as pas envie d'être docteur ici, n'est-ce pas ? demanda Candy.

— D'accord, je n'en ai pas envie, la rassura-t-il. Mais qu'est-ce que toute cette histoire de Fuzzy Stone ? se demanda-t-il en s'endormant.

Homer dormait encore lorsque le Dr Larch se pencha sur la femme de Thanksgiving Day pour examiner l'épisiotomie. Nurse Angela la lui expliqua, point de suture par point de suture ; Larch apprécia la description, mais elle n'était pas vraiment nécessaire ; l'aspect des tissus sains de la femme, à la vue et au toucher, lui disait tout ce qu'il voulait savoir. Homer Wells n'avait pas perdu sa confiance ; il avait gardé une excellente main.

Il possédait aussi la vertu pointilleuse des jeunes gens blessés ; il fallait absolument qu'il tempère son mépris pour les êtres qui gâchaient leur vie au point de ne pas désirer les enfants qu'ils avaient conçus. Wilbur Larch lui aurait déclaré qu'il était juste un de ces jeunes médecins arrogants qui n'ont jamais été malades — il se rendait coupable de la maladie du jeune médecin en manifestant une supériorité maladive à l'égard de *tous* les patients. Mais Homer brandissait son idéal du mariage et de la famille comme une masse d'armes ; il était plus certain de la validité de son but qu'un couple célébrant ses noces de diamant.

Il devait imaginer que le caractère sacré avec lequel il considérait son union avec Candy planerait au-dessus d'eux ainsi qu'un halo et répandrait la lumière du pardon, sur eux-mêmes et leur enfant, quand ils retourneraient à Heart's Haven et à Heart's Rock. Il devait penser que la pureté de ses intentions et de celles de Candy brillerait d'un éclat si puissant qu'Olive, Ray et le reste de cette communauté où-l'on-savait-tout-mais-ne-disait-rien en seraient aveuglés. Homer et Candy devaient croire que leur enfant — conçu en un instant d'amour qui éclipsait la perte, la mort ou la « simple disparition » de Wally — serait accueilli comme un ange descendant du ciel.

Cet hiver-là à Saint Cloud's ils profitèrent donc pleinement de leur vie de jeunes mariés. Jamais le fait de se rendre utile n'avait été si divertissant. L'adorable jeune femme de plus en plus grosse ne se croyait au-dessus d'aucune corvée ; sa beauté et son énergie physique étaient une source d'inspiration pour la section Filles. Le Dr Larch se consacra à enseigner à Homer un peu plus de pédiatrie — il n'avait trouvé aucun défaut dans les méthodes obstétriques du jeune homme, et Homer refusait avec énergie de participer aux avortements. La rigidité de cette position surprit même Candy, qui lui demanda :

— Explique-moi encore une fois... Tu ne désapprouves pas l'inter-

448

vention mais tu refuses de prendre part à un acte que tu juges mauvais, d'accord ?

— D'accord, répondit Homer Wells, sans le moindre doute dans la voix. Tu as compris. Il n'y a rien d'autre à expliquer. Je crois que l'avortement devrait être à la portée de toute femme qui le désire, mais moi, je n'en pratiquerai jamais. Qu'y a-t-il de difficile à comprendre dans cette attitude ?

— Rien, lui dit Candy, mais elle continua de lui en parler. Tu crois que c'est mal, mais tu estimes que ce devrait être légal... D'accord ?

— D'accord, répondit Homer Wells. Je crois que c'est mal, mais je crois aussi que chacun devrait avoir le droit de choisir, personnellement. Qu'y a-t-il de plus personnel que décider si l'on veut un enfant ou non ?

— Je ne sais pas, dit Candy — mais il lui vint aussitôt à l'esprit qu'Homer et elle avaient « décidé » que Wally était mort : circonstance vraiment très personnelle.

Quand elle en fut à son cinquième mois, ils commencèrent à dormir dans des lits séparés, mais ils les rapprochèrent et tentèrent de les faire comme s'il s'agissait d'un lit double — opération difficile, car il n'y avait pas de draps larges à Saint Cloud's.

Mme Grogan aurait aimé offrir à Homer et à Candy des draps de lit double, mais elle n'avait pas d'argent personnel pour en acheter, et elle se demanda si un achat de ce genre au nom de l'orphelinat ne paraîtrait pas étrange.

— Très étrange, répondit Larch, en imposant son veto.

« Dans d'autres parties du monde, les gens ont des draps larges, écrivit-il dans sa *Brève Histoire de Saint Cloud's*. Ici à Saint Cloud's, nous nous en passons — nous nous en passons, voilà tout. »

Ce fut pourtant le plus beau des Noëls de Saint Cloud's. Olive envoya un si grand nombre de présents, et l'exemple de Candy — la première femme enceinte *heureuse* dans le souvenir de tous — fut un présent pour chacun. Il y eut une dinde et un jambon, et le Dr Larch fit avec Homer Wells un concours de découpage, remporté par Homer, de l'avis de tous. Il finit de découper la dinde avant que Larch ait terminé le jambon.

« Mais... la dinde est plus facile à couper que le porc, se défendit Larch.

En secret, l'habileté d'Homer avec son couteau l'avait enchanté. Homer songea aussitôt à M. Rose, qui avait appris à jouer du couteau dans d'autres circonstances que lui. Si l'on avait accordé à M. Rose les

avantages de l'éducation, se dit le jeune homme, il serait peut-être
devenu un excellent chirurgien.

« Serait peut-être devenu », murmura Homer dans sa barbe. Jamais
il ne s'était senti plus heureux.

Il se rendait utile, il était amoureux — et aimé — et il attendait un
enfant. Que demander de plus ? se disait-il en vaquant aux tâches de
chaque jour. D'autres cherchent parfois à rompre la routine, mais un
orphelin n'aspire qu'au quotidien.

En plein hiver, au milieu du blizzard, tandis que les femmes
prenaient le thé à la section Filles avec Mme Grogan et que le
Dr Larch se trouvait à la gare, où il accusait le chef de gare d'avoir
perdu une livraison attendue de sulfamides, une femme se présenta à
l'entrée de l'hôpital, pliée en deux par les contractions et saignant
abondamment. Elle avait eu la D. sans le C., comme l'aurait fait
observer Nurse Caroline ; la personne qui avait effectué la dilatation
semblait y être parvenue sans dégâts. Il fallait à présent un curetage,
et Homer l'exécuta seul. Des produits de la conception, ce fut à peine
si un petit morceau fut reconnaissable au cours du grattage, ce qui
provoqua de la part d'Homer une seule réflexion, sans conséquence :
environ quatre mois, estima-t-il en lançant un bref coup d'œil au
morceau, qu'il jeta aussitôt avec le reste.

La nuit, quand il touchait Candy sans l'éveiller, la paix de son
sommeil l'émerveillait ; et il remarqua combien la vie à Saint Cloud's
semblait hors du temps, détachée de l'espace et constante, combien
elle paraissait à la fois austère et chaleureuse, plus sûre en quelque
manière que la vie à Heart's Rock ou à Heart's Haven — plus sûre en
tout cas que la vie dans le ciel de Birmanie. Ce fut la nuit où il se leva
pour aller à la section Garçons ; peut-être recherchait-il son passé dans
la grande salle où tous les garçons dormaient, mais ce qu'il trouva à la
place fut le Dr Larch en train d'embrasser chaque enfant. Homer
imagina alors que le Dr Larch l'avait embrassé ainsi, quand il était
tout petit ; il ne pouvait guère deviner que ces baisers, même
maintenant, lui étaient en réalité destinés. C'étaient des baisers à la
recherche d'Homer Wells.

Ce fut la même nuit qu'il vit le lynx sur la colline dénudée, en friche
— luisante d'une neige qui avait fondu puis s'était gelée de nouveau en
une croûte épaisse. Homer n'était sorti que pour une minute ; après la
vision des baisers, il désirait un coup d'air frais. C'était un lynx du

Canada — d'un gris foncé, métallique, contre le gris plus clair de la neige au clair de lune ; son odeur de chat sauvage était si forte qu'Homer crut suffoquer. Son instinct de sauvagine incitait l'animal à rester à un bond de distance de la sécurité des bois. Il traversait la croupe de la colline quand il se mit à glisser ; ses griffes ne purent se fixer sur la croûte de la neige et la colline devenait soudain plus raide. Le félin passa du clair de lune pâle à la lumière plus vive qui tombait de la fenêtre du bureau de Nurse Angela ; il n'avait aucun moyen d'arrêter sa glissade de biais. Il se rapprocha de l'orphelinat plus qu'il n'aurait jamais décidé de le faire, et son odeur de mort féroce repoussa le froid glacial. L'impuissance du lynx sur la glace lui donnait un air à la fois terrifié et résigné ; il y avait de la folie et du fatalisme dans les yeux jaunes, sauvages, du félin, et dans sa toux caverneuse, involontaire, tandis qu'il glissait. Il rebondit contre le mur de l'infirmerie avant que ses griffes ne puissent s'assurer une prise dans la croûte de neige. Il cracha sa rage à Homer Wells comme si le jeune homme avait provoqué sa dégringolade involontaire.

Son haleine s'était gelée dans les moustaches de son menton et des glaçons perlaient sur ses oreilles velues. L'animal pris de panique voulut remonter la colline d'un trait ; à peine au milieu de la pente, il glissa de nouveau, attiré vers l'orphelinat contre sa volonté. Quand il s'arrêta au pied de la colline pour la deuxième fois, il haletait ; il partit alors en diagonale : il glissait, se rattrapait, glissait de nouveau, mais il parvint enfin à s'échapper dans la neige plus molle des bois — pas du tout où il avait eu l'intention d'aller ; mais il était prêt à accepter *n'importe quel* itinéraire de fuite, du moment qu'il s'éloignait de l'infirmerie sombre.

Homer Wells regarda les bois où le lynx avait disparu et comprit qu'il aurait autant de mal à quitter Saint Cloud's.

Il y eut un faux printemps au début de mars, cette année-là ; dans tout le Maine, la glace des rivières commençait à se disloquer sous la neige mouillée, les étangs s'éventraient avec des coups de fusil assez violents pour que les oiseaux s'envolent, et les grands lacs de l'intérieur gémissaient, chantaient et craquaient comme des wagons à bestiaux entrant en collision dans une gare de triage.

Dans l'appartement qu'elle partageait avec Lorna à Bath, Melony fut réveillée par la Kennebec — sa glace accablée sous trente centimètres de neige fondue céda soudain avec un cri d'alarme grave,

451

comme un coup de gong, qui poussa l'une des vieilles dames de la pension à s'asseoir dans son lit en hurlant à la mort. Cela rappela à Melony ses nuits à la section Filles de Saint Cloud's, quand la glace de mars venue de Three Mile Falls dévalait le torrent en grondant. Elle se leva et passa dans la chambre de Lorna pour bavarder, mais Lorna dormait si profondément qu'elle ne bougea pas ; Melony entra dans le lit près de son amie.

— Ce n'est que de la glace, murmura Lorna.

Ce fut ainsi qu'elles devinrent amantes, en écoutant le faux printemps.

« Une seule chose, dit Lorna à Melony. Si nous devons nous mettre ensemble, il faut que tu cesses de chercher le nommé Homer. Ou c'est moi que tu veux, ou c'est lui.

— C'est toi que je veux, répondit Melony à Lorna. Seulement ne me quitte jamais.

Un couple permanent : l'idéal d'un orphelin, mais Melony se demanda où se déverserait sa rage. Si elle cessait de rechercher Homer, cesserait-elle aussi de penser à lui ?

Il y avait trop de neige. Le bref dégel ne pénétra pas le sol glacé ; dès que la température baissa et qu'il se remit à neiger, les cours d'eau gelèrent très vite. Un vieux bief de scierie, derrière l'orphelinat de Saint Cloud's, devint un piège à oies sauvages. Troublées par le dégel, les oies se posèrent sur la neige fondue qu'elles prirent pour de l'eau libre ; tout gela pendant la nuit et les pattes palmées des oies restèrent prises. Quand Homer Wells les trouva, c'étaient des statues gelées de leur ancienne vie — poudrées de neige fraîche, elles étaient devenues les gardiens pétrifiés de la pièce d'eau. Il ne restait qu'une chose à faire : les détacher de la glace et les ébouillanter ; elles furent plus faciles à plumer, car elles étaient encore à moitié gelées. Quand Mme Grogan les mit à rôtir — en les piquant sans cesse à la fourchette pour faire suer la graisse —, elle eut l'impression de les réchauffer avant de les renvoyer à leur périlleux destin.

On était déjà en avril quand la glace se brisa à Three Mile Falls et que le torrent sortit de son lit à Saint Cloud's ; l'eau remplit le sous-sol de l'ancien hôtel des putes et exerça une telle pression sur les poutres du parquet que le bar du *saloon*, avec son repose-pied de cuivre, tomba à travers le plancher et partit au fil de l'eau en défonçant une cloison. Le chef de gare le vit s'en aller ; obsédé par les présages, il passa deux nuits de suite dans son bureau, craignant que la gare elle-même ne soit en danger.

Candy était devenue si énorme qu'elle dormait à peine. Le matin ou

452

la colline fut dégagée de sa neige, Homer Wells alla sonder le sol ; il put enfoncer une pelle de presque trente centimètres avant de rencontrer la terre gelée — il manquait encore quinze bons centimètres de dégel pour pouvoir planter des pommiers, mais il n'osa pas retarder davantage son voyage à Heart's Rock pour ramener les arbres. Il ne voulait pas être absent quand Candy accoucherait.

Olive fut surprise de le voir et encore plus surprise quand il lui demanda d'échanger la Cadillac contre une des camionnettes pour transporter les jeunes plants.

— Je veux planter un verger classique de quarante par quarante, dit-il à Olive. La moitié de Mac, environ dix pour cent de Red Delicious, et dix à quinze pour cent de Cortland et de Baldwin.

Olive lui rappela d'ajouter quelques Northern Spy et des Gravenstein, pour les tartes. Elle lui demanda des nouvelles de Candy : pourquoi ne l'avait-elle pas accompagné ? Il lui répondit que la jeune fille avait trop à faire. (Tout le monde l'aimait et les gosses s'accrochaient à elle.) Il leur serait difficile de partir quand viendrait le moment, avoua Homer à Olive ; ils se rendaient tellement utiles — on avait tellement besoin d'eux. Sans parler de la constance des exigences.

« Même une journée de liberté, comme celle-ci, est dure à trouver, expliqua-t-il.

— Tu veux dire que tu ne passeras pas la nuit ici ? demanda Olive.

— Trop à faire, répondit Homer. Mais nous rentrerons tous les deux à temps pour ressortir les abeilles.

— Ce sera vers la fête des Mères, fit remarquer Olive.

— D'accord, dit Homer Wells.

Il embrassa Olive, dont la peau fraîche sentait la cendre. Meany Hyde et Herb Fowler l'aidèrent à charger la camionnette.

— Tu vas planter tout seul un quarante par quarante ? lui demanda Meany. Tu as intérêt que le sol dégèle.

— Tu as intérêt que ton dos tienne le coup, renchérit Herb Fowler. Tu as intérêt que ta queue ne tombe pas.

— Comment va Candy ? demanda la grosse Dot Taft.

Presque aussi grosse que toi, se dit Homer.

— Très bien, répliqua-t-il. Mais trop de travail.

— Tu parles ! lança Debra Pettigrew.

Dans la salle de chauffe, sous le vivier à langoustes, Ray Kendall était en train de construire sa torpille personnelle.

— Pour quoi faire ? demanda Homer.

— Pour voir si j'en suis capable, répondit Ray.

— Mais sur quoi la lancerez-vous ? demanda Homer. Et d'où la lancerez-vous ?

— Le plus dur, c'est le gyroscope, répondit Ray. Le lancement n'est rien — le plus difficile c'est de la *guider*.

— Je ne comprends pas, dit Homer Wells.

— Eh bien, regarde-toi, lui expliqua Ray. Tu plantes un verger de pommiers dans un orphelinat. Tu es là-bas depuis cinq mois, mais ma fille a trop de travail pour me rendre visite un seul jour. Je ne comprends pas tout, moi non plus.

— Nous reviendrons vers la floraison, répondit Homer d'une voix coupable.

— C'est un beau moment de l'année, dit Ray.

Pendant le trajet de retour à Saint Cloud's, Homer se demanda si la froideur de Ray, son côté évasif n'étaient pas intentionnels. Il conclut que le message de Ray était clair : si tu me caches des choses, je ne m'expliquerai pas moi non plus.

— Une torpille ! dit Candy à Homer lorsqu'il arriva avec les plants de pommiers. Et pour quoi faire ?

— Attendre voir, répondit Homer.

Le Dr Larch l'aida à décharger les arbres.

— Ils ont l'air rabougris, non ? demanda Larch.

— Ils ne porteront guère de fruits avant huit ou dix ans, expliqua Homer.

— Alors il y a peu de chances que j'en mange, répliqua Wilbur Larch.

— Voyons ! Pensez à l'allure qu'auront les arbres sur la colline même avant d'avoir des pommes, lui suggéra Homer.

— Ils auront l'air rabougris, s'entêta Wilbur Larch.

Près de la crête de la colline, le sol était encore gelé ; Homer ne put enfoncer suffisamment sa pelle. Et au pied de la colline, les trous qu'il creusa se remplirent d'eau — le ruissellement de la neige en train de fondre dans les bois. Comme il lui faudrait attendre encore pour planter, il craignait que les racines ne moisissent, ou ne soient ravagées par des souris — mais surtout il était vexé de ne pouvoir rester totalement maître du calendrier de sa vie. Il aurait voulu planter les arbres avant l'accouchement de Candy. Il tenait à ce que la colline fût entièrement plantée à la naissance de l'enfant.

« Qu'ai-je donc fait pour te rendre si obsédé de netteté ? lui demanda Wilbur Larch.

— La chirurgie est netteté, répondit Homer Wells.

Homer ne put creuser les trous et planter son verger de quarante par quarante qu'à la mi-avril — il le fit en trois jours, et la nuit son dos était si raide qu'il dormit d'un sommeil aussi agité et inconfortable que celui de Candy ; il ne cessait de se tourner et de se retourner en même temps qu'elle. Ce fut la première nuit tiède du printemps ; ils avaient beaucoup trop chaud sous leur couverture lourde d'hiver ; lorsque Candy perdit ses eaux, ils confondirent tous les deux, pendant une seconde, la flaque avec leur sueur.

Homer l'accompagna jusqu'à l'entrée de l'infirmerie, à la section Garçons. Nurse Edna prépara Candy pendant qu'Homer allait parler au Dr Larch, qui attendait dans le bureau de Nurse Angela.

— C'est moi qui accoucherai celle-là, dit Larch. Le détachement présente certains avantages. Les pères sont une plaie dans la salle de travail. Si tu veux être présent, ne t'occupe que de tes affaires.

— D'accord, répondit Homer Wells.

Contrairement à ses habitudes, il ne tenait pas en place, et le Dr Larch lui sourit.

Nurse Edna se trouvait avec Candy pendant que Nurse Angela aidait le Dr Larch à se préparer. Homer avait déjà mis son masque quand il entendit du bruit dans le dortoir des garçons. Il partit voir ce qui se passait, sans enlever son masque. L'un des John Larch ou des Wilbur Walsh s'était levé pour aller uriner dehors, contre une poubelle métallique — avec un bruit considérable. Ce bruit avait dérangé un énorme raton laveur, qui s'affairait dans les ordures, et l'animal avait tellement surpris l'orphelin en train de pisser que le pauvre bougre en avait mouillé son pyjama. Homer essaya de régler le problème, calmement ; il avait envie de retourner dans la salle d'accouchement au plus vite.

« La nuit, il vaut mieux pisser à l'intérieur, fit-il observer à tout le dortoir. Candy est en train d'avoir son bébé en ce moment.

— Qu'est-ce qu'elle va avoir ? demanda l'un des gamins.

— Un garçon ou une fille, répondit Homer Wells.

— Comment l'appelleras-tu ? demanda un autre.

— C'est Nurse Angela qui m'a donné mon nom, dit Homer.

— Moi aussi ! lancèrent plusieurs voix.

— Si c'est une fille, je l'appellerai Angela, dit Homer Wells.

— Et si c'est un garçon ?

— Si c'est un garçon, je l'appellerai Ange. C'est la même chose qu'Angela, sans *la* à la fin.

— Ange ? demanda un enfant.

— C'est ça, dit Homer Wells — et il les embrassa tous.

Comme il sortait, une voix lui demanda :

455

— Et tu le laisseras ici ?

— Non, murmura Homer Wells qui venait de remonter son masque.

— Quoi ? crièrent les orphelins.

— Non, dit Homer d'une voix plus claire, en baissant le masque

Il faisait très chaud dans la salle d'accouchement. On ne s'attendait pas à une telle chaleur ; et comme personne n'avait mis les écrans moustiquaires, Larch refusa d'ouvrir une seule fenêtre.

Quand elle apprit que l'enfant, fille ou garçon, porterait son nom, Nurse Angela versa tant de larmes que Larch insista pour qu'elle change son masque. Nurse Edna était de trop petite taille pour essuyer la sueur sur le front de Larch ; elle en laissa un peu. A l'instant où la tête du bébé se présenta, une goutte de la sueur de Larch baptisa l'enfant juste sur la tempe — littéralement avant qu'il soit entièrement né — et Homer Wells ne put s'empêcher d'y voir une similitude avec la venue au monde de David Copperfield, né coiffé [33].

Comme les épaules ne suivaient pas assez vite au gré de Larch, il prit le menton et l'occiput à deux mains et tira l'enfant vers le bas ; puis, d'un seul mouvement doux vers le haut, il délivra d'abord l'épaule de derrière. Homer Wells, qui se mordait la lèvre, approuva d'un hochement de tête quand l'épaule de devant — et le reste de l'enfant — suivit aussitôt.

— C'est un Ange ! annonça Nurse Edna à Candy qui souriait encore d'un sourire à l'éther.

Nurse Angela, qui avait trempé un autre masque, dut se détourner.

Quand le placenta fut sorti, le Dr Larch annonça, comme cela lui arrivait de temps en temps :

— Parfait !

Puis, ce qu'il n'avait jamais fait auparavant, il embrassa Candy — quoique à travers son masque — juste entre ses deux yeux grands ouverts, émergeant de l'éther.

Le lendemain, il neigea sans arrêt — une furieuse tempête de neige d'avril, luttant pour ne pas céder du terrain à l'hiver — et Homer s'inquiéta pour son verger de pommiers plantés de la semaine ; les arbres frêles couverts de neige lui rappelèrent les malheureuses oies et leur atterrissage intempestif sur le bief de la scierie.

« Cesse de t'inquiéter pour les arbres, dit Wilbur Larch. Ils sont livrés à eux-mêmes à présent.

Comme Ange Wells — trois kilos huit cent vingt-cinq : ni orphelin ni avortement.

Une semaine avant mai, il y avait encore trop de neige à Saint Cloud's pour que ce soit déjà la saison de la boue. Homer Wells avait secoué chaque branche de chacun de ses petits pommiers ; et les traces de souris autour d'un Winter Banana à l'air particulièrement vulnérable l'avaient incité à répandre de l'avoine et du maïs empoisonnés. Chaque arbre avait un manchon de grillage autour de son tronc mince. Des cerfs avaient déjà grignoté la rangée de Mac plantée contre les bois. Homer plaça un pain de sel à lécher pour les cerfs, plus loin dans la forêt, dans l'espoir de les attirer là-bas.

Candy allaitait Ange, dont le reste de cordon ombilical tomba proprement et dont la circoncision guérit. C'était Homer qui avait circoncis son fils.

— Tu as besoin de t'exercer, lui avait dit le Dr Larch.

— Vous voulez que je m'exerce sur mon fils ? s'était étonné Homer.

— Ce sera peut-être la seule douleur que tu lui causeras, avait répliqué Wilbur Larch.

Le matin, il y avait encore du givre à l'intérieur des fenêtres. Homer posait le doigt contre la vitre jusqu'à ce que le bout devienne rouge clair, humide et froid, puis il touchait Candy avec le doigt — ce qui la réveillait quand elle était lente à réagir à sa caresse plus douce, sur ses poils en train de repousser. Homer et Candy aimaient se retrouver ensemble dans le lit ; ils aimaient la présence d'Ange entre eux lorsque Candy l'allaitait ; ils aimaient que le lait de Candy les éveille parfois tous les deux avant les pleurs d'Ange. Ils savaient que jamais ils n'avaient été aussi heureux. Qu'importait si le ciel, pourtant presque en mai, avait encore la couleur ardoise de février, et se rayait encore de grésil. Qu'importait si le secret préservé à Saint Cloud's ne pourrait le rester à jamais — n'était-ce pas déjà un secret que la moitié d'Heart's Haven et d'Heart's Rock avait eu le bon sens de deviner sans aide ? Les gens du Maine ne vous bousculent pas ; ils vous laissent recouvrer vos sens à votre rythme.

Tous les deux jours avait lieu la pesée rituelle d'Ange Wells, toujours célébrée dans la pharmacie — Nurse Angela tenait les écritures, le Dr Larch et Homer, tour à tour, enfonçaient l'index dans le ventre d'Ange, lui regardaient les yeux et vérifiaient la préhension de ses doigts.

— Avouez donc, dit Nurse Edna à Candy et à Homer lors d'une de ces cérémonies de pesée, avouez que vous vous plaisez ici.

Ce jour-là, à Saint Cloud's, il fit zéro degré ; la neige fondue, qui tombait depuis l'aurore, se transforma en pluie glaciale. Le même jour, à Heart's Rock, Olive Worthington eut elle aussi son secret. Si Homer et Candy s'étaient montrés plus ouverts avec elle, peut-être aurait-elle partagé son secret avec eux ; elle aurait sans doute décroché le téléphone pour les appeler. Mais les gens du Maine n'aiment pas le téléphone, invention vulgaire ; surtout, dans le cas de nouvelles importantes, le téléphone vous prend au dépourvu. Un télégramme au contraire offre un certain délai, convenable et respectueux : le temps de vous ressaisir et de réagir. Olive leur envoya son secret par télégramme ; elle accorda à chacun un peu plus de temps.

Candy fut la première à lire le télégramme. Elle était en train d'allaiter Ange à la section Filles, devant un public très satisfait d'orphelines, quand Mme Grogan lui remit le télégramme, qu'un des traîne-savates faisant les courses du chef de gare avait enfin réussi à apporter. Le télégramme fit manifestement un choc violent à Candy, qui tendit Ange à Mme Grogan aussitôt, bien que l'enfant ne parût pas encore rassasié. Mme Grogan s'étonna davantage en voyant que Candy ne prenait même pas la peine de remettre correctement son sein dans son soutien-gorge — elle reboutonna simplement son corsage et, malgré le mauvais temps, courut dehors, vers l'entrée de l'infirmerie, à la section Garçons.

Homer était en train de demander au Dr Larch s'il ne pensait pas qu'une radiographie de son cœur (celui d'Homer) ne serait pas instructive. Wilbur Larch réfléchissait prudemment à sa réponse, lorsque Candy se précipita vers eux.

Olive Worthington, en bonne Yankee, connaissait le prix d'un télégramme et le coût de chaque mot, mais son enthousiasme pour le sujet l'avait manifestement emballée ; elle était allée bien au-delà de son moi télégraphique habituel.

WALLY RETROUVÉ VIVANT/STOP/
SE RÉTABLIT D'ENCÉPHALITE CEYLAN/STOP/
LIBÉRÉ DE RANGOON BIRMANIE/STOP/
TEMPÉRATURE TRENTE-TROIS DEGRÉS/STOP/
POIDS QUARANTE-SEPT KILOS/STOP/
PARALYSÉ/STOP/
BAISERS OLIVE.

— Quarante-sept kilos, dit Homer Wells
— *Vivant,* murmura Candy

— Paralysé, remarqua Nurse Angela.

— Encéphalite, dit Wilbur Larch.

— Comment peut-il avoir une température de trente-trois degrés, Wilbur ? demanda Nurse Edna.

Le Dr Larch l'ignorait ; il refusait de risquer un pronostic. C'était un de ces détails que l'on mettrait fort longtemps à tirer au clair. Pour le capitaine Worthington, qui avait abandonné son avion dans le ciel de Birmanie — environ dix mois plus tôt —, tirer au clair tous les détails de cet ordre prendrait des années.

Il pleuvait dru quand il sauta, et Wally eut l'impression que son parachute luttait contre les trombes d'eau avant de s'ouvrir. Mais le rugissement de l'avion demeurait si proche que Wally craignait d'avoir tiré le cordon trop tôt. Il avait peur des bambous — il avait entendu parler d'aviateurs empalés sur des bambous — mais il les manqua et atterrit dans un teck, dont une branche lui démit l'épaule. Sa tête heurta sûrement le tronc, à moins que la douleur de son épaule lui eût fait perdre connaissance. Il faisait sombre quand il s'éveilla, et, comme il ne pouvait voir à quelle distance du sol il se trouvait, il n'osa pas se libérer des cordes du parachute avant le matin. Puis il se donna trop de morphine — pour son épaule — et perdit la seringue dans le noir.

Dans sa hâte d'abandonner l'avion, il n'avait pas pris le temps de chercher une machette ; le matin venu, il passa un long moment à couper les cordes du parachute — il n'avait que sa baïonnette dans le fourreau de jarret, et ne pouvait utiliser qu'un bras. Au moment où il glissait vers le sol, sa plaque d'identité, portée en collier, se prit à une liane ; à cause de sa mauvaise épaule, il ne put soutenir tout son poids d'une seule main ni libérer la plaque, et il la perdit ; quand la plaque partit, la chaîne lui scia le cou et il atterrit sur un vieux rondin de teck caché sous les fougères et les palmes mortes. Le rondin roula et Wally se fit une entorse à la cheville. Au moment où il s'aperçut que par ce temps de mousson il ne reconnaîtrait jamais l'est de l'ouest, il découvrit qu'il n'avait pas de boussole. Il frotta un peu de sulfamide en poudre sur la plaie de son cou.

Wally n'avait aucune idée de la direction de la Chine ; il détermina son chemin en choisissant l'endroit le moins dense. De cette manière, au bout de trois jours, il eut l'impression que la jungle s'éclaircissait, ou bien qu'il avait fait des progrès pour s'y frayer un chemin. La Chine se trouvait à l'est de Wally, mais Wally se dirigea vers le sud ; la Chine était vers le haut — de l'autre côté des montagnes —, mais Wally préféra les vallées. A l'endroit où se trouvait Wally, les vallées s'étendaient en direction du sud-ouest. Il avait pourtant raison sur un point : la jungle devenait moins dense. Et il faisait également plus chaud. Chaque soir, il grimpait dans un arbre et dormait sur une embranchure. Les gros troncs torturés de l'arbre des conseils — aussi noueux que de gigantesques câbles de bois — offraient les meilleures embranchures pour dormir, mais Wally n'était pas le premier à s'en apercevoir. Un soir, dans les branches d'un arbre des conseils voisin, à hauteur d'œil, un léopard s'épouillait de ses tiques. Wally suivit l'exemple du léopard et en découvrit plusieurs. Il renonça à essayer d'ôter les sangsues.

Un jour, il vit un python — un petit, d'environ cinq mètres. Couché sur un rocher il avalait quelque chose ayant à peu près la taille et la forme d'un chien bigle. Wally pensa qu'il s'agissait d'un singe, bien qu'il ne pût se souvenir d'avoir vu des singes. Il en avait vu, bien sûr, mais il avait oublié ; il avait la fièvre. Il essaya de prendre sa température mais le thermomètre de sa trousse de premier secours était cassé.

Le jour où il vit un tigre traverser une rivière à la nage, il commença à remarquer les moustiques ; le climat changeait. La rivière du tigre avait creusé une vallée plus large ; la forêt changeait aussi. Il prit un poisson avec ses mains et mangea son foie cru ; il fit cuire des grenouilles de la taille d'un chat, mais leurs cuisses avaient davantage goût de poisson que les cuisses de grenouilles de son souvenir. Peut-être cela tenait-il à l'absence d'ail.

Il mangea un fruit qui avait la consistance d'une mangue mais pas la moindre saveur ; cela lui laissa un arrière-goût de moisi, et pendant une journée entière il vomit et eut des frissons. Puis la rivière où il avait vu le tigre devint un grand fleuve ; l'eau de la mousson provoquait un courant puissant. Wally se sentit incité à construire un radeau. Il se souvenait des radeaux qu'il avait conçus pour naviguer sur le Drinkwater, et il pleura en songeant qu'il serait beaucoup plus difficile de construire une embarcation avec des bambous et des lianes qu'avec du sapin et des cordes, de vieilles planches et des clous. Et comme le bambou vert était plus lourd ! Peu importait que le radeau prenne l'eau ; il avait déjà du mal à flotter ; et si Wally tombait sur un portage, il savait qu'il ne parviendrait pas à soulever son esquif.

Il remarqua davantage de moustiques, surtout quand le fleuve s'élargissait et que le courant ralentissait. Il se contentait de dériver. Pendant combien de jours dériva-t-il ? Quand fut-il certain d'avoir de la fièvre ? Le jour où il vit les premières rizières et les buffles d'eau, expliquerait-il plus tard. Il se souvenait d'avoir adressé de grands signes aux femmes dans les rizières ; elles semblaient tellement suprises de le voir.

En découvrant les rizières, Wally aurait dû comprendre qu'il avançait dans la mauvaise direction. Il se trouvait au cœur de la Birmanie, qui a la forme d'un cerf-volant pourvu d'une longue queue ; il était beaucoup plus près de Mandalay que de la Chine ; or les Japonais occupaient Mandalay. Seulement Wally avait quarante de fièvre ; il dérivait, c'est tout ; parfois il ne pouvait pas distinguer le fleuve des rizières. Chose étrange, les hommes et les femmes portaient tous de longues jupes, mais seuls les hommes couvraient leurs cheveux ; ils mettaient sur la tête des espèces de paniers, qu'ils entouraient de bandes de soie de couleur vive. Les femmes restaient tête nue, mais un grand nombre piquaient des fleurs dans leur coiffure. Les hommes nattaient leurs cheveux comme les femmes. Ils avaient l'air de manger tout le temps, mais ils chiquaient simplement des noix de bétel. Ils avaient les dents tachées ; leurs lèvres donnaient l'impression qu'ils buvaient du sang, mais ce n'était que le jus du bétel.

Les abris auxquels ils conduisirent Wally étaient tous identiques — des maisons couvertes de chaume, d'un seul niveau, perchées sur des pilotis de bambou ; les familles mangeaient dehors sous une sorte de galerie. On lui donna du riz, du thé et des tas de choses avec du curry. Quand sa fièvre tomba, Wally mangea du *panthay khowse* (nouilles et poulet) et des *nga sak kin* (boulettes de poisson au curry). Ce furent les premiers mots que ses sauveteurs birmans essayèrent de lui enseigner, mais Wally comprit de travers ; il prit *nga sak kin* pour le nom de l'homme qui l'avait transporté sur son radeau ; il lui avait tenu la tête pendant que son épouse faisait manger Wally avec ses doigts. La femme était merveilleusement menue et portait une tunique d'un blanc pur ; son mari posa le doigt sur la tunique et prononça le nom de l'objet — il voulait enseigner à Wally un peu plus de sa langue maternelle.

— *Aingyis*, dit l'homme — et Wally crut que c'était le nom de la femme.

Elle avait la même odeur que l'intérieur des maisons de chaume — une odeur de tissu mouillé et d'écorce de citron.

Quel couple gentil, *Nga Sak Kin* et *Aingyis* ! Wally répéta leurs noms à haute voix en souriant. M. Boulettes-de-poisson-au-curry et Mme Tunique, son épouse, lui rendirent son sourire. Elle avait une odeur aussi douce et collante que la frangipane, un parfum aussi citronné que la bergamote.

Avec la fièvre, son cou et son dos étaient devenus raides, mais quand la fièvre tomba et qu'il cessa de vomir — quand s'achevèrent les maux de tête, que disparurent les frissons glacés, et que même les nausées se calmèrent —, Wally remarqua la paralysie. A ce moment-là, c'était une paralysie rigide de ses extrémités inférieures et supérieures. (« Spasmodicité paraplégique », l'aurait appelée Wilbur Larch.) Les bras et les jambes de Wally étaient raides, tendus, et il ne pouvait pas les mouvoir ; il délira pendant deux ou trois semaines, et, quand il essayait de parler, son élocution demeurait lente et pâteuse. Il avait du mal à manger à cause des tremblements de ses lèvres et de sa langue. Il ne pouvait pas vider sa vessie et les indigènes durent le sonder avec une fine pousse de bambou, pour lui permettre d'uriner un peu.

Et ils ne cessaient de le déplacer. Ils le déplaçaient toujours sur l'eau. Un jour, il vit des éléphants en train de haler des grumes de la forêt. La surface de l'eau était troublée sans cesse par des tortues, des serpents noirs, des jacinthes d'eau et du jus de bétel — d'un rouge plus sombre que le sang, en traces dans l'urine de Wally.

— *Nga Sak Kin ?* demandait Wally. *Aingyis ?* murmurait-il.

Où étaient-ils partis ? Les visages de ses sauveteurs ne cessaient de changer, mais ils semblaient le comprendre. Ils doivent appartenir à une famille nombreuse, se dit-il.

« Je suis paralysé, n'est-ce pas ? demanda-t-il aux hommes et aux femmes, petits et charmants, qui souriaient toujours.

L'une des femmes lui lava les cheveux et les coiffa ; la famille entière regarda les cheveux de Wally sécher au soleil — le blond clair revenait en séchant : cela les fascinait !

Ils lui donnèrent à porter une tunique d'un blanc pur.

— *Aingyis,* lui dirent-ils.

Oh, c'est un cadeau de sa part ! songea Wally. Puis ils recouvrirent ses cheveux blonds d'une perruque brune — une natte lustrée qu'ils enroulèrent sur le haut de son crâne et parsemèrent de fleurs. Les enfants gloussèrent. On lui rasa le visage de si près que sa peau fut en feu ; on lui rasa aussi les jambes, au-dessous du genou, là où ses jambes dépasseraient de la longue jupe qu'on lui fit porter. Le jeu consistait à le changer en femme. Le jeu consistait à le sauver en le rendant pareil aux autres. Comme il avait un joli visage, il leur était plus facile de le déguiser en femme qu'en homme ; la Birmane idéale n'a pas de seins.

Vraiment honteux qu'ils ne se soient pas montrés plus soigneux quand ils le sondaient — ils étaient si soigneux pour tout ! La tige de bambou n'était pas toujours propre ; la sonde, rugueuse, le faisait souffrir et saigner, mais ce fut la saleté qui lui donna l'infection. Et l'infection allait le rendre stérile. L'épididyme, aurait pu lui apprendre Wilbur Larch, est un tube enroulé sur lui-même dans lequel le spermatozoïde mûrit après avoir quitté le testicule. L'épididymite (infection de ce petit tube) empêche les spermatozoïdes d'atteindre le canal spermatique. Dans le cas de Wally, l'infection scellerait le tube de façon permanente.

Ils avaient raison de le sonder — ils ne se fourvoyaient que sur la manière. Il souffrait de rétention d'urine, sa vessie se distendait — ils n'avaient pas le choix : ils devaient bien le soulager. Parfois, Wally se demandait s'il n'existait pas un moyen plus facile — ou si le bambou était propre —, mais que pouvait-il leur dire ?

— *Aingyis,* répétait-il. *Nga Sak Kin ?* leur demandait-il.

Des mois plus tard, il entendrait des bombardements. « Irawady », lui expliquèrent les indigènes. On bombardait les puits de pétrole le long de l'Irawady. Wally comprit où il se trouvait. Il avait déjà bombardé ce puits lui-même. Avant ces bombardements (et déguisé en femme comme toujours), on l'avait conduit chez un docteur, à Mandalay. Les yeux lui piquaient parce qu'on avait frotté son visage avec une pâte de curry pour le faire paraître brun. Mais de près, avec ses yeux bleus et son nez aristocratique, il ne pouvait tromper personne. Il vit beaucoup de Japonais à Mandalay. Le médecin eut du mal à expliquer à Wally ce qui n'allait pas. Il lui dit en anglais :

— *Japanese B Mosquito.*

— J'ai été piqué par un moustique japonais ? dit Wally.

Mais qu'était donc un moustique B ? se demanda-t-il. Il n'avait plus besoin de sonde pour pisser, mais l'infection avait fait ses dégâts.

Lorsqu'il entendit le bombardement de l'Irawady, la paralysie avait quitté ses membres supérieurs — il pouvait de nouveau utiliser ses bras normalement — et la spasmodicité avait abandonné ses jambes ; elles étaient encore paralysées, mais il s'agissait d'une paralysie molle, et pas tout à fait symétrique. (Il avait la jambe gauche plus morte que la droite.) Sa vessie se portait à merveille, et à part les effets du curry son intestin se portait bien lui aussi ; ce qu'il pouvait déceler de sa fonction sexuelle lui parut normal.

— L'encéphalite n'a aucune séquelle autonome, expliqua Wilbur Larch à Candy et à Homer Wells.

— Qu'est-ce que cela signifie ? demanda Candy.

— Que Wally pourra avoir une vie sexuelle normale, répondit Homer Wells qui ne savait rien de l'épididymite de Wally.

463

Wally aurait une vie sexuelle normale, mais non une numération de spermatozoïdes adéquate. Il connaîtrait encore l'orgasme et l'éjaculation — car la majeure partie du fluide éjaculé est sécrétée au niveau de la prostate, très en amont de l'épididyme. Mais il ne pourrait jamais avoir d'enfant.

A l'époque, aucun d'entre eux ne savait que Wally était devenu stérile ; ils n'étaient au courant que de l'encéphalite.

C'étaient les moustiques qui en avaient fait présent à Wally. On l'appelait l'encéphalite japonaise B, et elle était assez fréquente en Asie pendant la guerre.

— C'est un virus transporté par les arthropodes, expliqua Wilbur Larch.

La paralysie molle résiduelle des membres inférieurs ne constituait pas une séquelle fréquente de la maladie mais elle était assez connue pour avoir inspiré des études. Il se produit de nombreux changements dans les tissus du cerveau, mais les changements au niveau de la moelle épinière ressemblent beaucoup à ceux de la poliomyélite. La période d'incubation dure une semaine environ et la phase aiguë de la maladie ne se prolonge qu'une semaine ou dix jours ; la guérison demeure très lente, avec des spasmes musculaires qui ne cessent parfois qu'au bout de plusieurs mois.

« Si l'on considère qu'elle nous vient d'oiseaux, c'est une maladie grave, déclara Wilbur Larch à Nurse Edna et à Nurse Angela.

Le moustique prend le virus sur les oiseaux et le transmet à l'homme et à d'autres grands animaux.

Wally avait un si beau visage, il avait perdu tellement de poids, que les indigènes préféraient le déguiser en femme. Les Japonais étaient à la fois attirés et intimidés par les Birmanes — surtout les femmes de Padaung, avec leurs hauts colliers de cuivre enroulés en spirale pour allonger leur cou. Le fait qu'il soit femme *et* invalide rendait Wally intouchable. Et son allure d'Eurasienne faisait également de lui un banni.

A la fin de la mousson, en octobre, ils se déplaçaient sur le fleuve la nuit ; on le protégeait du soleil avec un parapluie — et une couche plus épaisse de curry sur la figure. Il en avait vraiment marre des boulettes de poisson au curry, mais il ne cessait d'en demander — du moins les Birmans le croyaient, et ne lui donnaient rien d'autre. Quand il délirait, il prononçait le nom de Candy. L'un des bateliers s'en inquiéta.

— Candy ? demanda-t-il poliment.

Ce jour-là ils se trouvaient dans un sampan. Wally gisait sous un abri de nattes et regardait le batelier godiller.

— *Aingyis,* dit Wally.

Il voulait dire : comme elle — une femme, une épouse.

Le batelier hocha la tête. Au port suivant, sur le fleuve — Wally ne savait pas où : peut-être à Yandoon —, ils lui donnèrent une autre tunique blanche.

— Candy ! dit le batelier.

Wally crut qu'il voulait dire : Donnez-la à Candy. Il sourit ; en fait il continuait de dériver. Le nez pointu du sampan semblait renifler le chemin. Pour Wally, c'était un pays d'odeurs — il vivait un rêve parfumé.

Wilbur Larch pouvait très bien imaginer le voyage de Wally. C'était bien entendu un voyage à l'éther. Éléphants et puits de pétrole, rizières et bombardements, déguisé en femme et paralysé à partir de la taille — Larch y était déjà allé ; il était allé partout. Il n'avait aucun mal à se représenter Rangoon et les buffles d'eau. Tout rêve à l'éther a sa dose d'agents secrets anglais faisant passer clandestinement des pilotes américains d'une côte à l'autre du golfe du Bengale. La traversée de la Birmanie par Wally était un périple que Wilbur Larch avait souvent entrepris. La foison de pétunias, couleur cassis, rivalisait avec l'odeur de bouse tout le long du chemin.

Wally traversa le golfe du Bengale dans un petit avion, avec un pilote anglais et un équipage cingalais. Wilbur Larch avait souvent pris l'un de ces vols.

— Tu parles cingalais ? demanda l'Anglais à Wally, assis sur le siège du copilote.

Le pilote empestait l'ail et le safran.

— Le cingalais ? Je ne sais même pas ce que c'est, répondit Wally.

En fermant les yeux, il pouvait encore voir les fleurs blanches, cireuses, des citronniers sauvages ; il pouvait encore voir la jungle.

— La langue principale de Ceylan, vieux, dit le pilote.

Il sentait également le thé.

— Nous allons à Ceylan ? demanda Wally.

— On ne peut pas laisser un blond en Birmanie, mon pote, dit l'Anglais. Tu ne sais pas qu'en Birmanie, c'est plein de Japs ?

Mais Wally préférait se rappeler ses amis indigènes. Ils lui avaient enseigné le *salaam* — on incline le corps très bas, avec la main droite sur le front (toujours la main droite, avaient-ils expliqué) ; c'était une forme de salut. Et quand il était malade, quelqu'un avait toujours agité le *punkah* pour lui — le punkah est un large éventail en forme d'écran que l'on fait bouger à l'aide d'une corde (tirée par un serviteur).

465

— Punkah, dit Wally au pilote anglais.

— Qu'est-ce que c'est, vieux ? demanda le pilote.

— Il fait si chaud, répondit Wally, somnolent soudain.

Ils volaient à très basse altitude et le petit avion semblait un vrai four. Pendant un instant un parfum de bois de santal traversa l'ail, plus prenant dans la sueur du pilote.

— Quatre-vingt-douze degrés américains, quand nous avons quitté Rangoon, dit le pilote.

Il avait pris un malin plaisir à dire « degrés américains » au lieu de « degrés Fahrenheit », mais Wally ne remarqua rien.

— Quatre-vingt-douze degrés ! dit Wally.

C'était, semblait-il, le premier fait auquel il puisse accrocher son chapeau, comme on dit dans le Maine.

— Qu'est-il arrivé à tes jambes ? demanda l'Anglais d'une voix neutre.

— Mosquito B japonais, bredouilla Wally.

Le pilote anglais prit un air grave, persuadé que Wally parlait d'un avion — que Mosquito B était le nom du chasseur japonais qui avait abattu l'avion de Wally.

— C'est un que je ne connais pas, vieux, avoua le pilote à Wally. Je croyais les avoir tous vus, mais ces Japs !... On ne peut pas leur faire confiance.

L'équipage cingalais s'était enduit de couches épaisses d'huile de coco et portait des sarongs et de longues chemises sans col. Deux hommes mangeaient quelque chose et un troisième hurlait dans la radio ; le pilote lança un ordre sec au radio, qui baissa aussitôt la voix.

« Le cingalais est une langue horrible, confia le pilote à Wally. On dirait des chats en train de se grimper.

Comme Wally ne réagissait pas à son humour, l'Anglais lui demanda s'il était déjà allé à Ceylan. Et comme Wally ne lui répondit rien — il semblait perdu dans ses rêveries —, l'Anglais ajouta :

« Non seulement nous avons planté le premier hévéa et organisé leurs foutues plantations, mais nous leur avons enseigné à préparer le thé. Ils savent le faire pousser, ça oui, mais on ne peut pas obtenir une tasse de thé convenable dans tout ce foutu pays. Et maintenant, ils réclament l'indépendance !

— Quatre-vingt-douze degrés, dit Wally en souriant.

— Oui, essaie donc de te détendre, vieux, répondit le pilote.

Quand Wally rota, il sentit un goût de cannelle ; quand il ferma les yeux, il vit des roses d'Inde jaillir de ses paupières comme des étoiles.

Soudain les trois Cingalais se mirent à parler en même temps. Le radio dit d'abord quelque chose, puis ils continuèrent tous les trois à l'unisson.

« Foutus bouddhistes, tous tant qu'ils sont, expliqua l'Anglais. Ils prient même à leur foutue radio. C'est ça, Ceylan !... Deux tiers de thé, un tiers de caoutchouc, et des prières.

Il cria quelque chose aux Cingalais, qui baissèrent la voix.

Quelque part au-dessus de l'océan Indien, peu de temps avant d'arriver en vue de Ceylan, la présence d'un avion dans les parages inquiéta le pilote.

« C'est le moment de prier, bordel ! lança-t-il aux Cingalais, qui dormaient tous les trois. Ce Mosquito B japonais, demanda l'Anglais à Wally, il ressemble à quoi ? A moins qu'il t'ait eu par-derrière ?

Mais Wally ne put lui répondre que :

— Quatre-vingt-douze degrés.

Après la guerre, Ceylan obtiendrait son indépendance ; vingt-quatre ans plus tard, le pays prendrait le nom de Sri Lanka. Mais Wally ne se rappellerait de Ceylan qu'une chose : la chaleur torride. En un sens, il était resté dans le ciel de Birmanie pendant dix mois — comme s'il planait. Tout ce dont Wally se souviendrait de son aventure n'aurait jamais plus de consistance qu'une évasion à l'éther. Et la façon dont il survivrait à la guerre — stérile, paralysé, les deux jambes flasques — avait déjà été rêvée par la grosse Dot Taft.

Il faisait trente-quatre degrés Fahrenheit, c'est-à-dire un degré Celsius, à Saint Cloud's quand Homer Wells descendit la colline pour dicter au chef de gare un télégramme adressé à Olive. Homer n'aurait pas pu lui mentir aussi effrontément s'il avait téléphoné. Et Olive ne leur avait-elle pas envoyé un télégramme ? Elle devait avoir ses raisons de ne pas parler au téléphone. Ce fut avec la conviction presque assurée que Ray et Olive savaient tout ce que Candy et lui faisaient à Saint Cloud's qu'Homer dicta son télégramme à Olive — en respectant une politesse formelle, aussi voilée qu'un soupçon. Un soupçon qu'on ne pouvait prouver que par une impolitesse, et Homer Wells était poli.

DIEU VOUS BÉNISSE AINSI QUE WALLY /STOP
QUAND LE VERRONS-NOUS /STOP
RETOUR CANDY ET MOI BIENTÔT /STOP
AI ADOPTÉ UN GARÇON /STOP
AMOUR HOMER.

— Vous êtes un peu jeune pour adopter un enfant, non ? demanda le chef de gare.

— D'accord, répondit Homer Wells.

Candy téléphona à son père.

— Il se passera des semaines, ou peut-être des mois avant qu'on puisse le déplacer, lui apprit Ray. Il faut qu'il reprenne du poids avant de se lancer dans un tel voyage, et on doit probablement lui faire des analyses — en plus, on est encore en guerre, n'oublie pas.

Au bout du fil, Candy ne pouvait que pleurer sans fin.

« Dis-moi comment tu vas, ma chérie, lui demanda Ray Kendall. C'est à ce moment-là qu'elle aurait pu lui annoncer qu'elle venait de mettre au monde l'enfant d'Homer, mais elle répondit à la place :

— Homer a adopté un enfant de l'orphelinat.

Après un silence, Raymond Kendall demanda :

— Simplement un orphelin ?

— Il a adopté un garçon, dit Candy. Bien entendu, je l'aiderai aussi. Nous l'avons pour ainsi dire adopté ensemble.

— Tu l'as adopté ? dit Ray.

— Il s'appelle Ange, annonça Candy.

— Son cœur soit béni, répondit Ray. Et soyez bénis tous les deux, vous aussi.

Candy pleura davantage.

« Adopté, hein ? demanda encore Ray à sa fille.

— Oui, dit Candy Kendall. Un des orphelins.

Elle cessa de le nourrir au sein et Nurse Edna lui fit la démonstration de l'appareil à pomper son lait. Le passage au lait en poudre déplut à Ange, et pendant plusieurs jours il se montra grognon. Candy n'était guère de meilleure humeur. Quand Homer lui fit observer que ses poils auraient presque repoussé quand elle retournerait à Heart's Haven, elle lui lança :

« Pour l'amour de Dieu, qui va voir si j'ai des poils ou non — excepté toi ?

Homer montra lui aussi des signes de tension.

Il s'impatientait chaque fois que le Dr Larch suggérait que son avenir se trouvait dans la profession médicale. Larch tint absolument à lui offrir une *Anatomie de Gray* toute neuve ; il lui donna aussi le classique de Greenhill, *Gynécologie pratique,* et le chef-d'œuvre anglais : *Maladies des femmes.*

— Bon dieu ! lui lança Homer Wells, je viens d'être père et je ferai la culture des pommes.

— Tu as une procédure obstétrique presque parfaite, lui répliqua

468

Larch. Il te manque seulement un peu plus de gynécologie — et la pédiatrie, bien entendu.

— Je finirai peut-être langoustier, rétorqua Homer.

— Et je t'enverrai un abonnement au *Journal de médecine de Nouvelle-Angleterre,* insista le Dr Larch. Et au *JAMA* et à *S, G and O* [34].

— C'est vous le médecin, répondit Homer Wells, par lassitude.

— Comment te sens-tu ? demanda Candy à Homer.

— Comme un orphelin, répondit-il.

Ils se serraient l'un contre l'autre, mais sans faire l'amour.

« Et toi, comment te sens-tu ? demanda Homer.

— Je ne le saurai pas avant de le voir, répondit Candy en toute sincérité.

— Que sauras-tu à ce moment-là ? demanda Homer.

— Si je l'aime, ou bien toi, ou vous deux, dit-elle. A moins que je n'en sache pas plus que maintenant.

— C'est toujours « attendre voir », n'est-ce pas ? demanda Homer.

— Tu ne voudrais tout de même pas que je lui dise quoi que ce soit tant qu'il est encore là-bas ? demanda Candy.

— Non, bien sûr, je ne le voudrais pas, répondit-il doucement.

Elle le serra plus fort et se remit à pleurer.

— Oh, Homer, lui dit-elle. Comment peut-il ne peser que quarante-sept kilos ?

— Je suis sûr qu'il reprendra du poids, répondit Homer — mais tout son corps frissonna soudain ; le corps de Wally était si robuste !

Homer se rappela la première fois que Wally l'avait accompagné dans l'océan ; le ressac était d'une violence inhabituelle, et Wally l'avait prévenu de l'existence de courants trompeurs sous l'eau. Wally l'avait pris par la main pour lui montrer comment plonger sous la vague, et comment se faire porter par elle. Ils avaient marché le long de la plage pendant une heure, sans s'occuper de Candy, qui bronzait.

— Je ne comprends pas cette sottise ! Rester allongé au soleil ! avait dit Wally à Homer, d'ailleurs du même avis. Ou bien on fait une chose au soleil, et on prend un peu de hâle, ou bien on en fait une autre — mais on doit *faire* quelque chose. C'est l'essentiel.

Ils ramassaient des coquillages et des cailloux, à la recherche de beaux spécimens, comme des batteurs de grève. Le côté lisse des cailloux et des coquillages brisés avait fait beaucoup d'effet sur Homer — l'usure par l'eau et le sable.

« Voici une pièce qui a de l'expérience, avait dit Wally en tendant à

Homer un bout de coquillage particulièrement lisse ; il n'avait plus aucune arête.

— De l'expérience, avait répété Homer.

Ensuite, Wally avait dit :

— Et voici un caillou mondain — en lui montrant un vieux caillou poli par l'usure.

Homer pensait que son désir de Candy avait changé tout, même le processus naturel de l'usure des cailloux et des coquillages. S'il retournait sur la plage avec Wally, chercheraient-ils encore des cailloux et des coquillages entre les laisses de la mer ? Ou bien était-il inévitable que l'amour d'une femme altère même leurs expériences communes les plus banales ? A-t-il été mon ami pendant seulement cinq minutes ? se demanda Homer Wells — pour devenir mon rival pendant le reste de ma vie ?

Homer confia à Nurse Edna le soin du verger sur la colline. Il lui expliqua que les manchons grillagés autour des troncs ne devaient jamais gêner la croissance des arbres, sans pour autant permettre aux souris de ronger l'écorce. Il lui apprit à repérer les galeries des souris de pins, qui mangent les racines.

Tout le monde embrassa Candy au moment du départ, même Wilbur Larch — mais quand il s'avança pour échanger une poignée de main avec Homer, il parut gêné que le jeune homme néglige sa main tendue, le prenne dans ses bras et l'embrasse sur son cou parcheminé. Nurse Edna sanglota sans la moindre retenue. Dès que la camionnette eut dépassé la section Filles, Wilbur Larch s'enferma dans la pharmacie.

C'était dimanche, et Raymond Kendall travaillait donc à sa torpille personnelle quand Homer ramena Candy chez elle. Elle déclara à Homer qu'elle ne pourrait pas supporter de voir Olive avant le lendemain matin, mais elle fut prise d'une panique imprévue quand Homer s'en alla avec Ange. Elle n'avait plus de lait, mais elle savait qu'elle se réveillerait encore à la même heure que le bébé — même si Homer était seul à entendre les pleurs. Et depuis combien de nuits n'avait-elle pas dormi seule ?

Le lendemain, elle dirait à Homer :

— Nous devons trouver un moyen de le partager. Avant même d'en parler à Olive — et surtout à Wally —, il faut que nous nous occupions de lui *tous les deux*, que nous soyons *tous les deux* avec lui. Il me manque trop.

— Tu me manques, lui répondit Homer Wells.

C'était un orphelin qui venait d'avoir un foyer pendant presque un mois de sa vie, et il n'était pas du tout prêt à se retrouver sans famille.

Quand Homer arriva à Ocean View avec Ange, Olive l'accueillit comme si elle était sa mère ; elle se jeta à son cou, l'embrassa et pleura :

— Montre-moi ce bébé — oh, comme il est mignon ! s'écria-t-elle. Mais qu'est-ce qui t'a pris ? Tu es si jeune, et tu es tout seul.

— Mais... Le bébé était tout seul lui aussi, bafouilla Homer. Et Candy m'aidera.

— Bien entendu, répondit Olive. Je t'aiderai aussi.

Elle porta Ange dans la chambre de Wally, où Homer fut surpris de trouver un berceau — et plus de layette, pour un seul bébé, qu'on n'en aurait réunie à Saint Cloud's en fouillant jusqu'au dernier tiroir de la section Garçons et de la section Filles.

Une armée de biberons, pour le lait en poudre, attendait Homer dans la cuisine. Olive avait même acheté une casserole spéciale pour stériliser les tétines. Dans l'armoire à linge, il y avait plus de couches que de taies d'oreiller, de draps et de serviettes. Pour la première fois de sa vie, Homer se sentit vraiment adopté. Il s'aperçut, horrifié, qu'Olive l'aimait.

« Je crois qu'Ange et toi devriez garder la chambre de Wally, lui dit Olive, qui avait manifestement tiré ses plans. Wally ne pourra pas monter l'escalier, je vais donc faire aménager la salle à manger en chambre — nous mangerons dans la cuisine, et d'ailleurs la salle à manger a une terrasse. Je ferai installer une rampe de la terrasse au patio de la piscine, pour le fauteuil roulant.

Homer la tint dans ses bras pendant qu'elle pleurait, et un nouveau sentiment de culpabilité l'accabla, pareil à la tombée de la nuit : c'était ce toujours vieux — et toujours jeune — remords, que M. Rochester avait recommandé à Jane Eyre de craindre — ce « poison de la vie ».

Pendant la deuxième semaine de mai, Ira Titcomb et Homer travaillèrent ensemble : il était temps de sortir les abeilles dans les vergers. C'était le début de la floraison, et ils installèrent les dernières ruches la veille de la fête des Mères. Tout le monde se rappela la fête des Mères cette année-là ; personne n'oublia Olive. La maison s'emplit de petits cadeaux et de branches fleuries de pommiers ; plusieurs membres du personnel firent même à Homer un cadeau de fête des Mères — ils trouvaient si drôle qu'il ait adopté un enfant.

— Tu t'imagines un peu, avec ton bébé à toi ! s'écria la grosse Dot Taft.

Au comptoir des pommes, où l'on passait aux tables une nouvelle couche de peinture, il y avait deux bébés à l'étalage : Ange Wells et Pete, le fils de Florence et de Meany Hyde. Comparé à Ange Wells, Pete Hyde avait l'air d'une patate — en ce sens que son naturel était parfaitement doux, et qu'il n'avait apparemment aucun os dans le visage.

— Mon dieu, Homer, ton Ange est un Ange, disait Florence Hyde, et mon Pete est un Pete.

Les femmes du comptoir de vente le taquinaient sans fin. Homer se bornait à sourire. Debra Pettigrew prenait plus d'intérêt que les autres à tenir Ange Wells dans ses bras ; elle regardait intensément la frimousse du bébé pendant une éternité, puis annonçait qu'il ressemblerait à Homer trait pour trait, elle en était certaine. « En plus aristocratique peut-être », devinait-elle. Pince-moi Louise déclara que le bébé était « trop précieux pour qu'on parle de lui avec des mots ». Quand Homer travaillait dans les champs, Olive ou l'une des femmes du comptoir veillait sur Ange, mais la plupart du temps, c'était Candy qui s'occupait de son enfant.

— Nous l'avons pour ainsi dire adopté ensemble, expliquait-elle.

Elle le répétait si souvent qu'Olive décida que Candy était autant qu'Homer Wells une mère pour l'enfant ; elle lui offrit donc aussi — manière de plaisanter — un cadeau de fête des Mères. Et pendant tout ce temps, les abeilles faisaient leur travail : elles transportaient le pollen de La Poële-à-frire au Coteau-du-coq, et le miel fuyait entre les planches abritant les ruches.

Un matin, sur un coin du journal, Homer Wells reconnut l'écriture d'Olive — une remarque au crayon au-dessus des gros titres du jour. Chaque titre aurait pu provoquer la réaction d'Olive mais, sans raison, Homer crut que la remarque s'adressait à lui.

INTOLÉRABLE MENSONGE

avait écrit Olive.

Et une nuit Candy entendit parler Ray. La lampe de sa chambre était éteinte ; dans le noir absolu, elle entendit son père dire :

— Ce n'est pas mal, mais ce n'est pas bien.

Au début elle le crut au téléphone. Elle sombra de nouveau dans le sommeil, mais le bruit de sa porte qui s'ouvrit et se referma la réveilla tout à fait, et elle comprit que Ray s'était adressé à elle dans le noir, pendant qu'elle dormait — il se trouvait dans la chambre avec elle.

Et parfois, le soir, pendant la floraison, Candy disait à Homer :

— Tu es un père surmené.

— Ah bon ? lançait Olive admirative.

— Je vais te libérer de ce gosse pour la nuit, ajoutait Candy.

Et Homer souriait tout au long de ces répliques tendues.

Il se réveillait seul dans la chambre de Wally, à l'heure où Ange devait prendre son biberon. Il imaginait Raymond Kendall en train de faire chauffer la bouillie et Candy dans son lit avec le biberon placé autant que possible sous le même angle que son sein.

Ray volait les pièces détachées de sa torpille à l'arsenal de Kittery. Homer et Candy savaient bien qu'il se les procurait ainsi, mais seule Candy le critiqua à ce sujet.

— J'ai redressé plus d'erreurs dans leur façon de faire les choses qu'ils ne connaissent de choses à faire, répondit Ray. Peu probable qu'ils me pincent.

— Mais c'est pour quoi faire, de toute manière ? demanda Candy à son père. Je n'aime pas la présence d'une bombe ici — surtout avec un bébé à la maison.

— Quand j'ai commencé la torpille, se justifia Ray, je ne savais rien du bébé.

— Maintenant, tu sais. Pourquoi ne la lances-tu donc pas sur quelque chose — quelque chose de très loin ?

— Quand elle sera prête, je le ferai, répondit Ray.

— Sur quoi allez-vous la lancer ? demanda Homer à Raymond Kendall.

— Je ne sais pas, marmonna Ray. Peut-être sur l'Haven Club, la prochaine fois qu'ils me diront que je leur gâche la vue.

— Je n'aime pas ne pas savoir *pourquoi* tu fais quelque chose, dit Candy à son père quand ils furent seuls.

— C'est comme tout ceci... répondit Ray lentement. Je vais te dire à quoi ça ressemble, une torpille ! Ça ressemble à Wally qui retourne chez lui. On sait qu'il arrive, mais on ne peut pas calculer les dégâts.

Candy sollicita d'Homer une interprétation des paroles de Ray.

— Il ne te dit rien en réalité, répondit Homer. Il va à la pêche : il voudrait que toi, tu lui parles.

— Suppose que tout continue comme maintenant, sans plus ? demanda Candy à Homer, après avoir fait l'amour avec lui dans la cidrerie, que l'on n'avait pas encore nettoyée pour la récolte.

— Comme maintenant, répéta Homer Wells.

— Oui, dit-elle. Suppose un instant que nous attendions, rien d'autre. Combien de temps pourrions-nous attendre ? Au bout de quelques mois, je suppose qu'il est plus facile d'attendre que de parler, n'est-ce pas ?

— Il faudra parler à un moment ou un autre, répondit Homer Wells.

— Quand ? demanda Candy.

— Au retour de Wally.

— Quand il rentrera paralysé et moins lourd que moi ? dit Candy. C'est à ce moment-là que nous lui lancerons tout ça à la figure ?

N'existe-t-il donc rien que l'on puisse abandonner à lui-même ? se demanda Homer Wells. Le scalpel, se rappelait-il, a un certain poids ; on n'a pas besoin d'appuyer sur un scalpel — il semble couper tout seul — mais il faut le prendre en charge d'une certaine manière. Pour le soulever, il faut un effort. Un scalpel n'exige pas l'exercice d'une force, mais il demande de l'utilisateur l'initiative d'un mouvement.

— Nous devons savoir où nous allons, dit Homer Wells.

— Mais... Si nous ne le savons pas ? demanda Candy. Si nous savons seulement comment nous désirons rester ? Si nous ne cessons pas d'attendre ?

— Tu veux dire que tu ne sauras jamais si tu l'aimes ou si tu m'aimes ? lui demanda Homer.

— Autre chose risque d'entrer en ligne de compte : dans quelle mesure va-t-il avoir besoin de moi ? murmura Candy.

Homer posa la main sur elle, à l'endroit où sa toison pubienne avait repoussé, presque comme auparavant.

— Tu ne crois pas que j'aurai besoin de toi, moi aussi ? lui demanda-t-il.

Elle roula sur l'autre hanche et lui tourna le dos — mais tout en lui prenant la main qui la caressait pour l'appuyer très fort contre sa poitrine.

— Il nous faudra attendre voir, dit-elle.

— Au-delà d'un certain point, je n'attendrai pas, répondit Homer Wells.

— Au-delà de quel point ? demanda Candy.

Comme il avait la main sur sa poitrine, Homer sentit qu'elle retenait son souffle.

— Le jour où Ange aura l'âge de savoir s'il est orphelin ou qui sont ses parents. Voilà le point. Je ne laisserai pas Ange croire qu'il a été adopté. Je ne veux pas qu'il ignore qui sont sa mère et son père.

— Je ne m'inquiète pas pour Ange, répondit Candy. Ange aura beaucoup d'amour. Je m'inquiète pour toi et moi.

— Et Wally, dit Homer.

— Nous deviendrons fous, murmura Candy.

— Certainement pas, répliqua Homer. Il nous faut veiller sur Ange, pour qu'il se sente aimé.

— Et si *moi,* je ne me sens pas aimée ?... ou *toi ?* Que se passera-t-il ? lui demanda Candy.

— Nous attendrons jusque-là. Il nous faudra bien attendre voir ! lança-t-il, presque d'un ton vengeur.

Une brise de printemps leur apportait l'odeur douceâtre, écœurante, des pommes pourries, une odeur si âcre, si semblable à l'ammoniaque, qu'Homer Wells, suffoqué, lâcha le sein de Candy pour enfouir son nez et sa bouche dans sa main.

Candy ne reçut aucune nouvelle directe de Wally avant l'été. Elle reçut alors une lettre — la première correspondance émanant de lui depuis que son avion avait été abattu, un an plus tôt.

Wally avait passé six semaines à l'hôpital Mount Lavinia, de Ceylan. On ne l'avait déplacé qu'après lui avoir fait reprendre sept kilos ; ses muscles avaient cessé de trembler et sa conversation commençait à perdre le caractère onirique et absolument vide qui accompagne la sous-alimentation. Il écrivait la lettre dans un autre hôpital, à New Delhi ; au bout d'un mois en Inde, il avait encore repris cinq kilos. Il avait appris à mettre de la cannelle dans son thé, disait-il, et le claquement des sandales était presque permanent dans l'hôpital.

On lui avait promis de le laisser entreprendre le long voyage de retour quand il pèserait soixante-quatre kilos et qu'il maîtriserait les exercices de base essentiels à sa rééducation. A cause de la censure, il ne pouvait pas indiquer l'itinéraire prévu pour son voyage de retour. Wally espérait tout de même que les censeurs comprendraient — étant donné sa paralysie — qu'il ne pouvait pas passer sous silence sa fonction sexuelle « parfaitement normale ». Les censeurs n'avaient rien coupé. Wally ignorait encore qu'il était stérile ; il savait seulement qu'il avait eu une infection des voies urinaires et que l'infection avait disparu.

« Et comment va Homer ? Il me manque tellement ! » écrivait Wally.

Mais ce ne fut pas cette partie de la lettre qui ravagea Candy. Elle avait été si meurtrie par la première phrase que le reste ne fut pour elle qu'une blessure prolongée.

« J'ai si peur que tu ne veuilles pas épouser un infirme », avait commencé Wally.

Seule dans son lit, tiraillée par la marée entre le sommeil et la veille,

Candy regarda la photo de sa mère sur la table de nuit. Elle aurait aimé avoir une mère à qui parler en cet instant, et peut-être parce qu'elle ne gardait aucun souvenir de sa mère, elle se rappela le soir de son arrivée à l'orphelinat. Le Dr Larch lisait *les Grandes Espérances* aux garçons. Candy n'oublierait jamais la phrase entendue à son entrée dans le dortoir, avec Homer.

Je m'éveillai sans m'être débarrassé pendant mon sommeil de la conscience de mon indignité, avait lu Wilbur Larch à haute voix. Ou bien le Dr Larch avait décidé d'avance qu'il terminerait la lecture de la soirée sur cette phrase, ou bien il avait remarqué seulement à ce moment-là la présence de Candy et d'Homer Wells sur le seuil — la lumière vive du couloir, tombant d'une ampoule nue, formait une sorte de halo mystique au-dessus de leurs têtes — et perdu le fil de sa lecture, ce qui l'avait poussé, sur l'impulsion du moment, à refermer le livre. Que ce fut pour une raison ou une autre, cette conscience de l'indignité avait constitué le premier contact de Candy avec Saint Cloud's — l'alpha et l'oméga de ses lectures vespérales au dortoir.

10

Quinze années

Pendant quinze années Lorna et Melony formèrent un couple. Elles prirent des habitudes. Autrefois jeunes rebelles dans leur pension pour femmes seules, elles disposaient désormais des plus belles chambres — avec vue sur la rivière — et elles s'occupaient de l'entretien du bâtiment moyennant une réduction de leur loyer. Melony bricolait. Elle avait appris la plomberie et l'électricité aux chantiers navals, où elle appartenait à une équipe de trois électriciens. (Les deux autres étaient des hommes, mais ils ne cherchaient jamais d'histoires à Melony ; personne ne s'y risquait.)

Lorna devint davantage femme d'intérieur. Elle manquait de concentration pour une formation spécialisée aux chantiers, mais elle conserva un emploi — « Reste donc, pour la retraite », lui avait conseillé Melony. En fait, la monotonie de la chaîne plaisait à Lorna, et elle avait le chic pour se faire inscrire dans des équipes payées en heures supplémentaires — elle était prête à travailler à des heures biscornues, du moment qu'elle travaillait moins. Le fait qu'elle rentre tard préoccupait Melony.

Lorna devint de plus en plus féminine. Non seulement elle portait des robes (même pour travailler) et utilisait davantage de maquillage et de parfum (elle surveillait également son poids), mais sa voix, autrefois assez rauque, s'était adoucie, et elle avait pris l'habitude de sourire (surtout quand on la critiquait). Melony la trouvait de plus en plus passive.

En tant que couple, elles se disputaient rarement, parce que Lorna ne ripostait jamais. En quinze années, elle avait découvert que Melony cédait s'il n'y avait aucune opposition ; en face de n'importe quelle résistance, Melony ne lâchait jamais.

— Tu ne te bats pas dans les règles, se plaignait parfois Melony.

— Tu es beaucoup plus forte que moi, répondait Lorna modestement.

477

Ce qui était bien au-dessous de la réalité. En 195..., à l'âge de quarante et quelques (personne ne connaissait son âge exact), Melony pesait plus de quatre-vingts kilos. Elle mesurait un mètre soixante-treize et avait plus d'un mètre vingt-cinq de tour de poitrine, ce qui signifiait qu'elle portait des chemises d'homme (grande taille, de quarante-trois centimètres au moins pour l'encolure ; avec ses bras courts, elle devait toujours retrousser les manches). Tour de taille de quatre-vingt-onze centimètres, entrejambes de soixante-dix seulement (elle devait donc rouler le bas de ses pantalons, ou les faire raccourcir par Lorna). Les pantalons de Melony étaient toujours si serrés aux cuisses qu'ils perdaient vite leur pli à cet endroit, mais ils restaient très amples sur le derrière — qui n'était pas gros ; quant aux hanches, elles n'étaient pas plus marquées que celles d'un homme. Elle avait de petits pieds, qui lui faisaient toujours mal.

En quinze années, elle n'avait été arrêtée qu'une fois — pour bagarre. En fait, l'accusation disait « voies de fait », mais on ne retint contre elle rien de plus grave que « tapage nocturne ». Un jeune étudiant avait essayé d'engager la conversation avec Lorna, dans une pizzeria de Bath, pendant que Melony se trouvait aux toilettes. Quand l'étudiant vit Melony reprendre sa place au comptoir, à côté de Lorna, il chuchota à celle-ci :

— Je crois que je ne pourrais trouver personne pour ta copine.

Il pensait à un classique rendez-vous à quatre.

— Parlez plus fort ! lança Melony, chuchoter est impoli.

— Je disais que je ne trouverais sûrement aucun type pour vous, dit l'étudiant sans ciller.

Melony passa le bras autour de Lorna et lui prit un sein dans sa grosse main.

— Je ne trouverais même pas une chienne de berger qui accepte de se coucher à tes pieds, répliqua Melony.

— Putains de gouines, lança l'étudiant en s'en allant.

Il crut qu'il avait parlé assez doucement — et strictement pour faire son petit effet sur les ouvriers des chantiers navals, à l'autre bout du bar ; il ne pouvait pas savoir que ces hommes appartenaient à l'équipe de Melony. Ils ceinturèrent l'étudiant pendant que Melony lui cassait le nez avec un distributeur (métallique) de serviettes en papier.

Melony aimait s'endormir avec son gros visage sur le beau ventre nu de Lorna ; Lorna savait toujours quand Melony s'était endormie, à cause du changement de rythme de sa respiration. En quinze années, Lorna ne demanda qu'une seule fois à son amie de déplacer la tête avant qu'elle soit profondément endormie.

— Qu'est-ce que c'est ? Tu as des crampes ? demanda Melony.

— Non, je suis enceinte, répondit Lorna.

Melony crut à une plaisanterie jusqu'à ce que Lorna aille vomir dans la salle de bains. Quand elle revint se coucher, Melony lui dit :

— Je veux essayer de comprendre. Calmement. Nous sommes comme un couple marié depuis quinze ans, et maintenant tu es enceinte.

Lorna se roula en boule autour d'un des oreillers ; elle se recouvrit la tête avec l'autre oreiller. Son visage, son ventre et ses parties intimes étaient protégés, mais elle tremblait tout de même ; elle se mit à pleurer.

« Je sais ce que tu vas me dire, poursuivit Melony. Quand les femmes baisent ensemble, il faut beaucoup plus de temps pour qu'une d'elles soit enceinte que si elle se faisait baiser par un homme. D'accord ?

Lorna ne répondit pas ; elle continua seulement de renifler.

« Il faut à peu près quinze ans — si longtemps que ça ! Il faut quinze ans pour que les femmes tombent enceintes quand elles ne baisent que d'autres femmes. Bon dieu, quel effort ! dit Melony.

Elle se dirigea vers la fenêtre et contempla la vue sur la Kennebec ; en été, les arbres étaient si feuillus qu'on avait du mal à voir la rivière. Melony laissa une brise tiède sécher la sueur sur son cou et sa poitrine avant de se mettre à faire une valise.

— Je t'en supplie, ne pars pas... Ne me quitte pas, lui dit Lorna, toujours roulée en boule sur le lit.

— Ce sont *tes* affaires que je range, répliqua Melony. Je ne suis pas enceinte, moi. Je n'ai besoin d'aller nulle part.

— Ne me chasse pas, gémit Lorna au désespoir. Bats-moi mais ne me chasse pas.

— Tu vas prendre le train pour Saint Cloud's. En arrivant là-bas, tu demanderas l'orphelinat, expliqua Melony à son amie.

— Ce n'était qu'un type — juste un seul, et juste une fois ! cria Lorna.

— Non, sûrement pas ça, répondit Melony. Un type t'aurait mise enceinte très vite. Entre femmes, il faut quinze ans.

Quand elle eut terminé la valise de Lorna, Melony s'avança au-dessus du lit et secoua son amie, qui essayait de se cacher sous les couvertures.

« Quinze ans ! cria Melony.

Elle secoua Lorna, la secoua pendant une éternité, mais ne lui fit rien d'autre. Elle accompagna même Lorna à la gare. Lorna avait l'air épuisée et l'on n'était qu'à l'aurore de ce qui serait une journée d'été harassante.

— Je demande l'orphelinat ? murmura Lorna d'une voix engourdie.

Outre sa valise, Melony lui tendit un grand carton.

— Et tu donneras ça à une vieille femme du nom de Grogan — si elle est encore en vie. Ne lui dis rien, donne-lui ça, c'est tout. Et si elle est morte, ou si elle n'est plus là-bas... commença Melony, puis elle s'arrêta. Laisse tomber, reprit-elle. Où bien elle est là-bas, ou bien elle est morte, et si elle est morte, rapporte le carton. Tu me le rendras quand tu viendras chercher le reste de tes affaires.

— Le reste de mes affaires ? dit Lorna.

— Je te suis restée fidèle. Loyale comme un chien, lança Melony, plus fort qu'elle n'en avait l'intention, car un contrôleur lui lança un regard étrange — comme si elle était vraiment un chien.

« Ce que tu vois t'intéresse, petit merdeux ? demanda Melony au contrôleur des chemins de fer.

— Le train va partir, balbutia-t-il.

— Ne me jette pas dehors, chuchota Lorna à Melony.

— J'espère que tu as un vrai monstre dans ton ventre, répondit Melony à son amie. J'espère qu'il te déchirera en lambeaux quand on te le sortira.

Lorna s'écroula dans le couloir du train comme si elle avait reçu un direct, et Melony la laissa ainsi. Le contrôleur aida Lorna à se relever et à s'asseoir ; par la vitre du train qui s'ébranlait il regarda Melony s'éloigner. Ce fut alors qu'il s'aperçut qu'il tremblait presque aussi fort que Lorna.

Melony songea à l'arrivée de Lorna à Saint Cloud's — ce sale con de chef de gare (serait-il encore là-bas ?), la longue ascension de la colline avec la valise et le grand carton pour Mme Grogan, et le vieux bonhomme, officiait-il encore ? Elle ne regrettait rien des quinze années, mais elle venait de subir une autre trahison et elle réfléchissait : sa colère était revenue si vite ! Tous ses sens semblaient à vif. Elle eut une envie soudaine d'aller cueillir des pommes.

A sa vive surprise, ce n'était plus avec un sentiment de vengeance qu'elle songeait à Homer Wells. Elle se souvenait de la joie que lui avait donnée l'amitié de Lorna, au début — en partie parce qu'elle pouvait se plaindre à la jeune femme de l'infidélité d'Homer. A présent, Melony se disait qu'elle aimerait se plaindre à Homer de l'infidélité de son amie

« Cette petite garce, dirait-elle à Homer. Dès qu'un type avait une grosseur dans son froc, elle ne pouvait en détacher les yeux.

— D'accord, répondrait Homer, et ils démoliraient un bâtiment ensemble — ils le pousseraient un peu plus loin dans le temps.

Quand le temps passe, on a envie de revoir les gens qui vous connaissent bien ; c'est à eux que l'on peut parler. Quand assez de temps est passé, qu'importe le mal qu'ils vous ont fait ?

Melony découvrit qu'elle pouvait raisonner ainsi pendant une minute ; mais à la minute suivante, quand elle pensait à Homer Wells, elle avait envie de le tuer.

Lorsque Lorna revint de Saint Cloud's et passa à la pension de famille pour récupérer ses affaires, elle trouva tout bien empaqueté et rangé dans un angle de la chambre. Melony était à son travail, Lorna emporta donc ses affaires et partit.

Par la suite, elles se revirent peut-être une fois par semaine, aux chantiers ou à la pizzeria de Bath que tous les ouvriers des chantiers fréquentaient ; chaque fois, elles se montraient polies mais ne se parlaient pas. Melony ne s'adressa à Lorna qu'une seule fois.

— La vieille femme, Grogan... Elle était vivante ? demanda-t-elle.

— Je n'ai pas rapporté le carton, n'est-ce pas ?

— Tu le lui as donné ? demanda Melony. Et tu n'as rien dit ?

— J'ai seulement demandé si elle était vivante. Une des infirmières m'a dit oui, alors j'ai donné le carton à l'infirmière, juste avant de repartir, répondit Lorna.

— Et le docteur ? demanda Melony. Le vieux Larch — il est toujours vivant ?

— A peine, répondit Lorna.

— Nom de Dieu, dit Melony. Ça t'a fait mal ?

— Pas beaucoup, répondit Lorna, méfiante.

— Dommage, dit Melony. Ça aurait dû te faire très mal.

Dans la pension de famille dont elle était maintenant la seule gérante, elle sortit d'un vieux catalogue d'électricien un article et une photo jaunis, découpés dans un journal local. Elle alla au magasin d'antiquités que tenait sa vieille amie passionnée (mais pas très maligne) Mary Agnes Cork, que ses parents adoptifs avaient très bien traitée ; ils lui avaient même confié l'affaire de famille. Melony demanda à Mary Agnes un cadre pouvant convenir pour l'article et la photographie, et Mary Agnes fut enchantée de lui dénicher quelque chose de parfait : un cadre fin de siècle authentique, provenant d'un bateau recaréné aux chantiers de Bath. Mary Agnes le vendit à Melony beaucoup moins qu'il ne valait, bien que Melony fût riche.

Les électriciens sont bien payés, et Melony travaillait à plein temps pour les chantiers navals depuis quinze années ; comme elle s'occupait de l'entretien de sa pension de famille, elle ne payait presque pas de loyer. Elle n'avait pas de voiture et achetait tous ses vêtements chez Sam, le magasin de surplus de l'armée et de la marine.

Il était naturel que le cadre fût en teck — le bois de l'arbre qui avait retenu Wally Worthington dans le ciel de Birmanie pendant une nuit entière — parce que l'article de journal se rapportait au capitaine Worthington et que la photographie — reconnue aussitôt par Melony, quinze années auparavant — représentait également Wally. L'article racontait le sauvetage miraculeux du pilote (paralysé), à qui l'on avait décerné le Purple Heart. Pour Melony, toute l'histoire ressemblait au scénario invraisemblable d'un film d'aventures à bon marché ; mais la photo lui avait plu — ainsi que le paragraphe de l'article où il était précisé que Wally, héros local, appartenait aux Worthington, qui, depuis des années, possédaient et exploitaient les vergers Ocean View à Heart's Rock.

Dans la chambre de sa pension de famille de Bath, Melony suspendit au-dessus de son lit le cadre ancien contenant l'article et la photographie. Elle aimait, dans le noir, savoir qu'il était là. Cela lui plaisait autant que de regarder la photographie à la lumière du jour. Dans le noir, elle prononçait lentement les syllabes de ce nom de héros.

« Worthington », se plaisait-elle à dire. « Ocean View », disait-elle aussi parfois ; les syllabes avaient un son plus familier. « Heart's Rock », disait-elle aussi en crachant très vite ces mots trop courts.

Au cours de ces heures précédant l'aurore, qui sont les plus difficiles pour les insomniaques, Melony murmurait aussi : « Quinze années. » Et juste avant de s'endormir, elle demandait aux premières lueurs ternes qui se glissaient dans sa chambre : « Es-tu encore là-bas, Rayon-de-soleil ? ». Ce que l'on a le plus de mal à accepter dans le passage du temps, c'est que les êtres qui, autrefois, comptaient le plus pour nous sont désormais « mis entre parenthèses ».

Pendant quinze années, Homer Wells avait été responsable de la rédaction et de l'affichage du règlement de la cidrerie. Chaque année, c'était la dernière chose qu'il fixait au mur quand la nouvelle couche de peinture était sèche. Parfois il essayait de se montrer gai dans sa rédaction ; d'autres années, il s'efforçait de paraître nonchalant ; peut-être était-ce le ton d'Olive, et non les règles elles-mêmes, qui avait offensé les saisonniers : ils s'étaient donc fait un point d'honneur de ne jamais s'y soumettre.

Les règles, en fait, ne changeaient pas beaucoup. Il fallait toujours nettoyer le filtre rotatif. Un mot d'avertissement sur la boisson et le danger de s'endormir dans la chambre froide était obligatoire. Et longtemps après la démolition de la Grande Roue de Cape Kenneth, quand il y eut tellement de lumières sur la côte que la vue du toit de la cidrerie ressemblait à la perspective d'une ville dans le lointain, les saisonniers continuèrent à s'asseoir là-haut, à boire trop et à tomber — et Homer leur demandait (ou plutôt leur prescrivait) de ne pas le faire. Les règlements, se disait-il, ne *demandent* jamais ; les règlements *prescrivent*.

Mais il essayait cependant de donner au règlement du chai à cidre un tour aimable. Il rédigeait les règles d'un ton de confiance : « Il s'est produit, au cours des années, plusieurs accidents sur le toit — notamment la nuit et surtout en association avec un excès de boisson. Nous vous recommandons de boire avec les deux pieds sur terre », écrivait-il.

Mais chaque année la feuille de papier s'usait, se déchirait et servait à autre chose — à une liste de courses rédigée en catastrophe, par exemple, toujours par une main à l'orthographe hésitante.

POIDS CASÉ
TON À L'UILE

lut Homer une année, en travers de son règlement.

Parfois, la feuille solitaire récoltait de petites insultes et des brocards de caractère quasi illettré.

« Défense de baiser sur le toit ! » ou « Défense de se branler en dehors de la chambre froide ! ».

Wally soutint à Homer que seul M. Rose savait écrire ; et que les blagues, les insultes et les listes de courses étaient donc toutes de sa main, mais Homer ne put jamais le vérifier.

Chaque été, M. Rose écrivait à Wally et Wally lui indiquait de combien de ramasseurs il aurait besoin. M. Rose répondait en précisant le nombre d'hommes qu'il amènerait et le jour de leur arrivée (à peu de chose près). Aucun contrat n'était jamais signé — la confirmation brève mais sûre de M. Rose suffisait.

Certains étés, il venait avec une femme — grande, douce et calme, qui portait une enfant à califourchon sur sa hanche. Quand la fillette put courir partout et s'attirer des ennuis (elle avait à peu près l'âge d'Ange Wells), M. Rose cessa de l'emmener, ainsi que la femme.

Pendant quinze années, le seul saisonnier qui vint avec la même constance que M. Rose fut La Gamelle, le cuisinier.

— Comment va votre petite fille ? demandait Homer Wells à M. Rose — chaque année où la femme et la fillette n'étaient pas dans le groupe.

— Elle pousse, comme votre garçon, répondait M. Rose.

— Et comment va votre femme ? demandait Homer.

— Elle s'occupe de la petite, répondait M. Rose.

Une seule fois en quinze années, Homer Wells aborda avec M. Rose la question du règlement de la cidrerie.

— J'espère qu'il n'offense personne, commença Homer. J'en suis responsable — c'est moi qui le rédige tous les ans — et si quelqu'un s'en offusque, j'espère que vous me le signalerez.

— Pas d'offense, répondit M. Rose en souriant.

— Ce ne sont que de petites règles, insista Homer.

— Oui, sans doute, dit M. Rose.

— Mais le fait que personne ne semble y prêter attention me préoccupe, finit par avouer Homer.

M. Rose, dont le visage débonnaire n'avait pas changé avec les années et dont le corps demeurait mince et souple, regarda Homer avec douceur.

— Nous avons aussi nos propres règles, Homer, dit-il.

— Vos propres règles, répéta Homer Wells.

— Sur des tas de choses. Et d'abord, sur nos rapports avec vous.

— Avec moi ? s'étonna Homer.

— Avec les Blancs, dit M. Rose. Nous avons nos règles sur ça.

— Je vois, dit Homer, mais il ne voyait rien du tout.

— Et sur les bagarres, ajouta M. Rose.

— Les bagarres...

— Entre nous, précisa M. Rose. La première règle, c'est que nous ne devons pas nous piquer salement. Jamais assez pour l'hôpital, jamais assez pour la police. Nous pouvons nous piquer, mais pas fort.

— Je vois, répéta Homer.

— Non, vous ne voyez pas, dit M. Rose. Vous ne voyez pas du tout — c'est justement le but. Nous ne pouvons nous piquer entre nous que dans la mesure où vous ne le verrez jamais — vous ne saurez jamais qui a été blessé. Vous voyez ?

— D'accord, dit Homer Wells.

— Autre chose à me dire ? demanda M. Rose en souriant.

— Faites attention sur le toit, lui conseilla Homer.

— Rien de trop grave ne peut se produire là-haut, lui répondit M. Rose. Il peut arriver bien pire sur le sol.

Homer Wells, sur le point de dire « D'accord » une fois de plus, découvrit qu'il ne pouvait plus parler. M. Rose lui avait saisi la langue entre le pouce et son index court, à bout carré. Homer sentit dans sa bouche un goût vague, comme de la poussière ; la main de M. Rose avait jailli si vite qu'Homer ne l'avait pas aperçue — il ne savait même pas qu'un homme pût attraper la langue d'un autre.

« Je vous ai eu, dit M. Rose en souriant ; et il lâcha la langue d'Homer.

Homer parvint à dire :

— Vous êtes rapide.

— D'accord, répondit M. Rose, de bonne humeur. Il n'y a pas plus rapide.

Wally se plaignit à Homer de l'usure rapide, chaque année, du toit de la cidrerie. Tous les deux ou trois ans, il fallait changer les tôles, refixer le solin ou monter des gouttières neuves.

— En quoi le fait d'avoir leurs propres règles les empêche donc de respecter les nôtres ? demanda Wally.

— Je ne sais pas, répondit Homer. Écris-lui pour lui poser la question.

Mais personne n'avait envie d'offenser M. Rose ; c'était un chef d'équipe sûr. Grâce à lui, le ramassage et les pressées se déroulaient sans heurt à chaque récolte.

Candy, qui gérait les finances d'Ocean View, assurait que les dépenses encourues pour les réparations du toit de la cidrerie étaient largement compensées par les grandes qualités de M. Rose.

— Ce type a un petit côté vraiment gangster, lança Wally — sans précisément s'en plaindre. Je veux dire : je n'ai vraiment pas envie de savoir comment il se débrouille pour que tous ces ramasseurs marchent droit.

— Mais ils marchent droit, répondit Homer.

— Il fait du bon travail, reconnut Candy. Laissons-lui ses propres règles.

Homer détourna les yeux ; il savait que les règles, pour Candy, étaient toujours des contrats privés.

Quinze années auparavant, ils avaient énoncé leurs propres règles — ou plutôt, Candy les avait énoncées (avant le retour de Wally). Ils se tenaient dans le cidrerie (après la naissance d'Ange, un soir où

Olive veillait sur l'enfant). Ils venaient de faire l'amour, mais sans joie ; ça n'allait pas. Ça n'irait pas pendant quinze années, mais ce soir-là, Candy avait dit :

— Convenons d'une chose.

— Oui, répondit Homer.

— Quoi qu'il arrive, nous partageons Ange.

— Bien entendu, dit Homer.

— Je veux dire : tu seras son père — tu auras tout le temps de père que tu désireras — et j'aurai tout le temps de mère qu'il me faudra, expliqua Candy.

— Toujours, répondit Homer Wells (mais ça n'allait pas).

— Je veux dire : quoi qu'il arrive — que je sois avec toi ou avec Wally, ajouta Candy.

Homer garda le silence un instant.

— Donc tu penches vers Wally ? demanda-t-il.

— Je ne *penche* nulle part, répliqua-t-elle. Je suis toute droite, ici même, et nous convenons de certaines règles.

— Je ne savais pas qu'il y avait des règles, dit Homer Wells.

— Nous partageons Ange, dit Candy. Nous devons vivre tous les deux avec lui. Nous devons être sa famille. Personne ne s'en va jamais.

— Même si tu es avec Wally ? dit Homer après un silence.

— Te souviens-tu de ce que tu m'as dit quand tu as voulu que je garde Ange ? lui demanda Candy.

Homer Wells se mit sur ses gardes.

— Rappelle-le-moi, murmura-t-il.

— Tu m'as dit que c'était *aussi* ton bébé, qu'il était à *nous*. Que je n'avais pas le droit de décider toute seule de ne pas le garder — c'était tout le problème.

— Oui, répondit Homer. Je me souviens.

— Eh bien, s'il était à nous deux à ce moment-là, il le reste à présent, quoi qu'il arrive.

— Dans la même maison ? demanda Homer Wells. Même si tu vas avec Wally ?

— Comme une famille, répondit Candy.

— Comme une famille, répéta Homer Wells.

C'était un mot qui exerçait sur lui une forte emprise. Un orphelin demeure à jamais un enfant ; un orphelin déteste le changement ; un orphelin déteste se déplacer ; un orphelin adore la routine.

En quinze années, Homer Wells apprit qu'il existait peut-être autant de règlements de la cidrerie que de gens ayant séjourné sous

486

son toit. Et pourtant, chaque année, il affichait quand même une feuille neuve.

Pendant quinze années, le conseil d'administration avait essayé en vain de remplacer le Dr Larch ; ils ne purent trouver personne qui accepte son poste. Bien des gens mouraient d'envie de se lancer dans l'assistance désintéressée et le soulagement des peines de leur prochain, mais il y avait des endroits plus exotiques que Saint Cloud's où leur assistance était nécessaire — et où ils auraient autant d'occasions de se mortifier. Le conseil d'administration ne réussit même pas à embrigader une seule infirmière ; il ne trouva même pas un seul collaborateur administratif.

Quand le Dr Gingrich prit sa retraite — pas du conseil d'administration, jamais il ne prendrait sa retraite de cette digne instance —, il envisagea un instant d'accepter le poste de Saint Cloud's, mais Mme Goodhall lui fit observer qu'il n'était pas gynécologue. Sa pratique psychiatrique n'avait jamais été bien florissante dans le Maine, mais le Dr Gingrich fut surpris, et même un peu blessé, que Mme Goodhall eût pris un malin plaisir à le lui faire remarquer. Mme Goodhall avait atteint elle aussi l'âge de dételer, mais rien n'était plus éloigné de l'esprit de cette femme zélée. Wilbur Larch avait quatre-vingt-dix et quelques et Mme Goodhall était obsédée par la nécessité de le mettre à la retraite avant qu'il ne meure ; pour elle, voir mourir Larch encore à son poste représenterait une cuisante défaite.

Peu de temps auparavant — peut-être en une tentative de revigorer le conseil d'administration —, le Dr Gingrich avait proposé de tenir leur assemblée dans un hôtel d'Ogunquit hors saison, simplement pour rompre la routine des réunions habituelles, dans les bureaux de Portland.

— Faisons-en une espèce de sortie, proposa-t-il. L'air de l'océan et tout...

Mais il plut. Avec la fraîcheur, le bois travaillait ; le sable entrait par les portes et fenêtres et crissait sous les pas ; les rideaux, les serviettes et les draps râpaient. Le vent venait de l'océan ; personne ne pouvait s'asseoir à la terrasse couverte parce que le vent chassait la pluie sous le toit. L'hôtel mit à leur disposition une longue salle à manger vide et sombre ; ils tinrent leur assemblée sous un lustre que personne ne put allumer — nul ne trouva le bon interrupteur.

Il n'était pas inconvenant qu'ils discutent de Saint Cloud's dans une ancienne salle de bal ayant connu de meilleurs jours, appartenant à un hôtel si profondément « hors saison » que toute personne les voyant là les aurait crus en quarantaine. En fait, quand il les aperçut, ce fut ce que pensa Homer Wells ; Candy et lui étaient les seuls autres clients hors saison de l'hôtel. Ils avaient pris une chambre pour la demi-journée ; c'était très loin d'Ocean View, mais ils voulaient s'assurer que nul ne les reconnaîtrait.

Ils allaient bientôt partir. Ils étaient debout sous la véranda ; Candy appuyait le dos contre la poitrine d'Homer, qui l'enveloppait de ses bras ; ils regardaient la mer tous les deux. Homer aimait la façon dont le vent rabattait les cheveux de Candy contre son propre visage, et ni l'un ni l'autre ne semblait craindre la pluie.

A l'intérieur, Mme Goodhall regarda par la fenêtre rayée de pluie ; le mauvais temps et le jeune couple qui bravait les éléments la firent se rembrunir. Pour elle, tout devait toujours être *normal*. C'était ce qui la gênait chez Larch ; tous les vieillards de quatre-vingt-dix et quelques ne sont pas séniles, vous aurait-elle accordé volontiers, mais Larch n'était pas normal. Et même s'il s'agissait d'un jeune couple marié, Mme Goodhall jugeait inacceptable les démonstrations d'affection en public — et leur mépris de la pluie ne faisait qu'attirer davantage l'attention sur leur comportement.

— De plus, fit-elle observer au Dr Gingrich, pris au dépourvu sans la moindre carte lui permettant de suivre le cheminement de la pensée de son interlocutrice, je parierais qu'ils ne sont pas mariés.

Le jeune couple, pensa le docteur, avait l'air un peu triste. Peut-être avaient-ils besoin d'un psychiatre ; à moins que ce ne fût le mauvais temps — ils avaient projeté une promenade en mer.

« J'ai compris ce qu'il est, dit Mme Goodhall au Dr Gingrich, qui crut qu'elle parlait du jeune homme sous la pluie (Homer Wells). C'est un homosexuel non pratiquant, annonça-t-elle.

Elle pensait au Dr Larch, qui occupait son esprit jour et nuit.

Le Dr Gingrich fut interloqué par ce qu'il prit pour une conjecture effrénée de Mme Goodhall, mais il regarda le jeune homme avec un intérêt renouvelé. Exact : il ne caressait pas vraiment la jeune femme ; il semblait un peu distant.

« Si nous pouvions le prendre sur le fait, nous l'aurions à la minute même, fit observer Mme Goodhall. Bien entendu, il nous faudrait encore trouver quelqu'un qui accepte de le remplacer.

Le Dr Gingrich s'avoua perdu. Il comprit que Mme Goodhall ne pouvait pas songer à remplacer le jeune homme de la terrasse, et qu'elle pensait donc encore au Dr Larch. Mais si le Dr Larch était un

« homosexuel non pratiquant », comment pourrait-on jamais le prendre sur le fait ?

— Nous le prendrions à *être* homosexuel, non à *pratiquer* la chose elle-même ? s'enquit le Dr Gingrich d'une voix prudente. (Il était si facile de froisser Mme Goodhall.)

— Il est manifestement anormal, jappa-t-elle.

Le Dr Gingrich, au cours de toutes ses années de pratique psychiatrique dans le Maine, n'avait jamais eu l'occasion d'appliquer l'étiquette d'« homosexuel non pratiquant » à quiconque, bien qu'il eût souvent entendu parler de ce genre de chose ; en général, les gens se plaignent des particularités des *autres*. Mme Goodhall, par exemple, méprisait les hommes qui vivaient seuls. Ce n'était pas normal. Et elle méprisait les jeunes couples qui affichaient leur affection en public, ou qui n'étaient pas mariés, ou les deux ; trop de choses normales la mettaient également hors d'elle. Tout en partageant avec Mme Goodhall le désir de remplacer le Dr Larch et son personnel à Saint Cloud's, le Dr Gingrich songea soudain qu'il aurait dû prendre Mme Goodhall comme patiente — elle lui aurait épargné la retraite pendant encore quelques années.

Quand le jeune couple rentra dans l'hôtel, Mme Goodhall lui lança un tel regard noir que la jeune femme se détourna.

« Vous l'avez vue se détourner de honte ? demanda Mme Goodhall au Dr Gingrich un peu plus tard.

Mais le jeune homme l'avait dévisagée de la tête aux pieds. Il l'avait perforée du regard ! s'émerveilla le Dr Gingrich. C'était l'un des meilleurs regards « à vous clouer sur place » (selon la tradition) que le Dr Gingrich ait jamais vu, et il s'aperçut qu'il souriait aux jeunes gens.

— As-tu vu ce couple ? demanda Candy à Homer Wells pendant le long retour en voiture à Ocean View.

— Je crois qu'ils ne sont pas mariés, répondit-il. Ou s'ils le sont, ils se détestent.

— C'est peut-être pour cela que je les ai crus mariés, répondit Candy.

— Lui avait l'air un peu stupide ; et elle, complètement folle, dit Homer

— Je suis sûre qu'ils étaient mariés, dit Candy.

Dans la triste salle à manger décrépite d'Ogunquit, tandis que la pluie s'abattait en trombes, Mme Goodhall déclara :

— Ce n'est pas normal, voilà ! Le Dr Larch, ces vieilles infirmières — toute l'histoire. Si l'on n'engage pas très vite quelqu'un de neuf, à un poste ou un autre, je recommanderai d'y envoyer un concierge —

ne serait-ce que pour examiner l'endroit et nous dire à quel point ça va mal.

— Peut-être cela ne va-t-il pas aussi mal que nous le pensons, répondit le Dr Gingrich d'une voix lasse.

Il avait vu le jeune couple quitter l'hôtel, et cela l'avait rempli de mélancolie.

— Que quelqu'un aille voir là-bas! s'entêta Mme Goodhall, sa petite tête grise sous le grand lustre éteint.

Puis, juste au bon moment — de l'avis de tous —, une nouvelle infirmière arriva à Saint Cloud's. Détail remarquable, elle semblait avoir trouvé l'endroit toute seule. Elle s'appelait Nurse Caroline; elle savait se rendre utile en tout temps et elle aida beaucoup quand arriva le cadeau de Melony à Mme Grogan.

— Qu'est-ce que c'est? demanda Mme Grogan.

Le carton était presque trop lourd pour qu'elle le soulève. Nurse Edna et Nurse Angela s'était mises à deux pour l'apporter à la section Filles, par un étouffant après-midi d'été — comme il n'y avait pas un souffle de vent, Nurse Edna avait même traité les pommiers.

Le Dr Larch vint aussitôt à la section Filles voir ce que contenait le colis.

— Eh bien, ouvrez-le donc, dit-il à Mme Grogan. Je n'ai pas toute la journée.

Mme Grogan ne savait trop comment attaquer le carton, scellé au fil de fer, à la ficelle et à la toile adhésive — comme si un sauvage avait essayé de mettre en cage une bête féroce. On appela Nurse Caroline à l'aide.

Que feraient-ils sans Nurse Caroline? se demandait souvent le Dr Larch. Avant le paquet pour Mme Grogan, Nurse Caroline était le seul cadeau important que quiconque eût envoyé à Saint Cloud's; Homer Wells l'avait envoyée de l'hôpital de Cape Kenneth. Il savait qu'elle croyait en l'œuvre de Dieu et il avait persuadé la jeune infirmière de se rendre en un lieu où sa dévotion serait bien accueillie. Mais Nurse Caroline eut du mal à ouvrir le cadeau de Melony.

— Qui l'a laissé? demanda Mme Grogan.

— Une nommée Lorna, répondit Nurse Angela. C'était la première fois que je la voyais.

— Je ne l'avais jamais vue moi non plus, confirma Wilbur Larch.

Même enfin ouvert, le paquet demeura un mystère. Il contenait un manteau énorme, beaucoup trop grand pour Mme Grogan — une capote des surplus de l'armée, conçue pour une campagne en Alaska avec capuche et col de fourrure, si lourde qu'au moment où

490

Mme Grogan l'essaya elle la fit presque crouler par terre — elle perdit l'équilibre et tourna sur elle-même en chancelant, semblable à une toupie en train de perdre son élan. Le manteau possédait toutes sortes de poches secrètes, probablement pour des armes ou des accessoires — « ou les bras et jambes tranchés sur l'ennemi », dit le Dr Larch.

Mme Grogan, perdue dans le manteau — et en sueur —, lança :

— Je ne comprends pas.

Puis elle sentit l'argent dans une des poches. Elle sortit plusieurs billets mal pliés et les compta. Aussitôt elle se rappela ; c'était la somme exacte que Melony lui avait volée à son départ de Saint Cloud's — en emportant son manteau — plus de quinze années auparavant.

« Oh mon Dieu ! s'écria Mme Grogan — et elle s'évanouit.

Nurse Caroline courut à la gare, mais le train de Lorna était déjà parti. Quand Mme Grogan revint à elle, elle pleura à n'en plus finir.

« Oh, la chère enfant ! gémit-elle.

Chacun voulait la consoler, et personne ne répondit. Larch, Nurse Angela et Nurse Edna gardaient de Melony un souvenir ne correspondant pas à l'épithète « chère ». Le docteur essaya le manteau, également trop grand et trop lourd pour lui ; il chancela dans la pièce un moment, ce qui effraya une des plus petites fillettes de la section, attirée dans le vestibule par les pleurs de Mme Grogan.

Larch trouva quelque chose dans une autre poche : des bouts tordus de fil de cuivre et une paire de pinces coupantes isolées, à poignées caoutchoutées.

En retournant à la section Garçons, il glissa à Nurse Angela :

— Je parie qu'elle l'a volé à un électricien.

— Un électricien de taille ! répliqua Nurse Angela.

— Oh, vous deux ! les encensa Nurse Edna. De toute façon, c'est un manteau chaud ; il lui tiendra chaud cet hiver.

— Il lui donnera une crise cardiaque, si elle essaie de le trimbaler.

— Je pourrais le porter, fit observer Nurse Caroline.

Ce fut la première fois que Larch et ses vieilles infirmières remarquèrent que Nurse Caroline était non seulement jeune et énergique mais grande et forte — un peu comme Melony, mais en moins fruste, en moins vulgaire (si Melony avait été marxiste, se dit Wilbur Larch — et un ange).

Larch avait du mal à prononcer le mot « ange » depuis qu'Homer Wells et Candy avaient emmené leur fils de Saint Cloud's. Il avait du mal à s'imaginer la vie que menait Homer. Pendant quinze ans, le bon docteur s'était émerveillé que les trois jeunes gens — Homer, Candy

491

et Wally — réussissent. Réussissent quoi ? se demandait-il. Et à quel prix ? Il savait, bien entendu, qu'Ange était un enfant désiré, très aimé et bien traité — sinon Larch n'aurait pas pu garder le silence. Mais il avait tout de même du mal à se taire pour le reste. Comment s'en étaient-ils accommodés ?

Mais qui suis-je pour brandir l'étendard de la sincérité en toute relation ? se demandait-il. Moi et mes histoires imaginaires, moi et mes faiblesses cardiaques inventées, moi et mon Fuzzy Stone !

Et de quel droit aurait-il voulu savoir ? Quelles étaient au juste leurs relations sexuelles ? Avait-il besoin qu'on lui rappelle ses propres — ses tristes — vérités ? Il avait dormi avec la mère et s'était rhabillé à la lueur du cigare de la fille ; il avait laissé mourir une femme qui avait mis un pénis de poney dans sa bouche pour gagner quelques sous.

Larch regarda par la fenêtre le verger sur la colline. En cet été 195..., les arbres étaient en pleine santé ; la plupart des pommes, d'un vert pâle, commençaient à rosir au milieu des feuilles d'un vert foncé intense. Les arbres étaient presque trop grands pour que Nurse Edna puisse les traiter avec le pulvérisateur à pression. Il faudra que je demande à Nurse Caroline de s'occuper du verger à sa place, se dit le Dr Larch. Il écrivit aussitôt un pense-bête, qu'il laissa dans la machine à écrire. La chaleur le rendait somnolent. Il alla dans la pharmacie et s'allongea sur le lit. En été, les fenêtres ouvertes, il pouvait prendre le risque d'une dose un peu plus forte, se dit-il.

Le dernier été où M. Rose dirigea l'équipe de ramasseurs à Ocean View fut l'été 195..., l'année où Ange Wells eut quinze ans. Tout l'été, Ange n'avait rêvé que de l'année suivante, l'année de ses seize ans, l'âge du permis de conduire. A ce moment-là, pensait-il, il aurait économisé assez d'argent, avec son travail au verger pendant l'été, pour acheter sa première voiture.

Son père, Homer Wells, n'avait pas de voiture. Quand Homer allait faire des courses en ville ou travaillait comme bénévole à l'hôpital de Cape Kenneth, il utilisait un des véhicules de l'exploitation. La vieille Cadillac, équipée avec un frein et un accélérateur à main pour que Wally puisse la conduire, était souvent disponible, et Candy possédait sa voiture personnelle — dans laquelle elle avait appris à conduire à Ange — une Jeep jaune citron, aussi pratique dans les vergers qu'elle était nerveuse sur les routes goudronnées.

— J'ai appris à nager à ton père, disait toujours Candy à l'enfant, je crois que je peux t'apprendre à conduire.

Bien entendu, Ange savait conduire tous les véhicules de l'exploitation. Il savait faucher, traiter les pommiers et faire marcher la fourche mécanique. Le permis de conduire ne serait que la confirmation officielle et nécessaire d'une chose qu'Ange maîtrisait déjà très bien.

Pour un garçon de quinze ans, il avait l'air beaucoup plus âgé. Il aurait pu rouler au volant d'une voiture d'un bout à l'autre du Maine sans que personne ne lui pose de questions. Il serait plus grand que son père, au visage rond de bébé (ils étaient de la même taille au début de l'été), et il y avait dans l'ossature de son visage un côté anguleux qui lui donnait un air adulte, sans oublier la trace de barbe. Les ombres sous ses yeux n'avaient rien de malsain ; elles ne servaient qu'à accentuer le caractère sombre et brillant de son regard. C'était entre le père et le fils un sujet de plaisanterie : les ombres sous les yeux d'Ange étaient « héritées ».

— Tu tiens ton insomnie de moi, disait Homer Wells à son fils, qui se croyait encore adopté. Tu n'as aucune raison de te sentir adopté, lui avait expliqué son père. Tu as en réalité trois parents. La plupart des enfants ne peuvent pas faire mieux que deux.

Candy était comme une mère pour lui, et Wally jouait le rôle d'un second père — ou de l'oncle excentrique adoré. Ange n'avait pas connu d'autre vie qu'avec eux trois. A quinze ans, il n'avait jamais changé de chambre ; aussi loin que remontaient ses souvenirs, rien n'avait varié.

Il dormait dans l'ancienne chambre de Wally, celle que Wally avait partagée avec Homer. Ange était pour ainsi dire né dans une vraie chambre de garçon : il avait grandi entouré des trophées de tennis et de natation gagnés par Wally, des photos de Candy avec Wally (quand Wally avait encore de bonnes jambes) et même de la photo de Candy en train d'enseigner la natation à Homer. La décoration militaire de Wally (qu'il avait donnée à Ange) était accrochée au mur au-dessus du lit de l'enfant ; elle cachait une empreinte de doigt curieusement tachée — l'empreinte du doigt d'Olive, la nuit où elle avait écrasé un moustique contre ce mur, la nuit où Ange Wells avait été conçu dans la cidrerie. Au bout de quinze années, le mur avait besoin d'une couche de peinture.

La chambre d'Homer, au fond du couloir, était l'ancienne chambre principale : la chambre d'Olive autrefois, celle où Senior était mort. Olive elle-même était morte à l'hôpital de Cape Kenneth avant la fin de la guerre, avant même le retour de Wally. Un cancer inopérable qui s'était étendu très vite après les premiers examens.

Tour à tour Homer, Candy et Ray lui avaient rendu visite ; l'un d'eux demeurait toujours avec Ange, mais Olive ne restait jamais seule. Homer et Candy avaient dit — en privé, l'un à l'autre — que tout se serait sans doute passé différemment si Wally était rentré aux États-Unis *avant* le décès d'Olive. En raison de l'état précaire de Wally, et des difficultés supplémentaires d'un long déplacement en temps de guerre, on avait jugé préférable de ne pas l'informer du cancer d'Olive ; Olive en avait elle-même décidé ainsi.

A la fin, Olive crut que Wally était rentré. Elle était tellement assommée par les calmants qu'elle prit Homer pour Wally au cours de leurs dernières entrevues. Homer lui lisait toujours un texte à haute voix — tiré de *Jane Eyre,* de *David Copperfield* ou des *Grandes Espérances* — mais il y renonça quand l'attention d'Olive commença à dériver. Les toutes premières fois où Olive confondit Homer avec Wally, Homer se demanda à qui elle s'adressait.

— Tu dois lui pardonner, disait Olive.

Elle parlait d'une voix empâtée. Elle prit la main d'Homer, qu'elle ne tint pas vraiment mais garda sur ses genoux.

— Lui pardonner ? dit Homer Wells.

— Oui, répondit-elle. Il ne peut pas s'empêcher de l'aimer, et il a tellement besoin d'elle.

Avec Candy, Olive fut plus claire :

« Il va être infirme. Et il va me perdre. S'il te perd aussi, qui veillera sur lui ?

— Je veillerai toujours sur lui, dit Candy. Homer et moi veillerons sur lui.

Mais Olive n'était pas assez droguée pour ne pas déceler, et désapprouver, l'ambiguïté dans la réponse de Candy.

« Ce n'est pas bien de faire souffrir un homme et de lui mentir, quand il a déjà été blessé et dupé, Candy, dit-elle.

Avec les drogues qu'elle prenait, Olive se sentait libre. Ce n'était pas à elle de leur dire qu'elle savait ; c'était à eux de lui révéler ce qu'ils lui dissimulaient. Tant qu'ils se tairaient, elle les laisserait se perdre en conjectures sur ce qu'elle avait deviné.

A Homer, Olive dit :

« Il est orphelin.

— Qui ? demanda Homer.

— *Lui*, répondit-elle. N'oublie pas à quel point un orphelin se sent démuni. Il prendra tout. Il est venu d'un endroit où l'on ne possède

494

rien — quand il verra ce qu'il peut posséder, il prendra tout ce qu'il voit. Mon fils, dit Olive, ne fais de reproche à personne. Le reproche te tuera.

— Oui, répondit Homer Wells qui tenait la main d'Olive.

Quand il se pencha vers elle pour écouter sa respiration, elle l'embrassa comme s'il était Wally.

« Le reproche te tuera, répéta Homer à Candy après le décès d'Olive. *Craignez le remords,* dit-il, se rappelant l'inoubliable conseil de M. Rochester.

— Ah, ne me cite pas ce texte ! lui lança Candy. La vérité, c'est qu'il va revenir. Et qu'il ne sait même pas que sa mère est morte. Sans parler de...

Elle s'arrêta brusquement.

— Sans parler de..., répéta Homer.

Candy et Wally se marièrent moins d'un mois après le retour de Wally à Ocean View ; Wally pesait soixante-sept kilos et Homer Wells poussa le fauteuil roulant dans l'allée centrale de l'église. Candy et Wally occupèrent la chambre aménagée du rez-de-chaussée de la maison.

Homer Wells avait écrit à Wilbur Larch, peu après le retour de Wally. La mort d'Olive (écrivit-il) avait « cristallisé » les choses pour Candy et Wally plus sûrement que la paralysie de Wally, ou l'impression de trahison et de culpabilité qui hantait peut-être Candy.

« Candy a raison : ne t'inquiète pas au sujet d'Ange, avait répondu Wilbur Larch à Homer. Ange recevra assez d'amour. Pourquoi se sentirait-il un orphelin s'il n'en est jamais un ? Si tu es un bon père pour lui, et Candy une bonne mère — et s'il a également Wally pour l'aimer —, crois-tu qu'il s'interrogera sur ce que doit être un *vrai* père, comme on dit ? Le problème ne sera pas Ange. Ce sera toi. Tu vas avoir envie de lui dire que tu es son vrai père : à cause de *toi* — non pas parce qu'il aura besoin de savoir. Le problème, c'est que vous aurez envie de tout lui dire — Candy et toi. Vous allez être fiers. Ce sera pour vous, non pour Ange, que vous désirerez lui apprendre qu'il n'est pas orphelin. »

Et pour lui-même, ou dans le cadre de sa *Brève Histoire de Saint Cloud's,* Wilbur Larch écrivit : « Ici à Saint Cloud's nous n'avons qu'un seul problème. Il s'appelle Homer Wells. Et il reste un problème où qu'il aille. »

495

En dehors de son regard sombre et de son don de prendre un air pensif, lointain, qui soit en même temps attentif et rêveur, Ange Wells ressemblait très peu à son père. Il ne se considérait jamais comme un orphelin : il se savait adopté et il venait du même endroit que son père. Il se savait aimé ; jamais il n'avait manqué d'amour. Qu'importait qu'il appelât Candy « Candy » et Homer « papa » — et Wally « Wally » ?

C'était le deuxième été où Ange Wells avait la force de porter Wally — pour monter quelques marches, ou dans la mer, ou pour le sortir de la piscine et le poser sur son fauteuil roulant. Homer avait enseigné à Ange comment porter Wally dans les vagues lorsqu'ils allaient à la plage. Wally était le meilleur nageur des quatre, mais il lui fallait assez d'eau pour flotter au-dessus de la vague ou plonger au-dessous.

— On ne peut pas le laisser s'échouer en eau basse, avait expliqué Homer à son fils.

Il existait certaines règles au sujet de Wally. (Il y avait toujours des règles, avait observé Ange.) Si bon nageur qu'il fût, Wally n'avait jamais le droit de se baigner tout seul, et depuis plusieurs étés Ange Wells jouait le rôle de surveillant chaque fois que Wally faisait ses brasses, ou se laissait flotter dans la piscine. La moitié des contacts physiques entre Wally et Ange se produisaient dans l'eau, où ils ressemblaient à des loutres ou à des otaries. Ils luttaient et se faisaient couler avec une telle férocité que Candy ne pouvait parfois s'empêcher d'avoir peur pour eux deux.

Et Wally n'avait pas non plus le droit de conduire seul ; bien que la Cadillac fût équipée de commandes à main, il fallait qu'une autre personne replie le fauteuil roulant et le range dans le coffre (ou l'en sorte). Les premiers fauteuils repliables étaient très lourds. Wally se traînait parfois d'un bout à l'autre du rez-de-chaussée de la maison avec une de ces barres métalliques à roulettes, mais ses jambes ne le tenaient pas ; dès qu'il était en terrain inconnu, il lui fallait son fauteuil d'infirme — et sur un sol irrégulier, quelqu'un devait le pousser.

C'était souvent Ange qui le poussait ; et Ange s'était souvent prélassé sur la banquette de la Cadillac. Homer et Candy se seraient sans doute récriés s'ils l'avaient su, mais Wally avait appris depuis longtemps à Ange à conduire la Cadillac.

— Les commandes à main simplifient la question, petit, prétendait Wally. Tu n'as pas besoin d'avoir les jambes assez longues pour toucher les pédales.

Candy n'avait pas dit la même chose à l'enfant au sujet de la Jeep.

— Dès que tu auras les jambes assez longues pour toucher les pédales, lui avait-elle promis en l'embrassant (ce qu'elle ne manquait pas de faire sous le moindre prétexte), je t'apprendrai à conduire.

Quand vint le moment, jamais Candy ne pensa que si Ange apprenait si vite, c'était parce qu'il conduisait la Cadillac depuis des années.

— Certaines règles sont de bonnes règles, petit, expliqua Wally à l'enfant en l'embrassant (il l'embrassait beaucoup, surtout dans l'eau). Mais certaines règles ne sont que des règles. Il faut seulement faire attention quand on passe outre.

— C'est idiot que je ne puisse pas obtenir le permis de conduire avant seize ans, dit Ange à son père.

— D'accord, répondit Homer Wells. On devrait faire une exception pour les gosses élevés dans les fermes.

Ange jouait parfois au tennis avec Candy, mais il renvoyait plus souvent des balles à Wally, qui conservait son habileté, même assis. Les membres du club s'étaient vaguement plaints des traces de fauteuil roulant sur le court — mais l'Haven Club n'aurait plus été le même s'il n'avait pas toléré telle ou telle excentricité d'un Worthington. Wally installait son fauteuil à un endroit fixe et jouait — uniquement des coups droits pendant quinze à vingt minutes ; Ange devait lui renvoyer la balle exactement au bon endroit. Ensuite, Wally déplaçait son fauteuil et ne frappait que des revers.

— En fait, c'est un meilleur entraînement pour toi que pour moi, petit, disait Wally à Ange. En tout cas je ne m'améliore guère !

Ange s'améliorait, il devint vraiment meilleur que Candy et jouer avec elle commença à l'ennuyer — sa mère le remarqua et en eut du chagrin.

Homer Wells ne jouait pas au tennis. Il n'avait jamais été amateur de jeux, il avait même résisté au football en chambre de Saint Cloud's — bien qu'il rêvât parfois de softball, en général avec Nurse Angela en train de lancer ; elle avait toujours été la plus dure à éliminer. D'ailleurs Homer Wells n'avait aucune distraction particulière — en dehors de suivre Ange partout, comme s'il était le toutou de son fils, attendant qu'on s'amuse avec lui : combats de polochon dans le noir (ils avaient eu du succès pendant des années), s'embrasser pour se souhaiter bonne nuit puis inventer des prétextes pour recommencer le rituel, découvrir de nouveaux moyens de se réveiller mutuellement le matin. Si Homer s'ennuyait parfois, il savait très bien s'occuper. Il n'avait pas cessé de travailler comme bénévole à l'hôpital de Cape Kenneth ; en un sens, il n'avait jamais interrompu son effort de guerre, son service comme aide-infirmière. Et il était depuis des années un lecteur assidu de littérature médicale. *The Journal of The American Medical Association* et *The New England Journal of Medicine* formaient des piles très convenables sur les tables et dans les bibliothèques de la maison d'Ocean View. Candy faisait objection aux illustrations de l'*American Journal of Obstetrics and Gynecology*.

— J'ai besoin d'un peu de stimulation intellectuelle par ici, répondait Homer Wells chaque fois que Candy se plaignait des reproductions de la revue.

— Je ne crois pas qu'Ange soit obligé de voir ça, c'est tout, disait Candy.

— Il sait que j'ai une certaine formation sur le sujet, répliquait Homer.

— Je ne m'oppose pas à ce qu'il sache, ce sont les illustrations que je critique.

— Aucune raison de faire de ces questions un mystère, lançait Wally, prenant le parti d'Homer.

— Aucun besoin non plus de rendre le sujet grotesque, se défendait Candy.

— Je ne crois pas que ce soit mystérieux ou grotesque, déclara Ange l'été où il eut quinze ans. C'est intéressant, voilà tout.

— Tu ne sors même pas encore avec des filles, lui lança Candy en riant — profitant de l'occasion pour lui donner un baiser.

Mais lorsqu'elle se pencha au-dessus de lui pour l'embrasser, elle vit sur les genoux de son fils l'illustration d'un article sur les opérations vaginales. L'image indiquait les lignes d'incision pour l'ablation de la vulve et d'une tumeur primaire, dans un cas de vulvectomie radicale.

« Homer ! cria Candy.

Homer était au premier, dans sa chambre spartiate. Sa vie était si spartiate qu'il n'avait fixé que deux choses aux murs — dont une dans la salle de bains. Près de son lit, une photo de Wally avec sa peau de mouton et son écharpe d'aviateur. Wally posait avec l'équipage de *L'occasion frappe;* l'ombre de l'aile de l'avion, très sombre, dissimulait complètement les traits du radio, et l'éclat du soleil indien blanchissait totalement le visage du chef d'équipage (mort des suites de sa complication du côlon); seuls Wally et le copilote étaient correctement exposés, bien qu'Homer ait vu de meilleurs clichés de l'un et de l'autre. Le copilote envoyait à Wally une photo de lui et de sa famille (de plus en plus nombreuse) chaque année à Noël; il avait cinq ou six enfants et une femme tout en rondeurs, mais lui-même paraissait toujours plus mince (l'amibe qu'il avait hébergée en Birmanie ne l'avait pas entièrement quitté).

498

Et dans la salle de bains Homer avait fixé au mur le questionnaire en blanc, le second exemplaire — celui qu'il n'avait pas renvoyé au conseil d'administration de Saint Cloud's. Exposé à la vapeur de la douche, le papier du questionnaire avait acquis la texture d'un abat-jour en parchemin, mais chaque question restait aussi lisible et idiote.

Le lit immense était d'une hauteur peu commune, parce que en son temps Senior Worthington aimait regarder par la fenêtre depuis son lit ; ce détail plaisait également à Homer. Depuis là-haut, il pouvait surveiller la piscine et voir le toit du chai à cidre ; il aimait s'allonger sur ce lit pendant des heures et regarder par la fenêtre...

« Homer ! lui lança Candy. Viens voir ce que lit ton fils, je te prie ! Ils parlaient toujours ainsi. Candy disait « ton fils » à Homer, Wally faisait de même et Ange appelait toujours son père « p'pa » ou « papa ». Ces relations duraient depuis quinze années sans une ombre : Homer et Ange au premier, Wally et Candy en bas, dans l'ancienne salle à manger. Ils prenaient leurs repas tous les quatre ensemble.

Certaines nuits — notamment en hiver, quand les arbres dénudés permettaient de mieux voir par les fenêtres allumées des cuisines et des salles à manger dans des maisons d'inconnus —, Homer aimait faire un petit tour en voiture avant le dîner. Il s'interrogeait sur les familles qui dînaient ensemble — à quoi ressemblait leur vraie vie ? Saint Cloud's était plus prévisible. Mais que savait-on vraiment sur toutes ces familles assises autour d'une table pour prendre un repas ?

« Nous *sommes* une famille. N'est-ce pas l'essentiel ? demandait Candy à Homer quand elle s'apercevait qu'il prolongeait de plus en plus sa promenade apéritive.

— Ange a une famille, une famille vraiment merveilleuse. Oui, c'est l'essentiel, concédait Homer.

Mais quand Wally leur disait qu'il était réellement heureux, qu'il s'estimait le plus veinard des hommes — n'importe qui, assurait-il même parfois, donnerait ses deux jambes pour connaître un bonheur comme le sien —, ces nuits-là, Candy ne pouvait pas dormir : elle sentait la présence d'Homer, réveillé lui aussi. Certaines nuits, ils se rencontraient dans la cuisine — ils prenaient un peu de lait et de tarte aux pommes. D'autres nuits, quand il faisait chaud, ils s'asseyaient près de la piscine sans se toucher ; pour n'importe quel observateur, l'espace entre eux aurait indiqué une querelle (bien qu'ils se querellassent rarement) ou bien de l'indifférence (mais ils n'étaient jamais indifférents l'un à l'autre). Leur façon de s'asseoir sur le bord de la piscine rappelait à tous deux leur position sur la jetée de Ray Kendall, avant qu'ils ne se blottissent l'un contre l'autre. Dès qu'ils prenaient conscience de ce souvenir — combien cette jetée leur manquait, ainsi que Ray ! (mort avant qu'Ange ne soit en âge de se souvenir de lui) —, cela gâchait leur soirée près de la piscine, et les contraignait à regagner leurs chambres séparées, où ils restaient allongés, les yeux grands ouverts, un peu plus longtemps.

Plus tard, Ange Wells (presque aussi insomniaque que son père) regarderait souvent Homer et Candy assis près de la piscine, également visible de la fenêtre de sa chambre. Si Ange s'étonna de quoi que ce fût au sujet de ces deux adultes assis là-bas, ce fut de voir deux aussi vieux amis si loin l'un de l'autre.

Raymond Kendall était mort peu après le mariage de Wally et de Candy. Il avait été tué par l'explosion du vivier à langoustes ; sa jetée tout entière sauta, son bateau langoustier sombra et la déflagration projeta deux vieilles guimbardes sur lesquelles il travaillait, du fond de son parking jusqu'au milieu de la nationale, à vingt-cinq mètres de là — comme si elles avaient roulé toutes seules. Même la vaste baie vitrée de l'Haven Club sauta, mais l'explosion se produisit si tard dans la nuit que le bar était fermé : aucun habitué du club n'était encore là pour voir disparaître l'horreur qui gâchait depuis si longtemps la vue du port d'Heart's Haven.

Ray était en train de bricoler sur sa torpille ; malgré tout son légendaire génie mécanique, il avait dû découvrir quelque chose qu'il ne connaissait pas sur les torpilles. Le malheur d'une personne que l'on aime peut vous donner un sentiment de culpabilité ; Candy regretta de ne pas avoir parlé à son père d'Homer et d'Ange Wells. Croire que Ray était au courant de tout ne la consolait nullement ; elle avait pu comprendre, à ses silences, qu'il désirait entendre la vérité de sa bouche. Mais même la mort de son père ne put inciter Candy Kendall à raconter son histoire à quiconque.

On avait trouvé des langoustes mortes et des morceaux de homard dans le parking et sur la route nationale jusqu'au magasin de crèmes glacées Powell, vers le sud. Ce qui avait poussé Herb Fowler (jamais à court de plaisanteries) à demander au vieux M. Powell s'il venait d'inventer un nouveau parfum pour ses glaces.

Herb avait attendu l'été où Ange Wells eut quinze ans pour lui lancer sa première capote anglaise : Ange fut légèrement froissé qu'Herb ne l'eût pas initié plus tôt. L'ami et condisciple d'Ange, le bon gros Pete Hyde, n'avait que quelques mois de plus que lui (et semblait beaucoup moins adulte à bien des égards) ; or Ange savait que Fowler avait lancé une capote au visage de Pete l'année de ses treize ans. Ce qu'Ange n'avait pas encore su juger, c'était que Pete Hyde appartenait à la classe ouvrière d'Ocean View, alors que lui-même venait de la famille du patron — même s'il travaillait avec les employés.

Les employés savaient qu'Ocean View était géré par Homer Wells. C'était lui le vrai responsable. Cela n'aurait nullement surpris Olive, et Wally comme Candy étaient reconnaissants à Homer de son autorité. Tous les employés savaient qu'Homer venait de Saint Cloud's, et peut-être le sentaient-ils plus proche d'eux. Nul ne lui en voulait d'être le patron, à l'exception probablement de Vernon Lynch, qui se rebiffait sans cesse contre toute autorité — et plus que jamais depuis la mort de Grace.

Candy, qui s'intéressait à tout ce qui concernait les femmes du personnel, découvrit que Grace Lynch était enceinte ; elle était morte de péritonite aiguë à la suite d'une malencontreuse tentative d'avortement. Homer, qui se demanda souvent pourquoi elle n'avait pas préféré un deuxième voyage à Saint Cloud's, se plaisait à croire qu'elle n'était pas morte en vain. C'était sa mort (et la réaction peu charitable du Dr Harlow à ce décès) qui avait incité Nurse Caroline à quitter l'hôpital de Cape Kenneth, comme Homer Wells l'encourageait à le faire depuis un certain temps. Écoutant enfin la suggestion d'Homer, elle alla proposer ses services à Saint Cloud's.

— C'est Homer Wells qui m'envoie, dit Nurse Caroline quand elle se présenta à Wilbur Larch.

Le vieux docteur avait conservé toute sa méfiance.

— Vous envoie pour quoi ? demanda Larch.

— Je suis infirmière diplômée, dit-elle. Je suis venue vous aider.

— M'aider à quoi ? demanda Larch, peu habile à incarner l'innocence.

— Je crois en l'œuvre de Dieu, répondit Nurse Caroline exaspérée.

— Alors, que ne le disiez-vous plus tôt ? grogna Wilbur Larch.

Il m'a quand même donné quelque chose, en dehors des pommiers, rêva le vieillard. Tout espoir n'est donc pas perdu en ce qui le concerne.

Nurse Angela et Nurse Edna furent si soulagées d'avoir Nurse Caroline qu'elles ne se montrèrent même pas jalouses. Elle représentait le « sang frais » qui calmerait le conseil d'administration pendant quelque temps.

— La nouvelle infirmière constitue une nette amélioration de la situation, admit le Dr Gingrich à la réunion du conseil. Je dirais même qu'elle réduit le degré d'urgence de toute décision immédiate.

(Comme s'ils n'essayaient pas de remplacer le vieux docteur à tout instant !)

— Je préférerais un jeune médecin à une jeune infirmière, déclara Mme Goodhall. Un jeune médecin *et* un jeune administrateur. Vous savez ce que je pense des dossiers ; les dossiers de cet endroit sont pure fantaisie. Mais c'est en tout cas une amélioration temporaire : J'admets, dit-elle.

Si Wilbur Larch avait pu l'entendre, il lui aurait répliqué :

— Accordez-moi encore un peu de temps, ma petite *médème*, et je vous en ferai admettre davantage.

Mais, en 195..., Wilbur Larch avait quatre-vingt-dix ans et quelques. Parfois son visage demeurait tellement immobile sous le cône d'éther, que le masque restait en place après que sa main était retombée sur le côté. Il avait perdu beaucoup de poids. Quand il se regardait dans un miroir, ou quand il dérivait grâce à son éther bien-aimé, il avait l'impression de devenir oiseau. Seule Nurse Caroline eut le courage de critiquer son habitude de se droguer.

— Vous devriez tout de même savoir, surtout vous ! lui lança Nurse Caroline sans ménagement.

— Surtout moi ? demanda Larch d'une voix innocente.

Il prenait parfois plaisir à la provoquer.

— Vous avez une opinion défavorable de la religion, lui fit observer Nurse Caroline.

— Je le suppose, répondit-il, méfiant.

Elle était un peu trop jeune et trop rapide pour lui, et il le savait.

— Et que supposez-vous donc que soit une dépendance à la drogue — sinon une sorte de religion ? demanda Nurse Caroline.

— Je ne reproche à personne de prier, répondit Wilbur Larch. La prière est une chose personnelle — chacun peut choisir de prier ou non. Priez qui vous voulez, ou ce que vous voulez ! C'est quand on commence à dicter des règles..., dit-il, mais il se sentait perdu.

Il savait qu'elle pouvait le circonvenir par des paroles. Il admirait le socialisme, mais parler à une de ces fichues socialistes ! C'était comme s'adresser à n'importe quel croyant convaincu. Il avait si souvent entendu Nurse Caroline déclarer qu'une société rendant l'avortement illégal approuvait en fait la violence contre la femme !

— Bannir l'avortement n'est qu'une forme papelarde et pharisaïque de violence antiféministe, disait Nurse Caroline.

Il l'avait entendue si souvent prétendre que l'avortement ne devait pas être seulement une liberté de choix personnel mais une responsabilité de l'État ! C'était à l'État d'y pourvoir.

— Quand l'État commence à pourvoir, il se sent le droit d'édicter les règles ! se hâtait de rétorquer Larch.

C'était une réponse yankee — très Maine. Mais Nurse Caroline souriait. Ce qui enferra Larch dans un autre argument de l'infirmière ; elle pouvait toujours le prendre au piège. Ce n'était pas un homme de système — seulement un homme de bonté.

— Dans un monde meilleur..., commençait l'infirmière patiemment.

Mais rien ne mettait Larch plus en fureur que la patience de Nurse Caroline à son égard.

— Non, pas dans un monde meilleur ! criait-il. Dans ce monde-ci — dans notre monde. Je prends ce monde pour acquis. Parlez-moi de ce monde-ci !

Mais tout cela le fatiguait tellement ! Cela lui donnait envie d'un peu d'éther. Plus il essayait de suivre le rythme de Nurse Caroline, plus il avait besoin d'éther ; et plus ce besoin devenait intense, plus Nurse Caroline avait raison.

« Oh, je ne peux pas avoir toujours raison, lui répondait alors Larch d'un ton las.

— Oui, je sais, répliquait Nurse Caroline, compréhensive. Et c'est justement parce que même un homme bon ne peut pas avoir toujours raison que nous avons besoin d'une société, de certaines règles — appelez-les priorités, si vous préférez.

— Appelez-les donc comme vous voudrez vous-même, lui répondait Wilbur Larch avec humeur. Je n'ai pas de temps à perdre pour la philosophie, le gouvernement, ou la religion. Je n'ai assez de temps pour rien, disait-il.

Toujours, à l'arrière-plan de son esprit, un nouveau-né pleurait ; même quand l'orphelinat était aussi silencieux que les derniers bâtiments abandonnés de Saint Cloud's — même quand il y régnait un silence d'outre-tombe —, Wilbur Larch entendait pleurer des nouveau-nés. Et ils ne pleuraient pas pour naître, il le savait : ils pleuraient parce qu'ils étaient nés.

Cet été-là, M. Rose écrivit que « lui et la fille » arriveraient peut-être un jour ou deux avant l'équipe de ramasseurs ; il espérait que la cidrerie serait prête.

— Cela fait des années que nous n'avons pas vu sa fille, fit observer Wally, au bureau du comptoir de vente.

Dehors, Everett Taft était en train de graisser le fauteuil roulant de Wally et celui-ci se trouvait assis sur le bureau — ses jambes atrophiées pendaient mollement et ses pieds inutiles étaient chaussés de sandales parfaitement cirées (des sandales qui lui servaient depuis plus de quinze ans).

Candy jouait avec la machine à calculer.

— Sa fille doit avoir à peu près l'âge d'Ange, dit-elle.

— D'accord, répondit Homer Wells.

Et Wally lui lança un crochet bien ajusté — le seul genre de coup qu'il pouvait assener de sa position assise.

Comme Homer se penchait sur le bureau et que Wally se tenait très droit, le crochet prit Homer au dépourvu, très fort, en pleine joue. Le coup de poing surprit tellement Candy qu'elle repoussa brusquement la machine à calculer, en équilibre près du bord du bureau. La machine s'écrasa sur le sol ; quand Homer toucha le sol à son tour, il fit moins de bruit que la machine, et ne tomba pas aussi verticalement, mais il atterrit tout de même de façon brutale. Il porta la main à sa joue, qui allait bientôt enfler, avec un début d'ecchymose.

— Wally ! s'écria Candy.

— J'en ai marre ! lança Wally. Il est temps que tu apprennes un autre mot, Homer.

— Mon dieu, Wally... dit Candy.

— Tout va bien, dit Homer — mais il resta assis sur le parquet.

— Je regrette, déclara Wally, mais ça me tape sur les nerfs de t'entendre tout le temps dire « D'accord ».

Et, bien qu'il n'eût pas commis cette erreur-là depuis des années, il se souleva du bureau avec ses bras — sans doute était-ce le geste à faire pour poser ses jambes par terre et aider Homer à se relever ; il avait oublié qu'il ne pouvait plus marcher. Si Candy ne l'avait pas rattrapé sous les aisselles et serré contre elle — poitrine contre poitrine — Wally serait tombé ; Homer se releva pour aider Candy à rasseoir Wally sur le bureau.

« Je suis désolé, vieux, dit Wally.

Il posa la tête sur l'épaule d'Homer.

Homer ne répondit pas « D'accord ». Candy partit chercher un morceau de glace qu'elle enveloppa dans une serviette pour appliquer sur la joue d'Homer, et celui-ci dit :

— Ça va, Wally. Tout va bien.

Wally se pencha un peu en avant et Homer s'appuya contre lui ; leurs fronts se touchèrent. Ils demeurèrent dans cette position jusqu'à ce que Candy revienne avec la glace.

504

La plupart du temps, depuis quinze années, Candy et Homer avaient cru que Wally savait tout, acceptait tout, mais leur en voulait de ne lui avoir rien dit. En même temps, Homer et Candy se disaient que c'était un soulagement pour Wally de ne pas avoir à reconnaître qu'il savait tout. Dans quelle nouvelle — et désagréable — position le placeraient-ils s'ils lui racontaient la vérité à présent ? L'important n'était-il pas qu'Ange demeure dans l'ignorance ? Jusqu'à ce que Candy et Homer lui parlent, car Ange ne devait l'apprendre de personne d'autre, c'était essentiel. Et quoi que sût Wally, il ne le dirait jamais à Ange.

Si Homer fut surpris, ce fut que Wally ne l'ait jamais frappé auparavant.

— Qu'est-ce que c'est que toute cette histoire ? demanda Candy à Homer quand ils furent seuls ce soir-là, près de la piscine.

Un gros insecte bourdonnant s'était pris dans le filtre des feuilles, ils entendaient ses ailes battre contre les feuilles trempées. L'animal, quel qu'il fût, ne cessait de s'affaiblir.

— Ma façon de dire « D'accord » à tout bout de champ doit être agaçante, répondit Homer Wells.

— Wally sait, murmura Candy.

— Tu crois ça depuis quinze ans, lui fit observer Homer.

— Parce que toi, tu crois qu'il ne sait rien ? demanda Candy.

— Je crois qu'il t'aime, et que tu l'aimes, répondit Homer. Je crois qu'il sait que nous aimons Ange. Je crois que Wally aime Ange lui aussi.

— Mais crois-tu qu'il sait qu'Ange est *à nous* ? demanda Candy.

— Je l'ignore, dit Homer. Mais un jour, Ange devra savoir qu'il est notre enfant... Et je crois que Wally sait que je t'aime, ajouta-t-il.

— Et que je t'aime ? demanda Candy. Le sait-il ?

— Tu m'aimes parfois, dit Homer. Pas très souvent.

— Je ne parlais pas de rapports sexuels, chuchota Candy.

— Moi, si, répliqua Homer.

Ils s'étaient montrés prudents, et — à leur avis — ils n'avaient presque pas mal agi. Depuis que Wally était rentré de la guerre, Homer et Candy n'avaient fait l'amour que deux cent soixante-dix fois — dix-huit fois par an en moyenne, une fois et demie par mois seulement ; ils se montraient aussi scrupuleusement prudents qu'ils pouvaient. C'était une des choses que Candy avait tenu à ce qu'Homer accepte : pour Wally et pour Ange — pour ce que Candy appelait leur famille — ils ne seraient jamais pris ; jamais ils ne causeraient à

505

quiconque la moindre gêne. Si quelqu'un les voyait un jour, ils cesseraient à jamais.

C'était pour cette raison qu'ils n'avaient pas parlé à Wally. Pourquoi Wally n'aurait-il pas accepté qu'ils l'aient cru mort — et non « seulement disparu » —, qu'ils aient eu besoin l'un de l'autre et qu'ils aient également désiré Ange ? Ils savaient bien que Wally aurait accepté ça. Qui ne pourrait accepter ce qui s'*était* produit ? Mais Wally aurait voulu savoir ce qui était encore en train de se produire *maintenant :* or ils ne pouvaient pas le lui dire.

Et ils devaient être prudents pour une autre raison. Étant donné la stérilité de Wally, une grossesse de Candy paraîtrait trop miraculeuse pour être crédible. Et comme la stérilité de Wally n'était pas le résultat de l'encéphalite, il lui fallut plusieurs années pour découvrir son état. Il se souvint de son urètre sondé avec un instrument malpropre mais il s'en souvint graduellement — comme il se rappelait tout le reste de la Birmanie. Lorsqu'il apprit que son épididyme était bouché pour la vie, les détails des diverses tiges de bambou lui revinrent à l'esprit ; parfois il semblait capable de se remémorer, avec exactitude, chaque sonde qui l'avait soulagé.

Il n'y a aucune différence dans ce que l'on ressent au moment de l'orgasme, comme Wally se plaisait à le faire remarquer à son ami Homer. Wally appelait ça « décharger le canon » ; il ne pouvait plaisanter sur son état avec personne d'autre.

— Je peux encore pointer le canon, et le canon envoie sa décharge, disait Wally. Le coup part encore : pan ! pour moi. Seulement personne ne trouve jamais la mitraille.

Wally se souvenait, de temps en temps, qu'au moment où l'un des Birmans le sondait, sur le sampan — opération dont il leur était toujours si reconnaissant —, il n'y avait jamais beaucoup de sang, même quand la tige de bambou n'était pas très droite ; son sang semblait pâle et inexistant comparé aux taches plus sanguinolentes du jus de bétel que tout le monde crachait sur le pont.

Si Homer Wells mettait Candy de nouveau enceinte, celle-ci lui fit promettre que — cette fois — il procéderait lui-même à l'avortement. Elle ne pourrait pas faire avaler à Wally un autre déplacement à Saint Cloud's ; elle ne *voulait* pas se moquer de lui à ce point, déclara-t-elle. Et cette considération supplémentaire — que Candy ne soit jamais enceinte — contribua à la modération de leur ébats, presque toujours accomplis dans des conditions assez rigoureuses pour mériter l'approbation des grands ancêtres puritains de la Nouvelle-Angleterre. Wilbur Larch, cependant, aurait refusé la sienne.

Ils ne prirent aucune habitude particulière susceptible d'attirer les soupçons de quelqu'un. (Comme si tout le monde n'était pas déjà soupçonneux, quelles que fussent leurs habitudes!) Ils ne se rencontraient jamais au même endroit, jamais le même jour, jamais à la même heure. En hiver, quand Ange, après la classe, emmenait Wally nager dans la piscine chauffée de son école privée, Homer et Candy passaient parfois une heure ou deux ensemble. Mais le lit d'Homer, qui avait été celui d'Olive et qui possédait toutes les caractéristiques d'une couche conjugale, suscitait en eux plus d'une émotion contradictoire — et le lit que Candy partageait avec Wally possédait lui aussi ses propres tabous. Rarement, ils partaient en balade. La cidrerie n'était utilisable qu'à la fin de l'été, quand on l'avait préparée pour l'équipe de ramassage; mais depuis qu'Ange savait conduire, il allait dans tous les coins de la propriété — il avait le droit de prendre n'importe quel véhicule d'Ocean View, à condition de ne pas rouler sur la voie publique, et son bon gros copain, Pete Hyde, l'accompagnait souvent. Homer soupçonnait que Pete et Ange se rendaient à la cidrerie pour boire en cachette, chaque fois qu'ils parvenaient à convaincre Herb Fowler de leur acheter de la bière; ou bien ils allaient se cacher là-bas pour vivre la grande émotion des quinze ans : fumer une cigarette. Et la nuit, pris au piège de leur propre insomnie, où Candy et Homer auraient-ils disparu — maintenant qu'Ange était lui aussi insomniaque?

Il n'y avait aucune raison qu'ils aient un accident — aucune raison pour que Candy tombe enceinte (absolument aucune, Homer sachant ce qu'il savait) — et aucune raison non plus qu'ils se fassent prendre. Mais Homer regrettait qu'en se montrant aussi raisonnables et discrets ils aient perdu la passion de leur première rencontre. Il avait jugé inutile de demander au Dr Larch les instruments nécessaires à traiter l'urgence que Candy redoutait, mais elle avait insisté — et il avait donc accepté d'écrire au vieux docteur.

Pendant quinze années, Homer avait dit à Candy :

— Tu ne seras pas enceinte, c'est impossible.

— Tu as tout ce qu'il te faut, si besoin était? lui demandait-elle toujours.

— Oui.

Il évitait « D'accord » de plus en plus depuis que Wally l'avait frappé. Et quand le mot lui échappait, il s'accompagnait souvent d'un retrait involontaire du visage — comme s'il s'attendait à un autre crochet, comme si son interlocuteur, aussi exaspéré par sa manie que Wally, avait la vitesse de réaction de M. Rose.

507

Wilbur Larch s'était mépris au sujet des instruments qu'Homer lui avait réclamés. Un malentendu de quinze ans ! Larch avait envoyé le tout promptement : deux spéculums vaginaux, un moyen et un grand, plus un spéculum lesté d'Auvard ; avec également un jeu de dilatateurs à pointes de Douglass — plus une sonde utérine, une curette de biopsie utérine, deux forceps à vulsellum, un jeu de curettes de Sim et une curette utérine à injection de Rheinstater. Larch avait aussi envoyé suffisamment de liqueur de Dakin et de mercurothiolate (et assez de tampons vaginaux stériles) pour qu'Homer procède à des avortements jusqu'à la fin du siècle et au-delà.

« Je n'installe pas un cabinet spécialisé ! » écrivit Homer Wells à Larch, mais le seul fait qu'Homer fût en possession des instruments nécessaires remonta le moral du docteur.

Homer enveloppa les instruments dans une débauche de coton hydrophile et de gaze, puis glissa le paquet dans une trousse étanche qui contenait autrefois les couches d'Ange. Il le rangea dans la trousse avec le mercurothiolate, la liqueur de Dakin et la montagne de tampons vaginaux, tout au fond du placard à linge du premier. Il mit l'éther dans l'appentis avec la tondeuse à gazon et les outils de jardin. L'éther est inflammable ; il n'en voulait pas dans la maison.

Cependant, la fois et demie par mois où il retrouvait Candy, il était touché de constater dans leur union (même après quinze années) une sorte de frénésie qui les poussait à s'accrocher l'un à l'autre — et qui ne paraissait nullement pâle et terne comparée à leur première rencontre du même genre, dans le chai à cidre. Mais depuis que Melony avait initié Homer Wells à la sexualité — et Homer n'avait connu la sexualité « idéale » qu'au cours de sa brève période de « vie conjugale » avec Candy pendant leur séjour à Saint Cloud's —, il estimait que la sexualité n'avait pas grand-chose à voir avec l'amour ; que l'amour se concentre davantage et se ressent mieux dans les moments de tendresse ou d'inquiétude. Cela faisait des années (par exemple) qu'il n'avait pas vu Candy endormie, ni qu'il ne l'avait réveillée ; des années qu'il ne l'avait pas regardée s'endormir, qu'il n'était pas resté éveillé pour veiller sur elle.

Cette tendresse, il la réservait à Ange. Quand son fils était plus jeune, Homer avait parfois rencontré Candy dans l'obscurité de la chambre d'Ange, et ils avaient partagé quelques soirées de cet émerveillement silencieux qui saisit les parents lorsqu'ils regardent leurs enfants dormir. Mais Homer s'était endormi si souvent dans le lit jumeau vide à côté de celui de son fils, en écoutant simplement sa respiration ! Après tout, Homer avait passé son enfance à essayer de dormir dans une pièce où toute une population respirait.

Et existe-t-il un moment plus chargé d'amour, se demandait-il, que réveiller un enfant le matin ? Chargé d'amour et de regret, conclut Homer. C'était avec Ange qu'Homer ressentait cet amour-là ; si Candy connaissait ce genre d'instants, se disait Homer, c'était sans doute avec Wally. Les plaisirs d'un orphelin sont compartimentés. A Saint Cloud's, par exemple, il valait mieux avoir faim le matin ; les petits pains ne manquaient jamais. Il y avait la sexualité, qui exigeait du beau temps (et bien entendu, Melony) ; il y avait des actes de délire et de destruction (encore avec Melony, mais par n'importe quel temps) ; il y avait des actes solitaires et des moments de réflexion, qui survenaient seulement par temps de pluie (et seulement sans Melony). Si fort qu'il désirât une famille, Homer Wells n'était pas à même d'apprécier la nature flexible du groupe familial.

Ce juillet-là — par un chaud et paresseux après-midi de samedi — Homer faisait la planche dans la piscine ; il était resté dans les vergers toute la matinée, pour tailler les jeunes arbres. Ange avait travaillé avec lui ; il venait de sortir de la piscine et il était encore trempé. Il jouait avec une balle de base-ball, qu'il lançait à Wally. Wally était assis sur la pelouse, sur un petit talus dominant la piscine, et Ange se tenait sur le caillebotis. Ils se lançaient la balle dure sans parler, en se concentrant sur leurs coups ; Wally décochait la balle avec une violence considérable pour un homme assis, mais Ange mettait plus de nerf. Le bruit de la balle qui claquait dans leurs gros gants n'était pas désagréable.

Candy descendit du comptoir de vente vers la piscine. Elle portait sa tenue de travail : un blue-jean ; une chemise de treillis kaki avec des poches trop grandes et des épaulettes ; des bottes de travail et une casquette de base-ball des Red Sox (l'équipe de Boston), la visière tournée vers l'arrière. (Elle cherchait à protéger du soleil ses cheveux plus que son visage car en été sa blondeur devenait plus pâle, ce qui faisait ressortir davantage ses cheveux gris.)

— Je sais que les hommes quittent les champs à midi, le samedi, lança-t-elle les mains sur les hanches, mais les femmes travaillent au comptoir jusqu'à trois heures.

Homer cessa de flotter ; il laissa ses pieds toucher le fond et, dans l'eau jusqu'à la poitrine, regarda Candy. Wally lui lança un coup d'œil par-dessus l'épaule, puis décocha la balle, qu'Ange lui renvoya.

« Garde la balle, je te prie, pendant que j'essaie de vous faire comprendre quelque chose, dit Candy.

Wally garda la balle.

— Qu'essaies-tu de nous faire comprendre ? demanda-t-il.

— J'estime que le samedi, tant que des gens travaillent au comptoir, vous devriez vous abstenir de jouer près de la piscine — tout le monde peut vous entendre et je crois que ça agace.

— Qu'est-ce qui agace ? demanda Ange.

— Vous entendre vous amuser et vivre dans la « maison de luxe », comme ils l'appellent, pendant qu'ils continuent de travailler, répondit Candy.

— Pete ne travaille pas, fit observer Ange. Pete est allé faire un tour à la plage.

— Pete est un gamin, dit Candy. Sa mère est encore au travail.

— Alors je suis un gamin moi aussi, non ? demanda Ange en riant.

— Je ne pensais pas à toi en particulier, répondit Candy. Mais vous deux ? demanda-t-elle à Homer et à Wally.

— Oh, moi... Je suis aussi un gamin, répliqua Wally en relançant la balle à Ange. De toute manière, je ne fais que m'amuser du matin au soir.

Ange éclata de rire et renvoya la balle, mais Homer Wells, toujours dans l'eau jusqu'à la poitrine, lança à Candy un regard noir.

— Est-ce que *toi*, tu vois ce que je veux dire, Homer ? lui demanda Candy.

Homer se laissa couler ; il retint son souffle un instant, et quand il remonta respirer, Candy franchissait la porte de la cuisine. L'écran moustiquaire claqua.

— Oh, je t'en prie ! lui cria Wally. Nous voyons tous ce que tu veux dire !

Et ce fut alors qu'Homer prononça le mot ; Homer cracha un peu d'eau et lança à Ange :

— Va prévenir *ta* mère que si elle change de tenue nous l'emmènerons à la plage.

Ange était à mi-chemin de la maison avant qu'Homer ne prenne conscience de ses propres paroles, et Wally cria à l'enfant :

— Dis-lui aussi de changer d'humeur !

Dès qu'Ange disparut dans la cuisine, Wally murmura :

« Je crois qu'il n'a même pas remarqué ce que tu as dit, vieux.

— Elle est tellement comme une mère pour lui... Je ne peux pas m'empêcher de la considérer ainsi, répondit Homer.

— Je suis certain que c'est dur pour toi de ne pas la considérer de toutes les manières que tu voudrais.

— Comment ? demanda Homer.

— Elle sait manœuvrer, n'est-ce pas ? lui demanda Wally.

Homer enfonça de nouveau la tête sous l'eau — c'était un endroit frais pour réfléchir.

— Manœuvrer ? dit-il en refaisant surface.

— Ma foi, quelqu'un doit savoir quoi faire, déclara Wally. Quelqu'un doit prendre les décisions.

Homer Wells, qui sentit poindre en lui le mot « D'accord ! » comme une bulle impossible à arrêter remontant à la surface de la piscine, posa la main sur sa bouche et regarda Wally assis sur le talus de la pelouse, le dos très droit, le gant de base-ball sur les genoux, la balle dans la main (le bras plié, prêt à lancer). Homer Wells comprit que si le mot lui avait échappé, la balle serait partie vers lui comme une flèche dès qu'il aurait ouvert la bouche — très probablement avant qu'il ne puisse plonger sous l'eau.

— Elle a raison, dit Homer Wells.

— Elle a toujours raison, répliqua Wally. Et elle vieillit bien, ne trouves-tu pas ?

— Très bien, murmura Homer en sortant de la piscine.

Il enfouit son visage mouillé dans une serviette ; les yeux clos, il vit le réseau délicat de rides au coin des yeux de Candy et les taches de rousseur sur sa poitrine, à l'endroit où, année après année, elle s'était trop exposée au soleil. Il y avait aussi les rides, peu nombreuses mais plus profondes, qui sillonnaient son ventre, très plat ceci mis à part : des vergetures, Homer le savait ; il se demanda si Wally connaissait lui aussi l'origine de ces rides-là. Et puis il y avait les veines de plus en plus marquées sur le dos des longues mains de Candy... Mais c'était une belle femme.

Quand elle ressortit de la maison avec Ange — prêts pour la plage tous les deux — Homer étudia son fils : avait-il remarqué que son père avait appelé Candy « *ta* mère » ? Mais Ange semblait comme toujours, et Homer ne put dire si son fils avait enregistré la gaffe. Il se demanda s'il devait prévenir Candy que Wally l'avait enregistrée.

Ils prirent la Jeep jaune citron de Candy. Elle se mit au volant ; Wally s'installa sur le siège confortable, à l'avant, et Homer partagea avec Ange la banquette arrière. Pendant tout le trajet jusqu'à la plage, Wally se contenta de regarder intensément par la fenêtre, comme s'il voyait pour la première fois la route d'Heart's Rock à Heart's Haven. Comme si Wally, songea Homer Wells, venait juste d'abandonner l'avion (dans le ciel de Birmanie) : son parachute s'ouvrait à l'instant et il cherchait un endroit où se poser.

Pour la première fois, Homer fut certain que Candy avait raison. Il sait, se dit-il. Wally sait.

Le comptoir de vente ne changeait jamais. C'était également une famille. Seule Debra Pettigrew s'en était allée ; la petite sœur de la grosse Dot Taft avait épousé un type du New Hampshire et ne revenait à Heart's Rock que pour Noël. A chaque Noël, Homer Wells emmenait Ange à Saint Cloud's. Ils prenaient le petit déjeuner de Noël de bonne heure avec Candy et Wally — non sans ouvrir tous les cadeaux ; puis ils emportaient encore plus de cadeaux à Saint Cloud's. Ils arrivaient en fin de journée ou en début de soirée, à temps pour prendre le dîner de Noël avec tout le monde. Ah ! les larmes que Nurse Angela versait ! Nurse Edna ne pleurait qu'au moment de leur départ. Le Dr Larch se montrait aimable mais toujours réservé.

Le comptoir était presque aussi immuable que Saint Cloud's — en un sens, encore plus immuable puisque les gens restaient les mêmes alors qu'à Saint Cloud's les orphelins changeaient tout le temps.

Herb Fowler sortait encore avec Louise Tobey, qu'on appelait toujours Pince-moi Louise — à presque cinquante ans, maintenant. Sans jamais épouser Herb (jamais il ne le lui avait demandé), elle avait acquis les charmes et les attitudes dignes et respectables de la femme mariée. Herb Fowler sortait toujours les mêmes plaisanteries grossières et éculées (sur les capotes anglaises) ; c'était un sexagénaire mince et grisonnant, qui arborait une bedaine ronde invraisemblable pour un individu aussi décharné par ailleurs ; il portait sa panse comme un objet volé qu'il aurait eu du mal à cacher sous sa chemise. Et Meany Hyde était uniformément rond et chauve, aussi gentil que jamais ; sa femme, Florence, et la grosse Dot Taft faisaient encore la loi au comptoir. La mort de Grace Lynch ne les avait abattues qu'un temps, et les deux femmes (aux bras aussi gros que des cuisses) continuaient de faire glousser Irene Titcomb (qui détournait encore son visage brûlé). Everett Taft, le plus doux des régisseurs, parut soulagé qu'Homer s'occupe d'engager le personnel, et que le fardeau d'embaucher la main-d'œuvre supplémentaire pour la récolte lui soit enlevé. Quant à l'agressivité de Vernon Lynch, elle était devenue si monumentale qu'elle ne s'attachait plus à des faits particuliers — qu'Homer dirige tout ou que Grace soit morte. Il était possédé par une colère bouillonnante ininterrompue, que déchaînaient les ravages de ses soixante et quelques années d'âge.

Homer Wells disait que Vernon Lynch avait une tumeur cérébrale permanente ; elle ne grossissait jamais, mais exerçait la même pression et la même gêne.

— Elle est juste là, comme le mauvais temps, hein ? plaisantait avec Homer Ira Titcomb, l'apiculteur.

Ira avait soixante-cinq ans, mais c'était un autre nombre qu'il inscrivait sur la remorque servant à transporter ses ruches : le nombre de fois où ses abeilles l'avaient piqué.

« Seulement deux cent quarante et une fois, se vantait Ira. Je m'occupe d'abeilles depuis l'âge de dix-neuf ans. Cela ne fait donc que cinq virgule deux piqûres par an. Pas mal, non ? demandait-il à Homer.

— D'accord, bafouillait Homer Wells, en baissant la tête pour esquiver le crochet attendu — et il rentrait les épaules de peur que la balle de base-ball ne siffle vers son visage à la vitesse du couteau de M. Rose...

Homer tenait bien entendu ses propres comptes. Le nombre de fois où il avait fait l'amour avec Candy depuis le retour de Wally de la guerre était inscrit au crayon (puis effacé et réinscrit) au dos de la photo de Wally avec son équipage de *L'occasion frappe*. Deux cent soixante-dix — guère plus que le nombre de piqûres d'abeilles d'Ira Titcomb. Mais Homer ignorait que Candy elle aussi tenait ses registres — également au crayon, le même « 270 » au dos d'un retirage de la photo d'elle en train d'apprendre à nager à Homer. Elle gardait le cliché, le plus naturellement du monde, dans la salle de bains qu'elle partageait avec Wally, où la photo était toujours à moitié dissimulée par une boîte de mouchoirs de papier, ou une bouteille de shampooing — il y avait toujours du désordre. C'était la salle de bains qu'Olive avait fait aménager avant de mourir, pour le retour de Wally ; elle était équipée des barres de prise dont Wally avait besoin pour s'installer sur les toilettes et pour entrer dans la baignoire ou en sortir.

— C'est la salle de bains standard pour estropié, disait Wally. Un singe y prendrait du bon temps avec toutes ces barres où faire du trapèze.

Un jour, cet été-là, en rentrant de la plage, ils avaient arrêté la voiture devant le terrain de jeux de l'école primaire d'Heart's Haven. Wally et Ange avaient envie de jouer aux barres de voltige. Ange était très agile et les bras de Wally s'étaient tellement développés qu'il pouvait se déplacer dans l'appareil avec une force et une grâce dangereusement simiesques — ils hurlaient d'ailleurs tous les deux comme des singes à l'intention d'Homer et de Candy, qui les attendaient dans la voiture.

513

— Nos deux enfants, avait dit Homer à l'amour de sa vie.

— Oui, notre famille, avait répondu Candy en souriant — sans quitter des yeux Wally et Ange, qui grimpaient et se lançaient sans fin d'une barre à l'autre.

— C'est mieux pour eux que de regarder la télévision, dit alors Homer Wells, qui considérerait toujours Wally et Ange comme des enfants.

Homer et Candy estimaient que Wally regardait trop la télévision, ce qui exerçait une mauvaise influence sur Ange, qui aimait la regarder avec lui.

Wally adorait tellement la télévision qu'il avait même donné un poste à Homer pour Saint Cloud's. Bien entendu, la réception était très mauvaise là-haut, ce qui améliora peut-être les audiences McCarthy — première expérience prolongée de Wilbur Larch avec le petit écran.

« Dieu merci, l'image n'est pas nette », écrivit-il à Homer.

Nurse Caroline se montra d'humeur massacrante toute cette année-là. Si l'armée des États-Unis « dorlotait des communistes », comme le prétendait le sénateur McCarthy, Nurse Caroline déclara qu'elle envisageait de s'engager.

Wilbur Larch, tendu par l'effort de regarder le sénateur entre les lignes neigeuses et zigzagantes de la télévision, répondit :

— Il m'a l'air d'un ivrogne. Je parie qu'il mourra jeune.

— Pas assez jeune pour mon goût, répliqua Nurse Caroline.

Ils finirent par donner le téléviseur. Nurse Edna et Mme Grogan commençaient à s'en droguer, et Larch considérait que c'était pire pour les orphelins qu'une religion organisée.

— C'est meilleur en tout cas que l'éther, Wilbur, se plaignit Nurse Edna — mais Larch demeura intraitable.

Il fit cadeau de l'objet au chef de gare, qu'il tenait pour le genre de connard parfaitement adapté à cette invention ; n'était-ce pas ce qu'il fallait pour occuper l'esprit d'un homme passant ses journées à attendre des trains ? Wilbur Larch fut le premier homme du Maine à donner à la télévision le nom qu'elle mérite : « une boîte idiote ». Le Maine, bien entendu — et Saint Cloud's en particulier — semblait recevoir tout plus tard que le reste du pays, et le comprendre plus lentement.

Mais Wally adorait la regarder, et Ange l'imitait chaque fois que Candy et Homer ne s'y opposaient pas. Wally prétendait par exemple que des événements télévisés, comme les audiences McCarthy, étaient éducatifs pour l'enfant.

— Il doit apprendre, disait Wally, que les cinglés d'extrême droite mettent toujours le pays en danger.

Le sénateur McCarthy perdit le soutien de millions de citoyens à la suite de ces audiences télévisées — et le sénat le condamna pour conduite « indigne » à l'égard d'un sous-comité qui enquêtait sur ses finances, ainsi que pour ses insultes à un autre comité qui recommandait qu'on le censure —, mais il fit cependant beaucoup d'effet sur le conseil d'administration de Saint Cloud's ; Mme Goodhall et le Dr Gingrich, surtout, furent incités à se plaindre des opinions et des engagements socialistes de Nurse Caroline, qui jetait sur l'orphelinat une ombre rose.

L'arrivée de Nurse Caroline avait assagi un peu les flammes du conseil. Mme Goodhall, soulagée au début d'apprendre que du « sang frais » avait irrigué Saint Cloud's, ne manqua pas de s'irriter en découvrant que Nurse Caroline approuvait le Dr Larch sans réserve. Ceci poussa la bonne dame à faire son enquête sur l'infirmière, dont les références professionnelles étaient parfaites, mais les activités politiques sujettes à caution — ce qui donna à Mme Goodhall une lueur d'espoir.

Elle avait plus d'une fois avancé devant le conseil la thèse selon laquelle le Dr Larch non seulement avait quatre-vingt-dix ans et quelques, mais était un homosexuel non pratiquant. Elle prévint aussitôt le bureau que le Dr Larch avait embauché une jeune rouge.

— Ils sont tous si vieux, qu'ils se sont laissé prendre au lavage de cerveau, déclara Mme Goodhall.

Le Dr Gingrich, de plus en plus fasciné par les bonds en avant que faisait le cerveau de sa collègue, demeurait encore sous le coup de l'image troublante d'un homosexuel non pratiquant. N'était-ce pas une accusation brillante à lancer contre quelqu'un légèrement (ou énormément) différent ? Et comment trouver un meilleur bruit à faire courir sur quiconque ? On ne pouvait jamais le confirmer ou l'infirmer. Le Dr Gingrich regretta de ne pas avoir envisagé cette accusation — seulement comme moyen de provocation — lorsqu'il pratiquait encore la psychiatrie.

Et voici que le Dr Larch était non seulement vieux, homosexuel et non pratiquant, mais aussi en danger de subir un lavage de cerveau de la part d'une jeune rouge !

Le Dr Gingrich, trouvant le Dr Larch extrêmement éloquent sur la question de la politique de Nurse Caroline, eut une envie folle de découvrir ce que le bon docteur répondrait s'il l'accusait d'être homosexuel non pratiquant.

— Elle est socialiste, non communiste ! protesta le Dr Larch auprès du bureau, qui lui répliqua :

— C'est du pareil au même (comme on dit dans le Maine, de beaucoup de choses).

— La prochaine fois, vous verrez, se plaignit Larch à ses infirmières, ils nous demanderont de dénoncer des choses.

— Que dénoncerions-nous ? demanda Nurse Edna inquiète.

— Faisons une liste, dit Larch.

— Les lois sur l'avortement, lança Nurse Angela.

— En tête ! s'écria Larch.

— Oh, seigneur ! dit Nurse Edna.

— Les républicains, tonna Wilbur Larch. Et le conseil d'administration.

— Oh la la ! murmura Nurse Edna.

— Le capitalisme, déclara Nurse Caroline.

— Il n'y a jamais eu le moindre capital, par ici, jura le Dr Larch.

— Les insectes et la gale ! dit Nurse Edna.

Tous la regardèrent.

« Et les asticots, ajouta-t-elle. C'est à cause d'eux que je suis obligée de traiter les pommiers. Les insectes, la gale et les vers.

A la suite de quoi, Wilbur Larch exhuma d'un placard la vieille trousse de cuir noir dont il se servait à la Maternité de Boston et l'apporta à un cordonnier de Three Mile Falls qui réparait également les sacs à main des dames et gravait des initiales dorées sur les selles de cheval. Il fit inscrire sur sa vieille trousse noire, en lettres d'or, F. S. — pour Fuzzy Stone.

En août cette année-là — quelques jours avant l'arrivée prévue des ramasseurs à Ocean View —, Wilbur Larch envoya cette trousse de médecin à Homer Wells. C'était le moment où, chaque année, Melony prenait ses vacances.

La plupart des ouvriers des chantiers navals, même les électriciens, prenaient deux semaines en été et deux semaines vers Noël ; Melony en revanche préférait disposer d'un mois entier à l'époque de la récolte ; quand elle ramassait des pommes, elle se sentait bien — ou peut-être croyait-elle rajeunir. Cette année-là, décida-t-elle, elle essaierait de se faire embaucher à Ocean View.

Elle ne se déplaçait jamais qu'en auto-stop et, comme elle ne portait que des vêtements d'homme, elle avait toujours l'air d'une clocharde. Personne n'aurait jamais deviné en la voyant qu'elle était électricien spécialisé aux chantiers navals, avec à la caisse d'épargne assez d'argent pour acheter une jolie maison et deux voitures.

Quand Melony arriva au comptoir de vente, la grosse Dot Taft fut la première à la voir. La grosse Dot et Florence Hyde arrangeaient les tables de présentation, bien que l'on n'eût encore cueilli que des Gravenstein. Elles installaient surtout les gelées, les confitures et le miel. Irene Titcomb travaillait aux fours à tarte. Wally était au bureau ; il téléphonait et ne vit donc pas Melony — qui ne le vit pas non plus.

Candy se trouvait dans la cuisine de la « maison de luxe », où elle discutait immobilier avec le frère vulgaire d'Olive, Bucky Bean. Bucky avait acheté la parcelle de terrain que possédait Ray Kendall sur le port d'Heart's Haven, et il y avait construit un restaurant de poissons et fruits de mer, très bon marché et plutôt minable — un des premiers restaurants du Maine où l'on ait servi les clients dans leur voiture, le genre d'endroit où des jeunes filles habillées en majorettes vous apportent des plats trop frits et trop tièdes, que vous mangez en vous penchant par la portière. On vous sert sur de petits plateaux branlants accrochés à la voiture quand vous baissez la glace. Homer avait toujours eu envie d'emmener Wilbur Larch dans un de ces endroits, seulement pour entendre ce que dirait le vieux bonhomme. Son attitude, Homer l'aurait juré, serait de la même veine que sa réaction à la télévision et au sénateur Joe McCarthy.

La nouvelle idée de Bucky Bean, c'était d'acheter une partie du verger que l'on appelait Coteau-du-coq, et de la revendre en « lotissements pour villas d'été » de quatre mille mètres carrés environ, avec vue sur l'océan.

Quand Melony arriva au comptoir de vente, Candy était sur le point de repousser l'offre. Elle estimait que des terrains de quatre mille mètres carrés seraient trop petits et que les nouveaux — et naïfs — propriétaires auraient du mal à s'adapter aux produits chimiques utilisés pour traiter les pommiers : les vapeurs dériveraient chaque été au-dessus de leur propriété et les empesteraient. De plus, les familles qui achèteraient les terrains et construiraient des maisons se croiraient sans doute autorisées à enjamber les clôtures pour ramasser toutes les pommes qu'il leur plairait.

— Vous êtes comme Olive ! se plaignit Bucky Bean. Vous n'avez aucune imagination concernant l'avenir.

Ce fut à cet instant que Melony s'avança vers la grosse Dot Taft, non seulement parce qu'elle semblait la patronne mais parce que Melony se sentait plus à l'aise avec les femmes grandes et grosses. Dot sourit en évaluant de l'œil le poids de Melony : les deux femmes semblaient prédisposées à se plaire mutuellement. Puis Melony parla

— sa voix se répercuta sur les étagères presque vides et surprit Meany Hyde et Vernon Lynch, en train de remplir d'eau le radiateur du John Deere... Lorsque Melony essayait de parler normalement, elle avait la voix grave ; dès qu'elle s'efforçait de prendre un ton plus aigu, la plupart des gens se figuraient qu'elle criait.

— Est-ce qu'un nommé Homer Wells travaille ici ? demanda Melony à la grosse Dot.

— Et comment, répondit celle-ci en riant. Vous êtes une de ses copines ?

— Je l'étais, précisa Melony. Je ne l'ai pas vu depuis un bout de temps, ajouta-t-elle modestement — modestement pour Melony, que sa liaison amoureuse avec Lorna rendait parfois réservée et timide avec les autres femmes ; en face des hommes, sa confiance en elle restait aussi imperturbable que jamais.

— Où est Homer ? demanda Florence Hyde à Meany, qui fixait Melony avec des yeux ronds.

— Il livre des caisses à La Poêle-à-frire, répondit Meany Hyde.

Quelque chose le fit frissonner.

— Vous passez lui dire bonjour ? demanda la grosse Dot à Melony dont les doigts, remarqua Dot, s'ouvraient et se refermaient machinalement. (Ils fermaient le poing puis se détendaient.)

— En réalité, je suis venue chercher du travail, répondit Melony. J'ai fait pas mal de récoltes.

— C'est Homer qui embauche les ramasseurs, dit la grosse Dot. Vous aurez sûrement de la chance — vu que vous êtes de vieux amis, et tout...

— Trop tôt pour embaucher des ramasseurs, lança Vernon Lynch.

Quelque chose dans le regard de Melony le poussa à ne pas insister sur ce point.

— Va donc prévenir Homer que quelqu'un veut le voir, lança la grosse Dot à Vernon. C'est Homer, le patron.

— Le patron ? dit Melony.

Irene Titcomb gloussa et détourna sa cicatrice.

— En fait, c'est une sorte de secret... Qui est le patron ici ? commenta Irene.

Vernon Lynch emballa si fort le moteur du tracteur que de la fumée noire et grasse jaillit du tuyau d'échappement et enveloppa les femmes du comptoir.

— Si vous devez travailler ici, dit la grosse Dot à Melony, autant que vous le sachiez tout de suite : ce type qui conduit le tracteur, là, c'est un trou-du-cul de première

518

Melony haussa les épaules :

— Il n'y en a qu'un seul ? demanda-t-elle.

Et la grosse Dot s'esclaffa.

— Oh, mes tartes ! s'écria Irene Titcomb, qui partit au pas de course.

Florence Hyde toisa Melony d'un œil amical, et la grosse Dot posa sa patte charnue sur l'épaule de la nouvelle venue comme si elles se connaissaient de longue date. Irene Titcomb revint en courant leur annoncer que les tartes étaient sauvées.

— Alors raconte : comment se fait-il que tu connaisses Homer Wells ? dit Florence Hyde à Melony.

— D'où et depuis quand ? demanda la grosse Dot Taft.

— De Saint Cloud's, depuis toujours, leur répondit Melony. C'était mon homme, dit-elle aux femmes.

Et ses lèvres entrouvertes montrèrent les dégâts subis par ses dents.

— Pas possible ? s'écria la grosse Dot Taft.

Homer Wells et Ange, son fils, parlaient de masturbation — ou plutôt, Homer parlait. Ils prenaient leur pause déjeuner sous l'un des vieux arbres de La Poêle-à-frire ; ils avaient mis des caisses en place dans les vergers pendant toute la matinée — chacun conduisait le tracteur ou déchargeait les caisses à son tour. Ils avaient terminé leurs sandwiches et Ange venait d'éclabousser son père en secouant son soda ; Homer avait essayé d'aborder le sujet de la masturbation de façon naturelle. Candy avait fait observer à Homer que des traces sur les draps de lit d'Ange suggéraient qu'il était sans doute temps de prévoir une conversation de père à fils traitant de la sexualité manifestement bourgeonnante du jeune homme.

— Tu sais, quand j'avais ton âge — à Saint Cloud's —, c'était vraiment difficile de se faire plaisir dans l'intimité, avait commencé Homer (d'une voix naturelle, croyait-il).

Ils étaient allongés sur le dos dans l'herbe haute, sous l'arbre le plus fourni de La Poêle-à-frire — le soleil ne parvenait pas à filtrer à travers les branches luxuriantes, ployées sous le poids des pommes.

— Ah bon ? dit Ange, indifférent, au bout d'un instant.

— Ouais, répondit Homer. Vois-tu, j'étais le plus âgé — à peu près ton âge — et j'étais tenu pour responsable de tous les autres gosses, plus ou moins. Je savais qu'ils n'avaient même pas l'âge d'avoir des poils et qu'ils ne savaient que faire de leurs petites bandaisons.

Ange rit. Homer rit aussi.

— Et comment te débrouillais-tu ? demanda Ange à son père, après un silence.

— J'attendais jusqu'à ce que je les croie tous endormis, puis j'essayais de ne pas faire de bruit avec le lit, répondit Homer. Mais tu ne peux pas savoir le temps qu'il faut à douze ou quinze gamins pour s'endormir !

De nouveau, ils rient.

« Il y avait un autre gosse en âge de comprendre, lui confia Homer. Je crois qu'il commençait juste à s'amuser un peu avec son joujou — la première fois qu'il l'avait fait, il n'avait aucune idée de ce qui se passerait. Et quand il s'est éclaboussé — quand il a éjaculé, tu vois — il a cru qu'il s'était fait mal. Dans le noir, il a probablement pensé qu'il saignait !

L'histoire était complètement imaginaire, mais Ange Wells l'adora ; il rit, d'un air très au fait de la vie, ce qui encouragea son père à continuer.

« Il était tellement inquiet ! Il ne cessait de me demander d'allumer la lumière : il disait que quelque chose s'était cassé en lui, dit Homer.

— Cassé ? s'écria Ange, et ils éclatèrent de rire de plus belle.

— Oui ! dit Homer. Et quand j'ai allumé la lumière, il s'est regardé et il a dit : Oh ! mon dieu, il a tiré — comme s'il parlait d'un fusil et qu'il venait de se tirer dessus !

Le père et le fils rirent de bon cœur pendant un instant. Puis Homer reprit, d'un ton plus sérieux :

« Bien entendu, j'ai essayé de tout lui expliquer. J'ai eu du mal à lui faire comprendre qu'il n'avait rien fait de mal — parce que c'est naturel ; c'est parfaitement normal, un signe de bonne santé, mais il y a tellement de manières de déformer ces choses...

Ange garda le silence ; peut-être voyait-il la raison de cette histoire.

« Mais imagine-moi en train d'expliquer à ce gosse — il était vraiment plus jeune que toi — qu'il était tout naturel d'avoir des envies de filles et de rapports sexuels longtemps avant que se présente l'occasion de rencontrer réellement des filles. Ou de faire réellement l'amour, ajouta Homer.

Il avait vraiment tourné son argument à la force du poignet et il s'arrêta pour juger de l'effet produit sur son fils ; Ange, un long brin d'herbe entre les dents, était allongé sur le dos, les yeux fixés sur le tronc trapu de l'arbre énorme.

Ils restèrent silencieux pendant un moment, puis Homer dit :

« Aimerais-tu me poser une question — sur n'importe quoi ?

Ange eut un rire bref ; puis se tut.

— Oui, dit-il enfin à son père. Je me demande pourquoi tu n'as pas d'amie — pourquoi tu ne parais même pas intéressé.

Ce n'était pas la question à laquelle Homer s'attendait, à la suite de son invitation à parler d'oiseaux et d'abeilles, comme on dit dans le Maine ; mais, en quelques secondes, il se rendit compte qu'il aurait dû s'y attendre, et qu'une réponse raisonnable serait sûrement plus marquante sur l'esprit d'Ange que telle ou telle vérité concernant la masturbation.

— J'avais une amie à Saint Cloud's, répondit Homer. Elle était plutôt dure avec moi. Une sorte de brute. Plus âgée que moi, et d'ailleurs plus forte ! dit-il en riant.

— Sans blague, répondit Ange.

Il ne riait pas ; il s'était relevé sur les coudes et adressait à son père un regard intense.

— En fait, nous ne nous ressemblions pas beaucoup, lui dit Homer. C'était l'un de ces exemples où les rapports sexuels se produisent avant qu'il y ait amitié, ou sans qu'il y ait réellement amitié — et au bout d'un certain temps, même les rapports sexuels ont cessé. Ensuite, je ne sais pas trop ce que nos relations représentaient.

— Tu veux dire que ce n'était pas un bon départ ? demanda Ange.

— C'est ça.

— Et que s'est-il passé ensuite ?

— J'ai rencontré Wally et Candy, répondit Homer, sur ses gardes. J'aurais sans doute épousé Candy — si elle n'avait pas épousé Wally. Elle a presque été ma petite amie, pendant cinq minutes. C'était quand Wally faisait la guerre, quand nous nous demandions s'il était encore en vie, se hâta d'ajouter Homer. J'ai toujours été si lié à Wally et à Candy... Après — quand je t'ai eu — j'ai commencé à me dire que j'avais déjà tout ce que je pouvais désirer.

Ange Wells roula de nouveau sur le dos et regarda fixement le tronc de l'arbre.

— Donc, tu éprouves pour ainsi dire de l'attachement pour Candy ? demanda-t-il. Tu ne t'intéresses à personne d'autre ?

— Pour ainsi dire, répondit Homer Wells. Et toi, as-tu rencontré une personne qui t'intéresse ? demanda-t-il, espérant changer de sujet.

— Personne qui s'intéresserait à moi, dit son fils. Les filles auxquelles je pense sont toutes trop âgées pour baisser les yeux sur moi.

— Ça changera, lança Homer en donnant une bourrade dans les côtes de son fils.

Le jeune homme releva brusquement les genoux, roula sur le flanc et rendit coup pour coup à son père.

« Très bientôt, lui dit Homer, les filles vont faire la queue pour te regarder.

Il immobilisa Ange d'une prise à la tête et ils commencèrent à se bagarrer. Lutter avec Ange demeurait pour Homer un des rares moyens de conserver un contact physique avec son fils — longtemps après qu'Ange eut cessé d'accepter qu'on le cajole et l'embrasse en public. Un jeune homme de quinze ans n'a pas envie que son père le prenne toujours sous son aile, mais lutter semblait parfaitement respectable ; c'était encore permis. Ils se bagarraient si fort, en riant aux éclats — et tout haletants —, qu'ils n'entendirent pas Vernon Lynch s'avancer vers eux.

— Hé, Homer ! dit Vernon sèchement en donnant des coups de pied aux deux corps qui se roulaient par terre sous le gros arbre — l'air désabusé, comme s'il tentait d'interrompre un combat de chiens.

Dès qu'ils le virent debout au-dessus d'eux, ils se figèrent en un enlacement maladroit — comme s'ils avaient été surpris en train de faire quelque chose de mal.

« Si vous voulez cesser de vous grimper dessus, dit Vernon, j'ai un message.

— Pour moi ? demanda Homer Wells.

— Il y a une grosse femme qui prétend te connaître. Elle est au comptoir, dit Vernon.

Homer sourit. Il connaissait plusieurs grosses femmes au comptoir de vente. Il supposait que Vernon voulait parler de la grosse Dot Taft, ou de Florence Hyde. Même Pince-moi Louise avait pris du poids, ces dernières années.

« Je veux dire une *nouvelle* grosse femme, précisa Vernon.

Il repartit vers son tracteur.

« Elle dit qu'elle veut ramasser des pommes et elle t'a demandé. Elle te connaît.

Homer se releva lentement ; il avait roulé sur une racine du gros arbre et la racine lui avait fait mal aux côtes. Ange avait aussi écrasé de l'herbe dans le dos de sa chemise.

— Oh, une grosse, hein ? dit Ange. Il me semble que tu ne m'as pas parlé de cette grosse.

Comme Homer déboutonnait sa chemise pour secouer l'herbe, Ange lança un coup de poing vers son ventre nu. Ce fut alors qu'il remarqua que son père avait vieilli. Il était encore mince, et fort à cause de tout le travail qu'il faisait dans les vergers, mais un soupçon de bedaine roulait par-dessus la ceinture de son jean, et ses cheveux, ébouriffés par la lutte, étaient davantage parsemés de gris que de brins d'herbe. Il y avait aussi, autour des yeux d'Homer, une certaine tristesse qu'Ange n'avait jamais remarquée auparavant.

« Papa ? lui demanda-t-il doucement. Qui est cette femme ?

Son père lui lança un regard de panique ; il commença à reboutonner sa chemise de travers et Ange dut l'aider.

« Ce ne peut pas être la brute, n'est-ce pas ?

Ange essayait de blaguer avec son père — leurs rapports se plaçaient souvent sous le signe de la plaisanterie — mais Homer refusa de parler, refusa même de sourire. Il fallait encore décharger la moitié d'une remorque de caisses vides, et Homer conduisit trop vite, en faisant tomber une caisse de loin en loin. Leur remorque se vida en un rien de temps et, pour retourner au comptoir, Homer prit la route goudronnée au lieu de tourner dans les chemins des vergers. La route était plus rapide, mais Homer avait ordonné à tous les conducteurs de la prendre le moins souvent possible — pour éviter tout accident avec les voitures d'estivants qui la fréquentaient en été.

L'importance d'un grand moment fait énormément d'effet sur un enfant quand il voit un de ses parents rompre sa propre règle.

« Tu crois que c'est elle ? cria Ange à son père.

Il était debout derrière les épaules d'Homer, les mains sur le siège du tracteur, les pieds calés contre le timon de la remorque.

« Tu dois admettre que c'est un peu excitant, ajouta le jeune homme — mais Homer garda un air sombre.

Il rangea le tracteur et la remorque le long des hangars, à côté du comptoir.

— Tu peux commencer à charger d'autres caisses, dit-il à Ange Mais il ne se débarrasserait pas de lui aussi facilement.

Son fils lui emboîta le pas, en direction du comptoir de vente où la grosse Dot, Florence et Irene entouraient l'implacable et massive Melony.

— C'est bien elle, hein ? chuchota Ange à son père.

— Bonjour Melony, dit Homer Wells.

Il n'y eut pas un bruit dans l'air immobile.

— Comment va, Rayon-de-soleil ? lui demanda Melony.

— Rayon-de-soleil ! dit la grosse Dot Taft.

Même Ange dut le dire à haute voix. Imaginez donc : son père un rayon de soleil !

523

Mais bien qu'elle eût attendu des années pour le voir, le regard de Melony se riva non pas sur Homer mais sur Ange ; elle ne pouvait détacher les yeux de l'enfant. Homer Wells, quadragénaire de belle allure, ne rappelait pas précisément à Melony l'Homer Wells de ses souvenirs ; en revanche, Ange l'émut avec une violence tout à fait inattendue. Elle ne s'attendait pas à avoir les jambes coupées par le portrait tout craché (comme on dit dans le Maine) du jeune homme qu'elle avait connu. Le pauvre Ange perdit contenance sous le regard sauvage que Melony lui lança, mais c'était un garçon bien élevé, et il adressa à l'inconnue un sourire engageant.

— Aucun doute sur qui tu es, dit Melony au jeune homme. Tu ressembles plus à ton père que ton père lui-même.

La grosse Dot et les femmes du comptoir étaient suspendues à chacune de ses paroles.

— C'est gentil de ta part de voir une ressemblance, dit Homer Wells, mais mon fils est adopté.

Homer Wells n'avait-il donc rien appris ? A travers toutes ces années de coups durs, ces années de muscles, de graisse, de trahison et de vieillissement, ne pouvait-il donc pas deviner dans le regard farouche et triste de Melony une forme d'intuition que nul ne duperait jamais.

— Adopté ? lança Melony sans que ses yeux gris jaune quittent un seul instant le visage d'Ange.

Son vieil ami la décevait beaucoup : après toutes ces années, voici qu'il essayait encore de lui mentir.

Ce fut à cet instant que Candy — après s'être enfin débarrassée de Bucky Bean — entra dans le comptoir de vente, prit une Gravenstein dans un cageot sur la première table, la mordit à belles dents, remarqua que personne ne semblait travailler et se dirigea vers le petit groupe.

L'espace le plus naturel dans lequel Candy pouvait entrer dans le cercle se trouvait entre Homer et Ange, et elle s'avança donc entre eux ; comme elle avait la bouche pleine de pomme, elle fut un peu gênée de parler à l'inconnue.

— 'jour ! parvint-elle à lancer à Melony, qui reconnut aussitôt — sur le visage de Candy — les rares traits d'Ange qu'elle n'avait pas réussi à retrouver sur son souvenir d'Homer Wells.

— C'est Melony, dit Homer à Candy, qui eut des difficultés à avaler — des années auparavant, sur le toit du chai à cidre, elle avait tout appris sur Melony. Je te présente madame Worthington, balbutia Homer à Melony.

— Comment allez-vous ? parvint à articuler Candy.

— Madame Worthington ? dit Melony — et son regard de chat sauvage sauta d'Ange à Candy, puis d'Ange à Homer Wells.

Wally sortit du bureau, dans son fauteuil roulant, et s'avança dans la salle.

— Personne ne travaille aujourd'hui ? demanda-t-il, enjoué à son habitude.

Voyant l'inconnue, il se montra poli.

« Oh, bonjour !

— 'jour, répondit Melony.

— C'est mon mari, dit Candy, la bouche toujours pleine de pomme.

— Votre mari ? répéta Melony.

— Monsieur Worthington, balbutia Homer Wells.

— Tout le monde m'appelle Wally, dit Wally.

— Melony était avec moi à l'orphelinat, expliqua Homer.

— Ah bon ? s'écria Wally, enthousiaste. C'est magnifique. Fais-lui faire le tour de la propriété. Montre-lui aussi la maison, dit-il à Homer. Vous aimeriez peut-être faire quelques brasses dans la piscine ? demanda-t-il à Melony qui, pour une fois dans sa vie, ne sut que répondre. Dot, lança Wally à la grosse Dot Taft, donnez-moi le compte des boisseaux de Gravenstein que nous avons en chambre froide. J'ai un client qui attend au téléphone.

Il fit pivoter son fauteuil roulant et repartit vers le bureau.

— Meany sait combien nous en avons, répondit Florence Hyde. Il sort de la chambre froide à l'instant.

— Alors, que quelqu'un aille me chercher Meany, répondit Wally. Enchanté de faire votre connaissance ! lança-t-il à Melony. Restez dîner, je vous prie.

Candy faillit s'étouffer, mais elle parvint tout de même à avaler.

— Merci ! répondit Melony au dos de Wally.

Il est le seul héros, ici, se dit Melony en regardant la porte se refermer derrière le fauteuil d'infirme ; elle était incapable de maîtriser ses mains. Elle avait envie de toucher Ange, de l'enlacer — elle avait eu envie de poser ses mains sur Homer Wells pendant des années, mais à présent elle ne savait plus ce qu'elle voulait de lui. Si elle était soudain tombée à quatre pattes, ou s'était mise en position de combat, elle sentait qu'Homer Wells serait prêt ; elle remarqua qu'il ne maîtrisait pas ses mains lui non plus — ses doigts pianotaient sur ses cuisses. Le plus dur, pour Melony, ce fut de découvrir et d'admettre qu'il n'y avait aucun amour pour elle dans les yeux de cet

525

homme ; il avait l'air d'un animal pris au piège — rien en lui n'exprimait le moindre émoi, la moindre curiosité à la vue de Melony. Dès qu'elle ouvrirait la bouche, se dit-elle, dès qu'elle prononcerait un seul mot sur l'enfant — pas du tout orphelin, c'était évident ! —, Homer Wells lui sauterait à la gorge avant qu'elle puisse cracher l'histoire.

Nul ne semblait se rappeler que Melony était venue — entre autres raisons — pour chercher du travail. Ange lui dit :

— Vous aimeriez voir d'abord la piscine ?

— Oh... Je ne sais pas nager, répondit Melony, mais ce sera gentil d'aller la voir.

Elle sourit à Homer avec une chaleur si éloignée de son caractère — d'un sourire qui révéla ses mauvaises dents — qu'Homer ne put retenir un frisson. Le trognon de pomme pendait comme un poids mort au bout du bras inerte de Candy.

— Je vous montrerai la maison, dit Candy. Lorsque Ange vous aura montré la piscine.

Elle lâcha la pomme entamée, puis rit d'elle-même.

— Je te montrerai les vergers, marmonna Homer.

— Pas besoin de me montrer les vergers, Rayon-de-soleil, répliqua Melony. J'en ai déjà vu des quantités.

— Oh ! dit-il.

— Rayon-de-soleil, dit Candy, sans expression.

En route vers la maison et la piscine, Ange donna à son père une claque dans le dos ; il trouvait formidable cette visite surprise : une occasion inespérée de se distraire. Homer se retourna un instant pour faire les gros yeux à son fils — ce qu'Ange jugea d'autant plus drôle. Pendant que l'adolescent montrait la piscine à Melony — en lui faisant remarquer la rampe pour le fauteuil roulant de Wally —, Candy et Homer attendirent l'arrivée de l'intruse dans la cuisine.

— Elle sait, dit Homer à Candy.

— Quoi ? répliqua Candy. Que sait-elle ?

— Melony sait tout, dit Homer Wells, dans un état de transe aussi intense qu'après une inhalation d'éther.

— Comment le pourrait-elle ? lui demanda Candy. Tu le lui as dit ?

— Ne sois pas ridicule, lança Homer. Elle sait. Elle sait toujours.

— C'est *toi* qui es ridicule, rétorqua Candy, furieuse.

— Wally est un nageur formidable, expliquait Ange à Melony. Dans l'océan, il suffit qu'on le porte au-delà du ressac. Je peux le faire.

— Tu as belle allure, petit, lui dit Melony. Plus belle allure que ton papa à ton âge.

Ange fut gêné ; il tâta la température de l'eau.

— Elle est bonne, dit-il. Dommage que vous ne nagiez pas. Vous pourriez rester debout dans le petit bassin, ou bien je pourrais vous apprendre à faire la planche. C'est Candy qui a appris à nager à mon père.

— Incroyable, répondit Melony.

Elle monta sur le plongeoir et sautilla un peu ; elle n'avait pas besoin de sautiller beaucoup pour que la planche s'incline vers l'eau.

« Si je tombais, je parie que tu pourrais me sauver, lança-t-elle à Ange, qui n'aurait su dire si la grosse femme le taquinait ou le menaçait — ou bien si elle ne faisait pas l'idiote, faute de mieux.

C'était ce qui fascinait Ange chez Melony : elle lui semblait être capable, d'une minute à l'autre, de n'importe quoi.

— Je pourrais probablement vous sauver, si vous couliez, avança Ange avec précaution.

Mais Melony recula du bout du plongeoir, qui donna à son pas l'allure élastique caractéristique des grands félins.

— Incroyable, répéta-t-elle tandis que ses yeux essayaient de tout embrasser.

— Vous voulez voir la maison, à présent ? lui demanda Ange.

Elle commençait à le rendre nerveux.

— Ouah, c'est une sacrée baraque que vous avez, dit Melony à Candy, qui lui montra le rez-de-chaussée.

Homer lui fit visiter l'étage. Dans le couloir, entre la chambre d'Homer et celle d'Ange, Melony lui chuchota :

« Bon sang, tu t'es drôlement gâté. Comment t'es-tu débrouillé, Rayon-de-soleil ?

Elle le dévorait de ses yeux de fauve.

« Tu as même une vue splendide ! remarqua-t-elle en s'asseyant sur le lit de la grande chambre et en regardant par la fenêtre.

Quand elle lui demanda si elle pouvait se servir de la salle de bains, Homer descendit échanger quelques mots avec Candy, mais Ange traînait encore dans les parages — il s'amusait beaucoup et demeurait curieux de la suite. Le côté peu recommandable de la première petite amie de son père avait fait sur l'enfant un effet considérable ; Ange s'était échiné à imaginer pourquoi son père avait choisi une vie solitaire ; le fantôme agressif qui se présentait ce jour-là contribuait à lui fournir une explication. Si cette femme menaçante avait été la

527

première expérience d'Homer, il était plus compréhensible pour le fils que le père eût hésité à recommencer.

Melony demeura longtemps dans la salle de bains, et Homer Wells fut ravi de ce sursis ; il en avait besoin — pour convaincre Candy et Ange de reprendre leurs occupations, et de le laisser seul avec la nouvelle venue.

— Elle cherche du travail, leur dit-il d'un ton brusque. J'ai besoin d'un peu de temps avec elle, seul à seule.

— Du travail, dit Candy.

L'effroi se peignit sur son visage ; elle en plissa ses jolis yeux.

Si les miroirs n'avaient jamais été des amis pour Melony, celui de la salle de bains d'Homer fut impitoyable avec elle. Elle fouilla la pharmacie ; sans raison, elle jeta des cachets dans les toilettes. Puis elle se mit à éjecter des lames de rasoir d'un distributeur grossier, en métal ; elle vida le distributeur avant de pouvoir se contraindre à cesser. Elle se coupa le doigt en tentant de ramasser une des lames sur le carrelage. Elle avait le doigt enfoncé dans la bouche quand elle se regarda enfin dans le miroir. La lame de rasoir dans l'autre main, elle passa en revue les quarante et quelques années qui se lisaient sur ses traits. Oh ! elle n'avait jamais été séduisante, mais autrefois au moins elle savait se battre ; à présent, elle en doutait. Elle posa la lame de rasoir contre la poche sous l'un de ses yeux ; elle ferma l'œil, comme si l'œil lui-même refusait de voir ce qu'elle allait faire. Puis elle ne fit rien. Au bout d'un instant, elle posa la lame sur le bord du lavabo et pleura.

Puis elle trouva un briquet ; Candy devait l'avoir laissé dans la salle de bains : Homer ne fumait pas et Wally ne pouvait monter l'escalier. Elle se servit du briquet pour faire fondre le manche de la brosse à dents d'Homer ; elle enfonça la lame de rasoir dans la partie ramollie et attendit que le plastique durcisse. Elle reprit la brosse à dents, le côté brosse dans sa paume : une belle petite arme, se dit-elle.

Enfin elle vit le questionnaire du conseil d'administration de Saint Cloud's, vieux de quinze ans ; le papier était si abîmé qu'elle craignait de le déchirer. Comme ces questions lui faisaient tourner la tête ! Elle lança dans le lavabo la brosse à dents équipée de la lame de rasoir, la reprit, la rangea dans l'armoire-pharmacie, puis l'en ressortit. Elle vomit une fois et tira deux fois la chasse des toilettes.

Elle s'attarda donc dans la salle de bains du premier. Quand elle descendit, Homer l'attendait dans la cuisine ; Melony, pendant l'intervalle, avait changé plusieurs fois d'état d'esprit et réalisé ce qu'elle ressentait à l'égard d'Homer, de leurs retrouvailles en ce lieu, dans cette situation équivoque. Elle s'était divertie tout d'abord du désarroi causé par son apparition, mais à présent la déception qu'elle éprouvait au sujet d'Homer Wells était plus profonde que sa colère — c'était presque du chagrin.

— Je ne sais pas pourquoi, mais je m'étais figuré que tu finirais mieux que ça : grimper la femme d'un infirme et faire semblant que ton propre fils n'est pas de toi ! dit Melony à Homer Wells. Surtout toi... Un orphelin ! lui rappela-t-elle.

— Ce n'est pas tout à fait ça, tenta-t-il de lui expliquer.

Mais elle secoua sa grosse tête et se détourna de lui.

— J'ai des yeux, dit-elle. Je peux voir *ce que c'est* : c'est de la merde, de la merde petite-bourgeoise : être infidèle et mentir au gosse. Surtout toi !

Elle avait les mains enfoncées dans ses poches ; elle les retira et les croisa derrière le dos ; puis elle les remit dans ses poches. Chaque fois qu'elle bougeait les mains, Homer avait un mouvement de recul.

Homer Wells s'était attendu à ce que Melony l'attaque (c'était dans sa nature), mais pas à ce genre d'attaque. Il avait imaginé que, le jour où il la reverrait, il serait un adversaire digne d'elle.

« Tu crois que je prends mon pied à te mettre dans l'embarras ? lui demanda Melony. Tu crois que je t'ai toujours cherché pour te faire passer un mauvais quart d'heure ?

— Je ne savais pas que tu me cherchais, répondit Homer Wells.

— Je m'étais gourée à ton sujet, dit Melony.

Homer la regarda et comprit qu'il s'était « gouré » sur Melony lui aussi.

« Je m'étais toujours dit que tu finirais comme le vieux.

— Comme Larch ? demanda Homer.

— Bien sûr, comme Larch ! lui lança Melony. Je t'avais vu comme ça : le missionnaire, tu vois. Le philanthrope. Le nez au vent.

— Je ne vois pas du tout Larch comme ça, répondit Homer.

— Ne fais pas le morveux avec moi ! cria Melony, son visage nu soudain baigné de larmes. Tu as le nez au vent — je ne me suis pas trompée sur ce point. Mais missionnaire ? Non. Tu es un sale con ! Tu as fichu en cloque une gonzesse que tu n'aurais jamais dû baiser au départ, et tu n'as même pas été capable d'agir proprement vis-à-vis de ton gosse. Tu parles d'un missionnaire ! Quelle *bravoure,* hein ? A mes yeux, Rayon-de-soleil, c'est dégueulasse, lui dit Melony.

Puis elle s'en fut ; elle ne lui réclama pas de travail ; et il n'eut pas l'occasion de lui demander comment elle avait vécu.

Il monta dans la salle de bains et vomit ; il emplit le lavabo d'eau froide et se trempa la tête, mais sans parvenir à arrêter les palpitations. Quatre-vingts kilos de vérité l'avaient frappé au visage, au cou, à la poitrine — lui avaient coupé le souffle et cela faisait mal. Il avait un goût de vomi dans le bouche ; il voulut se laver les dents, mais il se coupa la main avant de remarquer la lame de rasoir. Il se sentit presque aussi paralysé au-dessus de la taille que Wally l'était au-dessous. Lorsqu'il voulut prendre la serviette de toilette, près de la douche, il vit ce qui avait également changé, ce qui manquait à la pièce : le formulaire vierge, celui qu'il n'avait jamais renvoyé au conseil d'administration de Saint Cloud's. Il ne lui fallut pas longtemps pour imaginer comment Melony répondrait aux questions.

Cette panique nouvelle l'empêcha de continuer de s'apitoyer sur lui-même. Sur-le-champ il téléphona à l'orphelinat. Nurse Edna décrocha l'appareil.

— Oh, Homer ! s'écria-t-elle, ravie d'entendre sa voix.

— C'est important, lui dit-il. J'ai vu Melony.

— Oh, Melony ! s'exclama Nurse Edna, enthousiaste. Mme Grogan va être aux anges !

— Melony a entre les mains un exemplaire du questionnaire, dit Homer Wells. Faites-en part au Dr Larch — je ne crois pas que ce soit une bonne nouvelle. L'ancien questionnaire du conseil d'administration.

— Oh, seigneur ! dit Nurse Edna.

— Bien sûr, elle ne le remplira peut-être pas, reprit Homer, mais elle l'a en sa possession — il y a l'adresse où l'envoyer inscrite sur la feuille. Et je ne sais pas où Melony est partie ; je ne sais même pas d'où elle venait.

— Était-elle mariée ? demanda Nurse Edna. Était-elle heureuse ?

Nom de Dieu ! se dit Homer Wells. Nurse Edna criait toujours dans le téléphone ; elle était si vieille qu'elle ne se souvenait que de l'époque des communications inaudibles.

— Dites au Dr Larch que Melony a le questionnaire. J'ai pensé qu'il devait le savoir, insista Homer Wells.

— Oui, oui ! cria Nurse Edna. Mais était-elle heureuse ?

— Je ne crois pas, dit Homer.

— Oh, seigneur !

— Je pensais qu'elle resterait dîner, dit Wally en servant l'espadon.

— Je pensais qu'elle cherchait du travail, dit Ange

— Que fait-elle, dans la vie ? demanda Wally.

— Si elle voulait ramasser des pommes, répondit Candy, elle ne doit pas faire grand-chose dans la vie.

— Je ne crois pas qu'elle cherchait vraiment du travail, dit Homer.

— Elle voulait juste te reluquer un peu, papa, dit Ange, et Wally rit.

Ange avait raconté à Wally que Melony avait été autrefois la petite amie d'Homer, ce que Wally avait trouvé très drôle.

— Je parie que ton père ne t'a jamais parlé de Debra Pettigrew, petit, dit Wally à l'enfant.

— Oh, je t'en prie, Wally, coupa Candy. Ce n'était pas sérieux.

— Tu ne m'as pas tout dit ! lança Ange à son père en agitant l'index.

— J'avoue, reconnut Homer. Mais Debra Pettigrew n'avait rien de spécial.

— Nous sortions à quatre, expliqua Wally à Ange. Ton vieux occupait en général la banquette arrière.

— Wally, je t'en prie ! répéta Candy.

— Tu aurais dû voir ton vieux, à son premier film, dit Wally. Il ne savait pas à quoi servent les drive-in !

— Peut-être qu'Ange ne le sait pas encore ! lança Candy à son mari d'un ton sec.

— Bien sûr que je le sais ! dit Ange en riant.

— Bien sûr qu'il le sait ! dit Wally en riant lui aussi.

— Seuls les bédouins l'ignorent, renchérit Homer Wells en essayant de se mêler aux rires.

Après le dîner, il aida Candy à laver la vaisselle pendant qu'Ange faisait le tour des vergers en voiture avec Pete Hyde ; presque chaque soir après le repas, les deux amis, pour se distraire, faisaient le tour de tous les vergers avant la nuit. Homer ne leur permettait pas de conduire au milieu des vergers dans le noir — surtout depuis que l'on avait mis les caisses en place pour la récolte.

Wally aimait le crépuscule près de la piscine. Par la fenêtre de la cuisine, Homer et Candy pouvaient le voir sur le fauteuil roulant ; il avait renversé la tête en arrière comme s'il regardait le ciel, mais il observait un faucon en train de planer en spirale au-dessus du verger Coteau-du-coq — des oiseaux plus petits importunaient le faucon, en volant dangereusement près de lui, comme pour essayer de l'entraîner ailleurs.

« Il est temps de parler, dit Homer à Candy

— Non, je t'en prie.

531

Elle le contourna, près de l'évier où il travaillait, puis posa dans l'eau savonneuse le plat dans lequel l'espadon avait cuit. Le plat était gras, avec des bouts de poisson brûlés, collés au fond, mais Homer le sortit de l'eau et se mit à le frotter.

— Il est temps de tout dire à tout le monde, lança-t-il. Fini d'*attendre voir* !

Debout derrière lui, elle passa les bras autour des hanches d'Homer et appuya le visage contre ses omoplates. Il ne se retourna pas pour l'enlacer ; il ne tourna même pas le visage vers elle. Il continua de récurer le plat.

« Je réglerai tout avec toi, de la manière que tu choisiras, dit Homer. Si tu as envie d'être présente quand je parlerai à Ange, si tu veux que je sois près de toi quand tu parleras à Wally — très bien. Ce sera comme tu voudras, dit-il.

Elle le serra de toute sa force mais il continua de gratter. Elle enfouit le visage entre les omoplates d'Homer et lui mordit le dos. Il dut la repousser.

— Tu vas me faire détester par Ange ! s'écria Candy.

— Ange ne te détestera jamais, lui répondit Homer. Pour Ange, tu as toujours été ce que tu es : une bonne mère.

— Wally me détestera ! s'écria-t-elle, aux cent coups.

— Tu me répètes toujours que Wally sait tout, répondit Homer Wells. Wally t'aime.

— Et toi, tu ne m'aimes plus, n'est-ce pas ? dit Candy.

Elle se mit à pleurer, crispa les poings contre ses cuisses. Elle mordit si fort sa lèvre inférieure que du sang perla ; quand Homer voulut lui tamponner la lèvre avec un torchon à vaisselle propre, elle le repoussa.

— Je t'aime, mais nous devenons mauvais, dit-il.

Elle tapa du pied.

— Nous ne sommes *pas* mauvais ! cria-t-elle. Nous essayons de faire ce qu'il faut, nous essayons de ne faire souffrir personne !

— Nous ne faisons pas ce qu'il faut, répondit Homer Wells. Il est temps de remettre tout en ordre.

Prise de panique, Candy regarda par la fenêtre ; Wally n'était plus à sa place, au coin du grand bassin de la piscine.

— Nous parlerons plus tard, chuchota-t-elle à Homer.

Elle prit un glaçon dans un de leurs verres et le posa sur sa lèvre inférieure.

« Je te verrai près de la piscine.

— Nous ne pouvons pas parler de ceci autour de la piscine, lui répondit-il.

— Je te retrouverai à la cidrerie, dit-elle.

Elle cherchait Wally des yeux, se demandant par quelle porte il entrerait — d'une seconde à l'autre.

— Là-bas ? Ce n'est pas une bonne idée, répondit Homer.

— Tu peux aller faire un tour, non ? lui lança-t-elle. Pars de ton côté, j'irai du mien. Je te retrouverai, bon sang !

Elle disparut dans la salle de bains du rez-de-chaussée avant qu'Homer entende Wally à la porte de la terrasse.

Candy se bénit de l'équipement spécial de la salle de bains — surtout du lavabo à hauteur de fauteuil d'infirme, pareil à un lavabo pour enfants dans une école maternelle, pareil aux lavabos de Saint Cloud's (se rappela-t-elle). Elle s'agenouilla et posa la tête dans la cuvette de porcelaine blanche ; elle tourna le visage vers le robinet ; l'eau froide coula en flot continu sur sa lèvre.

— Comment va la vaisselle ? demanda Wally à Homer qui s'escrimait encore sur le plat.

— Plutôt sale, ce soir, répondit Homer.

— Désolé, dit Wally. Où est Candy ?

— Dans la salle de bains, je crois.

— Oh ! dit Wally. Tu veux voir les deux derniers tours de batte de la partie de base-ball ? demanda-t-il à Homer. Laisse à Candy cette foutue vaisselle.

Il sortit de la cuisine et attendit dans l'allée qu'Homer Wells lui amène la voiture.

Ils prirent la Jeep de Candy, sans remonter la capote. Il était inutile d'emmener le fauteuil de Wally ; ce n'était qu'un match de cadets et Homer pourrait conduire la Jeep jusqu'à la ligne de touche : ils assisteraient au jeu depuis leurs sièges de voiture. La ville était très fière de son stade éclairé, bien qu'il fût stupide de jouer des matches de cadets en nocturne ; cela faisait veiller les gosses plus tard que nécessaire, et le terrain n'était pas si bien éclairé que ça — on égarait toujours les balles renvoyées hors jeu, et les minuscules joueurs semblaient perdre de vue les chandelles. Mais Wally adorait regarder les gosses sur le terrain ; quand Ange jouait, il n'avait jamais manqué une seule partie. Mais Ange avait dépassé l'âge de jouer avec les cadets et jugeait les matches de gosses d'un ennui absolu.

La partie était presque terminée à leur arrivée, ce qui soulagea Homer Wells. (Il détestait le base-ball.) Un gros gamin à l'air inquiet lançait la balle ; il prenait le plus de temps possible entre deux coups, comme s'il attendait que les ténèbres s'épaississent pour que le batteur ne puisse plus voir du tout la balle.

« Sais-tu ce qui me manque ? demanda Wally à Homer Wells.

— Non, quoi ? dit Homer, qui redoutait la réponse.

Peut-être marcher, pensa-t-il, ou peut-être aimer sa femme ! Mais Wally lui dit :

— Voler. Voler me manque vraiment. Être là-haut me manque.

Wally ne regardait plus le match mais un point très haut dans l'obscurité, au-dessus des pylônes supportant les lampes.

« Au-dessus de tout... murmura Wally. Voilà comment c'était.

— Je ne l'ai jamais fait, répondit Homer Wells.

— Mon dieu, c'est vrai ! s'écria Wally, sincèrement choqué. C'est exact, tu n'as jamais volé ! Mon dieu, tu adorerais. Il faut qu'on organise ça, d'une manière ou d'une autre. Et Ange trouverait que voler est vraiment passionnant, ajouta Wally. Oui, c'est la chose qui me manque le plus.

A la fin du match, sur le chemin du retour, Wally posa la main sur le levier de vitesses et mit la Jeep au point mort.

« Coupe le moteur une seconde, demanda-t-il à Homer. Laissons-nous glisser.

Homer Wells tourna la clé de contact et la Jeep roula en silence.

« Coupe aussi les phares, dit Wally, juste une seconde.

Et Homer Wells coupa les phares. Ils pouvaient voir les lumières de la maison d'Ocean View devant eux et ils connaissaient si bien la route l'un et l'autre qu'ils se sentaient presque en parfaite sécurité, à faire roue libre ainsi dans le noir. Mais bientôt des arbres se dressèrent et leur coupèrent la vue de la maison éclairée ; il y eut sur la route un cahot qu'ils ne connaissaient pas. Pendant un instant, ils parurent complètement perdus, peut-être en train de plonger de la route au milieu des arbres sombres, et Homer Wells ralluma les phares.

« C'était voler, dit Wally quand ils s'engagèrent dans l'allée — devant eux, scintillant dans les phares, le fauteuil roulant attendait.

Lorsque Homer transporta Wally de la Jeep au fauteuil, l'infirme lui glissa les deux bras autour du cou.

« Ne crois jamais que je ne te suis pas reconnaissant, vieux, pour tout ce que tu as fait, dit Wally à Homer, qui le posa très doucement dans le fauteuil.

— Allons donc, répondit Homer.

— Si, je le pense vraiment. Je sais tout ce que tu as fait pour moi, et je n'ai pas eu souvent l'occasion de te dire à quel point je te suis reconnaissant, dit Wally.

Ensuite, il embrassa Homer juste entre les deux yeux, et Homer se redressa, gêné.

— Pour moi, Wally, tu as fait tout, lui dit Homer.

Wally écarta ces paroles d'un geste — il roulait déjà vers la maison.

— Ce n'est pas la même chose, vieux, lança-t-il.

Et Homer alla garer la Jeep.

Ce soir-là, quand Homer borda Ange dans son lit, l'adolescent lui dit :

— Tu sais, je n'ai vraiment plus besoin que tu me couches tous les soirs.

— Je ne le fais pas parce que tu en as besoin, répondit Homer, mais parce que j'aime ça.

— Tu sais ce que je crois ? dit Ange.

— Non, quoi ? demanda Homer, qui redoutait la réponse.

— Je crois que tu devrais essayer de prendre une petite amie, répondit Ange d'une voix hésitante.

Homer rit.

— Quand tu essaieras d'en prendre une, j'essaierai aussi, répondit-il.

— Ouais, on organiserait des rendez-vous à quatre ! dit Ange.

— Je me réserve la banquette arrière.

— Ouais ! De toute façon, je préférerais conduire.

— Pas longtemps. Tu ne conduirais pas longtemps, lui dit son père.

— Ouais ! s'écria Ange en riant.

Puis il demanda à son père :

« Debra Pettigrew était aussi grosse que Melony ?

— Oh, non ! répondit Homer. C'est-à-dire, elle en prenait le chemin, mais elle n'était pas si grosse que ça, quand je l'ai connue.

— La sœur de la grosse Dot Taft ne pouvait pas être une mauviette, fit observer Ange.

— Je n'ai jamais dit qu'elle l'était ! répliqua Homer — et ils rirent.

Ce fut un instant assez joyeux et détendu pour qu'Homer se penche vers Ange et l'embrasse — juste entre les deux yeux, juste comme Wally venait de l'embrasser. C'était un bon endroit où embrasser Ange, se dit-il : il aimait sentir les cheveux de son fils.

« Bonne nuit, je t'aime, dit Homer.

— Je t'aime. Bonne nuit, p'pa, répondit Ange — mais quand Homer fut presque sorti de la chambre, l'adolescent lui demanda : Qui est-ce que tu aimes le plus ?

— Toi, répondit Homer à son fils. Je t'aime le plus.

— Et après moi ? dit Ange Wells.

— Candy et Wally, répondit Homer, en les rapprochant l'un de l'autre autant que sa langue en fut capable.

— Et après eux ? dit Ange.

— Eh bien, le Dr Larch — et tout le monde à Saint Cloud's, j'imagine, répondit Homer Wells.

— Et quelle est la meilleure chose que tu aies faite ? demanda l'enfant à son père.

— Je t'ai eu, murmura Homer.

— Ensuite ?

— Oh, je crois que c'est ma rencontre avec Candy et Wally, répondit Homer.

— Tu veux dire le moment où tu les as rencontrés ? demanda Ange.

— Sans doute, dit son père.

— Et *ensuite ?* insista Ange.

— J'ai sauvé la vie d'une femme, un jour, répondit Homer. Le Dr Larch n'était pas là. La femme avait des convulsions.

— Tu me l'as raconté, dit Ange.

Le fait que son père était devenu l'assistant qualifié du Dr Larch ne l'avait jamais intéressé ; et Homer ne lui avait pas parlé des avortements.

« Quoi d'autre ? demanda Ange à son père.

Dis-le-lui à présent, pensa Homer Wells. Dis-lui tout, tout de suite. Mais il répondit à son fils :

— Rien d'autre, tu sais. Je ne suis pas un héros. Je n'ai pas fait de grandes choses, ni même une seule grande chose.

— C'est bien, p'pa, lança Ange d'un ton joyeux. Bonne nuit !

— Bonne nuit, répondit Homer Wells.

Au rez-de-chaussée, il n'aurait su dire si Wally et Candy étaient couchés, ou si Wally se trouvait seul dans le lit ; la porte de la chambre était fermée et aucune lumière ne passait par-dessous. Mais la cuisine était éclairée et le réverbère à l'entrée de l'allée était resté allumé. Homer se rendit au bureau du comptoir de vente pour lire le courrier ; en voyant de la lumière dans le bureau, Candy devinerait où il était. Et si elle avait déjà gagné le chai à cidre, il irait là-bas depuis le bureau ; dans ce cas, il prendrait soin de laisser la lampe du bureau allumée et ne l'éteindrait qu'à son retour. De cette manière, si Wally s'éveillait, il verrait la lumière et supposerait Homer ou Candy encore en train de travailler.

Le paquet de Saint Cloud's, arrivé précisément le jour de la visite de Melony, frappa Homer de stupeur. Il eut presque envie de ne pas l'ouvrir. Le pauvre vieux a dû m'envoyer des lavements ! se dit-il. La trousse de médecin, en cuir noir, lui fit un choc : le cuir était égratigné et ramolli, le fermoir de cuivre tellement fatigué que son lustre semblait aussi mat que la boucle de sous-ventrière d'une vieille selle, mais l'apparence usée et élimée de la trousse ne faisait que donner plus de relief aux initiales d'or.

F. S.

Homer Wells ouvrit le sac et renifla profondément à l'intérieur ; il s'attendait à l'odeur chaude et virile du vieux cuir, mais il s'y mêlait les traces féminines d'un parfum capiteux d'éther. Ce fut à cet instant — en une seule reniflée — qu'Homer Wells perça à jour l'identité que le Dr Larch avait fabriquée pour Fuzzy Stone.

— Dr Stone, dit Homer à haute voix, se souvenant du jour où Larch s'était adressé à lui comme s'il était Fuzzy.

Il n'avait guère envie de retourner à la maison ranger la trousse de médecin, mais il ne voulait pas non plus la laisser au bureau ; il avait peur de l'oublier quand il repasserait éteindre la lumière. Homer l'emporta donc à la cidrerie. La trousse était vide, bien entendu — ce qui ne parut pas tout à fait normal à Homer —, et sur le chemin de la cidrerie il ramassa donc quelques Gravenstein et deux ou trois MacIntosh précoces, qu'il mit dans le sac. Les pommes brinquebalèrent à l'intérieur ; cela manquait d'authenticité.

« Dr Stone, marmonna-t-il une fois, en inclinant la tête.

Et il s'élança à grands pas dans l'herbe haute.

Candy l'attendait depuis longtemps, assez longtemps en tout cas pour que ses nerfs soient tendus à craquer. Homer se dit que si l'inverse s'était produit — si c'était Candy qui avait décidé de tout révéler —, il serait sans doute aussi bouleversé qu'elle.

Il eut le cœur brisé de voir qu'elle avait fait un des lits. Le linge et les couvertures propres attendaient déjà dans la cidrerie l'arrivée des saisonniers, ainsi que les matelas roulés au bout des sommiers. Candy avait fait le lit le plus éloigné de la porte de la cuisine. Elle avait apporté une bougie de la maison et l'avait allumée — elle donnait au baraquement fruste une lumière plus douce, bien que les bougies fussent interdites par le règlement. Récemment, Homer avait jugé nécessaire d'insister sur les bougies dans son règlement ; deux ou trois ans auparavant, un des ramasseurs avait provoqué un début d'incendie.

537

NE PAS FUMER AU LIT SVP —
ET PAS DE BOUGIE!

Il avait rédigé le commandement en ces termes.

La lumière de la bougie, très faible, était invisible de la « maison de luxe ».

Candy ne s'était pas déshabillée. Elle attendait, assise sur le lit, après avoir défait et brossé ses cheveux. La brosse se trouvait sur le cageot à pommes qui servait de table de nuit, et cet article banal, familier, d'une simplicité intime, donna à Homer Wells (la trousse noire à la main) un frisson d'une telle violence qu'il s'imagina médecin impuissant visitant une malade condamnée.

— Excuse-moi, dit-il à Candy. Nous avons essayé — essayé de toutes nos forces — mais ça ne marche pas. Seule la vérité marchera.

Son ton pompeux faisait dérailler sa voix. Candy, assise genoux joints et les mains sur les cuisses, frissonna elle aussi.

— Crois-tu qu'Ange soit en âge d'apprendre tout ça? murmura-t-elle, aussi bas que si la pièce, dans la lumière clignotante, était pleine de ramasseurs de pommes endormis.

— Il est assez grand pour se branler dans ses draps. Il est assez grand pour savoir à quoi servent les drive-in... Je crois qu'il est en âge, répondit Homer Wells.

— Ne sois pas vulgaire, lança Candy.

— Excuse-moi, répéta-t-il.

— Il y a toujours tant à faire pendant la récolte, dit Candy.

Elle épousseta sa robe d'été blanche comme s'il y avait des peluches (mais elle était d'une propreté immaculée), et Homer Wells se rappela le tic de Senior Worthington — dans son cas un symptôme de la maladie d'Alzheimer.

— Nous attendrons donc la fin de la récolte, répondit Homer. Nous avons attendu quinze années, nous pouvons bien attendre six semaines de plus.

Elle s'allongea sur le dos, sur le lit étroit, comme une fillette attendant d'être bordée avant de s'endormir en terre étrangère. Homer s'avança vers le lit et s'assit, inconfortable, sur le bord. Candy posa la main sur le genou d'Homer. Il couvrit de sa main celle de Candy.

— Oh! Homer, dit-elle — mais il ne se tourna pas pour la regarder.

Elle lui prit la main, la fit remonter sous sa robe et l'obligea à la toucher; elle ne portait rien sous la robe. Il ne retira pas sa main mais la laissa comme une simple présence, un poids mort, contre Candy.

« Qu'imagines-tu qu'il va se passer ? lui demanda-t-elle d'une voix glacée — après s'être aperçue qu'il faisait la main morte.

— Je ne peux rien imaginer, dit-il.

— Wally me jettera dehors, déclara Candy, sans s'apitoyer sur elle-même.

— Non, répondit Homer. Et s'il le faisait, je ne le ferais pas, moi. Tu resterais avec moi. Donc il ne le fera pas.

— Que va devenir Ange ? demanda Candy.

— Ce qu'il voudra, dit Homer. J'imagine qu'il restera avec toi quand il le voudra, et avec moi quand il le voudra.

Cette partie était difficile à dire, plus difficile encore à imaginer.

— Il me détestera, murmura Candy.

— Non, dit Homer.

Elle repoussa sa main et il reposa l'objet mort sur ses propres genoux ; l'instant suivant, la main de Candy trouva le genou d'Homer et, aussitôt, il lui saisit légèrement le poignet — presque comme s'il lui prenait le pouls. A ses pieds, la trousse de médecin démodée, lourde de pommes, attendait, comme un chat roulé en boule ; dans la lumière vacillante, la trousse semblait l'unique objet qui fût naturel — à sa place n'importe où : une trousse comme celle-là se trouvait chez elle où qu'elle fût.

— Où iras-tu ? demanda Candy à Homer au bout d'un moment.

— Serais-je obligé d'aller quelque part ? lui demanda-t-il.

— J'imagine.

Homer Wells essayait d'imaginer tout ce qui allait se passer, quand il entendit le bruit de moteur. Candy l'entendit au même instant, se redressa sur le lit et souffla la bougie. Assis sur le lit, main dans la main, ils écoutèrent la voiture s'avancer vers eux.

C'était une vieille voiture, ou bien on ne l'avait pas bien entretenue ; les soupapes cognaient, et quelque pièce brinquebalait, le pot d'échappement peut-être. Une voiture lourde, basse ; ils l'entendirent gratter la butte centrale du chemin de terre entre les vergers ; le chauffeur connaissait bien la route car les phares étaient éteints — sinon la voiture n'aurait pu se rapprocher de la cidrerie sans qu'Homer et Candy s'en soient aperçus.

Candy se hâta de défaire le lit : dans le noir, elle ne replia pas très bien les couvertures et les draps, et Homer dut l'aider à rouler le matelas.

« C'est Wally ! chuchota Candy.

Le bruit de la voiture ressemblait à celui de la Cadillac, qui avait perdu (depuis la mort de Raymond Kendall) son réglage parfait. Homer se souvint que le silencieux de la Cadillac était déglingué ; on avait changé le moteur, mais il avait déjà besoin d'un rodage de soupapes. De toute façon, c'était un véhicule trop lourd et trop bas pour les chemins de terre des vergers, où les tracteurs creusaient des ornières.

Mais comment Wally s'était-il mis au volant ? songea Homer Wells. Il lui avait fallu ramper jusqu'à la Cadillac. (Homer l'avait garée derrière un des hangars, où le chemin était beaucoup trop caillouteux et défoncé pour le fauteuil roulant.)

— C'est peut-être un gosse du village, chuchota Homer à Candy.

Plus d'un habitant d'Heart's Haven et d'Heart's Rock connaissait la cidrerie ; plus d'un couple s'était embarqué pour Cythère sur les chemins des vergers.

La grosse voiture s'arrêta contre le mur du chai. Candy et Homer sentirent le pare-chocs avant toucher le bâtiment.

— C'est Wally ! chuchota Candy.

Pourquoi un jeune du village se serait-il donné la peine de se garer si près ? Le moteur cogna un moment après que le contact fut coupé. Puis il s'apaisa en gémissant.

Homer lâcha Candy ; quand il voulut se diriger vers la porte, il trébucha sur la trousse de médecin, et Candy lui prit le bras et l'attira contre elle.

— Je ne veux pas le laisser *ramper* jusqu'ici, lui dit Homer.

Mais Candy ne put se résoudre à quitter le coin le plus sombre de la cidrerie.

Homer se baissa pour prendre la trousse de médecin et traversa la cuisine à tâtons ; sa main, à la recherche de l'interrupteur, rencontra son nouveau règlement. Il n'avait pas entendu la portière s'ouvrir, mais il distingua soudain des voix basses ; il s'arrêta, la main sur le bouton électrique. Oh, Wally, ce n'est pas régulier ! se dit-il ; s'il y avait plusieurs voix, Wally avait dû se faire accompagner par Ange. Cela lui avait facilité l'accès à la Cadillac — Ange était allé lui chercher la voiture. Oublieux du tourment qui devait accabler Wally, Homer en voulut à son ami d'impliquer son fils. Mais Ange n'était-il pas impliqué de toute manière ? songea Homer. (Dehors, les phares s'allumèrent — pour éclairer le chemin jusqu'à la porte ?)

Homer n'avait pas imaginé qu'il dirait tout dans ces circonstances, mais au fond, quelle importance ? Il alluma la lumière de la cuisine, qui l'aveugla pendant un instant. Il se dit que, sur le seuil de la cidrerie, il devait être aussi illuminé qu'un arbre de Noël. Et il pensa .

c'est la Cadillac qui m'a sauvé de Saint Cloud's, il est bien normal qu'elle revienne — pour me sauver de nouveau, en un sens ? Sur le seuil, la trousse noire fatiguée à la main, il était enfin prêt à dire la vérité ; enfin prêt à avaler sa médecine.

Dans la lumière vive, il épousseta ses vêtements de quelque peluche imaginaire. Il se souvint du nom que donnaient les neurologues à ce geste : carphologie.

Sa main se resserra sur la trousse du Dr Larch et il essaya de percer l'obscurité. Soudain, ce fut très clair pour lui : il sut où il allait. Il n'était en définitive que ce qu'il avait toujours été : un orphelin *jamais* adopté. Il avait réussi à voler un peu de temps loin de l'orphelinat, mais seul Saint Cloud's avait des droits sur lui. A quarante ans passés, un homme se devait de connaître enfin son port d'attache.

Le Dr Larch commença une nouvelle lettre à Harry Truman, avant de se souvenir qu'Eisenhower était président depuis quelques années. Il avait écrit plusieurs lettres à Roosevelt après la mort de celui-ci, et davantage encore à Eleanor, mais les Roosevelt ne lui avaient jamais répondu. Harry Truman n'avait jamais répondu non plus, et Larch ne se rappelait plus s'il avait écrit à Mme Truman, ou à la fille de Truman. Nul n'avait daigné répondre.

Il essaya de ne pas se laisser déprimer par la pensée d'écrire encore à Eisenhower ; il chercha à se rappeler comment il avait commencé la lettre précédente. « Cher général », sans doute, mais il ne se souvenait plus de la suite ; il avait parlé de son expérience de médecin « aux armées », pendant la Première Guerre mondiale — avant de glisser au vrai sujet de la lettre : une sorte de manœuvre de flanc. Peut-être était-il temps d'essayer Mme Eisenhower. Mais quand Larch écrivit « Chère Mamie », il se sentit ridicule.

Oh, à quoi bon ? se dit-il. Il faut être fou pour écrire à Eisenhower au sujet de l'avortement. Il retira la lettre de la machine et déchira la feuille ; brusquement, il décida que la tête du président ressemblait à un crâne de nouveau-né.

Puis il se rappela que Melony avait le questionnaire entre les mains. Pas une minute à perdre. Il annonça à Nurse Angela qu'il y aurait une réunion après dîner, quand les enfants seraient couchés.

Jamais il n'y avait eu de réunion à Saint Cloud's, remarqua Nurse Angela, sauf l'assemblée fort déplaisante du conseil d'administration , elle en conclut que, s'il y avait réunion, le conseil faisait encore des siennes.

— Seigneur, une réunion, s'écria Nurse Edna qui se fit du mauvais sang toute la journée.

Mme Grogan s'inquiéta elle aussi. Elle se soucia surtout de l'endroit où la réunion se tiendrait, comme si elle risquait de passer à côté sans la trouver.

— Je crois que nous pouvons limiter le nombre des possibilités, la rassura Nurse Caroline.

Toute la journée, Wilbur Larch travailla dans le bureau de Nurse Angela. Aucun enfant ne naquit ce jour-là ; et l'unique femme qui désirait avorter fut bien accueillie et confortablement installée, mais l'intervention fut reportée au lendemain : Wilbur Larch refusait de quitter le bureau de Nurse Angela, que ce fût pour le déjeuner, le thé ou même l'œuvre de Dieu.

Le bon docteur révisait l'histoire de Fuzzy Stone pour lui donner la touche finale ; il écrivit du même coup la notice nécrologique d'Homer Wells. Le pauvre cœur d'Homer avait flanché : les rigueurs d'une vie agricole, et un régime à taux de cholestérol élevé — « Un orphelin est carnivore, un orphelin a toujours faim », écrivit Wilbur Larch.

Le Dr Stone, en revanche, n'était pas un orphelin typique. Larch définit Fuzzy Stone « sec de corps et de cœur ». Après tout, quel autre orphelin avait osé défier le Dr Larch ? Or Fuzzy Stone avait menacé de dénoncer son vieux mentor ! Non seulement il osait attaquer les convictions du Dr Larch concernant l'avortement, mais il défendait des opinions tellement arrêtées sur le sujet qu'il avait plusieurs fois menacé de dire la vérité au conseil d'administration. Et depuis des années, le zèle de Fuzzy était alimenté par sa bonne conscience de missionnaire, car Larch savait que l'endroit le plus sûr où le Dr Stone pût pratiquer la médecine était un coin du monde où jamais le conseil ne pourrait retrouver ses traces. Fuzzy luttait contre la diarrhée au milieu des enfants agonisants de l'Asie. Larch venait de lire dans *The Lancet* un article sur la diarrhée, ennemi numéro un des gosses de ce continent-là. (Homer Wells, qui ignorait encore que son cœur l'avait lâché, avait lu le même article.) Les autres petits détails sur la Birmanie et l'Inde — qui donnaient aux lettres agressives de Fuzzy à Larch une authenticité missionnaire certaine — provenaient des souvenirs du docteur sur le douloureux séjour de Wally dans ces contrées.

La journée s'était révélée épuisante pour Larch, qui avait également écrit — sur un autre ton — au conseil d'administration. Il aurait

542

sacrifié le dîner au profit de l'éther, mais il savait que le dîner lui donnerait un meilleur équilibre pour la réunion tant redoutée par son personnel. Larch lut un passage de *Jane Eyre* si court que pas une seule orpheline de la section Filles ne dormait encore lorsqu'il quitta le dortoir ; quant au fragment de *David Copperfield,* chez les garçons, il fut si succinct que deux orphelins protestèrent.

— Je regrette, mais c'est tout ce qui est arrivé à David Copperfield aujourd'hui, leur répliqua le Dr Larch. David n'a pas eu une journée chargée.

Wilbur Larch avait eu une journée chargée, Mme Grogan et ses infirmières le savaient. Il rassembla tout son monde dans le bureau de Nurse Angela, comme s'il tirait un certain réconfort des papiers jonchant le bureau et de la présence ténébreuse et enveloppante de sa volumineuse *Brève Histoire de Saint Cloud's,* réunie autour de lui. Il se pencha sur sa machine à écrire surmenée, comme s'il s'agissait de la rampe menant à une chaire.

« Bon ! dit-il, car les femmes bavardaient. Bon ! répéta-t-il, en utilisant le mot comme un maillet pour rappeler l'assemblée à l'ordre. Nous allons leur faire traverser le défilé au galop.

Nurse Edna se demanda s'il n'avait pas pris l'habitude de filer en douce au village pour regarder les westerns de la télévision avec le chef de gare ; Nurse Edna le faisait souvent. Elle préférait Roy Rogers à Hopalong Cassidy ; elle regrettait seulement que Roy chante ; et elle mettait Tom Mix au-dessus de tous les autres. Elle n'avait que mépris pour The Lone Ranger, mais elle gardait dans son cœur un faible pour Tonto — et pour tous les « fidèles lieutenants » du monde.

— *A qui* allons-nous faire traverser le défilé ? demanda Nurse Caroline, agressive.

— Et *vous,* lança Larch en braquant l'index vers la cadette des infirmières, vous serez mon premier fusil. C'est vous qui allez appuyer sur la détente. C'est vous qui tirerez le premier coup de feu.

Mme Grogan, qui craignait toujours de perdre la raison, craignit soudain que le Dr Larch n'eût enfin perdu la sienne. Nurse Angela se doutait que Larch déménageait un peu depuis quelque temps. Nurse Edna l'aimait tant, qu'elle ne pouvait le juger. Quant à Nurse Caroline, elle voulait des *faits.*

— D'accord, dit-elle. Commençons par le commencement. Qui dois-je tuer ?

— Moi, lui dit Larch. Vous allez me dénoncer. Vous allez tirer la sonnette d'alarme à mon sujet — et pour nous tous.

— Jamais de la vie ! s'écria Nurse Caroline.

Avec une patience extrême, il leur expliqua tout le scénario. Ce n'était pas si simple — sauf pour lui, parce qu'il y pensait depuis des années. Ce n'était pas simple pour les autres, et il dut les guider pas à pas sur le chemin conduisant à leur salut.

Il fallait présumer que Melony répondrait au questionnaire. Il fallait considérer que sa réponse serait négative — non parce que Melony était forcément négative, souligna Larch à l'intention de Mme Grogan (déjà prête à la défendre), mais parce qu'elle était en colère.

— Elle est née en colère, elle sera toujours en colère, et même si elle n'a aucune intention de nous faire du mal, elle sera un jour assez en colère — à propos d'une chose ou de rien — pour répondre à ce questionnaire. Et elle dira ce qu'elle sait, ajouta Larch, car Melony, quels que soient ses autres travers, ne ment jamais.

Il voulait donc, expliqua-t-il, que le conseil d'administration apprenne auparavant, par une autre voie, qu'il était un avorteur. Il n'existait pas d'autre manière de sauver la situation. Nurse Caroline serait le traître adéquat : elle était jeune, assez nouvelle à Saint Cloud's, elle avait lutté avec sa conscience pendant une brève période acceptable, et elle venait de décider qu'elle ne pouvait se taire plus longtemps. Mme Grogan et les infirmières plus âgées, intimidées, tenaient pour absolue l'autorité d'un médecin ; Nurse Caroline soulignerait qu'on n'avait aucun reproche à leur faire. Elle-même, en revanche, avait une attitude de défi à l'égard des fonctions d'autorité de cette société (ou d'ailleurs de tout autre). Elle présenterait sa protestation comme une question liée aux droits de la femme — les infirmières ne devraient jamais permettre aux docteurs de les tyranniser ; et quand un docteur se mettait en infraction avec la loi, même s'il n'appartenait pas à une infirmière de le défier, elle avait le droit, voire l'obligation morale, de le dénoncer. Larch était certain que ce numéro sur l'« obligation morale » plairait à Mme Goodhall — elle se démenait sans doute, convaincue que sa propre obligation morale éclairait ses pas d'une lumière infaillible, et le Dr Larch aurait juré que c'était le fardeau accablant de ces « obligations » qui avait fait d'elle une femme triste et aigrie !

Nurse Edna et Nurse Angela écoutaient Larch comme des oisillons attendant le retour de leurs parents au nid avec la becquée : la tête enfoncée dans les épaules, le visage tourné vers le haut, les lèvres articulant en silence les paroles que Larch prononçait, elles étaient prêtes à avaler des vers.

Mme Grogan regretta de ne pas avoir « fait suivre » son tricot ; si c'était ça, une réunion, elle ne voulait participer à aucune autre. Mais les yeux de Nurse Caroline commencèrent à se dessiller ; elle avait une conscience fondamentalement courageuse et fondamentalement politique ; et dès qu'elle se fut représenté le conseil d'administration sous les traits de l'ennemi, elle adopta une extrême vigilance pour son généralissime et son plan audacieux pour remporter la victoire sur le conseil. C'était une sorte d'insurrection, et Nurse Caroline était pour la révolution sans réserve.

« En outre, lui fit observer Larch, vous avez besoin de gagner des points auprès de l'aile droite du conseil ; à ses yeux vous êtes « rose ». Maintenant, vous allez devenir chrétienne. Non seulement ils finiront par vous pardonner, mais ils voudront vous offrir une promotion. Ils voudront que vous preniez les choses en main.

« Quant à *vous...*, reprit Larch en braquant l'index vers Nurse Angela.

— Moi ? dit Nurse Angela.

Elle avait l'air affolé, mais Larch savait qu'elle serait parfaite pour recommander Fuzzy Stone. Ne lui avait-elle pas donné son nom ? Et n'avait-elle pas presque osé, à chaque fois, se joindre à Fuzzy dans son vertueux débat avec le Dr Larch ? Parce que Fuzzy les connaissait toutes et les aimait toutes ; il savait ce dont elles avaient besoin ; et ses convictions (concernant l'avortement) étaient tellement en sympathie avec les propres convictions de Nurse Angela !

« Ah bon ? demanda-t-elle. Mais je crois en l'avortement, moi.

— Bien entendu ! répliqua Larch. Mais si vous voulez que Saint Cloud's continue d'en pratiquer, vous avez intérêt à faire semblant d'être de l'autre bord. Vous et les autres.

— Et moi, de quoi dois-je faire semblant, Wilbur ? demanda Nurse Edna.

— Vous, Edna, vous aurez la conscience soulagée d'un grand poids — du fait que je sois pris, lui répondit Larch.

Si Fuzzy Stone revenait, la conscience de Nurse Edna la laisserait sans doute dormir à nouveau. Et Mme Grogan pourrait prier d'un cœur plus léger ; peut-être même serait-elle moins portée à la prière, si ce Dr Stone merveilleusement comme il faut s'installait à Saint Cloud's.

Certes, nous *adorions* toutes le Dr Larch ! devait dire Nurse Angela au conseil d'administration. Et le pauvre vieillard croyait sincèrement en lui-même et en ce qu'il faisait — et en celles pour qui il le faisait. Il avait consacré toute sa vie aux orphelins. Seulement ce problème social avait fini par prendre le pas sur son jugement. Combien cette question nous avait toutes bouleversées ! Combien elle avait épuisé nos forces !

O combien ! se dit Nurse Edna, bouche toujours bée, et la tete branlante sur ses épaules — plus amoureuse de Wilbur Larch que jamais. Il avait consacré sa vie à ses orphelins ; et il ferait n'importe quoi pour eux.

— Mais qu'adviendra-t-il de vous, Wilbur — si nous vous dénonçons ? demanda Nurse Edna, tandis qu'une fine larme se frayait un chemin sur sa joue ridée.

— J'ai presque cent ans, Edna, répondit-il doucement. Je suppose que je prendrai ma retraite.

— Vous ne partirez pas loin, n'est-ce pas ? lui demanda Mme Grogan.

— Je ne pourrais pas aller bien loin, même si je le voulais, dit-il.

Il s'était montré si convaincant au sujet de Fuzzy Stone — il leur avait présenté un tableau si haut en couleurs — que Nurse Caroline fut la seule à remarquer le problème.

— Et si Homer Wells refuse de jouer le rôle de Fuzzy Stone ? demanda-t-elle au Dr Larch.

— Homer appartient à Saint Cloud's, répondit Nurse Angela, machinalement.

Le fait qu'Homer Wells était lié à Saint Cloud's semblait aussi évident à ses yeux que la pluie et le beau temps — même si, pour Homer Wells, ce fait demeurait le calvaire de sa vie.

— Mais il ne croit pas en l'avortement, rappela Nurse Caroline aux quatre vieillards. Quand en avez-vous discuté avec lui ? demanda-t-elle à Larch. Moi, je lui ai parlé récemment : il croit en *votre* droit d'en pratiquer — il m'a même envoyée ici vous aider. Et il croit qu'avorter devrait être légal. Mais il affirme qu'il n'en pratiquera jamais lui-même : pour lui, c'est tuer un être. Voilà comment il voit les choses. C'est ce qu'il m'a dit.

— Sa technique est presque parfaite, répondit Wilbur d'un ton las.

Quand Nurse Caroline les dévisagea tous les quatre, elle crut voir des dinosaures — certes préhistoriques, mais aussi trop grands pour ce monde. Cette pensée n'était guère socialiste, mais ce fut avec cette conviction que son cœur se brisa quand elle les regarda.

— Homer Wells croit que c'est tuer un être, répéta-t-elle.

Soudain elle se sentit personnellement responsable de la famine en train de décimer les dinosaures ; les quatre vieillards lui parurent décharnés et faibles — malgré leur taille énorme.

— Quelle autre solution avons-nous ? demanda Nurse Angela. Attendre voir ?

Personne ne lui répondit.

— O Seigneur, soutiens-nous toute la journée, jusqu'à ce que les ombres s'allongent et que le soir vienne, commença Mme Grogan — mais le Dr Larch l'interrompit.

— Quelle que soit l'autre solution — s'il en existe une — ce n'est pas la *prière !* dit-il.

— Pour moi, la prière a toujours été une solution, répliqua Mme Grogan, pleine de défi.

— Alors priez à voix basse, dit-il.

Le Dr Larch fit le tour de la pièce. Il tendit à Nurse Angela la lettre qu'il avait écrite à sa place. Et il tendit également sa lettre à Nurse Caroline.

« Suffit de les signer, dit-il. Parcourez-les, si vous voulez.

— Vous n'êtes pas *certain* que Melony vous dénoncera, lui lança Mme Grogan.

— Est-ce vraiment important ? demanda Larch. Regardez-moi donc. Me reste-t-il beaucoup de temps ?

Les quatre femmes détournèrent les yeux.

« Je n'ai pas envie que la décision soit laissée à Melony ou à l'âge, ajouta-t-il. Ou à l'éther.

A ces mots Nurse Edna enfouit son visage entre ses mains.

« Je préfère courir ma chance avec Homer Wells.

Nurse Angela et Nurse Caroline signèrent les lettres. En outre, on soumit au conseil d'administration plusieurs échantillons de la correspondance entre Wilbur Larch et Fuzzy Stone ; Nurse Angela les joignit à sa lettre. Le conseil comprendrait que toutes les infirmières et Mme Grogan avaient discuté de l'affaire ensemble. Wilbur Larch n'eut pas besoin d'éther pour s'endormir — ce soir-là.

Mme Grogan, qui dormait d'habitude comme une pierre, ne ferma pas l'œil de la nuit ; elle priait. Nurse Edna fit une longue promenade au milieu du verger de pommiers, sur la colline. Même quand tous étaient de corvée pour la cueillette, ceux de Saint Cloud's ne parvenaient pas à ramasser *toutes* les pommes fournies par Homer. Nurse Caroline, la plus alerte (de l'avis de tous), fut chargée d'assembler les détails de la vie et de la formation du zélé missionnaire F. Stone, docteur en médecine ; si le conseil posait des questions — et il en poserait —, quelqu'un devait avoir réponse à tout. Nurse Caroline emporta donc l'histoire de Fuzzy dans son lit, mais, malgré sa

547

jeunesse et son énergie, le sommeil triompha d'elle avant qu'elle atteigne les diarrhées infantiles.

Nurse Angela était de garde. Elle donna un calmant à la femme qui attendait son avortement ; à celle qui attendait un bébé, elle offrit un verre d'eau. Elle reborda un gamin — il avait dû rêver : il était sur les couvertures, les pieds sur l'oreiller. Le Dr Larch, épuisé, s'était couché sans embrasser les enfants ; Nurse Angela décida donc de le faire pour lui — et peut-être un peu pour elle-même. Quand elle eut embrassé le dernier enfant, son dos lui fit mal, et elle s'assit sur un des lits vides. Elle écouta les enfants respirer ; elle tenta de se souvenir d'Homer Wells enfant, de se rappeler le bruit particulier de sa respiration ; elle tenta de se remémorer ses positions, dans le sommeil. Penser à lui la calma. Étant donné l'âge, étant donné l'éther, étant donné Melony, elle préférait elle aussi courir sa chance avec Homer Wells.

— Reviens chez toi, Homer, je t'en prie, murmura Nurse Angela Reviens chez toi.

Ce fut l'une des rares fois où Nurse Angela s'endormit pendant son tour de garde ; et la première fois où elle s'endormit dans le dortoir des garçons. Ceux-ci, fort surpris, la découvrirent au milieu d'eux, le matin venu ; elle s'éveilla avec des bébés qui lui grimpaient sur le corps, et dut, à grand-peine, convaincre les plus jeunes que sa présence endormie parmi eux n'augurait pas un changement radical dans l'ordre de leur existence. Elle espéra qu'elle leur disait bien la vérité. Un tout-petit, superstitieux, ne la crut pas ; il croyait à des choses qu'il appelait des « créatures des bois » ; il refusait de les décrire mais il demeurait convaincu qu'un de ces esprits avait changé Nurse Angela en orphelin pendant la nuit.

— Quand tu t'endors, l'écorce pousse sur tes yeux, expliqua-t-il à la vieille infirmière.

— Grands dieux, non !

— Si, dit-il. Et les arbres t'adopteront.

— Sottise ! répliqua Nurse Angela. Les arbres ne sont que des arbres. Et l'écorce ne fait pas mal.

— Certains arbres étaient autrefois des gens, lui confia l'enfant. Des orphelins.

— Non, non, mon chéri. Absolument pas, lui répondit-elle.

Elle le prit sur ses genoux.

Bien qu'il fût encore très tôt, elle entendit la machine à écrire ; le Dr Larch avait davantage à dire. Le petit garçon sur ses genoux tremblait : il écoutait lui aussi la machine.

— Tu entends ça ? chuchota-t-il à Nurse Angela.

— La machine ? lui demanda-t-elle.

— La quoi ?

— C'est une machine à écrire, expliqua-t-elle.

Mais l'enfant secoua la tête.

— Non, c'est l'écorce, répondit-il. Elle entre pendant la nuit, et le matin.

Malgré les douleurs de son dos, Nurse Angela porta l'enfant jusqu'à son bureau. Elle lui montra l'origine du bruit qu'il entendait — le Dr Larch en train de dactylographier — mais elle se demanda si Larch, dans l'état où il se trouvait quand il écrivait, n'était pas encore plus terrifiant pour le gamin que ses hommes-arbres imaginaires.

— Tu vois ? demanda Nurse Angela à l'enfant. C'est une machine à écrire, et c'est le Dr Larch.

Larch leur lança un regard noir ; irrité par l'interruption, il marmonna des mots que les deux autres ne purent entendre.

« Tu connais le Dr Larch, n'est-ce pas ? demanda Nurse Angela au petit.

Mais l'enfant ne douta pas un seul instant. Il lança ses petits bras autour du cou de Nurse Angela ; puis, non sans hésiter, il lâcha une main pour montrer la machine et le Dr Larch.

— Une créature des bois, murmura-t-il.

Cette fois, le ton était didactique ; le Dr Larch écrivait à Homer Wells. Il lui dit tout. Sans supplier. Il ne prétendit même pas que le travail de Fuzzy Stone serait beaucoup plus important que celui d'Homer Wells à Ocean View ; il ne souligna pas qu'Homer Wells, autant que Fuzzy Stone, était un imposteur. Larch affirma qu'il ne doutait pas qu'Ange accepterait le sacrifice de son père — « Il appréciera ton besoin de te rendre utile », tels furent les termes du Dr Larch.

« Les jeunes trouvent le risque admirable. Pour eux prendre des risques est héroïque, expliqua Larch. Si l'avortement était légal, tu pourrais te permettre de refuser — en fait, étant donné tes convictions, tu *devrais* refuser. Mais tant que l'avortement est illégal, comment peux-tu dire non ? Comment peux-tu te permettre un choix en la matière, alors que tant de femmes n'ont pas la liberté de choisir elles-mêmes ? Les femmes n'ont aucun choix. Je sais que tu estimes cela injuste, mais comment peux-tu — surtout toi, avec ton expérience —, COMMENT PEUX-TU TE SENTIR LIBRE DE REFUSER D'AIDER DES ÊTRES HUMAINS QUI NE SONT PAS EUX-MÊMES LIBRES D'OBTENIR D'AUTRE AIDE QUE LA TIENNE ? Il faut que tu les aides parce que tu sais comment les aider. Demande-toi qui les aidera si tu refuses. » Le Dr Larch était si épuisé que s'il s'était abandonné au sommeil l'écorce aurait poussé sur ses yeux.

« Voici le piège dans lequel tu es pris, écrivit-il encore à Homer. Et ce n'est pas *mon* piège — ce n'est pas moi qui t'y ai pris. Parce que l'avortement est illégal, des femmes qui ont le besoin et le désir de se faire avorter ne disposent d'aucun choix en la matière ; et toi — parce que tu sais comment les avorter —, tu ne disposes d'aucun choix non plus. Ce qui a été violé en l'occurrence, c'est ta liberté de choisir, et la liberté de choisir de chaque femme de ce pays. Si l'avortement était légal, les femmes auraient le choix — et toi aussi. Tu pourrais alors te sentir libre de refuser de les avorter, parce que quelqu'un d'autre accepterait. Mais les choses étant ce qu'elles sont, tu es pris au piège. Les femmes sont prises au piège. Les femmes sont des victimes, et toi aussi.

« Tu es mon œuvre d'art, écrivit Wilbur Larch à Homer Wells. Tout le reste n'a été que du travail. Je ne sais pas si tu possèdes une œuvre d'art en toi, conclut Larch dans sa lettre, mais je sais quel est ton travail, et tu le sais aussi. A présent, le médecin, c'est toi. »

La lettre partit au même courrier que les lettres et les « preuves » envoyées au conseil d'administration ; Nurse Caroline apporta les lettres à la gare, et veilla sur le courrier jusqu'à ce qu'on le mette dans le train. Après le départ du train, elle remarqua une jeune femme à l'air perdu, qui était descendue du wagon du mauvais côté de la voie ; le chef de gare, le nez vissé à la télévision, n'était pas en mesure de la renseigner. Nurse Caroline demanda à la jeune femme hébétée si elle cherchait l'orphelinat. C'était le cas. Incapable de parler, ou préférant se taire, la femme hocha la tête et accompagna Nurse Caroline sur la colline.

Le Dr Larch venait d'en finir avec la patiente arrivée la veille pour avorter.

— Désolé de vous avoir fait attendre, lui dit-il. J'espère que vous étiez bien installée ?

— Oui, tout le monde s'est montré gentil, dit-elle. Même les enfants ont l'air gentil — à ce que j'ai vu.

Ce « même les enfants » intrigua Larch. Pourquoi les enfants n'auraient-ils pas l'air gentil ? Puis il se demanda s'il se représentait bien l'image que les gens de l'extérieur devaient se faire de Saint Cloud's.

Il allait se reposer un moment dans la pharmacie quand Nurse Caroline lui présenta la nouvelle patiente. La jeune femme refusait encore de parler, et Larch avait donc plus de mal à la croire.

— Vous êtes certaine d'attendre un enfant ? lui demanda-t-il.

Elle hocha la tête.

« Deuxième mois ? lança Larch au hasard.

La femme secoua la tête ; elle leva trois doigts.

« Troisième mois, donc, dit Larch.

Mais la femme haussa les épaules et leva quatre doigts.

« Peut-être quatre ? demanda Larch.

Elle leva cinq doigts.

« Vous êtes enceinte de cinq mois ? s'écria Larch.

Et elle tendit six doigts.

« Peut-être six ? tranduisit Larch.

La femme haussa les épaules.

« Êtes-vous certaine d'attendre un enfant ? recommença Larch.

Oui, fit-elle d'un hochement de tête.

« Vous ne savez absolument pas depuis combien de temps ? demanda Larch (tandis que Nurse Caroline aidait la femme à se déshabiller).

Elle était sous-alimentée ! La grossesse était plus avancée que Larch et Nurse Caroline ne l'avaient supposé à première vue — ils le constatèrent aussitôt. Quand Larch eut examiné la femme, nerveuse dès qu'il la touchait, et fiévreuse de surcroît, il lui dit :

« Vous êtes peut-être enceinte de sept mois. Vous êtes venue trop tard.

La femme secoua la tête.

Larch aurait aimé l'examiner mieux, mais Nurse Caroline avait beaucoup de mal à faire allonger la femme dans la position nécessaire. Et pendant que Nurse Caroline prenait la température de la patiente, Larch ne put que poser la main sur l'abdomen de la femme, extrêmement tendu.

« Avez-vous essayé de vous faire quelque chose toute seule ? demanda-t-il à la femme d'une voix aimable. Est-ce que vous vous êtes fait mal ?

La femme se figea.

« Pourquoi ne parlez-vous pas ? demanda Larch.

La femme secoua la tête.

« Êtes-vous muette ?

Elle secoua encore la tête.

« Avez-vous été blessée ? demanda Larch.

551

La femme haussa les épaules.

Enfin, Nurse Caroline parvint à placer la femme dans les étriers.

« Je vais vous examiner, maintenant, lui expliqua Larch. Ceci est un spéculum, dit-il en lui montrant l'instrument. Cela vous fera un peu froid, mais pas du tout mal.

La femme secoua la tête.

« Non, sincèrement, je ne vais vous faire aucun mal — je vais seulement regarder.

— Elle a quarante de fièvre, chuchota Nurse Caroline au Dr Larch.

— Vous vous sentiriez mieux si vous pouviez vous détendre, dit Larch.

Il sentait que la femme résistait au spéculum. Quand il se pencha pour regarder, la jeune femme lui parla.

— Ce n'est pas moi, dit-elle. Jamais je n'aurais mis tout ça dans moi.

— Tout ça ? dit Larch. Tout quoi ?

Soudain, il n'eut plus envie de regarder avant de savoir.

— Ce n'était pas moi, répéta-t-elle. Jamais je n'aurais fait une chose pareille.

Le Dr Larch se pencha si près du spéculum qu'il dut retenir sa respiration. L'odeur d'infection, de putréfaction était assez violente pour le suffoquer s'il avait respiré ou avalé, et les couleurs de feu, si familières, de la septicémie de la femme (même voilées par ses écoulements) étaient assez éblouissantes pour aveugler le téméraire ou le mal préparé. Mais Wilbur Larch se remit à respirer, lentement et régulièrement ; c'était le seul moyen de garder la main ferme. Il continua d'examiner les tissus enflammés de la jeune femme et de s'émerveiller : ils avaient l'air assez brûlants pour incendier le monde entier ; alors, tu vois bien, Homer ?... demanda Larch en lui-même.

11

Où les règles sont rompues

Melony, qui était venue de Bath à Ocean View en auto-stop, repartit en auto-stop le jour même ; elle avait perdu son zèle pour la cueillette des pommes. Elle battit en retraite, pour préparer d'autres vacances — ou demander à son employeur de lui redonner du travail. Elle se rendit à la pizzeria que tout le monde fréquentait, et elle avait un air si abattu que Lorna quitta son voyou, près du bar, pour s'asseoir sur la banquette en face d'elle.

— J'imagine que tu l'as trouvé, dit Lorna.

— Il a changé, répondit Melony — et elle lui raconta l'histoire. Ce n'est pas pour moi que je suis si écœurée. Je veux dire : je ne m'attendais pas à ce qu'il quitte tout pour moi, ni rien de ce genre. Je suis écœurée pour lui : il était mieux que ça, je ne cesse de me dire. C'était quelqu'un : je croyais qu'il serait un héros. C'est idiot, n'est-ce pas ? Mais il avait l'air d'un héros, il en avait l'étoffe. Il semblait tellement meilleur que tout le monde. Et c'était du bidon.

— Tu ne sais pas tout ce qui lui est arrivé, répondit Lorna pour la raisonner.

Elle ne connaissait pas Homer Wells, mais elle avait de la sympathie pour les imbroglios sexuels.

Son imbroglio sexuel du moment perdait patience au bar, où il l'attendait ; c'était un traîne-savates répondant au nom de Bob, et il s'avança vers la table de Melony, où les deux femmes se tenaient les mains.

— Je crois que le problème d'Homer, c'est qu'il est un homme, fit observer Melony. De tous ceux que j'ai rencontrés, un seul ne laissait pas sa queue régenter sa vie. (Elle pensait au Dr Larch.) Et il se droguait à l'éther !

— Tu es avec moi ou tu retournes avec elle ? demanda Bob à Lorna, mais en regardant fixement Melony.

— On ne fait que parler. Comme de vieilles copines, répondit Melony.

— Je te croyais en vacances, lui lança Bob. Pourquoi ne vas-tu pas chez les cannibales ?

— Va te branler dans une cuvette, lui répliqua Melony. Essaie donc de la remplir : tu ne fais même pas une cuillère à café ! ajouta-t-elle.

Et Bob lui tordit le bras.

Trop brusquement : il le brisa. Puis Bob lui cassa le nez contre le plateau de table en Formica avant d'être ceinturé par un ouvrier des chantiers.

Lorna emmena son amie à l'hôpital ; quand on lui eut placé le bras dans le plâtre et remis le nez droit — ou presque droit —, elle ramena Melony à la pension pour femmes seules, où elles se sentirent chez elles — ensemble. Lorna rapporta ses affaires pendant la convalescence de Melony. L'enflure du visage diminua au bout de quelques jours et ses yeux passèrent du noir au vert violacé, puis au jaune, au cours de la semaine.

« Voilà ce qui m'étonne, dit Melony, le visage endolori contre le ventre de Lorna, tandis que la main de Lorna lui caressait les cheveux. Quand il était gosse, il possédait une sorte de bravoure spéciale — personne ne pouvait l'obliger à suivre le courant. Et maintenant, regarde : il grimpe la femme d'un infirme et il ment à son propre fils.

— C'est dégoûtant, convint Lorna. Pourquoi ne l'oublies-tu pas ?

Et comme Melony ne répondait pas, Lorna lui demanda :

« Comment se fait-il que tu n'aies pas porté plainte contre Bob ?

— Suppose que ça marche, dit Melony.

— Pardon ?

— Suppose qu'on mette Bob en prison ou qu'on l'envoie ailleurs, expliqua Melony. Quand j'irai mieux, je ne pourrai pas le retrouver.

— Oh ! fit Lorna.

Homer Wells ne reconnut pas la voix qui lui parlait de derrière l'éclat violent des phares.

— Qu'avez-vous dans la trousse, Homer ? demanda M. Rose.

La route avait été longue, depuis la Caroline du Sud, et la guimbarde de M. Rose continuait de craquer et de cliqueter, brûlante, malade.

« C'est gentil de travailler toute la nuit pour embellir ma maison, Homer, dit-il.

Lorsqu'il s'avança dans ses phares, son visage noir demeura difficile à voir, mais Homer reconnut sa façon de se mouvoir — très lentement tout en donnant l'impression de pouvoir aller très vite.

— Monsieur Rose ! s'écria Homer.

— Monsieur Wells, répondit M. Rose en souriant.

Ils se serrèrent la main, le cœur d'Homer se calma. Candy se cachait encore dans le chai à cidre et M. Rose sentit qu'Homer n'était pas seul. Il regarda par-delà la cuisine éclairée, vers le dortoir obscur, puis Candy s'avança, coupable, dans la lumière.

« Madame Worthington ! s'écria M. Rose.

— Monsieur Rose, répondit Candy en souriant — et elle lui serra la main. Nous avons fini juste à temps, lança-t-elle à Homer en lui donnant une claque sur l'épaule. Nous venons à l'instant de mettre le linge en place, dit-elle à M. Rose.

Mais M. Rose remarqua qu'il n'y avait ni camionnette ni voiture — ils étaient donc venus à la cidrerie à pied. Avaient-ils porté toutes les couvertures et les draps sur leur dos ?

« Nous venons de tout plier à l'instant, je veux dire, précisa Candy.

Homer pensa que M. Rose devait avoir vu la lumière allumée au bureau du comptoir, quand il était passé devant.

— Nous étions en train de travailler au bureau, expliqua Homer, et nous nous sommes souvenus que le linge était en vrac ici — tout en tas.

M. Rose hocha la tête et sourit. Puis le bébé pleura. Candy sursauta.

— J'ai écrit à Wally que je viendrais avec la fille, expliqua M. Rose.

Et une jeune femme, à peu près de l'âge d'Ange, entra dans la lumière avec un bébé sur les bras.

— Je ne vous ai pas vue depuis que vous étiez toute petite, dit Homer à la jeune femme, qui lui adressa un regard vide.

Le voyage avait dû être épuisant, avec un nouveau-né.

— Ma fille, dit M. Rose en guise de présentation. Et *sa* fille, ajouta-t-il. Madame Worthington. Et Homer Wells.

— Candy, murmura Candy en donnant une poignée de main à la jeune femme.

— Homer, dit Homer.

Il ne se rappelait plus le nom de la fille de M. Rose, et il le lui demanda. Elle parut surprise et regarda son père — comme si elle sollicitait un éclaircissement ou un conseil.

— Rose, dit M. Rose.

Tout le monde rit — la fille de M. Rose aussi. Le bébé cessa de pleurer.

— Non, je voulais dire votre prénom ! précisa Homer Wells.

— Son prénom est Rose, dit M. Rose. Vous venez de l'apprendre.

— Rose Rose ? demanda Candy.

La fille de M. Rose sourit ; elle n'en avait pas l'air très sûre.

— Rose Rose, répondit M. Rose avec fierté.

De nouveau, tout le monde rit ; ce qui mit le bébé de bonne humeur, et Candy joua avec ses menottes.

— Et comment s'appelle-t-elle ? demanda Candy à Rose Rose.

Cette fois, la jeune femme répondit elle-même.

— Elle n'a pas encore de nom.

— Nous sommes encore en train d'y réfléchir, dit M. Rose.

— C'est très bien, répliqua Homer Wells.

Il savait que trop de noms sont donnés à la légère ou de façon temporaire — ou bien, comme dans le cas de John Wilbur et de Wilbur Walsh, perpétués à n'en plus finir, sans la moindre imagination.

— La cidrerie n'est pas équipée pour un bébé, dit Candy à Rose Rose. Si vous voulez bien venir jusqu'à la maison, j'ai sans doute des affaires de bébé dont vous pourriez vous servir — il y a même un parc au grenier, n'est-ce pas, Homer ?

— Nous n'avons besoin de rien, dit M. Rose d'un ton aimable. Peut-être ira-t-elle jeter un coup d'œil une autre fois.

— Je crois que je pourrais dormir une journée entière, dit Rose Rose gentiment.

— Si vous voulez, lui proposa Candy, je peux m'occuper du bébé pour vous — pour que vous puissiez dormir.

— Nous n'avons besoin de rien, répéta M. Rose. Pas aujourd'hui, de toute façon, dit-il en souriant.

— Vous voulez que je vous aide à déballer ? lui demanda Homer.

— Pas aujourd'hui, de toute façon, répéta-t-il. Qu'y a-t-il dans la trousse, Homer ? demanda-t-il encore quand tout le monde se fut dit bonne nuit et qu'Homer et Candy s'en allèrent.

— Des pommes, avoua Homer.

— Comme c'est étrange, répondit M. Rose.

Homer ouvrit la trousse de médecin et lui montra les pommes.

« Vous êtes le médecin des pommes ? lui demanda M. Rose.

Homer faillit lui répondre « D'accord ».

— Il sait, dit Homer à Candy sur le chemin du retour.

— Bien sûr, répliqua-t-elle. Mais qu'importe, puisque c'est fini !

— Oui, peu importe, j'imagine, dit Homer

— Puisque tu étais prêt à tout dire à Wally et à Ange, reprit Candy, je pense que ce ne sera pas si difficile que ça de le faire.

— Après la récolte, répondit-il.

Il lui prit la main, mais lorsqu'ils arrivèrent près du comptoir de vente, dans la zone de lumière du bureau, ils se lâchèrent et marchèrent chacun de son côté.

— Pourquoi cette trousse de médecin ? lui demanda Candy.

Elle l'embrassa avant de le quitter.

— Pour moi, répondit Homer Wells. Je crois qu'elle est pour moi.

Il s'endormit, en s'émerveillant de l'autorité extrême qu'exerçait — lui semblait-il — M. Rose sur son monde — il décidait même de la vitesse à laquelle sa petite-fille recevrait un nom (sans parler du nom lui-même) ! Homer s'éveilla juste avant l'aurore et prit un stylo dans sa table de nuit pour repasser à l'encre, d'un geste définitif, le nombre écrit au crayon au dos du cliché représentant l'équipage de *L'occasion frappe*.

A l'encre noire, il suivit le trait de crayon ; la nature permanente de l'encre le rassurait — comme s'il s'agissait d'un contrat, où un trait de plume est plus contraignant qu'un trait de crayon. Il ne pouvait pas savoir que Candy ne dormait pas non plus ; elle avait l'estomac remué et elle cherchait un médicament dans la salle de bains qu'elle partageait avec Wally. Elle jugea elle aussi nécessaire d'aborder le sujet des deux cent soixante-dix fois où Homer et elle avaient fait l'amour, depuis le retour de Wally de la guerre, mais Candy accorda moins d'importance qu'Homer au caractère définitif de ce nombre. Au lieu de repasser les chiffres à l'encre, elle prit une gomme pour effacer cette « preuve » sur la photo où elle apprenait à nager à Homer. Aussitôt, ses douleurs d'estomac se calmèrent et elle put dormir. Cela la surprit : elle était parfaitement détendue à la perspective qu'après la récolte sa vie (la vie à laquelle elle s'était habituée) allait s'achever.

Homer Wells n'essaya pas de se rendormir ; il connaissait toute l'histoire de ses relations avec le sommeil, et ce n'était pas une succession de luttes victorieuses. Il lut à la place un article du *Journal de Médecine de Nouvelle-Angleterre* sur la thérapie antibiotique ; il se tenait au courant depuis de nombreuses années des utilisations de la pénicilline et de la streptomycine. Il connaissait moins bien l'auréomycine et la terramycine, mais il trouvait les antibiotiques faciles à cerner. Il lut un texte sur les limites d'utilisation de la néomycine ; il prit note du fait que l'achromycine et la tétracycline étaient la même chose. Il écrivit érythromycine dans la marge de l'article, plusieurs fois pour bien enregistrer son orthographe ; le Dr Larch lui avait enseigné cette méthode.

É-R-Y-T-H-R-O-M-Y-C-I-N-E, écrivit Homer Wells — le médecin des pommes, comme l'avait appelé M. Rose. Et il écrivit également ces mots dans la marge : *Médecin des Pommes*. Puis, juste avant de se lever, il ajouta : *De Nouveau Bédouin*.

Dans la matinée, Candy envoya Ange à la cidrerie demander à Rose Rose si elle n'avait besoin de rien pour le bébé ; et ce fut à cette occasion qu'il tomba amoureux. Il était timide avec les filles de son âge ; les garçons de son âge, et un peu plus âgés, le taquinaient toujours au sujet de son prénom. Il était sans doute le seul Ange dans le Maine. Il était même timide *avant* de se trouver en face des filles, car il redoutait le moment où il devrait leur dire son nom. A Heart's Rock et à Heart's Haven, les plus jolies filles de sa classe, celles qui avaient le plus confiance en elles, ne lui adressaient pas un seul regard ; elles s'intéressaient aux garçons plus âgés. Les filles qui semblaient l'apprécier n'étaient que des cancanières banales, sans attrait, qui prenaient surtout plaisir à caqueter entre elles, sur elles — ou sur ce que tel garçon avait dit à telle fille. Chaque fois qu'Ange parlait à l'une d'elles, il savait que ses propos seraient transmis par téléphone le soir même à toutes les autres laissées-pour-compte de la classe. Le matin suivant, elles ricaneraient toutes bêtement en le voyant — comme s'il avait dit la même idiotie à chacune d'elles. Et il avait donc appris à se taire. Il observait de loin les filles plus âgées du lycée ; et il approuvait celles qui parlaient le moins à leurs amies. Il les trouvait plus adultes - entendant par là qu'elles faisaient vraiment des choses auxquelles leurs amies n'avaient pas accès.

En 195..., les filles de l'âge d'Ange ne rêvaient que de rendez-vous ; les garçons de l'âge d'Ange, en 195... comme en tout autre temps, rêvaient de « faire des choses ».

La fille de M. Rose était la jeune femme la plus exotique qu'Ange eût jamais vue : et puis elle avait une fille, donc elle avait dû « faire des choses ».

Le matin, il faisait froid et humide dans la cidrerie ; lorsque Ange arriva, Rose Rose était dehors au soleil, en train de laver Bébé Rose dans un seau. L'enfant barbotait dans l'eau, et Rose Rose lui parlait ; elle n'entendit pas le jeune homme s'approcher. Comme Ange avait été élevé davantage par son père que par sa mère, peut-être était-il prédisposé à subir l'attirance d'une scène de madone. Rose Rose n'était guère plus âgée que lui — elle semblait si jeune que la savoir mère surprenait. Avec son bébé, ses gestes et ses expressions étaient ceux d'une femme ; et elle avait une silhouette pleine, féminine. Elle était un peu plus grande qu'Ange. Avec un visage rond de garçon.

— Bonjour, dit Ange — ce qui fit sursauter Bébé Rose dans le seau.

Rose Rose enveloppa sa fille dans une serviette et se redressa.

— Tu dois être Ange, dit-elle, timide.

Une cicatrice fine glissait de l'aile d'une de ses narines à sa lèvre supérieure ; elle formait une sorte d'encoche sur la gencive - qu'Ange put voir quand elle entrouvrit les lèvres. Plus tard, il s'apercevrait que le couteau s'était arrêté à la canine et l'avait enlevée, ce qui justifiait le sourire incomplet de Rose Rose. Elle lui expliquerait que la blessure avait tué la racine de la dent, et que la dent était tombée par la suite. Mais le jour de leur première rencontre, il fut si épris que même la cicatrice lui parut belle ; c'était le seul défaut apparent de Rose Rose.

— Je me demandais si je pourrais t'aider en quoi que ce soit, pour le bébé, dit Ange.

— On dirait qu'elle fait ses dents, expliqua Rose Rose. Elle est un peu grognon aujourd'hui.

M. Rose sortit de la cidrerie ; en voyant Ange, il lui adressa un signe de la main et sourit ; puis il s'avança et posa le bras sur les épaules du jeune homme.

— Comment vas-tu ? lui demanda-t-il. Tu as encore grandi, je crois. Autrefois, je le portais sur ma tête, dit-il à sa fille. Il attrapait les pommes que je ne pouvais pas atteindre.

Il donna à Ange une claque amicale sur le bras.

— Je compte bien grandir un peu plus, répondit Ange — à l'intention de Rose Rose.

Il ne voulait pas qu'elle croie sa croissance terminée ; il espérait lui faire comprendre qu'il serait plus grand qu'elle un jour.

Il regretta de ne pas avoir mis de chemise ; non qu'il ne se crût pas assez musclé, mais porter une chemise faisait tout de même plus adulte. Puis il se dit qu'elle apprécierait son bronzage, et il se détendit au sujet de son torse nu ; il glissa les mains dans les poches de son jean et il regretta de ne pas avoir mis sa casquette de base-ball. C'était une casquette des Red Sox de Boston, et il devait mettre la main dessus le matin dès l'aurore s'il voulait la porter — sinon Candy se l'adjugeait. Cela faisait maintenant deux étés qu'ils avaient l'intention d'acheter une autre casquette de base-ball.

Quand Ange annonça à son père que le bébé de Rose Rose faisait ses dents, Homer sut ce qu'il fallait faire. Il demanda à Ange d'aller en ville (avec Wally) acheter des sucettes, puis il le renvoya à la cidrerie avec un paquet de sucettes et une petite bouteille de bourbon ; Wally buvait une goutte de bourbon de temps en temps et la bouteille était aux trois quarts pleine. Homer montra à Ange comment tamponner avec du whisky les gencives de Bébé Rose.

« Ça endort la gencive, expliqua Ange à Rose Rose.

Il trempa son doigt rose dans le whisky, puis le glissa dans la minuscule bouche du bébé. Au début il eut peur d'avoir étouffé la petite fille, dont les yeux s'agrandirent et s'emplirent de larmes sous l'effet des vapeurs de bourbon ; mais aussitôt Bébé Rose se mit à téter le doigt d'Ange avec une telle voracité que, au moment où il ôta le doigt pour le retremper dans l'alcool, l'enfant pleura pour qu'il le lui rende.

— Tu vas la soûler, l'avertit Rose Rose.

— Pas du tout, la rassura Ange. J'endors seulement ses gencives.

Rose Rose examina les sucettes. Ce n'étaient que des tétines de caoutchouc, pareilles à celles des biberons mais sans le trou, et fixées à un anneau de plastique bleu trop gros pour qu'un enfant l'avale. Le problème, quand on utilisait une tétine de biberon normale, expliqua Ange Wells, c'était que le bébé absorbait sans cesse de l'air par le trou, et l'air lui donnait des rots ou des gaz dans le ventre.

— Comment se fait-il que tu en saches tant ? demanda Rose Rose à Ange en souriant. Quel âge as-tu ?

— Presque seize ans, répondit Ange. Et toi ?

— A peu près ton âge, lui dit-elle.

Dans l'après-midi, lorsque Ange retourna à la cidrerie voir comment se passait la percée des dents, Bébé Rose n'était pas le seul Rose avec une sucette dans la bouche. M. Rose se trouvait sur le toit de la cidrerie et Ange put voir — d'une distance considérable, à cause du bleu ciel pas du tout naturel de l'anneau de plastique — qu'il avait une sucette aux lèvres.

— Vous faites vos dents, vous aussi ? lui cria Ange.

M. Rose ôta la sucette de sa bouche lentement — comme tout ce qu'il faisait.

— Je cesse de fumer, répondit M. Rose. Avec une tétine dans la bouche toute la journée, qui a besoin d'une cigarette ?

Il remit l'objet entre ses lèvres et adressa à Ange un sourire jusqu'aux oreilles.

Dans la cidrerie, Bébé Rose s'était endormi, la sucette à la bouche lui aussi, et Ange surprit Rose Rose en train de se laver les cheveux.

Elle lui tournait le dos, la tête penchée au-dessus de l'évier de la cuisine ; il ne pouvait pas voir ses seins bien qu'elle fût nue jusqu'à la taille.

— C'est toi ? demanda-t-elle — ce qui était ambigu.

Elle continua de lui tourner le dos, mais sans se précipiter pour se couvrir.

— Désolé, dit Ange en reculant à l'extérieur. J'aurais dû frapper.

Aussitôt elle bondit pour se couvrir, malgré le savon dans ses cheveux. Elle avait dû croire que c'était son père.

« Je voulais savoir comment les dents allaient, expliqua Ange.

— Bien, bien, dit Rose Rose. Tu es un bon docteur. Tu es mon héros, pour aujourd'hui.

Elle souriait de son sourire incomplet.

Une traînée de mousse de shampooing contournait son cou et descendait sur sa poitrine, par-dessus ses bras qu'elle avait croisés, avec une serviette, sur ses seins invisibles. Ange Wells, tout sourire, recula si loin de la porte de la cidrerie qu'il se cogna à la vieille voiture, garée si près du mur du chai qu'elle semblait étayer le bâtiment. Il entendit un caillou minuscule rouler sur le toit de la cidrerie, mais quand le caillou lui tomba sur la tête — bien qu'il eût pris le temps de voler la casquette de base-ball à Candy et qu'il la portât sur le côté, d'un air dégagé, avec la visière protégeant son front du soleil — il lui fit mal. Il leva les yeux vers M. Rose, qui avait fait rouler le caillou vers lui — un coup parfait.

— Je t'ai eu ! dit M. Rose en souriant.

Mais en fait, c'était Rose Rose qui l'avait « eu » ; Ange repartit d'un pas mal assuré vers le comptoir de vente et entra dans la « maison de luxe » comme s'il avait été frappé par un énorme rocher.

Qui était le père du bébé ? se demandait Ange Wells. Et où se trouvait-il ? Et où se trouvait Mme Rose ? M. Rose et sa fille étaient-ils seuls ?

Ange monta dans sa chambre et se mit à composer une liste de noms — de noms de fille. Il prit dans le dictionnaire des noms qui lui plaisaient et il en ajouta d'autres que le dictionnaire avait omis. N'était-ce pas un bon moyen de plaire à une fille qui n'avait pas encore décidé d'un prénom pour son enfant ?

Ange aurait été une vraie bénédiction à Saint Cloud's où la pratique de donner des noms aux nouveau-nés commençait à s'user. Bien que Nurse Caroline eût contribué, avec son énergie juvénile, à ces choix presque constants de prénoms, ses goûts plutôt politisés avaient rencontré une certaine résistance. Elle aimait beaucoup Karl (pour

Marx) et Eugène (pour Debs) mais Friedrich (pour Engels) avait soulevé un tollé général et elle avait dû se contenter de Fred (qui ne lui plaisait pas). Nurse Angela s'était également plainte de Norman (pour Thomas) — pour elle, c'était un nom comme Wilbur. Mais comment savoir si Ange Wells aurait conservé intacte sa passion pour les noms, s'il s'était agi d'une tâche presque quotidienne ? Trouver un nom pour la fille de Rose Rose était une dévotion peut-être inattendue — mais bien caractéristique d'un premier amour de garçon.

Abby ? songea Ange Wells. Alberta ? Alexandra ? Amanda ? Amelia ? Antoinette ? Audrey ? Aurora ? « Aurora Rose, dit-il à haute voix. Mon dieu, non ! » et il replongea dans l'alphabet. La cicatrice sur le visage de la jeune femme qu'il aimait était si mince, si fine... Ange imagina que s'il pouvait y poser ses lèvres, elle disparaîtrait aussitôt ; et il se lança dans les B.

Bethsabée ? Béatrice ? Bernice ? Bianca ? Blanche ? Bridget ?

Le Dr Larch était confronté à un problème différent. La patiente décédée était venue à Saint Cloud's sans la moindre pièce d'identité — elle n'avait apporté que son infection brûlante, ses écoulements suffocants, son fœtus mort mais non expulsé (et plusieurs des instruments qu'elle — ou une autre personne — avait enfoncés en elle pour essayer d'expulser ledit fœtus), son utérus perforé, sa fièvre impossible à réduire, sa péritonite aiguë. Elle était parvenue auprès du Dr Larch trop tard pour qu'il la sauve, mais Larch se faisait des reproches.

— Elle est arrivée ici vivante, dit-il à Nurse Caroline, et je me prétends médecin !...

— Alors soyez donc médecin ! lui expliqua l'infirmière. Et cessez de geindre.

— Je suis trop vieux, dit Larch. Un homme plus jeune, plus rapide, aurait pu la sauver.

— Si vous le pensez, vous êtes trop vieux en effet, lui répondit Nurse Caroline. Vous ne voyez plus les choses comme elles sont.

— Comme elles sont, répéta Wilbur Larch, qui s'enferma dans la pharmacie.

Il n'avait jamais bien réagi à la perte d'une patiente, mais celle-ci était complètement perdue à son arrivée — Nurse Caroline en était certaine.

— S'il peut se croire responsable d'un cas comme celui-ci, déclara

Nurse Caroline à Nurse Angela, je crois qu'il faut le remplacer — il est vraiment trop vieux.

Nurse Angela en convint :

— Ce n'est pas qu'il soit incompétent, mais s'il commence à *se croire* incompétent, c'est la fin.

Nurse Edna refusa de participer à cette conversation. Elle alla se camper devant la porte de la pharmacie, où elle se mit à répéter, sans arrêt :

— Vous n'êtes *pas* trop vieux, vous n'êtes *pas* incompétent, vous n'êtes *pas* trop vieux...

Mais Wilbur Larch ne pouvait l'entendre ; il était sous éther, et il voyageait.

Il voguait très loin, en Birmanie — qu'il voyait avec presque autant de clarté que Wally autrefois, bien que Larch (même avec l'aide de l'éther) n'eût jamais pu imaginer une telle chaleur. L'ombre qu'il apercevait sous les arbres des conseils était trompeuse ; il n'y faisait pas vraiment frais — pas à l'heure de la journée que les Birmans appellent « quand les pieds font silence ». Larch suivait des yeux le missionnaire Dr Stone en train de faire sa tournée. Même la chaleur de midi n'empêchait pas Fuzzy Stone de sauver les enfants diarrhéiques.

Wally aurait pu meubler le rêve de Larch de détails plus précis. La façon dont les feuilles de bambou glissaient, par exemple, quand on essayait de remonter une colline. Et les nattes où l'on dormait, toujours trempées de sueur ; ou encore comment ce pays, pour Wally, semblait un repaire de juges suppléants corrompus par l'Angleterre — soit qu'ils cherchent à ressembler aux Anglais, soit qu'ils soient consumés par leur haine des Anglais. Un jour, Wally avait été transporté sur une éminence parsemée de mauvaises herbes et jonchée de crottes de porc ; au milieu, se trouvait un ancien court de tennis, aménagé par quelque Britannique. Le filet servait maintenant de hamac à un juge suppléant. Le court lui-même, à cause de la haute clôture qui l'entourait, était un bon endroit pour élever les cochons ; la clôture, qui empêchait autrefois les balles de tennis de se perdre dans la jungle, permettait maintenant de protéger les porcelets des léopards. Et lors de cette étape, Wally s'en souvenait, le suppléant en personne avait sondé ses voies urinaires ; un homme aimable, d'ailleurs, au visage tout rond, aux mains patientes et fermes ; il s'était servi d'un long marteau à champagne en argent — encore un legs des Anglais. Bien que l'anglais du suppléant fût très approximatif, Wally parvint à lui faire comprendre l'utilisation normale de l'instrument.

— L'Anglais, il est cinglé, avait répondu le gentleman birman à Wally. Oui ?

— Oui, je crois, acquiesça Wally.

Il n'avait pas connu beaucoup d'Anglais, mais certains lui avaient paru « cinglés » ; et puis c'était un sujet sans importance — et Wally estimait plus sage de ne pas contredire l'homme qui tenait la sonde.

Le marteau à champagne n'était pas assez souple pour faire une sonde convenable, et le bout de l'objet s'ornait d'une sorte d'écusson héraldique, surmonté du visage sévère de la reine Victoria. (Dans ce cas unique, elle fut témoin d'une utilisation de l'instrument qui l'aurait sans doute choquée.)

— Seul l'Anglais il est assez cinglé qu'il fait un machin pour remuer sa boisson, déclara le suppléant en gloussant.

Il lubrifia la sonde avec sa propre salive. A travers ses larmes, Wally essaya de rire.

Et dans les tournées que faisait le Dr Stone, de nombreux enfants diarrhéiques ne souffraient-ils pas de rétention d'urine ? Le Dr Stone ne soulageait-il pas leurs petites vessies distendues ? Mais sa sonde était adéquate et sa façon de l'administrer impeccable. Aux yeux de Wilbur Larch, qui planait dans le ciel de Birmanie, le Dr Stone était parfait — Fuzzy Stone ne perdait jamais un seul patient.

Nurse Caroline, comprenant que la coïncidence de la femme sans nom morte à Saint Cloud's ne ferait pas bon effet à côté des « preuves » soumises au conseil d'administration, décida d'écrire à Homer Wells qu'il était temps. Pendant que le Dr Larch se reposait dans la pharmacie, Nurse Caroline s'installa donc devant la machine, dans le bureau de Nurse Angela, et se mit à taper d'une main vengeresse.

« Ne faites pas l'hypocrite, commença-t-elle. Vous vous rappelez, j'espère, avec quelle véhémence vous me poussiez à quitter Cape Kenneth : on avait davantage besoin de mes services ici, disiez-vous — et vous aviez raison. Croyez-vous donc qu'on n'a pas besoin de vos services ici, ou qu'on n'en a pas besoin tout de suite ? Croyez-vous que les pommes ne peuvent pas pousser sans vous ? Par qui pensez-vous donc que le conseil d'administration va le remplacer, si vous ne vous présentez pas ? Par un de ces lâches qu'on trouve à tous les coins de rue, par un de ces marchands de médecine qui fait ce qu'on lui dit, prudent comme une souris, par un petit-bourgeois soumis à la lettre de la loi — et qui ne sera absolument d'AUCUNE UTILITÉ ! »

Elle mit la lettre à la boîte en allant prévenir le chef de gare qu'il y avait un cadavre à l'orphelinat ; il fallait prévenir les autorités. Cela faisait des années que le chef de gare n'avait pas vu de cadavres à l'orphelinat, mais jamais il n'oublierait les deux qu'il y avait vus : son prédécesseur, après que les cisailles à sternum l'eurent ouvert, et surtout l'autopsie du fœtus de Three Mile Falls.

— Un cadavre ? demanda le chef de gare égaré.

Il posa les mains de chaque côté de la petite table où le téléviseur allumé à toute heure lui révélait ses ombres floues et fugitives — préférables en tout cas à l'image plus vivante qu'il conservait de ces cadavres du passé.

— Une femme qui ne voulait pas avoir d'enfant, lui expliqua Nurse Caroline. Elle s'est charcutée en essayant de décrocher le bébé. Elle est arrivée chez nous trop tard pour que nous puissions la sauver.

Sans répondre, et sans détacher les yeux des silhouettes cotonneuses qui zigzaguaient sur l'écran, le chef de gare s'accrocha à la table comme s'il s'agissait d'un autel et que la télévision fût son dieu — en tout cas, il était certain qu'il ne verrait jamais sur cet écran rien qui ressemblât à ce que cette infirmière évoquait : il continua donc d'absorber la télé au lieu de regarder Nurse Caroline dans les yeux.

Carmen ? Cécilia ? Charity ? Claudia ? Constance ? Cookie ? Cordelia ? Ange Wells pencha la casquette des Red Sox selon le bon angle ; bien qu'il fît frais en début de matinée, il préféra ne pas enfiler de chemise. Dagmar ? pensa-t-il. Daisy ? Dolores ? Dotty ?

— Où vas-tu donc avec ma casquette ? lui demanda Candy, qui desservait la table du petit déjeuner.

— C'est *ma* casquette, répondit Ange en sortant.

— L'amour est aveugle, lança Wally en éloignant son fauteuil roulant de la table.

Pense-t-il à moi ou à Ange ? se demanda Candy. Homer et Wally s'inquiétaient de l'engouement bébête du jeune homme pour Rose Rose, mais aux yeux de Candy toute l'histoire semblait justement trop bébête. Candy savait que Rose Rose avait trop d'expérience pour laisser Ange perdre la tête. Ce n'était pas la question, avait répondu Homer. Candy présumait que Rose Rose avait plus d'expérience dans son petit doigt que... Mais ce n'était pas non plus la question, avait répondu Wally.

— J'espère tout de même que la question n'est pas la couleur de sa peau, avant lancé Candy.

— La question, c'est M. Rose, avait répliqué Wally.

565

Le mot « D'accord ! » fut presque visible sur les lèvres d'Homer. Les hommes veulent tout régenter, se dit Candy.

Homer Wells était dans le bureau du comptoir de vente. Il y avait pour lui, au courrier, une lettre du Dr Larch, mais Homer ne s'occupait pas du courrier : c'était le travail de Wally ; surtout, l'équipe de ramassage était arrivée. La récolte commencerait dès qu'Homer pourrait tout organiser. En levant les yeux vers la fenêtre du bureau, il vit son fils, sans chemise, en train de parler à la grosse Dot Taft. Il ouvrit l'écran moustiquaire et cria à Ange :

— Hé ! Il fait froid ce matin — mets une chemise !

Ange s'éloignait déjà vers les hangars.

— Il faut que je fasse chauffer le tracteur ! répondit-il à son père.

— Réchauffe-toi d'abord ! lui lança Homer.

Mais le jeune homme avait déjà très chaud.

Édith ? se demanda Ange. Ernestine ? Esmeralda ? Ève ! se dit-il.

Il bouscula Vernon Lynch, qui lui lança un regard noir par-dessus sa tasse de café brûlant.

— Regarde donc où tu mets les pieds, dit Vernon.

— Faith ! lui répondit Ange. Felicia ! Francesca ! Frederica !

— Trou du cul, dit Vernon Lynch.

— Non, c'est toi ! lui lança la grosse Dot Taft. C'est toi le trou du cul, Vernon.

— Seigneur, j'adore la récolte ! s'écria Wally qui roulait doucement autour de la table de cuisine pendant que Candy faisait la vaisselle. C'est le moment de l'année que je préfère.

— Moi aussi, répondit Candy en souriant.

Et elle pensait : J'ai encore six semaines à vivre.

La Gamelle, le cuisinier, était revenu ; il fallait que Candy se hâte, car elle devait l'emmener faire les courses. Un nommé Peau-de-pêche, qui avait déjà fait la récolte à Ocean View (une seule année), venait également d'arriver ; on l'appelait Peau-de-pêche parce que sa barbe ne poussait jamais. Et La Vase était revenu, lui aussi ; on ne l'avait pas vu depuis plusieurs étés. La fois précédente, il avait été affreusement tailladé à coups de couteau, dans la cidrerie, et Homer avait dû l'emmener à l'hôpital de Cape Kenneth. La Vase y avait reçu cent vingt-trois points de suture ; Homer Wells lui avait trouvé un air de saucisse expérimentale.

L'homme qui l'avait blessé avait disparu sans retour. C'était une des règles de M. Rose ; probablement même la règle dominante de la cidrerie, estimait Homer : ne pas se faire mal mutuellement. On donne un coup de couteau à un type pour lui faire peur, pour lui montrer qui est le patron, mais on ne l'envoie pas à l'hôpital. Aussitôt, les autorités arrivent, et dans la cidrerie chacun doit se faire tout petit. L'homme qui avait blessé La Vase n'avait pas pensé à la communauté.

— Il essayait de me découper le cul, vieux, avait déclaré La Vase, tout surpris.

— C'était un amateur, avait répondu M. Rose. De toute façon, il est parti-parti.

Le reste de l'équipe, hormis la fille de M. Rose, n'était jamais venu à Ocean View. M. Rose organisa avec Ange la manière dont Rose Rose et sa fille passeraient les journées.

« Elle montera avec toi sur le tracteur et elle t'aidera, dit M. Rose à Ange. Elle pourra s'asseoir sur l'aile ou se tenir derrière le siège. Elle pourra monter dans la remorque tant qu'elle ne sera pas pleine.

— Bien sûr ! dit Ange.

— S'il faut qu'elle ramène le bébé au chai, elle rentrera à pied. Elle n'a besoin d'aucune faveur particulière.

— Non, dit Ange, surpris que M. Rose parle ainsi de sa fille alors qu'elle se trouvait près de lui, l'air vaguement gêné.

Bébé Rose — sucette en place — était à califourchon sur la hanche de sa mère.

— De temps en temps, La Gamelle pourra surveiller le bébé, dit M. Rose — et Rose Rose acquiesça.

— Candy a également proposé de s'en occuper, avança Ange.

— Inutile de déranger Mme Worthington, répondit M. Rose — et Rose Rose secoua la tête.

Lorsque Ange conduisait le tracteur, il se tenait toujours debout ; quand il s'asseyait sans coussin sur le siège (et il jugeait qu'un coussin n'était bon que pour des vieux à hémorroïdes), il pouvait à peine voir le bouchon du radiateur. Il avait peur, s'il s'asseyait, que le moteur ne chauffe et que le radiateur ne bouille sans qu'il le remarque. Mais surtout, conduire un tracteur debout avait plus belle allure.

Il était ravi de conduire l'International Harvester ; des années auparavant, Raymond Kendall avait fabriqué un support pivotant pour le siège. Il pouvait laisser Rose Rose s'y asseoir, avec ou sans Bébé Rose sur les genoux : il se mettait sur le côté du siège et manœuvrait le tracteur sans la moindre maladresse. L'embrayage et le frein étaient à pédale mais il y avait un accélérateur à main. Le frein à main se trouvait contre la hanche de Rose Rose ; et le levier de vitesses à côté de son genou.

— Pourquoi portes-tu cette vieille casquette de base-ball ? lui demanda-t-elle. Tes yeux sont mignons mais personne ne les voit. Tes cheveux sont mignons mais personne n'en profite. En plus, tu as le front tout pâle parce que le soleil ne peut pas trouver ton visage. Si tu ne portais pas cette stupide casquette, ton visage serait aussi hâlé que ton corps.

Ce qui supposait, bien entendu, que Rose Rose aimait le hâle de son corps, se souciait que son front fût pâle, et avait tout de même remarqué — malgré la casquette — ses yeux et ses cheveux (qu'elle aimait aussi).

Après avoir garni la remorque de son premier chargement de pommes, Ange prit une longue lampée d'eau à un cruchon du verger. Pour boire, il tourna sa casquette sens devant derrière, et il continua de la porter ainsi, comme le joueur qui attrape la balle — à la manière de Candy, la visière du côté de la nuque, par-dessus les cheveux. Dieu sait pourquoi, dans cette position, la casquette allait mieux à Candy qu'à Ange. Quand Rose Rose le vit avec la casquette retournée, elle lui lança :

« Maintenant tu as l'air vraiment idiot, on dirait une boule à la place de ta tête.

Le lendemain, Ange laissa la casquette à Candy.

Bébé Rose tirait sur sa sucette comme une pompe de 3 CV, et Rose Rose sourit à Ange.

« Où est cette jolie casquette ? lui demanda-t-elle.

— Je l'ai perdue.

— Dommage, elle était mignonne.

— Je croyais que tu ne l'aimais pas, dit Ange.

— Je ne l'aimais pas sur *toi*, répondit Rose Rose.

Le jour suivant, il apporta la casquette et la mit sur la tête de Rose Rose dès qu'elle s'installa sur le siège du tracteur. Rose Rose eut l'air ravie ; elle la porta comme Ange — basse sur les yeux. Bébé Rose lança un regard furieux à la visière.

« Tu l'avais perdue, mais tu l'as retrouvée ? demanda Rose Rose à Ange.

— C'est ça.

— Tu devrais faire attention, lui dit-elle. Tu ne veux tout de même pas t'embringuer avec moi.

Mais le simple fait que Rose Rose ait remarqué son intérêt pour elle flatta Ange et l'encouragea — d'autant qu'il ne savait pas trop comment exprimer cet intérêt.

— Quel âge as-tu, en réalité ? lui demanda-t-il le plus naturellement qu'il put, un peu plus tard le même jour.

— A peu près ton âge, Ange, répondit-elle comme la première fois.

Bébé Rose s'appuyait contre sa poitrine ; un bonnet blanc de marin, à bord mou, protégeait l'enfant du soleil mais, par-dessous le bord du bonnet, la petite fille avait l'œil vitreux, épuisée à force de tirer sur sa sucette du matin au soir.

« Je ne crois pas que tes dents soient encore en train de percer, dit Rose Rose à sa fille.

Elle saisit l'anneau de plastique bleu ciel et sortit la sucette de la bouche du bébé ; cela fit un *plop* comme un bouchon de bouteille, et Bébé Rose sursauta.

« Ça devient une drogue, dit Rose Rose — mais dès que Bébé Rose se mit à pleurer, sa mère lui redonna la tétine.

— Comment trouves-tu Gabriella, comme prénom ? demanda Ange à Rose Rose.

— C'est la première fois que je l'entends.

— Et Ginger ? demanda Ange.

— Ça veut dire gingembre, c'est une chose qu'on mange, répondit Rose Rose.

— Gloria ?

— Pas mal, dit Rose Rose. C'est un nom pour qui ?

— Ton bébé ! dit Ange. J'ai pensé à des noms, pour ton bébé.

Rose Rose souleva la visière de la casquette des Red Sox de Boston et regarda le jeune homme dans les yeux.

— Pourquoi as-tu pensé à ça ? lui demanda-t-elle.

— Seulement pour aider, répondit-il gauchement. Seulement pour t'aider à trancher.

— A trancher ? répéta Rose Rose.

— Pour t'aider à te décider, dit Ange Wells.

Le nommé Peau-de-pêche était presque aussi rapide que M. Rose. Il venait de vider son sac de toile dans une caisse d'un boisseau, et il interrompit Rose Rose et Ange.

— Vous me comptez, Ange ? demanda Peau-de-pêche.

— C'est noté, répondit le jeune homme.

Parfois Ange examinait les fruits, s'il ne connaissait pas bien le ramasseur — pour s'assurer qu'il n'y en avait pas de talés ; si c'était le cas, ou s'il voyait à d'autres signes que l'homme ramassait trop vite, Ange ne donnait pas le prix maximal pour le boisseau. Mais Ange savait que Peau-de-pêche était un bon ramasseur et il inscrivit donc le chiffre sur sa liste sans descendre du tracteur pour regarder les pommes.

— N'êtes-vous pas vérificateur ? demanda Peau-de-pêche à Ange.

— Mais oui, c'est noté ! lui dit Ange.

— Vous ne voulez donc pas me vérifier ? Vous devriez tout de même vous assurer que je ne cueille pas des poires, ou autre chose, lui lança Peau-de-pêche, le sourire aux lèvres.

Ange alla donc vérifier les pommes, et ce fut ce moment-là que Peau-de-pêche choisit pour lui dire :

« Vous ne voulez pas vous mettre dans une affaire de couteau avec M. Rose.

Puis le Noir s'éloigna avec son sac et son échelle, avant qu'Ange puisse lui dire quoi que ce soit sur ses pommes — parfaites, bien entendu.

A son retour sur le tracteur, Ange prit son courage à deux mains.

— Tu es encore mariée au père du bébé ? demanda-t-il à Rose Rose.

— Jamais été mariée, répondit-elle.

— Vous êtes encore ensemble, toi et le père ? demanda Ange.

— Elle n'a pas de père, dit Rose Rose. Jamais été *ensemble*.

— J'aime bien Hazel et Heather, dit Ange après un silence. Noisette et Bruyère. Ce sont deux noms de plantes, et ils font bien avec Rose.

— Je n'ai pas une plante, j'ai une petite fille, répondit Rose Rose en souriant.

— J'aime aussi le nom Hope, Espérance.

— Espérance n'est pas un nom, répondit Rose Rose.

— Iris est gentil, dit Ange. Mais fait un peu mièvre, parce que c'est encore une fleur. Ensuite, il y a Isadora.

— Oh la la ! s'écria Rose Rose. Pas de nom vaut mieux que certains.

— Et pourquoi pas un bon vieux prénom tout simple comme Jane ? demanda Ange Wells qui commençait à se sentir frustré. Jennifer ? Jessica ? Jewel ? Jill ? Joyce ? Julia ? Justine ?

Elle le toucha. Elle posa la main sur sa hanche, ce qui faillit lui faire capoter le tracteur et renverser le chargement de pommes.

— Ne t'arrête jamais, lui dit-elle. Je ne savais pas qu'il existait tellement de prénoms. Continue.

Et sa main encouragea Ange — d'une simple poussée, avant de se reposer sur ses genoux, où Bébé Rose ne bougeait pas, hypnotisé par le mouvement et le bruit du tracteur.

— Katherine ? Kathleen ? Kirsten ? Kitty ? commença Ange Wells.

— Continue, dit Rose Rose.

Et de nouveau sa main effleura la hanche du jeune homme.

— Laura ? Laurie ? Laverne ? Lavinia ? Leah ? Cela signifie

« lasse », lui dit-il. Leslie ? Libby ? Loretta ? Lucy ? Mabel ? Cela veut dire « adorable ». Malvina ? Cela signifie « neige lisse », expliqua-t-il.

— Jamais je n'ai vécu où il y a de la neige, répondit Rose Rose.

— Maria ? reprit Ange, Marigold ? C'est encore une fleur : le souci. Mavis ? C'est une grive, un oiseau.

— Ne me dis pas ce que ça veut dire, lui ordonna Rose Rose.

— Melissa ? Mercedes ?

— N'est-ce pas une voiture ? lui demanda Rose Rose.

— Une bonne voiture. Une voiture allemande. Très chère.

— Je crois que j'en ai vu une, dit Rose Rose. Elle avait une sorte de rond sur le capot, avec des traits comme une cible.

— C'est leur emblème.

— Leur quoi ?

— Une sorte de cible, tu as raison, répondit Ange.

— Répète-le encore, dit Rose Rose.

— Mercedes.

— C'est pour les riches, pas vrai ? demanda Rose Rose.

— La voiture ? demanda-t-il.

— Le nom ou la voiture.

— Eh bien, c'est une voiture chère, mais le nom signifie Notre-Dame de la Miséricorde, dit Ange.

— Alors, qu'il aille se faire foutre, répondit Rose Rose. Ne t'ai-je pas demandé de ne pas me dire le sens des noms ?

— Je regrette.

— Comment se fait-il que tu ne portes jamais de chemise ? lui demanda-t-elle. Tu n'as jamais froid ?

Ange haussa les épaules.

« Tu peux continuer avec les prénoms, n'importe quand, lui dit-elle.

Au bout de quatre ou cinq jours de récolte, le vent tourna ; une forte brise de mer souffla de l'Atlantique et les débuts de matinée devinrent particulièrement glacés. Ange mit un tricot de corps et un chandail par-dessus. Un matin où il faisait si froid que Rose Rose avait laissé Bébé Rose à Candy, Ange vit que la jeune femme frissonnait, et il lui donna son chandail. Elle le porta toute la journée. Elle le portait encore lorsque Ange alla aider à la pressée de cidre, ce soir-là, et, pendant un moment, ils s'assirent ensemble sur le toit du chai. La Gamelle était monté avec eux, et il leur parla de l'époque où il y avait une base de l'armée de Terre près de la côte, dont on pouvait voir les lumières, la nuit.

— C'était une arme secrète. Et ton père, dit La Gamelle à Ange, lui avait donné un nom — ça nous faisait tous chier dans nos frocs, tellement on avait peur. C'était une sorte de roue, n'est-ce pas ? Elle envoyait des gens dans la lune, ou autre chose.

— C'était une roue Ferris, dit M. Rose dans le noir. Ce n'était qu'une grande roue Ferris.

— Ouais, tu parles ! répondit La Gamelle. Ça, j'en ai vu une.

— Mais il y avait autre chose, là-bas, de ce côté, dit M. Rose d'un ton rêveur. On s'en est servi pendant la guerre.

— Ouais, dit La Gamelle. On l'a tiré sur quelqu'un.

Les yeux fixés sur les lumières de la côte, Rose Rose annonça :

— Je vais partir à la ville.

— Peut-être. Quand tu auras l'âge, répondit M. Rose.

— Peut-être à Atlanta... Je suis allée à Atlanta, dit-elle à Ange. Même la nuit.

— C'était Charleston, dit M. Rose. A moins que tu ne sois allée à Atlanta en d'autres temps.

— Tu disais que c'était Atlanta, lui lança-t-elle.

— J'ai peut-être *dit* que c'était Atlanta, répondit M. Rose, mais c'était Charleston.

La Gamelle éclata de rire.

Rose Rose oublia de rendre le chandail, mais le lendemain matin, comme il faisait encore froid, elle portait un des vieux tricots de M. Rose et elle redonna le chandail à Ange.

— J'ai tout ce qu'il me faut comme vêtement, ce matin, dit-elle à Ange, la casquette de base-ball plus basse que d'habitude sur le front.

La Gamelle surveillait Bébé Rose et Ange mit un certain temps à s'apercevoir que Rose Rose avait un œil au beurre noir — un Blanc ne remarque pas tout de suite un œil au beurre noir sur un Noir, mais elle avait tout de même un sacré coquard.

« Il a dit d'accord que je porte ta casquette, mais que tu portes toi-même ton tricot, expliqua Rose Rose à Ange. Je te l'ai dit : il ne faut pas t'embringuer avec moi.

A la fin de la journée de ramassage, Ange se rendit à la cidrerie pour discuter avec M. Rose. Il lui déclara qu'il n'avait aucune intention déplacée quand il avait laissé Rose Rose porter son chandail ; il ajouta qu'il aimait vraiment beaucoup la fille de M. Rose, etc. Ange était en fait très remonté, mais M. Rose demeura calme, très calme. Bien entendu, Ange (comme tout le monde) avait vu M. Rose peler et épépiner une pomme en trois ou quatre secondes — et l'on supposait en général que M. Rose était capable de saigner son homme en une demi-minute. (Le cadavre aurait eu l'air de s'être légèrement coupé en se rasant.)

— Qui t'a dit que je bats ma fille, Ange ? lui demanda M. Rose doucement.

C'était Rose Rose, bien sûr, mais Ange sentit le piège ; il n'allait valoir à la jeune femme que des ennuis. Jamais M. Rose ne se mettrait dans la position d'avoir des ennuis à cause d'Ange. M. Rose connaissait les règles : le *vrai* règlement du chai à cidre, la règle des ramasseurs, la règle des pommes.

— J'ai seulement cru que vous l'aviez frappée, dit Ange, cédant du terrain.

— Pas moi, répondit M. Rose.

Avant de repartir avec le tracteur, Ange parla à Rose Rose. Si elle avait peur de rester dans la cidrerie, lui dit-il, elle pourrait toujours venir près de lui — il y avait deux lits dans sa chambre, et il pouvait même s'installer ailleurs et en faire une chambre d'amis, pour elle et son bébé.

— Une chambre d'amis ? lança Rose Rose en riant.

Elle lui avoua qu'il était l'homme le plus mignon qu'elle ait jamais connu. Et elle avait des manières si langoureuses ! Comme une personne habituée à dormir debout — ses membres lourds aussi détendus que si elle était sous l'eau. Elle avait un corps paresseux, mais en sa présence Ange ressentait le même potentiel d'action foudroyante que M. Rose — et qui émanait de lui de façon aussi intime qu'une odeur personnelle. Rose Rose donnait à Ange des frissons.

Au dîner, Homer lui demanda :

— Comment t'entends-tu avec M. Rose ?

— Je suis plus curieuse de savoir comment tu t'entends avec Rose Rose, dit Candy.

— Ses rapports avec la fille ne regardent que lui, répliqua Wally.

— D'accord, lança Homer Wells — et Wally ne réagit pas.

— Mais tes rapports avec M. Rose nous regardent, Ange, continua Wally.

— Parce que nous t'aimons, dit Homer.

— M. Rose ne me fera aucun mal, leur répondit le jeune homme.

— Sûrement pas ! s'écria Candy.

— M. Rose fait ce qu'il veut, dit Wally.

— Il a ses propres règles, ajouta Homer Wells.

— Il bat sa fille, leur dit Ange. En tout cas, il l'a battue une fois.

— Ne t'occupe pas de ça, Ange, dit Wally au jeune homme.

— Exactement, dit Homer.

— *Moi,* je vais m'en occuper, s'écria Candy. S'il bat sa fille, il entendra parler de moi.

— Sûrement pas, répliqua Wally.

— Cela vaudrait mieux, renchérit Homer.

— Ne me dites pas ce que j'ai à faire, leur lança-t-elle. Et ils se turent.

Ils la connaissaient : ils ne se risqueraient pas à lui donner un ordre. « Tu es sûr que c'est vrai, Ange ? demanda Candy.

— Presque sûr, dit le jeune homme. Quatre-vingt-dix-neuf pour cent.

— Assure-toi des cent pour cent, Ange, avant de dire que c'est vrai, lui lança son père.

— D'accord, répondit Ange, et il se leva en desservant son couvert.

— Heureusement que nous avons tiré tout ça au clair, dit Wally quand Ange fut dans la cuisine. Heureusement que nous sommes tous de grands experts en matière de vérité ! ajouta-t-il tandis que Candy se levait de table à son tour, son couvert à la main.

Homer Wells ne bougea pas de sa chaise.

Le lendemain matin, Ange apprit que Rose Rose n'était jamais allée à la mer : elle avait ramassé des agrumes en Floride et des pêches en Géorgie, elle avait roulé en voiture tout le long de la côte Est jusque dans le Maine, mais jamais elle n'avait ne serait-ce que trempé un orteil dans l'océan Atlantique. Jamais elle n'avait senti le sable sous ses pas.

— C'est insensé, s'écria Ange Wells. Nous irons à la plage un de ces dimanches.

— Pourquoi ? dit-elle. Tu crois que je serai mieux avec un coup de soleil ? Pourquoi irais-je sur une plage ?

— Pour nager ! répliqua le jeune homme. L'océan ! L'eau salée !

— Je ne sais pas nager, lui apprit Rose Rose.

— Oh ! dit-il. Mais... On peut très bien profiter de l'océan sans nager. On n'a pas besoin d'entrer dans l'eau jusqu'aux yeux.

— Je n'ai pas de maillot de bain, répondit-elle.

— Mais... Je peux t'en trouver un. Je parie qu'un des maillots de Candy t'irait.

Rose Rose ne parut qu'à moitié surprise. N'importe quel maillot de Candy lui serait trop juste.

A l'arrêt du déjeuner, après que Rose Rose eut vérifié que Bébé Rose se trouvait bien avec La Gamelle, Ange conduisit la jeune fille au verger des jeunes arbres proches du Coteau-du-coq ; on ne cueillait pas de fruits sur les jeunes pommiers, et il n'y avait donc personne. On pouvait à peine voir l'océan. On devinait seulement que l'horizon ne

574

s'achevait pas de façon naturelle et que le ciel, inexplicablement, s'aplatissait — debout sur le tracteur ils purent même distinguer les différentes nuances de bleu et de gris à l'endroit où le ciel se mêlait à la mer. Cela ne fit sur Rose Rose aucun effet.

« Voyons, lui dit Ange, il faut que tu me laisses t'y emmener.

Il la tira par le bras — juste pour plaisanter, un geste affectueux — mais elle poussa un petit cri ; quand elle se détourna, la main d'Ange lui effleura le creux des reins ; et quand il retira cette main, il y vit du sang.

— Ce sont mes règles, mentit-elle.

Même un garçon de quinze ans sait que le sang des règles ne se trouve généralement jamais dans le dos d'une femme.

Ils s'embrassèrent pendant un moment, puis elle lui montra plusieurs blessures — pas celles de l'arrière de ses cuisses, ni celles de ses fesses ; pour celles-là il dut la croire sur parole. Elle ne lui montra que les entailles de son dos — fines, minces comme un cheveu, pareilles à des coupures de rasoir ; et c'étaient des coupures délibérées, faites avec précaution, et qui guériraient complètement en un jour ou deux. Légèrement plus profondes que des égratignures ; elles ne laisseraient pas de cicatrices.

« Je te l'ai dit, murmura-t-elle à Ange, mais sans cesser de l'embrasser, très fort. Tu ne dois rien faire avec moi. Je ne suis pas disponible.

Ange accepta de ne pas aborder la question des coupures avec M. Rose. Cela ne ferait qu'aggraver les choses — Rose Rose parvint à l'en convaincre. Et si Ange avait envie d'emmener Rose Rose à la plage, un dimanche, il fallait qu'ils se montrent tous les deux aussi gentils avec M. Rose qu'ils le pourraient.

Le nommé La Vase, qui avait été recousu avec cent vingt-trois points, avait trouvé la meilleure formule. Il avait dit un jour :

— Si c'était le vieux Rose qui m'avait piqué, je n'aurais pas eu besoin d'*un seul* point. J'aurais saigné un demi-litre à l'heure, ou même moins, et quand tout aurait été terminé, j'aurais eu l'air aussi net que si l'on m'avait simplement gratté avec une brosse à dents un peu raide.

Lorsque Ange repartit avec le tracteur, ce samedi-là, ce fut La Vase, au lieu de Peau-de-Pêche, qui lui parla.

« Ne t'embringue pas avec Rose Rose, petit. Les affaires de couteau, c'est pas tes affaires, dit La Vase en lui passant le bras autour des épaules pour le serrer contre lui.

La Vase aimait beaucoup Ange ; il se souvenait, non sans émotion, que le père du jeune homme l'avait emmené à l'hôpital de Cape Kenneth à temps.

Lors de la pressée de nuit qui suivit, Ange s'assit avec Rose Rose sur le toit du chai et lui raconta tout sur l'océan : l'étrange lassitude que l'on ressent au bord de la mer, le poids de l'air, le voile de brume au milieu d'un beau jour d'été, la façon dont le ressac adoucit toutes les arêtes. Il lui raconta tout ce qu'il savait. Comme nous aimons aimer les choses pour les autres ! Comme nous aimons que les autres aiment les choses par nos yeux !

Mais Ange ne put garder le secret sur ce qu'il jugeait un méfait innommable de M. Rose. Il dit tout à son père, à Candy et à Wally.

— Il l'a coupée ? Il lui a délibérément donné des coups de couteau ? demanda Wally à Ange.

— Sans le moindre doute, j'en suis sûr à cent pour cent, répondit le jeune homme.

— Je ne peux pas croire qu'il ait pu faire une chose pareille à sa propre fille, murmura Homer Wells.

— Ce que je ne peux pas croire, c'est que nous puissions encore nous extasier sur la façon dont M. Rose *dirige* tout, répondit Candy en frissonnant. Nous devons faire quelque chose.

— Nous ? demanda Wally.

— Mais... Nous ne pouvons pas ne rien faire ! lui dit Candy.

— Personne ne fait rien, répondit Wally.

— Si vous lui parlez, il la fera souffrir davantage, les prévint Ange. Et elle saura que je vous ai mis au courant. Je voulais seulement votre avis, non que vous *fassiez* quelque chose.

— Je ne pensais pas à lui parler, répondit Candy en colère. Je pensais à parler à la police. Des coups de couteau à son propre enfant ! On n'a pas le droit.

— Mais est-ce que cela l'aidera, *elle,* si M. Rose a des ennuis ? demanda Homer.

— Précisément, renchérit Wally. Nous n'aiderons pas Rose Rose en allant à la police.

— Ni en parlant à son père, dit Ange.

— C'est toujours attendre voir, lança Homer Weils.

En quinze années, Candy avait appris à ne plus entendre l'expression.

— Je pourrais lui demander de rester avec nous, proposa Ange Cela l'éloignerait de son père. Je veux dire : elle pourrait simplement rester ici, même après la récolte

— Mais que ferait-elle ? demanda Candy.

576

— Il n'y a aucun travail ici, répondit Homer Wells. Pas après la récolte.

— C'est une chose de les avoir comme ramasseurs, commença Wally avec précaution. Seulement... Oui, tout le monde les accepte... Mais ils ne sont que saisonniers — c'est-à-dire temporaires. Et donc censés repartir. Je ne crois pas qu'une femme de couleur avec un enfant illégitime se sentirait accueillie à bras ouverts dans le Maine. Pas si elle *restait*.

Candy était hors d'elle. Elle dit :

— Wally, pendant toutes les années que j'ai passées ici, jamais je n'ai entendu quiconque les traiter de nègres, ou dire du mal d'eux. Ce n'est pas le Sud, ajouta-t-elle fièrement.

— Allons, allons ! répondit Wally. Ce n'est pas le Sud parce qu'ils ne vivent pas ici. Que l'un d'eux essaie de s'installer ici pour de bon et tu verras comment il se fera appeler.

— Je n'en crois rien, dit Candy.

— Alors tu es vraiment naïve, lui répliqua Wally. N'est-ce pas, vieux ? demanda-t-il à Homer.

Mais Homer Wells regardait Ange.

— Es-tu amoureux de Rose Rose ? demanda-t-il à son fils.

— Oui, lui dit Ange. Et je crois que je lui plais bien — en tout cas un peu.

Il desservit son couvert et monta au premier, dans sa chambre.

— Il est amoureux de cette fille, dit Homer à Candy et à Wally.

— Aussi clair que le nez au milieu de ta figure, vieux, répondit Wally. Tu débarques, ou quoi ?

Il fit rouler son fauteuil sur la terrasse et nagea quelques brasses dans la piscine.

— Qu'en penses-tu ? demanda Homer à Candy. Ange est amoureux !

— J'espère que cela le rendra plus charitable à notre égard, lui répondit sèchement Candy. Voilà ce que je pense.

Mais Homer Wells pensait à M. Rose. Jusqu'où irait-il ? Quelles étaient ses règles ?

Quand Wally rentra, il signala à Homer qu'il y avait du courrier pour lui au bureau du comptoir de vente.

— Je me dis toujours que je vais le ramener à la maison, s'excusa Wally, et puis j'oublie à chaque fois.

— Continue d'oublier, lui conseilla Homer. C'est la récolte. De toute façon, je n'ai pas le temps de répondre, alors pourquoi lire les lettres ?

577

. La lettre de Nurse Caroline était arrivée elle aussi ; elle attendait Homer avec celle du Dr Larch et une lettre de Melony.

Melony avait renvoyé le questionnaire à Homer. Elle ne l'avait pas rempli ; elle l'avait pris par simple curiosité, pour l'étudier à loisir. Après l'avoir lu à plusieurs reprises, elle eut la conviction — d'après la nature des questions — que le conseil d'administration n'était qu'un ramassis de trous-du-cul. Des mecs en complet-veston, comme elle les appelait.

— Tu ne détestes pas les hommes en complet-veston ? avait-elle demandé à Lorna.

— Voyons, lui avait répliqué son amie. Tu détestes seulement les hommes, tous les hommes.

— Surtout les mecs en complet-veston, avait répondu Melony.

En travers du questionnaire, qui ne serait jamais rempli, Melony avait écrit à Homer un message bref :

> CHER RAYON-DE-SOLEIL
> JE CROYAIS QUE TU SERAIS
> UN HÉROS : ERREUR DE MA PART.
> DÉSOLÉE POUR LES MAUVAIS MOMENTS.
> AVEC MON AMOUR, MELONY.

Homer Wells lut ces mots beaucoup plus tard cette nuit-là — il ne pouvait pas dormir, comme d'habitude, et il décida de se lever et d'aller lire son courrier. Il lut la lettre du Dr Larch et celle de Nurse Caroline, et s'il lui restait encore des doutes sur la trousse de médecin portant les initiales F. S. gravées en or, ils disparurent avec les ténèbres, juste avant l'aurore.

Homer ne vit aucune raison d'ajouter de l'ironie aux malheurs de Saint Cloud's : il décida de ne pas envoyer à Larch ou à Nurse Caroline la réponse de Melony au questionnaire ; à quoi bon leur faire savoir qu'ils s'étaient dénoncés eux-mêmes alors qu'ils auraient pu continuer quelques années de plus ? Il leur adressa, à tous les deux, une seule note, laconique. Et aussi simple que mathématique.

> 1. JE NE SUIS PAS DOCTEUR.
>
> 2. JE CROIS QU'UN FŒTUS A UNE ÂME.
>
> 3. JE REGRETTE.

— Il *regrette ?* s'écria Wilbur Larch, quand Nurse Caroline lui lut la note. Il dit qu'il *regrette ?*

— Il n'est pas docteur, c'est évident, reconnut Nurse Angela. Il croira toujours qu'il n'en sait pas assez. Il craindrait chaque fois de commettre une erreur d'amateur.

— Justement. C'est ce qui fera de lui un bon médecin, répliqua le Dr Larch. Les docteurs qui croient tout savoir sont ceux qui commettent le plus d'erreurs. Mais un bon médecin doit toujours penser : Il y a quelque chose que j'ignore, je risque toujours de tuer mon malade.

— Nous voilà dans de beaux draps ! dit Nurse Edna.

— Il croit que le fœtus a une âme, n'est-ce pas ? demanda Larch. Très bien. Il croit qu'une créature qui vit comme un poisson a une âme — et quel genre d'âme croit-il que possèdent ceux d'entre nous qui marchent sur la terre ? Il devrait croire en ce qu'il peut voir ! S'il veut jouer au bon Dieu et nous apprendre qui a une âme, qu'il prenne donc soin des âmes qui peuvent lui répondre !

Il écumait. Puis Nurse Angela dit :

— Bon. Nous attendons voir.

— Pas moi, lança Wilbur Larch. Homer peut attendre voir, pas moi.

Il s'installa dans le bureau de Nurse Angela, à la machine à écrire ; et il tapa, lui aussi, une note simple et mathématique.

1. TU SAIS TOUT CE QUE JE SAIS, PLUS CE QUE TU T'ES ENSEIGNÉ. TU ES UN MEILLEUR DOCTEUR QUE MOI — ET TU LE SAIS.

2. TU CROIS QUE JE JOUE AU BON DIEU ? MAIS TU SUPPOSES QUE TU SAIS CE QUE DIEU DÉSIRE. NE PENSES-TU PAS QUE C'EST AUSSI JOUER AU BON DIEU ?

3. JE NE REGRETTE RIEN — RIEN DE CE QUE J'AI FAIT. (MON SEUL REGRET EST UN AVORTEMENT QUE JE N'AI PAS FAIT.) JE NE REGRETTE MÊME PAS DE T'AIMER.

Puis le Dr Larch descendit à la gare et attendit le train. Il voulait voir partir sa lettre. Plus tard, le chef de gare (dont Larch remarquait rarement l'existence) avoua avoir été surpris que Larch lui eût parlé ; mais comme Larch avait parlé juste après le départ du train, le chef de gare avait cru que le vieux docteur s'adressait aux wagons qui s'éloignaient.

— Adieu, avait dit Larch.

Il remonta la colline vers l'orphelinat. Mme Grogan lui demanda s'il désirait du thé, mais le docteur lui répondit qu'il se sentait trop fatigué pour le thé ; il voulait s'allonger.

Nurse Caroline et Nurse Edna cueillaient des pommes et Larch monta un peu plus haut sur la colline pour leur parler.

« Vous êtes trop vieille pour cueillir des pommes, Edna, lui dit Larch. Laissez Caroline et les enfants s'en occuper.

Ensuite il fit quelques pas avec Nurse Caroline, en direction de l'orphelinat.

« Si je devais être quelque chose, lui dit-il, je serais probablement socialiste ; mais je ne veux pas être quelque chose.

Ensuite, il entra dans la pharmacie et referma la porte. Il faisait encore assez chaud pour laisser la fenêtre ouverte pendant la journée ; Larch referma également la fenêtre. C'était un flacon neuf d'éther, un flacon plein. Peut-être enfonça-t-il l'épingle de sûreté trop brusquement dans le bouchon métallique, peut-être tortilla-t-il l'épingle d'une main trop impatiente. Toujours est-il que l'éther goutta sur son masque facial plus vite que d'habitude ; sa main glissa à plusieurs reprises du cône avant qu'il ait inhalé assez de vapeurs pour se sentir satisfait. Il se tourna un peu vers le mur ; ainsi, le bord de l'appui de la fenêtre maintint le masque dégoulinant avec sa bouche et son nez après que ses doigts eurent relâché leur étreinte. L'appui de la fenêtre exerçait juste la pression nécessaire pour tenir le cône en place.

Cette fois-là, il se rendit à Paris ; comme la ville était animée à la fin de la Première Guerre mondiale ! Les autochtones ne cessaient d'embrasser le jeune médecin militaire. Il se souvint d'une terrasse de café où il s'était installé avec un autre soldat américain — un amputé ; tous les clients leur avaient offert du cognac. Le soldat éteignit son cigare dans un verre à dégustation de cognac, qu'il ne pouvait pas finir — en tout cas s'il voulait tenir sur ses béquilles, avec son unique jambe —, et Wilbur Larch huma profondément cet arôme. L'odeur de Paris : cognac et cendre.

Cela et un parfum du même genre. Larch avait raccompagné le soldat chez lui — quel bon docteur, même là-bas, même à l'époque ! Comme une troisième béquille pour l'homme ivre, comme sa jambe manquante. C'était à ce moment-là que la femme les avait accostés. Manifestement une prostituée, manifestement jeune et manifestement enceinte ; Larch, qui ne comprenait pas très bien le français, supposa qu'elle désirait un avortement. Il essaya de lui expliquer qu'il était trop tard, qu'elle serait obligée d'aller au terme de sa grossesse puis d comprit soudain : elle demandait seulement ce que demandent en général les femmes de sa profession.

— *Plaisir d'amour ?* leur dit-elle en français.

Le soldat amputé était sur le point de s'évanouir dans les bras de Larch ; c'était donc à Larch seul que la putain présentait son offre.

— *Non, merci,* marmonna Larch dans la langue de la femme.

Mais le soldat s'écroula, et Larch eut besoin de l'aide de la prostituée enceinte pour le transporter. Quand ils eurent déposé le soldat dans sa chambre, la femme renouvela sa proposition à Wilbur Larch. Il dut la tenir à longueur de bras pour l'éloigner — mais elle se glissait sous ses coudes pour coller contre lui son ventre dur.

— *Plaisir d'amour !* répéta-t-elle.

— *Non, non !*

Il fallait qu'il agite les bras pour l'écarter. Une de ses mains battit convulsivement le long du lit et renversa le flacon d'éther ; l'épingle se dégagea du trou. Lentement, la flaque s'agrandit sur le linoléum ; elle se répandit sous le lit, tout autour du docteur. La violence des vapeurs le terrassa — la femme de Paris avait elle aussi une odeur très forte. Son parfum était fort, et encore plus forts les effluves de son commerce. Quand Larch éloigna son visage de l'appui de la fenêtre et que le cône tomba, il suffoquait déjà.

— Princes du Maine !

Il essaya de les appeler, mais pas un son ne sortit de sa gorge.

« Rois de Nouvelle-Angleterre !

Il crut qu'il les convoquait, mais personne ne put l'entendre et la Française, allongée à côté de lui, appuyait son gros ventre contre lui. Elle le serrait si fort qu'il ne pouvait plus respirer et son arôme épicé, piquant, fit couler des larmes sur les joues du docteur. Il crut qu'il vomissait ; en fait, il vomit.

— *Plaisir d'amour,* murmura-t-elle.

— *Oui, merci,* dit-il en lui cédant. *Oui, merci.*

La cause de la mort serait une défaillance respiratoire — due à .'aspiration de vomissures — qui provoquerait un arrêt du cœur. Les membres du conseil d'administration — à la lumière des preuves soumises contre Larch — parleraient en privé de suicide ; l'homme était sur le point de perdre l'honneur, se dirent-ils. Mais pour ceux qui le connaissaient mieux et comprenaient son penchant pour l'éther, ce serait simplement le genre d'accident qui survient à un homme fatigué. Bien entendu, Mme Grogan savait — ainsi que Nurse Angela, Nurse Edna et Nurse Caroline — qu'il n'allait *nullement* « perdre l'honneur », mais seulement son *utilité*. Se rendre utile : Wilbur Larch pensait qu'il n'était né que pour se rendre utile.

Nurse Edna, qui resterait un certain temps presque sans voix, trouva son corps. La porte de la pharmacie n'était pas d'une étanchéité parfaite, et elle estima l'odeur particulièrement forte. De plus, le Dr Larch restait enfermé plus longtemps que de coutume.

Mme Grogan, dans l'espoir qu'il était parti pour un monde meilleur, lut, d'une voix de grive émue, un passage chevrotant de *Jane Eyre*, à la section Filles.

Les orphelins aiment la routine et en ont besoin, se rappelèrent mutuellement les femmes.

Nurse Caroline, dure comme la pierre, prenait Dickens pour un casse-pieds sentimental, mais elle maîtrisait fermement la langue ; elle lut à haute voix aux garçons un passage presque joyeux de *David Copperfield*. Elle ne s'effondra qu'à la perspective de la bénédiction attendue.

Ce fut Nurse Angela qui la prononça en entier, selon les règles.

— Réjouissons-nous pour le Dr Larch, dit-elle aux enfants attentifs. Le Dr Larch a trouvé une famille. Bonne nuit, docteur Larch, dit Nurse Angela.

— Bonne nuit, docteur Larch ! lancèrent les enfants.

— Bonne nuit, Wilbur ! parvint à articuler Nurse Edna, tandis que Nurse Angela rassemblait ses forces pour le refrain habituel, et que Nurse Caroline, dans l'espoir que le vent du soir sécherait ses larmes, descendait la colline vers le village — pour informer le chef de gare terrorisé qu'il y avait de nouveau un cadavre à Saint Cloud's.

Ce dimanche-là à Ocean View, ce fut l'été indien, et Homer Wells alla à la pêche. Pas à la vraie pêche : il essayait d'en savoir plus long sur les relations entre M. Rose et sa fille. Les deux hommes s'assirent sur le toit de la cidrerie — la majeure partie du temps, ils ne parlèrent pas. Ne pas trop parler, supposa Homer, était le seul moyen d'aller à la pêche avec M. Rose.

Au-dessous d'eux, Ange essayait d'apprendre à Rose Rose l'art de monter à bicyclette. Homer avait proposé d'emmener les deux jeunes gens à la plage en voiture, puis de les y laisser et de revenir les chercher à une heure déterminée, mais Ange tenait à ce que Rose Rose et lui soient indépendants — se faire conduire à la plage soulignait davantage qu'il n'avait pas encore l'âge du permis de conduire ; à bicyclette ce n'était qu'une promenade de sept à huit kilomètres sur une route plate presque d'un bout à l'autre.

M. Rose observait la leçon d'un œil placide, mais Homer commença à craindre que Rose Rose ne réussisse pas à tenir sur le vélo ; il savait avec quel soin l'escapade projetée avait été préparée. Ange avait minutieusement révisé sa bicyclette et celle de Candy, et longuement palabré sur le maillot de bain de Candy susceptible d'aller le mieux à Rose Rose. Toujours avec Candy, il avait choisi un maillot vert émeraude qui s'ornait de bandes roses en spirale. Candy était sûre qu'il irait mieux à Rose Rose qu'à elle-même ; il lui avait toujours été trop ample au buste et sur les hanches.

— C'est le genre de chose qu'on est censé apprendre étant gosse, j'imagine, fit remarquer Homer Wells au sujet de la leçon de bicyclette.

Ange courait le long du vélo instable que Rose Rose essayait de diriger. Dès que la machine roulait à une vitesse suffisante, Ange lâchait la selle. Ou bien Rose Rose cessait alors de pédaler — et se cramponnait au guidon jusqu'à ce que la bicyclette perde de la vitesse et tombe —, ou bien, elle pédalait à tout va, mais sans s'occuper de la direction. Elle semblait incapable de tenir le vélo bien droit et de pédaler en même temps. Et ses mains avaient l'air pétrifiées sur le guidon ; pour elle, tenir en équilibre, pédaler *et* diriger en même temps, tout cela paraissait, de plus en plus, un miracle hors de portée.

— Vous savez monter à bicyclette ? demanda M. Rose à Homer.

— Je n'ai jamais essayé, répondit Homer Wells. J'aurais sans doute quelque difficulté, avoua-t-il. Cela lui semblait pourtant assez facile. Il n'y avait aucun vélo à l'orphelinat ; les enfants risquaient de les prendre pour s'enfuir. La seule et unique bicyclette de Saint Cloud's était celle du chef de gare, et il s'en servait rarement.

— Je n'ai jamais essayé non plus, dit M. Rose.

Il regarda sa fille avancer en zigzags sur une légère montée ; elle poussa un cri, la roue avant tourna brusquement, elle tomba — et Ange Wells courut vers elle pour l'aider à se relever.

Presque tous les ramasseurs étaient assis en rang, le dos contre le mur du chai à cidre ; les uns buvaient du café, les autres de la bière, mais tous regardaient la leçon de vélo. Certains lançaient des encouragements — aussi braillards que les supporters de l'équipe locale pendant un match de championnat —, d'autres observaient le processus avec la même placidité que M. Rose.

Cela durait depuis un bon moment, et les applaudissements — le peu qu'il y en avait eu — se faisaient de plus en plus rares et dispersés.

— N'abandonne pas, dit Ange à Rose Rose.

— Je n'abandonne pas ! Ai-je dit que j'abandonnais ? répondit-elle.

— Vous vous rappelez ce que vous m'avez dit un jour à propos des règles ? demanda Homer Wells.

— Quelles règles ? dit M. Rose.

— Vous savez bien, le règlement que j'affiche tous les ans dans la cidrerie. Vous m'avez répondu que vous aviez d'autres règles — vos propres règles pour vivre ici.

— Ah, ouais... Ces règles-là, dit M. Rose.

— Je croyais que vos règles prescrivaient de ne pas se faire mal — la nécessité de prendre des précautions, continua Homer. Un peu comme mes propres règles, j'imagine.

— Dites ce que vous avez derrière la tête, Homer, répondit M. Rose.

— Est-ce que quelqu'un a été blessé ? demanda Homer. Je veux dire : cette année... Y a-t-il eu des problèmes d'une espèce ou d'une autre ?

Rose Rose était remontée sur la bicyclette ; elle avait l'air sombre ; elle transpirait autant qu'Ange. Homer eut l'impression qu'elle sautait trop fort sur la selle, presque avec l'intention de se blesser ; à moins qu'elle ne se traitât avec une telle rigueur pour se donner la concentration qui lui manquait pour maîtriser la machine. Elle partit, visiblement instable, disparut derrière des pommiers et Ange s'élança derrière elle.

— Pourquoi n'y vont-ils pas simplement à pied ? demanda le ramasseur surnommé Peau-de-pêche. Ils y seraient déjà.

— Pourquoi quelqu'un ne les y emmène pas en voiture ? demanda un autre homme.

— Ils veulent faire ça à leur manière, répondit La Valse.

Ce qui provoqua de petits rires.

— Un peu de respect, dit M. Rose.

Homer crut que M. Rose lui parlait, mais il s'adressait aux hommes, qui cessèrent de rire soudain.

« Bientôt, ce vélo va casser, dit M. Rose à Homer.

Rose Rose portait un blue-jean, de grosses chaussures de travail et un tricot de corps blanc ; comme elle transpirait, le contour et les couleurs de son maillot de bain émeraude et rose étaient visibles sous son tricot.

« Imaginez-la en train d'apprendre à nager, dit M. Rose.

Homer Wells eut mal au cœur pour son fils, mais un autre sujet pesait plus lourd dans son esprit.

— A propos de quelqu'un de blessé, dit-il. A propos des règles...

M. Rose mit la main dans sa poche, lentement, et Homer s'attendit à moitié à voir le couteau, mais ce ne fut pas le couteau que M. Rose sortit de sa poche et posa très doucement dans la main d'Homer — ce fut une bougie, brûlée presque jusqu'au bout. Ce qu'il restait de la bougie allumée par Candy pour faire l'amour dans la cidrerie. Dans sa panique — quand elle s'était crue surprise avec Homer par Wally — Candy l'avait oubliée.

Homer referma les doigts autour de la bougie et M. Rose tapota son poing.

— C'est contre les règles, n'est-ce pas ? demanda M. Rose à Homer.

La Gamelle faisait cuire du pain de maïs. L'odeur montait de la cidrerie et restait en suspens, délicieusement, au-dessus du toit qui se réchauffait sous le soleil de fin de matinée ; très vite, la chaleur sur le toit serait désagréable.

— Ce pain n'est pas encore prêt à manger ? brailla Peau-de-pêche en direction de la cuisine.

— Pas encore, répondit La Gamelle de l'intérieur. Et boucle-la un peu, sinon tu vas réveiller le gosse.

— Merde ! répondit Peau-de-pêche.

La Gamelle sortit et lui donna un coup de pied — pas extrêmement fort — à l'endroit où il était appuyé contre le mur du chai.

— Quand ce pain sera prêt, tu ne me traiteras pas de merde, hein ? lança La Gamelle.

— Je ne traitais personne de merde, vieux. Je disais seulement merde, se défendit Peau-de-pêche.

— Boucle-la, c'est tout, répliqua La Gamelle.

Il observa la leçon de vélo.

« Comment ça se présente ? demanda-t-il.

— Ils se donnent du mal, répondit La Vase.

— Ils inventent un nouveau sport, lança Peau-de-pêche, et tout le monde rit.

— Un peu de respect, dit M. Rose — et tout le monde la boucla.

La Gamelle retourna dans la cidrerie.

— Qu'est-ce que tu paries qu'il laisse brûler le pain ? demanda Peau-de-pêche à mi-voix.

— S'il le laisse brûler, ce sera parce qu'il a perdu son temps à te botter le cul, lui répondit La Vase.

La bicyclette était cassée ; ou bien la roue arrière ne tournait plus, ou bien la chaîne s'était bloquée.

— Il y a un autre vélo, dit Ange à Rose Rose. Essaie-le pendant que je répare celui-ci.

Mais le temps qu'il répare la panne Rose Rose dut s'exercer avec un vélo d'homme, et, en plus de tous ses ennuis, elle glissa et se fit mal à l'aine sur la barre du cadre. Homer vit qu'elle avait fait une mauvaise chute et lui demanda si elle allait bien.

— C'est juste comme une crampe, lui répondit-elle.

Mais elle resta pliée en deux jusqu'à ce qu'Ange réussisse à faire rouler de nouveau le vélo de Candy.

— Cela me paraît sans espoir, avoua Homer à M. Rose.

— Et que vouliez-vous me dire à propos des règles ? lui demanda M. Rose.

Homer mit la bougie dans sa poche. Les deux pères se regardèrent — leur regard était presque un défi.

— Je m'inquiète au sujet de votre fille, dit Homer Wells au bout d'un moment.

Ils regardèrent Rose Rose tomber encore du vélo.

— Ne vous inquiétez pas pour elle, répondit M. Rose.

— Parfois, elle a l'air malheureuse.

— Elle ne l'est pas.

— N'êtes-vous pas inquiet pour elle ? insista Homer.

— Quand on commence à s'inquiéter, on peut s'inquiéter au sujet de n'importe qui, pas vrai ? dit M. Rose.

Homer Wells eut l'impression que le choc de Rose Rose contre le cadre du vélo d'homme lui faisait encore mal, parce qu'à chaque nouvelle chute elle demeurait un instant la tête baissée, avec une main sur chaque genou.

Homer et M. Rose manquèrent le moment où elle renonça. Ils la virent seulement s'enfuir dans la direction du verger Poêle-à-frire — avec Ange qui courait à sa suite. Les deux bicyclettes étaient restées en plan.

— C'est dommage, dit Homer. Ils se seraient bien amusés à la plage. Peut-être pourrai-je les convaincre de me laisser les y conduire.

— Laissez-les tranquilles, dit M. Rose — et Homer l'entendit comme un ordre plutôt qu'une suggestion. Ils n'ont besoin d'aller à aucune plage, reprit M. Rose d'une voix plus douce. Ils sont jeunes, ils ne savent pas trop comment s'amuser... Pensez seulement à ce qui risquerait d'arriver à la plage. Ils pourraient se noyer. Ou certains pourraient ne pas aimer voir un jeune Blanc avec une fille de couleur — tous les deux en maillot de bain. Il vaut mieux qu'ils n'aillent nulle part, conclut M. Rose

C'en était assez sur le sujet, car M. Rose demanda ensuite :

« Vous êtes heureux, vous, Homer ?

— Si je suis heureux ? dit Homer Wells.

— Pourquoi répétez-vous toujours tout ? lui demanda M. Rose.

— Je ne sais pas, répondit Homer. Je suis heureux parfois, ajouta-t-il, sur ses gardes.

— C'est bien, dit M. Rose. Et M. et Mme Worthington, sont-ils heureux ?

— Je crois. Assez heureux, la plupart du temps.

— C'est bien, dit M. Rose.

Peau-de-pêche, qui avait bu plusieurs bières, s'avança vers le vélo d'Ange, l'air méfiant, comme si la machine était dangereuse, même étalée par terre.

— Attention qu'il ne te morde pas, le prévint La Vase.

Peau-de-pêche enfourcha la bécane et adressa aux hommes un large sourire.

— Comment ça démarre ? leur demanda-t-il.

Et ils rirent tous aux éclats.

La Vase se leva de sa place au pied du mur et se dirigea vers le vélo de Candy.

— On se fait une course ? dit-il à Peau-de-pêche.

— Ouais, lança La Gamelle, sur le seuil du chai à cidre. Nous verrons qui de vous tombera le premier !

— La mienne n'a rien au milieu, remarqua La Vase, sur la bicyclette de Candy.

— Ça la fait aller plus vite, répondit Peau-de-pêche, et il essaya de lancer le vélo d'Ange en poussant avec les pieds comme si c'étaient des rames.

— Tu ne montes pas sur ce vélo, tu le grimpes ! dit l'un des hommes — et tout le monde s'esclaffa.

La Gamelle se mit à pousser Peau-de-pêche de plus en plus vite, en courant derrière lui.

— Arrête-moi cette connerie ! cria Peau-de-pêche — mais La Gamelle l'avait lancé si vite qu'il ne pouvait plus courir à sa hauteur.

— Il ne pourra pas y avoir de course si personne ne me pousse, dit La Vase — et deux hommes le lancèrent aussitôt, plus vite que Peau-de-pêche, qui avait disparu derrière la colline dans le verger voisin, où on l'entendait crier.

« Sainte merde ! s'écria La Vase quand il fut en route.

Il pédalait avec une telle ardeur que la roue avant se souleva du sol. Puis la bicyclette bondit d'entre ses jambes et le planta là. Les hommes hurlaient de rire, et La Gamelle ramassa le vélo de La Vase.

— A mon tour d'essayer, dit-il.

— Vous allez essayer vous aussi ? demanda M. Rose à Homer.

Du moment qu'Ange et Candy n'étaient pas dans les parages pour le voir, il en eut envie.

— Bien sûr... répondit-il. Après toi, je le prends ! cria-t-il à La Gamelle, qui essayait de maintenir la bicyclette sur place.

Ses pieds glissèrent des pédales et il tomba sur le côté avant de pouvoir avancer d'un mètre.

— Ce n'était pas vraiment un tour ! dit La Gamelle. Je recommence.

— Et vous, allez-vous essayer ? demanda Homer à M. Rose.

— Pas moi, répondit-il.

— Le bébé pleure, lança une voix.

— Va le chercher, répondit une autre.

— Je m'en charge, trancha M. Rose. Je m'occupe du bébé, amusez-vous tous.

Peau-de-pêche apparut en haut de la côte ; il poussait le vélo devant lui, et il boitait.

— Il est rentré dans un arbre, expliqua-t-il. Il a foncé dans cet arbre comme si c'était son ennemi.

— Tu es censé le diriger, lui dit La Vase.

— Il s'est dirigé tout seul, répondit Peau-de-pêche. Il ne m'a pas écouté.

Homer aida La Gamelle à remonter sur la bicyclette de Candy.

— Allons-y ! lança La Gamelle d'un ton résolu.

Mais il laissa le bras autour du cou d'Homer ; il n'avait qu'une main sur le guidon et ne pédalait pas.

— Il faut que tu pédales si tu veux qu'il avance, lui dit Homer.

— Il faut d'abord que vous me poussiez ! répliqua La Gamelle.

— Ça sent le brûlé ! cria quelqu'un.

— Oh, merde ! Mon pain de maïs ! dit La Gamelle.

Il pencha d'un côté, sans lâcher le cou d'Homer, qui tomba avec lui, par-dessus le vélo.

— Je t'avais dit qu'il ferait brûler ce pain, dit Peau-de-pêche à La Vase.

— Donne-moi ce vélo ! lança La Vase en prenant la bicyclette d'Ange des mains de Peau-de-pêche.

Deux hommes s'étaient mis à pousser Homer.

— Ça y est, ça y est, j'ai pris le coup, leur dit Homer.

Et ils le lâchèrent.

Mais ça n'y était pas. Il obliqua trop brusquement vers la droite, puis il revint vers les hommes, qui durent détaler pour l'éviter ; ensuite la roue avant se retourna vers le cadre et Homer tomba d'un côté, la bicyclette de l'autre.

Tout le monde riait aux éclats. Peau-de-pêche regarda Homer, étalé de tout son long.

— Parfois, ça ne sert à rien d'être blanc ! lui dit-il.

Et les autres s'esclaffèrent de plus belle.

— Être blanc, ça sert quand même la plupart du temps, répliqua M. Rose, debout dans l'embrasure de la porte.

La fumée du pain de maïs en train de brûler s'élevait en volutes grises derrière lui, il tenait dans ses bras la fille de sa fille — la sucette apparemment vissée en permanence entre les lèvres. Et quand il eut fini sa phrase, M. Rose se planta lui aussi une sucette dans la bouche.

Au creux du vallon qu'occupait le verger Poêle-à-frire, l'océan semblait à mille lieues, aucune brise de mer ne venait jamais. Rose Rose était allongée dans l'herbe sombre, sous un Northern Spy que personne n'avait encore ramassé. Ange Wells s'allongea à son côté. Elle laissa son bras reposer mollement sur la taille du jeune homme et, du bout des doigts, il effleura le visage de Rose Rose, en suivant la ligne de sa cicatrice le long de son nez jusqu'à sa lèvre. Quand il arriva à la lèvre, elle lui retint la main pour lui embrasser les doigts.

Elle avait enlevé les chaussures de travail et le blue-jean, mais elle gardait le maillot de bain de Candy et le tricot.

— On ne se serait pas amusés à la plage de toute façon, dit-elle.

— Nous irons un autre jour, répondit Ange.

— Nous n'irons nulle part, murmura-t-elle.

Ils s'embrassèrent pendant un moment. Puis Rose Rose lui dit :

« Parle-m'en encore.

Il se mit à lui décrire l'océan, mais elle l'interrompit :

« Non, pas cette partie-là. L'océan, je m'en fiche. Parle-moi de l'autre partie : quand nous vivons tous ensemble dans la même maison. Toi et moi, mon bébé, ton père, M. et Mme Worthington... C'est cette partie-là qui me touche, ajouta-t-elle en souriant.

Et Ange recommença : il expliqua que c'était possible. Il était certain que son père, Wally et Candy ne s'y opposeraient pas.

« Tu es tout fou, dit Rose Rose à Ange. Mais continue.

Il y avait plus de place qu'il n'en fallait, lui assura le jeune homme.

« Personne ne va se plaindre du bébé ? lui demanda-t-elle.

Elle ferma les yeux ; avec les yeux fermés, elle voyait un peu mieux ce qu'Ange décrivait.

Ce fut à ce moment-là qu'Ange Wells devint, qu'il le voulût ou non, un auteur de romans. Ce fut à ce moment-là qu'il apprit à quel point faire croire était plus important que la vie réelle. Il apprit à peindre un tableau qui n'était pas réel et ne le serait jamais, mais pour qu'on y croie — même par une journée ensoleillée de l'été indien — mieux valait le faire paraître plus vrai que le vrai ; il fallait que cela semble au moins possible. Ange parla toute la journée ; une fois lancé, il continua sans fin ; il serait romancier avant la tombée de la nuit ! Dans son récit, Rose Rose et tous les autres s'entendaient à merveille. Personne ne s'opposait à ce qu'un autre voulait faire. Comme on dit dans le Maine, tout gazait.

Parfois, Rose Rose versait quelques larmes ; le plus souvent ils s'embrassaient. Elle ne l'interrompait que rarement, en général pour lui faire répéter une phrase qui lui avait paru particulièrement invraisemblable.

« Une seconde, disait-elle à Ange Vaut mieux que tu répètes, parce que je dois être un peu lente.

En fin d'après-midi, les moustiques commencèrent à les tourmenter, et Ange songea soudain qu'un soir Rose Rose pourrait demander à Wally de lui parler des moustiques dans les rizières.

— Un moustique d'Ocean View n'est rien comparé à un Mosquito B japonais, lui aurait répondu Wally — mais Ange n'eut pas le temps de raconter à Rose Rose cette partie du roman.

Elle commençait à se lever quand une sorte de crampe, ou la douleur de sa chute contre le cadre de la bicyclette, la projeta à genoux comme si elle avait reçu une ruade. Ange la prit par les épaules.

— Tu t'es fait mal sur le vélo, pas vrai ? lui demanda-t-il

— J'essayais, répondit Rose Rose.

— Quoi ?

— Je voulais me faire mal, lui avoua-t-elle. Mais ça n'a pas suffi.

— Suffi pour quoi ?

— Pour perdre le bébé.

— Tu es enceinte ? lui demanda Ange.

— Encore, répondit-elle. Encore et ça ne finira jamais. Quelqu'un veut sans doute que j'aie sans cesse des enfants.

— Qui ? lui demanda Ange.

— Peu importe

— Quelqu'un qui n'est pas ici ?

— Oh, il est ici, répondit Rose Rose, mais peu importe.

— Le père est ici ? demanda Ange.

— Le père de *celui-ci*... dit-elle en posant la main sur son ventre plat. Oh oui, il est ici.

— Qui est-ce ?

— Peu importe, lui répondit-elle. Raconte-moi encore. Seulement, il vaut mieux que tu changes un peu : mets deux bébés au lieu d'un. Toi et moi, tous les autres, et deux bébés, dit-elle. Ne nous amuserons-nous pas tous ensemble ?

Ange la regarda. On aurait dit qu'elle venait de le gifler. Rose Rose l'embrassa, le prit dans ses bras, et quand elle lui parla le ton de sa voix avait changé.

« Tu vois ? lui murmura-t-elle, en le serrant très fort. Nous ne nous serions pas du tout amusés à la plage.

— Tu as envie du bébé ? lui demanda-t-il.

— J'ai envie de celui que j'ai. L'autre, je ne le veux pas !

En disant « l'autre », elle frappa son ventre de toutes ses forces. Puis elle se pencha brusquement en avant, le souffle coupé. Elle se coucha dans l'herbe — et Ange ne put s'empêcher de remarquer que c'était dans une position fœtale.

« Tu veux m'aimer ou m'aider ? lui demanda-t-elle.

— Les deux, répondit-il la mort dans l'âme.

— Les deux, on ne peut pas, lui dit-elle. Si tu es malin, contente-toi de m'aider, c'est plus facile.

— Tu peux rester avec moi, commença Ange — une fois de plus.

— Ne me parle plus de ça ! lança Rose Rose d'un ton rageur. Et ne me propose pas non plus de nom pour mon gosse. Aide-moi, c'est tout.

— Comment ? lui demanda Ange. Je ferai n'importe quoi.

— Aide-moi à avorter, lui dit Rose Rose. Je n'habite pas par ici, je n'ai personne à qui demander, et je suis sans argent.

Ange décida que l'argent mis de côté pour acheter sa première voiture suffirait pour un avortement — il avait économisé à peu près cinq cents dollars —, mais il y avait un problème : l'argent se trouvait sur un compte d'épargne dont son père et Candy étaient titulaires ; Ange ne pourrait donc pas retirer d'argent sans leurs signatures. Et quand Ange téléphona à Herb Fowler chez lui, les renseignements

591

que celui-ci lui donna sur l'avorteur étaient typiquement vagues.

— Il y a un vieux mec nommé Hood qui fait ça, lui apprit Herb. C'est un docteur de Cape Kenneth à la retraite, mais il pratique dans sa maison d'été sur les bords du Drinkwater. Tu as de la chance que ce soit encore presque l'été. J'ai entendu dire qu'il fait ça dans sa maison d'été même en plein hiver.

— Vous savez combien ça coûte ? demanda Ange à Herb.

— Cher, répondit l'autre. Mais moins qu'un bébé.

— Merci, Herb.

— Félicitations, lança Herb au jeune homme. Je n'aurais jamais cru que ton zizi était assez long.

— Il est assez long, répondit Ange bravement.

Mais quand Ange chercha dans l'annuaire, il n'y avait aucun Dr Hood parmi les nombreux Hood de cette partie du Maine, et Herb Fowler ne connaissait pas le prénom du bonhomme. Ange ne pouvait tout de même pas téléphoner à tous les Hood en demandant à chacun s'il était bien l'avorteur. Et il serait de toute manière contraint de parler à Candy et à son père pour obtenir l'argent. Il décida donc de leur raconter toute l'histoire sans plus attendre.

— Ange est vraiment un brave garçon ! dirait Wally plus tard. Il ne cache jamais rien à personne. Il vient déballer le paquet carrément — quoi que ce soit.

— Elle a refusé de te dire qui est le père ? demanda Homer Wells à Ange.

— Elle a refusé.

— Peut-être La Vase, avança Wally.

— Probablement Peau-de-pêche, dit Candy.

— Peu importe qu'elle ait refusé de donner le nom du père. Ce qui compte, c'est qu'elle ne veut pas de cet enfant, répliqua Homer Wells. Et ce qu'il faut, c'est lui trouver le moyen d'avorter.

Wally et Candy se turent ; ils ne mettaient pas en question l'autorité d'Homer dans ce domaine.

— Le problème, c'est que nous ne savons pas à quel Hood téléphoner, puisque l'annuaire ne précise pas lequel est médecin, dit Ange.

— Je sais de qui il s'agit, répondit Homer, et il n'est pas médecin.

— Herb m'a assuré que c'était un docteur à la retraite, lui dit Ange.

— C'est un professeur de biologie à la retraite, expliqua Homer Wells, qui savait de quel M. Hood il s'agissait.

Il se souvenait aussi que le bonhomme avait confondu autrefois l'utérus d'une lapine avec celui d'une brebis. Il se demanda combien

592

d'utérus M. Hood attribuait aux femmes. Et prendrait-il davantage de précautions s'il savait qu'elles n'en ont qu'un seul ?

— Un professeur de biologie ? demanda Ange.

— D'ailleurs pas très bon, répondit Homer.

— Herb Fowler n'a jamais connu rien à rien, dit Wally.

La pensée de ce que M. Hood risquait de ne pas connaître fit frémir Homer Wells.

— Pas question de l'envoyer auprès de ce M. Hood, dit-il. Il va falloir que tu la conduises à Saint Cloud's, annonça-t-il à Ange.

— Mais je suis sûr qu'elle ne veut pas de cet enfant, lui répondit son fils. Et si elle l'a, je crois qu'elle ne voudra jamais l'abandonner à l'orphelinat.

— Ange, lui expliqua Homer, elle ne sera pas obligée d'avoir l'enfant à Saint Cloud's. Elle pourra obtenir un avortement.

Wally ne cessait de faire avancer et reculer sa chaise, presque sur place. Candy parla :

— J'ai eu un avortement à Saint Cloud's une fois, Ange.

— Ah bon ? dit le jeune homme.

— A l'époque, expliqua Wally, nous pensions que nous pourrions toujours avoir un autre enfant.

— C'était avant que Wally soit blessé — avant la guerre, dit Candy.

— C'est le Dr Larch qui le fait ? demanda Ange à son père.

— Oui, répondit Homer Wells.

Il pensait qu'il devait mettre Ange et Rose Rose dans le train pour Saint Cloud's dès que possible ; avec toutes les « preuves » soumises au conseil d'administration, pendant combien de temps le Dr Larch pourrait-il encore exercer ?

« Je vais téléphoner au Dr Larch tout de suite, dit Homer. Nous te mettrons dans le prochain train, avec Rose Rose.

— Je pourrais les y conduire avec la Cadillac, proposa Wally.

— Cela ferait trop loin pour toi, objecta Homer.

— Bébé Rose pourra rester ici, avec moi, dit Candy.

Ils décidèrent que Candy ferait bien de se rendre sur-le-champ à la cidrerie pour ramener la jeune femme et son bébé à la maison. M. Rose risquait d'imposer sa volonté à sa fille si Ange se présentait après la tombée de la nuit pour demander à Rose Rose de l'accompagner avec le bébé.

« Il ne discutera pas avec moi, assura Candy. Je dirai que je viens de retrouver des masses de vêtements de bébé et qu'avec Rose Rose nous allons essayer à la petite tout ce qui peut lui aller.

— La nuit ? lança Wally. Mais, bon dieu, M. Rose n'est pas idiot !

— Il ne me croira pas, et après ? répliqua Candy. Je ne cherche qu'une chose : emmener cette fille et son bébé de là-bas.

— Est-ce tellement urgent ? demanda Wally.

— J'en ai peur, dit Homer Wells.

Candy et Wally ignoraient que le Dr Larch désirait qu'Homer le remplace, et Homer ne leur avait pas parlé non plus des renseignements authentiques et fictifs révélés récemment au conseil d'administration. Un orphelin apprend à garder les choses secrètes ; un orphelin renferme ses pensées. Ce qui sort d'un orphelin en sort toujours lentement.

Quand Homer téléphona à Saint Cloud's, il obtint Nurse Caroline ; encore sous le choc, sous le coup du chagrin qu'elles éprouvaient pour le Dr Larch, les quatre femmes avaient décidé que Nurse Caroline aurait au téléphone la voix la plus ferme. Elles avaient essayé de percer à jour les plans du Dr Larch pour tout, et même entrepris la lecture de son énorme *Brève Histoire de Saint Cloud's*. Chaque fois que le téléphone sonnait, elles supposaient qu'il s'agissait d'un membre du conseil d'administration.

« Caroline ? dit Homer Wells. Ici Homer. Vous pouvez me passer le vieux ?

Nurse Angela, Nurse Edna et même Mme Grogan adoreraient Homer Wells à jamais — malgré sa note de refus —, mais Nurse Caroline n'avait pas leur âge ; elle n'éprouvait pas pour Homer cette espèce d'indulgence qu'on ressent pour un être qu'on a vu naître. Pour elle, il avait trahi Larch. Et bien entendu, il choisissait mal son moment pour demander qu'on lui passe « le vieux ». A la mort de Larch, Nurse Angela, Nurse Edna et Mme Grogan n'avaient pas eu le cœur de prévenir Homer ; et Nurse Caroline avait carrément refusé de l'appeler.

— Qu'est-ce que vous voulez ? lui demanda Nurse Caroline d'un ton glacé. A moins que vous ayez changé d'avis ?

— C'est pour un ami de mon fils, expliqua Homer Wells. La jeune fille est une de nos saisonnières, ici. Elle a déjà eu un bébé qui n'a pas de père, et maintenant elle va en avoir un autre.

— Eh bien, ça fera deux, lui répliqua l'infirmière.

— Caroline ! protesta Homer. Pas de salades ! Je veux parler au vieux.

— J'aimerais lui parler moi aussi, dit Nurse Caroline en élevant la voix. Larch est mort, Homer, ajouta-t-elle sur un ton plus bas.

— Pas de salades ! répéta Homer — mais il sentit son cœur palpiter.

— Trop d'éther. L'œuvre de Dieu ne se pratique plus à Saint

594

Cloud's. Si vous connaissez une femme qui en a besoin, il vous faudra le faire vous-même.

Et elle lui raccrocha au nez — elle claqua vraiment le combiné sur l'appareil. L'oreille d'Homer résonna : il entendit le bruit des grumes dans le torrent qui avait emporté les Winkle. Ses yeux ne l'avaient pas piqué autant depuis la nuit de Thanksgiving, dans la chaufferie des Draper, à Waterville, pendant qu'il s'habillait pour fuir. Sa gorge ne lui avait pas fait aussi mal — et la douleur, profonde, gagnait vers les poumons — depuis la nuit où il avait crié par-dessus la rivière, pour obtenir en écho le nom de Fuzzy Stone.

Snowy Meadows avait trouvé le bonheur au milieu des meubles Marsh ; tant mieux pour Snowy, se dit Homer Wells. D'autres orphelins auraient sans doute eu du mal à trouver le bonheur dans une affaire de meubles. Lui-même avait été parfois très heureux dans une affaire de pommes. Il savait ce que Larch lui aurait répondu : que son bonheur était hors du sujet, ou bien n'était pas aussi important que son *utilité*.

Homer ferma les yeux et revit les femmes à la descente du train. Elles avaient toujours l'air un peu perdu. Il se souvint d'elles dans le traîneau éclairé au pétrole — leurs visages étaient particulièrement nets quand les patins du traîneau traversaient la neige mince pour arracher des étincelles aux cailloux du chemin. Comme les femmes tressaillaient de peur à ce bruit de ferraille ! Et pendant le temps bref où la ville s'était donné la peine d'offrir un service d'autobus, comme ces femmes avaient paru isolées dans les autobus fermés, le visage cotonneux derrière les glaces embuées ! Par les portières, Homer les avait vues exactement comme elles-mêmes voyaient le monde juste avant que l'éther ne les emmène.

Et maintenant, elles quittaient la gare à pied. Homer les vit remonter la colline ; il y en avait plus qu'il ne s'en souvenait. Elles formaient une armée en marche vers l'infirmerie de l'orphelinat, chacune avec une seule et même blessure.

Nurse Caroline était solide ; mais où iraient Nurse Edna et Nurse Angela ? Qu'adviendrait-il de Mme Grogan ? s'inquiéta Homer Wells. Il se rappela la haine et le mépris dans les yeux de Melony. Si Melony était enceinte, je l'aiderais, se dit-il. Et à cette pensée il s'aperçut qu'il acceptait de jouer au bon Dieu — un peu.

Wilbur Larch lui aurait expliqué qu'on ne peut pas jouer *un peu* au bon Dieu ; dès qu'on accepte de jouer au bon Dieu - une fois — on joue beaucoup.

Homer Wells était perdu dans ces pensées lorsqu· en mettant la main dans sa poche il trouva le bout de bougie brûlée que M. Rose lui avait rendu — « C'est contre les règles, pas vrai ? » lui avait demandé M. Rose.

Sur sa table de chevet, entre la lampe et le téléphone, se trouvait son exemplaire éculé de *David Copperfield*. Homer n'avait pas besoin d'ouvrir le livre pour savoir comment commençait l'histoire : *Serai-je le héros de ma propre vie, ou bien cette place sera-t-elle occupée par un autre, ces pages le montreront*, récita-t-il de mémoire.

Sa mémoire était extrêmement précise. Il se rappelait les différentes tailles des cônes à éther, que Larch tenait absolument à fabriquer lui-même. Le système était rudimentaire : Larch formait un cône avec une serviette de grosse toile ordinaire ; entre les couches de la serviette, il mettait des couches de carton dur pour empêcher le cône de s'effondrer. Dans l'ouverture supérieure du cône se trouvait un tampon de coton — pour absorber l'éther Grossier, mais Larch pouvait en fabriquer un en trois minutes ; il les faisait de tailles différentes en fonction du visage.

Homer avait préféré les masques Yankauer tout prêts — un masque de grillage en forme de louche, enveloppé de dix à douze couches de gaze. Ce fut dans le vieux masque Yankauer de sa table de chevet qu'Homer déposa les restes de la bougie du chai à cidre. Il mettait souvent de la monnaie dans ce masque, et parfois sa montre. Il regarda ce qu'il contenait : un bout de chewing-gum dans son papier vert fané, et le bouton écaille de tortue de sa veste de tweed. La gaze était jaune et poussiéreuse, mais le masque n'avait besoin que de gaze neuve. Et Homer prit sa décision. Il serait un héros.

Il descendit dans la cuisine, où Ange poussait Wally dans le fauteuil roulant — un jeu auquel ils jouaient quand ils ne tenaient pas en place pour une raison ou une autre. Ange mettait un pied sur la barre de derrière du fauteuil et le poussait comme une trottinette. Le fauteuil prenait alors de la vitesse ; jamais l'infirme n'y serait parvenu tout seul. Wally se contentait de conduire : il ne cessait de tourner en rond, en essayant d'éviter les meubles, mais, malgré sa formation de pilote et la grandeur de la cuisine, Ange finissait toujours par pousser le fauteuil trop vite pour que Wally en reste maître, et ils s'écrasaient ici ou là. Candy se mettait en fureur, mais ils continuaient quand même (surtout quand elle n'était pas dans la maison). Wally appelait ce jeu « voler » ; surtout, c'était une chose qu'ils faisaient lorsqu'ils s'ennuyaient. Candy venait de partir à la cidrerie pour chercher Rose Rose et son bébé. Ange et Wally étaient abandonnés à eux-mêmes.

Quand ils virent la tête que faisait Homer, ils s'arrêtèrent

— Qu'y a-t-il, vieux ? demanda Wally à son ami.

Homer s'agenouilla près du fauteuil roulant de Wally et posa la tête sur les genoux de l'infirme.

— Le Dr Larch est mort, dit-il à Wally, qui serra Homer contre lui pendant qu'il pleurait.

Il pleura très peu de temps ; autant que se souvînt Homer, Curly Day était le seul orphelin qui eût pleuré longtemps. Quand Homer cessa de pleurer, il dit à Ange :

« J'ai une petite histoire à te raconter — et j'aurai besoin de ton aide.

Ils allèrent à l'appentis des outils de jardin, et Homer perça le bouchon d'un des flacons de 125 millilitres d'éther avec une épingle de sûreté. Les vapeurs lui firent pleurer un peu les yeux ; il n'avait jamais compris que Larch pût aimer cette drogue.

« Il ne pouvait pas s'en passer, expliqua Homer à son fils. Mais il avait la main très légère. J'ai vu des patientes continuer de lui parler sous éther, et n'éprouver aucune douleur.

Ils emportèrent l'éther au premier, et Homer demanda à Ange de préparer le lit inutilisé qui se trouvait dans sa chambre — en commençant par l'alaise de caoutchouc qui servait du temps où Ange portait encore des couches ; ensuite, des draps ordinaires (mais propres).

— Pour Bébé Rose ? demanda Ange à son père.

— Non, pas pour Bébé Rose, répondit Homer.

Quand il déballa les instruments, Ange s'assit sur l'autre lit pour le regarder faire.

— L'eau bout ! cria Wally de la cuisine.

— Tu te rappelles ce que je t'ai raconté ? Que j'étais *assistant* du Dr Larch ? demanda Homer à Ange.

— Oui.

— Eh bien, j'étais devenu très bon — pour l'assister, continua Homer. Très bon. Je ne suis pas un amateur, dit-il. Voilà : c'est la petite histoire...

Tout ce dont il avait besoin était arrangé où il pouvait le voir ; tout avait l'air hors du temps, tout avait l'air parfait.

— Continue, dit Ange Wells à son père. Continue l'histoire.

En bas, dans la maison silencieuse, ils entendirent Wally dans son fauteuil, qui roulait d'un mur à l'autre ; il continuait de « voler ».

Au premier, Homer Wells parla à son fils tout en changeant la gaze du masque Yankauer. Il commença par le vieux dilemme de l'œuvre de Dieu et de l'œuvre du Diable — en expliquant que, pour Wilbur Larch, tout était l'œuvre de Dieu.

Cela stupéfia Candy : les phares de sa Jeep projetèrent sur le ciel des silhouettes d'une rigidité absolue ; les hommes étaient perchés en rang, comme d'énormes oiseaux, le long du faîte de la cidrerie. Elle se dit qu'ils devaient être tous là-haut — en fait ce n'était pas vrai : M. Rose et sa fille se trouvaient à l'intérieur, et les hommes attendaient où on leur avait dit d'attendre.

Lorsque Candy descendit de la Jeep, personne ne lui parla. Il n'y avait aucune lumière dans le chai ; si ses phares n'avaient pas révélé les hommes sur le toit, Candy aurait sans doute cru tout le monde au lit.

— Salut ! lança Candy vers le toit. Un de ces jours, la charpente va craquer.

Elle prit peur soudain : ils refusaient de lui parler. Mais les hommes avaient encore plus peur qu'elle. Ils ne savaient que dire — ils ne savaient qu'une chose : ce que M. Rose faisait à sa fille était mal, mais ils avaient trop peur pour intervenir.

« La Vase ? demanda Candy dans le noir.

— Oui, madame Worthington ! lui répondit La Vase.

Elle se dirigea vers le coin du chai où le toit descendait le plus près du sol, l'endroit où tout le monde montait ; une vieille échelle à ramasser les pommes était posée contre le toit, mais personne ne bougea pour la lui tenir.

— Peau-de-pêche ? dit Candy.

— Oui, ma'me, répondit Peau-de-pêche.

— Que quelqu'un me tienne l'échelle, s'il vous plaît.

La Vase et Peau-de-pêche lui tinrent l'échelle, et La Gamelle lui tendit la main quand elle arriva sur le toit. Les hommes lui firent de la place et elle s'assit avec eux.

Elle ne pouvait pas très bien voir, mais si Rose Rose avait été là, elle l'aurait su. Et quant à M. Rose, Candy était sûre qu'il lui aurait parlé.

La première fois qu'elle entendit le bruit qui montait de la cidrerie — juste au-dessous d'elle — Candy crut que c'était le bébé, en train de gazouiller, ou peut-être de commencer à pleurer.

— Quand votre Wally était gosse, c'était différent par ici, lui fit observer La Gamelle. On dirait un autre pays, maintenant — son regard était fixé sur les lumières scintillantes de la côte.

598

Le bruit, sous le toit de la cidrerie, devint plus distinct, et Peau-de-pêche dit :

— N'est-ce pas une belle nuit, ma'me ?

Ce n'était pas une belle nuit, il s'en fallait ! Il faisait plus noir que d'habitude et le bruit d'en bas devint soudain compréhensible pour Candy. Pendant une seconde, elle crut qu'elle allait vomir.

— Méfiez-vous en vous levant, ma'me Worthington, lui dit La Vase.

Mais Candy se mit à taper du pied sur le toit ; puis elle s'agenouilla et frappa les tôles ondulées avec les deux mains.

— Le toit est tellement vieux, madame Worthington, lui dit La Gamelle. Faites très attention de ne pas tomber à travers.

— Aidez-moi à descendre, aidez-moi à partir d'ici, leur lança Candy.

La Vase et Peau-de-pêche la prirent chacun par un bras et La Gamelle les précéda jusqu'à l'échelle. Même en marchant, Candy continuait de taper du pied.

En descendant l'échelle, elle cria :

« Rose !

Elle ne pouvait pas dire le nom ridicule de « Rose Rose », ni se résoudre à appeler M. Rose « Monsieur ».

« Rose ! cria-t-elle, non sans ambiguïté.

Elle ne savait d'ailleurs pas trop elle-même qui elle appelait, mais ce fut M. Rose qui parut devant elle à la porte du chai à cidre. Il était encore en train de se rhabiller — il enfonçait les pans de sa chemise et reboutonnait son pantalon. Il parut à Candy plus maigre et plus vieux qu'auparavant, et, bien qu'il lui sourît, il ne la regarda pas dans les yeux avec sa confiance habituelle — son indifférence polie de toujours.

« Ne me parlez pas ! lui lança Candy — mais qu'aurait-il pu dire ? Votre fille et son bébé viennent avec moi.

Candy le croisa pour entrer dans la cidrerie. En cherchant l'interrupteur, elle posa la main sur le règlement déchiré.

Rose Rose était assise sur le lit. Elle avait enfilé son blue-jean mais ne l'avait pas refermé ; elle avait également mis son tricot, mais le maillot de bain de Candy se trouvait sur ses genoux — n'ayant pas l'habitude de le porter, elle n'avait pas pu l'enfiler à la hâte. Elle n'avait trouvé qu'une de ses chaussures de travail, qu'elle tenait à la main. L'autre était sous le lit. Candy la ramassa et la lui mit au bon pied — Rose Rose ne portait pas de chaussettes. Puis Candy laça les lacets à sa place. Rose Rose resta figée sur le lit pendant que Candy lui mettait et lui laçait l'autre chaussure.

« Vous venez avec moi. Votre bébé aussi, lui dit-elle.

— Oui, ma'me, répondit Rose Rose.

Candy prit le maillot de bain et s'en servit pour essuyer les larmes sur les joues de Rose Rose.

— Tout va bien, tout va bien, dit-elle à la jeune femme. Et vous allez vous sentir mieux. Personne ne vous fera de mal.

Bébé Rose dormait profondément et Candy veilla à ne pas l'éveiller quand elle le souleva pour le donner à sa mère. Rose Rose marchait d'un pas incertain et Candy la prit par la taille sur le seuil du chai.

« Tout ira très bien, lui dit-elle.

Elle l'embrassa dans le cou, et Rose Rose, qui transpirait, s'appuya contre elle.

M. Rose attendait dans le noir, entre la porte du chai et la Jeep, mais le reste des hommes était encore sur le toit.

— J'attends le retour, dit M. Rose — sans que le ton s'élève à la fin de la phrase ; ce n'était pas une question.

— Je vous ai dit de ne pas me parler, lui répliqua Candy.

Elle aida Rose Rose et son bébé à monter dans la Jeep.

— Je parlais à ma fille, dit M. Rose avec dignité.

Mais Rose Rose ne répondit pas à son père. Elle demeura pareille à une statue de madone à l'enfant pendant que Candy faisait sa manœuvre pour repartir. Avant qu'elles entrent ensemble dans la « maison de luxe », Rose Rose s'effondra contre Candy et lui murmura :

— Je n'ai jamais rien pu faire...

— Bien sûr ! lui répondit Candy.

— Il détestait le père de la petite, dit Rose Rose. Il ne m'a pas laissée en paix depuis.

— Vous serez bien traitée, à présent, lui dit Candy avant d'entrer.

Par les fenêtres, elles virent Wally qui « volait » en tous sens dans la maison.

— Je connais mon père, madame Worthington, chuchota Rose. Il voudra que je revienne.

— Il ne pourra rien, la rassura Candy. Il ne peut pas vous forcer à revenir près de lui.

— Il fait ses propres règles, dit Rose Rose.

— Et le père de votre jolie fille ? lui demanda Candy en lui tenant la porte. Où est-il ?

— Mon père l'a piqué au couteau. Il est parti-parti, dit Rose Rose. Il ne veut plus entendre parler de moi.

— Et votre mère ? demanda Candy en entrant.

— Morte, répondit Rose Rose.

Et sur ces mots Wally apprit à Candy que le Dr Larch était mort lui aussi. Elle n'aurait pu le deviner en regardant Homer, entièrement absorbé par son travail : un orphelin apprend à contenir les choses, à les rentrer en lui.

— Tu vas bien ? lui demanda Candy.

Pendant que Wally promenait Bébé Rose sur son fauteuil d'un bout du rez-de-chaussée à l'autre, Ange conduisit Rose Rose dans sa chambre, préparée pour la recevoir.

— Je suis un peu nerveux, avoua Homer à Candy. Sûrement pas pour une question de technique, et j'ai à ma disposition tout ce dont je peux avoir besoin — je sais que je réussirai. Seulement... Pour moi, comprends-tu, c'est un être humain vivant. Je ne peux pas te décrire ce que l'on ressent — ne serait-ce qu'en tenant la curette, par exemple. Quand on touche à un tissu vivant, il répond — pour ainsi dire... expliqua Homer — mais Candy le coupa :

— Si cela peut t'aider, je vais t'apprendre qui est le père, lança-t-elle. M. Rose. C'est son père, le père — si cela peut te rendre la tâche plus facile.

Le lit impeccablement fait dans la chambre de jeune homme d'Ange, et les instruments étincelants étalés dans un ordre précis sur le lit voisin, délièrent la langue de Rose Rose et la firent se raidir.

— Ça n'a pas l'air très marrant, dit-elle en serrant les poings sur ses cuisses. Ils ont cueilli l'autre par en haut — au lieu de par où il était censé sortir, expliqua-t-elle.

Homer Wells put voir qu'elle avait eu une césarienne, peut-être à cause de son âge et de la taille de son bassin à l'époque. Mais il ne parvint pas à la convaincre vraiment que cette fois tout serait beaucoup plus facile. Il n'aurait pas besoin de cueillir quoi que ce soit par en haut.

— Va retrouver Wally, Ange, ordonna Candy au jeune homme. Vous ferez faire un tour à Bébé Rose dans le fauteuil roulant. Bousculez tous les meubles si vous en avez envie, ajouta-t-elle en embrassant son fils.

— Oui, il vaut mieux que tu partes, lança Rose Rose à Ange.

— N'ayez pas peur, dit Candy à la jeune femme. Homer connaît son affaire. Vous êtes en de très bonnes mains.

Elle badigeonna Rose Rose au mercurothiolate pendant qu'Homer lui montrait les instruments.

— Ceci est un spéculum, lui dit-il. Il vous fera peut-être un peu froid, mais pas du tout mal. Vous n'allez rien sentir du tout, lui promit-il. Et ceci est un dilatateur...

Mais Rose Rose ferma les yeux.

— Vous avez déjà fait ça, j'espère ? lui demanda Rose Rose.

Il avait préparé l'éther.

— Respirez normalement, lui ordonna-t-il.

A la première inspiration, elle ouvrit les yeux tout grands et détourna le visage du masque, mais Candy posa les mains sur les tempes de Rose Rose et, très doucement, lui remit la tête dans la bonne direction.

« C'est la première inhalation qui est la plus forte, dit Homer Wells.

— Je vous en supplie, vous avez déjà fait ça ? lui demanda encore Rose Rose.

Sa voix était étouffée par le masque.

— Je suis un bon docteur. Vraiment, lui répondit Homer Wells. Détendez-vous et respirez normalement.

— N'ayez pas peur, murmura Candy — et Rose Rose entendit sa voix juste avant que l'éther ne l'arrache à son corps.

— Je peux y monter, dit-elle. (Elle voulait dire : à bicyclette.)

Homer la regarda remuer les orteils. Rose Rose, pour la première fois, tâta le sable sous ses pas ; la plage était chaude. La marée montait. Elle sentit l'eau autour de ses chevilles.

« C'est pas si terrible ! murmura-t-elle. (Elle voulait dire : l'océan.)

Homer Wells régla le spéculum pour obtenir une vue parfaite du col de l'utérus, puis il introduisit le premier dilatateur jusqu'à ce que l'orifice s'ouvre comme un œil qui le regardait. Le col paraissait arrondi et légèrement élargi, et il baignait dans du mucus clair, tout à fait sain — du rose le plus étonnant qu'Homer eût jamais vu. Il entendit, au rez-de-chaussée, le fauteuil roulant qui fonçait d'un côté à l'autre de la maison — Bébé Rose riait comme un fou sans discontinuer.

— Allez leur dire de ne pas surexciter cet enfant, lança Homer à Candy, comme si elle était son infirmière depuis toujours, habituée à recevoir des ordres et à les exécuter à la lettre.

Mais il ne laissa pas le chambard le distraire (ni d'ailleurs les efforts de Candy pour obtenir le silence). Il regarda le col s'ouvrir jusqu'à la dimension qu'il fallait, et il choisit la curette de la taille correcte. Après le premier, ce sera plus facile, se dit-il. Parce qu'il savait à présent qu'il ne pourrait jamais jouer au bon Dieu dans de pires circonstances ; s'il pouvait opérer Rose Rose, comment pourrait-il refuser d'aider une inconnue ? Comment pourrait-il refuser d'aider

quiconque ? Seul un dieu peut prendre ce genre de décision. Je leu
donnerai ce qu'elles voudront, se dit-il. Un orphelin ou un avortement.

Homer Wells respirait lentement, régulièrement ; la fermeté de sa
main le surprit. Il ne cilla même pas quand il sentit la curette entrer en
contact ; il ne détourna pas les yeux, pour être témoin du miracle.

Cette nuit-là, Candy dormit dans le deuxième lit de la chambre
d'Ange — elle voulait être tout près si Rose Rose avait besoin de quoi
que ce fût, mais Rose Rose dormit comme une souche. L'espace vide,
à la place de sa dent manquante, faisait un petit sifflement quand elle
entrouvrait les lèvres ; ce n'était pas gênant du tout, et Candy dormit
très bien elle aussi.

Ange dormit au rez-de-chaussée, avec Wally, dans le grand lit. Ils
veillèrent très tard, et bavardèrent sans fin. Wally raconta à Ange
l'époque où il était tombé amoureux de Candy ; Ange avait déjà
entendu l'histoire, mais il l'écouta plus attentivement — car il se
croyait amoureux de Rose Rose. Wally recommanda aussi à Ange de
ne jamais sous-estimer les nécessités plus sombres du monde où son
père avait grandi.

— C'est l'éternelle histoire, dit Wally à Ange. On peut sortir
Homer de Saint Cloud's, mais on ne peut pas sortir Saint Cloud's
d'Homer. Et le problème de l'amour, ajouta-t-il, c'est qu'on ne peut
forcer personne. Il est naturel de désirer que ceux qu'on aime fassent
ce que l'on veut, ou ce que l'on croit bon pour eux, mais on est obligé
de laisser les choses leur arriver. On ne peut pas plus intervenir dans la
vie de ceux qu'on aime, que dans la vie des gens qu'on ne connaît pas.
Et c'est dur, dit-il encore, parce qu'on a très souvent envie d'intervenir — on a envie d'être celui qui tire les plans.

— C'est dur d'avoir envie de protéger quelqu'un et d'en être
incapable, fit observer Ange.

— On ne peut pas protéger les gens, petit, répondit Wally. Tout ce
qu'on peut faire, c'est les aimer.

Quand il s'endormit, Wally sentit le mouvement du radeau sur
l'Irawady. Un de ses aimables sauveteurs birmans lui proposait de le
sonder. Il commença par tremper la pousse de bambou dans le fleuve
aux eaux brunes, puis il l'essuya sur un des bouts de soie qui pendaient
de son chapeau en forme de panier ; enfin, il cracha dessus.

— Tu veux *lapis* maintenant ? demanda le Birman à Wally.

— Non merci, répondit Wally dans son sommeil. Pas la pisse maintenant, dit-il à haute voix.

Et Ange sourit avant de s'endormir à son tour.

Au premier, dans la grande chambre, Homer Wells était bien éveillé. Il s'était proposé pour garder Bébé Rose. « De toute façon, je ne fermerai pas l'œil de la nuit », avait-il dit. Il avait oublié à quel point il aimait s'occuper d'un bébé. Les bébés avaient toujours envie de quelque chose au milieu de la nuit. Mais quand il eut donné son biberon à Bébé Rose, l'enfant se rendormit et laissa Homer Wells seul de nouveau ; c'était néanmoins un plaisir d'avoir à veiller sur la fillette. Son visage noir, dans le lit à côté de lui, n'était pas plus gros que sa main ; parfois, les mains du bébé se tendaient, ses doigts s'ouvraient et se refermaient pour saisir quelque objet que l'enfant voyait dans son sommeil. La présence d'une autre respiration dans la pièce rappela à Homer Wells le dortoir de Saint Cloud's. Il eut du mal à prononcer l'annonce nécessaire.

— Réjouissons-nous pour le Dr Larch, dit-il doucement. Le Dr Larch a trouvé une famille. Bonne nuit, docteur Larch.

Il se demanda qui avait pu le dire. Sans doute Nurse Angela, et ce fut donc à elle qu'il envoya la lettre.

La mort du Dr Larch diminua de beaucoup le plaisir qu'éprouvait Mme Goodhall à la pensée de remplacer le vieil homosexuel non pratiquant ; mais l'idée de le remplacer par le jeune missionnaire qui s'était si vivement opposé à lui la stimula cependant. Quant au Dr Gingrich, le fait de remplacer Larch par un homme qui avait manifestement rendu le vieux à moitié fou lui parut un rayon de justice immanente en train de poindre à l'horizon. Mais le psychiatre s'intéressait moins à ce qu'il adviendrait de Saint Cloud's qu'il n'était fasciné par son étude occulte de l'esprit de Mme Goodhall, dans lequel il avait découvert un brouet fort complexe de mensonges vertueux et de haine inspirée.

Bien entendu, le Dr Gingrich et les autres membres du bureau étaient impatients de rencontrer le jeune Dr Stone, mais le Dr Gingrich était encore plus impatient d'observer Mme Goodhall pendant l'entrevue. La bonne dame avait acquis avec l'âge une sorte de tic — chaque fois qu'une personne lui donnait un plaisir ou un déplaisir inhabituels, le côté droit de son visage subissait une contraction musculaire involontaire. Le Dr Gingrich imaginait qu'à la vue du docteur missionnaire Mme Goodhall entrerait dans une phase de spasmes presque continus, et il brûlait d'observer ce grand moment.

« Faites traîner le conseil d'administration, ordonna Homer à Nurse

Angela. Dites-leur que vos efforts pour joindre le Dr Stone ont été pris de court du fait qu'il se trouve en déplacement entre deux hôpitaux de la mission aux Indes. Dites-leur que l'un est en Assam, l'autre à New Delhi. Vous ne pourrez donc pas communiquer avec lui avant au moins une semaine, en précisant que — s'il accepte le poste de Saint Cloud's — il ne sera pas disponible avant novembre. »

Homer Wells espérait gagner ainsi le temps de tout dire à Ange, et de terminer la récolte.

« Il vous faut convaincre le conseil d'administration que vous n'êtes pas seulement de bonnes infirmières mais des sages-femmes compétentes, et que vous serez capables de reconnaître quand une patiente devra recevoir les soins d'un médecin, écrivit Homer à Nurse Angela. Pardonnez-moi d'avoir besoin de tout ce temps, mais peut-être paraîtrai-je plus crédible au conseil d'administration, si tout le monde est obligé de m'attendre. Il faut du temps pour quitter l'Asie. »

Il demanda également qu'on lui envoie le dossier de Fuzzy Stone et qu'on lui dise tout ce que Larch risquait d'avoir oublié — mais Homer ne pouvait pas imaginer que Saint Larch eût rien laissé au hasard. Ce fut avec la phrase la plus courte possible qu'Homer écrivit à Nurse Angela qu'il avait aimé Larch « comme un père » et que personne « n'avait rien à craindre de Melony ».

Le pauvre Bob, qui lui avait cassé le nez et le bras, avait en revanche beaucoup à craindre de Melony, mais il n'était pas assez malin pour avoir peur d'elle. Dès que son bras sortirait du plâtre et que son nez reparaîtrait plus ou moins normal, Melony reprendrait ses vieilles habitudes avec Lorna — et fréquenterait notamment la pizzeria de Bath. Bob suivrait son désagréable penchant à les embêter de nouveau. Melony le désarmerait par son sourire timide — celui qui révélait humblement ses mauvaises dents — et, pendant que Bob consacrerait bêtement ses attentions à Lorna, Melony lui trancherait le bout de l'oreille avec ses pinces coupantes (le classique outil de confiance de l'électricien). Ensuite, Melony casserait à Bob plusieurs côtes et son nez, puis le tabasserait avec une chaise jusqu'à ce qu'il perde connaissance. Melony avait le cœur au bon endroit concernant Saint Cloud's, mais elle restait le genre de fille œil pour œil, dent pour dent.

« Mon héros », l'appellerait Lorna. C'était un mot auquel étaient sensibles les oreilles de Melony, longtemps persuadée qu'Homer en avait l'étoffe.

Aux yeux de Rose Rose, Homer était un héros. Elle passa tout le lundi dans le lit de la chambre d'Ange. Candy lui apportait son bébé de temps en temps, et Ange venait lui rendre visite à la moindre occasion.

— Tu vas aimer cette chambre, lui dit-il.

— Tu es fou, lui répondit Rose Rose. Mais je l'aime déjà.

Ce fut une mauvaise journée pour la récolte. M. Rose refusa de travailler et la moitié des hommes souffraient encore de leurs chutes de vélo. Homer Wells, qui ne maîtriserait jamais cette affreuse machine, avait un genou enflé et, entre les omoplates, un bleu de la taille d'un melon. Peau-de-pêche refusa de monter sur une échelle ; toute la journée, il chargerait les remorques et ramasserait des pommes tombées sous les arbres. La Vase ne cessait de gémir et de se plaindre. C'était le seul de tous qui eût vraiment appris à monter à bicyclette. La Gamelle annonça que ce serait une bonne journée pour jeûner.

M. Rose, semblait-il, jeûnait. Il s'installa devant le chai à cidre, sous un maigre soleil, enveloppé dans une couverture de son lit, assis à l'indienne, sans parler à personne.

— Il dit qu'il fait grève de ramassage, chuchota Peau-de-pêche à La Vase, qui dit à Homer qu'à son avis M. Rose faisait aussi la grève de la faim — « et tout ce qu'il y a d'autre comme grève ».

— Il faudra donc nous passer de lui, déclara Homer aux hommes.

Mais tout le monde défila sur la pointe des pieds devant M. Rose, qui semblait trôner devant la cidrerie.

— A moins qu'il se soit planté comme un arbre, dit Peau-de-pêche.

La Gamelle lui apporta une tasse de café et un bout de pain de maïs chaud, mais M. Rose refusa d'y toucher. Parfois, on aurait dit qu'il rongeait une des sucettes. La journée était fraîche et, quand le soleil pâle disparaissait derrière les nuages, M. Rose tirait la couverture par-dessus sa tête ; enveloppé ainsi, il se fermait complètement à tout le monde.

« Il est comme un Indien, dit Peau-de-pêche. Il ne fait pas de traité.

— Il veut voir sa fille, apprit La Vase à Homer à la fin de la journée. C'est ce qu'il m'a dit, rien d'autre. Juste la voir. Il jure qu'il ne la touchera pas.

— Dites-lui qu'il peut venir la voir à la maison, répondit Homer Wells à La Vase.

Mais à l'heure du dîner, La Vase se présenta seul à la porte de la cuisine. Candy l'invita à entrer et à dîner avec eux — Rose Rose était assise avec eux, à table — mais La Vase était trop nerveux pour rester.

— Il dit qu'il ne viendra pas ici, annonça La Vase à Homer. Il dit

qu'elle vienne au chai. Il vous fait dire qu'ils ont leurs propres règles
Il dit : vous avez rompu les règles, Homer.

Rose Rose avait cessé de mâcher pour ne faire aucun bruit ; elle
voulait être certaine de ne rien perdre des paroles de La Vase. Ange
voulut lui prendre la main (qui était glacée) mais elle la retira et la
cacha avec l'autre dans sa serviette, sur ses genoux.

— La Vase, répondit Wally, vous lui direz que Rose Rose reste
dans ma maison, et que dans ma maison nous suivons *mes* règles.
Vous lui direz qu'il est le bienvenu ici à toute heure.

— Il ne viendra pas, dit La Vase.

— Il faut que j'aille le voir, intervint Rose Rose.

— Non. Sûrement pas, lui répondit Candy. La Vase, dites-lui qu'il
la verra ici ou nulle part, ajouta-t-elle.

— Oui, ma'me. J'ai ramené les vélos, dit-il à Ange. Ils sont un peu
esquintés.

Ange sortit pour voir les bicyclettes et ce fut à ce moment-là que La
Vase lui remit le couteau.

Tu n'en as pas besoin, Ange, murmura-t-il au jeune homme, mais
donne-le à Rose Rose. J'y tiens. Tu le lui diras. Seulement pour
qu'elle en ait un.

Ange regarda le couteau de La Vase : un couteau pliant à manche
d'os, et l'os était ébréché d'un côté. Un de ces couteaux à cran d'arrêt
pour bloquer la lame et l'empêcher de se refermer sur vos doigts. La
lame avait une quinzaine de centimètres de long, ce qui devait faire
une bosse dans n'importe quelle poche et, au cours des années, elle
avait vu beaucoup de pierres à huile ; elle était devenue très mince, et
le tranchant très affilé.

— Tu n'en auras pas besoin, La Vase ? lui demanda Ange.

— Je n'ai jamais bien su m'en servir, avoua le Noir. Il ne m'a valu
que des ennuis.

— Je le lui donnerai.

— Tu lui diras aussi que son père assure qu'il l'aime, et qu'il
veut seulement la voir, chuchota La Vase. Seulement *voir,* répéta-
t-il.

Ange réfléchit à ce message ; puis il dit .

— J'aime Rose Rose moi aussi, tu sais, La Vase.

- Mais oui, je sais. Je l'aime aussi. Nous l'aimons tous. Tout le
monde aime Rose Rose — cela fait partie de son problème.

— Si M. Rose veut seulement la voir, répondit Ange, comment se
fait-il que tu lui donnes ton couteau ?

— Juste pour qu'elle en ait un, répéta La Vase

Ange donna le couteau à Rose Rose lorsqu'il la raccompagna dans sa chambre après le dîner.

— C'est celui de La Vase, lui dit-il.

— Je sais à qui il est, répondit la jeune fille. Je connais les couteaux de tous — je sais de quoi ils ont l'air.

Ce n'était pas une lame à ressort, mais Ange sursauta en voyant à quelle vitesse Rose Rose ouvrit l'arme d'une seule main.

« Regarde ce qu'a fait La Vase, dit-elle en riant. Il l'a aiguisé à mort — il en a usé la moitié.

Elle referma le couteau contre sa hanche ; ses longs doigts déplaçaient l'arme à une telle vitesse qu'Ange ne remarqua pas l'endroit où elle le mit.

— Tu en sais long sur les couteaux ? lui demanda Ange.

— Je le tiens de mon père. Il m'a tout montré.

Ange vint s'asseoir sur le lit à côté d'elle, mais Rose Rose lui lança un regard absent.

« Je te l'ai dit, commença-t-elle patiemment. Ne cherche pas à me tourner autour. Jamais je ne pourrai te parler vraiment de moi. Tu n'as aucun intérêt à me connaître, crois-moi.

— Mais je t'aime, plaida Ange.

Elle l'embrassa — et lui permit de toucher ses seins — puis elle dit :

— Ange, aimer quelqu'un, parfois, ne change rien.

A ces mots, Bébé Rose s'éveilla et Rose Rose dut s'occuper de sa fille.

« Tu sais comment je vais l'appeler ? demanda-t-elle à Ange. Candy. Parce que c'est vraiment un bonbon.

Le matin, en cette fin de récolte, tout le monde se leva tôt, mais personne plus tôt que Rose Rose. Ange, qui se figurait plus ou moins qu'il avait gardé la maison toute la nuit, remarqua le premier le départ de Rose Rose avec sa fille. Il monta dans la Jeep avec Homer et partit pour la cidrerie avant le petit déjeuner, mais Rose Rose y était arrivée avant eux. Les hommes, tous debout, semblaient très agités, et M. Rose avait déjà pris sa position stoïque dans l'herbe, devant le chai — complètement enveloppé dans la couverture, visage excepté.

— Vous arrivez trop tard, leur dit-il. Elle est partie-partie.

Ange courut à l'intérieur, mais il n'y avait aucun signe de Rose Rose ou de sa fille.

« Elle est partie avec son pouce — c'est ce qu'elle a dit, expliqua M. Rose à Homer et à Ange.

Il fit le geste de l'auto-stoppeur — sa main nue ne sortit de la couverture qu'une seconde, puis rentra se cacher.

608

« Je ne lui ai pas fait de mal, reprit M. Rose. Je ne l'ai pas touchée, Homer. Je l'aime, c'est tout. Je voulais seulement la voir — une dernière fois.

— Je suis navré... pour votre chagrin, dit Homer Wells à l'homme.

Mais Ange courut à la recherche de La Vase.

— Elle te fait dire que tu étais le plus gentil, lui confia La Vase. Elle te fait dire que ton papa est un héros et que tu es le plus gentil.

— Elle n'a pas parlé de l'endroit où elle allait?

— Elle ne sait pas où elle va, Ange, répondit La Vase. Elle sait seulement qu'il lui fallait partir.

— Mais elle aurait pu rester avec nous! s'écria Ange. Avec moi.

— Je suis sûr qu'elle y a réfléchi, murmura La Vase. Tu feras bien d'y réfléchir toi aussi.

— Mais j'y ai réfléchi — je ne pense qu'à ça, tout le temps, rétorqua Ange d'un ton rageur.

— Je ne crois pas que tu aies déjà l'âge d'y réfléchir, Ange, lui répondit La Vase gentiment.

— Je l'aimais! dit le jeune homme.

— Elle le sait, lui expliqua La Vase. Elle sait aussi qui elle est, mais elle voit bien que toi, tu ne sais pas encore qui tu es.

Aller à sa recherche et penser à elle aideraient sans doute Ange à le découvrir. Il partit donc en voiture avec Candy, vers le sud le long de la côte. Ils roulèrent pendant une heure puis rebroussèrent chemin vers le nord, pendant deux heures. Ils étaient sûrs que même Rose Rose en savait assez sur le Maine pour ne pas se diriger vers l'intérieur des terres. Et ils estimaient qu'une jeune Noire avec un bébé sur les bras paraîtrait plutôt exotique sur les routes de Nouvelle-Angleterre; elle aurait sûrement moins de mal que Melony à trouver une voiture — or Melony trouvait toujours des voitures.

M. Rose demeura dans sa posture presque bouddhiste; il ne bougea pas à l'heure du déjeuner, mais dans l'après-midi il demanda à La Gamelle de lui apporter de l'eau; et ce jour-là, quand les hommes eurent fini la cueillette, il appela La Vase. La Vase avait très peur, mais il s'avança vers M. Rose et s'arrêta à environ deux pas de lui.

— Où est ton couteau, La Vase? lui demanda M. Rose. Tu l'as perdu?

— Je ne l'ai pas perdu, lui répondit La Vase, mais je ne peux plus le trouver.

— Il est par là, tu veux dire? lui demanda M. Rose. Il est quelque part par là, mais tu ne sais pas où?

— Je ne sais pas où il est, avoua La Vase.

— Il ne t'a jamais rien valu de bon de toute manière, pas vrai ? lui demanda M. Rose.

— Je n'ai jamais su m'en servir, reconnut La Vase.

C'était une fin d'après-midi froide et grise, mais La Vase transpirait ; il tenait ses mains molles le long de son corps, comme des poissons morts.

— D'où lui venait le couteau, La Vase ? demanda M. Rose.

— Quel couteau ? demanda La Vase.

— On aurait dit le tien... Ce que j'en ai vu, précisa M. Rose.

— Je le lui ai donné, avoua La Vase.

— Merci d'avoir fait ça, La Vase, lui répondit M. Rose. Si elle est partie avec son pouce, je suis content qu'elle ait emporté un couteau.

— Peau-de-pêche ! hurla La Vase. Va chercher Homer !

Peau-de-pêche sortit de la cidrerie et regarda fixement M. Rose, qui ne bougea pas d'un muscle ; il ne tourna même pas les yeux vers lui.

« La Gamelle ! cria La Vase, tandis que Peau-de-pêche partait chercher Homer Wells en courant.

La Gamelle sortit du chai et se mit à genoux près de La Vase, pour examiner M. Rose.

— Il est trop tard, leur dit-il. Personne ne peut plus la rattraper, à présent. Elle a eu toute la journée pour s'enfuir, ajouta-t-il avec fierté.

— Où t'a-t-elle piqué ? demanda La Vase à M. Rose.

Mais ni La Gamelle ni lui n'osèrent tâter sous la couverture.

Ils ne regardaient que les yeux de M. Rose, et ses lèvres sèches.

— Elle est bonne avec ce couteau — meilleure que tu ne l'as jamais été, répondit M. Rose à La Vase.

— Je sais qu'elle est bonne, répondit La Vase.

— Presque la meilleure, dit M. Rose. Et qui le lui a appris ? demanda-t-il à tous.

— C'est toi, répondirent-ils.

— Exact, dit M. Rose. C'est pour ça qu'elle est presque aussi bonne que moi.

Très lentement, sans montrer une seule partie de son corps — en restant entièrement sous la couverture, mis à part son visage —, M. Rose roula sur le côté et remonta les genoux contre sa poitrine.

« Je suis vraiment fatigué d'être assis, dit-il à La Vase et à La Gamelle. Je commence à avoir sommeil.

— Où t'a-t-elle piqué ? lui demanda La Vase.

— Je ne croyais pas que ce serait si long, répondit M. Rose. Il a fallu toute la journée, mais je sens que maintenant, ça va aller très vite.

Tous les hommes étaient debout autour de lui quand Homer Wells arriva avec Peau-de-pêche, dans la Jeep. Lorsque Homer se pencha vers lui, il restait à M. Rose très peu de chose à dire.

« Vous avez rompu les règles vous aussi, Homer, lui murmura M. Rose. Dites que vous savez ce que je ressens.

— Je sais ce que vous ressentez, dit Homer Wells.

— D'accord, répondit M. Rose — en souriant.

Le couteau avait pénétré dans le quart supérieur droit, près des dernières côtes. Homer savait qu'un couteau planté ainsi vers le haut occasionnerait une très grave lacération du foie, qui continuerait de saigner — en quantité modérée — pendant des heures et des heures. Peut-être M. Rose avait-il cessé et recommencé de saigner à plusieurs reprises. Dans la plupart des cas, une blessure de couteau au foie provoque une hémorragie très lente.

M. Rose mourut dans les bras d'Homer avant l'arrivée de Candy à la cidrerie avec Ange, mais longtemps après que sa fille eut assuré sa fuite. M. Rose avait réussi à enfoncer la lame de son propre couteau dans sa blessure, et ses dernières paroles à Homer furent que tout devait être clair pour les autorités : il s'était poignardé lui-même. S'il n'avait pas eu l'intention de se tuer, pourquoi aurait-il laissé saigner jusqu'à la mort une blessure qui n'était pas nécessairement mortelle ?

« Ma fille s'est enfuie, dit M. Rose à tous. Et dans mon chagrin je me suis frappé. Allons, dites ce qui s'est passé ! Je veux l'entendre de votre bouche ! lança-t-il en élevant la voix.

— Ce qui s'est passé ? dit La Vase.

— Tu t'es tué, répondit Peau-de-pêche.

— Voilà ce qui s'est passé, renchérit La Gamelle.

— Vous avez bien entendu, Homer ? lui demanda M. Rose.

Ce fut ainsi qu'Homer rendit compte du décès de M. Rose, et ce fut ainsi que tout le monde l'accepta : comme il l'avait voulu, conformément au règlement du chai à cidre. Rose Rose avait rompu les règles, bien entendu, mais tout le monde à Ocean View savait quelles règles M. Rose avait rompues avec elle.

A la fin de la récolte, par une matinée grise où un vent de fureur soufflait de l'océan, l'ampoule qui pendait du plafond de la cuisine, dans la cidrerie, clignota deux fois et grilla ; les éclaboussures de pommes écrasées, sur le mur du fond, à côté du pressoir et du broyeur, étaient plongées dans des ombres si denses que les caillots sombres de marc semblaient des feuilles noires projetées à l'intérieur et collées contre le mur par une tempête.

Les hommes rassemblaient leurs maigres affaires. Homer était là –

avec les chèques des primes — et Ange l'avait accompagné pour faire ses adieux à La Vase, à Peau-de-pêche, à La Gamelle et à tous les autres. Wally avait pris ses dispositions pour que La Gamelle soit le chef d'équipe l'année suivante. Wally avait raison : M. Rose était le seul d'entre eux sachant bien lire et un peu écrire. La Vase avoua à Ange qu'il avait toujours pris le règlement affiché dans la cuisine pour une notice sur l'électricité du chai.

— Parce que c'était toujours à côté de l'interrupteur, expliqua La Vase. Je croyais qu'il s'agissait d'instructions sur la lumière.

Les autres hommes, comme ils ne savaient pas lire du tout, n'avaient même pas remarqué la présence de la liste.

— La Vase, si jamais vous la voyez..., commença Ange en lui disant au revoir.

— Je ne la verrai pas, Ange, répondit La Vase au jeune homme. Elle est partie-partie.

Puis ils furent tous « partis-partis ». Jamais Ange ne reverrait La Vase non plus, ni Peau-de-pêche, ni aucun d'eux excepté La Gamelle. Mais avec La Gamelle pour chef d'équipe, rien ne marcherait, comme Wally allait le découvrir très vite ; il était cuisinier et non ramasseur, or, le patron doit se trouver sur le terrain, avec les hommes. La Gamelle réunirait une équipe de ramassage assez bonne, mais jamais il ne serait vraiment leur maître — dans les années à venir, personne ne serait jamais le maître de l'équipe, à Ocean View, comme M. Rose dans le passé. Pendant quelque temps, Wally essaierait d'engager des Canadiens francophones ; après tout, ils venaient de moins loin que ceux de Caroline. Mais les équipes de Canadiens français avaient souvent mauvais caractère et buvaient ; Wally passait tout son temps à essayer de les faire sortir de prison.

Une année, Wally embaucherait même une communauté, mais cette équipe-là arriva avec trop d'enfants en bas âge. Voir les femmes enceintes sur les échelles rendait tout le monde nerveux. Ils mettaient des plats à mijoter toute la journée et ils provoquèrent un commencement d'incendie dans la cuisine. Et quand les hommes faisaient la pressée, ils laissaient les enfants barboter dans la cuve.

Wally jetterait finalement son dévolu sur des Jamaïcains. Ils étaient gentils, non violents et bons travailleurs. Ils apportèrent une musique intéressante et une passion déclarée mais retenue pour la bière (et un peu de marijuana). Ils savaient manipuler les fruits et ne se faisaient jamais de mal entre eux.

Mais après le dernier été de M. Rose à Ocean View, les ramasseurs — quels qu'ils fussent — ne monteraient jamais s'asseoir sur le toit du chai à cidre : l'idée ne leur en viendrait jamais. Et plus personne n'afficherait une liste de règles au mur de la cuisine.

Dans les années à venir, la seule personne qui s'assit sur le toit de la cidrerie fut Ange Wells : il aimait cette vue-là de l'océan, et il voulait se rappeler ce jour de novembre 195..., où son père, après le départ de La Vase et de tous les autres, s'était tourné vers lui (ils étaient seuls au chai à cidre) et lui avait demandé :

— Ne veux-tu pas monter t'asseoir sur le toit un moment, avec moi ? Il est temps que tu connaisses toute l'histoire.

— Une autre petite histoire ? demanda Ange.

— J'ai dit : toute l'histoire.

Et bien que ce fût une journée fraîche de novembre et que le vent de la mer fût salé et fort vif, le père et le fils restèrent sur ce toit longtemps. Après tout, c'était une longue histoire, et Ange posa nombre de questions.

Candy, qui passa en voiture près de la cidrerie, craignit, en les voyant là-haut, qu'ils finissent par prendre froid. Mais elle se garda de les interrompre ; elle continua son chemin. Elle espéra que la vérité leur tiendrait chaud. Elle se rendit au hangar proche du comptoir de vente et demanda à Everett Taft de l'aider à installer la capote de toile sur la Jeep. Puis elle alla chercher Wally dans le bureau.

— Où allons-nous ? lui demanda-t-il.

Elle l'enveloppa dans une couverture comme si elle l'emmenait sur le cercle arctique.

« Sans doute dans le Nord, ajouta-t-il comme elle ne répondait pas.

— Sur la jetée de mon père, lui dit-elle.

Wally savait que la jetée de Ray Kendall, et d'ailleurs tout ce qui lui appartenait, avait été dispersé d'un coup de torpille sur la terre et l'océan ; il garda le silence. L'affreux petit restaurant pour automobilistes pressés que Bucky Bean avait construit avait fermé pour la saison ; ils étaient seuls. Candy conduisit la Jeep à travers le parking vide, puis sur une digue qui servait de protection contre le ressac, à l'entrée du port d'Heart's Haven. Elle s'arrêta le plus près de l'eau qu'elle osa, à côté des vieux poteaux de ce qui avait été la jetée de son père — et où Wally et elle avaient passé tant de soirées, des années auparavant.

Puis, comme le fauteuil d'infirme n'aurait pas roulé, elle porta Wally une dizaine de mètres, sur les rochers et le sable, avant de l'asseoir sur un endroit relativement lisse et plat dominant la côte découpée. Elle enveloppa les jambes de son mari dans la couverture puis elle s'assit derrière lui, une jambe de chaque côté de son corps —

pour qu'ils se tiennent mutuellement chaud. Dans cette position, ils étaient face à l'Europe, comme assis sur une luge sur le point de dévaler la pente.

— C'est drôle, lui dit Wally.

Elle posa le menton sur l'épaule de son mari ; leurs joues se touchaient. Elle l'étreignit dans ses bras, passés devant sa poitrine, et elle serra entre ses jambes les hanches atrophiées de Wally.

— Je t'aime, Wally, dit-elle, en guise de commencement.

Fin novembre, à la saison de la dératisation, le conseil d'administration de Saint Cloud's approuva la nomination du Dr F. Stone comme obstétricien et directeur de l'orphelinat — après avoir rencontré le zélé missionnaire dans les t ueaux du conseil, à Portland, lieu de naissance de feu Wilbur Larch. Le Dr Stone, qui semblait un peu fatigué — par ses voyages asiatiques et par ce qu'il décrivit comme un « soupçon de dysenterie » —, fit sur le conseil l'impression qu'il fallait. Il avait l'air sombre et les cheveux grisonnants — coiffés dans un style presque militaire (« les coiffeurs hindous », s'excusa-t-il, preuve d'un relatif sens de l'humour ; en réalité, c'était Candy qui les lui avait coupés). Il se présenta mal rasé, propre mais dans un costume fripé — à la fois à l'aise et impatient avec les inconnus, à la manière (pensa le conseil) d'un homme qui a des affaires pressantes et pas la moindre vanité pour son apparence ; il n'en avait pas le temps. Le conseil approuva également les références médicales et religieuses du Dr Stone — ces dernières, de l'avis de la dévote Mme Goodhall, conféreraient à l'autorité du Dr Stone à Saint Cloud's un « équilibre » qui, à l'entendre, avait manqué au Dr Larch.

Le Dr Gingrich nota avec passion les contorsions qui se produisirent sur le visage de Mme Goodhall du début à la fin de l'entretien avec le jeune Dr Stone, qui ne reconnut pas Gingrich et Goodhall, entrevus un instant dans l'hôtel d'Ogunquit, hors saison. Le Dr Gingrich trouva au visage du docteur un air familier qu'il jugea rassurant, mais ne rapprocha jamais le charisme du missionnaire avec le désir nostalgique qu'il avait lu sur le visage de l'amant. Peut-être le tic de Mme Goodhall affectait-il sa vue — elle ne reconnut pas non plus le jeune homme de l'hôtel —, à moins que son esprit ne fût incapable d'imaginer qu'un homme aussi dévoué aux enfants pût également avoir une vie sexuelle « pratiquante ».

Pour Homer Wells, Mme Goodhall et le Dr Gingrich n'étaient pas assez spéciaux pour qu'il se les rappelle ; les souffrances et la tristesse qui s'associaient dans leurs expressions n'avaient rien d'unique. Et quand il était avec Candy, Homer ne regardait pas avec les mêmes yeux que la plupart du temps.

Sur la question des avortements, le Dr Stone surprit le conseil par la conviction intransigeante qu'il soutint : il *fallait* les légaliser, et il entendait plaider dans ce sens par tous les moyens convenables à sa disposition. Toutefois, leur assura le Dr Stone, tant que l'avortement resterait illégal, il observerait rigoureusement la loi. Il croyait aux règles et au respect des règles, dit-il au conseil. Les épreuves et le sacrifice de soi-même qu'ils s'imaginèrent lire dans les rides autour de ses yeux sombres plurent beaucoup aux membres du conseil — et comme le soleil violent de l'Asie avait brûlé son nez et ses joues pendant qu'il se dépensait sans compter pour sauver les enfants diarrhéiques ! (En fait, il était volontairement resté trop longtemps devant la lampe solaire de Candy.) Et — pour des raisons religieuses, plus rassurantes pour le conseil, et pour Mme Goodhall en particulier — le Dr Stone déclara enfin que jamais il ne pratiquerait d'avortements de ses mains, même si l'avortement était légalisé.

— J'en serais incapable, mentit-il de sa voix la plus calme.

Si cela devenait légal un jour, bien entendu, il enverrait la malheureuse femme « à l'un de ces docteurs qui pourraient et voudraient ». De toute évidence, « ces docteurs » n'avaient pas l'heur de plaire au Dr Stone. Malgré sa loyauté à l'égard de Larch, le Dr Stone jugeait cette pratique de son prédécesseur comme un acte incontestablement contre nature.

Le fait que, malgré son désaccord de longue date avec le Dr Larch sur ce sujet délicat, le jeune missionnaire pardonnait à son vieux maître — et se montrait en tout cas infiniment plus indulgent à son égard que le conseil d'administration — donnait bien la mesure de la « tolérance chrétienne » du Dr Stone.

« J'ai toujours prié pour lui, déclara-t-il les yeux brillants, et je prierai encore.

Ce fut un instant émouvant, peut-être influencé par le « soupçon de dysenterie » précédemment cité, et le conseil en fut touché, comme il fallait s'y attendre. Le tic de Mme Goodhall s'affola.

Quant au problème des opinions socialistes de Nurse Caroline, le Dr Stone assura au conseil que la ferveur de la jeune femme à faire le bien avait dû — dans sa jeunesse — être mal orientée. Il lui raconterait sur l'activité des guérilleros communistes en Birmanie deux ou trois choses qui lui dessilleraient les yeux. Et le

Dr Stone convainquit le conseil que les infirmières plus âgées et Mme Grogan avaient encore en elles quelques années de bons et loyaux services.

« Tout n'est qu'affaire d'orientation, dit le Dr Stone au conseil.

Enfin un mot qui plut au Dr Gingrich !

Le Dr Stone ouvrit les mains ; elles étaient plutôt calleuses pour des mains de médecin, remarquerait Mme Goodhall — et elle trouva charmant que ce sauveur d'enfants eût aidé à construire les cases, à planter les jardins et à faire les gros travaux nécessaires là-bas. En prononçant le mot « orientation », Homer Wells avait ouvert les mains comme un ministre de Dieu accueillant sa congrégation, pensa le conseil ; ou comme un bon docteur reçoit la tête précieuse d'un nouveau-né.

Et le plus frappant, à la fin de l'entrevue, ce fut la manière dont il les bénit en partant. Sans parler de son *salaam* !

« *Nga sak kin*, dit le docteur missionnaire.

Oh, qu'avait-il dit ? voulurent-ils savoir tous. Wally, bien entendu, avait enseigné à Homer la prononciation correcte — c'était une des rares choses de Birmanie qu'il eût apprise correctement, bien qu'il n'en eût jamais compris le sens.

Homer Wells leur traduisit la phrase — Wally avait toujours cru qu'il s'agissait d'un nom propre.

« Cela veut dire : Que Dieu veille sur votre âme et que nul homme ne la trompe, déclara Homer au conseil captivé.

Au milieu des murmures approbateurs, Mme Goodhall s'étonna :

— Tant de choses en si peu de mots !

— C'est une langue remarquable, répondit le Dr Stone comme dans un rêve. *Nga sak kin*, lança-t-il.

Et il leur fit répéter la phrase après lui.

Ravi, il les imagina, plus tard, en train d'échanger entre eux cette bénédiction dénuée de sens. Ravi, il l'aurait été davantage, s'il avait connu le vrai sens de la phrase. C'était vraiment, pour les membres d'un conseil d'administration, la salutation idéale à échanger entre eux : « Boulettes de poisson au curry ».

« Je crois que je m'en suis bien tiré, annonça Homer à Wally, à Candy et à Ange pendant le dîner, dans la maison d'Ocean View.

— Ça ne me surprend pas, répondit Wally à son ami. J'ai toute raison de croire que tu peux bien te tirer de tout.

Au premier, après le repas, Ange regarda son père préparer la vieille trousse de médecin — et plusieurs valises.

— Ne t'en fais pas, p'pa, dit Ange à son père. Tu seras parfait.

— Tu seras parfait toi aussi, répondit Homer à son fils. Je ne m'en fais pas pour ça.

Ils entendirent, en bas, Candy qui poussait Wally dans le fauteuil roulant. Ils jouaient au jeu habituel de Wally avec Ange — le jeu que Wally appelait « voler ».

— Allez ! disait Wally. Ange le fait rouler plus vite.

Candy riait.

— Je vais le plus vite que je peux !

— Je t'en prie, cesse un peu de penser aux meubles, lança Wally.

— Veille bien sur Wally, je t'en prie, dit Homer à Ange. Et occupe-toi de ta mère.

— D'accord, répondit Ange Wells.

Avec le temps perpétuellement changeant du Maine, surtout par une journée nuageuse, on pouvait sentir la présence de Saint Cloud's jusqu'à Heart's Rock ; sans contestation possible, on pouvait reconnaître l'air de Saint Cloud's dans le silence immobile, pris au piège, qui planait au-dessus des eaux du Drinkwater Lake (pareil à ces araignées d'eau, ces arpenteurs de marécages, presque en permanence sur le lac). Et même dans le brouillard qui roulait sur les belles pelouses de la côte, chez les familles aisées d'Heart's Haven, il y avait parfois dans l'air chargé d'orage cette impression de plomb, à dessécher le cœur, qui constituait l'essence même de l'air de Saint Cloud's.

Candy, Wally et Ange iraient à Saint Cloud's pour Noël, ainsi que pour les vacances scolaires d'Ange ; et dès qu'Ange aurait obtenu son permis, il serait libre de rendre visite à son père aussi souvent qu'il le désirerait — c'est-à-dire très souvent.

Mais pour son retour à Saint Cloud's — bien que Wally lui eût proposé une voiture — Homer Wells prit le train. Il savait qu'il n'aurait pas besoin de voiture là-bas et il voulait arriver comme la plupart de ses patientes — pour goûter l'atmosphère.

Fin novembre, le train trouva déjà de la neige en remontant vers le nord et l'intérieur des terres et, lorsqu'il parvint à Saint Cloud's, la neige glacée, bleutée, semblait épaisse sur le sol et faisait ployer lourdement les branches des arbres. Le chef de gare, qui détestait détourner les yeux de la télévision, était en train de dégager de la neige à la pelle quand le train s'arrêta. Le chef de gare crut reconnaître Homer Wells, mais la trousse de médecin, noire et sévère, ainsi que la barbe en train de pousser, l'induisirent en erreur. Homer avait opté pour la barbe parce qu'il lui était trop douloureux de se raser (depuis qu'il s'était brûlé les joues avec la lampe solaire) et, quand la barbe eut poussé un certain temps, il jugea le changement avantageux.

— Dr Stone, dit Homer au chef de gare, en guise de présentation. Fuzzy Stone. J'étais orphelin ici. Maintenant, je suis le docteur.

— Oh, je me disais bien que je vous connaissais ! répondit le chef de gare — et il s'inclina en serrant la main d'Homer.

Un seul autre voyageur était descendu du train à Saint Cloud's, et Homer Wells n'eut aucun mal à imaginer ce que la jeune femme désirait. Elle semblait très mince dans son long manteau de rat musqué, emmitouflée dans son écharpe et avec un bonnet de ski tiré presque sur les yeux. Elle traînait sur le quai, à l'écart, attendant sans doute qu'Homer prenne congé du chef de gare. C'était la trousse de médecin qui avait attiré son attention, et quand Homer eut organisé, avec les traîne-savates habituels, le transport de ses gros bagages, au moment où il prit le chemin de l'orphelinat avec simplement sa trousse de médecin à la main, la jeune femme le suivit.

Ils montèrent la colline ainsi, la femme volontairement en retrait presque jusqu'à la hauteur de la section Filles. Homer s'arrêta alors pour l'attendre.

— Est-ce le chemin de l'orphelinat ? lui demanda la jeune femme

— D'accord, dit Homer Wells.

Depuis qu'il se faisait pousser la barbe, il avait tendance à exagérer son sourire pour les gens ; il se figurait que la barbe leur cachait son sourire.

— Vous êtes le médecin ? lui demanda la femme en regardant fixement la neige sur leurs deux paires de bottes, puis, non sans inquiétude, la trousse noire.

— Oui, je suis le Dr Stone, répondit-il en prenant le bras de la femme pour l'entraîner vers l'entrée de l'infirmerie, à la section Garçons. Que puis-je pour vous aider ?

Et il arriva donc, comme le ferait observer Nurse Edna, accompagné par l'œuvre de Dieu. Nurse Angela se jeta à son cou et lui murmura à l'oreille :

— Oh, Homer ! Je savais bien que tu reviendrais !

— Appelez-moi Fuzzy, lui chuchota-t-il, parce qu'il savait qu'Homer Wells (comme Rose Rose) était parti-parti.

Pendant plusieurs jours, Nurse Caroline se montra réservée à son égard, mais il suffirait de quelques opérations et accouchements pour

618

la convaincre qu'il serait parfaitement à sa place. Même par son nom le Dr Stone (pierre) serait un digne successeur du Dr Larch (mélèze). Stone n'était-il pas un nom de bon aloi pour un médecin ? Un nom dur, les deux pieds sur terre, et inspirant confiance.

Quant à Mme Grogan, elle déclarerait que jamais elle n'avait pris autant de plaisir à la lecture à haute voix depuis l'époque — si pénible à se rappeler — d'Homer Wells. Et tout le monde fut soulagé que Fuzzy Stone montre aussi peu de symptômes de ses anciennes difficultés respiratoires qu'Homer Wells n'avait montré de signes de faiblesse cardiaque.

Candy et Wally Worthington se lanceraient à fond dans la culture des pommes. Wally serait élu deux fois de suite président de la Société d'horticulture du Maine ; Candy dirigerait pendant un an l'Institut de la Pomme de New York-Nouvelle-Angleterre. Et Ange Wells, que Rose Rose avait initié à l'amour et à l'imagination, deviendrait un jour romancier.

— Ce gosse a l'imagination dans le sang, dirait Wally à Homer Wells.

Pour Candy, Homer Wells était également devenu romancier — car un romancier, de l'avis de Candy, était une sorte de médecin imposteur, mais un bon médecin tout de même.

Jamais Homer ne regretta d'avoir abandonné son nom — il ne s'agissait pas de son vrai nom au départ —, et il était aussi facile d'être un Fuzzy qu'un Homer — aussi facile (ou difficile) d'être un Stone que quoi que ce soit d'autre.

Quand il était fatigué, ou accablé d'insomnie (ou les deux), Ange lui manquait, ou bien il pensait à Candy. Parfois, il avait une envie folle de porter Wally dans les vagues ou de « voler » avec lui. Certaines nuits, il imaginait qu'on le prenait sur le fait, ou bien il s'inquiétait de ce qu'il ferait quand Nurse Angela et Nurse Edna seraient trop âgées pour l'œuvre de Dieu, et pour tout le reste du travail à Saint Cloud's. Et comment remplacerait-il jamais Mme Grogan ? Parfois, quand il se sentait particulièrement fatigué, il rêvait que les avortements étaient légaux — sans danger et accessibles à toutes les femmes —, et qu'il pouvait donc cesser d'en pratiquer (puisque d'autres médecins s'en chargeraient) — mais il était rarement fatigué à ce point.

Au bout de quelque temps, il écrirait à Candy qu'il était devenu socialiste ; ou en tout cas qu'il sympathisait avec les convictions socialistes. Candy comprit par cet aveu qu'Homer couchait avec Nurse Caroline, et elle comprit aussi que ce serait bon pour eux — pour Homer et Nurse Caroline, mais également pour Candy

Homer Wells trouvait inépuisables les richesses qu'il découvrait chaque soir, à la lecture continue de *Jane Eyre,* et de *David Copperfield* et des *Grandes Espérances.* Il souriait en se rappelant qu'il jugeait autrefois Dickens « meilleur » que Brontë. Du moment qu'ils offraient tous les deux tant de distraction et d'enseignement, quelle importance ? se disait-il — et d'où tenait-il cette notion enfantine de « meilleur » ? De l'*Anatomie de Gray,* il continuait de recevoir des enseignements, sinon des distractions.

Pendant quelque temps, une chose lui manqua — et il était sur le point de la commander quand la chose arriva sans qu'il la commande. « Comme envoyée par Dieu », dirait Mme Grogan.

Le chef de gare lui fit monter le message : il y avait un cadavre à la gare, adressé au Dr Stone. Il venait de l'hôpital de Bath — origine des cadavres du Dr Larch à l'époque où il les commandait. C'était sans doute une erreur, se dit Homer Wells, mais il descendit tout de même à la gare voir le corps — et épargner au chef de gare d'inutiles sueurs froides.

Homer regarda fixement le cadavre (préparé dans les règles) pendant un temps si long que le chef de gare n'en transpira que davantage.

— Ou bien vous le montez là-haut, ou bien vous le renvoyez tout de suite, commença le chef de gare.

Mais Homer Wells l'écarta d'un geste ; il voulait la paix pour regarder Melony.

Elle avait demandé que son corps soit réservé à cet usage, avait dit Lorna au pathologiste de l'hôpital de Bath. Melony avait vu dans le journal local une photo et un article sur la nomination du Dr Stone à Saint Cloud's. En cas de décès (il fut causé par un accident électrique), Lorna devait envoyer son cadavre au Dr Stone, à Saint Cloud's. « Je pourrai enfin lui être utile à quelque chose », avait-elle dit à son amie. Bien entendu, Homer n'avait pas oublié à quel point Melony avait été jalouse de Clara.

Il écrirait à Lorna ; ils échangeraient quelques lettres. Lorna lui apprendrait que Melony était « une femme relativement heureuse au moment de son accident » ; de l'avis de Lorna, Melony était devenue vraiment « décontractée » et ce devait être en partie la cause de son électrocution. « C'était une rêveuse », écrirait Lorna à Homer — qui savait que tous les orphelins sont des rêveurs. « En fin de compte, vous avez été son héros », lui dirait Lorna.

Mais ce jour-là, en regardant son cadavre, il comprit que jamais il ne pourrait l'utiliser pour une révision générale d'anatomie ; il commanderait à Bath un autre corps. Melony avait été suffisamment utilisée comme ça.

« Dois-je le renvoyer, docteur ? balbutia le chef de gare.

— Non, elle est ici chez elle, lui répondit Homer Wells.

Et il fit monter Melony à l'orphelinat.

Il fallait absolument que Mme Grogan ne pose pas les yeux sur Melony dans son état actuel. Homer annonça à tout le monde que Melony avait émis le vœu d'être enterrée à Saint Cloud's, et elle le fut — sur la colline, sous les pommiers, où creuser un trou correct fut un véritable supplice. (Les racines des arbres se croisaient partout.) On parvint cependant à lui offrir une fosse vaste et profonde mais au prix d'un labeur épuisant, et Nurse Caroline fit observer :

— Je ne la connais pas, mais je suis sûre d'une chose : *elle est difficile.*

— Elle l'a toujours été, répondit Homer Wells.

« Ici à Saint Cloud's, avait écrit Wilbur Larch, nous apprenons à aimer la difficulté. »

Mme Grogan prononça sa prière du cardinal Newman sur la tombe de Melony et Homer dit sa propre prière (en lui-même) à son sujet. Il avait toujours espéré beaucoup de Melony, mais elle lui avait donné plus qu'il n'avait jamais espéré — elle l'avait véritablement éduqué, elle lui avait montré la lumière. Elle était davantage Rayon-de-Soleil qu'il ne l'avait jamais été, pensa-t-il. (« Réjouissons-nous pour Melony, dit-il en lui-même. Melony a trouvé une famille. »)

Mais pour son éducation, il s'attacherait surtout à la lecture d'*Une brève histoire de Saint Cloud's.* (Il en méditerait chaque mot.) Dans cette entreprise, il aimait la compagnie inlassable de Nurse Angela, de Nurse Edna, de Mme Grogan et de Nurse Caroline, car c'était pour tout Saint Cloud's une façon de maintenir Wilbur Larch en vie.

Non que tout parût très clair pour Homer : les derniers textes d'*Une brève histoire de Saint Cloud's* étaient entachés d'improvisations en style télégraphique et de fantasmes liés à l'éther. Par exemple que voulait dire Larch par « Rime avec crème ! » ? Et ne semblait-il pas anormalement dur que Larch eût écrit : « C'est moi qui lui ai mis le pénis de poney dans la bouche ! J'y ai contribué ! » Comment avait-il pu penser une chose pareille ? se demandait Homer, ignorant que le Dr Larch avait bien connu la fille de Mme Eames.

En vieillissant, Homer Wells (alias Fuzzy Stone) puisa un réconfort particulier dans une révélation inexpliquée qu'il trouva dans les écrits du bon docteur.

« Dites au Dr Stone », avait écrit Larch — et c'était sa toute

621

dernière note, les dernières paroles de Wilbur Larch — « Dites au Dr Stone qu'il n'y a absolument aucun défaut dans le cœur d'Homer Wells. » Et Homer Wells savait qu'hormis l'éther il y avait eu très peu de défauts dans le cœur de Wilbur Larch.

Pour Nurse Edna, qui était amoureuse, et pour Nurse Angela, qui ne l'était pas (mais qui, dans sa sagesse, avait donné leur nom aussi bien à Homer Wells qu'à Fuzzy Stone), il n'existait aucun défaut dans le cœur du Dr Stone ni du Dr Larch : ils étaient — s'il en fut jamais — princes du Maine, rois de Nouvelle-Angleterre.

Notes

1. Anthony Trollope, qui a visité Portland (Maine) en 1861 et évoqué ce séjour dans son ouvrage *North America,* s'est fourvoyé — de la même façon que le père de Wilbur Larch — sur l'avenir prévu pour le *Great Eastern.*

2. Je dois à mon grand-père, le Dr Frederick C. Irving, ce renseignement concernant le Dr Ernst, lanceur de balles à effet — et le langage particulièrement médical de ce chapitre. Mon grand-père a écrit notamment *The Expectant Mother Handbook* (Manuel de la future maman), *A Textbook of Obstetrics* (Leçons d'obstétrique) et *Safe Deliverance* (Accouchement sans danger). Les études du Dr Ernst sur les infections bactériennes attirèrent l'attention d'un certain Dr Richardson de la Maternité de Boston (où Wilbur Larch fit son internat puis pratiqua sa spécialité). L'article du Dr Richardson, « The Use of Antiseptics in Obstetric Practice » (L'utilisation des antiseptiques en obstétrique), aurait certainement retenu l'attention d'un étudiant en bactériologie aussi zélé que le blennorragique Wilbur Larch.

Les gynécologues se sont intéressés aux antiseptiques parce qu'ils prévenaient l'infection la plus redoutable de l'époque pour les accouchées — la fièvre puerpérale. En 189..., quand Wilbur Larch se trouvait encore à la Maternité de 'Boston, les chances de la mère étaient déjà meilleures ; les docteurs et leurs patientes étaient lavés avec une solution de bichlorure de mercure. Avant son départ de la Maternité de Boston, Larch verrait la technique antiseptique évoluer en technique aseptique — ce qui signifie « libre de bactérie » : en d'autres termes, tout est stérilisé (les draps, les serviettes, les tampons de gaze) ; on faisait bouillir les instruments.

3. Sur l'utilisation de l'éther : la plupart des historiens de l'anesthésie admettent avec le Dr Sherwin B. Nuland que l'anesthésie chirurgicale a fait ses débuts à l'Hôpital général du Massachusetts le 16 octobre 1846, lorsque William Morton démontra l'efficacité de l'éther. Le Dr Nuland écrit : « Tout ce qui précéda fut un prologue, les tentatives parallèles demeurent accessoires, et tout ce qui suivit ne constitue qu'un développement. »

Selon le Dr Nuland, l'éther, en de bonnes mains, demeure l'un des agents d'inhalation les plus sûrs que l'on connaisse. A la concentration de seulement un à deux pour cent, c'est une vapeur légère, parfumée ; en concentration légère, même il y a trente ans, des centaines de cas de chirurgie cardiaque ont été traités à l'éther, le patient demeurant partiellement éveillé (et même capable de parler).

Certains collègues du Dr Larch, à l'époque, auraient préféré le protoxyde d'azote ou le chloroforme, mais Larch acquit sa préférence pour l'éther en l'utilisant sur sa personne. Il faudrait être fou pour s'administrer personnellement du chloroforme, qui est vingt-cinq fois plus toxique pour le muscle cardiaque que l'éther, et possède une marge de sécurité extrêmement réduite ; une surdose minime peut provoquer l'irrégularité cardiaque et la mort.

L'oxyde nitreux (protoxyde d'azote) exige pour les mêmes résultats une concentration très élevée (au moins 80 %) et s'accompagne toujours d'une certaine hypoxie — insuffisance d'oxygène. Il exige un contrôle minutieux et un appareillage encombrant. De plus, le patient risque d'éprouver des fantasmes et des crises de fou rire. L'induction de l'anesthésie est très rapide.

L'éther est une drogue parfaite pour une personne aux goûts nostalgiques.

4. Je dois également ce récit à mon grand-père, diplômé de l'école de médecine de Harvard en 1910. Il devint médecin-chef de la Maternité de Boston et enseigna l'obstétrique à Harvard pendant de nombreuses années. Je me souviens de lui comme d'un excellent conteur d'histoires, toujours prêt à « embellir » un peu, dans les limites de la vraisemblance. Jeune médecin, il avait accouché de nombreux bébés dans les familles d'immigrants pauvres de Boston, et à lire ses écrits on comprend vite qu'il avait autant d'opinions et de préjugés que d'expériences et de talents.

5. La première synthèse de l'éther, attribuée à un botaniste prussien de vingt-cinq ans, date de 1540. Depuis cette époque des hommes et des femmes ont pris leurs ébats à l'éther — et organisé plus tard des soirées au gaz hilarant. John Dalton a publié son étude sur les propriétés physiques et chimiques de l'éther en 1819. Coleridge fut un adepte du gaz hilarant — un renifleur de partouze, qui fréquenta les expériences au protoxyde d'azote dirigées par Humphrey Davis. Le poète connaissait bien l'éther ; dommage — pour lui — qu'il lui ait apparemment préféré l'opium.

6. La césarienne est de nos jours une opération relativement calme : l'incision abdominale demeure de petite taille parce que l'on ouvre l'utérus à l'intérieur de la cavité abdominale. Mais à la Maternité de Boston du temps du Dr Larch, en 188... et 189..., l'incision dans la paroi abdominale avait presque trentre centimètres de long ; on soulevait l'utérus à travers l'incision pour le poser sur l'abdomen de la patiente. « Ouvrir ce gros organe couleur prune produisait un jaillissement spectaculaire de liquide et de sang », a écrit mon grand-père. La cavité abdominale ; on refermait l'abdomen de la même manière. L'opération impliquait infiniment plus d'inconvénients qu'une césarienne actuelle. A l'époque de Larch — s'il ne se produisait aucune complication — elle exigeait presque une heure.

7. Ce décès dû au scorbut s'inspire d'un cas réel : « L'étrange cas d'Ellen Bean », tel que l'a raconté mon grand-père. « Célibataire de trente-cinq ans et de Nouvelle-Angleterre », écrivit grand-père de Mlle Bean, qui connut un destin (et une mort) semblable à celui que j'ai attribué à l'infortunée Mme Eames. Selon les termes de mon grand-père : « L'état de grossesse n'engendre pas chez toutes les femmes la joie extatique que la tradition associe à cette condition ; à vrai dire, certaines envisagent leur avenir d'un air sombre et d'un œil bilieux. Le cas d'Ellen Bean en fournit un exemple évident. »

8. Dans le propre État de Wilbur Larch, ce cher vieux Maine, pratiquer un avortement était passible d'un an de prison ou de mille dollars d'amende, ou des deux — et si vous étiez médecin vous risquiez de perdre la licence qui vous autorisait à pratiquer. La loi Eastman Everett de 1840 a établi que toute

tentative d'avortement sur une femme portant un enfant constituait un délit, « que cet enfant soit éveillé ou non » — et quelle que soit la méthode employée.

9. A la place du mercurothiolate rouge, le Dr Larch aurait pu utiliser de la liqueur de Dakin ; mais selon toute probabilité il n'aurait pas appris les avantages de cette solution avant son bref séjour en France au cours de la Première Guerre mondiale. C'est au front que mon grand-père put étudier les nombreuses utilisations de la liqueur de Dakin, et qu'il apprit à « débrider » — c'est-à-dire à couper tous les tissus dévitalisés entourant une blessure ; les Français étaient sur ce point de bons maîtres, disait-il.

10. C'est en ces termes que mon grand-père a décrit la condition d'une patiente réelle, une femme extrêmement petite qui portait le nom d'Édith Fletcher, sur laquelle une césarienne fut pratiquée (Maternité de Boston, 13 juillet 1894). Un pubis de si petite taille est rare.

11. L'ouvrage de Mme W. H. Maxwell, dont le titre complet est *A Female Physician to the Ladies of The United States : Being a Familiar and Practical Treatise of Matters of Utmost Importance Peculiar to Women (Adapted to Every Woman's Own Private Use)* — *Une femme médecin aux femmes des États-Unis : traité simple et pratique de questions d'une extrême importance pour les femmes (adapté à l'utilisation personnelle et privée de chaque femme)* —, a été publié à New York en 1860. Mme Maxwell traitait de « toutes les maladies particulières aux femmes, ou qu'elles risquent d'avoir malencontreusement contractées à cause des dissipations ou de l'infidélité licencieuse de leurs maris ou autrement ». (En un mot, elle traitait des maladies vénériennes.) Mme Maxwell prétendait également accorder son attention « aux femmes... contraintes par le mauvais fonctionnement de leurs organes génitaux, ou pour une autre raison, à recourir à une délivrance prématurée ». (En un mot, à pratiquer un avortement.)

12. *The New England Home for Little Wanderers* était à l'origine *The Baldwin Place Home for Little Wanderers ;* le Commonwealth du Massachusetts lui avait accordé sa charte en 1865. L'établissement a pris son nom actuel en 1889 — plus d'une décennie avant que Wilbur Larch ne fonde l'orphelinat de Saint Cloud's.

13. L'expression *D and C* (dilatation et curetage) est apparue dans un manuel de gynécologie (l'Howard Kelly, classique à l'époque) en 1928. Je me permets de supposer qu'elle était déjà courante en 192...

14. Mon grand-père disait qu'il consultait son *Anatomie de Gray,* en France pendant la Première Guerre mondiale, « comme une carte marine ».

15. Ce texte est la description exacte d'un avortement (*D and C*) selon les termes du Dr Richard Selzer (de l'école de médecine de Yale), généraliste et écrivain (auteur notamment de *Mortal Lessons : Notes on The Art of Surgery* et de *Rituals of Surgery*) : Je lui suis infiniment reconnaissant d'avoir relu le manuscrit de ce roman, de m'avoir dispensé ses conseils et surtout de m'avoir présenté au Dr Nuland, qui a contrôlé tous les aspects médicaux de ce livre.

16. La source de mes connaissances sur les manifestations physiques et mentales de la maladie d'Alzheimer est *The Journal of the History of Medicine and Allied Sciences,* volume XXXIV, n° 3, juillet 1978 : l'article du Dr Sherwin B. Nuland, « The Enigma of Semmelweis - an Interpretation ». Le Dr Nuland a présenté son analyse pour la première fois dans une conférence de l'école de médecine de Yale (dans la série annuelle Histoire de

la pratique médicale). Il soutient qu'Ignac Semmelweis, l'homme torturé qui a découvert les causes de la fièvre puerpérale, était atteint de la maladie d'Alzheimer et non de neurosyphilis ; en outre, le Dr Nuland croit que Semmelweis est mort de blessures reçues dans un établissement psychiatrique — en d'autres termes, qu'il a été battu à mort par ses surveillants. Les dossiers existant sur Bedlam et autres « maisons de fous » montrent que ces pratiques étaient fréquentes encore au début de notre siècle. La chose se produit même parfois de nos jours.

17. J'ai tiré la description de la première malade éclamptique d'Homer Wells de l'ouvrage de mon grand-père *Accouchement sans danger*, au chapitre sur les convulsions puerpérales. Grand-père étudie le cas d'une certaine Lucy Nickerson, décédée en 1880 d'une attaque éclamptique aggravée par un accouchement provoqué — l'unique méthode connue des médecins à l'époque de la malheureuse Mme Nickerson.

18. Je tiens également ce traitement de mon grand-père, le Dr Frederick C. Irving (on l'appelait Fritz). Grand-père le décrit comme le traitement correct qui a sauvé la vie d'une certaine Mme Mary O'Toole en 1937.

19. Pour l'année 1942, voici les chiffres relevés par mon grand-père. La syphilis — objet de vive agitation parmi les responsables officiels de la Santé publique à l'époque — n'affectait que 2 % des femmes enceintes de Boston. L'incidence des convulsions éclamptiques était beaucoup plus élevée. La maladie touchait 8 % des femmes grosses du pays.

20. Au printemps, il est beaucoup trop tôt pour songer à cirer les planches du pressoir ; la première pressée n'a lieu qu'en septembre, avec les McIntosh précoces et les Gravenstein. Les planches du pressoir, ou douves, sont d'épaisses plaques de bois sur lesquelles on plie les toiles à cidre (ou toiles à pressoir). Ces planches — on en empile sept l'une sur l'autre — subissent de fortes pressions et la cire les protège. La bouillie, que l'on appelle également « marc », glisse entre ces planches sous une pression d'une tonne. Il faut huit heures pour presser quarante hectolitres de cidre — douze litres de cidre par boisseau de pommes (le boisseau est une mesure d'environ trente-six litres).

Si l'on cire les planches du pressoir avant la première pressée, c'est pour ne pas perdre de temps une fois la récolte commencée. Pendant la récolte, la presse fonctionne une nuit sur deux et tous les jours de pluie — puisqu'on ne peut pas ramasser de pommes. Au cours des années quarante et cinquante, les dernières bonnes pressées avaient lieu en janvier.

Je dois ces renseignements et tout ce qui concerne la culture des pommiers à mes vieux amis Ben et Peter Wagner, ainsi qu'à leur mère Jean. Les Wagner dirigent les vergers d'Applecrest Farm, à Hampton Falls (New Hampshire), où j'ai travaillé dans mon enfance ; Jean et son mari, aujourd'hui décédé, m'ont donné mon premier emploi.

21. Tous les vergers portent des noms, et les cultivateurs donnent en général des noms aux bâtiments de leur exploitation. C'est nécessaire pour lancer des ordres simples en langage clair, par exemple : « Le Deere est à plat dans la Poêle-à-frire » ; ou : « J'ai laissé la Dodge au Numéro Deux parce que Wally est en train de traiter le Merlot et aura besoin d'une voiture pour rentrer. » Dans le verger où j'ai travaillé, il y avait un bâtiment appelé Numéro Deux — bien qu'il n'y eût pas de Numéro Trois et que je ne me souvienne pas d'un Numéro Un. La plupart des vergers portaient les noms des familles qui s'étaient installées au départ sur ce coin de terre. (Je me rappelle

notamment Brown, Eaton, Coburn et Curtis.) Il y avait un verger appelé Vingt Arpents, et un autre appelé Dix-neuf. Certains noms étaient plus simples — un verger s'appelait le Champ, un autre la Fontaine, un autre la Source, et un dernier Vieux-neuf (parce qu'il était planté pour moitié de vieux arbres et pour moitié de jeunes).

22. Toute personne qui a grandi près de l'océan, comme moi, serait capable de déceler une brise de mer en Iowa (s'il en soufflait).

23. La prière que récite Mme Grogan est attribuée au cardinal John Henry Newman, théologien et écrivain anglais (1801-1890) ; on m'a précisé qu'à l'origine la prière faisait partie d'un des sermons du cardinal Newman. Ma famille l'utilisa régulièrement et elle fut prononcée sur la tombe de ma grand-mère maternelle — c'était sa préférée. Ma grand-mère s'appelait Helen Bates Winslow, et elle mourut juste un mois avant son centième anniversaire ; de toute manière, les festivités prévues pour l'événement l'auraient sans doute achevée si elle avait atteint cette échéance. La prière du cardinal Newman devait être très bonne ; en tout cas elle fit très bien — et très longtemps — l'affaire de ma grand-mère, qui l'adorait. Et j'adorais ma grand-mère.

24. Alzheimer a décrit en 1907 cette maladie, qu'il a appelée démence présénile, ou démence précoce. La « dégradation intellectuelle », détérioration des facultés cognitives, se produit tôt dans l'évolution de la maladie et se caractérise par des troubles de la mémoire récente et l'inaptitude à apprendre des choses nouvelles. Le Dr Nuland, de Yale, précise aussi que certains patients ont tendance à commencer plutôt par des changements de la personnalité, et d'autres plutôt par des changements intellectuels. Dans les deux cas l'évolution de la maladie se caractérise par une diminution du seuil de frustration. Le Dr Nuland observe notamment : difficulté d'aller jusqu'au bout de petits travaux nécessaires, difficulté de comprendre des idées complexes, impossibilité de les expliquer à d'autres. La dégradation qui se produit chez les victimes de la maladie d'Alzheimer est rapide : la durée moyenne de vie, à partir du diagnostic, est d'environ sept ans ; certains patients vivent beaucoup plus longtemps, et beaucoup meurent en quelques mois. Au cours des années récentes, il a été reconnu que le syndrome d'Alzheimer n'est pas seulement une maladie rare dont sont atteints les gens au milieu de la vie, mais la cause fréquente de dégénérescence mentale et physique chez les personnes âgées — jusqu'ici, on en attribuait les symptômes à un simple durcissement des artères (artériosclérose).

25. La célèbre édition de Paris, 1957 (édition privée), a réuni mille sept cents exemples de limericks. Celui-ci entre dans la catégorie des « limericks d'organes » et a été publié pour la première fois (dans son texte anglais original) en 1939 ; il devait circuler oralement avant sa publication. En 194..., quand Senior et Wally se le récitaient mutuellement, il ne devait dater que de quelques années. *(Note de l'auteur.)*

Le limerick est un poème en cinq vers, toujours comique et absurde, aux rimes aabba, dont l'origine se rattache vaguement à la ville de Limerick en Irlande.

Voici le texte anglais du limerick cité ici :

> *Oh, pity the Duchess of Kent !*
> *Her cunt is so dreadfully ben.*
> *The poor wench doth stamme.*

« *I need a sledgehammer*
To pound a man into my vent ».
(N.d.T.)

26. *Practical Anatomy of the Rabbit*, par Benjamin Arthur Bensley, n'est pas un livre imaginaire ; il a été publié par les Presses de l'Université de Toronto en 1912. Bensley est un auteur clair et sérieux ; son livre, qu'il appelle « manuel élémentaire d'anatomie des mammifères », utilise l'anatomie du lapin comme introduction à la compréhension de l'anatomie humaine. Le *Bensley* n'est pas le *Gray*, mais l'*Anatomie pratique du lapin* demeure un bon livre dans son genre. Quand j'étais étudiant (très « élémentaire ») en anatomie, *Bensley* m'a appris bien des choses — son livre m'a rendu la lecture du *Gray* beaucoup plus facile.

27. L'espèce McIntosh a été sélectionnée en Ontario, dont le climat est semblable à celui de la Nouvelle-Angleterre et des vallées de l'Hudson et de la Champlain, dans l'État de New York (où cette pomme a connu un grand succès).

28. Dans l'*Anatomie pratique du lapin*, Bensley décrit l'ovaire et les oviductes de la lapine et les compare au système correspondant chez d'autres animaux.

29. Voici le texte anglais des trois limericks :

> *There was a young lady of Exeter,*
> *So pretty that men craned their necks at her*
> *One was even so brave*
> *As to take out and wave*
> *The distinguishing mark of his sex at her.*

> *There was a young lady named Brent*
> *With a cunt of enormous extent*
> *And so deep and so wide,*
> *The acoustics inside*
> *Were so good you could hear when you spent.*

> *There's an unbroken babe from Toronto*
> *Exceedingly hard to get onto*
> *But when you get there*
> *And have parted the hair,*
> *You can fuck her as much as you want to.*

(N.d.T.)

Le limerick d'Exeter est daté 1927-1941 ; la ville d'Exeter figure dans de nombreux limericks parce qu'elle rime avec *sex at her* — comme dans *It was then that Jones pointed his sex at her !* (chute d'un limerick célèbre). J'ai toujours entendu beaucoup de limericks Exeter, parce que je suis né à Exeter (new Hampshire), où j'ai passé mon enfance.

Le Limerick Brent date de 1941. C'est un « limerick d'organe » classique. L'expression vient du fait qu'une catégorie spéciale de limericks exprime des particularités des organes sexuels de l'homme et de la femme. Comme celui-ci :

> *There was a young fellow named Cribbs*
> *Whose cock was so big it had ribs*
> (1944-1951).

(Que l'on peut traduire ainsi :

> Il était un jeune astronaute
> Au membre si gros qu'il avait des côtes.)

Et comme le célèbre limerick de 1938, élu « Meilleur limerick » par l'une des classes supérieures de Princeton :

> *There once was a Queen of Bulgaria*
> *Whose bush had grown hairier and hairier,*
> *Till a Prince from Peru*
> *Who came up for a screw*
> *Had to hunt for her cunt with a terrier.*

(Que l'on peut traduire ainsi :

> Il était une reine de Thulé
> Aux poils touffus si emmêlés
> Qu'un prince charmant du Pérou,
> Venu là pour tirer un coup,
> Dut chasser son con avec un collet.)

Le limerick « Toronto » date d'environ 1941. (Note de l'auteur.)

30. Le limerick de Bombay date de 1879 — c'est un vénérable. (Note de l'auteur.)

En voici le texte original :

> *There was a young man of Bombay*
> *Who fashioned a cunt out of clay*
> *But the heat of his prick*
> *Turned it into a brick*
> *And chaled all his foreskin away.*
> *(N.d.T.)*

31. Le Dr Larch aurait été surpris d'apprendre que ses statistiques accusatrices sur les enfants non désirés seraient encore exactes en 1965. Le Dr Charles F. Westoff, du Centre de recherches démographiques de Princeton, codirecteur de l'enquête nationale sur la fertilité de 1965, conclut que de 750 000 à 1 million d'enfants nés de couples mariés entre 1960 et 1965 n'étaient pas désirés. C'est une évaluation modeste. Même dans un sondage, de nombreux parents se refusent à avouer qu'un de leurs enfants n'était pas désiré à sa naissance. Surtout, les mères célibataires ou abandonnées n'entraient pas dans le cadre de l'enquête ; leur opinion concernant le nombre de leurs enfants non désirés n'a jamais été considérée. Pour davantage de

629

renseignements sur ce sujet, voir *The Belly Book* (1972) de James Trager.

Benjamin Franklin était le quinzième d'une famille de dix-sept enfants ; sa foi en la croissance rapide de la population s'est exprimée dans ses *Observations Concerning the Increase of Mankind* (1755).

32. Ma source pour cet accouchement est le chapitre xv, « Le travail normal », de *William's Obstetrics*, par Henricus J. Stander (*circa* 1936). Je me suis fondé sur une source déjà ancienne — dans mon récit, l'accouchement se produit en 1943 — pour souligner que les méthodes d'Homer, apprises auprès du Dr Larch, étaient relativement désuètes quoique correctes.

33. *Je suis né avec une coiffe, que l'on proposa à la vente dans les journaux, au bas prix de quinze guinées* (*David Copperfield*, chapitre I, « Ma naissance »). La coiffe est la membrane, en général déchirée et expulsée au début des douleurs de l'accouchement, mais qui peut parfois demeurer intacte — l'enfant venant alors au monde enveloppé dans la membrane. A l'époque de Dickens on considérait cette membrane protectrice comme un heureux présage pour l'enfant — plus précisément, l'enfant né coiffé ne se noie jamais. Dans le cas de *David Copperfield*, ce détail indique dès le début que le héros trouvera sa voie et ne subira pas le destin du pauvre Steerforth (celui-ci se noie).

Homer Wells, qui connaît *David Copperfield* sur le bout du doigt, interprète la goutte de sueur qui baptise prématurément son enfant en train de naître comme un présage protecteur du même ordre. L'enfant d'Homer aura de la chance dans la vie : Ange ne se noiera pas.

34. La première édition d'*Office Gynecology*, par Greenhill, a été publiée en 1939 ; la huitième édition de *Diseases of Women* (Roquist, Clayton and Lewis) a vu le jour en 1949.

Les revues médicales que Larch devait toujours avoir sous la main — outre *The New England Journal of Medicine* — étaient *The Journal of the American Medical Association* (le *JAMA*, dans le jargon des médecins), *The American Journal of Obstetric and Gynecology* (qui s'ornait d'illustrations suggestives), *The Lancet* (revue britannique), *Surgery, Gynecology and Obstetrics* (toujours abrégée en *S, G and O* dans le jargon des médecins ; en 194..., beaucoup de chirurgiens pratiquaient aussi la gynécologie.

Table

IMP. SEPC À SAINT-AMAND (6-86)
D.L. MAI 1986. N° 9224-3 (1076)